dtv

»Friedells ›Kulturgeschichte‹ nimmt in der Historienschreibung eine besondere Rolle ein – als einer der eigenwilligsten und faszinierendsten jener Exkurse in die Vergangenheit, die es vermögen, uns frühere Zeiten und Erscheinungen nahezubringen. Durch seine Gabe einer ebenso klugen und klaren wie leuchtenden Sprache verstand er ein Gedankengebäude wie die Kantsche Philosophie nicht minder genial zu umreißen als dem Zeitgeist des Rokoko oder des zweiten Kaiserreichs lebendige Existenz einzuhauchen. Mit einer unglaublichen Belesenheit, einem bestrickenden Witz, einem exakt wissenschaftlichen Verstand und wahrhaft subtilen Kunstgeschmack gibt er unzählige Aspekte der kulturellen Entwicklung des europäischen – und amerikanischen – Menschen von der Renaissance bis zum Ersten Weltkrieg. Er stellt ihn in seine äußere und geistige Umwelt, schildert seinen Alltag, seine Tracht und Sitte mit derselben evokativen Frische wie die großen ideologischen Strömungen der Zeit. In Friedell stand noch einmal die berauschende Fiktion vom universalen Menschen vor uns auf.« (Hilde Spiel)

Egon Friedell (bis 1916 Friedmann) wurde am 21. Januar 1878 in Wien geboren. Er studierte Philosophie und Germanistik; 1904 Promotion mit einer Arbeit über ›Novalis als Philosoph‹. Kabarettist, Schauspieler, Theaterkritiker, Feuilletonist, Schriftsteller. 1908 erschien seine erste literarische Arbeit, ›Der Petroleumkönig‹. Seit 1913 Schauspieler bei Max Reinhardt. 1923 Uraufführung seiner ›Judastragödie‹ am Burgtheater. Berühmt machte ihn die hier vorgelegte ›Kulturgeschichte der Neuzeit‹, die von 1927–1931 erschien. Von einer geplanten ›Kulturgeschichte des Altertums‹ wurde 1937 die ›Kulturgeschichte Ägypents und des Alten Orients‹ veröffentlicht und 1940 die ›Kulturgeschichte Griechenlands‹. Sie blieb unvollendet, da sich Friedell am 16. März 1938, kurz nach dem Einmarsch Hitlers in Wien, das Leben genommen hatte.

Egon Friedell

Kulturgeschichte der Neuzeit

Die Krisis der europäischen Seele
von der schwarzen Pest bis zum Ersten Weltkrieg

Band 1

Deutscher Taschenbuch Verlag

Von Egon Friedell
sind im Deutschen Taschenbuch Verlag erschienen:

Kulturgeschichte der Neuzeit (30061/30062)
Kulturgeschichte Griechenlands (30084)

Ungekürzte Ausgabe in zwei Bänden
1. Auflage Mai 1976 (dtv 1168)
14. Auflage April 2001
Deutscher Taschenbuch Verlag GmbH & Co. KG,
München
www.dtv.de
Das Werk ist urheberrechtlich geschützt.
Sämtliche, auch auszugsweise Verwertungen bleiben vorbehalten.
© C. H. Beck'sche Verlagsbuchhandlung (Oscar Beck), München,
1927 (Einleitung, Erstes Buch); 1928 (Zweites und Drittes Buch);
1931 (Viertes und Fünftes Buch, Epilog)
ISBN 3-406-02510-2
Umschlagkonzept: Balk & Brumshagen
Umschlagbild: ›Die Freiheit führt das Volk an‹ (1830)
von Eugène Delacroix
Gesamtherstellung: C. H. Beck'sche Buchdruckerei,
Nördlingen
Gedruckt auf säurefreiem, chlorfrei gebleichtem Papier
Printed in Germany · ISBN 3-423-30061-2

MAX REINHARDT

GEWIDMET

. . . daß dies alles eben darum in einer Art wahr ist, weil es in einer Art falsch ist.

Augustinus

Wer sich aber wundern sollte, daß nach so vielen Geschichts-schreibern auch mir die Abfassung einer solchen Schrift in den Sinn kommen konnte, der lese zuvor alle Schriften jener anderen durch, mache sich darauf an die meinige, und dann erst wundere er sich.

Flavius Arrianos (95–180 n. Chr.)

INHALTSVERZEICHNIS

EINLEITUNG

Was heißt und zu welchem Ende studiert man Kulturgeschichte?

*

ERSTES BUCH
RENAISSANCE UND REFORMATION

Von der schwarzen Pest bis zum Dreißigjährigen Krieg

ERSTES KAPITEL
DER BEGINN

ZWEITES KAPITEL

DIE SEELE DES MITTELALTERS

DRITTES KAPITEL

DIE INKUBATIONSZEIT

VIERTES KAPITEL

LA RINASCITA

FÜNFTES KAPITEL

DAS HEREINBRECHEN DER VERNUNFT

SECHSTES KAPITEL

DIE DEUTSCHE RELIGION

SIEBENTES KAPITEL

DIE BARTHOLOMÄUSNACHT

*

ZWEITES BUCH

BAROCK UND ROKOKO

Vom Dreißigjährigen Krieg bis zum Siebenjährigen Krieg

ERSTES KAPITEL

DIE OUVERTÜRE DER BAROCKE

ZWEITES KAPITEL

LE GRAND SIÈCLE

DRITTES KAPITEL

DIE AGONIE DER BAROCKE

★

DRITTES BUCH

AUFKLÄRUNG UND REVOLUTION

Vom Siebenjährigen Krieg bis zum Wiener Kongreß

ERSTES KAPITEL

GESUNDER MENSCHENVERSTAND
UND RÜCKKEHR ZUR NATUR

ZWEITES KAPITEL

DIE ERFINDUNG DER ANTIKE

DRITTES KAPITEL

EMPIRE

*

VIERTES BUCH

ROMANTIK UND LIBERALISMUS:

Vom Wiener Kongreß bis zum deutsch-französischen Krieg

ERSTES KAPITEL

DIE TIEFE DER LEERE

XVI

★

EPILOG

STURZ DER WIRKLICHKEIT

★

WAS HEISST UND ZU WELCHEM ENDE STUDIERT MAN KULTURGESCHICHTE?

Ausführlich zu schildern, was sich niemals ereignet hat, ist nicht nur die Aufgabe des Geschichtsschreibers, sondern auch das unveräußerliche Recht jedes wirklichen Kulturmenschen.   *Oscar Wilde*

Durch die unendliche Tiefe des Weltraums wandern zahllose Sterne, leuchtende Gedanken Gottes, selige Instrumente, auf denen der Schöpfer spielt. Sie alle sind glücklich, denn Gott will die Welt glücklich. Ein einziger ist unter ihnen, der dieses Los nicht teilt: auf ihm entstanden nur Menschen. Der
vergessene
Stern

Wie kam das? Hat Gott diesen Stern vergessen? Oder hat er ihm die höchste Glorie verliehen, indem er ihm freistellte, sich aus eigener Kraft zur Seligkeit emporzuringen? Wir wissen es nicht.

Einen winzigen Bruchteil der Geschichte dieses winzigen Sterns wollen wir zu erzählen versuchen.

Für diesen Zweck wird es nützlich sein, wenn wir vorher in Kürze die Grundprinzipien unserer Darstellung erörtern. Es sind Grundgedanken im eigentlichsten Sinn des Wortes: sie liegen dem Gesamtbau des Werkes zugrunde und sind daher, obschon sie ihn tragen, unterirdisch und nicht ohne weiteres sichtbar.

Der erste dieser Grundpfeiler besteht in unserer Auffassung vom Wesen der Geschichtschreibung. Wir gehen von der Überzeugung aus, daß sie sowohl einen künstlerischen wie einen moralischen Charakter hat; und daraus folgt, daß sie keinen wissenschaftlichen Charakter hat. Alle Dinge
haben ihre
Philosophie

Geschichtschreibung ist Philosophie des Geschehenen. Alle Dinge haben ihre Philosophie, ja noch mehr: alle Dinge sind Philosophie. Alle Menschen, Gegenstände und Ereignisse sind Ver-

3

körperungen eines bestimmten Naturgedankens, einer eigentümlichen Weltabsicht. Der menschliche Geist hat nach der Idee zu forschen, die in jedem Faktum verborgen liegt, nach dem Gedanken, dessen bloße Form es ist. Die Dinge pflegen oft erst spät ihren wahren Sinn zu offenbaren. Wie lange hat es gedauert, bis uns der Heiland die einfache und elementare Tatsache der menschlichen Seele enthüllte! Wie lange hat es gedauert, bis der magnetische Stahl dem sehenden Auge Gilberts seine wunderbar wirksamen Kräfte preisgab! Und wie viele geheime Naturkräfte warten noch immer geduldig, bis einer kommt und den Gedanken in ihnen erlöst! Daß die Dinge geschehen, ist nichts: daß sie gewußt werden, ist alles. Der Mensch hatte seinen schlanken ebenmäßigen Körperbau, seinen aufrechten edeln Gang, sein weltumspannendes Auge seit Jahrtausenden und Jahrtausenden: in Indien und Peru, in Memphis und Persepolis; aber schön wurde er erst in dem Augenblick, wo die griechische Kunst seine Schönheit erkannte und abbildete. Darum scheint es uns auch immer, als ob über Pflanzen und Tiere eine eigentümliche Melancholie gebreitet sei: sie alle sind schön, sie alle sind Sinnbilder irgendeines tiefen Schöpfungsgedankens; aber sie wissen es nicht, und darum sind sie traurig.

Die ganze Welt ist für den Dichter geschaffen, um ihn zu befruchten, und auch die ganze Weltgeschichte hat keinen anderen Inhalt. Sie enthält Materialien für Dichter: Dichter des Werks oder Dichter des Worts: das ist ihr Sinn. Wer aber ist der Dichter, den sie zu neuen Taten und Träumen beflügelt? Dieser Dichter ist niemand anders als die gesamte Nachwelt.

Ästhetische, ethische, logische Geschichtschreibung Man hat sich seit einiger Zeit daran gewöhnt, drei verschiedene Arten der Geschichtschreibung zu unterscheiden: eine referierende oder erzählende, die einfach die Begebenheiten berichtet, eine pragmatische oder lehrhafte, die die Ereignisse durch Motivierungen verknüpft und zugleich Nutzanwendungen aus ihnen zu ziehen sucht, und eine genetische oder entwickelnde, die darauf abzielt, die Geschehnisse als einen organischen Zusammenhang und Verlauf darzustellen. Diese Einteilung ist nichts weniger als scharf, weil, wie man auf den ersten Blick sieht, diese Betrachtungsarten ineinander übergehen: die referierende in die verknüpfende, die verknüpfende in die entwickelnde, und überhaupt keine von ihnen völlig ohne die beiden anderen zu denken ist. Wir können uns daher dieser Klassifikation nur in dem vagen und einschränkenden Sinne bedienen, daß bei jeder dieser Darstellungsweisen einer der drei Gesichtspunkte im Vordergrund steht, und in diesem Falle gelangen wir zu folgenden Ergebnissen: bei der erzählenden Geschichtschreibung, der es in erster Linie um den anschaulichen Bericht zu tun ist, überwiegt das ästhetische Moment; bei der pragmatischen Darstellung, die es vor allem auf die lehrhafte Nutzanwendung, die „Moral" der Sache abgesehen hat, spielt das ethische Moment die Hauptrolle; bei der genetischen Methode, die eine geordnete und dem Verstand unmittelbar einleuchtende Abfolge aufzuzeigen sucht, dominiert das logische Moment. Dementsprechend haben auch die verschiedenen Zeitalter je nach ihrer seelischen Grundstruktur immer eine dieser drei Formen bevorzugt: die Antike, in der die reine Anschauung am stärksten entwickelt war, hat die Klassiker der referierenden Geschichtschreibung hervorgebracht; das achtzehnte Jahrhundert mit seiner Neigung, alle Probleme einer moralisierenden Betrachtungsweise zu unterwerfen, hat die glänzendsten Exemplare der pragmatischen Richtung aufzuweisen; und im neunzehnten Jahrhundert, wo die Tendenz vorherrschte, alles zu logisieren, in reine Begriffe und Rationalitäten aufzulösen, hat die genetische Methode die schönsten Früchte gezeitigt. Jede dieser drei Behandlungsarten hat ihre besonderen Vorzüge und Schwächen; aber so viel ist klar, daß bei jeder von ihnen ein bestimmtes Interesse das treibende und gestaltende Motiv bildet, sei es nun ästhetischer, ethischer oder logischer Natur: den entscheidenden, obschon stets wechselnden Maßstab des Historikers bildet allemal das „Interessante". Dieser Gesichtspunkt ist nicht ganz so subjektiv, wie er aussieht: es herrschen über ihn, zumindest in demselben Zeitalter, große Übereinstimmungen; aber er ist natürlich auch keineswegs objektiv zu nennen.

Man könnte nun meinen, daß bei der erzählenden Geschichtschreibung, wenn sie sich auf eine trockene sachliche Wiedergabe der Tatsachen beschränkt, das Ideal einer objektiven Darstellung

Landkarte und Porträt

5

noch am ehesten zu erreichen wäre. Aber schon die reine Referierung (die übrigens unerträglich wäre und, außer auf ganz primitiven Stufen, nie versucht worden ist) erhält durch die unvermeidliche Auswahl und Gruppierung der Fakten einen subjektiven Charakter. Hierin besteht eigentlich die Funktion alles Denkens, ja sogar unseres ganzen Vorstellungslebens, das ausnahmslos elektiv, selektiv verfährt und zugleich die der Wirklichkeit entnommenen Ausschnitte in eine bestimmte Anordnung bringt. Und diesen Prozeß, den unsere Sinnesorgane unbewußt vollziehen, wiederholen die Naturwissenschaften mit vollem Bewußtsein. Aber es besteht hier doch ein kardinaler Unterschied. Die Selektion, die unsere Sinnesorgane und die auf ihren Meldungen aufgebauten Naturwissenschaften treffen, wird von der menschlichen Gattung nach strengen und eindeutigen Gesetzen entschieden, denen das Denken und Vorstellen jedes normalen Menschen unterworfen ist; die Auswahl des historischen Materials wird aber nach freiem Ermessen von einzelnen Individuen oder von gewissen Gruppen von Individuen, im günstigsten Fall von der öffentlichen Meinung eines ganzen Zeitalters bestimmt. Vor einigen Jahren hat der Münchener Philosoph Professor Erich Becher in seinem Werk „Geisteswissenschaften und Naturwissenschaften" den Versuch gemacht, eine Art vergleichende Anatomie der Wissenschaften zu liefern, eine Art Technologie der einzelnen Disziplinen, die sich zu diesen etwa verhält wie eine Dramaturgie zur Kunst des Theaters. Dort findet sich der Satz: „Die Wissenschaft vereinfacht die unübersehbar komplexe Wirklichkeit durch Abstraktion ... Der Historiker, der ein Lebensbild des Freiherrn vom Stein entwirft, abstrahiert von unzähligen Einzelheiten aus dessen Leben und Wirken, und der Geograph, der eine Gebirgslandschaft bearbeitet, abstrahiert von Maulwurfshügeln und Ackerfurchen." Aber gerade aus dieser Gegenüberstellung sehen wir, daß Geographie und Geschichte sich eben nicht als gleichberechtigte Wissenschaften koordinieren lassen. Denn während es für Maulwurfshügel und Ackerfurchen ein ganz untrügliches Merkmal gibt, nämlich das einfache optische der Größe und Ausdehnung, läßt sich durch keine ebenso allgemeingültige Formel feststellen, was in der Biographie des Freiherrn vom Stein diesen quantités négligeables entspricht. Es ist ganz dem dichterischen Einfühlungsvermögen, dem historischen Takt, dem psychologischen Spürsinn des Biographen überlassen, welche Details er auslassen, welche er nur andeuten, welche er breit ausmalen soll. Geograph und Biograph verhalten sich zueinander wie Landkarte und Porträt. Welche Erdfurchen in eine geographische Karte aufzunehmen sind, sagt uns ganz unzweideutig unser geometrisches Augenmaß, das bei allen Menschen gleich und außerdem mechanisch kontrollierbar ist; welche Gesichtsfurchen in ein biographisches Porträt aufzunehmen sind, sagt uns nur unser künstlerisches Augenmaß, das bei jedem Menschen einen anderen Grad der Feinheit und Schärfe besitzt und jeder exakten Revision entbehrt.

Der geographischen Karte würde nicht einmal die historische Tabelle entsprechen, die die Fakten einfach chronologisch aneinanderreiht. Denn erstens ist es evident, daß eine solche Tabelle nicht mit derselben Berechtigung eine Wiederholung des Originals in verjüngtem Maßstabe genannt werden kann wie eine Landkarte. Und zweitens hätte eine solche amorphe Anhäufung von Daten nicht den Charakter einer Wissenschaft. Nach der doch wohl ziemlich unanfechtbaren Definition Bechers ist eine Wissenschaft „ein gegenständlich geordneter Zusammenhang von Fragen, wahrscheinlichen und wahren Urteilen nebst zugehörigen und verbindenden Untersuchungen und Begründungen". Keine dieser Forderungen wird von einer solchen nackten Tabelle erfüllt: sie enthält weder Fragen noch Urteile noch Untersuchungen noch Begründungen. Mit demselben Recht könnte man einen Adreßkalender, ein Klassenbuch oder einen Rennbericht ein wissenschaftliches Produkt nennen.

Wir gelangen demnach zu dem Resultat: sobald die referierende Geschichtschreibung versucht, eine Wissenschaft zu sein, hört sie auf, objektiv zu sein, und sobald sie versucht, objektiv zu sein, hört sie auf, eine Wissenschaft zu sein.

Was die pragmatische Geschichtschreibung anlangt, so bedarf es wohl kaum eines Beweises, daß sie das vollkommene Gegenteil wissenschaftlicher Objektivität darstellt. Sie ist ihrer innersten Na-

Fibel-
geschichte

7

tur nach tendenziös, und zwar gewollt und bewußt tendenziös. Sie entfernt sich daher von der reinen Wissenschaft, die bloß feststellen will, ungefähr ebenso weit wie die didaktische Poesie von der reinen Kunst, die bloß darstellen will. Sie erblickt im gesamten Weltgeschehen eine Sammlung von Belegen und Beispielen für gewisse Lehren, die sie zu erhärten und zu verbreiten wünscht, sie hat einen ausgesprochenen und betonten Lesebuchcharakter, sie will allemal etwas zeigen. Damit ist sie jedoch bloß als Wissenschaft verurteilt, wie ja auch die Lehrdichtung dadurch, daß sie keine reine Kunst ist, noch nicht jede Existenzberechtigung verliert. Das höchste Literaturprodukt, das wir kennen, die Bibel, gehört ins Gebiet der didaktischen Poesie, und einige der gewaltigsten Geschichtschreiber: Tacitus, Machiavell, Bossuet, Schiller, Carlyle, haben der pragmatischen Richtung angehört.

Unwissen-
schaftlich-
keit der
historischen
Grund-
begriffe

Als Reaktion gegen den Pragmatismus trat in der neuesten Zeit die genetische Richtung hervor, die sich zum Ziel setzt, die Ereignisse ohne jede Parteinahme lediglich an der Hand der historischen Kausalität in ihrer organischen Entwicklung zu verfolgen, also etwa in der Art, wie der Geologe die Geschichte der Erdrinde oder der Botaniker die Geschichte der Pflanzen studiert. Aber sie befand sich in einem großen Irrtum, wenn sie glaubte, daß sie dazu imstande sei. Erstens nämlich: indem sie den Begriff der Entwicklung einführt, begibt sie sich auf das Gebiet der Reflexion und wird im ungünstigen Fall zu einer leeren und willkürlichen Geschichtskonstruktion, im günstigen Fall zu einer tiefen und gedankenreichen Geschichtsphilosophie, in keinem Fall aber zu einer Wissenschaft. Die Vergleichung mit den Naturwissenschaften ist nämlich vollkommen irreführend. Die Geschichte der Erde liegt uns in unzweideutigen Dokumenten vor: wer diese Dokumente zu lesen versteht, ist imstande, diese Geschichte zu schreiben. Solche einfache, deutliche und zuverlässige Dokumente stehen aber dem Historiker nicht zu Gebote. Der Mensch ist zu allen Zeiten ein höchst komplexes, polychromes und widerspruchsvolles Geschöpf gewesen, das sein letztes Geheimnis nicht preisgibt. Die gesamte untermenschliche Natur trägt einen sehr uniformen Charakter; die Menschheit besteht aber aus lauter einmaligen Individuen. Aus einem Lilienkeim wird immer wieder eine Lilie, und wir können die Geschichte dieses Keims mit nahezu mathematischer Sicherheit vorausbestimmen; aus einem Menschenkeim wird aber immer etwas noch nie Dagewesenes, nie Wiederkehrendes. Die Geschichte der Natur wiederholt sich immer: sie arbeitet mit ein paar Refrains, die sie nicht müde wird zu repetieren; die Geschichte der Menschheit wiederholt sich nie: sie verfügt über einen unerschöpflichen Reichtum von Einfällen, der stets neue Melodien zum Vorschein bringt.

Zweitens: wenn die genetische Geschichtschreibung annimmt, ebenso streng wissenschaftlich Ursache und Wirkung ergründen zu können wie die Naturforschung, so befindet sie sich ebenfalls in einer Täuschung. Die historische Kausalität ist schlechterdings unentwirrbar, sie besteht aus so vielen Gliedern, daß sie dadurch für uns den Charakter der Kausalität verliert. Zudem lassen sich die physikalischen Bewegungen und ihre Gesetze durch direkte Beobachtung feststellen, während die historischen Bewegungen und ihre Gesetze sich nur in der Phantasie wiederholen lassen; jene kann man jederzeit nachprüfen, diese nur nachschaffen. Kurz: der einzige Weg, in die historische Kausalität einzudringen, ist der Weg des Künstlers, ist das schöpferische Erlebnis.

Und schließlich drittens erweist sich auch die Forderung der Unparteilichkeit als völlig unerfüllbar. Daß die Geschichtsforschung im Gegensatz zur Naturforschung ihre Gegenstände wertet, wäre noch kein Einwand gegen ihren wissenschaftlichen Charakter. Denn ihre Wertskala könnte ja objektiver Natur sein, indem sie, wie in der Mathematik, eine Größenlehre oder, wie in der Physik, eine Kräftelehre wäre. Aber hier zeigt sich der einschneidende Unterschied, daß es einen absolut gültigen Maßstab für Größe und Kraft in der Geschichte nicht gibt. Ich weiß zum Beispiel, daß die Zahl 17 größer ist als die Zahl 3, daß ein Kreis größer ist als ein Kreissegment von demselben Radius; aber über historische Personen und Ereignisse vermag ich nicht Urteile von ähnlicher Sicherheit und Evidenz abzugeben. Wenn ich zum Beispiel sage, Cäsar sei größer als Brutus oder Pompejus, so ist das nicht beweisbarer als das Gegenteil, und in der Tat hat man jahrhundertelang diese für uns so absurde Ansicht vertreten. Daß Shakespeare der größte Dramatiker sei, der je gelebt hat, kommt uns ganz selbstverständlich vor, aber diese Meinung ist erst um die Wende des achtzehnten Jahrhunderts allgemein durchgedrungen; es war dieselbe Zeit, wo die meisten Menschen Vulpius, den Verfasser des „Rinaldo Rinaldini", für einen größeren Dichter hielten als seinen Schwager Goethe. Raphael Mengs, in dem die Nachwelt nur noch einen faden und gedankenlosen Eklektiker erblickt, galt zu seinen Lebzeiten als einer der größten Maler der Erde; el Greco, in dem wir heute den grandiosesten Genius der Barocke anstaunen, war noch vor einem halben Menschenalter so wenig geschätzt, daß in der letzten Auflage von Meyers Konversationslexikon nicht einmal sein Name genannt wird. Karl der Kühne erschien seinem Jahrhundert als der glänzendste Held und Herrscher, während wir in ihm nur noch eine ritterliche Kuriosität zu sehen vermögen. In demselben Jahrhundert lebte Jeanne d'Arc; aber Chastellain, der gewissenhafteste und geistreichste Chroniqueur des Zeitalters, läßt in dem „Mystère", das er auf den Tod Karls des Siebenten dichtete, alle Heerführer auftreten, die für den König gegen die Engländer kämpften, die Jungfrau erwähnt er aber überhaupt nicht: wir hingegen haben von jener Zeit kaum etwas anderes in der Erinnerung als das Mädchen von Orléans. Die Größe ist eben, wie Jakob Burckhardt sagt, ein Mysterium: „Das Prädikat wird weit mehr nach einem dunkeln Gefühle als nach eigentlichen Urteilen aus Akten erteilt oder versagt."

Unterirdischer Verlauf der historischen Wirkungen In der Erkenntnis dieser Schwierigkeit hat man nach einem anderen Wertmesser gesucht und gesagt: historisch ist, was wirksam ist; ein Mensch oder ein Ereignis ist um so höher zu veranschlagen, je größer der Umfang und die Dauer seines Einflusses ist. Aber hiermit verhält es sich ganz ähnlich wie mit dem Begriff der historischen Größe. Von der Schwerkraft oder der Elektrizität können wir in jedem einzelnen Falle genau sagen, ob, wo und in welchem Ausmaß sie wirkt, von den Kräften und Erscheinungen der Geschichte nicht. Zunächst, weil hier der Gesichtswinkel, von dem aus wir messen sollen, nicht eindeutig bestimmt ist. Für den Nationalökonomen wird die Einführung des Alexandriners eine sehr untergeordnete Rolle spielen, für den Theologen die Erfindung des Augenspiegels eine ziemlich geringe Bedeutung besitzen. Indes: hier ließe sich noch denken, daß ein wirklich universeller Forscher und Beobachter allen in der Geschichte wirksam gewordenen Kräften gleichmäßig gerecht wird, obschon sich einem solchen Unternehmen fast unüberwindliche Hindernisse entgegenstellen. Viel schwerer aber wiegt der Einwand, daß ein großer Teil der historischen Wirkungen unterirdisch verläuft und oft erst sehr spät, bisweilen gar nicht ans Tageslicht tritt. Wir kennen die wahren Kräfte nicht, die unsere Entwicklung geheimnisvoll vorwärtstreiben; wir können einen tiefen Zusammenhang nur ahnen, niemals lückenlos beschreiben. Sueton schreibt in seiner Biographie des Kaisers Claudius: „Zu jener Zeit erregten die Juden auf Anstiften eines gewissen Chrestus in Rom Streitereien und Verdruß und mußten deshalb ausgewiesen werden." Sueton war allerdings kein genialer Durchleuchter der Historie wie etwa Thukydides, sondern bloß ein ausgezeichneter Sammler und Erzähler von welthistorischem Tratsch, eine geschmackvolle und fleißige Mediokrität, aber gerade darum erfahren wir aus seiner Bemerkung ziemlich genau die offizielle Meinung des damaligen gebildeten Durchschnittspublikums über das Christentum: man hielt es für einen obskuren jüdischen Skandal. Und doch war das Christentum damals schon eine Weltmacht. Seine „Wirkungen" waren längst da und verstärkten sich mit jedem Tag; aber sie waren nicht greifbar und sichtbar.

Viele Geschichtsforscher haben daher ihre Ansprüche noch mehr herabgesetzt und vom Historiker bloß verlangt, daß er den jeweiligen Stand unserer Geschichtskenntnisse völlig objektiv widerspiegle, indem er sich zwar der allgemeinen historischen Wertmaßstäbe notgedrungen bedienen, aber aller persönlichen Urteile enthalten solle. Aber selbst diese niedrige Forderung ist unerfüllbar. Denn es stellt sich leider heraus, daß der Mensch ein unheilbar urteilendes Wesen ist. Er ist nicht bloß genötigt, sich gewisser „allgemeiner" Maßstäbe zu bedienen, die gleich schlechten Zollstöcken sich bei jeder Veränderung der öffentlichen Temperatur vergrößern oder verkleinern, sondern er fühlt außerdem den

11

Drang in sich, alle Tatsachen, die in seinen Gesichtskreis treten, zu interpretieren, zu beschönigen, zu verleumden, kurz, durch sein ganz individuelles Urteil zu fälschen und umzulügen, wobei er sich allerdings in der exkulpierenden Lage des unwiderstehlichen Zwanges befindet. Nur durch solche ganz persönliche einseitige gefärbte Urteile nämlich ist er imstande, sich in der moralischen Welt, und das ist die Welt der Geschichte, zurechtzufinden. Nur sein ganz subjektiver „Standpunkt" ermöglicht es ihm, in der Gegenwart festzustehen und von da aus einen sichtenden und gliedernden Blick über die Unendlichkeit der Vergangenheit und der Zukunft zu gewinnen. Tatsächlich gibt es auch bis zum heutigen Tage kein einziges Geschichtswerk, das in dem geforderten Sinne objektiv wäre. Sollte aber einmal ein Sterblicher die Kraft finden, etwas so Unparteiisches zu schreiben, so würde die Konstatierung dieser Tatsache immer noch große Schwierigkeiten machen: denn dazu gehörte ein zweiter Sterblicher, der die Kraft fände, etwas so Langweiliges zu lesen.

Rankes Vorhaben, er wolle bloß sagen, „wie es eigentlich gewesen", erschien sehr bescheiden, war aber in Wahrheit sehr kühn und ist ihm auch nicht gelungen. Seine Bedeutung bestand in etwas ganz anderem: daß er ein großer Denker war, der nicht neue „Tatsachen" entdeckte, sondern neue Zusammenhänge, die er mit genialer Schöpferkraft aus sich heraus projizierte, konstruierte, gestaltete, kraft einer inneren Vision, die ihm keine noch so umfassende und tiefdringende Quellenkenntnis und keine noch so scharfsinnige und unbestechliche Quellenkritik liefern konnte.

Alle Geschichte ist Legende

Denn man mag noch so viele neue Quellen aufschließen, es sind niemals lebendige Quellen. Sobald ein Mensch gestorben ist, ist er der sinnlichen Anschauung ein für allemal entrückt; nur der tote Abdruck seiner allgemeinen Umrisse bleibt zurück. Und sofort beginnt jener Prozeß der Inkrustation, der Fossilierung und Petrifizierung; selbst im Bewußtsein derer, die noch mit ihm lebten. Er versteinert. Er wird legendär. Bismarck ist schon eine Legende und Ibsen ist im Begriff, eine zu werden. Und wir alle werden einmal eine sein. Bestimmte Züge springen in der Erinnerung ungebührlich hervor, weil sie sich ihr aus irgendeinem oft ganz willkürlichen Grunde besonders einprägten. Es bleiben nur Teile und Stücke. Das Ganze aber hat aufgehört zu sein, ist unwiederbringlich hinabgesunken in die Nacht des Gewesenen. Die Vergangenheit zieht einen Schleiervorhang über die Dinge, der sie verschwommener und unklarer, aber auch geheimnisvoller und suggestiver macht: alles verflossene Geschehen erscheint uns im Schimmer und Duft eines magischen Geschehens; eben hierin liegt der Hauptreiz aller Beschäftigung mit der Historie.

Jedes Zeitalter hat ein bestimmtes nur ihm eigentümliches Bild von allen Vergangenheiten, die seinem Bewußtsein zugänglich sind. Die Legende ist nicht etwa eine der Formen, sondern die einzige Form, in der wir Geschichte überhaupt denken, vorstellen, nacherleben können. Alle Geschichte ist Sage, Mythos und als solcher das Produkt des jeweiligen Standes unserer geistigen Potenzen: unseres Auffassungsvermögens, unserer Gestaltungskraft, unseres Weltgefühls. Nehmen wir zum Beispiel den Vorstellungskomplex „griechisches Altertum“. Es ist zunächst dagewesen als Gegenwart: als Zustand für die, die ihn miterlebten und miterlitten, und da war es etwas höchst Strapaziöses, Verdächtiges, Ungarantiertes, von heute auf morgen kaum zu Berechnendes, etwas, wovor man sehr auf der Hut sein mußte und das doch sehr schwer zu fassen war, im Grunde nicht der unendlichen Mühe wert, die man darauf verwandte, und doch unentbehrlich, denn es war ja das Leben. Aber schon den Menschen der römischen Kaiserzeit erschien das frühere Griechentum als etwas unbeschreiblich Hohes, Helles und Kräftiges, sinnvoll und gefestigt in sich Ruhendes, ein unerreichbares Paradigma glücklicher Reinheit, Einfachheit und Tüchtigkeit, eine Wünschbarkeit ersten Ranges. Dann, im Mittelalter, wurde es etwas Trübes, Graues, bleifarbig Zerflossenes, höchst Unheimliches und von Gott Gemiedenes, eine Art Erdhölle voll Gier und Sünde, ein düsteres Theater der Leidenschaften. In der Vorstellung der deutschen Aufklärung wiederum war das alte Griechenland eine Art natürliches Museum, ein praktischer Kursus der Kunstgeschichte und Archäologie: die Tempel Antikensäle, die Marktplätze Glyptotheken, ganz Athen eine permanente Freiluftausstellung, alle Griechen entweder Bildhauer oder deren wandelnde Modelle, stets in edler und anmutiger Positur, stets weise und wohltönende Reden auf den Lippen, ihre Philosophen Professoren der Ästhetik, ihre Frauen heroische Brunnenfiguren, ihre Volksversammlungen lebende Bilder. An die Stelle dieser ebenso verehrungswürdigen wie langweiligen Gesellschaft hat das Fin de siècle den problematischen, ja hysterischen Griechen gesetzt, der nichts weniger als maßvoll, friedlich und harmonisch war, sondern von höchst bunter, opalisierender und gemischter Zusammensetzung, verstört von einem tiefen hoffnungslosen Pessimismus und gejagt von einer pathologischen Hemmungslosigkeit, die seine asiatische Herkunft verrät. Zwischen diese so heterogenen Auffassungen schoben sich zahlreiche Übergänge, Unterarten und Schattierungen, und es wird eine der Aufgaben unserer Darstellung sein, dieses interessante Farbenspiel des Begriffs „Antike" etwas genauer zu veranschaulichen.

Jedes Zeitalter, ja fast jede Generation hat eben ein anderes Ideal, und mit dem Ideal ändert sich auch der Blick in die einzelnen großen Abschnitte der Vergangenheit. Er wird, je nachdem, zum verklärenden, vergoldenden, hypostasierenden Blick oder zum vergiftenden, schwärzenden, obtrektierenden, zum bösen Blick.

Die geistige Geschichte der Menschheit besteht in einer fortwährenden Uminterpretierung der Vergangenheit. Männer wie Cicero oder Wallenstein sind tausendfach urkundlich bezeugt, haben genaue und starke Spuren ihres Wirkens in einer Fülle von Einzelheiten hinterlassen, und doch weiß bis zum heutigen Tage noch niemand, ob Cicero ein seichter Opportunist oder ein bedeutender Charakter, ob Wallenstein ein niedriger Verräter oder ein genialer Realpolitiker gewesen ist. Keinem der Männer, die Weltgeschichte gemacht haben, ist es erspart geblieben, daß sie gelegentlich Abenteurer, Scharlatane, ja Verbrecher genannt wurden: man denke an Mohammed, Luther, Cromwell, an Julius Cäsar, Napoleon, Friedrich den Großen und hundert andere. Nur von einem einzigen hat man dies noch nie zu behaupten gewagt, in dem wir aber eben darum keinen Menschen, sondern den Sohn Gottes erblicken.

Das Beste am Menschen, sagt Goethe, ist gestaltlos. Ist es also
schon bei einer einzelnen Individualität fast unmöglich, das letzte Geheimnis ihres Wesens zu entriegeln und das „Gesetz, wonach sie angetreten", zu enthüllen, um wie viel absurder muß ein solches Unternehmen bei Massenbewegungen, Taten der menschlichen Kollektivseele sein, in denen sich die Kraftlinien zahlreicher Individualitäten kreuzen! Schon die Biologie, die es doch immerhin noch mit klar umgrenzten Typen zu tun hat, ist keine exakte Naturwissenschaft mehr und lebt von allerlei der philosophischen Mode unterworfenen Hypothesen. Wo das Leben beginnt, hört die Wissenschaft auf; und wo die Wissenschaft beginnt, hört das Leben auf.

Die Lage des Historikers wäre also vollkommen hoffnungslos, wenn sich ihm nicht ein Ausweg böte, der in einem anderen Wort Goethes angedeutet ist: „Den Stoff sieht jedermann vor sich, den Gehalt findet nur der, der etwas dazu zu tun hat." Oder, um statt zwei goethischer Aperçus zwei goethische Gestalten zur Erläuterung heranzuziehen: der Historiker, der „wissenschaftlich", bloß aus dem Stoff Geschichte aufbaut, ist Wagner, der in der Retorte den lebensunfähigen blutlosen Homunculus hervorbringt; der Historiker, der Geschichte gestaltet, indem er etwas aus eigenem hinzutut, ist Faust selbst, der durch die Vermählung mit dem Geist der Vergangenheit den blühenden Euphorion erzeugt; dieser ist freilich ebenso kurzlebig wie Homunculus, aber aus dem entgegengesetzten Grunde: weil zu viel Leben in ihm ist.

„Geschichte wissenschaftlich behandeln wollen", sagt Spengler, „ist im letzten Grunde immer etwas Widerspruchsvolles . . . Natur soll man wissenschaftlich traktieren, über Geschichte soll man dichten. Alles andere sind unreine Lösungen." Der Unterschied zwischen dem Historiker und dem Dichter ist in der Tat nur ein gradueller. Die Grenze, vor der die Phantasie haltzumachen hat, ist für den Historiker der Stand des Geschichtswissens in Fachkreisen, für den Dichter der Stand des Geschichtswissens im Publikum. Die Poesie ist auch nicht völlig frei in der Gestaltung historischer Figuren und Begebenheiten: es gibt eine Linie, die sie ohne Gefahr nicht überschreiten kann. Ein Drama zum Beispiel, das Alexander den Großen als Feigling und seinen Lehrer Aristoteles als Ignoranten schildern würde und die Perser im Kampf gegen die Mazedonier siegen ließe, würde dies mit dem Verlust der ästhetischen Wirkung bezahlen. In der Tat besteht auch immer ein sehr intimer Zusammenhang zwischen den großen Bühnendichtern und den maßgebenden Geschichtsquellen ihres Zeitalters. Shakespeare hat den Cäsar Plutarchs dramatisiert, Shaw den Cäsar Mommsens; Shakespeares Königsdramen spiegeln das historische Wissen des englischen Publikums im sechzehnten Jahrhundert ebenso genau wider wie Strindbergs Historien die Geschichtskenntnisse des schwedischen Lesers im neunzehnten Jahrhundert. Goethes „Götz" und Hauptmanns „Florian Geyer" erscheinen uns heute als phantastische Bilder der Reformationszeit; als sie neu waren, galten sie nicht dafür, denn sie fußten beide auf den wissenschaftlichen Forschungen und Anschauungen ihrer Zeit. Kurz: der Historiker ist nichts anderes als ein Dichter, der sich den strengsten Naturalismus zum unverbrüchlichen Grundsatz gemacht hat.

„Geschichtsromane" Die zünftigen Gelehrten pflegen allerdings alle historischen Werke, die sich nicht mit dem geistlosen und unpersönlichen Zusammenschleppen des Materials begnügen, hochnasig Romane zu nennen. Aber ihre eigenen Arbeiten entpuppen sich nach höchstens ein bis zwei Generationen ebenfalls als Romane, und der ganze Unterschied besteht darin, daß ihre Romane leer, langweilig und talentlos sind und durch einen einzigen „Fund" umgebracht werden können, während ein wertvoller Geschichtsroman in dem, was seine tiefere Bedeutung ausmacht, niemals „überholt" werden kann. Herodot ist nicht überholt, obgleich er größtenteils Dinge berichtet hat, die heute jeder Volksschullehrer zu widerlegen vermag; Montesquieu ist nicht überholt, obgleich seine Werke voll von handgreiflichen Irrtümern sind; Herder ist nicht überholt, obgleich er historische Ansichten vertrat, die heute für dilettantisch gelten; Winckelmann ist nicht überholt, obgleich seine Auffassung vom Griechentum ein einziger großer Mißgriff war; Burckhardt ist nicht überholt, obgleich der heutige Papst für klassische Philologie, Wilamowitz-Moellendorff, erklärt hat, daß seine griechische Kulturgeschichte „für die Wissenschaft nicht existiert". Denn wenn sich selbst alles, was diese Männer lehrten, als unrichtig erweisen sollte, eine Wahrheit wird doch immer bleiben und niemals überholt werden können: die der künstlerischen Persönlichkeit, die hinter dem Werk stand, des bedeutenden Menschen, der diese falschen Bilder erlebte, sah und gestaltete. Wenn Schiller zehn Seiten beseelter deutscher Prosa über eine Episode des Dreißigjährigen Krieges schreibt, die sich niemals so zugetragen hat, so ist das für die historische Erkenntnis fruchtbarer als hundert Seiten „Richtigstellungen nach neuesten Dokumenten" ohne philosophischen Gesichtspunkt und in barbarischem Deutsch. Wenn Carlyle die Geschichte der Französischen Revolution zum Drama eines ganzen Volkes steigert, das, von mächtigen Kräften und Gegenkräften manisch vorwärtsgetrieben, sein blutiges Schicksal erfüllt, so mag man das einen Roman und sogar einen Kolportageroman nennen, aber die geheimnisvolle Atmosphäre von unendlicher Bedeutsamkeit, in die dieses Dichterwerk getaucht ist, wirkt wie eine magische Isolierschicht, die es durch die Zeiten rettet. Und ist die kompetenteste Geschichtsdarstellung, die wir bis zum heutigen Tage vom Mittelalter besitzen, nicht Dantes unwirkliche Höllenvision? Und auch Homer: was war er anderes als ein Historiker „mit ungenügender Quellenkenntnis"? Dennoch wird er in alle Ewigkeit recht behalten, auch wenn sich eines Tages herausstellen sollte, daß es überhaupt kein Troja gegeben hat.

Alles, was wir von der Vergangenheit aussagen, sagen wir von uns selbst aus. Wir können nie von etwas anderem reden, etwas anderes erkennen als uns selbst. Aber indem wir uns in die Vergangenheit versenken, entdecken wir neue Möglichkeiten unseres Ichs, erweitern wir die Grenzen unseres Selbstbewußtseins, machen wir neue, obschon gänzlich subjektive Erlebnisse. Dies ist der Wert und Zweck alles Geschichtsstudiums.

Wollten wir das Bisherige in einem Satz zusammenfassen, so könnten wir vielleicht sagen: was wir in diesem Buche zu erzählen versuchen, ist nichts als die heutige Legende von der Neuzeit.

Möglichste Unvollständigkeit

In vielen gelehrten Werken findet sich im Vorwort die Bemerkung: „Möglichste Vollständigkeit war natürlich überall angestrebt, ob mir dies restlos gelungen, mögen die verehrten Fachkollegen entscheiden." Mein Standpunkt ist nun genau der umgekehrte. Denn ganz abgesehen davon, daß ich die verehrten Fachkollegen natürlich gar nichts entscheiden lasse, möchte ich im Gegenteil sagen: möglichste Unvollständigkeit war überall angestrebt. Man wird vielleicht finden, dies hätte ich gar nicht erst anzustreben brauchen, es wäre mir auch ohne jedes Streben mühelos gelungen. Dennoch verleiht ein solcher bewußter Wille zum Fragment und Ausschnitt, Akt und Torso, Stückwerk und Bruchwerk jeder Darstellung einen ganz besonderen stilistischen Charakter. Wir können die Welt immer nur unvollständig sehen; sie mit Willen unvollständig zu sehen, macht den künstlerischen Aspekt. Kunst ist subjektive und parteiische Bevorzugung gewisser Wirklichkeitselemente vor anderen, ist Auswahl und Umstellung, Schatten- und Lichtverteilung, Auslassung und Unterstreichung, Dämpfer und Drücker. Ich versuche nur immer ein einzelnes Segment oder Bogenstück, Profil oder Bruststück, eine bescheidene Vedute ganzer großer Zusammenhänge und Entwicklungen zu geben. Pars pro toto: diese Figur ist nicht die unwirksamste und unanschaulichste. Oft wird ein ganzer Mensch durch eine einzige Handbewegung, ein ganzes Ereignis durch ein einziges Detail schärfer, einprägsamer, wesentlicher charakterisiert als durch die ausführlichste Schilderung. Kurz: die Anekdote in jederlei Sinn erscheint mir als die einzig berechtigte Kunstform der Kulturgeschichtschreibung. Dies hat schon der „Vater der Geschichte" gewußt, von dem Emerson sagt: „Weil sein Werk unschätzbare Anekdoten enthält, ist es bei den Gelehrten in Mißachtung geraten; aber heutzutage, wo wir erkannt haben, daß das Denkwürdigste an der Geschichte ein paar Anekdoten sind, und uns nicht mehr beunruhigen, wenn etwas nicht langweilig ist, gewinnt Herodot wieder neuen Kredit." Dies scheint auch die Ansicht Nietzsches gewesen zu sein: „Aus drei Anekdoten ist es möglich, das Bild eines Menschen zu geben" und die Absicht Montaignes: „Bei meinen geplanten Untersuchungen über unsere Sitten und Leidenschaften werden mir die Beweise aus der Fabel, wofern sie nur nicht gegen alle Möglichkeit verstoßen, ebenso willkommen sein wie die aus dem Reiche der Wahrheit. Vorgefallen oder nicht vorgefallen, zu Rom oder zu Paris, Hinz oder Kunz begegnet: es ist immer ein Zug aus der Geschichte der Menschheit, den ich mir aus dieser Erzählung zur Warnung oder Lehre nehme. Ich bemerke ihn, ich benutze ihn, sowohl nach Zahl wie nach Gewicht. Und unter den verschiedenen Lesarten, die zuweilen eine Geschichte hat, bevorzuge ich für meine Absicht die sonderbarste und auffallendste."

Dies führt uns zu einer zweiten Eigentümlichkeit aller frucht-Über-
treibung baren Geschichtsdarstellung: der Übertreibung. „Die besten Porträts", sagt Macaulay, „sind vielleicht die, in denen sich eine leichte Beimischung von Karikatur findet, und es läßt sich fragen, ob nicht die besten Geschichtswerke die sind, in denen ein wenig von der Übertreibung der dichterischen Erzählung einsichtsvoll angewendet ist. Das bedeutet einen kleinen Verlust an Genauigkeit, aber einen großen Gewinn an Wirkung. Die schwächeren Linien sind vernachlässigt, aber die großen und charakteristischen Züge werden dem Geist für immer eingeprägt." Die Übertreibung ist das Handwerkszeug jedes Künstlers und daher auch des Historikers. Die Geschichte ist ein großer Konvexspiegel, in dem die Züge der Vergangenheit mächtiger und verzerrter, aber um so eindrucksvoller und deutlicher hervortreten. Mein Versuch intendiert nicht eine Statistik, sondern eine Anekdotik der Neuzeit, nicht ein Matrikelbuch der modernen Völkergesellschaft, sondern ihre Familienchronik oder, wenn man will, ihre chronique scandaleuse.

Trägt demnach die Kulturgeschichte, was ihren Inhalt anlangt,Hierarchie
der Kultur-
gebiete einen sehr lückenhaften und fragmentarischen, ja einseitigen Charakter, so ist von ihrem Umfang das gerade Gegenteil zu fordern. Zum Gebiet ihrer Forschung und Darstellung gehört schlechterdings alles: sämtliche menschlichen Lebensäußerungen. Wir wollen uns diese einzelnen Ressorts in einer kurzen Übersicht vergegenwärtigen, wobei wir zugleich versuchen, eine Art Wertskala aufzustellen. Selbstverständlich ist dies das erste und das letzte Mal, daß wir uns einer solchen Schubfächermethode bedienen, die bestenfalls einen theoretischen Wert hat, im Praktischen aber vollständig versagt, denn es ist ja gerade das Wesen jeder Kultur, daß sie eine Einheit bildet.

Den untersten Rang in der Hierarchie der menschlichen Betätigungen nimmt das Wirtschaftsleben ein, worunter alles zu begreifen ist, was der Befriedigung der materiellen Bedürfnisse dient. Es ist gewissermaßen der Rohstoff der Kultur, nicht mehr; als solcher freilich sehr wichtig. Es gibt allerdings eine allbekannte Theorie, nach der die „materiellen Produktionsverhältnisse" den „gesamten sozialen, politischen und geistigen Lebensprozeß" bestimmen sollen: die Kämpfe der Völker drehen sich nur scheinbar um Fragen des Verfassungsrechts, der Weltanschauung, der Religion, und diese ideologischen sekundären Motive verhüllen wie Mäntel das wirkliche primäre Grundmotiv der wirtschaftlichen Gegensätze. Aber dieser extreme Materialismus ist selber eine größere Ideologie als die verstiegensten idealistischen Systeme, die jemals ersonnen worden sind. Das Wirtschaftsleben, weit entfernt davon, ein adäquater Ausdruck der jeweiligen Kultur zu sein, gehört, genau genommen, überhaupt noch gar nicht zur Kultur, bildet nur eine ihrer Vorbedingungen und nicht einmal die vitalste. Auf die tiefsten und stärksten Kulturgestaltungen, auf Religion, Kunst, Philosophie, hat es nur einen sehr geringen bestimmenden Einfluß. Die homerische Dichtung ist der Niederschlag des griechischen Polytheismus, Euripides ein Abriß der griechischen Aufklärungsphilosophie, die gotische Baukunst eine vollkommene Darstellung der mittelalterlichen Theologie, Bach der Extrakt des deutschen Protestantismus, Ibsen ein Kompendium aller ethischen und sozialen Probleme des ausgehenden neunzehnten Jahrhunderts; aber manifestiert sich in Homer und Euripides in auch nur entfernt ähnlichem Maße das griechische Wirtschaftsleben, in der Gotik das mittelalterliche, in Bach und Ibsen das moderne? Man kann sagen – und man hat es oft genug gesagt –, daß Shakespeare ohne den Aufstieg der englischen Handelsmacht nicht denkbar gewesen wäre: aber kann man mit derselben Berechtigung behaupten, der englische Welthandel sei ein Ferment seiner Dramatik, ein Bestandteil seiner poetischen Atmosphäre? Oder ist etwa Nietzsche eine Übersetzung der emporblühenden deutschen Großindustrie in Philosophie und Dichtung? Er hat gar keine Beziehung zu ihr, nicht die geringste, nicht einmal die des Antagonismus. Und gar von den Religionen zu behaupten, daß sie „ebenfalls nur den jeweiligen durch die Produktionsverhältnisse bedingten sozialen Zustand widerspiegeln", ist eine Albernheit, die lächerlich wäre, wenn sie nicht so gemein wäre.

Über dem Wirtschaftsleben erhebt sich das Leben der Gesellschaft, mit ihm in engem Zusammenhang, aber nicht identisch. Diese letztere Ansicht ist zwar häufig vertreten worden, und selbst ein so scharfer und weiter Denker wie Lorenz von Stein neigt ihr zu. Aber der Fall liegt doch etwas komplizierter. Zweifellos sind die einzelnen Gesellschaftsordnungen ursprünglich aus der Güterverteilung hervorgegangen: so geht die Feudalmacht im wesentlichen auf den Grundbesitz zurück, die Macht der Bourgeoisie auf den Kapitalbesitz, die Macht des Klerus auf den Kirchenbesitz. Aber im Laufe der geschichtlichen Entwicklung verschieben sich die Besitzverhältnisse, während die gesellschaftliche Struktur bis zu einem gewissen Grade erhalten bleibt. Das zeigt die Erscheinung jeder Art von Aristokratie. Der Geburtsadel war längst nicht mehr die wirtschaftlich stärkste Klasse, als er noch immer die gesellschaftlich mächtigste war. Es gibt heute auch schon eine Art Geldadel, der von den Besitzern der alten durch Generationen vererbten Vermögen repräsentiert wird: diese nehmen in der Gesellschaft einen weit höheren Rang ein als die meist viel begüterteren neuen Reichen. Ferner gibt es einen Beamtenadel, einen Militäradel, einen Geistesadel: lauter Gesellschaftsschichten, die sich niemals durch besondere wirtschaftliche Macht ausgezeichnet haben; und ebensowenig fließt die privilegierte Stellung der Geistlichkeit aus ökonomischen Ursachen.

Noch weniger als die Gesellschaft läßt sich der Staat mit der Wirtschaftsordnung identifizieren. Wenn man sehr oft behauptet hat, daß dieser nichts sei als die feste Organisation, die sich die bestehenden ökonomischen Verhältnisse in Form von Verfassungen, Gesetzen und Verwaltungssystemen gegeben haben, so hat man dabei vergessen, daß jedem Staatswesen, auch dem unvollkommensten, eine höhere Idee zugrunde liegt, die es, mehr oder weniger rein, zu verwirklichen sucht. Sonst wäre das Phänomen des Patriotismus unerklärlich. In ihm kommt die Tatsache zum

Ausdruck, daß der Staat eben keine bloße Organisation, sondern ein Organismus ist, ein höheres Lebewesen mit eigenen, oft sehr absurden, aber immer sehr reellen Daseinsbedingungen und Entwicklungsgesetzen. Er hat einen Sonderwillen, der mehr ist als die einfache mechanische Summation aller Einzelwillen. Er ist ein Mysterium, ein Monstrum, eine Gottheit, eine Bestie: was man will; aber er ist ganz unleugbar vorhanden. Deshalb haben die Empfindungen, die die Menschen diesem höheren Wesen entgegenbrachten, immer etwas Überlebensgroßes, Pathetisches, Monomanisches gehabt. Nicht bloß im Altertum, wo Staat und Religion bekanntlich zusammenfielen, und im Mittelalter, wo der Staat der Kirche untergeordnet war, aber eben dadurch eine religiöse Weihe empfing, sondern auch in der Neuzeit hat der Bürger im Vaterland in wechselnden Formen immer irgend etwas Sakrosanktes erblickt. Dies hat zu einer sehr einseitigen Überschätzung der politischen Geschichte geführt. Noch im achtzehnten Jahrhundert ist Weltgeschichte nichts gewesen als Geschichte „derer Potentatum", und noch vor einem Menschenalter sagte Treitschke: „Die Taten eines Volkes muß man schildern; Staatsmänner und Feldherren sind die historischen Helden." Bis vor kurzem hat man unter Geschichte nichts verstanden als eine stumpfe und taube Registrierung von Truppenbewegungen und diplomatischen Winkelzügen, Regentenreihen und Parlamentsverhandlungen, Belagerungen und Friedensschlüssen, und auch die geistvollsten Historiker haben nur diese alleruninteressantesten Partien des menschlichen Schicksalswegs erforscht, aufgezeichnet, zum Problem gemacht. Sie sind aber gar keines oder doch nur ein sehr subalternes, sie sind die einförmige Wiederholung der Tatsache, daß der Mensch zur einen Hälfte ein Raubtier ist, roh, gierig, verschlagen und überall gleich.

Sitte Selbst wenn man die Geschichtsbetrachtung ausschließlich auf das Staatsleben beschränken wollte, wäre die Behandlungsart der politischen Historiker, die sich lediglich um Kriegsgeschichte und Verfassungsgeschichte zu kümmern pflegen, zu eng, denn sie müßte zumindest noch die Entwicklung der Kirche und des Rechts umfassen: zwei Gebiete, die man bisher immer den Spezialhistorikern überlassen hat. Und dazu kommt noch der höchst wichtige Kreis aller jener Lebensäußerungen, die man unter dem Begriff der „Sitte" zusammenzufassen pflegt. Gerade hier: in Kost und Kleidung, Ball und Begräbnis, Korrespondenz und Couplet, Flirt und Komfort, Geselligkeit und Gartenkunst offenbart sich der Mensch jedes Zeitalters in seinen wahren Wünschen und Abneigungen, Stärken und Schwächen, Vorurteilen und Erkenntnissen, Gesundheiten und Krankheiten, Erhabenheiten und Lächerlichkeiten.

Im Reich des Geisteslebens, dem wir uns nunmehr zuwenden, nimmt die unterste Stufe die Wissenschaft ein, zu der auch alle Entdeckung und Erfindung sowie die Technik gehört, die nichts ist als auf praktische Zwecke angewendete Wissenschaft. In den Wissenschaften stellt jede Zeit sozusagen ihr Inventar auf, eine Bilanz alles dessen, wozu sie durch Nachdenken und Erfahrung gelangt ist. Über ihnen erhebt sich das Reich der Kunst. Wollte man unter den Künsten ebenfalls eine Rangordnung aufstellen, obgleich dies ziemlich widersinnig ist, so könnte man sie nach dem Grade ihrer Abhängigkeit vom Material anordnen, wodurch sich die Reihenfolge: Architektur, Skulptur, Malerei, Poesie, Musik ergeben würde. Doch ist dies mehr eine schulmeisterhafte Spielerei. Nur so viel wird sich mit einiger Berechtigung sagen lassen, daß die Musik in der Tat den obersten Rang unter den Künsten einnimmt: als die tiefste und umfassendste, selbständigste und ergreifendste, und daß unter den Dichtungsgattungen das Drama die höchste Kulturleistung darstellt, als eine zweite Weltschöpfung: die Gestaltung eines in sich abgerundeten, vom Dichter losgelösten und zugleich zu lebendiger Anschauung vergegenwärtigten Mikrokosmos.

Als der Kunst völlig ebenbürtig ist die Philosophie anzusehen, die, sofern sie echte Philosophie ist, zu den schöpferischen Betätigungen gehört. Sie ist, wie schon Hegel hervorgehoben hat, das Selbstbewußtsein jedes Zeitalters und darin himmelweit entfernt von der Wissenschaft, die bloß ein Bewußtsein der Einzelheiten ist, wie sie die Außenwelt rhapsodisch und ohne höhere Einheit den Sinnen und der Logik darbietet. Darum hat auch Schopen-

23

hauer gesagt, der Hauptzweig der Geschichte sei die Geschichte der Philosophie: „Eigentlich ist diese der Grundbaß, der sogar in die andere Geschichte hinübertönt und auch dort, aus dem Fundament, die Meinung leitet: diese aber beherrscht die Welt. Daher ist die Philosophie, eigentlich und wohlverstanden, auch die gewaltigste materielle Macht; jedoch sehr langsam wirkend." Und in der Tat ist die Geschichte der Philosophie das Herzstück der Kulturgeschichte, ja, wenn man den Begriff, den ihr Schopenhauer gibt, in seinem vollen Umfange nimmt, die ganze Kulturgeschichte. Denn was sind dann Tonfolgen und Schlachtordnungen, Röcke und Reglements, Vasen und Versmaße, Dogmen und Dachformen anderes als geronnene Zeitphilosophie?

Die Erfolge der großen Eroberer und Könige sind nichts gegen die Wirkung, die ein einziger großer Gedanke ausübt. Er springt in die Welt und verbreitet sich stetig und unwiderstehlich mit der Kraft eines Elementarereignisses, einer geologischen Umwälzung: nichts vermag sich ihm entgegenzustemmen, nichts vermag ihn ungeschehen zu machen. Der Denker ist eine ungeheure geheimnisvolle Fatalität, er ist die Revolution, die wahre und wirksame neben hundert wesenlosen und falschen. Der Künstler wirkt schneller und lebhafter, aber nicht so dauerhaft; der Denker wirkt langsamer und stiller, aber dafür um so nachhaltiger. Lessings philosophische Streitschriften zum Beispiel in ihrer federnden Dialektik und moussierenden Geistigkeit sind heute noch moderne Bücher; aber seine Dramen haben schon eine dicke Staubschicht. Racines und Molières Figuren wirken heute auf uns wie mechanische Gliederpuppen, wie auf Draht gezogene Papierblumen, wie rosa angemalte Zuckerstengel; aber die freie und starke Luzidität eines Descartes, die grandiose und hintergründige Seelenanatomie eines Pascal hat für uns noch ihre volle Frische. Ja selbst die Werke der griechischen Tragiker haben heute ihren Patinaüberzug, der vielleicht ihren Kunstwert erhöht, aber ihren Lebenswert vermindert, während die Dialoge Platos gestern geschrieben sein könnten.

Die Spitze und Krönung der menschlichen Kulturpyramide wird von der Religion gebildet. Alles andere ist nur der massive Unterbau, auf dem sie selbst thront, hat keinen anderen Zweck, als zu ihr hinanzuführen. In ihr vollendet sich die Sitte, die Kunst, die Philosophie. „Die Religion", sagt Friedrich Theodor Vischer, „ist der Hauptort der geschichtlichen Symptome, der Nilmesser des Geistes."

Wir gelangen somit zu folgender Übersicht der menschlichen Kultur:

Der Mensch		
handelnd	denkend	gestaltend
in Wirtschaft und Gesellschaft, Staat und Recht, Kirche und Sitte	in Entdeckung und Erfindung, Wissenschaft und Technik	in Kunst, Philosophie, Religion

Wollten wir uns die Bedeutung der einzelnen Kulturgebiete in einem Gleichnis veranschaulichen, das natürlich ebenso hinkt wie alle anderen, so könnten wir das Ganze im Bilde des menschlichen Organismus zusammenfassen. Dann entspräche das Staatsleben dem Skelett, das das grobe, harte und feste Gerüst des Gesamtkörpers bildet, das Wirtschaftsleben dem Gefäßsystem, das Gesellschaftsleben dem Nervensystem, die Wissenschaft dem ausfüllenden Fleisch und bisweilen auch dem überflüssigen Fett, die Kunst den verschiedenen Sinnesorganen, die Philosophie dem Gehirn und die Religion der Seele, die den ganzen Körper zusammenhält und mit den höheren unsichtbaren Kräften des Weltalls in Verbindung setzt, beide auch darin ähnlich, daß ihre Existenz von kurzsichtigen und stumpfsinnigen Menschen oft geleugnet wird.

Die Geschichtswissenschaft, richtig begriffen, umfaßt demnach die gesamte menschliche Kultur und deren Entwicklung: sie ist stete Auffindung des Göttlichen im Weltlauf und darum Theologie, sie ist Erforschung der Grundkräfte der menschlichen Seele und darum Psychologie, sie ist die aufschlußreichste Darstellung der Staats- und Gesellschaftsformen und darum Politik, sie ist die mannigfaltigste Sammlung aller Kunstschöpfungen und darum Ästhetik, sie ist eine Art Stein der Weisen, ein Pantheon aller Wissenschaften. Sie ist zugleich die einzige Form, in der wir heute

Der Stein der Weisen

25

noch zu philosophieren vermögen, ein unerschöpflich reiches Laboratorium, in dem wir die leichtesten und lohnendsten Experimente über die Natur des Menschen anstellen können.

Jedes Zeitalter hat einen bestimmten Fundus von Velleitäten, Befürchtungen, Träumen, Gedanken, Idiosynkrasien, Leidenschaften, Irrtümern, Tugenden. Die Geschichte jedes Zeitalters ist die Geschichte der Taten und Leiden eines bestimmten niemals so dagewesenen, niemals so wiederkehrenden Menschentypus. Wir könnten ihn den Repräsentativmenschen nennen. Der Repräsentativmensch: das ist der Mensch, der nie empirisch erscheint, aber doch das Diagramm, den morphologischen Aufriß darstellt, der allen wirklichen Menschen zugrunde liegt, die Urpflanze gleichsam, nach der alle gebildet sind; oder wie in der Tierwelt die einzelnen lebenden Exemplare den Raubtiertypus, den Nagertypus, den Wiederkäuertypus übereinstimmend, aber niemals völlig rein verkörpern. Jede Zeit hat ihre bestimmte Physiologie, ihren charakteristischen Stoffwechsel, ihre besondere Blutzirkulation und Pulsfrequenz, ihr spezifisches Lebenstempo, ihre nur ihr eigentümliche Gesamtvitalität, ja sogar ihre individuellen Sinne: eine Optik, Akustik, Neurotik, die nur ihr angehört.

Die Geschichte der verschiedenen Arten des Sehens ist die Geschichte der Welt. Es gilt, Johannes Müllers Lehre von den spezifischen Sinnesenergien, wonach die Qualität unserer Empfindungen nicht von der Verschiedenheit der äußeren Reize, sondern von der Verschiedenheit unserer Aufnahmeapparate bestimmt wird, auch für die Geschichtsbetrachtung fruchtbar zu machen. Die „Wirklichkeit" ist immer und überall gleich: – nämlich unbekannt. Sie affiziert aber stets andere Sinnesnerven, Netzhäute, Hirnlappen, Trommelfelle. Dieses Bild von der Welt wandelt sich mit fast jeder Generation. Wir sehen dies daran, daß sogar das scheinbar Unveränderlichste, die Natur, fortwährend andere Gestalten annimmt. Sie ist einmal feindselig, wild und grausam und einmal einladend, intim und idyllisch, einmal exuberant und schwellend und einmal karg und asketisch, einmal pittoresk und zerfließend und ein andermal scharf konturiert und feierlich stilisiert, sie erscheint abwechselnd als die klarste logische Zweckmäßigkeit und als unfaßbares Mysterium, als bloße dekorative Staffage für den Menschen und als der grenzenlose Abgrund, in den er versinkt, als das Echo, das alle seine Gefühle gesteigert wiederholt, und als eine stumme Leere, die er überhaupt kaum bemerkt. Wenn ein Zauberer käme, der die Gabe hätte, das Netzhautbild zu rekonstruieren, das eine Waldlandschaft im Auge eines Atheners aus der Zeit des Perikles abgezeichnet hat, und dann das Netzhautbild, das ein Kreuzritter des Mittelalters von derselben Waldlandschaft empfing, es würden zwei ganz verschiedene Gemälde sein; und wenn wir dann selber hingingen und den Wald anblickten, wir würden weder das eine noch das andere Bild in ihm wiedererkennen. Ja diese Tyrannei des Zeitgeistes geht sogar so weit, daß selbst die photographische Kamera, dieser angeblich tote Apparat, der scheinbar ganz passiv und mechanisch das Lichtbild einträgt, unserer Subjektivität unterworfen ist. Auch das Objektiv ist nicht objektiv. Es ist nämlich eine ebenso unerklärliche wie unleugbare Tatsache, daß jeder Photograph, ganz wie der Maler, immer nur sich selbst abbildet. Ist er ein ungebildetes und geschmackloses Vorstadtgehirn, so werden in seine Kamera lauter vulgäre und kitschige Figuren eintreten, ist er ein kultivierter, künstlerisch sehender Mensch, so werden seine Bilder vornehmen zarten Stichen gleichen. Infolgedessen werden spätere Zeiten in unseren Photographien ebensowenig eine naturalistische Wiedergabe unserer äußeren Erscheinung erblicken wie in unseren Gemälden, sie werden ihnen wie ungeheuerliche Karikaturen vorkommen.

Ja noch mehr: so unglaublich es klingen mag, der Schreiber dieser Zeilen besitzt seit einigen Jahren einen expressionistischen Hund! Ich behaupte, daß ein Geschöpf von einer so windschiefen und gleichsam betrunkenen Bauart, das aus lauter verzeichneten Dreiecken zusammengesetzt zu sein scheint, nie vorher in der Welt gewesen ist. Man wird dies für eine Einbildung halten; aber man mache es sich an einem Gegenbeispiel klar: wäre es möglich, den Mops, den repräsentativen Hund der Gründerjahre, jemals expressionistisch zu sehen? Zweifellos nicht; deshalb ist er ausgestorben, niemand weiß, warum und wieso. Und ebenso sind die

Der expressionistische Hund

27

Tage der Fuchsie gezählt, der Lieblingspflanze derselben Ära. Sie zieht sich bereits in die äußersten Vorstädte zurück, wo ja auch noch Romane von Spielhagen und Bilder von Defregger ihren Anwert finden. Und warum sind eine ganze Reihe höchst grotesker Fische, die eine so sonderbare Ähnlichkeit mit einem Unterseeboot oder einem menschlichen Taucher besitzen, erst im Zeitalter der Technik entdeckt worden? Die Beispiele ließen sich noch verhundertfachen. Es ist also keine Anmaßung, von Weltgeschichte zu reden, denn sie ist in der Tat die Geschichte unserer Welt oder vielmehr unserer Welten.

Seelische Kostümgeschichte   Unser Werk macht den Versuch, einen geistig-sittlichen Bilderbogen, eine seelische Kostümgeschichte der letzten sechs Jahrhunderte zu entwerfen und zugleich die platonische Idee jedes Zeitalters zu zeigen, den Gedanken, der es innerlich trieb und bewegte, der seine Seele war. Dieser Zeitgedanke ist das Organisierende, das Schöpferische, das einzig Wahre in jedem Zeitalter, obgleich auch er nur selten in der Wirklichkeit rein erscheint; vielmehr ist das Zeitalter das Prisma, das ihn in einen vielfarbigen Regenbogen von Symbolen zerlegt: nur hier und da tritt der Glücksfall ein, daß es einen großen Philosophen hervorbringt, der diese Strahlen in dem Brennspiegel seines Geistes wieder sammelt.

Und dies führt uns zu dem eigentlichen Schlüssel jedes Zeitalters. Wir erblicken ihn in den großen Männern, jenen sonderbaren Erscheinungen, die Carlyle Helden genannt hat. Man könnte sie auch ebensogut Dichter nennen, wenn man diesen Begriff nicht einseitig auf Personen einschränkt, die mit Tinte und Feder hantieren, sondern sich vor Augen hält, daß man mit allem dichten kann, wenn man nur genug Schöpferkraft und Phantasie besitzt, ja daß die großen Helden und Heiligen, die in ihren Taten und Leiden mit dem Leben gedichtet haben, sogar höher stehen als die Dichter des Worts. Nach Carlyles Überzeugung ist die Form, in der der große Mann erscheint, völlig gleichgültig; die Hauptsache ist, daß er da ist: „Ich muß gestehen, daß ich von keinem großen Manne weiß, der nicht alle Menschengattungen hätte verkörpern können ... Ist eine große Seele gegeben, die sich dem göttlichen Sinn des Daseins geöffnet hat, so ist damit auch ein

Mensch gegeben, der die Gabe besitzt, davon zu reden und zu singen, dafür zu fechten und zu streiten, groß, siegreich und dauerhaft; dann ist ein Held gegeben: – seine äußere Gestalt hängt von der Zeit und der Umgebung ab, die er gerade vorfindet." In der Geschichte gibt es nur zwei wirkliche Weltwunder: den Zeitgeist mit seinen märchenhaften Energien und das Genie mit seinen magischen Wirkungen. Der geniale Mensch ist das große Absurdissimum. Er ist ein Absurdissimum wegen seiner Normalität. Er ist so, wie alle sein sollten: eine vollkommene Gleichung von Zweck und Mittel, Aufgabe und Leistung. Er ist so paradox, etwas zu tun, was sonst niemand tut: er erfüllt seine Bestimmung.

Zwischen Genie und Zeitalter besteht nun eine komplizierte und schwer entzifferbare Verrechnung.

Ein Zeitalter, das nicht seinen Helden findet, ist pathologisch: seine Seele ist unterernährt und leidet gleichsam an „chronischer Dyspnoë". Kaum hat es diesen Menschen, der alles ausspricht, was es braucht, so strömt plötzlich neuer Sauerstoff in seinen Organismus, die Dyspnoë verschwindet, die Blutzirkulation reguliert sich, und es ist gesund. Die Genies sind die wenigen Menschen in jedem Zeitalter, die r e d e n können. Die anderen sind stumm, oder sie stammeln. Ohne sie wüßten wir nichts von vergangenen Zeiten: wir hätten bloß fremde Hieroglyphen, die uns verwirren und enttäuschen. Wir brauchen einen Schlüssel für diese Geheimschrift. Gerhart Hauptmann hat einmal den Dichter mit einer Windesharfe verglichen, die jeder Lufthauch zum Erklingen bringt. Halten wir dieses Gleichnis fest, so könnten wir sagen: im Grund ist j e d e r Mensch ein solches Instrument mit empfindlichen Saiten, aber bei den meisten bringt der Stoß der Ereignisse die Saiten bloß zum Erzittern, und nur beim Dichter kommt es zum K l a n g , den jedermann hören und erfassen kann.

Damit ein Abschnitt der menschlichen Geistesgeschichte in einem haltbaren Bilde fortlebe: dazu scheint immer nur ein einziger Mensch nötig zu sein, aber dieser eine ist unerläßlich. So würde zum Beispiel für die griechische Aufklärung Sokrates, für die französische Aufklärung Voltaire, für die deutsche Aufklärung Lessing, für die englische Renaissance Shakespeare, für unsere Zeit Nietzsche genügen. In solchen Männern objektiviert sich das ganze Zeitalter wie in einem verdeutlichenden Querschnitt, der jedermann zugänglich ist. Der Genius ist nichts anderes als die bündige Formel, das gedrängte Kompendium, der handliche Leitfaden, in dem knapp und konzis, verständlich und übersichtlich die Wünsche und Werke aller Zeitgenossen zusammengefaßt sind. Er ist der starke Extrakt, das klare Destillat, die scharfe Essenz aus ihnen; er ist aus ihnen gemacht. Nähme man sie fort, so bliebe nichts von ihm zurück, er würde sich in Luft auflösen. Der große Mann ist ganz und gar das Geschöpf seiner Zeit; und je größer er ist, desto mehr ist er das Geschöpf seiner Zeit. Dies ist unsere erste These über das Wesen des Genies.

Das Zeit-
alter ist ein
Produkt
des Genies

Aber wer sind denn diese Zeitgenossen? Wer macht sie zu Zeitgenossen, zu Angehörigen eines besonderen, deutlich abgegrenzten Geschichtsabschnittes, die ihr spezifisches Weltgefühl, ihre bestimmte Lebensluft, kurz ihren eigenen Stil haben? Niemand anders als der „Dichter". Er prägt ihre Lebensform, er schneidet das Klischee, nach dem sie alle gedruckt werden, ob sie sich dessen bewußt sind oder nicht. Er vertausendfältigt sich auf mysteriöse Weise. Man geht, steht, sitzt, denkt, haßt, liebt nach seinen Angaben. Er verändert unsere Höflichkeitsbezeugungen, unser Naturgefühl; unsere Haartracht, unsere Religiosität; unsere Interpunktion, unsere Erotik; das Heiligste und das Trivialste: alles. Sein ganzes Zeitalter ist infiziert von ihm. Er dringt unaufhaltsam in unser Blut, spaltet unsere Moleküle, schafft tyrannisch neue Verbindungen. Wir reden seine Sprache, wir gebrauchen seine Satzstellungen, eine flüchtig hingeworfene Redensart aus seinem Munde wird zur einigenden Parole, die die Menschen sich durch die Nacht zurufen. Die Straßen und Wälder, die Kirchen und Ballsäle bevölkern sich plötzlich, niemand weiß wieso, mit zahllosen verkleinerten Kopien von Werther, Byron, Napoleon, Oblomow, Hjalmar. Die Wiesen werden andersfarbig, die Bäume und Wolken werden andersförmig, die Blicke, die Gesten, die Stimmen der Menschen bekommen einen neuen Akzent. Die Frauen werden zu Preziösen nach dem Rezept Molières und zu Kanaillen nach der Vision Strindbergs; breithüftig und vollbusig, weil Rubens es sich vor seiner einsamen Staffelei so ausgedacht hat, und schmal und anämisch, weil Rossetti und Burne-Jones dieses Bild von ihnen im Kopfe trugen. Es ist gar nicht richtig, daß der Künstler die Realität abschildert, ganz im Gegenteil: die Realität läuft ihm nach. „Es ist paradox", sagt Wilde, „aber darum nicht minder wahr, daß das Leben die Kunst weit mehr nachahmt als die Kunst das Leben."

Niemand vermag diesen Zauberern zu widerstehen. Sie beflügeln und lähmen, sie berauschen und ernüchtern. In ihrem Besitz sind alle Heilmittel und Toxine der Welt. Sie lassen Leben aufsprießen, wohin sie kommen, alles wird durch sie kräftiger, gesünder, „kommt zu sich": ja dies ist sogar die höchste Wohltat, die sie den Menschen erweisen, indem sie bewirken, daß diese zu sich selbst kommen, sich selbst erkennen, sobald sie mit ihnen in Berührung treten. Sie schaffen aber auch Krankheit und Tod. Sie lösen in vielen die latente Narrheit aus, die sonst vielleicht immer geschlummert hätte. Auch erregen sie Kriege, Revolutionen, soziale Erdbeben. Sie köpfen Könige, beschicken Schlachtfelder, stacheln Nationen zum Zweikampf. Ein gut gelaunter älterer Herr, namens Sokrates, vertreibt sich die Zeit mit Aphorismen, ein ebensogut gelaunter Landsmann, namens Plato, macht daraus eine Reihe amüsanter Dialoge, und Bibliotheken schichten sich auf, Bibliotheken werden auf dem Scheiterhaufen verbrannt, Bibliotheken werden als Makulatur verbrannt, neue Bibliotheken werden geschrieben und hunderttausend Köpfe und Mägen leben von dem Namen Plato. Ein exaltierter Journalist, namens Rousseau, schreibt ein paar bizarre Flugschriften, und sechs Jahre lang zerfleischt sich ein hochbegabtes Volk. Ein weltfremder und von aller Welt gemiedener Stubengelehrter, namens Marx, schreibt ein paar dicke und unverständliche philosophische Bände, und ein Riesenreich ändert seine gesamten Existenzbedingungen von Grund auf.

Kurz: die Zeit ist ganz und gar die Schöpfung des großen Mannes, und je mehr sie es ist, desto voller und reifer erfüllt sie ihre Bestimmung, desto größer ist sie. Dies ist unsere zweite These über das Wesen des Genies.

Aber was ist denn der Genius? Ein exotisches Monstrum, eine
Fleisch gewordene Paradoxie, ein Arsenal von Extravaganzen,
Grillen, Perversitäten, ein Narr wie alle anderen, ja noch mehr als
alle anderen, weil er mehr Mensch ist als sie, ein pathologisches
Original, dem ganzen dunkeln Lebensgewimmel da unten im
tiefsten fremd, aber auch seinesgleichen fremd, ja sich selber fremd,
ohne die Möglichkeit irgendeiner Brücke zu seiner Umwelt. Der
große Mann ist der große Solitär: was seine Größe ausmacht, ist
gerade dies, daß er ein Unikum, eine Psychose, eine völlig bezie-
hungslose Einmaligkeit darstellt. Er hat mit seiner Zeit nichts zu
schaffen und sie nichts mit ihm. Dies ist unsere dritte These über
das Wesen des Genies.

Man könnte nun vielleicht finden, daß diese drei Thesen sich
widersprechen. Aber wenn sie sich nicht widersprächen, so wäre
es ziemlich überflüssig gewesen, diese Bände, die im wesentlichen
nichts sind als eine Schilderung der einzelnen Kulturzeitalter und
ihrer Helden, überhaupt zu schreiben. Und für den, der die Aufgabe des menschlichen Denkens nicht im Darstellen, sondern im
Abstellen von Widersprüchen erblickt, ist es andererseits gänzlich
überflüssig, diese Bände zu lesen.

Ehe wir diese Einleitung beschließen, fühlen wir uns verpflichtet, auf unsere Vorgänger, gewissermaßen auf den Pedigree unseres
Darstellungsversuchs einen kurzen Blick zu werfen. Doch kann es
sich hierbei nicht um eine Geschichte der Kulturgeschichte handeln, so verlockend und lohnend eine solche Aufgabe wäre, sondern lediglich um eine flüchtige und aphoristische Hervorhebung
gewisser Spitzen, die wir gleichsam nur mit dem Scheinwerfer
von unserem ganz persönlichen Standort aus für einen Augenblick
beleuchten.

Eigentlich war schon das erste historische Werk, von dem wir
Kunde haben, Herodots Erzählung der Kämpfe zwischen Hellenen
und Barbaren, freilich ohne es selbst recht zu wissen, eine Art vergleichende Kulturgeschichte. Aber schon Herodots jüngerer Zeitgenosse Thukydides schrieb streng politische Geschichte, und erst
Aristoteles hat wieder auf die Bedeutung hingewiesen, die die
Betrachtung der Sitten, Gebräuche und Lebensgewohnheiten auch

für die politische Erkenntnis besitzt. Zu mehr als Ahnungen und Andeutungen konnte es jedoch das Altertum nicht bringen, dessen Weltbild statisch war: daß der homerische Mensch ein wesentlich anders geartetes Wesen war als der perikleische und dieser wiederum ganz verschieden vom alexandrinischen, ist den Griechen niemals klar ins Bewußtsein getreten. Und noch weniger war das Mittelalter imstande, den Begriff der historischen Entwicklung zu fassen. Hier ruht alles von Ewigkeit her in Gott: die Welt ist nur ein zeitloses Symbol, ein geheimnisvoller Kriegsschauplatz des Kampfes zwischen Heiland und Satan, den Erwählten und den Verdammten. So hat es schon an der Schwelle des Mittelalters der größte Genius der christlichen Kirche, Augustinus, gesehen und in seinem Werke „De civitate Dei" ergreifend beschrieben.

Die Renaissance glaubte das Altertum wiederzuentdecken, während sie nur ihr eigenes Lebensgefühl in den römischen Dichtern und Helden feierte: sie ist das Zeitalter der neuerwachten Philologie und Rhetorik, Kunstwissenschaft und Naturphilosophie, nicht der Kulturgeschichte. Deren erste Umrisse wurden erst von der „Aufklärung" erfaßt, die, genau genommen, auf Lord Bacon zurückgeht; und dieser war denn auch in der Tat der erste, der der Geschichte, und zwar zunächst der Literaturgeschichte, die Aufgabe gestellt hat, die einzelnen Zeitalter als Einheiten zu begreifen und widerzuspiegeln, „denn die Wissenschaften", sagt er, „leben und wandern wie die Völker". Diese Forderung ist aber zu jener Zeit von den wenigsten begriffen, von niemandem erfüllt worden. Leibniz, der repräsentative Philosoph der Barocke, führte dann das Prinzip der Entwicklung in der Metaphysik und Naturbetrachtung zum Siege, aber erst im achtzehnten Jahrhundert ist es für die Geschichtsbetrachtung fruchtbar gemacht worden: zunächst auf dem Gebiete der Religion durch Lessing. „Warum wollen wir", sagt dieser in der „Erziehung des Menschengeschlechts", „in allen positiven Religionen nicht lieber weiter nichts als den Gang erblicken, nach welchem sich der menschliche Verstand jedes Orts einzig und allein entwickeln können, und noch ferner entwickeln soll, als über eine derselben entweder lächeln oder zürnen? Diesen unseren Hohn, diesen unseren Unwillen verdiente

in der besten Welt nichts: und nur die Religionen sollten ihn verdienen? Gott hätte seine Hand bei allem im Spiele: nur bei unseren
Irrtümern nicht?" Und dieselbe Anschauung vertrat Herder in der
Beurteilung der poetischen Schöpfungen: jede menschliche Vollkommenheit sei individuell. „Man bildet nichts aus, als wozu Zeit,
Klima, Bedürfnis, Weltschicksal Anlaß gibt ... der wachsende
Baum, der emporstrebende Mensch muß durch verschiedene Lebensalter hindurch, alle offenbar im Fortgange!" „Selbst das Bild
der Glückseligkeit wandelt sich mit jedem Zustand und Himmels-
striche ... jede Nation hat ihren Mittelpunkt der Glückseligkeit
in sich, wie jede Kugel ihren Schwerpunkt!" Auf diesem Wege
entdeckte Herder den Genius in der Poesie des hebräischen Mor-
genlandes, des heidnischen Nordens, des christlichen Mittelalters.
Sein Hauptinteresse gehörte der Volksdichtung: „Wie die Natur-
geschichte Kräuter und Tiere beschreibt, so schildern sich hier die
Völker selbst." Er verlangt, daß eine Geschichte des Mittelalters
nicht bloß eine Pathologie des Kopfes, das heißt: des Kaisers und
einiger Reichsstände sein solle, sondern eine Physiologie des ganzen
Nationalkörpers: der Lebensart, Bildung, Sitte und Sprache; daß
die Historie nicht „Geschichte von Königen, Schlachten, Kriegen,
Gesetzen und elenden Charakteren" sei, sondern „eine Geschichte
des Ganzen der Menschheit und ihrer Zustände, Religionen, Denk-
arten"; er erblickt in der „Geschichte der Meinungen" den Schlüssel zur Tatengeschichte. Aber Herder war nicht der Mann, solche
Programme auszuführen: dazu war seine Natur zu spekulativ, zu
emphatisch, zu raketenhaft.

Winckel-
mann und
Voltaire   Die ersten Versuche, nicht bloß über Kulturgeschichte zu philosophieren, sondern sie auch wirklich zu schreiben, stammen von
Voltaire und Winckelmann. In seinem Hauptwerk, das einige
Jahre älter ist als Herders früheste Schriften, hatte Winckelmann
sich das Ziel gesetzt, „den Ursprung, das Wachstum, die Veränderung und den Fall" der antiken Kunst „nebst den verschiedenen
Stilen der Völker, Zeiten und Künstler" zu lehren. Er beginnt mit
den Orientalen, gelangt über die Etrusker zu den Hellenen, handelt
von ihren einzelnen Kunstperioden und schließt mit den Römern,
dies alles „in Absicht der äußeren Umstände" betrachtet. Freilich

34

ist das ganze Werk in dogmatischem Geiste verfaßt: die griechische Kunst bildet den Kanon, nach dem alles andere einseitig gewertet wird; aber die Feinheit und Schärfe, mit der die Stile der einzelnen Völker und Zeitalter als Produkte der Rasse und Bodenbeschaffenheit, Verfassung und Literatur aufgefaßt wurden, war gleichwohl bis dahin unerhört.

Zwölf Jahre vor Winckelmanns Werk ließ Voltaire sein Buch „Le siècle de Louis XIV" erscheinen, das mit den Worten beginnt: „Es ist nicht meine Absicht, bloß das Leben Ludwigs des Vierzehnten zu beschreiben: ich habe einen größeren Gegenstand im Auge. Ich will versuchen, der Nachwelt nicht die Taten eines einzelnen Mannes, sondern das Wesen der Menschen in dem aufgeklärtesten aller bisherigen Zeitalter zu schildern." Er behandelt darin die gesamten Kulturverhältnisse: innere und äußere Politik, Handel und Gewerbe, Verwaltung und Justiz, Polizei und Kriegswesen, Konfessionsstreitigkeiten und Kirchenangelegenheiten, Wissenschaften und schöne Künste, das ganze öffentliche und private Leben bis zu den Anekdoten herab, freilich noch in Form von Rubriken, die untereinander in keiner rechten Verbindung stehen, die aber mit einem ungemein reichen und lebendigen Inhalt gefüllt sind. Die siegreiche Gabe dieses erstaunlichen Geistes, alles, was er berührte, nicht bloß glasklar und durchsichtig, sondern auch farbig und schillernd, amüsant und pikant zu machen, verleiht dem Werk noch heute den Reiz fesselnder Aktualität.

Am 26. März 1789 schrieb Schiller an Körner: „Eigentlich sollten Kirchengeschichte, Geschichte der Philosophie, Geschichte der Kunst, Geschichte der Sitten und Geschichte des Handels mit der politischen in eins zusammengefaßt werden, und dies erst kann Universalhistorie sein." Aber daran dachte damals in Deutschland niemand, und auch Schillers eigene, ganz politisch orientierte Geschichtswerke tragen noch immer den Charakter von pathetischen Prunkgemälden, die in öffentlichen Gebäuden zu Repräsentationszwecken aufgehängt werden. *(Marginalie: Hegel und Comte)*

Die nachhaltigsten Wirkungen auf die gesamte historische Literatur hat Hegels „Philosophie der Geschichte" gehabt, eine der tiefsten, durchdachtesten und beziehungsreichsten Untersuchungen über Wesen, Sinn und Geist der Geschichte, zudem, da sie von der finstern nachkantischen Terminologie einen ziemlich sparsamen Gebrauch macht, viel lesbarer als seine übrigen Schriften. Die pointierte Art, in der, freilich nicht ohne Gewaltsamkeit, die gesamte Weltgeschichte von den ältesten Zeiten Chinas bis zur Julirevolution als eine streng geordnete Stufenfolge von steigenden Verwirklichungen des „Bewußtseins der Freiheit" dargestellt wird, die plastische Kraft, mit der die bestimmenden Ideen der einzelnen Zeitalter in ihrem Anwachsen, Kulminieren und Vergehen herausgearbeitet werden, macht das Werk zu einer ungemein anregenden, ja fast witzigen Lektüre. Doch gibt es nicht mehr als ein Gerippe, belebt durch eine Reihe treffender und origineller Aperçus.

Eine ähnliche entwicklungsgeschichtliche Betrachtungsweise, aber auf streng antimetaphysischer Basis, bringt Comte in seiner „Philosophie positive" zur Anwendung: in der Lehre von den drei Stadien der Menschheit, deren höchstes, eben das positive, den endgültigen Sieg der wissenschaftlichen Weltanschauung über die theologische, der industriellen Lebensform über die kriegerische, der demokratischen Staatsverfassung über die despotische bezeichnet.

Buckle   Von Comte war Buckle beeinflußt, dessen „History of civilisation in England" bei ihrem Erscheinen großes Aufsehen erregte. Er sagt darin: „Anstatt uns jene Dinge zu erzählen, die allein einen Wert haben, anstatt uns über den Fortschritt des Wissens zu unterrichten und über die Art, wie die Verbreitung dieses Wissens auf die Menschen gewirkt hat, füllen die weitaus meisten Historiker ihre Werke mit den unbedeutendsten und erbärmlichsten Einzelheiten, mit persönlichen Anekdoten von Königen und Höfen, mit endlosen Nachrichten darüber, was ein Minister gesagt und ein anderer gedacht hat ... In der Geschichte des Menschen sind die wichtigen Tatsachen vernachlässigt und die unwichtigen aufbewahrt worden." Nach seiner Ansicht ist die materielle Entwicklung der Völker hauptsächlich durch Klima, Nahrung und Boden beeinflußt, weil von diesen drei Bedingungen die Verteilung des Reichtums abhängt, die intellektuelle Entwicklung von den Naturerscheinungen bestimmt, die entweder durch ihre Gewalt und

Großartigkeit auf die Phantasie wirken oder, in gemäßigten Zonen, sich an den Verstand wenden. Aus diesen Faktoren entstehen gewisse Formen der Religion, Literatur und Staatsregierung, die entweder den Aberglauben oder das Wissen befördern. Zu seinem eigentlichen Thema ist Buckle, der schon im einundvierzigsten Lebensjahre starb, gar nicht gelangt: seine beiden Bände enthalten nur eine Art Prospekt, eine programmatische Einleitung. Die sehr lichtvollen, wenn auch keineswegs einleuchtenden Deduktionen, von denen die Darstellung ausgeht, werden darin mit jener ermüdenden Breite, die ein Merkmal so vieler englischer Bücher bildet, unaufhörlich wiederholt und von einer Fülle von Belegen und Zitaten fast erdrückt. Buckles gigantische Belesenheit verleiht dem Werk eine ungesunde Gedunsenheit, die es jeder freien Bewegung beraubt, ja sie scheint sogar Buckle selbst zugrunde gerichtet zu haben, denn wenn wir seinem Übersetzer, Arnold Ruge, glauben dürfen, hat er sich buchstäblich zu Tode gelesen. Übrigens läßt die ganze Geistesanlage des Verfassers vermuten, daß das Werk, wie ja auch schon der Titel andeutet, keine wirklich universelle Kulturgeschichte geworden wäre, sondern bloß eine Geschichte der intellektuellen Entwicklung des englischen Volkes, wie sie sich in den Fortschritten der wissenschaftlichen Forschung, der sozialen Fürsorge, des Unterrichts, des Verkehrs und der Technik manifestiert hat.

Aber fast gleichzeitig mit Buckles Buch erschien, obgleich zunächst viel weniger Lärm verursachend, die erste wirkliche Universalgeschichte: Burckhardts „Kultur der Renaissance in Italien". Welche Prinzipien ihn bei diesem Werke und allen späteren leiteten, hat er in der Einleitung seiner Vorlesungen über griechische Kulturgeschichte mit liebenswürdiger Ironie klargelegt: „Warum lesen wir nicht wesentlich politische Geschichte, wobei die allgemeinen Zustände und Kräfte in bloßen Exkursen mitbehandelt werden können? Abgesehen davon, daß für die griechische Geschichte allmählich durch treffliche Darstellungen gesorgt ist, würde uns die Erzählung der Ereignisse und vollends deren kritische Erörterung in einer Zeit, da eine einzige Untersuchung über Richtigkeit einzelner äußerer Tatsachen gern einen Oktavband

Burckhardt

37

einnimmt, die beste Zeit wegnehmen ... Unsere Aufgabe, wie wir sie auffassen, ist: die Geschichte der griechischen Denkweisen und Anschauungen zu geben und nach Erkenntnis der lebendigen Kräfte, der aufbauenden und zerstörenden zu streben, welche im griechischen Leben tätig waren ... Glücklicherweise schwankt nicht nur der Begriff Kulturgeschichte, sondern es schwankt auch die akademische Praxis (und noch einiges andere) ... Die Kulturgeschichte geht auf das Innere der vergangenen Menschheit und verkündet, wie diese war, wollte, dachte, schaute und vermochte ... Sie hebt diejenigen Tatsachen hervor, welche imstande sind, eine wirkliche innere Verbindung mit unserem Geiste einzugehen, eine wirkliche Teilnahme zu erwekken, sei es durch Affinität mit uns oder durch den Kontrast zu uns. Den Schutt aber läßt sie beiseite ... Wir sind ‚unwissenschaftlich‘ und haben gar keine Methode, wenigstens nicht die der anderen.“

Jakob Burckhardt hat den Traum Schillers verwirklicht. Es gelang ihm tatsächlich, die große organische Einheit, die alle Lebensbetätigungen eines Volkes bilden, lebensvoll nachzugestalten. Denn noch niemals war in einem und demselben Kopfe eine so frische Anschauung der Details, eine so völlig dichterische Fähigkeit der Einfühlung in ferne Zustände mit einem so weiten und freien Blick für die allgemeinsten Zusammenhänge vereinigt gewesen. Eine unersättliche psychologische Neugierde, ruhelos und beunruhigend, von einem untrüglichen Spürsinn für das Fremdeste und Seltenste, Verschollenste und Versteckteste geleitet, war die geistige Zentraleigenschaft Burckhardts. Und dazu kam noch eine geradezu olympische Unparteilichkeit des Urteils, die alles lächelnd als berechtigt anerkennt, weil sie alles versteht. Hiefür war es gewiß nicht ohne Bedeutung, daß Burckhardt Schweizer war. In diesem kleinen Gebirgskessel, einer Art Miniatureuropa, wo Deutsche, Franzosen und Italiener unter einer gemeinsamen demokratischen Verfassung leben und sich vertragen, ist es offenbar gar nicht möglich, anders als kosmopolitisch und neutral zu denken. Es sind übrigens die vornehmsten Traditionen der deutschen Historik, die Burckhardt hier weiter verfolgt hat. Nicht bloß Ranke und seine Schüler, sondern auch die Klassiker: Kant,

Herder, Goethe, Humboldt, Schiller haben dieses Ideal einer welt-
bürgerlichen Geschichtschreibung immer vor Augen gehabt. In
Burckhardts „Weltgeschichtlichen Betrachtungen", einem Werk
von göttlicher Heiterkeit, Spannkraft und Fülle, findet sich der
Satz: „Der Geist muß die Erinnerung an sein Durchleben der ver-
schiedenen Erdenzeiten in seinen Besitz verwandeln; was einst
Jubel und Jammer war, muß nun Erkenntnis werden." Diese
Worte könnte man als Motto über sein Lebenswerk setzen.

Von Burckhardt ganz verschieden und doch mit ihm verwandt Taine
ist Hippolyte Taine. Das gestaltende Grundpathos in Burckhardt
war die germanische Lust, zu schauen, er wollte nichts geben als
das Bild, das das Leben der Vergangenheit in seiner Seele abgezeichnet hatte: in all seiner blühenden Chaotik und verwirrenden
Systemlosigkeit; in Taine waltete der romanische Trieb, zu gliedern, das im Geiste Gesehene in die lichtvolle Logik einer wohl-
gestuften Architektur zu übersetzen. Burckhardt kam von den
Geisteswissenschaften her: er las die Geschichte mit den Augen
des Philologen und Textforschers; Taine orientierte sich an den
Naturwissenschaften: er entzifferte die Geschichte mit den Methoden des Zoologen und Gesteinsforschers. Beiden gemeinsam
ist jedoch die Magie der Wiederbelebung, die Gabe, die Luft, das
Ambiente, die ganze seelische Landschaft eines Menschen, eines
Volkes, eines Zeitalters zu malen. Hiebei begnügt sich Burckhardt
noch mit den Mitteln eines schlichten, obschon sehr warmen und
gestuften Kolorismus, während Taine bereits über alle Techniken
eines raffinierten Impressionismus verfügt.

Taine war einer jener großen und seltenen Gelehrten, die ein
Programm sind. Man hat daher nur die Wahl, seine Wege und
Ziele, Forderungen und Folgerungen entweder a limine abzu-
lehnen oder en bloc anzunehmen. Er war, um es in einem Satz zu
sagen, der erste, der die Geschichtsforschung naturwissenschaftlich
betrieben hat, und er war der erste, der gezeigt hat, daß künstlerische und naturwissenschaftliche Betrachtungsweise im Grunde
dasselbe sind. In der Tat besteht zwischen beiden kein prinzipieller
Unterschied. Künstlerisch ist eine Welt- und Menschenansicht,
die in ihrem Gegenstande möglichst vollständig zu verschwinden

sucht, die ihr Objekt nicht von außen her, durch irgendein fremdes Licht erhellt, sondern von innen heraus, aus seinem eigenen Kern erleuchtet. Die Betrachtung der ersten Art wirft ihr Licht auf die Dinge und kann daher nur deren Oberfläche treffen: sie macht ihre Gegenstände bloß sichtbar. Die Betrachtung der zweiten Art wirft ihr Licht in die Dinge: sie macht ihre Gegenstände selbstleuchtend. Und eine solche Durchleuchtung der Menschen und Dinge erstrebt der Naturforscher in demselben Maß wie der Historiker und der Historiker in demselben Maß wie der Künstler.

Denn was heißt historisch denken? Eine Sache in ihren inneren Zusammenhängen sehen; eine Sache aus ihrem eigenen Geist heraus begreifen und darstellen. Der Naturhistoriker ist ein wirklicher Historiker, er fragt nach den Bedingungen. Er fragt nach den Leistungen, aber diese sind für ihn wieder nichts als Summen von Bedingungen, die er berechnet. Er fragt nach den Energieverhältnissen. Er fragt nach dem Zweck. Aber Zweck heißt für ihn nur: Energien anhäufen und weitergeben. Tritt eine neue Varietät auf, so fühlt und erfüllt er vor allem die Verpflichtung, sie zu beschreiben, möglichst genau und möglichst vollständig. Hat diese Pflanze Steinboden, Sumpfboden, Wasserboden? Ist sie hängend, kletternd, sitzend? Ist sie eine Kalipflanze, eine Kieselpflanze, eine Kalkpflanze? Wie nimmt sie Licht auf, wie erzeugt sie Wärme?

Nun, jede historische Erscheinung – es handle sich um eine einzelne fruchtbare Individualität, eine bestimmte Generation oder eine ganze Rasse – ist auch nichts anderes als eine neue Varietät. In welchem Klima, in welcher Luft- und Bodenschicht lebt sie? Wie sieht ihr „Standort", ihre Lokalität aus? Wie sind die Verhältnisse ihrer Stoffaufnahme und Stoffleitung? Welchen Aufbau hat ihr morphologischer Grundriß? Wie nimmt sie Licht auf, wie erzeugt sie Wärme? Und welchen Zweck hat sie: welche Energien macht sie frei?

So oder so ähnlich hat Taine die ganze Historie betrachtet. Und diese Beobachtungen und Untersuchungen, die von allen Seiten bemängelt und angezweifelt wurden, hat er in den verschwenderisch reichen Brokatmantel einer in tausend Nuancen opalisierenden Prosa gekleidet, die sogar in der französischen Literatur ihresgleichen sucht.

Vor etwa einem Menschenalter begann Lamprechts „Deutsche Lamprecht
Geschichte" zu erscheinen, ein in vieler Hinsicht sehr verdienst-
volles Werk. Es verfügt vor allem über ein vorzügliches Schema.
Danach entwickelt sich der Gang der Kulturgeschichte im Rahmen eines bestimmten, stets wiederkehrenden Mechanismus:
„Auftreten von Reaktionen gegen den bestehenden Zustand, Zerstörung der alten Dominanten, neuer Naturalismus, Erringen
neuer Dominanten in einem immer gegenständlicheren Idealismus,
Rationalisieren dieser Dominanten, Epigonentum, dann wieder
neue Reizvorgänge und so weiter." Im genaueren unterscheidet
Lamprecht fünf Kulturzeitalter: das symbolische, das typische, das
konventionelle, das individuelle und das subjektive, das wieder in
zwei Abschnitte zerfällt: die Periode der Empfindsamkeit und die
Periode der Reizsamkeit. In jedem dieser Zeitalter herrscht nun
„eine jeweilige sozialpsychische Gesamtdisposition", die Lamprecht mit einem düsteren Fremdwort als „Diapason" bezeichnet.
Es läßt sich nun keineswegs leugnen, daß er mit großem Erfolg
bemüht ist, die Auswirkungen dieses „Diapasons" auf sämtlichen
Kulturgebieten zu zeigen, obgleich er hierin durch seine freiwillige
Beschränkung auf die deutsche Geschichte einigermaßen behindert
ist. Eine solche Behandlungsweise ist beim Mittelalter, wo eine
internationale Kultur geherrscht hat, noch durchaus möglich:
wenn man zum Beispiel die französische Kultur des zwölften
Jahrhunderts beschrieben hat, so hat man das Wesentliche der
europäischen Gesamtkultur beschrieben. Hingegen in der Neuzeit
war immer ein anderes Volk führend: während der Renaissance
die Italiener, in der Barockzeit die Spanier, im achtzehnten Jahrhundert die Franzosen, im neunzehnten abwechselnd die Deutschen, die Engländer und wiederum die Franzosen und im Fin
de siècle sogar die kleine Völkergruppe der Skandinavier.

Indes: man kann auch an einem Volke die Entwicklung der
europäischen Gesamtkultur wenigstens exemplifizieren, zumal
wenn man, wie dies Lamprecht ja tut, das Ausland überall dort,
wo es entscheidend eingegriffen hat, in ausgiebigem Maße zu
Worte kommen läßt. Schwerer wiegt der Einwand, daß Lamprecht kein Gestalter ist. Dies gilt sowohl von der Gliederung wie

von der Darstellung. Seine Grundkonzeption wäre sehr übersichtlich, aber in der Ausführung verschwimmt sie, das Ganze ist nicht vollständig durchkomponiert. Seine übergroße Gelehrtengewissenhaftigkeit hat ihn daran gehindert, die Stoffmassen von seinem neuen Aspekt aus souverän und selbst gewaltsam zusammenzuballen und voneinander zu lösen, wozu er wissenschaftlich nicht berechtigt und künstlerisch verpflichtet gewesen wäre. Und auch bei der Schilderung der einzelnen Kulturzeitalter bringt er es trotz seiner erstaunlich allseitigen Bildung und trotz der Weite und Tragfähigkeit seiner Ideen zu keiner wirklichen Synopsis. Zudem ist das Werk in jener ungelenken und mißtönigen Geheimsprache abgefaßt, die nun einmal eine Eigentümlichkeit der meisten deutschen Gelehrten bildet und bereits Goethe zu der Bemerkung veranlaßt hat, daß die Deutschen die Gabe besäßen, die Wissenschaften unzugänglich zu machen. Daß der Ton dabei nicht selten in ein ausgemünztes und altfränkisches Lesebuchpathos übergeht, macht die Lektüre nicht genußreicher; denn Pathos ist für alle Arten von Darstellern das Gefährlichste, weil es das Leichteste ist: es wird daher fast immer mit dem Verlust der Originalität und der menschlichen Wirkung bezahlt und ist nur großen Künstlern erlaubt, wie Victor Hugo und Richard Wagner, Sonnenthal und Coquelin, Nietzsche und Carlyle. Aber trotz allen diesen Mängeln bezeichnen Lamprechts vierzehn Bände in gewissem Sinne eine Epoche in der Geschichte der Kulturgeschichte.

Breysig   Mit Lamprecht berührt sich Kurt Breysig, ein ausgezeichneter Gelehrter von großer Selbständigkeit der Auffassung, Feinheit des Urteils und Weite des Gesichtskreises. Er bricht vollkommen mit dem bisherigen Prinzip der Einteilung in Altertum, Mittelalter und Neuzeit und konstatiert diese Stufenfolge nicht am allgemeinen Gang der Weltgeschichte, sondern an den einzelnen großen Kulturkreisen, vornehmlich am griechischen, am römischen und am germanisch-romanischen. So entspricht zum Beispiel dem griechischen Altertum (1500 bis 1000) das germanische (400 bis 900): „In beiden Fällen ist ein noch barbarisches Volk durch mannigfache Entlehnungen von älteren und reicheren Kulturen, hier der orientalischen, dort der römischen gefördert worden; in beiden

42

Fällen hat eine starke Monarchie sich gewaltig ausgewirkt ...
Die Trümmer der Königsburgen und Königsgräber von Mykene
und Tiryns und die der karolingischen Kaiserpfalz zu Aachen
atmen denselben Geist." Darauf folgte die Periode des „frühen
Mittelalters", die bei den Griechen von 1000 bis 750, bei den
Germanen von 900 bis 1150 währte: beide Male „Königtum im
Kampf mit der vordringenden Aristokratie und deren schließliches
Überwiegen; darauf das Emporkommen einer bürgerlichen Geldwirtschaft, dann das demokratischer Regungen, zuletzt eine Wiederbelebung des monarchischen Gedankens ... dazu kommt als
das Wichtigste der soziale Gesamtcharakter der Epoche, den hier
wie dort neben einem tumultuarisch brüsken Individualismus starker Persönlichkeiten im wesentlichen der Genossenschaftsgedanke
beherrscht". Man wird schon aus dieser einen Probe ersehen, wie
fruchtbar eine solche komparative Methode werden kann, wenn
sie mit Takt und lebendigem Sinn für das Konkrete gehandhabt
wird und über den Analogien auch die Differenzen nicht übersieht.
Breysigs „Kulturgeschichte der Neuzeit" enthält allerdings bisher
noch nichts von dem, was der Titel angibt: vielmehr handelt der
erste Band von den „Aufgaben und Maßstäben einer allgemeinen
Geschichtschreibung", der zweite, sehr umfangreiche Band vom
„Altertum und Mittelalter als Vorstufen der Neuzeit", und zwar
in seiner ersten Hälfte von der Urzeit, der griechischen und der
römischen Geschichte, in seiner zweiten Hälfte von der Entstehung
des Christentums und dem Altertum und frühen Mittelalter der
germanisch-romanischen Völker. Breysig disponiert viel strenger
und durchsichtiger als Lamprecht und hat vor ihm auch die straf-
fere, lebendigere und abgerundetere Darstellung voraus. Die gedrängten Kapitel über Kunst und Weltanschauung der Griechen
und Staat und Gesellschaft der Römer sind meisterhaft, offenbar
gerade weil Breysig auf diesen Gebieten nicht Fachmann ist. Aber
je mehr er sich seinem eigentlichen Spezialterrain nähert, desto
mehr verliert er sich in die Breite. Vor allem nimmt die Sozial-
geschichte einen übergroßen Raum ein: beim Überblick über die
Kultur des germanisch-romanischen frühen Mittelalters handeln
fast fünfhundert Seiten von Territorialentwicklung, Ständebildung

und Volkswirtschaft und achtzig Seiten von Religion, Wissenschaft, Dichtung und bildender Kunst. Bedenkt man, mit welcher bedrückenden Massierung von Details schon dieser Abschnitt arbeitet, der doch nur ein Prolog sein soll, so ist nicht abzusehen, welche formidabeln Dimensionen das Werk annehmen müßte, wenn es zu seinem eigentlichen Thema gelangt. Und es scheint fast, als habe den Verfasser selber, der seit dem Jahr 1902 keine weiteren Bände hat folgen lassen, der Ausblick in diese unendlichen Räume entmutigt, was sehr zu bedauern wäre.

Spengler Mit großer Bewunderung muß zum Schluß noch der Name Oswald Spenglers genannt werden, vielleicht des stärksten und farbigsten Denkers, der seit Nietzsche auf deutschem Boden erschienen ist. Man muß in der Weltliteratur schon sehr hoch hinaufsteigen, um Werke von einer so funkelnden und gefüllten Geistigkeit, einer so sieghaften psychologischen Hellsichtigkeit und einem so persönlichen und suggestiven Rhythmus des Tonfalls zu finden wie den „Untergang des Abendlandes". Was Spengler in seinen beiden Bänden gibt, sind die „Umrisse einer Morphologie der Weltgeschichte". Er sieht „statt des monotonen Bildes einer linienförmigen Weltgeschichte" „das Phänomen einer Vielzahl mächtiger Kulturen". „Jede Kultur hat ihre eigenen Möglichkeiten des Ausdrucks, die erscheinen, reifen, verwelken und nie wiederkehren. Es gibt viele, im tiefsten Wesen völlig voneinander verschiedene Plastiken, Malereien, Mathematiken, Physiken, jede von begrenzter Lebensdauer, jede in sich selbst geschlossen, wie jede Pflanzenart ihre eigenen Blüten und Früchte, ihren eigenen Typus von Wachstum und Niedergang hat. Diese Kulturen, Lebewesen höchsten Ranges, wachsen in einer erhabenen Zwecklosigkeit auf, wie die Blumen auf dem Felde." Kulturen sind Organismen; Kulturgeschichte ist ihre Biographie. Spengler konstatiert neun solche Kulturen: die babylonische, die ägyptische, die indische, die chinesische, die antike, die arabische, die mexikanische, die abendländische, die russische, die er abwechselnd beleuchtet, natürlich nicht mit gleichmäßiger Schärfe und Vollständigkeit, da wir ja über sie in sehr ungleichem Maße unterrichtet sind. In dem Entwicklungsgang aller dieser Kulturen herrschen aber gewisse

44

Parallelismen, und dies veranlaßt Spengler zur Einführung des Begriffs der „gleichzeitigen" Phänomene, worunter er geschichtliche Fakta versteht, „die, jedes in seiner Kultur, in genau derselben – relativen – Lage eintreten und also eine genau entsprechende Bedeutung haben". „Gleichzeitig" vollzieht sich zum Beispiel die Entstehung der Ionik und des Barock. Polygnot und Rembrandt, Polyklet und Bach, Sokrates und Voltaire sind „Zeitgenossen". Selbstverständlich herrscht aber auch innerhalb derselben Kultur auf jeder ihrer Entwicklungsstufen eine völlige Kongruenz aller ihrer Lebensäußerungen. So besteht zum Beispiel ein tiefer Zusammenhang der Form zwischen der Differentialrechnung und dem dynastischen Staatsprinzip Ludwigs des Vierzehnten, zwischen der antiken Polis und der euklidischen Geometrie, zwischen der Raumperspektive der abendländischen Ölmalerei und der Überwindung des Raumes durch Bahnen, Fernsprecher und Fernwaffen. An der Hand dieser und ähnlicher Leitprinzipien gelangt nun Spengler zu den geistvollsten und überraschendsten Entdeckungen. Das „protestantische Braun" der Holländer und das „atheistische Freilicht" der Manetschule, der „Weg" als das Ursymbol der ägyptischen Seele und die „Ebene" als das Leitmotiv des russischen Weltgefühls, die „magische" Kultur der Araber und die „faustische" Kultur des Abendlandes, die „zweite Religiosität", in der späte Kulturen ihre Jugendvorstellungen wiederbeleben, und die „Fellachenreligiosität", in der der Mensch wieder geschichtslos wird: das und noch vieles andere sind unvergeßliche Genieblitze, die für Augenblicke eine weite Nacht erhellen, unvergleichliche Funde und Treffer eines Geistes, der einen wahrhaft schöpferischen Blick für Analogien besitzt. Daß diesem Werk von den „Fachkreisen" mit einem läppischen Dünkel begegnet worden ist, der nur noch von der tauben Ahnungslosigkeit übertroffen wurde, mit der sie allen seinen Fragen und Antworten gegenüberstanden, wird niemand verwundern, der mit den Sitten und Denkweisen der Gelehrtenrepublik vertraut ist.

Die Kulturgeschichtschreibung ist selbst ein kulturgeschichtliches Phänomen, das die einzelnen von Spengler konstatierten Lebensphasen der Kindheit, der Jugend, der Männlichkeit und des

Greisentums durchzumachen hat. In der Kindheit lebt der Mensch vegetativ, denkt nur an sich und seine nächsten Objekte, und deshalb schreibt er auf dieser Stufe noch gar keine Geschichte; im Jünglingsalter sieht er die Welt poetisch und konzipiert daher Geschichte in der Form der Dichtung; in der Reife der Männlichkeit erblickt er im Handeln Ziel und Sinn alles Daseins und schreibt politische Geschichte; und im Greisenalter beginnt er endlich zu verstehen: aber auf eine sehr lebensmüde und resignierte Art. Darum ist Spenglers Werk schon einfach durch seine Existenz der bündigste Beweis für die Richtigkeit seiner Geschichtskonstruktion. Das Endziel der abendländischen Entwicklung, wie Spengler sie sieht, ist die nervöse und disziplinierte Geistigkeit des Zivilisationsmenschen, ist die illusionslose Tatsachenphilosophie, der Skeptizismus und Historizismus des Weltstädters, ist, mit einem Wort: Spengler. Dies ohne jeden bösen Nebensinn gesagt. Es ist zu allen Zeiten das gute Recht des Denkers gewesen, sich selbst zu beweisen; und je größer der Denker ist, desto gegründeter, selbstverständlicher, unentrinnbarer ist dieses sein Recht.

Aber: – Spengler ist eben darin das Produkt seiner Zeit, daß er Atheist, Agnostiker, verkappter Materialist ist. Er fußt auf der Biologie, der Experimentalpsychologie, der feineren Statistik, ja der Mechanik. Er glaubt nicht an den Sinn des Universums, an das immanente Göttliche. Der „Untergang des Abendlandes" ist die hinreißende Fiktion eines Zivilisationsdenkers, der nicht mehr an Aufstieg glauben kann. Spengler ist der letzte, feinste, vergeistigtste Erbe des technischen Zeitalters und au fond der geistreichste Schüler Darwins und des gesamten englischen Sensualismus, bis in seine Umkehrungen dieser Lehren hinein, ja vielleicht gerade dort am stärksten. Deshalb sind nur seine historischen Schlüsse absolut zwingend, keineswegs seine philosophischen. Wenn sich zum Beispiel auf der letzten Seite seines Werks die Worte finden: „Die Zeit ist es, deren unerbittlicher Gang den flüchtigen Zufall Kultur auf diesem Planeten in den Zufall Mensch einbettet, eine Form, in welcher der Zufall Leben eine Zeitlang dahinströmt", so sind solche Behauptungen wahr und nicht wahr: wahr nämlich nur als Lebensäußerungen einer bestimmten historischen Menschenvarietät: der heutigen, die Spengler als eines ihrer Exemplare, und zwar als eines ihrer leuchtendsten Exemplare vertritt; genau so wahr wie der Fetischismus der Naturvölker oder das ptolemäische Weltsystem der Antike.

Die fruchtbaren neuen Ideen stammen nie von einem Einzelnen, sondern immer von der Zeit. Es ist geradezu der Prüfstein ihres Wertes, daß sie von vielen gleichzeitig gedacht werden. Dies erkennt auch Spengler an, wenn er in der Vorrede seines Werkes sagt: „Ein Gedanke von historischer Notwendigkeit, ein Gedanke also, der nicht in eine Epoche fällt, sondern Epoche macht, ist nur in beschränktem Sinne das Eigentum dessen, dem seine Urheberschaft zuteil wird. Er gehört der ganzen Zeit; er ist im Denken aller unbewußt wirksam." Und in der Tat erschien fast an demselben Tag wie Spenglers erster Band ein merkwürdiges Buch des Schweizers C. H. Meray, das von der Feststellung ausging, daß jede Zivilisation ein in sich abgeschlossenes Ganzes, ein Lebewesen darstellt, ähnlich den vielzelligen Organismen. Und zwar finden wir das Gesetz: so viel Religionen, so viel Zivilisationen; die Religionen sind gleichsam die Nervenzentren der einzelnen Kulturen, die deren Lebenstätigkeit vereinheitlichen und regulieren. Ferner hat jede Zivilisation ihren eigenen Stil; auch dies hat seine Parallelerscheinung in der Zellenwelt, wo das Protoplasma ebenfalls immer eine spezifische Zusammensetzung hat: seine chemische Struktur, aus der man die Gattung jedes einzelnen Lebewesens sofort bestimmen kann. An allen diesen Zivilisationen läßt sich nun beobachten, daß sie nach einer bestimmten Zeit, nämlich nach etwa zwei bis drei Jahrtausenden, sterben. Die ägyptische, die sumerische, die babylonische, die mykenische, die erst jüngst entdeckte minoische Kultur: alle diese sehr hohen und eigenartigen Kulturen brachten es nicht über diese Zeitspanne. Die Zivilisationen besitzen also, ganz wie die Organismen, eine bestimmte Lebensdauer, die sich wohl durch gewaltsame äußere Eingriffe verkürzen, aber auf keine Weise verlängern läßt. In einem solchen Zustand des Absterbens befindet sich unsere gegenwärtige Kultur. Mit Hilfe dieser sozusagen kulturphysiologischen Methode unternahm es der Verfasser Anfang 1918, nicht nur die Ursachen und den bisherigen Verlauf des Weltkriegs zu erklären, sondern auch seinen Ausgang und seine Folgen vorauszubestimmen, was ihm vollkommen gelang.

Selbstverständlich hat Spengler nicht bloß aus dem Zeitbewußtsein geschöpft, sondern sich auch seine Vorgänger: Hegel, Nietzsche, Taine, Lamprecht, Breysig zunutze gemacht. Dasselbe Recht nimmt auch die nachfolgende Darstellung für sich in Anspruch, nur daß sie in der beneidenswerten Lage war, auch schon Spengler mit abschreiben zu können.

Pro domo Damit sind wir im Gange unserer historischen Skizze zu dem jüngsten kulturhistorischen Versuch gelangt, nämlich zu unserem eigenen. Hier mögen nun noch einige kurze allgemeine Bemerkungen gestattet sein.

Will in Deutschland jemand etwas öffentlich sagen, so entwickelt sich im Publikum sogleich Mißtrauen in mehrfacher Richtung: zunächst, ob dieser Mensch überhaupt das Recht habe, mitzureden, ob er „kompetent" sei, sodann, ob seine Darlegungen nicht Widersprüche und Ungereimtheiten enthalten, und schließlich, ob es nicht etwa schon ein anderer vor ihm gesagt habe. Es handelt sich, mit drei Worten, um die Frage des Dilettantismus, der Paradoxie und des Plagiats.

Der berufene Dilettant Was den Dilettantismus anlangt, so muß man sich klarmachen, daß allen menschlichen Betätigungen nur so lange eine wirkliche Lebenskraft innewohnt, als sie von Dilettanten ausgeübt werden. Nur der Dilettant, der mit Recht auch Liebhaber, Amateur genannt wird, hat eine wirklich menschliche Beziehung zu seinen Gegenständen, nur beim Dilettanten decken sich Mensch und Beruf; und darum strömt bei ihm der ganze Mensch in seine Tätigkeit und sättigt sie mit seinem ganzen Wesen, während umgekehrt allen Dingen, die berufsmäßig betrieben werden, etwas im übeln Sinne Dilettantisches anhaftet: irgendeine Einseitigkeit, Beschränktheit, Subjektivität, ein zu enger Gesichtswinkel. Der Fachmann steht immer zu sehr in seinem Berufskreise, er ist daher fast nie in der Lage, eine wirkliche Revolution hervorzurufen: er kennt die Tradition zu genau und hat daher, ob er will oder nicht, zu viel Respekt vor ihr. Auch weiß er zu viel Einzelheiten, um die Dinge noch einfach genug sehen zu können, und gerade damit fehlt ihm die erste Bedingung fruchtbaren Denkens. Die ganze Geschichte der Wissenschaften ist daher ein fortlaufendes Beispiel für den Wert des Dilettantismus. Das Gesetz von der Erhaltung der Energie verdanken wir einem Bierbrauer namens Joule. Fraunhofer war Glasschleifer, Faraday Buchbinder. Goethe entdeckte den Zwischenknochen, Pfarrer Mendel sein grundlegendes Bastardierungsgesetz. Der Herzog von Meiningen, ein in der Regiekunst dilettierender Fürst, ist der Schöpfer eines neuen Theaterstils, und Prießnitz, ein in der Heilkunst dilettierender Bauer, der Schöpfer einer neuen Therapie. Dies sind bloß Beispiele aus dem neunzehnten Jahrhundert, und gewiß nur ein kleiner Bruchteil.

Der Mut, über Zusammenhänge zu reden, die man nicht vollständig kennt, über Tatsachen zu berichten, die man nicht genau beobachtet hat, Vorgänge zu schildern, über die man nichts ganz Zuverlässiges wissen kann, kurz: Dinge zu sagen, von denen sich höchstens beweisen läßt, daß sie falsch sind, dieser Mut ist die Voraussetzung aller Produktivität, vor allem jeder philosophischen und künstlerischen oder auch nur mit Kunst und Philosophie entfernt verwandten.

Was aber im Speziellen die Kulturgeschichte betrifft, so ist es schlechterdings unmöglich, sie anders als dilettantisch zu behandeln. Denn man hat als Historiker offenbar nur die Wahl, entweder über ein Gebiet seriös, maßgebend und authentisch zu schreiben, zum Beispiel über die württembergischen Stadtfehden in der zweiten Hälfte des fünfzehnten Jahrhunderts oder über den Stammbaum der Margareta Maultasch oder, wie der Staatsstipendiat der Kulturgeschichte Doktor Jörgen Tesman, über die brabantische Hausindustrie im Mittelalter, oder mehrere, womöglich alle Gebiete vergleichend zusammenzufassen, aber auf eine sehr leichtfertige, ungenaue und dubiose Weise. Eine Universalgeschichte läßt sich nur zusammensetzen aus einer möglichst großen Anzahl von dilettantischen Untersuchungen, inkompetenten Urteilen, mangelhaften Informationen.

Über die Frage der Paradoxie können wir uns ebenso kurz fassen. **Die unvermeidliche Paradoxie** Zunächst liegt es im Schicksal jeder sogenannten „Wahrheit",

49

daß sie den Weg zurücklegen muß, der von der Paradoxie zum Gemeinplatz führt. Sie war gestern noch absurd und wird morgen trivial sein. Man steht also vor der traurigen Alternative, entweder die kommenden Wahrheiten verkünden zu müssen und für eine Art Scharlatan und Halbnarr zu gelten, oder die arrivierten Wahrheiten wiederholen zu müssen und für einen langweiligen Breittreter von Selbstverständlichkeiten gehalten zu werden, sich entweder lästig oder überflüssig zu machen. Ein Drittes gibt es offenbar nicht.

Ferner wird man bemerken, daß gerade die größten Menschen gezwungen sind, sich fortwährend zu widersprechen. Sie sind ein Nährboden für mehr als eine Wahrheit; alles Lebendige findet in ihnen seinen Humus. Daher sind die Gewächse, die sie hervorbringen, vielartig, verschiedenfach und bisweilen ganz entgegengesetzter Natur. Sie sind zu objektiv, zu reich, zu verständig, um nur eine Ansicht über dieselbe Sache zu haben. Aber nicht bloß das Säkulargehirn, sondern jeder denkende Mensch ist genötigt, sich gelegentlich selbst zu widerlegen. Deshalb hat Emerson gesagt: „Sprich heute aus, was du heute denkst, und verkünde morgen ebenso unbekümmert, was du morgen denkst, auch wenn es dem, was du am Tage vorher gesagt hast, in jedem Punkte widerspricht. Konsequenz ist ein Kobold, der in engen Köpfen spukt." Dasselbe meinte Goethe, als er zu Eckermann sagte, die Wahrheit sei einem Diamanten zu vergleichen, dessen Strahlen nicht nach einer Seite gehen, sondern nach vielen, und Baudelaire, als er an Philoxène Royer schrieb: „Unter den Rechten, von denen man in der letzten Zeit gesprochen hat, hat man eines vergessen, an dessen Nachweis jedermann interessiert ist: das Recht, sich zu widersprechen."

Die Sache geht aber noch tiefer. Der Widerspruch ist nämlich ganz einfach die Form, und zwar die notwendige Form, in der sich unser ganzes Denken bewegt. Das, was man die „Wahrheit" über irgendeine Sache nennen könnte, ist nämlich weder die Behauptung A noch die kontradiktorische Behauptung non-A, sondern die zusammenfassende und gewissermaßen auf einer höheren geistigen Spiralebene gelegene Einheit aus diesen beiden einander widersprechenden Urteilen. Die ganze geistige Entwicklungsgeschichte der Menschheit ist ein solches Ringen um jene wahren Mittelbegriffe, in denen zwei einseitige und daher falsche Betrachtungsarten der Wirklichkeit ihre harmonische Lösung finden. Bekanntlich hat Hegel auf dieser Erkenntnis ein weitläufiges Philosophiegebäude errichtet, in dem er an alles und jegliches mit seinem ebenso einfachen wie fruchtbaren Schema: These – Antithese – Synthese herantrat, und es ist der bezwingenden Macht dieser weisen und tiefsinnigen Entdeckung zuzuschreiben, daß das hegelsche System ein halbes Jahrhundert lang eine fast absolutistische Herrschaft über alle Kulturgebiete ausübte und alle geistig Schaffenden, ob es Physiker oder Metaphysiker, Künstler oder Juristen, Hofprediger oder Arbeiterführer waren, sozusagen im hegelschen Dialekt sprachen. Und in einer populäreren, aber nicht minder treffenden Form findet sich der Extrakt dieser Philosophie in einer Anekdote ausgesprochen, die von Ibsen erzählt wird. Dieser sprach einmal in einer Gesellschaft begeistert von Bismarck, als einer der Anwesenden ihn fragte, wie ein so fanatischer Vorkämpfer der Freiheit des Individuums sich für einen Mann erwärmen könne, der doch seiner ganzen Weltanschauung nach ein Konservativer, also ein Anhänger der Unterdrückung fremder Individualitäten sei. Daraufhin blickte Ibsen dem Frager lächelnd ins Gesicht und antwortete: „Ja, haben Sie denn noch nie bemerkt, daß bei jedem Gedanken, wenn man ihn zu Ende denkt, das Gegenteil herauskommt?"

Was nun zum Schluß noch die Frage des Plagiats anlangt, so ist das Geschrei über geistige Entwendungen eines der überflüssigsten Geschäfte von der Welt. Jedes Plagiat richtet sich nämlich von selbst. Auf ihm ruht der Fluch, der jedes gestohlene Gut zu einem freudlosen Besitz macht, sei es nun geistiger oder materieller Natur. Es erfüllt den Dieb mit einer Unsicherheit und Befangenheit, die man ihm auf hundert Schritte anmerkt. Die Natur gestattet keine unehrlichen Geschäfte. Wir können immer nur unsere eigenen Gedanken wirklich in Bewegung setzen, weil nur diese unsere Organe sind. Eine Idee, die nicht uns, sondern einem andern gehört, können wir nicht handhaben, sie wird uns abwerfen, wie das Pferd den fremden Reiter, sie ist wie eine Schmuckkassette, deren Vexierschloß man nicht kennt, wie ein Paß, der fremde Länder öffnet, aber nur dem, dessen Bild und Namenszug er trägt. Man lasse daher die Menschen an geistigem Eigentum nur ruhig zusammenstehlen, was sie erwischen können, denn niemand anders wird den Schaden davon haben als sie selbst, die ihre schöne Zeit an etwas völlig Hoffnungsloses vergeudet haben.

Es gibt aber auch unbewußte Plagiate oder richtiger gesagt: Plagiate, die mit gutem Gewissen begangen werden, so wie man etwa jeden Händler einen Dieb mit gutem Gewissen nennen könnte. Es läßt sich bezweifeln, ob der Proudhonsche Satz „*La propriété c'est le vol*" auf wirtschaftlichem Gebiet so ganz richtig ist; auf geistigem Gebiet gilt er aber ganz zweifellos. Denn, genau genommen, besteht die ganze Weltliteratur aus lauter Plagiaten. Das Aufspüren von Quellen, sagt Goethe zu Eckermann, sei „sehr lächerlich". „Man könnte ebensogut einen wohlgenährten Mann nach den Ochsen, Schafen und Schweinen fragen, die er gegessen und die ihm Kräfte gegeben. Wir bringen wohl Fähigkeiten mit, aber unsere Entwicklung verdanken wir tausend Einwirkungen einer großen Welt, aus der wir uns aneignen, was wir können und was uns gemäß ist ... Die Hauptsache ist, daß man eine Seele habe, die das Wahre liebt und die es aufnimmt, wo sie es findet. Überhaupt ist die Welt jetzt so alt, und es haben seit Jahrtausenden so viele bedeutende Menschen gelebt und gedacht, daß wenig Neues mehr zu finden und zu sagen ist. Meine Farbenlehre ist auch nicht durchaus neu. Plato, Lionardo da Vinci und viele andere Treffliche haben im einzelnen vor mir dasselbige gefunden und gedacht; aber daß ich es auch fand, daß ich es wieder sagte und daß ich dafür strebte, in einer konfusen Welt dem Wahren wieder Eingang zu verschaffen, das ist mein Verdienst." Und das war von Goethe sicher ein besonders großes Zugeständnis, denn er war bekanntlich auf nichts stolzer als auf seine Farbenlehre.

Die ganze Geistesgeschichte der Menschheit ist eine Geschichte von Diebstählen. Alexander bestiehlt Philipp, Augustinus bestiehlt Paulus, Giotto bestiehlt Cimabue, Schiller bestiehlt Shakespeare, Schopenhauer bestiehlt Kant. Und wenn einmal eine Stagnation eintritt, so liegt der Grund immer darin, daß zu wenig gestohlen wird. Im Mittelalter wurden nur die Kirchenväter und Aristoteles bestohlen: das war zu wenig. In der Renaissance wurde alles zusammengestohlen, was an Literaturresten vorhanden war: daher der ungeheure geistige Auftrieb, der damals die europäische Menschheit erfaßte. Und wenn ein großer Künstler oder Denker sich nicht durchsetzen kann, so liegt das immer daran, daß er zu wenig Diebe findet. Sokrates hatte das seltene Glück, in Plato einen ganz skrupellosen Dieb zu finden, der sein Handwerk von Grund aus verstand: ohne Plato wäre er unbekannt. Die Frage der Priorität ist von großem Interesse bei Luftreinigern, Schnellkochern und Taschenfeuerzeugen, aber auf geistigem Gebiet ist sie ohne jede Bedeutung. Denn, wie wir schon bei Spengler hervorhoben, die guten Gedanken, die lebensfähigen und fruchtbaren, sind niemals von einem Einzelnen ausgeheckt, sondern immer das Werk des Kollektivbewußtseins eines ganzen Zeitalters. Es handelt sich darum, wer sie am schärfsten formuliert, am klarsten durchleuchtet, am weitesten in ihren möglichen Anwendungen verfolgt hat. „Im Grunde", sagt Goethe, „sind wir alle Kollektivwesen, wir mögen uns stellen, wie wir wollen. Denn wie weniges haben und sind wir, das wir im reinsten Sinne unser Eigentum nennen! ... Ich verdanke meine Werke keineswegs meiner eigenen Weisheit allein, sondern Tausenden von Dingen und Personen außer mir, die mir dazu das Material boten. Es kamen Narren und Weise, helle Köpfe und bornierte, Kindheit und Jugend wie das reife Alter: alle sagten mir, wie es ihnen zu Sinn sei, was sie dachten, wie sie lebten und wirkten und welche Erfahrungen sie sich gesammelt, und ich hatte weiter nichts zu tun als zuzugreifen und das zu ernten, was andere für mich gesäet hatten."

Bekanntlich hat ja auch Shakespeare im „Julius Cäsar" den Plutarch wörtlich abgeschrieben. Manche bedauern, daß dadurch ein häßlicher Fleck auf den großen Dichter falle. Andere sind toleranter und sagen: ein Shakespeare durfte sich das erlauben! Beiden ist jedoch zu erwidern: wenn man von Shakespeare nichts wüßte als dies, so würde dies allein ihn schon als echten Dichter kennzeichnen. Es ist wahr: große Dichter sind oft originell; aber nur, wenn sie müssen. Sie haben nie den Willen zur Originalität: den haben die Literaten. Ein Dichter ist ein Mensch, der sieht und sehen kann, weiter nichts. Und er freut sich, wenn er einmal ganz ohne Einschränkung seinem eigentlichen Beruf obliegen kann: dem des Abschreibens. Wenn Shakespeare den Plutarch abschrieb, so tat er es nicht, obgleich er ein Dichter war, sondern weil er ein Dichter war. Das Genie hat eine leidenschaftliche Liebe zum Guten, Wertvollen; es sucht nichts als dieses. Hat schon ein anderer die Wahrheit, zum Beispiel Plutarch, wozu sich auch nur einen Schritt weit von ihm entfernen? Was könnte dabei herauskommen? Es bestünde die Gefahr, eine Wahrheit, die minder groß und wahr wäre, an die Stelle der alten zu setzen, und diese Gefahr fürchtet das Genie mehr als den Verlust seiner Originalität. Lieber schreibt es ab. Lieber ist es ein Plagiator.

Patholo-
gische und
physio-
logische
Originalität Pascal sagt einmal in den „Pensées“: „Gewisse Schriftsteller sagen von ihren Werken immer: ,Mein Buch, mein Kommentar, meine Geschichte'. Das erinnert an jene braven Spießer, die bei jeder Gelegenheit ,mein Haus' sagen. Es wäre besser, wenn sie sagten: unser Buch, unser Kommentar, unsere Geschichte; wenn man bedenkt, daß das Gute darin mehr von andern ist als von ihnen." Wir sind schließlich alle nur Plagiatoren des Weltgeists, Sekretäre, die sein Diktat niederschreiben; die einen passen besser auf, die anderen schlechter: das ist vielleicht der ganze Unterschied. Aber Pascal ergänzt seine Bemerkung durch eine andere: „Manche Leser wollen, daß ein Autor niemals über Dinge spreche, von denen schon andere gesprochen haben. Tut er es, so werfen sie ihm vor, er sage nichts Neues. Beim Ballspielen benutzt der eine genau denselben Ball wie der andere; aber der eine wirft ihn besser. Man könnte einem Autor gerade so gut vorwerfen, daß er sich der alten Worte bediene: als ob dieselben Gedanken in veränderter Anordnung nicht einen andern geistigen Organismus bildeten, genau so, wie die Worte in veränderter Anordnung andere Gedanken bilden." Die Unoriginalität liegt eben meistens im Leser. Die Bemerkung: „Das ist mir nichts Neues, das habe ich schon irgendwo gehört", wird man am häufigsten im Munde untalentierter, unkünstlerischer, unproduktiver Menschen hören. Der begabte Mensch hingegen weiß, daß er nichts „schon irgendwo gehört hat" und daß alles neu ist. Der Europäer glaubt, daß alle Neger dieselben Gesichter hätten, weil er von Negergesichtern nichts versteht. Und der Philister glaubt, daß alle Menschen dieselbe geistige Physiognomie hätten, weil er von geistigen Physiognomien nichts versteht. „Die, so niemals selbst denken", sagt Kant in seinen ,Prolegomena', „besitzen dennoch die Scharfsichtigkeit, alles, nachdem es ihnen gezeigt worden, in demjenigen, was sonst schon gesagt worden, aufzuspähen, wo es doch vorher niemand sehen konnte."

Materiell neu ist im Grunde nichts; neu ist immer nur das Wechselspiel der geistigen Kräfte. Ja man kann den letzten Schritt tun und sagen: jeder Vollsinnige ist ununterbrochen gezwungen, zu plagiieren. Das wohlgeordnete, wohlabgegrenzte Reich der Wahrheit ist klein. Unermeßlich und bodenlos ist nur die Wildnis der Torheiten und Irrtümer, der Schrullen und Idiotismen. Gegen Leute, die etwas ganz Neues sagen, soll man mißtrauisch sein; denn es ist fast immer eine Lüge. Es gibt eine doppelte Originalität: eine gute und eine schlechte. Originell ist jeder neue Organismus: diese physiologische Originalität ist wertvoll und fruchtbar. Daneben existiert aber auch noch eine pathologische Originalität, und die hat gar keinen Wert und gar keine Lebensfähigkeit, obgleich sie vielfach als die einzige und echte Originalität gilt. Es ist die Originalität des Riesenfettkinds und des Kalbs mit zwei Köpfen.

Kurz nachdem ich diese kleine Schlußbetrachtung aufgezeichnet hatte, fiel mir ein alter Band der Wochenschrift „Die Zeit" in die Hand, worin ich einen Aufsatz von Hermann Bahr über „Plagiate" vorfand, der mit dem Satz schließt: „Nehmen wir dem Künstler das Recht, das Schöne darzustellen, wie er es fühlt, unbekümmert, ob es schon einmal dargestellt worden ist oder nicht, und dem Kenner das Recht, nach dem Wahren zu trachten, ob es nun alt oder neu ist, und lassen wir bloß das gelten, was noch nicht dagewesen ist, dann machen wir allen Extravaganzen die Türe auf und der größte Narr wird uns der liebste Autor sein." Man könnte hier an irgendeinen zufälligen „Parallelismus" denken; so aber verhält es sich nicht. Sondern ich habe, als leidenschaftlicher Leser Hermann Bahrs, der ich schon immer war, diesen Satz offenbar als Gymnasiast in der „Zeit" gelesen und jetzt ist er wieder aus meinem Unterbewußtsein nach oben gestiegen. Woraus erhellt, daß man selbst über Plagiate nichts anderes sagen kann als Plagiate.

ERSTES BUCH

RENAISSANCE UND REFORMATION

VON DER SCHWARZEN PEST
BIS ZUM DREISSIGJÄHRIGEN KRIEG

ERSTES KAPITEL

DER BEGINN

> *Fängt nicht überall das Beste mit Krank-*
> *heit an?*   *Novalis*

Eine einfache Erwägung zeigt, daß alle Klassifikationen, die der Der Wille
Mensch jemals gemacht hat, willkürlich, künstlich und falsch sind. zur
Aber eine ebenso einfache Erwägung zeigt, daß diese Klassifika- Schachtel
tionen nützlich und unentbehrlich und vor allem unvermeidlich
sind, weil sie einer eingeborenen Tendenz unseres Denkens entspringen. Denn im Menschen lebt ein tiefer Wille zur Einteilung,
er hat einen heftigen, ja leidenschaftlichen Hang, die Dinge abzu-
grenzen, einzufrieden, zu etikettieren. Das Lieblingsspielzeug vieler Kinder ist die Schachtel. Aber auch der Erwachsene trägt immer
ein unsichtbares Quadratnetz mit sich herum. Die einfache und
lichte Anordnung der meisten Naturprodukte: die deutliche und
bestimmte Segmentierung des Tierkörpers, die regelmäßigen
Knoten des Blumenstengels, gleichsam dessen Stockwerke, die
scharf geschnittenen Flächen und Winkel des Kristalls: all das ist
für uns ein eigentümlich erfrischender Anblick. Wir verlangen,
daß ein Gedicht Strophen, ein Drama Akte, eine Symphonie Sätze,
ein Buch Absätze habe, sonst fühlen wir uns sonderbar gequält,
befremdet und ermüdet. Ein Antlitz, dessen Teile sich nicht kräftig und ausdrücklich gegeneinander abheben, erscheint uns unschön oder nichtssagend. Wir verehren Menschen und Völker
nach dem Grade ihrer Kunst, zu stufen, zu gliedern, zu scheiden:
ja das, was wir Kunst nennen, ist fast identisch mit dieser Fähigkeit. Die griechischen Architekten und Bildhauer sind die Lehrer
der Jahrtausende geworden, weil sie Meister der Einteilung, der
Proportion waren; der Dichterruhm Dantes beruht zum Teil

darauf, daß er die geheimnisvolle Welt des Jenseits durchsichtig und faßbar gemacht hat, indem er sie in klare Kreise zerlegte. Und die Aufgabe aller Wissenschaft hat ja niemals in etwas anderem bestanden als in der übersichtlichen Parzellierung und Gruppierung der Wirklichkeit: durch künstliche Trennung und Aufreihung macht sie die Fülle des Tatsächlichen handlich und begreiflich. Es heißt freilich: die Natur macht keine Sprünge. Aber es scheint, daß ihr die Zwischenformen, durch die sie hindurch muß, nicht das Wichtigste sind, denn sie hat keine einzige von ihnen aufbewahrt, sie benutzt sie offenbar nur als Hilfslinien und Notbrücken, um zu ihrem eigentlichen Ziele zu gelangen: den scharf gesonderten Gruppen und Reichen; was sie will, sind die markanten Unterschiede und nicht die verwaschenen Übergänge. Oder sagen wir lieber: wir vermögen es jedenfalls nicht anders zu sehen. Was uns bei der Betrachtung eines Entwicklungsganges reizt und bewegt, ist immer jener geheimnisvolle Sprung, der fast niemals fehlt; in jeder Biographie sind es die plötzlichen Erhellungen und Verdunklungen, Wandlungen und Wendungen, Taillen und Zäsuren, die unsere Teilnahme fesseln: das, was den Einschnitt, die Epoche macht. Kurz: wir fühlen uns nur glücklich in einer artikulierten, gestuften, interpungierten Welt.

Das Recht auf Periodisierung Dies gilt ganz besonders von allem, was einen Zeitablauf hat. Die Zeit ist vielleicht von allen Schrecklichkeiten, die den Menschen umgeben, die schrecklichste: flüchtig und unheimlich, gestaltlos und unergründlich, ein Schnittpunkt zwischen zwei drohenden Ungewißheiten: einer Vergangenheit, die nicht mehr ist und trotzdem noch immer bedrückend in unser Jetzt hineinragt, und einer Zukunft, die noch nicht ist und dennoch bereits beängstigend auf unserem Heute lastet; die Gegenwart aber fassen wir nie. Die Zeit also, unsere vornehmste und wertvollste Mitgift, gehört uns nicht. Wir wollen sie besitzen, und statt dessen sind wir von ihr besessen, rastlos vorwärts gehetzt nach einem Phantom, das wir „morgen" nennen und das wir niemals erreichen werden. Aber gerade darum ist der Mensch unermüdlich bemüht, die Zeit zu dividieren, einzuteilen, in immer kleinere und regelmäßigere Portionen zu zerlegen: er nimmt Luft und Sand, Wasser und Licht, alle Elemente zu Hilfe, um dieses Ziel immer vollkommener zu erreichen. Seine stärkste Sehnsucht, sein ewiger Traum ist: Chronologie in die Welt zu bringen. Haben wir die Zeit nämlich einmal schematisch und überschaubar, meßbar und berechenbar gemacht, so entsteht in uns die Illusion, daß wir sie beherrschen, daß sie uns gehört. Schon der Wilde hat dafür seine rohen einfachen Methoden. Dem antiken Menschen, der erdiger und weniger vergrübelt war als der christliche, genügte der Schatten der Sonne, aber schon das Mittelalter erlebte die Erfindung der Uhr, und wir Heutigen, in unserer nie schweigenden Lebensangst und faustischen Unrast, haben Apparate, die den vierhunderttausendsten Teil einer Sekunde notieren. Und ebenso verhält es sich, wenn wir das Zeitmikroskop mit dem Zeitteleskop vertauschen und auf die weite Geschichte unseres Geschlechts blicken: auch hier genügt uns nicht mehr die naive und sinnbildliche Einteilung der Alten in goldene, silberne, eiserne Zeitalter, sondern wir begehren Genaueres, Schärferes, Umfassenderes. Es ist natürlich leicht, gegen alle Arten von Periodisierungen zu polemisieren und etwa zu sagen: es ist alles ein einziger großer Fluß, in langen Räumen sich vorbereitend, in langen Räumen sich auswirkend, unbegrenzbar nach beiden Richtungen wie jeder andere Fluß: man könnte ebensogut den Ozean in einzelne Abschnitte zerlegen. Aber tun wir dies nicht in der Tat sogar mit dem Ozean, indem wir Meridiane und Parallelkreise ziehen? Immer wieder wird uns versichert, es gebe überall in Natur und Leben nur schrittweise Übergänge, Grade und Differentiale. Aber wir hören diese subtilen Einwände, geben ihnen recht und glauben sie nicht. Denn es gibt auf dem Grunde unseres Denkens ein Wissen, das positiver und ursprünglicher ist als alle wissenschaftlichen Erkenntnisse. Dieses angeborene gesunde und gradlinige Wissen, das dem gemeinen Mann ebenso eigen ist wie dem echten Gelehrten, schiebt derlei posthume Weisheiten von sich und beharrt auf der Forderung, daß jeder Verlauf seinen Anfang und sein Ende, seine Ouvertüre und sein Finale haben müsse. Blicken wir auf das Leben des Individuums, das sich leichter überschauen läßt als der Werdegang der Gesamtheit, so bemerken wir, daß hier die verschwimmenden

Übergänge keineswegs die Regel sind, daß vielmehr der Eintritt in ein neues Lebensalter sich meist abrupt, unvermittelt, explosiv vollzieht. Plötzlich, „über Nacht" sagt das Volk, ist die Pubertät, ist die Senilität da. „Vorbereitet" ist sie natürlich stets, aber in die Wirklichkeit tritt sie meist in der Form eines überraschenden physiologischen Rucks; oft ist die Auslösung auch irgendein tiefgehendes seelisches Erlebnis. Wir pflegen dann zu sagen: „Du bist ja auf einmal ein Mann geworden", und (dies meist nur hinter dem Rücken): „Er ist ja auf einmal ein Greis geworden". In seinem sehr bedeutenden Werk „Der Ablauf des Lebens" sagt Wilhelm Fließ: „Plötzlichkeit eignet allen Lebensvorgängen. Sie ist fundamental . . . Das Kind ist plötzlich im Besitz einer neuen Artikulation . . . Ebenso sicher ist es, daß das Kind plötzlich die ersten Schritte macht." Geheimnisvoll wächst der Mensch im Mutterleibe, ist Wurm, Fisch, Lurch, Säugetier, und doch hat ein jeder seinen bestimmten Geburtstag, ja seine Geburtsminute. Und so kann man denn auch von der Geschichte unseres ganzen Geschlechts sagen: es gibt bestimmte Zeitpunkte, wo eine neue Art Mensch geboren wird, nicht Tage, aber vielleicht Jahre oder doch Jahrzehnte.

Die Konzeption des neuen Menschen.
Aber indem wir diese Analogie etwas näher ins Auge fassen, bemerken wir sogleich einen Punkt, wo sich das Bedürfnis nach einer Korrektur geltend macht. Wann „beginnt" ein Menschenleben? Offenbar nicht im Augenblick der Geburt, sondern im Augenblick der Konzeption. Die verblüffenden und höchst aufschlußreichen Untersuchungen, die sich in den letzten Jahrzehnten, wiederum im Anschluß an Fließ, mit dem geheimnisvollen Phänomen der Periodizität beschäftigt haben, lassen denn auch ihre Berechnungen immer etwa neun Monate vor der Geburt einsetzen, dasselbe tun die Astrologen bei der Bestimmung der Nativität. Der Anfang eines neuen Geschichtsabschnitts ist also in jenen Zeitpunkt zu setzen, wo der neue Mensch konzipiert wird: das Wort in seiner doppelten Bedeutung genommen. Eine neue Ära beginnt nicht, wenn ein großer Krieg anhebt oder aufhört, eine starke politische Umwälzung stattfindet, eine einschneidende territoriale Veränderung sich durchsetzt, sondern in dem

Moment, wo eine neue Varietät der Spezies Mensch auf den Plan tritt. Denn in der Geschichte zählen nur die inneren Erlebnisse der Menschheit. Aber der unmittelbare Anstoß wird doch sehr oft von irgendeinem erschütternden äußeren Ereignis, einer allgemeinen Katastrophe ausgehen: einer großen Epidemie, einer tiefgreifenden Umlagerung der sozialen Schichtung, weit ausgebreiteten Invasionen, plötzlichen wirtschaftlichen Umwertungen. Den Anfang macht also meistens irgendein großes Trauma, ein Choc: zum Beispiel die Dorische Wanderung, die Völkerwanderung, die Französische Revolution, der Dreißigjährige Krieg, der Weltkrieg. Diesem folgt eine traumatische Neurose, die der eigentliche Brutherd des Neuen ist: durch sie wird alles umgeworfelt, „zerrüttet", in einen labilen, anarchischen, chaotischen Zustand gebracht, die Vorstellungsmassen geraten in Fluß, werden sozusagen mobilisiert. Erst später bildet sich das, was die Psychiater den „psychomotorischen Überbau" nennen: jenes System von zerebralen Regulierungen, Hemmungen, Sicherungen, das einen „normalen" Ablauf der seelischen Funktionen garantiert: in diese Gruppe von Zeitaltern gehören alle „Klassizismen".

Auf Grund dieses Schemas wagen wir nun die Behauptung aufzustellen: das Konzeptionsjahr des Menschen der Neuzeit war das Jahr 1348, das Jahr der „schwarzen Pest".

Die Neuzeit fängt also nicht dort an, wo sie in der Schule anfängt. Die dunkle Empfindung, daß die hergebrachten Bestimmungen über den Beginn der Neuzeit den wahren Sachverhalt nur sehr summarisch und oberflächlich zum Ausdruck bringen, ist übrigens immer vorhanden gewesen. Die meisten Historiker helfen sich mit einer „Übergangszeit", worunter sie ungefähr das fünfzehnte Jahrhundert verstehen. Breysig führt den Begriff des „späten Mittelalters" ein und bestimmt dafür die Zeit „von gegen 1300 bis gegen 1500". Chamberlain geht in seinen geistvollen, aber etwas einseitig orientierten „Grundlagen des neunzehnten Jahrhunderts" noch weiter zurück, indem er „das Erwachen der Germanen zu ihrer welthistorischen Bestimmung als Begründer einer durchaus neuen Zivilisation und einer durchaus neuen

Kultur" den „Angelpunkt der Geschichte Europas" nennt und das Jahr 1200 als den „mittleren Augenblick dieses Erwachens" bezeichnet. Scherer hält zwar an einem „ausgehenden Mittelalter" fest, beginnt aber das Kapitel über diese Periode mit den Worten: „Die Geißelfahrten und die Gründung der ersten deutschen Universität stehen bedeutungsvoll am Eingang einer dreihundertjährigen Epoche, die bis zum Westfälischen Frieden reicht." Es ist jedoch nur natürlich, daß die naheliegende Erkenntnis eines früheren Beginns der Neuzeit den „Laien" viel rascher aufgegangen ist als den Fachleuten. Schon Vasari setzte die Rinascita an den Anfang des Trecento. Gustav Freytag sagt in seinen „Bildern aus der deutschen Vergangenheit", die bis zum heutigen Tage noch immer die farbigste, einprägsamste und erlebteste Kulturgeschichte des deutschen Volkes sind: „Sieht man näher zu, so sind stillwirkende Kräfte lange geschäftig gewesen, diese großen Ereignisse hervorzubringen, ... welche nicht nur den Deutschen, sondern allen Völkern der Erde ihr Schicksal bestimmt haben. ... Von solchem Gesichtspunkt wird uns die Zeit zwischen den Hohenstaufen und dem Dreißigjährigen Kriege, die vierhundertjährige Periode zwischen 1254 und 1648 ein einheilicher geschlossener Zeitraum der deutschen Geschichte, welcher sich von der Vorzeit und Folge stark abhebt." Und Fritz Mauthner gelangt in seinem Werk über den „Atheismus und seine Geschichte im Abendland" zu folgender Formel: „Versteht man unter Mittelalter alle die Jahrhunderte, in denen kirchliche Begriffe nachwirkten, ... so dauerte das Mittelalter sicherlich bis zum Westfälischen Frieden. ... Versteht man jedoch unter Mittelalter nur die Jahrhunderte einer unwidersprochenen Theokratie, ... dann muß man dieses Mittelalter lange vor dem Ende des fünfzehnten Jahrhunderts aufhören lassen, etwa schon zweihundert Jahre früher."

Also: mit dem aufgehenden sechzehnten Jahrhundert ist die Neuzeit in die Welt getreten; aber im vierzehnten und fünfzehnten Jahrhundert ist sie entstanden, und zwar durch Krankheit. Daß nämlich Krankheit etwas Produktives ist, diese scheinbar paradoxe Erklärung müssen wir an die Spitze unserer Untersuchungen stellen.

Jede Krankheit ist eine Betriebsstörung im Organismus. Aber nur eine sehr äußerliche Betrachtungsweise wird den Begriff der Betriebsstörung ohne weiteres unter den der Schädigung subsumieren. Auch in der Geschichte des politischen und sozialen Lebens, der Kunst, der Wissenschaft, des Glaubens sehen wir ja, daß Erschütterungen des bisherigen Gleichgewichts durchaus nicht immer unter die verderblichen Erscheinungen gerechnet werden dürfen; vielmehr ist es klar, daß jede fruchtbare Neuerung, jede wohltätige Neubildung sich nur auf dem Wege eines „Umsturzes" zu vollziehen vermag, einer Disgregation der Teile und Verschiebung des bisherigen Kräfteparallelogramms. Ein solcher Zustand muß, vom konservativen Standpunkt betrachtet, stets als krankhaft erscheinen.

Die Ahnung, daß das Phänomen der Krankheit mit dem Geheimnis des Werdens eng verknüpft sei, war in der Menschheit zu allen Zeiten weit verbreitet. Der Volksinstinkt hat auf den Kranken, zumal auf den Geisteskranken, immer mit einer gewissen Scheu geblickt, die aus Furcht und Ehrfurcht gemischt war. Die Römer nannten die Epilepsie *morbus sacer, morbus divinus;* die Pythia, der die Entscheidung der wichtigsten Fragen ganz Griechenlands und die Erkundung der Zukunft anvertraut war, müßte nach allem, was wir über sie wissen, in der heutigen Terminologie als hysterisches Medium bezeichnet werden. Die hohe Wertschätzung, die dem Leiden in so vielen Religionen eingeräumt wird, hat ihre Wurzel in der Überzeugung, daß es die Lebensfunktionen nicht etwa herabsetzt, sondern steigert und zu einem Wissen führt, das dem Gesunden verschlossen bleibt. Die Askese ist sowohl in ihrer orientalischen wie in ihrer abendländischen Form ein Versuch, durch alle erdenklichen „schwächenden" Mittel: Unterernährung, Schlafentziehung, Flagellation, Einsamkeit, sexuelle Abstinenz den Organismus künstlich morbid zu machen und dadurch in einen höheren Zustand zu transponieren. In der Legendenschilderung sind fast alle heiligen oder sonst von Gott ausgezeichneten Menschen mit körperlichen „Minderwertigkeiten" behaftet. Es ist nur die Kehrseite dieser Auffassung, daß frühere Jahrhunderte in den Hysterikerinnen Hexen erblickten,

Erwählte des großen Widersachers Gottes, dem der damalige Glaube eine fast ebenso große Macht zuschrieb wie dem Schöpfer. Kurz: überall begegnen wir der mehr oder minder deutlichen Empfindung, daß der Kranke sich in einer gesegneteren, erleuchteteren, lebensträchtigeren Verfassung befinde, daß er eine höhere Lebensform darstelle als der Gesunde.

Am gesündesten ist die Amöbe

Zunächst kann es ja selbst dem philiströsesten Denken kaum zweifelhaft sein, daß jeder Mensch durch Krankheitszustände lernt: der kranke Organismus ist unruhiger und darum lernbegieriger; empfindlicher und darum lernfähiger; ungarantierter und darum wachsamer, scharfsinniger, hellhöriger; in dauernder Gewohnheit und Nachbarschaft der Gefahr lebend und darum kühner, unbedenklicher, unternehmender; näher der Schwelle der jenseitigen Seelenzustände und darum unkörperlicher, transzendenter, vergeistigter. Wie denn überhaupt jeder Fortschritt in der Richtung der Vergeistigung im Grunde ein Krankheitsphänomen darstellt: das letzte Mittel zur Selbsterhaltung, das die Natur erst zur Verfügung stellt, wenn die Physis nicht mehr ausreicht. Alles Höhere ist naturgemäß immer das Kränkere. Schon jede sehr hohe Kompliziertheit der Organisation hat fortwährende Gleichgewichtsstörungen zur Voraussetzung, zumindest die dauernde Gefahr solcher Störungen, also Unsicherheit, Unausgeglichenheit, Labilität. Am „gesündesten" ist zweifellos die Amöbe.

Alles Werdende ist dekadent

Überall, wo sich Neues bildet, ist Schwäche, Krankheit, „Dekadenz". Alles, was neue Keime entwickelt, befindet sich in einem scheinbaren Zustand reduzierten Lebens: die schwangere Frau, das zahnende Kind, der mausernde Kanarienvogel. Im Frühling hat die ganze Natur etwas Neurasthenisches. Der Pithecanthropus war sicher ein Dekadent. Auch die bekannte Krankheit, die als „Nervosität" beschrieben wird, ist nichts anderes als eine erhöhte Perzeptibilität für Reize, eine gesteigerte Schnelligkeit der Reaktion, eine reichere und kühnere Assoziationsfähigkeit, mit einem Wort: Geist. Je höher ein Organismus entwickelt ist, desto nervöser ist er. Der Weiße ist nervöser als der Neger, der Städter nervöser als der Bauer, der moderne Mensch nervöser als der mittelalterliche, der Dichter nervöser als der Philister. In der Tierwelt läßt sich dasselbe Verhältnis beobachten: ein Jagdhund ist nervöser als ein Fleischerhund und dieser ist wiederum nervöser als ein Ochse. Die Hysterischen besitzen eine solche Kraft des Geistes, daß sie damit sogar die Materie kommandieren können: sie vermögen an ihrem Körper willkürlich Geschwülste, Blutungen, Brandwunden, ja selbst Scheintod hervorzurufen, und es ist nachgewiesen, daß sie oft hellsehend sind. Im verkleinerten Format wiederholt sich dies beim Neurasthenischen: er ist scharfsehend. Er hat einfach schärfere, beweglichere, regsamere, neugierigere, weniger verschlafene Sinne. Alle landläufigen Definitionen der Neurasthenie sind nichts anderes als gehässige Umschreibungen für die physiologischen Zustände des begabten Menschen.

Der Rekonvaleszent befindet sich in einer eigentümlich leichten, beschwingten, befeuerten Verfassung, gegen die die völlige Genesung einen Rückschritt bedeutet. Das kommt daher, daß jede Krankheit einen heroischen Existenzkampf darstellt, eine letzte verzweifelte Kraftanstrengung, mit der der bedrohte Organismus auf fremde Insulte und Invasionen antwortet. Der Körper ist in einem kriegerischen Ausnahmezustand, in einem Stadium allgemeiner Erhebung, wo die einzelnen Zellen Energieleistungen, Vitalitätssteigerungen, Regulierungen, Reserven, Reaktionen einsetzen, die man ihnen nie zugetraut hätte.

Das Problem vom Wert der Krankheit hat denn auch die Aufmerksamkeit einiger der intensivsten modernen Denker erregt. Hebbel notiert in seinen „Tagebüchern": „Die kranken Zustände sind übrigens dem wahren (dauernd-ewigen) näher, wie die sogenannten gesunden." Novalis erklärt, die Krankheiten seien wahrscheinlich „der interessanteste Reiz und Stoff unseres Nachdenkens und unserer Tätigkeit", wir besäßen nur noch nicht die Kunst, sie zu benützen: „Könnte Krankheit nicht ein Mittel höherer Synthesis sein?" Und Nietzsche, der leidenschaftliche Bekämpfer der modernen Dekadenz, hat dennoch an mehreren Stellen seiner Schriften die hohe Bedeutung hervorgehoben, die die Krankheit für die Selbstzucht des Geistes besitzt, und gelangt in der Vorrede zur „Fröhlichen Wissenschaft" zu dem Resultat: „Was die Krankheit angeht, würden wir nicht fast zu fragen versucht sein, ob sie uns überhaupt entbehrlich ist?"

Höherer Wert der minder- wertigen Organe

In seiner „Studie über Minderwertigkeit von Organen" hat Alfred Adler diese Frage zum erstenmal in streng wissenschaftlicher Form behandelt. Als die kleine Schrift im Jahr 1907 erschien, wurde sie fast gar nicht beachtet, und auch später hat sich ihr Verfasser in weiteren Kreisen mehr durch seine psychoanalytischen Untersuchungen bekannt gemacht, die aber nicht, wie gewöhnlich angenommen wird, eine Bekämpfung, sondern viel eher eine Ergänzung der Freudschen Lehre bedeuten, wie denn überhaupt die Menschen gut täten, statt dilettantischer und unfruchtbarer Polemik den bekannten Ausspruch Goethes über sein Verhältnis zu Schiller zu beherzigen und sich zu freuen, „daß überall ein paar Kerle da sind, worüber sie streiten können".

Adler geht von der experimentellen Feststellung aus, daß im menschlichen Organismus alles minderwertige Material die Tendenz hat, „überwertig" zu werden, nämlich auf die relativ größeren Lebensreize, denen es ausgesetzt ist, mit einer verstärkten Produktion zu reagieren; es ist daher nicht selten der Fall, daß wir gerade die loci minoris resistentiae zu abnormer Leistungsfähigkeit gesteigert finden. Die Ursache liegt in dem Zwange einer ständigen Übung und in der erhöhten Anpassungsfähigkeit, die die minderwertigen Organe nicht selten auszeichnet. Die Folge einer hereditären Organminderwertigkeit kann in motorischer Insuffizienz bestehen, in mangelhafter Produktion der zugehörigen Drüsensekrete, in dürftigerer Ausbildung der Reflexaktionen; aber ebensogut im Gegenteil: in motorischer Überleistung, in Hypersekretion und in Steigerung der Reflexe.

Dies ist in Kürze die Entdeckung Alfred Adlers. Wenn wir sie ein wenig überdenken und versuchen, aus ihr einige einfache Folgerungen zu ziehen, so werden wir zu den überraschendsten Resultaten gelangen. Beginnen wir mit der anorganischen Natur. Dort finden wir den einfachsten und elementarsten Ausdruck des ganzen Sachverhalts in dem Gesetz von der Aktion und Reaktion. Versetze ich zum Beispiel einer Billardkugel mit Hilfe einer zweiten einen Stoß, so verhält sie sich keineswegs passiv, sondern sie stößt zurück, und zwar mit derselben Kraft, mit der sie selbst gestoßen wurde. Der Reiz des Stoßes, der „Choc", hat also in ihr selbst produktive Energien freigemacht. Eine Feder, die nicht gespannt wird, verliert allmählich ihre Elastizität; ein Hufeisenmagnet steigert seinen Magnetismus, je länger er vom Anker belastet wird; Kautschuk zerfällt, wenn er nicht gedehnt wird: er „atrophiert" infolge Mangels an Reizen. Demselben Prinzip unterliegt natürlich auch die organische Materie. Ein Muskel, der nicht benutzt wird, degeneriert allmählich: eine Erscheinung, die sich bei jedem schweren Knochenbruch beobachten läßt und unter der Bezeichnung „Inaktivitätsatrophie" bekannt ist. Umgekehrt hypertrophiert ein Organ, wenn es besonders stark in Anspruch genommen wird. Ein Schmied, ein Lastträger, ein Ringer deklariert seine Beschäftigung auf den ersten Blick durch seine abnorm entwickelte Armmuskulatur. Jeder Reiz hat also die Eigenschaft, trophisch zu wirken; und je stärker und regelmäßiger ein Organ gereizt wird, desto größer wird seine Leistungsfähigkeit sein.

Hieraus ergibt sich aber eben die bedeutsame Folgerung, daß ein erkranktes Organ unter Umständen weit lebensfähiger, leistungsfähiger, entwicklungsfähiger ist als ein gesundes, weil ungleich mehr Reize darauf eindringen: die Krankheit spielt hier ganz dieselbe Rolle, die beim normalen Organismus einem außergewöhnlichen Training zukommt. Und dies gilt nicht bloß von einzelnen Organen, sondern auch vom ganzen Organismus. Zum Beispiel findet die vielbestaunte Tatsache, daß alle Arten von Künstlern, besonders Schauspieler, so lange jugendlich bleiben und in vielen Fällen ein sehr hohes Alter erreichen, hier ihre Erklärung: sie leben in einem fast permanenten Zustand abnormer Gereiztheit und Erregung. Der Durchschnittsmensch hingegen, obgleich er zumeist viel rationeller und „solider" lebt, erliegt viel leichter dem natürlichen Involutionsprozeß und ist, weil er ein viel starreres, stabileres System darstellt, der allgemeinen und lokalen Verkalkung weit stärker ausgesetzt. Es herrscht in seinem Kräftehaushalt kein genügend reger Betrieb, es fehlt an fruchtbaren Reibungen, Widerständen, Polaritäten, das Leben des Zellenstaates hat nicht den

Gesundheit ist eine Stoffwechselerkrankung

richtigen Tonus. So daß man fast den paradoxen Satz aufstellen könnte: Gesundheit ist eine Stoffwechselerkrankung.

Unsere Theorie erfährt nun aber auch auf dem Gebiet der untermenschlichen Welt, das viel exakteren Beobachtungen zugänglich ist, eine Reihe von überraschenden Bestätigungen. Ich will nur ein paar Tatsachen anführen, auf die ich ganz zufällig gestoßen bin; ihre Zahl ließe sich durch systematisches Suchen sicher bedeutend vermehren. Von der Eidechse, die bekanntlich die Fähigkeit besitzt, den abgebrochenen Schwanz wieder nachwachsen zu lassen, wird berichtet, daß das regenerierte Schwanzstück sehr oft dicker und kräftiger ist als das alte. Eine in unseren Gegenden lebende Süßwasserpolypenart hat die Eigentümlichkeit, daß sie, wenn man ihr den Kopf abschneidet, sogleich zwei neue Köpfe bildet, und führt deshalb den Namen Hydra: man sieht, wie das ja so oft bei „Sagen" der Fall ist, daß die Geschichte von der lernäischen Hydra einen tiefen wissenschaftlichen Sinn hat. Bei einer Gattung der Strudelwürmer, die ebenfalls in unseren Bächen vorkommt, ist es sogar möglich, durch Einschnitte mehrere Kopf- und Schwanzenden zu erzeugen. Daß man Regenwürmer und andere niedere Tiere in zahlreiche Stücke zerschneiden kann, die sich wieder zu vollständigen neuen Exemplaren ergänzen, ist allbekannt: diese Eigenschaft wird sogar in den Dienst der Technik gestellt, indem sie zur künstlichen Vermehrung des Badeschwamms dient. In diesen Fällen führt also die Verwundung zur Entstehung neuer Individuen, wozu sonst nur die sexuelle Fortpflanzung imstande ist. An manchen Farnen fördert die Infektion mit gewissen parasitischen Pilzen eigentümliche Sprosse zutage, zum Beispiel am Saumfarn den sogenannten „Hexenbesen". Ein anderer parasitischer Pilz bewirkt, daß jene Blüten der Lichtnelke, die durch Verkümmerung der Staubfäden eingeschlechtig geworden sind, wieder zweigeschlechtig werden, indem die defekten Staubblätter durch die Infektion wieder zur Ausbildung gelangen. Bei Bäumen können überhaupt alle Arten von Verletzungen, wie Wurmfraß, Windbruch, Absägen einzelner Glieder, Knospenbildung zur Folge haben. Die Entstehung der Galläpfel wird durch die vergiftende Tätigkeit gewisser Insekten: Fliegen, Mücken, Wespen hervorgerufen; diese Produkte als krankhafte Mißbildungen aufzufassen, ist zumindest anfechtbar, da sie morphologisch eine große Ähnlichkeit mit Früchten besitzen und das allgemeine Gedeihen des Baumes nicht hindern. Aber es gibt sogar Milben, die an manchen Baldrianarten gefüllte Blüten erzeugen. Von hier aus wird uns die merkwürdige Tatsache verständlich, daß Grétry, der Schöpfer der komischen Oper, von dem Tage an, wo ihm ein schwerer Balken auf den Kopf gefallen war, zu komponieren anfing, und zwar so fruchtbar, daß er über fünfzig Spielopern schrieb, und daß Mabillon, der Begründer der wissenschaftlichen Urkundenforschung, durch eine Kopfwunde, die er erlitt, zum bedeutenden Gelehrten wurde.

Daß sich aber selbst in den elementarsten Bausteinen alles Lebens ähnliche Vorgänge abspielen, ergibt sich in verblüffender Weise aus Ehrlichs Seitenkettentheorie. Bekanntlich nimmt Ehrlich an, daß in der Zelle sogenannte Seitenketten existieren, deren normale Funktion darin besteht, die Elemente der Nahrung aus dem Blutkreislauf aufzunehmen und in das Innere der Zelle zu leiten. Diese Seitenketten bezeichnet er als „Empfänger", und nach dieser Auffassung besteht der Vorgang der Infektion darin, daß die Gifte eine größere Fähigkeit besitzen, sich mit diesen Empfängern zu verbinden; hierdurch versperren sie den Nahrungsstoffen den Weg und führen zum Tod des Individuums, wenn es der Zelle nicht gelingt, diese Verbindungen der Seitenkette mit dem Giftmolekül zu entfernen und neue Empfänger zu bilden. Es stellt sich nun aber die Eigentümlichkeit heraus, daß die Zelle in diesem Falle nicht nur die früheren Empfänger ersetzt, sondern einen ganz bedeutenden Überschuß an Seitenketten erzeugt.

Die innige Verbindung, in der die Verletzung mit der Neubildung steht, und die Tatsache, daß sie das einzige physiologische Agens ist, das die Rolle der Fortpflanzung zu übernehmen vermag, legt übrigens die Frage nahe, ob die Zweigeschlechtigkeit, die Sexualität nicht ein krankhaftes Degenerationsphänomen ist, das irgendwann einmal in der Erdgeschichte an den Organismen hervorgetreten ist. Der Umstand, daß es dem amerikanischen Chemiker Jacques Loeb gelungen ist, Seeigeleier durch eine konzentrierte

Salzwasserlösung zu befruchten, läßt zumindest die theoretische Möglichkeit zu, daß es einmal Formen der Fortpflanzung gegeben hat oder auf anderen Weltkörpern noch gibt, die auf das Hilfsmittel der Sexualität verzichten.

Achill aus
der Ferse

Der „Reiz" ist aber nicht der einzige Grund für die höhere Entwicklung eines minderwertigen Organs, sondern dieses wird überhaupt mehr beachtet, bewacht, mit größter Aufmerksamkeit behandelt. Es ist sozusagen das gerade wegen seiner Zurückgebliebenheit bevorzugte Mutterkind des Organismus. Daher kommt es, daß beim Menschen die natürlichen Anlagen durchaus nicht immer mit seiner späteren Entfaltung übereinstimmen; vielmehr ist es sehr häufig, daß sich aus einer ursprünglichen Unvollkommenheit das Gegenteil entwickelt: wir haben es auch hier mit einer einfachen Reaktionserscheinung zu tun. Schon Adler hat darauf hingewiesen, daß Demosthenes von Geburt Stotterer war; und wir finden auch sonst, daß ein physiologischer Defekt oft den Ansporn zu späteren außerordentlichen Leistungen bildet. Lionardo und Holbein, Menzel und Lenbach waren Linkshänder. Die großen Schauspieler des Burgtheaters aus der Zeit Laubes, bis heute unerreichte Muster einer gefüllten, persönlichen, suggestiven Menschendarstellung, hatten fast alle einen Sprechfehler: Sonnenthal knödelte, Baumeister mümmelte, Lewinsky nuschelte; während sich umgekehrt beobachten läßt, daß Schauspieler mit sogenannten „glänzenden Mitteln" es fast niemals zu Schöpfungen von ungewöhnlichem Format und Kaliber bringen. In diesem Zusammenhang gehört vielleicht auch die merkwürdige, aber ganz unbestreitbare Erfahrungstatsache, daß großes schauspielerisches Talent sich am überzeugendsten in der Verkörperung der seelischen Ergänzung zu äußern vermag: ist ein begabter Darsteller im Leben schüchtern und unbeholfen, so wird er am besten elegante und sichere Salonlöwen spielen; ist er als Privatmensch wortkarg und mürrisch, so wird er auf der Bühne sprudelnde Dialektik und glänzende Laune entfalten; ist er im Alltag eine weiche, energielose Natur, so werden ihm stählerne, herrschsüchtige, tatkräftige Charaktere am meisten liegen. Charlotte Wolter, die stärkste Heroine der letzten fünfzig Jahre, war kaum mittelgroß, ebenso Matkowsky, einer der glaubhaftesten Darsteller überlebensgroßer Figuren: wenn sie auf der Bühne standen, bemerkte das freilich kein Mensch. Und auch bei den Helden der Wirklichkeit zeigt sich bisweilen dasselbe Verhältnis. Die beiden gewaltigsten Krieger der frühen mitteleuropäischen Geschichte, Attila und Karl der Große, waren von gedrungener, untersetzter Gestalt; und die beiden größten Schlachtenlenker der neuesten Zeit, Friedrich der Große und Napoleon, waren ebenfalls klein und unansehnlich gebaut. Eine ungeheure seelische Energie, ein übermächtiger Wille hatte hier aus ungünstigen körperlichen Vorbedingungen eine Kontrastwirkung geschaffen, ja vielleicht sich an ihnen erst entzündet. Wir hören auch von den berühmten Amoureusen, der Laïs, der Ninon, der Phryne, der Pompadour und anderen, daß sie nicht eigentlich schön waren, sondern ein „gewisses Etwas" besaßen, das jedermann bezauberte. Dieses gewisse Etwas bestand in ihrem Charme, ihrer Liebenswürdigkeit, ihrer schillernden Geistigkeit, kurz in einer inneren Schönheit, die sie aus der mangelnden äußeren Schönheit entwickelten. Dagegen ist die typische Kritik, die man über wirklich vollkommene Beautés zu hören pflegt, daß sie fade seien und nicht dauernd zu fesseln verstünden. Es drangen eben auf sie zu wenig äußere Reize ein: alle Welt huldigte ihnen zu widerstandslos und blindlings, und so konnten sie selber nicht genügend Reize produzieren. Man braucht sich ferner nur daran zu erinnern, daß der größte Souverän im Reiche der Schönheit, Michelangelo, abstoßend häßlich war, daß Lord Byron, der glühende Anbeter und unübertroffene Meister der vollkommenen Form, von Geburt hinkte, daß Lichtenberg, der bündigste, hellste, natürlichste Stilist der Deutschen, dessen Sätze wie Kerzen sind, nicht nur so leuchtend, sondern auch ebenso gerade gewachsen, und Kant, das Weltwunder an folgerichtigem, senkrechtem, geradlinigem Denken, beide an Rückenmarksverkrümmung litten, und daß Schubert, der eine Welt von Poesie tönend gemacht hat, ein dicker kurzbeiniger Proletarier war, den die Mädchen gar nicht mochten. Und welche tiefe Symbolik liegt darin, daß der größte Musiker der Neuzeit taub war! Schon die Griechen haben diese Zusammenhänge geahnt, als sie sich den Seher stets blind dachten; auch Homer, dieses allumspannende, sonnentrunkene und farbenklare Weltauge, ist blind. Und Achilles, der Unüberwindliche, Unverletzbare, hat seine Ferse, die auf den tödlichen Pfeil wartet. Man könnte sagen: hier wollte der dichtende Volksgeist ausdrücken, daß auch dem siegreichsten Glück immer ein geheimer Gifttropfen beigemischt ist. Aber wie, wenn es am Ende umgekehrt gemeint wäre: nicht, daß zu jedem Achill eine Ferse gehört, wohl aber zu jeder Ferse ein Achill; daß aus der verwundbaren Stelle, dem Bewußtsein der Verwundbarkeit und dem zähen, heroischen Kampf gegen sie der Held geboren wird? Das wäre weniger logisch gedacht, aber vielleicht gerade darum wahrer.

Das Über-   Aus alledem ergibt sich aber auch eine völlig neue Stellung zum
leben des
Anpassend-   Darwinismus. Dieser gründet sich bekanntlich auf die zwei Prin-
sten   zipien der Vererbung und der Anpassung. Was die Heredität an-
langt, so läßt sich beobachten, daß gerade Minderwertigkeiten sich besonders leicht vererben; und die Variabilität ist ganz zwei-fellos eine krankhafte Eigenschaft. Schon der Biologe Eimer hat in seinen Studien über die Entstehung neuer Eigenschaften (an der Eidechse) hervorgehoben, daß diese zunächst immer eine Krankheit bedeuten. Und der Botaniker de Vries, der Schöpfer der „Mutations-theorie", betont, daß die neuen Arten gewöhnlich schwächer sind als die ursprünglichen; sie sind oft auffallend klein, besonders emp-findlich für gewisse Bodenkrankheiten, kurzgrifflig, ohne lebhafte Färbung, die Blätter wellig oder brüchig, der Fruchtknoten wächst nicht aus, jede rauhe Behandlung kann die Blüten zum Ab-brechen bringen. Dies kann nicht im geringsten überraschen, da erstens jede neue Eigenschaft die bisherige Ökonomie des Organis-mus erschüttert und einen ungewohnten, unkonsolidierten, un-garantierten Zustand erzeugt und zweitens jede Veränderung eben schon von vornherein Dekadenz zur Voraussetzung hat. Die Sin-nesorgane der Lebewesen sind ja nichts anderes als ebenso viele Formen, mit denen sie auf die Reize der Außenwelt antworten. Erhöhte Reizbarkeit, etwa das, was die Psychiater „reizbare Schwäche" nennen, ist also die Ursache für die Entstehung neuer Artmerkmale. In dem Augenblick, wo sich an irgendeiner Stelle der belebten Materie eine krankhafte, bisher noch nicht dagewe-

sene Empfindlichkeit für Licht entwickelte, enstand der erste „Pigmentfleck" und damit der Anfang des Sehvermögens. Je dekadenter die Hautoberfläche eines Organismus ist, einen desto feineren Tastsinn und Temperatursinn wird sie entwickeln. Und wenn wir schon genug reizbar für elektrische Schwingungen wären, so würden wir bereits ein Organ besitzen, das ebenso aufnahmefähig wäre wie ein Marconiapparat. Nur ein ganz degenerierter Affe kann auf die Idee gekommen sein, aufrecht zu schreiten und nicht mehr bequem auf allen vieren zu gehen; nur ganz „minderwertige" Affenmenschen, die offenbar nicht mehr genug Kraft und Kühnheit besaßen, um sich durch ein System starker, drohender Gebärden zu verständigen, können zu dem Surrogat der Lautsprache gegriffen haben. Und überhaupt alles, wodurch der Mensch sich von seinen Tierahnen unterscheidet, verdankt er dem Umstand, daß er das Stiefkind der Natur und mit sehr wenig leistungsfähigen physischen Waffen ausgerüstet ist; und so schuf er sich die Waffe des Verstandes, der sich an die Vergangenheit zurückerinnert und die Zukunft vorauserrechnet; er erfand die Wissenschaft, die lichte Ordnung ins Dasein bringt, die Kunst, die ihn über die Häßlichkeit und Feindseligkeit der Realität hinwegtröstet, die Philosophie, die seinen Leiden und Fehlschlägen einen Sinn gibt: lauter Dekadenzschöpfungen!

Die „normalen" Organismen und deren Organe reagieren sozusagen philiströser, konservativer auf die Reize der Außenwelt: sie geben ihnen konventionelle Antworten; die Empfangsapparate der neuen Varietät funktionieren origineller, revolutionärer, „charakterloser", anpassungsfähiger: sie geben infolge ihrer feineren Empfindlichkeit für Reiznuancen individuellere Antworten. Neue Varietäten sind nichts anderes als die unter den bisherigen Bedingungen nicht mehr lebensfähigen alten; im *struggle for life* siegt nicht der „tüchtigste", das heißt der stumpfste, roheste, gedankenloseste Organismus, wie jene Philister- und Kaufmannsphilosophie uns glauben machen will, sondern der gefährdetste, labilste, geistigste: nicht das „Überleben des Passendsten" ist das auslesende Prinzip der Entwicklung, sondern das Überleben des Unpassendsten.

Um Mißverständnisse zu vermeiden, muß jedoch betont werden, obgleich es sich eigentlich aus der Natur der Sache von selbst ergibt, daß natürlich nicht jeder minderwertige Organismus ein Träger der Evolution ist; viele leiden an einer „echten" Minderwertigkeit, das heißt: sie sind einfach nicht lebensfähig; andere tragen zwar die Möglichkeit einer höheren Organisation in sich, vermögen sie aber nicht zu realisieren, sie sind die Märtyrer der Entwicklung, die Avantgarde, die fällt: der Vormarsch geht über sie hinweg. Abnorme Reizbarkeit kann eben gerade so gut zur Atrophie führen wie zur Hypertrophie. Also: nicht jeder Minderwertige ist eine höhere Lebensform; aber jede höhere Lebensform ist minderwertig.

Es gibt kein gesundes Genie   Die Tragfähigkeit unseres Systems reicht jedoch noch weiter. Wir haben nämlich bisher eine wichtige Folgeerscheinung der Minderwertigkeit noch gar nicht berücksichtigt: die Kompensation. Indem wir nun noch diesen Hilfsbegriff einführen, gelangen wir zu einer Art Physiologie des Genies, des Genies oder wie sonst wir jene merkwürdige Menschenrasse nennen wollen, die sich von ihren Artgenossen dadurch unterscheidet, daß sie schöpferisch ist, daß sie dem Gerücht, von dem die Masse lebt, eine Tatsache gegenüberstellt: nämlich die Tatsache ihres eigenen Ichs, das ein treibender Fruchtboden, ein kochender Lebensherd, eine machtvolle Wirklichkeit ist. Da wir uns in diesem Buche mit dieser Menschenart oft zu beschäftigen haben werden, so wollen wir einige kurze Bemerkungen über diese Frage gleich hier anschließen.

Obgleich seit dem Erscheinen von Lombrosos „Genie und Irrsinn" bereits zwei Menschenalter verflossen sind, so ist doch das große Aufsehen, das dieses Werk erregte, noch in allgemeiner Erinnerung. Es wird darin, sozusagen an der Hand zahlreicher „Spezialaufnahmen", der Nachweis geführt, daß zwischen der Konstitution des genialen und des wahnsinnigen Menschen eine tiefe Verwandtschaft besteht. In der Tat brauchen wir nur einen Blick auf irgendein Gebiet der Geschichte zu werfen, und sogleich werden uns eine große Anzahl kranker Genies in die Erinnerung treten. Tasso und Poe, Lenau und Hölderlin, Nietzsche und Maupassant, Hugo Wolf und van Gogh wurden irrsinnig; Julius Cäsar und

Napoleon, Paulus und Mohammed waren Epileptiker, wahrscheinlich auch Alexander der Große und sein Vater Philipp (denn die Epilepsie scheint in dieser Familie hereditär, gewissermaßen die „Temenidenkrankheit" gewesen zu sein); Rousseau und Schopenhauer, Strindberg und Altenberg litten an Verfolgungswahn. Auch in Fällen, wo man es am allerwenigsten erwarten sollte, kommt bei näherer Betrachtung irgendein Degenerationsmerkmal zum Vorschein. So gilt zum Beispiel Bismarck in der landläufigen Anschauung als das Urbild eines kraftstrotzenden, kerngesunden Landjunkers, als der Typus gesammelter Kraft und seelischer Widerstandsfähigkeit. In Wirklichkeit aber war er ein schwerer Neurastheniker, dessen Leben in fortwährenden Krisen verlief, der ungemein leicht in Weinkrämpfe verfiel und bei dem sich psychische Alterationen regelmäßig in körperliche Krankheitszustände: Migräne, Gesichtsneuralgien, schwere Kopfschmerzen umzusetzen pflegten. Der Anatom Hansemann, der die Gehirne von Helmholtz, Mommsen, Menzel, Bunsen und anderen bedeutenden Künstlern und Forschern untersucht hat, weist darauf hin, daß bei geistig hervorragenden Menschen unverhältnismäßig häufig ein leichter Grad von Hydrocephalus vorhanden ist: „Diesen Zusammenhang denke ich mir ... in der Weise ... daß diese geringe Form des Hydrocephalus in einer erblich entstandenen, besonders starken Gliederung des Gehirns einen leichten Reizzustand setzt, der die zahlreich vorhandenen Assoziationsbahnen zu besonderer Tätigkeit anregt." Also das Genie: ein Wasserkopf! Ja man wird wohl überhaupt sagen dürfen, daß es kaum jemals einen bedeutenden Menschen gegeben hat, der nicht irgendein Symptom geistiger Erkrankung aufgewiesen hätte. So findet sich zum Beispiel kein einziger Schriftsteller ersten Ranges, an dem sich nicht beobachten ließe, was die Psychiater „Iterativerscheinungen" nennen und als ein Kennzeichen von dementia praecox ansehen, nämlich die gehäufte Wiederholung gewisser Redefloskeln. Man denke z. B. an Plato, Luther, Nietzsche, Carlyle. Im Grunde besteht hierin überhaupt das Wesen des Genies. Vielseitig, wandlungsfähig, akkommodabel und abwechslungsreich ist das Talent; das Genie ist meistens von starrer, monumentaler Einseitigkeit. Rubens hat immer denselben rosigen, fetten, vollbusigen und breithüftigen Weibertypus gemalt; Schopenhauer hat zwölf Bände gesammelter Werke hinterlassen, in denen er vier bis sechs Grundideen wie ein strenger und ziemlich pedantischer Klassenlehrer unablässig repetiert; Dostojewskis Menschen reden fast alle so ziemlich dasselbe. Auf dieser Einseitigkeit und, wenn man will, sogar Borniertheit beruht ja eben die Einmaligkeit und Unnachahmlichkeit des Genies.

Dies alles und noch vieles andere, was wohl jedermann leicht aus eigenem hinzuzufügen vermag, zwingt uns zu der Erkenntnis: es gibt kein gesundes Genie.

Es gibt kein
krankes
Genie Bedenken wir aber hinwiederum, mit welcher konzentrierten Gehirnkraft, stählernen Logizität und souverän ordnenden, sichtenden und klärenden Geistesmacht das Genie die ganze Welt der Erscheinungen meistert, mit welcher virtuosen Sicherheit es allen Dingen ihr rechtes Maß abnimmt und ihren konformen Ausdruck verleiht, mit welcher überlegenen Kunst und Kenntnis es sein eigenes Leben beherrscht und gestaltet, mit welcher leuchtenden Folgerichtigkeit und Architektonik es seine Werke entwirft und ausführt, aufbaut und abstuft, mit welcher Geduld und Sorgfalt, gesammelten Stetigkeit und heiteren Besonnenheit es seinen Weg geht, so wird man zu dem Schluß gedrängt: es gibt kein krankes Genie.

Nun hat ja schon Lombroso betont, daß Genie und Irrsinn zwar sehr ähnliche Geisteszustände seien, aber keineswegs identische, daß es etwas gebe, worin sie sich radikal voneinander unterscheiden. Aber was? Hier gibt uns wiederum Adler einen Fingerzeig, indem er feststellt, daß in unserem Organismus die Tendenz besteht, die Minderwertigkeit eines Organs durch übernormale Entwicklung eines anderen auszugleichen, eine Unterfunktion auf der einen Seite durch eine Überfunktion auf einer anderen Seite zu ersetzen. Es ist bekannt, daß die beiden Gehirnhälften, die beiden Schilddrüsenhälften, die Lungen, die Nieren, die Ovarien, die Hoden die Fähigkeit besitzen, füreinander einzutreten. Sehr oft übernimmt aber auch das Zentralnervensystem den Hauptanteil an dieser Kompensation durch Ausbildung besonderer Nervenbahnen und Assoziationsfasern. So entspricht zum Beispiel dem ursprünglich minderwertigen Sehorgan eine verstärkte visuelle Psyche. „Die Organminderwertigkeit bestimmt ... die Richtung der Begehrungsvorstellungen und leitet ... die Kompensationsvorgänge ein." Einen besonders bedeutsamen Spezialfall stellt aber der Neurotiker dar. „Das Gefühl des schwachen Punktes beherrscht den Nervösen so sehr, daß er, oft ohne es zu merken, den schützenden Überbau mit Anspannung aller Kräfte bewerkstelligt. Dabei schärft sich seine Empfindlichkeit, er lernt auf Zusammenhänge achten, die anderen noch entgehen, er übertreibt seine Vorsicht, fängt am Beginne einer Tat oder eines Erleidens alle möglichen Folgen vorauszuahnen an, er versucht weiter zu hören, weiter zu sehen, wird kleinlich, unersättlich, sparsam." „Er wird in der Regel ein sorgfältig abgezirkeltes Benehmen, Genauigkeit, Pedanterie an den Tag legen ... um die Schwierigkeiten des Lebens nicht zu vermehren."

Wir haben es auch hier wiederum mit einem großen allgemeinen Weltgesetz zu tun, das im Fallen eines Steines oder in der Polarität eines galvanischen Elements ebenso wirksam ist wie in den höchsten moralischen Phänomenen. Nachtigall und Grasmücke sind herrliche Sänger, aber sehr einfach gekleidet; Pfau und Paradiesvogel haben ein prachtvolles Kostüm, aber häßliche Stimmen. Tropisches Klima erzeugt verschwenderische Fülle der Vegetation, aber wirkt erschlaffend auf den Charakter; Rauheit, Kargheit und Feindseligkeit der Natur stählt die Energie und schärft den Verstand. Gesteigerte Flüssigkeitszufuhr in den Kreislauforganen bewirkt Vergrößerung des Herzens; hohe Temperatur hat Vermehrung der Wasserabgabe zur Folge; Infektion ruft Temperaturerhöhung und heilkräftiges Fieber hervor. Heilige erkaufen die höhere Stufe ihrer Vollendung mit Weltentsagung; Götterlieblinge führen ein kurzes Leben. Hamlet bezahlt sein Wissen mit Tatlosigkeit, Othello sein Heldentum mit Unwissenheit. Immer und überall ist die Natur bestrebt, die Waage ins Gleichgewicht zu bringen und jede Gunst mit einem Mangel, aber auch jeden Nachteil mit einem Vorzug auszutarieren.

Machen wir nun die Anwendung auf das Problem der Genialität. Jede Minderwertigkeit des Nervensystems führt zu einer

Die Dreiteilung der Menschheit

79

Überwertigkeit des Zerebralsystems; jedoch nur unter der Voraussetzung, daß genügend reichliches Zerebralmaterial vorhanden ist. Bezeichnen wir nun mit einem wissenschaftlich nicht ganz korrekten, aber handlichen Ausdruck alles, was im Organismus der Aufnahme von Reizen dient, als peripherisches System und alles, was der Verarbeitung, Regulierung und Organisierung dieser Reize obliegt, als Zentralsystem, so gelangen wir zu folgender Dreiteilung der Menschheit. Erstens Personen mit abnorm reizbarem und leistungsfähigem peripherischen System, aber unzulänglichem Zentralsystem: diese sind produktiv, aber nicht lebensfähig; zu ihnen gehören alle Arten von Menschen, die an irgendeiner psychischen Minderwertigkeit leiden, vom Neurastheniker bis hinauf zum schweren Paranoiker. Zweitens Personen mit ausreichendem Zentralsystem, aber wenig leistungsfähigem peripherischen System: diese sind lebensfähig, aber nicht produktiv; zu ihnen gehört das große Kontingent der „Normalmenschen": der Bauer, der Bürger, der „brave Handwerker", der „tüchtige Beamte", der „schlichte Gelehrte". Endlich drittens das Genie mit extrem reizbarem peripherischen System und ebenso hypertrophisch entwickeltem Zentralsystem: lebensfähig und produktiv. Genialität ist demnach nichts anders als eine organisierte Neurose, eine intelligente Form des Irrsinns. Und nun verstehen wir auch, warum das Genie nicht nur regelmäßig pathologische Züge aufweist, sondern auch immer durch außergewöhnliche Gehirnkraft und besonders starkes und zartes Sittlichkeitsempfinden exzelliert: dieser Überschuß ist nötig. Wir können dieses Verhältnis sogar bisweilen bei ganzen hochbegabten Völkern beobachten, zum Beispiel bei den Hellenen: das Dionysische war das peripherische System, das Apollinische das Zentralsystem des Genies „griechisches Volk".

Die Flucht in die Produktion

Die Notwendigkeit der apollinischen Komponente für alles geniale Schaffen wird nun wohl allgemein eingeräumt; daß aber die dionysische ebenso wichtig ist, wird nicht so oft eingesehen. Die Genies sind aber nicht nur latente Irre, sondern auch latente Verbrecher, und sie kommen nur darum nicht mit dem Strafgesetz in Konflikt, weil sie eben Genies sind und sich in die Produktion flüchten können. „Ich habe niemals von einem Verbrechen gehört, das ich nicht hätte begehen können", sagt Goethe. Das ist das Wesen des Dichters. Ein Verbrechen, das er nicht begehen könnte, läge außerhalb des Bereichs seiner Schilderung. Er braucht aber keine Verbrechen zu begehen, weil er sie künstlerisch zu gestalten vermag. Es ist ein sehr tiefes Selbstbekenntnis, vielleicht tiefer, als er selber ahnte, wenn Hebbel schreibt: „Daß Shakespeare Mörder schuf, war seine Rettung, daß er nicht selbst Mörder zu werden brauchte." Hebbels Dramen sind voll Blut, und auch in seinen Tagebüchern überrascht uns eine höchst sonderbare Freude an Mordgeschichten jeder Art: wo er von einer hört, zeichnet er sie auf, psychologisiert sie und dreht sie hin und her, mit einem Interesse, das zur Sache in keinem Verhältnis steht. Und höchstwahrscheinlich wäre auch Schiller ein hochbegabter Räuber und Balzac ein hervorragender Wucherer geworden; aber ihr dichterisches Talent war eben noch unvergleichlich größer als ihr Räuber- und Wucherertalent. Alle die Künstler und Gestalter: Dante und Michelangelo, Strindberg und Poe, Nietzsche und Dostojewski, was waren sie anderes als in die Kunst gerettete Menschenfresser? Und die „Scheusale" der Weltgeschichte: Caligula und Tiberius, Danton und Robespierre, Cesare Borgia und Torquemada, was waren sie anderes als in die Realität verschlagene Künstler? Und Nero, der Kaiser mit der großen Künstlerambition, wäre kein „Bluthund" geworden, wenn er die Kraft der künstlerischen Gestaltung besessen hätte. *Qualis artifex pereo:* vielleicht ist es erlaubt zu übersetzen: „Was für eine merkwürdige Art Künstler stirbt in mir."

Nicht nur der Künstler, auch das religiöse Genie bedarf der „reizbaren Schwäche". Ein Buddha, ein Paulus, ein Franz von Assisi muß von außergewöhnlicher Reizperzeptibilität sein, um alles fremde Leid mitfühlend in sich nachschaffen zu können und in jeder Kreatur seinen Bruder wiederzuerkennen. Ebenso verhält es sich beim genialen Forscher. Er muß für gewisse im Weltall verstreute Energien eine pathologische Empfindlichkeit haben, die niemand mit ihm teilt; sonst wird er nichts entdecken. Die Entstehungszeiten der großen Religionen sind immer auch Zeitalter der Volkspsychosen: die orphische Ära in Griechenland, die

Jahrhunderte des Urchristentums; ebenso die Zeiten, in denen ein neues Weltbild heranreift. Und zwar handelt es sich hier um echte Krankheiten, da sich, wie bereits angedeutet wurde, das ausgleichende Regulierungssystem, der schützende intellektuelle Überbau erst später einzustellen pflegt. Und damit kehren wir wieder zu unserem Ausgangspunkt zurück.

ZWEITES KAPITEL

DIE SEELE DES MITTELALTERS

> *Wie die Welt noch im Finstern war, war*
> *der Himmel so hell, und seit die Welt so im*
> *Klaren ist, hat sich der Himmel verfinstert.*
> Johann Nestroy

Jenes tausendjährige Reich der Glaubensherrschaft, das wir unter dem Namen „Mittelalter" zusammenzufassen pflegen, wird um die Mitte des vierzehnten Jahrhunderts plötzlich Vergangenheit. Seine repräsentativsten Schöpfungen, die seinen Glanz und sein Lebensmark bilden: Scholastik, Gotik, Erotik schrumpfen ein, verkalken, etiolieren. Dieses *medium aevum*, das für die Historiker lange Zeit nichts war als eine Verlegenheitskonstruktion, ein flüchtig gezimmerter Notsteg, um vom Altertum in die Neuzeit zu gelangen, hat gleichwohl eine so scharf geprägte, deutlich gegen Vorwelt und Nachwelt abgesetzte Eigenart wie wenige Zeitalter: das hat seinen Grund in erster Linie darin, daß es damals noch eine internationale Kultur gab, die in ihren wesentlichen Zügen eine Einheit bildete. *(Randbemerkung: Die „Romantik" des Mittelalters)*

Was wir die Romantik des Mittelalters zu nennen lieben, ist vielleicht nicht der wichtigste, aber der hervorstechendste und unserem Bewußtsein vertrauteste von diesen Zügen. Eine merkwürdige Leuchtkraft strahlt von den damaligen Zuständen auf uns aus. Das Leben jener Zeit hatte offenbar noch schneidendere Kontraste: hellere Glanzlichter und tiefere Schlagschatten, frischere und sattere Komplementärfarben, während unser Dasein dafür wieder perspektivischer, reicher an Halbtönen, gebrochener und nuancierter verläuft. Der Grund für den Unterschied liegt zum Teil darin, daß die Menschen damals unbewußter und kritikloser lebten. Das Mittelalter erscheint uns düster, beschränkt, leichtgläubig. Und in der

Tat: damals glaubte man wirklich an alles. Man glaubte an jede Vision, jede Legende, jedes Gerücht, jedes Gedicht, man glaubte an Wahres und Falsches, Weises und Wahnsinniges, an Heilige und Hexen, an Gott und den Teufel. Aber man glaubte auch an sich. Überall sah man Realitäten, selbst dort, wo sie nicht waren: alles war wirklich. Und überall sah man die höchste aller Realitäten, Gott: alles war göttlich. Und über alles vermochte man den Zauberschleier der eigenen Träume und Räusche zu breiten: alles war schön. Daher trotz aller Jenseitigkeit, Dürftigkeit und Enge der prachtvolle Optimismus jener Zeiten: wer an die Dinge glaubt, ist immer voll Zuversicht und Freude. Das Mittelalter war nicht finster, das Mittelalter war hell! Mit einer ganzen Milchstraße, die der Rationalismus in Atome aufgelöst hat, können wir nicht das geringste anfangen, aber mit einem pausbackigen Engel und einem bockfüßigen Teufel, an den wir von Herzen glauben, können wir sehr viel anfangen! Kurz: das Leben hatte damals viel mehr als heute den Charakter eines Gemäldes, eines Figurentheaters, eines Märchenspiels, eines Bühnenmysteriums, so wie noch jetzt unser Leben in der Kindheit. Es war daher sinnfälliger und einprägsamer, aufregender und interessanter, und in gewissem Sinne realer.

Das Leben als Abenteuer   Zu diesen inneren Momenten kamen noch einige äußere, um das Dasein bildhafter und traumähnlicher zu gestalten. Zunächst mangelte es an fast allen Erleichterungen und Beschleunigungen des Daseins, die die seitherige Entwicklung der Technik bewirkt hat. Jede technische Erfindung ist aber ein Stück rationalisiertes Leben. Die Ausnützung der Dampfkraft hat in unsere friedlichen, die Verwendung des Schießpulvers hat in unsere kriegerischen Unternehmungen ein unpersönliches Element der Ordnung, Uniformität und Mechanisierung gebracht, das jenen Zeiten fehlte. Kampf war für die Menschen des Mittelalters noch eine pittoreske Betätigungsform, an der sich ihre Phantasie entzünden konnte. Soweit sie nicht Krieg führten, verbrachten sie ihr Leben mehr oder weniger im Müßiggang: entweder im wirklichen wie die zahllosen Ritter, Bettler und Spielleute oder im gelehrten wie die Kleriker; und hierin liegt wiederum etwas Poetisches. Ferner war

84

die Natur noch lange nicht in dem Maße dem Menschen unterworfen, sozusagen domestiziert, wie heutzutage; sie war noch wirkliche Natur, Wildwest: herrlich und schrecklich, ein wundervolles und schauervolles Geheimnis. Und es gab keine Zeitungen, keine Flugschriften, ja eigentlich auch keine Bücher; alles ruhte in der mündlichen Tradition. Und schon hierdurch hätte, auch wenn die Menschen nicht so wortgläubig, ja wortabergläubisch gewesen wären, wie sie es in der Tat waren, eine große Freiheit und Phantastik der Überlieferung entstehen müssen: selbst in unserem heutigen erleuchteten Zeitalter der allgemeinen Schulpflicht, der vorurteilslosen Forschung und der naturwissenschaftlichen Weltanschauung werden nicht zwei Personen über ein noch so einfaches und alltägliches Ereignis, dessen Zeugen sie waren, genau dasselbe berichten. Und nicht bloß auf diesem Gebiete herrschte völlige Unsicherheit, sondern überhaupt auf allen: der Begriff der modernen Sekurität war dem Mittelalter fremd. Jede Reise war ein gewichtiger Entschluß, wie etwa heutzutage eine schwere medizinische Operation; jeder Schritt war umlauert von Gefahren, Eingriffen, Zwischenfällen: das ganze Leben war ein Abenteuer.

Man kann, wenn man will, das Mittelalter die Pubertätszeit der mitteleuropäischen Menschheit nennen, die tausendjährige Psychose der Geschlechtsreife in der Form verschlagener Sexualität: als in Gynophobie verschlagene Sexualität im Mönchswesen, als in Lyrik verschlagene Sexualität im Minnesängertum, als in Algolagnie verschlagene Sexualität im Flagellantismus, als in Hysterie verschlagene Sexualität im Hexenwesen, als in Rauflust verschlagene Sexualität in den Kreuzzügen. Der entscheidende Grundzug des Pubertätsalters besteht jedoch darin, daß es fast jeden Menschen zum Dichter macht. Worin unterscheidet sich nun die dichterische Anschauung sowohl von der wissenschaftlichen als von der praktischen? Dadurch, daß sie die ganze Welt der Erscheinungen symbolisch nimmt. Und genau dies war der beneidenswerte Zustand der mittelalterlichen Seele. Sie erblickte in allem ein Symbol: im Größten wie im Kleinsten, in Denken und Handeln, Lieben und Hassen, Essen und Trinken, Gebären und Sterben. In jedes Gerätstück, das er schuf, in jedes Haus, das er baute, in jedes Liedchen,

das er sang, in jede Zeremonie, die er übte, wußte der mittealter-
liche Mensch diese tiefe Symbolik zu legen, die beseligt, indem sie
zugleich bannt und erlöst. Darum war er auch so weit und leicht
den Lehren der katholischen Religion geöffnet, die nichts anderes
ist als ein sinnvoll geordnetes System reinigender und erhöhender
Symbole der irdischen Dinge.

Daß die seelische Palette des mittelalterlichen Menschen noch
keine Übergänge hatte, ist ebenfalls eine an Pubertät erinnernde
Eigentümlichkeit; hart und unvermittelt lagen die grellsten Farben
nebeneinander: das purpurne Rot des Zornes, das strahlende
Weiß der Liebe und das finstere Schwarz der Verzweiflung. Züge
von höchster Zartheit und Milde finden sich neben Handlungen
gedankenloser Roheit, die unseren Abscheu erregen würden, wenn
wir sie nicht als Ausströmungen kindlicher Impulsivität werten
müßten. Auch das äußere Benehmen der damaligen Menschen
hatte noch viel von dem der Kinder. Zärtlichkeitsausbrüche sind
etwas ungemein Häufiges, Umarmungen und Küsse werden bei
jedem erdenklichen Anlaß gewechselt, und auch oft ohne Anlaß;
die Tränen fließen leicht und reichlich. Überhaupt spielt die Ge-
bärdensprache im Haushalt der Ausdrucksmittel eine viel größere
Rolle, sie hat noch den Primat: auch hier wird eben noch viel
stärker und inniger als von den später Geborenen die ernste Symbolik empfunden, die in jeder Gebärde liegt. Aber daneben besaßen jene Menschen auch die Aufrichtigkeit und Ursprünglichkeit des Kindes, sie standen noch in einer elementaren Beziehung
zur Natur: zu Wiese und Wald, Wolke und Wind, und besonders
ihre leidenschaftliche Liebe zu den Tieren hat etwas ungemein
Rührendes. Überall: in Skulptur und Ornament, in Satire und
Legende, zu Hause und bei Hofe feiern sie ihre weisen und heiteren Brüder, die ihnen vollkommen wesensgleich erscheinen
und in denen sie sogar vollwertige juristische Personen erblicken,
die als Zeugen und bisweilen auch als Verbrecher vor Gericht
zitiert werden. Und es ist einer der schönsten Züge, die uns aus
dem Mittelalter überliefert werden, daß ein Hund, der für das
Kind seines Herrn sein Leben geopfert hatte, vom Volk sogar
als Märtyrer und Heiliger verehrt wurde. Es erfaßt uns dieser Welt

gegenüber eine Empfindung, die der Erwachsene so oft bei Kindern hat: daß sie etwas wissen, das wir nicht wissen oder nicht mehr wissen, irgendein magisches Geheimnis, ein Gotteswunder, in dem vielleicht der Schlüssel unseres ganzen Daseins liegt.

Einen infantilen Zug können wir auch darin erblicken, daß der mittelalterliche Mensch kein rechtes Verhältnis zum Geld hatte. Sehr liebenswürdig drückt dies Sombart aus, indem er sagt: „Man hat zur wirtschaftlichen Tätigkeit seelisch etwa dieselben Beziehungen wie das Kind zum Schulunterricht." Dies bedeutet zweierlei: die Arbeit ist bloße Sache des Ehrgeizes; und sie wird überhaupt nur geleistet, wenn es unbedingt sein muß. Dem mittelalterlichen Handwerker war das Wichtigste die Güte und Solidität der Leistung: Begriffe wie Schundware und Massenmanufaktur waren ihm völlig unbekannt; er stand persönlich hinter seinem Werk und trat dafür mit seiner Ehre ein wie ein Künstler. Er konnte es sich aber auch leisten, nicht nur viel gewissenhafter, sondern auch viel fauler zu sein als ein heutiger Arbeiter, und zwar aus mehreren Gründen. Erstens waren seine Bedürfnisse überhaupt geringer; zweitens waren sie viel leichter zu befriedigen, eventuell auch bei einem völlig arbeitslosen Leben, da das Almosenwesen viel entwickelter war; drittens hätte eine Steigerung über die normale Einkommensstufe hinaus wenig Sinn gehabt, da der Lebensstandard jedes einzelnen ziemlich genau fixiert war und solche Spannungen des wirtschaftlichen Etats, wie sie heutzutage in jedem Provinzstädtchen zu beobachten sind, nicht existierten: jeder Stand hatte sozusagen sein bestimmtes Hohlmaß an Komfort und Genuß zugeteilt; den Stand zu wechseln war aber in der mittelalterlichen Gesellschaftsordnung fast unmöglich, da die Stände als von Gott geschaffene Realitäten angesehen wurden, wie etwa die einzelnen Gattungen des Tierreichs. Die mittelalterliche Wirtschaft ist aus der Agrargenossenschaft hervorgegangen, die auf nahezu kommunistischer Basis ruhte; aber auch in ihrer späteren Entwicklung zeigt sie in den von ihr geschaffenen Organisationen: in den Zünften der Handwerker, in den Gilden der Kaufleute die Tendenz nach einer ökonomischen Gleichstellung oder doch wenigstens einer Angleichung ihrer Mitglieder: man erwirbt, um

Kein Verhältnis zum Geld

zu leben, und lebt nicht, um zu erwerben. Außerdem hatte sich durch das ganze Mittelalter, das das Evangelium eben noch ernst nahm, das mehr oder minder stark ausgeprägte Gefühl erhalten, daß der Mammon vom Teufel sei, wie denn auch das Zinsnehmen stets religiöse Bedenken erregte. Und schließlich war diese jugendliche Welt überhaupt noch von der gesunden Empfindung durchdrungen, daß die Arbeit kein Segen, sondern eine Last und ein Fluch sei. Man denke sich aber nun, welchen Unterschied in der gesamten Gefühlslage einer Kultur es ausmachen muß, wenn das Geld nicht die allgemeine Gottheit ist, der jeder willenlos opfert und die alle Schicksale souverän modelt und lenkt.

Universalia
sunt realia Aber wenn diese Menschen Kinder waren, so waren sie jedenfalls sehr kluge, begabte und reife Kinder. Die Ansicht, daß sie in einer dumpfen Gebundenheit gelebt und geschaffen hätten, läßt sich zumindest für das hohe Mittelalter nicht aufrechterhalten. Sie waren äußerst klare Denker, helle Köpfe, Meister des kunstvollen Schließens und Folgerns, Virtuosen der Begriffsdichtung, in ihrer Baukunst voll konstruktiver Kraft und Feinheit des Kalküls, in ihrer Plastik von einer bewundernswerten Pracht und Innigkeit der Wirklichkeitstreue und in ihren gesamten Lebensäußerungen von einem Stilgefühl, das seither nicht wieder erreicht worden ist. Ebensowenig stichhaltig ist die Behauptung, daß die Menschheit des Mittelalters aus lauter Typen bestanden habe. Es fehlte in Staat und Kirche, in Kunst und Wissenschaft keineswegs an scharf profilierten, unverwechselbaren Persönlichkeiten. Die Selbstbekenntnisse eines Augustinus oder Abälard offenbaren eine fast unheimliche Fähigkeit der Introspektion und Selbstanalyse, die eine sehr ausgebildete und nuancierte Individualität zur Voraussetzung hat; die Porträtstatuen zeigen uns Gestalten von machtvollster Eigenart und zugleich die Gabe der Bildhauer, diese Einmaligkeit voll zu erfassen; die Nonne Roswitha hat schon im zehnten Jahrhundert das Drama, die individuellste aller Künste, in fast allen seinen Gattungen: als Historie, als Prosa, als comédie larmoyante, als erotische Tragödie zu hoher Blüte gebracht und Figuren von einer Zartheit und Durchsichtigkeit geschaffen, die geradezu an Maeterlinck erinnert. Das ganze Vorurteil vom „typischen"

Menschen des Mittelalters dürfte seinen Grund darin haben, daß es ein eminent philosophisches Zeitalter war. Das bedarf einer kleinen Erläuterung.

Der Zentralgedanke des Mittelalters, gleichsam das unsichtbare Motto, das über ihm schwebt, lautet: *universalia sunt realia;* nur die Ideen sind wirklich. Der große „Universalienstreit", der fast das ganze Mittelalter erfüllt, geht niemals um den eigentlichen Grundsatz, sondern nur um dessen Formulierungen. Es gab bekanntlich drei Richtungen, die einander in der Herrschaft ablösten. Der „extreme Realismus" behauptet: *universalia sunt ante rem,* das heißt: sie gehen den konkreten Dingen vorher, und zwar sowohl dem Range nach wie als Ursache; der „gemäßigte Realismus" erklärt: *universalia sunt in re,* das heißt: sie sind in den Dingen als deren wahres Wesen enthalten; der „Nominalismus" stellt den Grundsatz auf: *universalia sunt post rem:* sie sind aus den Dingen abgezogen, also bloße Verstandesschöpfungen, und er bedeutet daher in der Tat eine Auflösung des Realismus: seine Herrschaft gehört aber, wie wir später sehen werden, nicht mehr dem eigentlichen Mittelalter an.

Und nun erwäge man, welche ungeheure Bedeutung es für das allgemeine Weltbild haben muß, wenn überall von der Voraussetzung ausgegangen wird, daß die Universalien, die Begriffe, die Ideen, die Gattungen das eigentlich Reale sind: eine Annahme, die bekanntlich der größte Philosoph des Altertums zum Kernstück seines Systems gemacht hat. Aber Plato hat diese Ansicht nur gelehrt, das Mittelalter hat sie gelebt. Die mittelalterliche Menschheit bildet ein Universalvolk, in dem die klimatischen, nationalen, lokalen Differenzen nur als sehr sekundäre Merkmale zur Geltung kommen; sie steht unter der nominellen Herrschaft eines Universalkönigs, eines Cäsars, der diese Regierung zwar fast immer nur theoretisch ausgeübt, in seinen Ansprüchen aber nie aufgegeben hat, und unter der tatsächlichen Herrschaft einer Universalkirche oder vielmehr zweier Kirchen, die beide behaupten, die universale zu sein: die eine, indem sie sich die allgemeine, die katholische, die andere, indem sie sich die allein wahre, die orthodoxe nennt; sie hat, wie wir bereits sahen, eine

Universalwirtschaft, die die Lebenshaltung, Erwerbsgebarung, Produktion und Konsumtion jedes einzelnen möglichst gleichmäßig zu gestalten sucht; sie hat einen Universalstil, der alle Kunstschöpfungen von der Schüssel bis zum Dom, vom Türnagel bis zur Königspfalz durchdringt und gestaltet: die Gotik; sie hat eine Universalsitte, deren Anstandsregeln, Grußformen, Lebensideale überall gelten, wo abendländische Menschen ihren Fuß hinsetzen: die ritterliche Etikette; sie hat eine Universalwissenschaft, die die oberste Spitze, den Sinn und die Richtschnur alles Denkens bildet: die Theologie; sie hat eine Universalethik: die evangelische, ein Universalrecht: das römische, und eine Universalsprache: das Lateinische. Sie bevorzugt in der Skulptur das Ornamentale, also das Begriffliche, in der Architektur das Abstrakte, das Konstruktive, sie reagiert überhaupt gänzlich unnaturalistisch (und zwar ist der mangelnde Naturalismus keineswegs auf mangelndes Können zurückzuführen: daß er im Bereich der technischen Möglichkeit lag, zeigen die Porträtplastiken; wie ja überhaupt Naturalismus niemals einen künstlerischen Höhepunkt bezeichnet, sondern entweder ein roher Anfang ist oder ein absichtliches, programmatisches Zurückgehen auf frühere Stufen); ja selbst die Natur ist für diese Menschen eine Abstraktion, eine vage, fast unwirkliche Idee, die eigentlich nur ein Leben in der Negation führt: als Gegensatz des Reiches des Geistes und der Gnade.

Die Weltkathedrale So baut sich die mittelalterliche Welt auf als eine wunderbare Stufenordnung von geglaubten Abstraktionen, gelebten Ideen, in feiner und scharfer Gliederung ansteigend wie eine Kathedrale oder eine jener kunstvollen „Summen" der Scholastiker: auf der einen Seite der weltliche Trakt mit seinen Bauern und Bürgern, Rittern und Lehnsleuten, Grafen und Herzogen, Königen und Kaisern, auf der anderen Seite der geistliche Trakt, von dem breiten Fundament aller Gläubigen emporklimmend zu den Priestern, den Äbten, den Bischöfen, den Päpsten, den Konzilien und darüber hinaus zur Rangleiter der Engel, deren höchste zu Füßen Gottes sitzen: eine große, wohldurchdachte und wohlgeordnete Hierarchie von Universalien. Diese Menschheit konnte in der

Tat mit vollem philosophischem Bewußtsein und nicht als bloße dialektische Spielerei und Spitzfindigkeit den Satz aufstellen: universalia sunt realia.

Die Herrschaft dieses wirklichkeitsfremden Grundsatzes war nur deshalb so dauerhaft, ja überhaupt möglich, weil die Welt für den mittelalterlichen Menschen kein wissenschaftliches Phänomen war, sondern eine Tatsache des Glaubens. Die geistige Richtschnur war im wesentlichen immer die von Anselm von Canterbury und schon lange vorher von Augustinus aufgestellte Norm: *neque enim quaero intelligere, ut credam, sed credo, ut intelligam:* ich will nicht erkennen, um zu glauben, sondern glauben, um zu erkennen; „denn eher wird die menschliche Weisheit sich selbst am Felsen des Glaubens einrennen als diesen Felsen einrennen". Die damaligen Menschen waren eben noch frei von dem modernen Aberglauben, daß der ausschließliche Zweck menschlichen Denkens und Forschens eine möglichst lückenlose Durchdringung und Beherrschung der Erfahrungswelt sei. Was suchten sie zu wissen? Zwei Dinge: *Deum et animam! Deum et animam,* sagt Augustinus mit vollkommen unmißverständlicher Bestimmtheit, *scire cupio. Nihilne plus? Nihil omnino.* Physik ist für ihn vor allem die Lehre von Gott; was sie sonst noch lehren kann, ist entbehrlich, da es nichts zum Heile beiträgt. Und drei Vierteljahrtausende später, auf der Höhe des Mittelalters, erklärt Hugo von Sankt Victor, das Wissen habe nur insofern Wert, als es der Erbauung diene, ein Wissen um des Wissens willen sei heidnisch; und Richard von Sankt Victor fügt hinzu, der Verstand sei kein geeignetes Mittel zur Erforschung der Wahrheit. Dies kann uns nur so lange befremden, als wir uns nicht daran erinnern, daß gerade die höchsten Wahrheiten des Christentums übervernünftig sind, aber darum keineswegs widervernünftig, wie dies der klassische Philosoph des Katholizismus, Thomas von Aquino, klar präzisiert hat, und daß schon an der Schwelle der Kirchengeschichte der berühmte Satz Tertullians steht: „*Crucifixus est dei filius; non pudet, quia pudendum est. Et mortuus est dei filius; prorsus credibile est, quia ineptum est. Et sepultus resurrexit; certum est, quia impossibile est:* Gekreuzigt wurde der Gottessohn; das ist keine

Schande, weil es eine ist. Und gestorben ist der Gottessohn; das ist glaubwürdig, weil es ungereimt ist. Und begraben ist er auferstanden; das ist ganz sicher, weil es unmöglich ist." Man kann, wenn man Wert darauf legt, auch hierin wieder einen kindlichen Zug erblicken, denn in der Tat erscheinen den Kindern gerade die ungereimtesten Dinge als die glaubwürdigsten, die unmöglichsten als die gewissesten: sie bringen einem Märchen viel mehr Vertrauen entgegen als einer nüchternen Erzählung und halten überhaupt alle Phänomene, die den Gang der natürlichen Kausalität durchbrechen, nicht nur für die höheren, sondern auch für die realeren. Genau dies war auch die „Physik" des mittelalterlichen Menschen: für ihn war das Wunder das eigentlich Wirkliche, die natürliche Erscheinungswelt nur der blasse Abglanz und wesenlose Schatten einer höheren, lichteren und wahreren Geisteswelt. Kurz: er führte ein magisches Dasein. Und wiederum müssen wir uns fragen, ob ihn hier nicht eine tiefere, obschon dunklere Erkenntnis leitete und er nicht der Wurzel des Geheimnisses näher war als wir.

Alles ist Jene feinen und gefährlichen Spekulationen wie „Phänomenalismus", „Skeptizismus", „Agnostizismus" und dergleichen waren dem Mittelalter durchaus nicht fremd. In den „Selbstgesprächen" des Augustinus finden sich Stellen wie diese: *Tu, qui vis te nosse, scis esse te? Scio. Unde scis? Nescio. Simplicem te sentis an multiplicem? Nescio. Moveri te scis? Nescio. Cogitare te scis? Scio.* Das ist ganz und gar die Deduktion, mit der Descartes einen neuen Abschnitt des menschlichen Denkens eröffnet hat: *Cogito ergo sum.* Daß Körper sind, heißt es in den „Konfessionen", können wir freilich nur glauben; aber dieser Glaube ist notwendig für die Praxis: das ist ganz die Art, wie Berkeley am Beginn des achtzehnten Jahrhunderts seinen idealistischen Dogmatismus begründet hat. Aber, meint Augustinus, auch zur Erkenntnis des Willens anderer Menschen bedürfen wir des Glaubens: diese Feststellung klingt geradezu schopenhauerisch. Mag es auch kein Übel geben, sagt er ein andermal, so gibt es doch unzweifelhaft die Furcht vor dem Übel: das ist allermodernster Psychologismus. Aber der große Unterschied derartiger Spekulationen von den

Untersuchungen der neueren Philosophie besteht eben darin, daß sie sich alle auf dem festen und unverrückbaren Grundstein des Glaubens erheben, daß sie vom Glauben ausgehen, während die Erkenntnistheorie der Neuzeit bestenfalls in den Glauben mündet. Die Schöpfung eine einzige große Heilstatsache, die Welt ein Phänomen des Glaubens: an diesem Elementarsatz hat wohl kaum irgendein mittelalterlicher Mensch jemals gezweifelt. Man hatte eben die Lehre Jesu voll begriffen, deren Kern in der ernsten und einfachen Mahnung besteht, zu glauben; nicht daran zu zweifeln, daß diese Welt ist und daß sie ein Werk Gottes ist; daß alles ist, auch das Geringste und Niedrigste: die Ärmsten und Einfältigsten, die Kinder, die Sünder, die Lilien und Sperlinge; daß dies alles ist, wenn man daran glaubt oder, was dasselbe ist, wenn man es liebt.

So gewährt uns das Mittelalter ein eigentümlich widerspruchs- <abbr>Der Szenenwechsel</abbr> volles Bild. Auf der einen Seite zeigt es uns den Aspekt einer seligen Ruhe, einer majestätischen Mittagsstille, die alles Leben leuchtend und schützend umfängt, und auf der anderen Seite das Schauspiel einer großartigen Unzufriedenheit, einer tiefen inneren Durchwühltheit und Erregung. Wohl lebt und webt alles in Gott und fühlt sich in ihm geborgen; aber wie ihm genügen? Diese bange Frage zittert überall unter der heiteren und friedlichen Oberfläche des Daseins. So liegt die mittelalterliche Seele vor uns: ein klarer silberner Spiegel, aber auf dem Grunde bewegt; ewig suchend und niemals findend; brauend, brodelnd, schweifend, tastend; Türme zum Himmel reckend, steingewordene Asymptoten, die sich im blauen Abgrund des Firmaments zu verlieren streben; ewig ungesättigt in ihrer Erotik, ihrer ureigensten Entdeckung oder vielmehr Erfindung, die ihren Gegenstand so hypostasiert, daß er unerreichbar, nur noch ein Symbol unendlicher Sehnsucht wird; und über alledem die Gestalt Christi, des Unvergleichlichen, dem nachzuleben dennoch jedem durch die Taufe als heilige Pflicht aufgetragen ist!

Mit der Mitte des vierzehnten Jahrhunderts betritt eine ganz anders geartete Menschheit die Szene, oder genauer gesagt: eine, die den Keim zu einer anderen in sich trägt. Man wird auch weiterhin noch suchen; aber auch finden. Bewegung wird es auch weiterhin geben; aber nicht bloß mehr auf dem Grunde. Eine tragische Kultur macht einer bürgerlichen Platz, eine chaotische Kultur einer organischen und schließlich sogar einer mechanischen: die Welt ist fortan nicht mehr ein gottgewolltes Mysterium, sondern eine menschengeschaffene Rationalität.

DRITTES KAPITEL

DIE INKUBATIONSZEIT

> *Gehe deinen unmerklichen Schritt, ewige*
> *Vorsehung, nur laß mich dieser Unmerk-*
> *lichkeit wegen an dir nicht verzweifeln.*
> *Laß mich an dir nicht verzweifeln, wenn*
> *selbst deine Schritte mir scheinen sollten,*
> *zurückzugehen! Es ist nicht wahr, daß die*
> *kürzeste Linie immer die gerade ist.*
>
> *Lessing*

Wenn wir den Entwicklungsabschnitt, in dem sich der Mensch der Neuzeit vorbereitet, die „Inkubationszeit" nennen, so kann dadurch leicht der Eindruck erweckt werden, daß das Neue, das hier in die Welt trat, ein Giftstoff gewesen sei. Es w a r auch einer; wie wir später sehen werden. Jedoch dies nur zum Teil, denn auf unserem Erdball pflegt sich Heilsames und Verderbliches zumeist in gemischtem Zustand auszuwirken; und außerdem ist ja Vergiftung, wie wir im ersten Kapitel darzulegen versuchten, sehr oft die Form, hinter der sich eine Erneuerung, Bereicherung und Vervollkommnung des organischen Daseins zu verbergen liebt: wenn die Einführung scheinbar feindlicher, schädlicher und wesensfremder Stoffe an Pflanzen gefüllte Blüten, an Tieren neue Köpfe zu erzeugen vermag, warum sollte sie nicht an ganzen Zeitaltern ähnliche Wirkungen hervorbringen können: neue Köpfe wachsen machen, strotzendere, gefülltere, blütenreichere Lebensformen heraufführen? Doch wie dem auch sei: wir wollen mit dem Namen Inkubationszeit zunächst kein positives oder negatives Werturteil aussprechen, sondern einfach jene anderthalb Jahrhunderte bezeichnen, in denen das Neue im Schoße der Menschheit wächst, reift, ausgetragen wird, bis es schließlich stark und groß genug geworden ist, um ans Licht treten zu können.

Die Erfindung der Pest

95

Ich sagte: die Geburtsstunde der Neuzeit wird durch eine schwere Erkrankung der europäischen Menschheit bezeichnet: die schwarze Pest. Damit soll aber nicht ausgedrückt sein, daß die Pest die Ursache der Neuzeit war. Sondern es verhielt sich gerade umgekehrt: erst war die „Neuzeit" da, und durch sie entstand die Pest. In seinem ungemein gedankenreichen Werk „Gesundheit und Krankheit in der Anschauung alter Zeiten" sagt Troels-Lund: „Es ist nicht unwahrscheinlich, daß die Krankheiten ihre Geschichte haben, so daß jedes Zeitalter seine bestimmten Krankheiten hat, die so nicht früher aufgetreten sind und ganz so auch nicht wiederkehren werden." Dies läßt sich offenbar nur so erklären, daß jedes Zeitalter sich seine Krankheiten macht, die ebenso zu seiner Physiognomie gehören wie alles andere, was es hervorbringt: sie sind gerade so gut seine spezifischen Erzeugnisse wie seine Kunst, seine Strategie, seine Religion, seine Physik, seine Wirtschaft, seine Erotik und sämtliche übrigen Lebensäußerungen, sie sind gewissermaßen seine Erfindungen und Entdeckungen auf dem Gebiete des Pathologischen. Es ist der Geist, der sich den Körper baut: immer ist der Geist das Primäre, beim einzelnen wie bei der Gesamtheit. Wenn wir die – allerdings auf mehr als einer Seite hinkende – Vergleichung mit dem Individuum festhalten wollen, so müssen wir sagen: die schwarze Pest ist ebensowenig die Ursache der Neuzeit wie die Schwangerschaft die Ursache eines neuen Organismus ist, sondern hier wie dort besteht die wahre Ursache darin, daß ein neuer Lebenskeim in den Mutterkörper eintritt, und die Folge und der Ausdruck dieser Tatsache ist die Schwangerschaft. Der „neue Geist" erzeugte in der europäischen Menschheit eine Art Entwicklungskrankheit, eine allgemeine Psychose, und eine der Formen dieser Erkrankung, und zwar die hervorstechendste, war die schwarze Pest. Woher aber dieser neue Geist kam, warum er gerade jetzt, hier, wie er entstand: das weiß niemand; das wird vom Weltgeist nicht verraten.

Es ist auch völlig unenträtselt, unter welchen näheren Umständen die Pest, gemeinhin der schwarze Tod oder das große Sterben genannt, von Europa plötzlich Besitz ergriff. Einige behaupten, sie sei durch die Kreuzzüge eingeschleppt worden, aber es ist merkwürdig, daß sie unter den Arabern niemals auch nur annähernd jene Furchtbarkeit erreicht hat wie bei uns; andere verlegen ihren Ursprungsort bis nach China. Die Zeitgenossen machten die Konstellation der Gestirne, die allgemeine Sündhaftigkeit, die Unkeuschheit der Priester und die Juden für sie verantwortlich. Genug, sie war auf einmal da, zuerst in Italien; und nun schlich sie über den ganzen Erdteil. Denn sie verbreitete sich, was ihre Unheimlichkeit erhöhte, nicht reißend wie die meisten anderen Epidemien, sondern zog langsam, aber unaufhaltsam von Haus zu Haus, von Land zu Land. Sie ergriff Deutschland, Frankreich, England, Spanien, zuletzt die nördlichsten Länder bis nach Island hin. Was sie noch grausiger machte, war ihre Unberechenbarkeit: sie verschonte bisweilen ganze Landstriche, zum Beispiel Ostfranken, und übersprang einzelne Häuser, sie verschwand oft ganz plötzlich und tauchte nach Jahren wieder auf. Bis tief in die zweite Hälfte des fünfzehnten Jahrhunderts hinein wird ihr Erscheinen in den Chroniken immer wieder verzeichnet: „Pest in Böhmen"; „großes Sterben am Rhein"; „Pest in Preußen"; „Sterben auf dem Lande"; „allgemeines Sterbejahr"; „zehntausend sterben in Nürnberg"; „Pest in ganz Deutschland, starke Männer sterben, wenig Frauen, seltener Kinder"; „große Pestilenz in den Seestädten". Es war allem Anschein nach eine Form der Bubonenpest: sie äußerte sich in Anschwellung der Lymphdrüsen, den sogenannten Pestbeulen, heftigem Kopfschmerz, großer Schwäche und Apathie, bisweilen aber auch in Delirien und führte nach den zeitgenössischen Berichten am ersten, zweiten, spätestens am siebenten Tage zum Tode. Die Sterblichkeit war überall entsetzlich. Während ihrer Höhezeit starben zum Beispiel in Bern täglich sechzig Menschen, in Köln und in Mainz täglich hundert, in Elbing im ganzen dreizehntausend; von der Oxforder Studentenschaft zwei Drittel, von der Yorkshirer Priesterschaft drei Fünftel; als die Minoriten nach dem Aufhören der zweijährigen Seuche ihre Toten zählten, waren es über hundertzwanzigtausend; der Gesamtverlust Europas hat nach neueren Berechnungen fünfundzwanzig Millionen betragen: die damalige Menschheit aber meinte, es sei leichter, die Übriggebliebenen zu zählen als die Umgekommenen.

Eine Begleiterscheinung der Pest waren die Geißlerfahrten.
Die Flagellanten, exaltierte Religiöse, zogen in großen Scharen von
Ort zu Ort, fahnenschwingend, düstere Lieder singend, mit
schwarzen Mänteln und absonderlichen Mützen bekleidet, von
denen ein rotes Kreuz leuchtete. Bei ihrem Erscheinen läuteten
alle Glocken, und alles strömte zur Kirche: dort warfen sie sich
nieder und geißelten sich unter stundenlangen Liedern und Gebeten, verlasen vom Himmel gefallene Briefe, die das sündhafte
Treiben der Laien und Pfaffen verdammten, und mahnten zur
Buße. Ihre Doktrin, wenn man von einer solchen sprechen kann,
war zweifellos häretisch: sie lehrten, daß die Geißelung das wahre
Abendmahl sei, da sich dabei ihr Blut mit dem des Heilands ver-
mische, erklärten die Priester für unwürdig und überflüssig und
duldeten bei ihren Andachtsübungen keinen Geistlichen. Ihre Wirkung auf die verängstigte, an der Kirche und am Weltlauf ver-
zweifelnde Menschheit war ungeheuer. Allmählich erhielten sie
Verstärkung durch allerlei unreine Elemente: Abenteurer, Deklas-
sierte, Bettelvolk, Maniker, Pervertierte; und es muß ein beispiellos aufwühlender Eindruck für die Zeitgenossen gewesen sein, aus
Furcht und Hoffnung, Ekel und Gottesschauer seltsam gemischt,
wenn diese grauenhafte Lawine von Fanatikern, Irrsinnigen und
Verbrechern sich heranwälzte, schon von fernher durch ihren gru-
selig monotonen Gesang angekündigt: „Nun hebet auf eure
Hände, daß Gott dies große Sterben wende! Nun hebet auf eure
Arme, daß Gott sich über uns erbarme! Jesus, durch deine Namen
drei, mach, Herre, uns von Sünden frei! Jesus, durch deine Wunden rot, behüt uns vor dem jähen Tod!"

Diese Geißlerfahrten waren jedoch keine einfache Folgeerscheinung der Pest, etwa der bloße Versuch einer Art religiöser Therapie, sondern höchstwahrscheinlich eine Parallelepidemie, ein weiteres Symptom der allgemeinen Psychose: die Pest war nur ein
äußerlicher Anknüpfungspunkt. Für diese Annahme spricht die
Tatsache, daß derartige seelische Massenerkrankungen zu jener
Zeit auch unabhängig von der Pest auftraten. Schon ein Jahr vorher sah man Männer und Frauen Hand in Hand stundenlang im
Kreise tanzen, in immer wilderer Raserei, bis sie, Schaum vor dem

Munde, halb ohnmächtig zu Boden sanken; während des Tanzes hatten sie epileptoide Anfälle und Visionen. Es war dies der bekannte Veitstanz, der sehr bald größere Kreise ergriff, in seinem weiteren Verlauf immer mehr einen sexuellen Charakter annahm und schließlich eine Art Mode wurde, so daß Vagabunden sich dadurch, daß sie die Zuckungen nachahmten, ihren Unterhalt verdienen konnten. In denselben Zusammenhang gehört der merkwürdige Kreuzzug der Kinder von Schwäbisch-Hall, die, plötzlich von einer religiösen Hypnose erfaßt, zur Verehrung des Erzengels Michael nach dem Heiligen Michaelsberg in der Normandie aufbrachen. Die Fixierung an diese Idee war so stark, daß Kinder, die man mit Gewalt zurückhielt, schwer erkrankten, ja zum Teil den Geist aufgaben.

Einen pathologischen und epidemischen Charakter trugen auch die damaligen Judenverfolgungen, aber man kann nicht sagen, daß wir es hier mit einer Erscheinung zu tun haben, die nicht zu allen Zeiten möglich wäre. Plötzlich sprang in Südfrankreich das Gerücht auf, die Juden hätten die Brunnen vergiftet, und drang, schneller als die Pest, in die benachbarten Länder. Es kam zu scheußlichen Judenschlächtereien, bei denen die Geißler die Stoßtruppe bildeten und die Juden jenen blinden Heroismus bekundeten, der in ihrer ganzen Geschichte von Nebukadnezar und Titus bis zu den russischen Pogromen zutage tritt. Mütter, die ihre Gatten auf dem Scheiterhaufen verbrennen sahen, stürzten sich mit ihren Kindern zu ihnen in die Flammen; in Eßlingen versammelte sich die gesamte Judenschaft in der Synagoge und zündete sie freiwillig an; in Konstanz hatte ein Jude sich aus Angst vor dem Feuertode taufen lassen, wurde aber später von Reue ergriffen und verbrannte sich und seine ganze Familie in seinem Hause. Die Judenverfolgungen hatten in erster Linie religiöse, daneben aber sicher auch soziale Gründe. Die Stellung der damaligen Welt zur Judenfrage war eine zwiespältige. Die geistlichen und weltlichen Machthaber tolerierten die Juden, ja ließen ihnen sogar eine gewisse Protektion angedeihen; sie konnten sie nicht gut entbehren, nicht nur wegen ihrer größeren wirtschaftlichen Begabung, die damals noch viel mehr ins Gewicht fiel als heutzutage, sondern auch wegen ihrer höheren

Bildung: sie waren an den Höfen als Vermittler der arabischen Kultur und besonders auch als Ärzte geschätzt; vor allem aber waren sie ein ebenso ergiebiges wie handliches Besteuerungsobjekt: unter den Einnahmequellen, die den einzelnen Herrschaften als Privilegien verliehen werden, figurieren neben dem Münzrecht, dem Zoll, den Salinen und dergleichen auch immer die Juden. Das Volk aber hatte niemals vergessen, daß es die Juden gewesen waren, die den Heiland getötet hatten, und wenn einzelne milddenkende Prediger einzuschärfen versuchten, daß man für diese Schuld nicht alle Nachkommen verantwortlich machen dürfe, so lag der Einwand nahe, daß ja die Judenschaft bis zum heutigen Tage das Evangelium verleugne und sogar insgeheim befehde; und mit diesem in der Tat ungeheuerlichen Faktum, daß unter allen Kulturvölkern des Abendlandes das kleinste, schwächste und verstreuteste sich als einziges dem Licht des Christentums hartnäckig entzogen hat, vermochte man sich in der damaligen Zeit noch nicht psychoanalytisch abzufinden. Dazu kam nun noch die wirklich harte Bedrückung durch den jüdischen Wucher. Die Juden waren die einzigen, denen ihre Religion das Zinsnehmen nicht verbot, ja es mochte in ihren Augen sogar verdienstlich erscheinen, den irrgläubigen „Goj" möglichst zu schädigen, und zudem waren ihnen alle anderen Berufe verschlossen, da selbstverständlich nur ein Christ in eine Zunft aufgenommen werden konnte. Und so gab es nicht wenige, die es bei diesen Verfolgungen weniger auf die Verbrennung der Juden abgesehen hatten als auf die Verbrennung der Schuldbriefe. „Ihr Gut", sagt ein zeitgenössischer Chronist, „war das Gift, das sie getötet hat."

Kosmischer
Aufruhr Aber nicht bloß die Menschen, auch Himmel und Erde waren in Aufruhr. Unheildrohende Kometen erschienen, in England wüteten furchtbare Stürme, wie sie nie vorher und nie nachher erlebt worden sind, riesige Heuschreckenschwärme suchten die Felder heim, Erdbeben verheerten das Land: Villach wurde mit dreißig umliegenden Ortschaften verschüttet. Der Boden verweigerte seine Gaben: Mißwachs und Dürre verdarben allenthalben die Ernte. Es handelte sich bei diesen Erscheinungen weder um „zufällige Naturspiele" noch um „abergläubische Auslegungen" der

100

Zeitgenossen. Wenn es wahr ist, daß damals ein großer Ruck, eine geheimnisvolle Erschütterung, ein tiefer Konzeptionsschauer durch die Menschheit ging, so muß auch die Erde irgend etwas Ähnliches durchgemacht haben, und nicht bloß die Erde, sondern auch die Nachbarplaneten, ja das ganze Sonnensystem. Die Zeichen und Wunder, die die „beschränkte Leichtgläubigkeit" jener Zeit erblickte, waren wirkliche Zeichen, deutliche Äußerungen eines wunderbaren Zusammenhanges des gesamten kosmischen Geschehens.

Der Mensch aber, durch so viel Schlimmes und Widerspruchs- Welt-
untergang volles an Gegenwart und Zukunft irre geworden, taumelte erschreckt umher und spähte nach etwas Festem. Die Ernsten zogen sich gänzlich auf ihren Gott oder ihre Kirche zurück, fasteten, beteten und taten Buße. Die Leichtfertigen stürzten sich in ein zügelloses Welttreiben, öffneten der Gier und dem Laster alle Ventile und machten sich aus dem Leben eine möglichst fette Henkersmahlzeit. Viele erwarteten das Jüngste Gericht. In alledem: in den pessimistischen und asketischen Strömungen ebensogut wie in der ungesund aufgedunsenen „Lebensfreude", die bloß eine Art Tuberkulosensinnlichkeit und Déluge-Genußsucht war, zittert eine allgemeine Weltuntergangsstimmung, die, ausgesprochen oder unausgesprochen, bewußt oder unbewußt, das ganze Zeitalter durchdringt und beherrscht.

Und der Instinkt der Menschen hatte vollkommen recht: die Welt ging auch wirklich unter. Die bisherige Welt, jene seltsam enge und lichte, reine und verworrene, beschwingte und gebundene Welt des Mittelalters versank unter Jammer und Donner in die finsteren Tiefen der Zeit und der Ewigkeit, von denen sie nie wieder zurückkehren wird.

Das Fundament, auf dem die Weltanschauung des Mittelalters Entthro-
nung der
Univer-
salien ruhte, war der Grundsatz: das Reale sind die Universalien. Wirklich ist nicht das Individuum, sondern der Stand, dem es angehört. Wirklich ist nicht der einzelne Priester, sondern die katholische Kirche, deren Gnadengaben er spendet: wer er ist, bleibt ganz gleichgültig, er kann ein Prasser, ein Lügner, ein Wüstling sein, das beeinträchtigt nicht die Heiligkeit seines Amtes, denn er ist ja nicht wirklich. Wirklich ist nicht der Reiter, der im Turnier sticht, um Minne wirbt, im gelobten Lande streitet, sondern das große Ideal der ritterlichen Gesellschaft, das ihn umfängt und emporträgt. Wirklich ist nicht der Künstler, der in Stein und Glas dichtet, sondern der hochragende Dom, den er in Gemeinschaft mit vielen geschaffen hat: er selbst bleibt anonym. Wirklich sind auch nicht die Gedanken, die der menschliche Geist in einsamem Ringen ersinnt, sondern die ewigen Wahrheiten des Glaubens, die er nur zu ordnen, zu begründen und zu erläutern hat.

Alle diese Vorstellungen beginnen sich aber am Ende des Mittelalters zu lockern und zu verflüssigen, um sich schließlich in ihr völliges Gegenteil umzukehren. Der große Johannes Duns, wegen seiner Abstammung Scotus, wegen der Feinheit und Schärfe seiner Distinktionen *doctor subtilis* genannt, Schulhaupt der Scotisten, im Jahr 1308, erst vierunddreißigjährig, gestorben, ist noch gemäßigter Realist: er meint, alle Wissenschaft müßte sich auflösen, wenn das Allgemeine, das doch das Ziel aller wissenschaftlichen Erkenntnis sei, in bloßen Vernunftbegriffen bestünde. Aber er erklärt zugleich, daß die Realität sich sowohl gegen die Allgemeinheit wie gegen die Individualität indifferent verhalte und daher beides in sich verkörpern könne; und ein andermal sagt er geradezu: die Individualität sei nicht eine mangelhaftere, sondern eine vollkommenere Wirklichkeit, sie sei *ultima realitas*. Und der Franziskaner Pierre Aureol, dessen etwas später verfaßte Schriften obskur geblieben sind, ist bereits Konzeptualist, das heißt: er erklärt die Universalien für bloße Begriffe, *conceptus*, die von den Einzeldingen abgezogen seien und in der Natur nicht vorkämen; an Sokrates sei nur die *Socratitas* wirklich, nicht die *humanitas*. Noch viel weiter aber ging der eigentliche Begründer des Nominalismus und berühmteste Schüler des Schotten, Wilhelm von Occam, der *doctor singularis*, *venerabilis inceptor* und *doctor invincibilis*, gestorben im Jahr der schwarzen Pest. Zunächst erklärt er ebenfalls, das Allgemeine sei ein bloßer *conceptus mentis*, *significans univoce plura singulari*, es existiere nicht in den Dingen, sondern nur im denkenden Geiste; daraus, daß wir mit Hilfe allgemeiner Begriffe erkennen, folge nicht, daß das Allgemeine Realität habe. Von da schreitet er aber zu einem vollkommenen Phänomenalismus fort. Hatte

Duns in den Vorstellungen noch wirkliche Abbilder der Dinge erblickt, so sieht Occam in ihnen nur noch Zeichen, *signa*, die in uns durch die Dinge hervorgerufen und von uns auf die Dinge bezogen werden, ihnen aber deshalb keineswegs ähnlich zu sein brauchen, wie ja auch der Rauch ein Zeichen des Feuers und der Seufzer ein Zeichen des Schmerzes sei, ohne daß der Rauch mit dem Feuer, der Seufzer mit dem Schmerz irgendeine Ähnlichkeit habe. Und im weiteren Verlauf der Deduktionen gelangt er zu einem eigenartigen Indeterminismus. Gott ist an keinerlei Gesetze gebunden, nichts geschieht mit Notwendigkeit: sonst wäre die Tatsache des Zufalls und des Bösen in der Welt unerklärlich. Gott mußte nicht gerade diese Welt schaffen, er hätte auch eine ganz andere schaffen können, auch gar keine. Es gibt auch keine allgemein gültigen ethischen Normen: Gott hätte auch Taten der Lieblosigkeit und des Eigennutzes für verdienstlich erklären können. Der Dekalog ist kein absolutes Sittengesetz, er hat nur bedingte Gültigkeit. Er verbietet den Mord, den Diebstahl, die Polygamie. Aber Abraham wollte seinen Sohn opfern, die Israeliten nahmen die goldenen Gefäße der Ägypter mit, die Patriarchen betrieben Vielweiberei; und Gott hat es gebilligt. Diese Darlegungen (die zum Teil von Occam, zum Teil schon von Duns Scotus herrühren) wollen offenbar besagen: Gott steht jenseits von Gut und Böse. Den Gipfel der Occamschen Philosophie bildet aber das Bekenntnis zum Irrationalismus und Agnostizismus: alle Erkenntnis, die über die unmittelbare Augenblickserfahrung hinausgeht, ist Sache des Glaubens; Gott ist unerkennbar, sein Dasein folgt nicht aus seinem Begriff; die Existenz einer ersten Ursache ist unerweisbar, es könnte auch eine unendliche Reihe von Ursachen geben; mehrere Welten mit verschiedenen Schöpfern sind denkbar; Trinität, Inkarnation, Unsterblichkeit der Seele können niemals den Gegenstand logischer Demonstration bilden.

Man würde aber sehr irren, wenn man nach alledem in Occam einen Freigeist, etwa einen Vorläufer Voltaires oder Nietzsches erblicken wollte. Occam war zwar ein energischer Anhänger der damaligen „Modernisten", die gegen die Alleinherrschaft des Papstes und für die Unabhängigkeit des Kaisers und der Bischöfe

Christus im Esel

103

kämpften, aber er war gleichwohl streng gläubig: seine skeptischen und kritischen Grübeleien sind gerade der stärkste Ausdruck seiner Religiosität. Der Gedanke der unbegrenzten göttlichen Willkür hat für ihn nichts Aufreizendes, sondern etwas Beruhigendes: seine Gottesunterwürfigkeit kann sich nur in der Vorstellung einer durch nichts, auch nicht Kausalität und Moral eingeschränkten Allmacht Genüge tun; dadurch, daß er die Unbeweisbarkeit der christlichen Mysterien betont, entzieht er sie ein für allemal jedem Angriff und Zweifel; und durch die Einsicht in die Unverständlichkeit, ja Widersinnlichkeit der Kirchenlehren wird der Glaube für ihn erst zu einem Verdienst. Das Prinzip des *credo quia absurdum* hat durch ihn noch einmal in gewaltiger Stärke und feinster Vergeistigung seine höchste und letzte Zusammenraffung erfahren. Der Nachdruck liegt bei ihm noch vollkommen auf dem *credo:* daß Glauben und Wissen zweierlei sind, gerade das rettet den Glauben. Wie aber, wenn die Menschen es sich eines Tages einfallen ließen, den Akzent auf das *absurdum* zu legen und zu folgern: daß Glauben und Wissen zweierlei sind, das vernichtet den Glauben und rettet das Wissen? Ein flacher, aber höchst gefährlicher Gedanke; auf den Occam aber noch nicht gekommen ist. Vielmehr ist er unermüdlich bemüht, alle möglichen Widersinnigkeiten herbeizuschleppen, um sie mit dem Glauben in Verbindung zu bringen. So spricht er einmal einen Satz aus, der uns wie eine furchtbare Blasphemie anmutet, zu seiner Zeit aber nicht den geringsten Anstoß erregt hat: wenn es Gott gefallen hätte, so hätte er sich gerade so gut in einem Esel verkörpern können wie in einem Menschen.

An diesem Beispiel, dem man viele ähnliche an die Seite setzen könnte, sieht man deutlich, wie das Prinzip der Widervernünftigkeit bei Occam über sein Ziel hinausschießt, sich überschlägt und schließlich gegen sich selbst wendet und wie es gänzlich wesensverschieden ist von der naiven Wundergläubigkeit des Mittelalters. Ganz ohne Occams Wissen und Willen wechselt es sozusagen die Pointe und erscheint plötzlich mit umgekehrtem Vorzeichen. Er überspannt die Sache: so daß sie reißen muß; er spitzt sie übermäßig zu: so daß sie abbrechen muß.

Völlig bewußt aber war ihm sein Nominalismus. Die fünfhundertjährige Arbeit der Scholastik mündet in einen Satz, der die ganze Scholastik aufhebt: die Universalien sind nicht wirklich, sie sind weder *ante rem* noch *in re*, sondern *post rem*, ja noch mehr, sie sind *pro re:* bloße stellvertretende Zeichen und vage Symbole der Dinge, *vocalia, termini, flatus vocis*, nichts als künstliche Hilfsmittel zur bequemeren Zusammenfassung, im Grunde ein leerer Wortschwall: *universalia sunt nomina.*

Der Sieg des Nominalismus ist die wichtigste Tatsache der neueren Geschichte, viel bedeutsamer als die Reformation, das Schießpulver und der Buchdruck. Er kehrt das Weltbild des Mittelalters vollständig um und stellt die bisherige Weltordnung auf den Kopf: alles übrige war nur die Wirkung und Folge dieses neuen Aspekts.

Der Nominalismus hat ein Doppelantlitz, je nachdem man das Schwergewicht in sein negatives oder sein positives Ergebnis verlegt. Die negative Seite leugnet die Realität der Universalien, der Kollektivvorstellungen, der übergeordneten Ideen: aller jener großen Lebensmächte, die das bisherige Dasein erfüllt und getragen hatten, und ist daher identisch mit Skepsis und Nihilismus. Die positive Seite bejaht die Realität der Singularien, der Einzelvorstellungen, der körperlichen Augenblicksempfindungen: aller jener Orientierungskräfte, die das Sinnendasein und die Praxis der Tageswirklichkeit beherrschen, und ist daher identisch mit Sensualismus und Materialismus. Wie diese beiden neuen Dominanten sich im Leben der Zeit auswirkten, das werden wir jetzt etwas näher zu betrachten haben. *Die zwei Gesichter des Nominalismus*

Es war, als ob die Menschheit plötzlich ihr statisches Organ verloren hätte. Es ist dies im Grunde der Charakter aller Werde- und Übergangszeiten. Das Alte gilt nicht mehr, das Neue noch nicht, es ist eine Stimmung wie während einer Nordnacht: das gestrige Licht schwimmt noch trübe am fernen Horizont, das morgige Licht tagt eben erst schwach herauf. Es ist ein vollkommener Dämmerzustand der Seele: alles liegt in einem Zwielicht, alles hat einen doppelten Sinn. Man vermag die Züge der Welt nicht mehr zu entziffern. Wir könnten auch sagen, es sei wie bei Abend- *Dämmerzustand* einbruch: zum Lesen bei der Sonne schon zu dunkel, zum Lesen bei der Lampe noch zu hell; und wir werden später sehen, daß dieses Bild, auf den Beginn der Neuzeit angewendet, sogar einen ganz besonderen Nebensinn hat: bei dem natürlichen Licht Gottes im Buche der Welt zu lesen, hatten die Menschen schon verlernt; und bei dem künstlichen Licht der Vernunft, das sie sich bald selbst anzünden sollten, vermochten sie es noch nicht.

Folie
circulaire Die Folge einer solchen vollkommenen Desorientierung ist zunächst ein tiefer Pessimismus. Weil man an den Mächten der Vergangenheit verzweifeln muß, verzweifelt man an allen Mächten; weil die bisherigen Sicherungen versagen, glaubt man, es gebe überhaupt keine mehr. Die zweite Folge ist ein gewisser geistiger Atomismus. Die Vorstellungsmassen haben keinen Gravitationsmittelpunkt, keinen Kristallisationskern, um den sie sich anordnen könnten, sie werden zentrifugal und lösen sich auf. Und da es an einer übergeordneten Zentralidee fehlt, so ist auch das Willensleben ohne Direktive, was sich aber ebensowohl in Abulie wie in Hyperbulie, in Hemmungsneurosen wie in Entladungsneurosen äußern kann. Die Menschheit verfällt abwechselnd in äußerste Depression und Lethargie, in stumpfe Melancholie und Reglosigkeit oder in die maniakalischen Zustände eines pathologischen Bewegungsdrangs: es ist jenes Krankheitsbild, das die Psychiatrie als *folie circulaire* beschreibt. Und schließlich kann es nicht ausbleiben, daß der Mangel an Fixierungspunkten sich auch in der Form der Perversität äußert: auf allen Gebieten, in Linien, Farben, Trachten, Sitten, Denkweisen, Kunstformen, Rechtsnormen wird das Bizarre, Gesuchte, Verborgene, Verzerrte, das Disharmonische, Stechende, Überpfefferte, Abstruse bevorzugt: man gelangt zu einer Logik des Widersinnigen, einer Physik des Widernatürlichen, einer Ethik des Unsittlichen und einer Ästhetik des Häßlichen. Es ist wie bei einem Erdbeben; die Maßstäbe und Richtschnüre der gesamten normalen Lebenspraxis versagen: die tellurischen, die juristischen und die moralischen.

Anarchie
von oben Alles wankte. Die beiden Koordinatenachsen, nach denen das ganze mittelalterliche Leben orientiert war, Kaisertum und Papsttum, beginnen sich zu verwischen, werden bisweilen fast unsichtbar. In der ersten Hälfte des vierzehnten Jahrhunderts sah das Reich die seltsame Farce einer gemeinsamen Doppelregierung Ludwigs von Bayern und Friedrichs von Österreich, und von da an kam es nicht mehr zur Ruhe, bis das Jahr 1410 drei deutsche Könige brachte: Sigismund, Wenzel und Jost von Mähren. Und fast genau um dieselbe Zeit, im Jahr 1409, erlebte die Welt das Unerhörte, daß drei Päpste aufstanden: ein römischer, ein französischer und ein vom Konzil gewählter. Dies hieß für die damaligen Menschen ungefähr so viel, wie wenn man ihnen plötzlich eröffnet hätte, es habe drei Erlöser gegeben oder jeder Mensch besitze drei Väter. Und da sowohl Kaiser wie Päpste sich gegenseitig für Usurpatoren, Gottlose und Betrüger erklärten, so lag es nahe, sie auch wirklich dafür zu halten, alle drei, ja noch mehr: in ihrem ganzen Amt keine gottgewollte, sondern eine erschlichene Würde, nicht mehr den Gipfel geistlicher und weltlicher Hoheit, sondern einen erlogenen Scheinwert zu erblicken und den Schluß des Nathan zu machen: „Eure Ringe sind alle drei nicht echt. Der echte Ring vermutlich ging verloren." Schon die bloße Möglichkeit der Tatsache eines Schismas mußte die Idee des Papsttums entwurzeln und aushöhlen.

Wir haben also hier den Fall, daß die Auflösung zuerst das Haupt ergriff, daß die Anarchie bei der obersten Spitze der Gesellschaft ihren Anfang machte. Aber alsbald begann sie alle Schichten zu ergreifen. Eine allgemeine Deroute ist die soziale Signatur des Zeitalters. Die Vasallen leisten nur noch Heeresfolge, wenn es ihnen beliebt oder persönlichen Nutzen verspricht: das Verhältnis der vielbesungenen mittelalterlichen Lehenstreue verwandelt sich in ein kühl geschäftsmäßiges, das nicht mehr durch Pietät, sondern durch Opportunität bestimmt wird. Die Hörigen verlassen ihre Scholle, mit der sie bisher ein fast pflanzlich verbundenes Dasein geführt hatten; in den Städten sinkt das Patriziat, bisher durch Geburt und Tradition herrschberechtigt, aber in der Gewohnheit des Besitzes allmählich erschlafft und verrottet, als trüber Bodensatz nach unten und neue frische Kräfte, unbeschwert durch Vorurteile und Vergangenheit, steigen aus den Niederungen nach oben; und schon melden sich, ihnen nachdrängend, die völlig

Deklassierten und Enterbten, die Mühseligen und Beladenen mit allerlei kommunistischen Programmen, die damals noch eine christliche Färbung hatten. Und die Stände gelten überhaupt als nichts Heiliges mehr, sie befehden sich gegenseitig mit giftigem Spott und maßloser Verachtung, wovon die Dichtung der Zeit ein scharfes Spiegelbild bietet: der Bauer wird in den städtischen Fastnachtsspielen so gut wie in den letzten dünnen Nachklängen der ritterlichen Epik als roher Schwachkopf, als eine Art dummer August verhöhnt; aber er bleibt die Antwort nicht schuldig und zeigt in den Erzählungen vom Till Eulenspiegel, kostbaren Gemeinheiten voll Saft und Niedertracht, wie der Bauer sich nur dumm stellt, um den Städter aufs empfindlichste zu blamieren und zu prellen. Die Verkommenheit des Adels wiederum ist ein stehendes Thema der ganzen zeitgenössischen Dichtung, und die Sittenlosigkeit des Klerus hat im „Reineke Fuchs" eine vernichtende satirische Behandlung erfahren. Aber so hochmütig und lieblos auch jeder gegen den fremden Stand loszieht, es will doch keiner in seinem eigenen bleiben, denn das mittelalterliche Prinzip, daß der Stand dem Menschen angeboren ist wie seine Haut, hat längst nicht mehr Geltung: der Bauer will ein feingekleideter Städter werden, der Städter ein eisenbeschienter Ritter, Bauern fordern sich zu lächerlichen Zweikämpfen heraus, Handwerkerinnungen sagen einander Fehde an, der Ritter wieder blickt voll Neid auf den Bürger und seinen behaglichen Wohlstand. Das Schicksal der Torheit, die ihren natürlichen Platz verachtet und unzufrieden nach dem Los der anderen schielt, hat im „Meier Helmbrecht" eine erschütternd lebensvolle Darstellung gefunden: es ist die Geschichte eines reichen Bauernsohns, der um jeden Preis Ritter werden will und dabei elend zugrunde geht. Und in demselben Roman sehen wir auch, wie die Familie kein heiliges Band mehr ist: Sohn und Tochter sprechen von ihren Eltern in Ausdrücken, die selbst heute Befremden erregen würden. Alle diese Auflockerungen und Unterwühlungen vollzogen sich jedoch nirgends in langsamer, friedlicher Entwicklung, sondern die Zeit ist ein riesiges Schlachtfeld voll unaufhörlicher innerer und äußerer, offener und unterirdischer Fehden: Kampf der Konzilien gegen die Päpste, der Päpste gegen die Kaiser, der Kaiser gegen die Fürsten, der Fürsten gegen die Stadtherren, der Stadtherren gegen die Zünfte, der Zünfte gegen die Pfaffen und aller untereinander.

Gegenüber einem solchen katastrophalen Zusammenbruch aller Werte, einer solchen radikalen Lösung aller Bindungen gibt es nur zwei Positionen: vollkommene Kritiklosigkeit, blinde Prostration vor dem Schicksal: Fatalismus, oder Hyperkritik, gänzliche Leugnung jeglicher Nezessität: Subjektivismus. Den ersten Standpunkt nehmen die Scotisten ein. Sie wenden sich gegen die Thomisten, die behauptet hatten, alles Vernünftige sei gottgewollt, und erklären: alles Gottgewollte sei vernünftig; man dürfe nicht sagen: Gott tut etwas, weil es gut ist, sondern: etwas ist gut, weil Gott es tut. Die subjektivistische Anschauung vertraten die „Brüder vom freien Geiste", die „fahrenden Begharden", zügellose Banden, die in der Rheingegend und anderwärts ihr Wesen trieben und vom Bettel, aber auch von Erpressung und Raub lebten, den sie für erlaubt erklärten, da Privatbesitz Sünde sei. Ihre Lehre verbreiteten sie in Predigten und Flugschriften und in Diskussionen, bei denen sie viel Scharfsinn und Schlagfertigkeit entwickelt haben sollen: ihre „behenden Worte" waren berühmt und gefürchtet. Ihre Hauptsätze lauteten: ein überweltlicher Gott existiert nicht: der Mensch ist Gott; da der Mensch Gott gleich ist, so bedarf er keines Mittlers: das Blut eines guten Menschen ist ebenso verehrungswürdig wie das Blut Christi; sittlich ist, was die Brüder und Schwestern sittlich nennen; die Freiheit kennt keine Regel, also auch keine Sünde: vor dem „Geist" gibt es weder Diebstahl noch Hurerei; das Reich Gottes und die rechte Seligkeit sind auf Erden: darin besteht die wahre Religion. Kurz: das nur auf sich selbst gestellte, durch keinerlei Gewissensskrupel belastete Ich ist der wahre Christus.

Beide Standpunkte sind nihilistisch. Der Scotismus betont die Allmacht und alleinige Realität Gottes so stark, daß er das Ich auslöscht; das Stirnertum der Begharden betont die Allmacht und alleinige Realität des Ichs so stark, daß es Gott auslöscht. Man könnte auf den ersten Blick glauben, daß der Scotismus der Gipfel-

Erkrankung des metaphysischen Organs

punkt der Religiosität sei, aber bei näherer Betrachtung erkennt man: er wurzelt nicht im höchsten Vertrauen in die göttliche Vernunft, sondern in der tiefsten Verzweiflung an der menschlichen Vernunft. Es ist dieselbe Exaltation des Gefühls, dieselbe Erkrankung des metaphysischen Organs, die aus beiden Lehren spricht. Übermäßige Hitze und übermäßige Kälte pflegen die gleichen physiologischen Wirkungen zu erzeugen. Und so sehen sich die Sätze, die aus diesen beiden polaren Weltanschauungen hervorgehen, oft zum Verwechseln ähnlich, und viele Aussprüche der ausgehenden Scholastik unterscheiden sich, wie wir bei Occam gesehen haben, von äußersten Gotteslästerungen nur noch durch ihre Tendenz.

Praktischer Nihilismus

Und zu Beginn des fünfzehnten Jahrhunderts beginnt der Nihilismus des Zeitalters auch praktisch zu werden: in der Hussitenbewegung, in der zum erstenmal der idealistische Zerstörungstrieb des Slawentums auf dem Schauplatz der europäischen Geschichte erscheint. Durch die kurzsichtige, grausame und hinterhältige Politik der Gegner zu übermenschlichen Energieleistungen aufgestachelt, haben die tschechischen Heere Taten vollbracht, die der Schrecken und das Staunen der Zeit waren: sie haben eine ganz moderne Taktik erfunden, die sich als unwiderstehlich erwies, und, emporgetragen von dem dreifachen Auftrieb der religiösen, der nationalen und der sozialen Begeisterung, alles niedergerannt, was sich ihnen in den Weg stellte. Die wilde Flut des Hussitentums trat sehr bald über die Grenzen des eigenen Landes und überschwemmte halb Deutschland, überall mit einem sinnlosen Vandalismus wütend, der ohne Gewinnsucht und ohne Rachsucht nur vernichtet, um zu vernichten: es ist der blinde, ratlose Haß des Slawentums gegen die Realität, der es allein verständlich macht, daß die Russen jahrhundertelang den Zarismus ertragen haben und jetzt vielleicht wieder jahrhundertelang die Sowjetherrschaft ertragen werden.

Die Situation, in der sich die Seele damals befand, läßt sich in den Worten zusammenfassen, mit denen Petrarca die Zustände am päpstlichen Hof zu Avignon schildert: „Alles Gute ist dort zugrunde gegangen, zuerst die Freiheit, dann die Ruhe, die Freude, die Hoffnung, der Glaube, die Liebe: ungeheure Verluste der Seele. Aber im Reiche der Habsucht wird das nicht als Schaden gerechnet, wenn nur die Einkünfte ungeschmälert bleiben. Das zukünftige Leben gilt da als eine leere Fabel, was von der Hölle erzählt wird: alles Fabeln, die Auferstehung des Fleisches, der Jüngste Tag, Christi Gericht: lauter Torheiten. Wahrheit hält man dort für Wahnsinn, Enthaltsamkeit für Unsinn, Scham für Schande, ausschweifende Sünde für Großherzigkeit; je befleckter ein Leben ist, desto höher wird es gewertet, und der Ruhm wächst mit dem Verbrechen."

Es ist aber jetzt an der Zeit, auch die positiven Züge des Zeitalters ins Auge zu fassen. Sie äußerten sich, wie bereits angedeutet wurde, in der Richtung des Materialismus. Es ist eine Zeit außerordentlichen wirtschaftlichen Aufschwungs, und zwar sowohl eines inneren wie eines äußeren: einer zunehmenden Rationalisierung und Verfeinerung der Produktion und einer wachsenden Ausdehnung und Ergiebigkeit des Güterverkehrs. Es fragt sich nun: war der immer mehr um sich greifende Materialismus eine Folge des gesteigerten Wirtschaftslebens, oder verhielt es sich umgekehrt? Nach allen bisherigen Erörterungen wird der Leser nicht im Zweifel sein, daß wir uns nur für die zweite Antwort entscheiden können. Zuerst ist eine bestimmte Seelenverfassung, eine bestimmte Gesinnung da, und aus dieser geht dann ein bestimmter Entwicklungsgrad der ökonomischen Zustände hervor. Ist der Mensch mit seinem Interesse vorwiegend auf die unsichtbare Innenwelt seines Geistes und Gemütes oder auf die geheimnisvolle Oberwelt Gottes und des Jenseits gerichtet, so wird er starke und fruchtbare Schöpfungen auf dem Gebiete des Glaubens, des Denkens, des Gestaltens hervorbringen, sein Wirtschaftsleben aber wird einförmig und primitiv bleiben; lenkt er sein Augenmerk am intensivsten auf die greifbare, sichtbare, schmeckbare Umwelt, so kann es unter gar keinen Umständen ausbleiben, daß er eine hohe wirtschaftliche Blüte erlangt: neue Werkzeuge und Techniken erfindet, neue Bereicherungsquellen entdeckt, neue Formen des Komforts und des Genusses ins Leben ruft und sich zum Herrn der Materie macht.

In den Wirtschaftsgeschichten wird viel von den „fördernden Umständen", den „günstigen Bedingungen" geredet. Aber die Bedingungen und Umstände sind immer da, sie werden nur in den verschiedenen Zeitaltern verschieden ausgenutzt. Und selbst wenn sie nicht da wären, so würde der wirtschaftliche Wille, wenn er nur mächtig genug ist, sie aus dem Nichts hervorzaubern und sich gewaltsam jede Bedingung zur „günstigen" und jeden Umstand zum „fördernden" umprägen.

Infolge des rapiden Verfalls von Byzanz hatte der Levantehandel, der wichtigste für Europa, allmählich die alte Donaustraße aufgegeben und den Seeweg eingeschlagen. Im vierzehnten Jahrhundert finden wir in Italien eine Reihe wahrhaft königlicher Stadtrepubliken, an der Spitze die venezianische, die unumschränkte Herrin des ganzen östlichen Mittelmeerbeckens, das sie sich (in der Art, wie das heute England tut) durch eine Reihe wertvoller Stützpunkte: Dalmatien, Korfu, Kreta, Zypern dauernd gesichert hatte. Die Gebiete der Nord- und Ostsee beherrschte mit fast ebenso absoluter Machtvollkommenheit die Hanse, jene eigenartige Organisation von Kaufleuten, die – lediglich auf der Basis privater Verträge, von keinem Landesherrn verteidigt und selber nur selten zum Schwert greifend – anderthalb Jahrhunderte lang über ungeheure Land- und Wasserstrecken eine souveräne Handelsdiktatur ausgeübt hat. Und zwischen diesen beiden Riesenmächten des Nordens und Südens entfaltete sich eine Fülle kleinerer, aber höchst ansehnlicher Wirtschaftszentren: von Oberitalien eine emsig belebte Handelslinie rheinabwärts nach Flandern, Frankreich und England, das damals noch völlig zurückstand (die hansischen Kaufleute pflegten zu sagen: wir kaufen vom Engländer den Fuchspelz um einen Groschen und verkaufen ihm dann den Fuchsschwanz um einen Gulden); im Westen ein Kranz blühender Seestädte; in Mitteldeutschland ein Kreis vielgepriesener Handwerkerstädte; Tuchstädte, Bierstädte, Seidenstädte, Heringsstädte: ein bienenfleißiges Hämmern, Weben, Feilschen, Verladen von Gotland bis Neapel.

Heraufkunft der Zünfte Die mittelalterliche Gesellschaft hatte ihre Physiognomie durch den Ritter und den Kleriker erhalten; jetzt wird der Bürger und der Handwerker tonangebend und sogar der Bauer beginnt sich zu fühlen: die drei realistischen Berufe. Diese Umwälzung der sozialen Wertungen vollzieht sich in erster Linie durch das allmähliche Heraufsteigen der Zünfte. Wir haben bereits erwähnt, daß die Herrschaft der sogenannten „Geschlechter", die eine Art Bürgeradel darstellten, im Laufe des vierzehnten Jahrhunderts fast überall gestürzt wurde. Sie waren die Alten, die Satten, die trägen Erben, die stumpfen Männer des Gestern. Die Zunftleute aber waren die Modernen jener Zeit, die den Sinn der Lebensmächte, die sich zur Herrschaft anschickten, in sich aufzunehmen wußten. Sie waren in ihrer Politik national und antiklerikal; aus ihren Reihen gingen die Künstler hervor; sie brachten allem Neuen Verständnis entgegen: den Prinzipien der Geldwirtschaft so gut wie den Lehren der Mystik; aus ihnen rekrutierte sich das Fußvolk, die Truppengattung der Zukunft; sie kämpften für Arbeit und Aufklärung, für das Laienchristentum und die Volksrechte; sie trieben eine etwas enge und nüchterne, aber gesunde und fromme Mittelstandspolitik: sie waren im wahren Sinne des Wortes christlich-sozial.

Ihre Organisation war noch ganz patriarchalisch. Sie war keine bloße wirtschaftliche Interessengemeinschaft, sondern eine ethische Vereinigung. Der Geselle trat nicht bloß ins Geschäft, sondern auch in die Familie des Meisters ein, der für die moralische Führung seiner Schüler ebenso verantwortlich war wie für ihre technische Ausbildung. Und ebenso stand auch das einzelne Mitglied zur Zunft nicht so sehr in einer juristischen Unterordnung als in einem Pietätsverhältnis. Es war weniger eine ökonomische Frage als eine Ehrensache, möglichst gute Arbeit zu liefern, und es war andererseits die vornehmste Pflicht der Zunft, ihren Mitgliedern entsprechende Absatzmöglichkeiten und, wenn sie krank oder arbeitsunfähig wurden, Pflege und Nahrung zu bieten. Gesellige Zusammenkünfte in besonderen Versammlungsräumen, korporative Feste und Umzüge, gemeinsame Grußformen und Zechsitten erhöhten den Zusammenschluß. Es konnte allerdings nicht ausbleiben, daß dieser schöne Genossenschaftsgeist mit der Zeit in kleinliche Bevormundung, steife Routine und gedankenlose Schablone degenerierte: in all das, was man noch heute im abfälligen Sinne als „zünftlerisch" bezeichnet. Alles war peinlich geregelt: die Anrede und das Zutrinken so gut wie die Zahl der Lehrlinge und die Größe des Ladens. Es soll kein Geselle zum Bier gehen, bevor die Glocke drei geschlagen hat; es sollen an einem Abend nicht mehr als sechs Gulden verspielt werden; es darf nur Selbstverfertigtes verkauft werden, damit kein Großbetrieb entstehen kann; die Werkstatt muß auf die Gasse gehen, damit die Arbeit stets kontrolliert werden kann; es darf keine neue Arbeit übernommen werden, ehe die früher bestellten fertig sind; an subtilen Sachen darf nur bei Tageslicht gearbeitet werden: alles gut gemeint und vernünftig, aber auf die Dauer doch unerträgliche Beschränkungen. Es fehlte eben an der Möglichkeit, große Zusammenhänge zu überblicken, Widersprüche organisch zu vereinigen: der Mangel jeder Betrachtungsweise, die auf die nächste Realität eingeengt ist. Das ganze Leben schreitet in einem schweren Panzer von Formen und Formeln einher, in die es von einem geistfremden Fachdilettantismus gezwängt worden ist; überall ein zähes Kleben an der kompakten Materie des Daseins ohne schöpferische Freiheit, ohne Fruchtbarkeit, ohne Genialität. Aber auf seinem Gebiet hat dieser Materialismus große Siege errungen: es war eine Blütezeit der treuen, sorgfältigen, kunstreichen Materialbearbeitung, der Veredelung und Verschönerung aller Stoffe, der Achtung und Andacht vor dem Arbeitsgegenstand, von der wir uns zur heutigen Zeit kaum mehr einen Begriff machen können, wo kein Prunkhaus mehr mit so viel Erfindungsgeist, Liebe und Eigenart gebaut wird wie damals ein Türschloß oder ein Kleiderschrank; es war das Heroenzeitalter des Philistertums.

Erwachender Rationalismus Mit steigendem Wirklichkeitssinn pflegt sich immer auch eine gewisse Rationalisierung und zweckvollere Behandlung des Daseins zu verbinden; und in der Tat bemerken wir schon in dieser Zeit die ersten, wenn auch noch recht schüchternen Ansätze zu einer wissenschaftlichen Bewältigung der Lebensprobleme. Auf dem Gebiet der Naturforschung freilich herrscht noch große Konfusion: man macht wohl allerlei wertvolle Entdeckungen, aber planlos, ohne Methode; und selbst ein so gründlicher und vielseitiger Kopf wie Regiomontanus wirkt mehr wie ein gelehrter

Sammler von Kuriositäten, der seine kostbaren Funde in purer Amateurfreude unsystematisch nebeneinander speichert. Konrad von Megenbergs „Buch der Natur" wiederum, eine Art Lehrbuch der Zoologie, hat eine sehr gute systematische Anordnung, bringt aber zum Teil Abbildungen und Beschreibungen von Fabelwesen: Drachen, geflügelten Pferden, Seejungfern, Sphinxen, Zentauren, feuerspeienden Hunden und dergleichen. Das einzige Gebiet, auf dem eine fruchtbare und lückenlose empirische Tradition herrschte, war eben das Handwerk: hier erfand man auf dem Wege experimentierender Vervollkommnung eine Reihe exquisiter Spielereien: originelle Uhren und Schlösser, kunstvolle Wasserwerke, subtile Instrumente für Goldschmiedearbeit, prachtvolle Orgeln; aber dies alles nicht in wissenschaftlicher Absicht, sondern zur Erhöhung des Lebensschmuckes und der Bequemlichkeit. Auch hat die Geldwirtschaft erst sehr langsam den Sinn für numerische Exaktheit gestärkt. Man half sich noch meistens mit ganz primitiven und summarischen Verfahrensweisen; Rechenfehler sind etwas Gewöhnliches und von niemandem Gerügtes; der Begriff der Rechnungsprobe fehlt noch vollständig; die Verwendung der Null zur Bezeichnung des Stellenwertes ist unbekannt; man operierte mit dem Rechenbrett, einem ebenso umständlichen wie unzuverlässigen Apparat; Dividieren war eine Kunst, die fast niemand beherrschte: man „tatonnierte", das heißt: man versuchte es so lange mit verschiedenen Resultaten, bis ein einigermaßen plausibles herauskam; das Zahlengedächtnis, das uns heute als etwas Selbstverständliches erscheint, war noch ganz unentwickelt.

Auf dem Gebiet der Historik wurden erhebliche Fortschritte gemacht. Das Bedürfnis nach Aufzeichnung der gegenwärtigen und Rekapitulation der vergangenen Ereignisse wird allgemein, Archive werden angelegt, fast jede Stadt hat ihre Chronik. Eine Gestalt wie Froissart, der „französische Herodot", steht allerdings auf einsamer Höhe, aber daß sie überhaupt auftauchen konnte, ist für das ganze Zeitalter bemerkenswert. Sein Werk zeigt zum erstenmal das spezifisch gallische Erzählertalent in seiner großartigen Fülle: ein reich kolorierter Bilderbogen voll Zeitaroma und fließender Bewegung; und auch darin erinnert er an Herodot, daß er ein wirklicher Chroniqueur ist: ein Liebhaber der *histoire intime*, der Anekdote und des interessanten Klatschs, der die Weltgeschichte als seine Privatangelegenheit auffaßt und seinen eigenen Augen und Ohren mehr vertraut als den „Quellen". Sein Gegenstück ist in gewisser Hinsicht Marsilius von Padua, das Urbild des mißtrauischen, scharfsinnigen und rechthaberischen Polyhistors: Arzt, Weltgeistlicher und Jurist, Schöpfer der modernen Staatstheorie und Verfasser des antipapistischen „Defensor pacis", des Musters einer politischen Denkschrift.

Das stärkste und sprechendste Denkmal des erwachenden Realismus aber ist die Dichtung der Zeit. Wir haben schon die starke Verbreitung der satirischen Literatur erwähnt. Nun ist ja die Satire an sich schon immer eine realistische Dichtungsgattung: sie kann ihren Gegenstand nicht treffen, wenn sie nicht auf das Tatsächliche, auf alle konkreten Einzelzüge ausführlich und präzis, man möchte fast sagen: liebevoll eingeht. Verwandt mit den satirischen Fastnachtsspielen waren die in ganz Europa beliebten Moralitäten, *moralités, moralities*, lehrhafte Schauspiele, in denen die Laster und Tugenden auftraten, zunächst freilich als trockene Allegorien, aber doch auch scharfe Lichter auf die wirklichen Zustände werfend. Auch in die Passionsspiele waren regelmäßig burleske Szenen eingeflochten, was den unverbildeten Geschmack der damaligen Menschheit noch nicht verletzte, und hier bot sich reichliche Gelegenheit zu bunten Lebensbeobachtungen und saftigen Aktualitäten. Und in Frankreich entstand die Farce, die schon alle Bestandteile der modernen Posse enthält: im „Maître Pathelin", dem berühmtesten Exemplar dieses Genres, steckt bereits embryonal der ganze Molière. Auch das Epos bewegte sich in der Richtung der didaktischen Charakterzeichnung, obgleich es nirgends auf dem Kontinent die klassische Höhe der „Canterbury tales" erreicht hat, in denen Chaucer, der „englische Homer", eine komplette vielfarbige Landkarte der englischen Gesellschaft entworfen hat, in allen ihren Schattierungen, Abstufungen, Übergängen und Mischungen: „Ich sehe", sagt Dryden, „alle Pilger, ihre Stimmungen, Züge, ja ihren Anzug so deutlich, als hätte ich mit ihnen im ‚Tabard' in Southwark zu Nacht gespeist."

Die Entwicklung der lyrischen Dichtung ist durch eine plötzliche Neublüte der Volkspoesie gekennzeichnet. Überall sprudeln Quellen von Liedern auf, alles singt: der Müller, der Wanderbursche, der Bergknappe, der fahrende Scholar, der Bauer, der Fischer, der Jäger, der Landsknecht, sogar der Kleriker. Alles nimmt die Gestalt des Liedes an: Liebe, Spott, Trauer, Andacht, Geselligkeit; die erzählende Dichtung geht in die konzentrierte Form der Ballade über. Überall herrscht eine anschauliche Gegenständlichkeit und greifbare Körperlichkeit: die Steine der verfallenen Schlösser beginnen zu reden, die Linde biegt sich traurig im Winde, die Haselstaude mahnt das verliebte Mädchen zur Vorsicht. Das Mädchen steht überhaupt von nun an im Mittelpunkt der Poesie, während der Gegenstand der ritterlichen Lyrik fast immer die verheiratete Frau war. Und was besungen wird, ist nicht mehr die unerreichbare spröde Dame, nach deren Minne der Dichter vergeblich schmachtet, sondern das erreichte Ziel, das „Verhältnis", der „Bettschatz", und viel häufiger dreht sich die Klage um den Wankelmut des Erhörten als um die Kälte der Begehrten: die tragische Figur ist nicht mehr der unglückliche Liebhaber, sondern die verlassene Geliebte. Und der Professionist dieser Poesie ist nicht mehr der adelige Sänger, sondern der fahrende Spielmann, eine viel derbere, realistischere und volkstümlichere Gestalt. Seine Weisen und Geschichten sind knapp, gedrängt, pointiert. Die Anekdote beginnt eine außerordentliche Beliebtheit zu erlangen, und ebenso das Aperçu: die „behenden Worte" der Begharden, von denen wir vorhin sprachen, waren offenbar nichts anderes als prägnante Aphorismen, scharf geschliffene Bonmots. Auch hat kein zweites Zeitalter einen solchen Reichtum an vortrefflichen Sprichwörtern besessen und ihnen in der Ökonomie des Lebens und Denkens einen so breiten und gebietenden Platz eingeräumt. Auf dem Gebiet der bildenden Kunst ist das Pendant des Volkslieds die Miniaturmalerei, die das ganze Leben und Treiben der Zeit in primitiven, aber sehr ähnlichen kleinen Genrebildchen aufgefangen hat.

Rationalistische Strömungen pflegen stets Emanzipationsbewegungen im Gefolge zu haben, und diese charakterisieren denn auch das Zeitalter in hervorragendem Maße: jeder will sein eigener freier

Emanzipationen

117

Herr sein. Wir sehen dies auf allen Gebieten: „los von Rom" war die Parole der Könige, „los vom Reich" war die Parole der Fürsten, „los vom Landesherrn" war die Parole der Städte, „los von der Scholle" war die Parole der Fronbauern. Die Leibeigenschaft wurde aber nicht abgeschafft, sie löste sich nur langsam von selbst auf. Soziale Befreiungen geschehen niemals durch Dekrete, die gleich lächerlich sind, ob sie von oben oder von unten kommen: das k. k. Patent des Lesebuchkaisers Josef war ein ebenso kindischer Akt wie die Proklamation der Menschenrechte in Paris; sondern sie treten automatisch und unwiderstehlich in dem Augenblick ein, wo der Zeitgeist sie fordert. Wo die Leibeigenen verschwanden, da verdankten sie ihre Befreiung nicht einer pathetischen Zeremonie, auch nicht einer tumultuarischen Erhebung, sondern sie waren einfach auf einmal nicht mehr da. Sie verkrümelten sich: in die Städte. Wenn sich irgendwo ein dichteres Lebenszentrum befindet, so kann keine Macht der Welt verhindern, daß die Moleküle zu ihm hinstreben: sie müssen nach diesem Kraftherd mit derselben Notwendigkeit gravitieren, mit der ein Meteor in eine Sonne fällt.

Die radikale Emanzipation von allen politischen, sozialen und wirtschaftlichen Bindungen hatte, wie wir sahen, ihre Vertreter in den „Brüdern vom freien Geiste", die man heute wahrscheinlich Edelkommunisten nennen würde, in den Hussiten, deren Schlachtruf lautete: kein Mein, kein Dein!, und in der Masse der arbeitsscheuen Proletarier, der bunten Gesellschaft der „Fahrenden", die sich aus den Entgleisten aller möglichen Berufe und Stände zusammensetzte. Und der „Roman de la Rose", vielleicht das gelesenste Buch der Zeit, lehrt sogar den sexuellen Kommunismus:

> Nature n'est pas si sote.
> Qu'ele féist nostre Marote.
> Ains nous a fait, biau filz n'en doutes,
> Toutes por tous et tous por toutes,
> Chascune por chascun commune,
> Et chascun commun por chascune.

Verfall des Rittertums Die subjektive Seite des Materialismus äußert sich in einem immer mehr einreißenden Plebejismus. Brauch und Sitte, Rede und

Geste: alles, was sozusagen die innere Melodie des Lebens ausmacht, wird unfeiner, derber, vulgärer, direkter. Es liegt dies zum Teil an dem Heraufdrängen der niederen Schichten; aber alle Lebenskreise bekamen zusehends eine rohere, sinnlichere Färbung. Auch die Ritter sind keine Ritter mehr. Treue, Ehre, „Milde“, „Stete“, Mäßigkeit waren die Tugenden, die die höfische Poesie lehrte. Das änderte sich jetzt vollständig. Der Adelige, soweit er nicht einfach Räuber war, wurde ein besserer oder vielmehr ein schlechterer Bauer oder ein lästiger Raufbold. Bisher hatten ihn die Fragen der Minne am lebhaftesten beschäftigt: Liebeshöfe, Liebesregeln, Taten und Leiden zu Ehren der Erwählten; Kindereien, wenn man will, aber lauter ideale Probleme. Wenn früher zwei Junker zusammenkamen, so sprachen sie von diesen Dingen oder von religiösen oder poetischen Themen; jetzt beginnen sie jene Gegenstände zu erörtern, von denen bis zum heutigen Tage die Junker fast ausschließlich reden: Pferde, Dirnen, Duelle und Kornpreise. Geiler von Kaisersberg sagt: „Nur der Name des Adels ist geblieben, nichts von der Sache bei denen, die edel heißen. Es ist eine Nußschale ohne Kern, aber voller Würmer, ein Ei ohne Dotter, keine Tugend, keine Klugheit, keine Frömmigkeit, keine Liebe zum Staate, keine Leutseligkeit, ... sie sind voll Lüderlichkeit, Übermut, Zorn, den übrigen Lastern mehr ergeben als alle anderen.“

Daran ist das Rittertum zugrunde gegangen, nicht, wie so oft behauptet wird, am Schießpulver. Denn erstens sind sie ja nicht durch die neuen Formen der Kriegführung depossediert worden, sondern durch ihre Beschränktheit und Überheblichkeit, die sie verhinderte, sich rechtzeitig diesen veränderten Bedingungen anzupassen, und zweitens hat sich der Gebrauch der Feuerwaffen ungeheuer langsam durchgesetzt. Die Mongolenheere Ogdai Khans, die in der ersten Hälfte des dreizehnten Jahrhunderts das östliche Europa überschwemmten, führten bereits kleine Feldgeschütze in die Schlacht, die sie aus China mitgebracht hatten. Um die Mitte desselben Jahrhunderts gab Marcus Graecus ein genaues Rezept für die Bereitung des Schießpulvers, und der berühmte Scholastiker Roger Bacon erkannte es in seinen gleichzeitigen Schriften als den wirksamsten Sprengstoff. Aber die Europäer waren noch nicht reif dafür und mußten es daher, obwohl sie es schon hatten, etwa hundert Jahre später durch Berthold Schwarz noch einmal erfinden lassen. In der Schlacht bei Crécy, 1346, schießen die Engländer mit Bleistücken, „um Menschen und Tiere zu erschrecken", und in demselben Jahr gibt es in Aachen eine Büchse, „Donner zu schießen"; die Araber verwendeten schon 1331, drei Jahre bevor Berthold Schwarz seine Versuche machte, bei der Belagerung von Alicante Pulvergeschütze. Aber auch dann hat es noch über anderthalb Jahrhunderte gedauert, bis das Feuergewehr zur dominierenden Waffe wurde. Die Ritter hätten also reichlich Zeit gehabt, sich „umzugruppieren". Statt dessen waren sie in dünkelhafter Verbohrtheit bemüht, das alte System immer einseitiger und starrer auszubauen. Sie umgaben ihren ganzen Leib mit beweglichen Schienen und Platten, die Gelenke waren durch Ringgeflechte gedeckt, die Köpfe durch Helme mit verschiebbarem Visier, kein Fleck des Körpers war unbeschirmt. So wurden sie schließlich zu wandelnden Festungen, zu reitenden Tanks. Aber eben daß sie beritten waren, machte den ganzen Apparat wertlos, denn die Pferde konnte man nicht so vollständig schützen; und zu Fuße waren sie schwerfällig wie Schildkröten. Dazu hatten sie noch in der Schlacht bei Sempach, die ihnen eine ungeheure Niederlage brachte, die damalige Stutzermode der spitzen, nach oben geschweiften Schuhe übernommen und ihre Füße in lächerliche Eisenkähne gesteckt, in denen sie kaum watscheln konnten.

Diese Schlacht ist durch Arnold von Winkelried entschieden worden. Man sagt uns zwar, die Erzählung von seiner Heldentat sei eine viel später entstandene Sage. Aber dies ist eine oberflächliche Auslegung der Tatsachen der Völkergeschichte. Diese Sage ist völlig wahr, in einem höheren Sinne wahr, so wahr, wie nur irgendeine Erzählung sein kann. Die ganze Eidgenossenschaft war der Winkelried, der die Garbe der österreichischen Speere packte und zerbrach: jenes Bündel von ritterlicher Frechheit und Unfähigkeit, habsburgischer Herrschgier und Unmenschlichkeit, das sich für die Blüte der Menschheit hielt. Es war das erste Empordrängen einer Nemesis für die Herzensträgheit, Ungerechtigkeit und Selbstsucht einer aufgeblasenen Abenteurerkaste. Im Bauer siegte der neue Wille; aber der wahre Erbfeind und Überwinder des Feudalismus saß ganz wo anders.

Denn nun taucht aus dem dunkeln Grunde der Zeit die Hochburg des neuen Geistes herauf, mit allen ihren Lichtern und Schatten: das geheimnisvolle Phänomen der Stadt.

Städte gab es schon zu Beginn des zweiten Jahrtausends, ja im ganzen Mittelalter; aber erst jetzt erstarken sie zu allmächtigen Dominanten des ganzen Daseins. Was ist eine Stadt? Man kann es eigentlich nur negativ definieren: sie ist der schärfste Gegensatz des „Landes". Der Bauer lebt vegetativ und organisch, der Städter zerebral und mechanisch; auf dem Lande ist der Mensch ein natürliches Produkt der Umwelt, in der Stadt ist die Umwelt ein künstliches Produkt des Menschen. Die große Umwertung

In einer Stadt ist alles anders: die Gesichter bekommen einen bisher unbekannten, gespannten und abgespannten, zugleich müden und erregten Ausdruck, die Bewegungen werden hastiger und ungeduldiger und dabei durchdachter und zielbewußter, ein völlig neues Tempo, ein unheimliches Staccato tritt ins Dasein. Und die ganze Landschaft verwandelt sich: die Stadt mit ihren eigensinnigen, bizarren, unnatürlichen Formen, die bewußt oder unbewußt den Gegensatz zum Gewachsenen, Erdvermählten des „Landes" betonen, beherrscht schon von ferne die Perspektive; Wald, Feld und Dorf sinken zu einem bloßen Zubehör, einer Garnierung und Staffage herab; alles ist nach jenem Herzkörper orientiert, von dem der gesamte Blutkreislauf des politischen und wirtschaftlichen Lebens der „Umgebung" reguliert wird. Die ganze Gesetzgebung schon der spätmittelalterlichen Städte zeigt diesen unerbittlichen Willen zum beherrschenden Zentralorgan, das alles in sich hineinsaugt, was irgend in seiner Reichweite liegt: das Bannrecht verbietet den Umwohnern jeden Handel und die Erzeugung von Gegenständen, die in der Stadt hergestellt werden, und schafft so ein vollständiges Monopol, das Stapelrecht zwingt alle durchziehenden Kaufleute, in der Stadt ihre Waren feilzuhalten, was, da der Magistrat das Recht hat, die Preise zu bestimmen, schon ein wenig an Straßenraub grenzt.

Die Geburt der Stadt ist zu allen Zeiten identisch mit der Geburt des modernen Menschen. Es kann daher nicht überraschen, daß alle Züge, die für das Zeitalter besonders charakteristisch sind, in der Stadt auch besonders stark zur Ausprägung gelangen. Zunächst der Materialismus, der sich unter anderem auch darin äußert, daß jede Stadt ein extrem egoistisches Gebilde ist, ein Mikrokosmos, der nur sich selbst gelten läßt, nur sich als lebensberechtigt empfindet und alles andere nur als Werkzeug zu seiner Wohlfahrt ansieht. Jeder Nichtbürger ist der natürliche Feind, einfach schon darum, weil er nicht dazugehört. Da das städtische Leben komplizierter und labiler ist, kann es auch leichter zum Brutherd für allerlei Neurosen werden; zugleich ist es bewußter, nüchterner, überlegter: rationalistischer, auch jeglicher Emanzipation zugänglicher: schon gegen Ende des Mittelalters galt der Satz, daß Stadtluft frei mache; und da Freiheit eine gewisse Gleichheit oder doch Angleichung der Lebensformen zu erzeugen pflegt, ist von hier auch zuerst jene plebejische Welle ausgegangen, die bald alle Schichten ergriff.

Pittoresker Dreck Eine jede solche Stadt ist nichts anderes als ein Festungsbezirk, entstanden aus dem Gedanken eines möglichst sicheren Schutzes nach außen und einer möglichst vollständigen wirtschaftlichen Autarkie im Innern. Durch die komplizierten und zahlreichen Befestigungsanlagen: die Gräben und Wälle, Tore und Türme, Ringmauern und Bollwerke, Ausfallbrücken und Auslugzinnen erhielt die äußere Silhouette der Stadt ihren vielgerühmten malerischen Charakter. Noch pittoresker wirkte aber das innere Profil. Da die Straßen in den seltensten Fällen gradlinig waren, sondern meist krumm und gewunden verliefen, entstanden zahllose Winkel und Buchtungen, Ecken und Unregelmäßigkeiten, ein wahres Chaos sich kreuzender, brechender, verschränkender Häuserlinien. Dazu kam noch, daß die Sitte bestand, die höheren Stockwerke in die Straßenfront vorzubauen: das Obergeschoß ragte über das Erdgeschoß hinaus und darauf saß oft noch ein zweiter Stock, der wiederum ein Stück weiter hervorsprang. Diese „Überhänge" oder „Ausschüsse", die oft noch mit zierlichen Erkern und Türmchen geschmückt waren, mögen sehr bildhaft gewirkt haben, machten aber die Straßen eng, luftarm und finster. Sie waren nur dadurch ermöglicht, daß zu jener Zeit der Holzbau noch vollständig dominierte, was wiederum zu regelmäßigen großen Feuersbrünsten führte. Zu ebener Erde gab es eine Menge Werkstätten und Verkaufsbuden, die von der Straße Besitz ergriffen und die Passage oft fast gänzlich versperrten; selbst der Keller streckte seinen „Hals" in die Straße. Die Pflasterung war miserabel oder vielmehr so gut wie nicht vorhanden: man versank in Schmutz und Morast, ohne schwere hölzerne Überschuhe konnte niemand den Fahrdamm überschreiten. Schornsteine waren unbekannt, die Dachtraufen so primitiv angelegt, daß sie ihren Inhalt mitten in die Straße ergossen; mitten in der Straße befand sich auch der Rinnstein. Ein regelmäßiges Attribut der Häuser war der stattliche Dunghaufen, der sich vor dem Tor erhob; auf den Hauptplätzen stand der meist sehr unhygienische Ziehbrunnen. Ferner war es Sitte, alles auf die Gasse zu werfen: Abfälle, Unrat, tote Tiere. Noch viel lästiger waren aber die lebenden Tiere, die Ochsen, Kühe, Gänse, Schafe, Schweine, die in Massen über die Straße getrieben wurden und unaufgefordert in fremde Häuser liefen. Die Dächer waren häufig noch aus Stroh, die Fassaden schmucklos, dürftig, verwahrlost, nur in vereinzelten Fällen durch Schnitzereien oder schöne Bemalung verziert, die Fenster noch nicht verglast, sondern teils ganz ohne Schutz, teils mit Lumpen oder ölgetränktem Papier ausgekleidet. Ganz so romantisch, wie wir es uns vorstellen, war also das Exterieur der damaligen Städte nicht. Was aber einen Spaziergänger von heute am meisten befremdet hätte, war der Mangel an jeglicher Beleuchtung. Es gab keine Straßenlampen, keine lichtglänzenden Auslagen, keine erhellten öffentlichen Uhren, und in den Häusern brannten düstere Talgkerzen, Kienspäne oder Trankrüge, deren Strahlen nicht bis auf die Straße drangen. Wer abends ausging, mußte seine eigene Laterne haben oder sich einen Fackelträger mieten; nur wenn ein Potentat oder sonst ein hoher Würdenträger die Stadt mit seinem Besuch beehrte, wurde illuminiert. Nach neun versank das ganze Leben in tiefen Schlummer, nur die Obdachlosen und Wegelagerer in ihren Verstecken und die Trinker und Spieler in ihren Schenken waren noch auf den Beinen.

Bei Tage aber herrschte ein ungemein buntes und bewegtes
Treiben, ein unaufhörliches Kommen und Gehen, Messen und
Wägen, Schwitzen und Schwatzen. Eine wüste Symphonie aus
allen erdenklichen Geräuschen erfüllte die Gassen: alle Augen-
blicke Glockengeläute und fromme Gesänge, dazwischen das
Brüllen und Grunzen des Viehs, das Gröhlen und Randalieren der
Nichtstuer in den Wirtshäusern, das Hämmern, Hobeln und
Klopfen der Tätigen in den offenen Werkstätten, das Rattern der
Wagen und Stampfen der Zugtiere und dazu der melodische Lärm
der zahllosen Ausrufer, die in einer Zeit des allgemeinen Analpha-
betismus das Plakat ersetzen mußten: „Gemalte Rößlin, gemalte
Buppen, Lebkuochen, Rechenpfening, Roerlin, Oflaten, Karten-
spil!", „Ich han gut Schnur in die˜Unterhemd, auch hab ich
Nadeln, Pursten und Kem, Fingerhut, Taschen und Nestel vil,
Heftlein und Heklein, wie mans wil!", „Hausmeid, die alten Korb
heraus!", „Hol Hipp! So trage ich hole Hipplein feil!", „Heiß
Speckkuch! Ir Herren, versucht mein heiß Speckkuchen!", „Heiß
Fladen! Ir Herren, so trage ich Fladen feil!", „Zen außprechen! Her
an, her an, her an, welcher do hat ein posen Zahn!"

Die Menschen waren damals noch sehr matinal; dieser Tumult
begann im Sommer um vier, im Winter um fünf Uhr morgens,
dafür war meist schon um drei Uhr Feierabend. Nimmt man zu
diesen optischen und akustischen Eindrücken noch die sonderbar
gemischten Gerüche, die eine solche Stadt durchströmten: die
eben erwähnten fetten heißen Kuchen, die brutzelnden Würste
und Selchwaren, die dampfenden Werkstätten, die ja alle nach der
Straße zu gingen, die rauchenden Pechsiedereien, die mitten in der
Stadt standen, die Mistgruben und Kuhfladen, die überall verstreuten Obst-, Blumen- und Gemüsestände, die Weihrauchwolken aus
den zahlreichen Kirchen, so hat man ungefähr ein Bild, wie es
noch heute die Städte des Orients bieten.

Der Komfort war für unsere Begriffe sehr bescheiden. Die Treppen waren finster, labyrinthisch und unbequem, die Fußböden
und Wände nur selten mit Teppichen belegt, die Möbel auf das
Notwendigste beschränkt. Ein gewisser Luxus wurde mit Schau-
gefäßen getrieben: auf den Borden standen schön ziselierte Becher,

Krüge und Kannen, die Küchen der Wohlhabenden glitzerten von roten Kupferkesseln und weißem Zinngeschirr. Die Betten waren breit und weich, fast immer mit einem Himmel geschmückt, Federkissen sind allgemein in Gebrauch, dagegen Nachthemden noch unbekannt: man schlief splitternackt. Auch von der wohltätigen Erfindung der Gabel weiß man noch nichts: man zerlegt das Fleisch, falls es nicht schon vorgeschnitten ist, mit dem Messer und ißt es mit den Fingern, Gemüse und Saucen mit dem Löffel. Der Blumenscherben und das Vogelbauer gehören zum Inventar jeder besseren Wohnung, Bilder findet man noch selten, dagegen überall reichliches Ungeziefer. Die „Stankgemächer", wie man die Klosetts damals nannte, befanden sich in keinem sehr erfreulichen Zustand; immerhin gab es schon öffentliche Aborte, und zwar sehr öffentliche. Im allgemeinen aber ist der Sinn für Reinlichkeit sehr entwickelt: in den öffentlichen Badehäusern spielt sich ein großer Teil des gesellschaftlichen Lebens ab, es wird dort gegessen, getrunken, gewürfelt, musiziert und natürlich vor allem geliebt; die reichen Leute haben eigene Bäder, in denen sie für ihre Freunde Jours abhalten. Sonst gibt es an Unterhaltungsgelegenheiten noch die Trinkstuben der Zünfte, die öffentlichen Tanzfeste, Schützenfeste, Fastnachtsfeste, die Jahrmärkte, Weihnachtsfeiern, Johannisfeiern und die Bewirtungen zu Ehren durchziehender Fürsten.

Einen auffallenden Kontrast zu der Dürftigkeit der Privatbauten bilden die öffentlichen Anlagen: die kunstvollen Brunnen und Stadttore, die prachtvollen Kirchen mit ihren Kuppeln, Skulpturen und riesigen Türmen, die Rathäuser mit ihren Dächern und Glasmalereien, weiten Ratskellern und lichten Repräsentationsräumen, die Tuchhallen, Kornhallen, Schuhhallen, Ballhäuser, Schlachthäuser, Weinhäuser: überall ein gediegener und großzügigeι Prunk.

Die Mittelpunkte des mittelalterlichen Verkehrs waren das Dorf (oder der Einzelhof) und das Kloster, das in gewisser Beziehung der Stadt entsprach. Größere Klöster umfaßten ein sehr bedeutendes Areal und beherbergten viele hundert Personen: nicht bloß die Mönche, sondern auch Laien, die Asyl suchten, Schul-

Die Landstraße

kinder, zahlreiche Handwerker und Dienstleute. Das berühmte Kloster von Sankt Gallen enthielt ein Gestüt, eine Brauerei, eine Bäckerei, eine Molkerei, eine Schäferei; Werkstätten für Sattler, Schuster, Walker, Schwertfeger, Goldschmiede; Gärten für Obst, Gemüse und Heilkräuter; ein Schulhaus, ein Novizenhaus, ein Krankenhaus, ein Badhaus, ein Haus „für Aderlaß und Purganz", ein Unterkunftshaus für Pilger und daneben (sozusagen mit Stern im Baedeker) ein Hospiz für vornehme Fremde. Es ist nun wiederum für den plebejischen Charakter der neuen Zeit bezeichnend, daß sich jetzt zwei ganz andere Zentren herausbilden, die Stadt und die S t r a ß e.

Richtige Landstraßen gab es damals noch nicht: sie befanden sich in einem ebenso desolaten Zustand wie die Gassen der Städte. Die prachtvollen Römerstraßen, die bereits allenthalben angelegt waren, ließ man verfallen; man kann eigentlich nur von breiten Feldwegen reden, die dadurch, daß sie oft beritten und befahren wurden, eine gewisse Richtung erlangt hatten. Aber das hinderte nicht, daß sich über sie ein sehr dichter und turbulenter Verkehr ergoß. Auf so einer damaligen Straße muß sich ein pittoreskes klinisches Bild entfaltet haben, ein verkleinertes Lichtbild der ganzen Zeit, eine Karawane aller Vazierenden: Mönche und Nonnen, Scholaren und Handwerksburschen, Söldner und Klopffechter, Begharden und Beghinen, Geißler und Spielleute, Hausierer und Schatzgräber, Zigeuner und Juden, Quacksalber und Teufelsbeschwörer, heimische Wallfahrer und Jerusalempilger: die Palme tragend, zum Zeichen, daß sie aus dem gelobten Lande kamen; zahllose Bettlerspezialitäten: die „Valkenträger", die den blutig angestrichenen Arm in der Binde trugen, die „Grautener", die sich epileptisch stellten, die falschen Blinden, die Mütter mit gemieteten verkrüppelten Kindern und noch viele andere Sorten; alles erdenkliche Varietévolk, die sogenannten Joculatores: Akrobaten, Tänzer, Taschenspieler, Jongleure, Clowns, Feuerfresser, Tierstimmenimitatoren, Dresseure mit Hunden, Böcken, Meerschweinchen; und alle diese Menschen waren „organisiert". Das Genossenschaftswesen ist nämlich eines der hervorstechendsten Merkmale der Zeit: es ergreift alle Berufe, alle Betätigungen, alle Lebensformen. Es gibt Diebszünfte und Bettlerzünfte, Ketzergesellschaften und Vereine gegen Fluchen und Zutrinken; sogar die Huren und die Aussätzigen haben „Betriebsräte". Die Korporationen sind die Surrogate für die untergegangenen Stände; aber während die Stände etwas Gewachsenes waren, sind die Korporationen etwas Gemachtes, sie verhalten sich zu diesen wie die künstlichen zu den natürlichen Pflanzenklassen.

Ein Produkt dieses Genossenschaftsgeistes ist auch jene Einrich- tung des Zeitalters, die am meisten von sich reden gemacht hat und bis in unsere Tage, sehr im Widerspruch mit den Tatsachen, von geheimnisvoller Romantik umwittert geblieben ist: die Feme, die in Wirklichkeit ein sehr philiströses und prosaisches Institut war. Ihre Sitzungen wurden weder in unheimlichen Vermummungen noch in schauerlichen unterirdischen Gewölben abgehalten, sondern ganz offen auf freiem Feld und bei Tage; und die mysteriösen Gebräuche, über die so viel gemunkelt wurde, bestanden in nichts anderem als in einigen von den Mitgliedern peinlich geheimgehaltenen Grußformen und Erkennungszeichen: etwa so, wie dies heute bei den Freimaurern der Fall ist. Das Gerichtsverfahren war sehr roh und primitiv, indem das Urteil einfach von der Zahl der Eideshelfer abhängig gemacht wurde, die für oder gegen den Angeklagten auftraten. Da ein „Wissender", so hießen die Mitglieder der Feme, natürlich leichter die nötigen Zeugen fand, so drängten sich viele zur Aufnahme, die jedem Unbescholtenen freistand. Immerhin ergänzte die Feme in gewisser Weise die reguläre Rechtspflege, die ebenso ohnmächtig wie parteiisch und außerdem um vieles brutaler war: denn die einzige Strafe, die die Feme verhängte (und übrigens in der Mehrzahl der Fälle nicht exekutieren konnte), war das Hängen, während bei den öffentlichen Gerichten auf die meisten Vergehen (und zum Teil auch auf solche, die nach unseren Begriffen verhältnismäßig leicht oder überhaupt nicht kriminell sind) die grausamsten Strafen standen: Falschmünzer wurden „versotten", Ehebrecherinnen lebendig begraben, Landesverräter geviertelt, Verleumder gebrandmarkt, Mörder gerädert oder geschunden, Gotteslästerern und Meineidigen wurde die Zunge ausgerissen, Aufrührern die Hand abgehauen oder das Ohr abgeschnitten. Diese Strafen wurden allerdings nirgends konsequent vollzogen, wie es ja überhaupt der Rechtsprechung jener Zeit noch an Logik und Kontinuität fehlte.

Der Ton war überaus roh. Auch in den höchsten Kreisen war lautes Fluchen, Rülpsen, Furzen etwas Gewöhnliches: „daß dich ein böß Jar ankomme", „daß dich die Pestilentz ankomme", „daß dich das höllisch Fewer verbrenne" waren landläufige Redensarten. Die Entscheidung darüber, welche Naturalien als shocking gelten, ist lediglich Sache der jeweils geltenden Mode: kultiviertere Jahrhunderte werden es sicher einmal ebenso skandalös finden, daß unsere Zeit die Geselligkeit zu dem unappetitlichen Vorgang der gemeinsamen Nahrungsaufnahme mißbrauchte. Es herrschte damals auf allen Gebieten eine Vorliebe für das Klobige, Kompakte, Massive. Im Verkehr der Geschlechter wird die Erotik durch die Sexualität verdrängt. Die Frau ist nicht mehr ein Ideal, ein höheres Wesen, ein Stück Märchen im Dasein, sondern ein Genußmittel. Es ist sehr bemerkenswert, daß in diesem Zeitraum die männliche Kleidung farbenprächtiger, extravaganter und auffallender ist als die weibliche: der Mann wird zum Lachs, zum Kammolch, zum Truthahn, zum Paradiesvogel, der Brunstschmuck und „Hochzeitskleider" anlegt; es ist der völlig animalische Standpunkt. Es liegt darin wohl einesteils eine Erniedrigung des Weibes zum bloßen Sexualobjekt, andererseits aber wieder eine Erhöhung. Denn dadurch, daß man sie zum überirdischen Anhimmelungsgegenstand machte, war die Frau im Mittelalter zur Puppe, zur Attrappe, zum Luxusspielzeug herabgewürdigt worden, sie stand völlig neben dem Leben, ähnlich wie heute in Amerika. Jetzt betritt sie die Erde und wird zum Menschen. Sie wird von den allgemeinen Emanzipationsbestrebungen des Zeitalters ergriffen, ihr Auftreten wird freier, ihre rechtliche Stellung in Familie und Öffentlichkeit selbständiger, ja man kann sagen: sie hat in diesem Zeitraum den geistlichen und sittlichen Primat. Sie beteiligt sich an allen religiösen und wissenschaftlichen Bestrebungen des Zeitalters, worüber später, wenn wir auf die Mystik zu sprechen kommen, noch einige Worte zu sagen sein werden.

Das Essen und Trinken spielt natürlich in dieser materiellen Zeit eine große Rolle. Aber auch hier herrscht ein recht vulgärer

Geschmack, der mehr darauf ausgeht, daß man eine Speise möglichst stark auf der Zunge spürt. Daher eine Abundanz an Gewürzen, die für unsere differenzierteren Gaumen unerträglich wäre: bei allen möglichen Gerichten gelangt Zimt, Pfeffer, Rhabarber, Kalmus, Zwiebel, Muskat, Ingwer, Safran und dergleichen zu ausschweifender Verwendung. Nelken, Zitronen und Rosinen werden bei Anlässen gebraucht, wo ein heutiger Koch sie um keinen Preis mehr dulden würde; selbst als Näscherei zwischen den Mahlzeiten genoß man „Gewürzpulver“: ein Gemisch aus Pfeffer und Zucker, über Brot geröstet. Die Quantitäten, die verzehrt wurden, waren sicher größer als heutzutage, doch hat man sich davon übertriebene Vorstellungen gemacht. Ein Menü lautet zum Beispiel folgendermaßen: erster Gang: Eiermus mit Pfefferkörnern, Safran und Honig darein, Hirse, Gemüse, Hammelfleisch mit Zwiebeln, gebratenes Huhn mit Zwetschgen; zweiter Gang: Stockfisch mit Öl und Rosinen, Bleie in Öl gebacken, gesottener Aal mit Pfeffer, gerösteter Bückling mit Senf; dritter Gang: sauer gesottene Speisefische, ein gebacken Parmen (nach Sturtevant: Äpfel in Butter), kleine Vögel in Schmalz gebraten mit Rettich, Schweinskeule mit Gurken. Ein anderes: erstens: Hammelfleisch und Hühner in Mandelmilch, gebratene Spanferkel, Gänse, Karpfen und Hechte, eine Pastete; zweitens: Wildbraten in Pfeffersauce, Reis mit Zucker, Forellen mit Ingwer gesotten, Fladen mit Zucker; drittens: Gänsebraten und Hühnerbraten mit Eiern gefüllt, Karpfen und Hechte, Kuchen. Das ist weder übermäßig luxuriös, da es sich um ganz große Paradeessen handelte, noch übermäßig viel, wenn man bedenkt, daß die einzelnen Gerichte, aus denen die Gänge bestanden, zur Auswahl gereicht wurden, in der Art, wie unsere Horsd'oeuvres, die noch viel zahlreichere Platten enthalten: der eine nahm von diesem, der andere von jenem, nur besondere Vielfraße von allem. Vom Standpunkt eines heutigen Gourmets ist die Zusammenstellung allerdings barbarisch, besonders die kleinen Vögel (vermutlich Spatzen) in Schmalz und Rettich müssen scheußlich geschmeckt haben. Die Alltagsmahlzeiten waren auch in reichen Häusern recht einfach. Ein Gast aus unserer Zeit hätte wohl am meisten den Zucker vermißt, der noch sehr kostbar war und nur bei besonderen Anlässen und als Heilmittel gebraucht wurde. Ferner enthielt der Speisezettel noch fast gar kein Gemüse, höchstens einmal Kraut oder Hirse; grüne Erbsen galten als Delikatesse; Reis ist schon bekannt, kommt aber nicht häufig auf den Tisch. Und vor allem fehlten zwei Dinge, ohne die wir uns eine Mahlzeit überhaupt nicht vorstellen können: die Suppe und die Kartoffel.

Getrunken wurde regelmäßig und reichlich, besonders in Deutschland, und zwar hauptsächlich Bier; der Wein war sauer und schlecht gepflegt, man verbesserte ihn durch Honig und Gewürze. Die schmackhaften Südweine tranken auch reiche Leute nur als Apéritif. Man brachte dem Wein noch eine Art ehrfürchtiger Andacht entgegen und betrachtete ihn als eine Medizin: als Körperreiniger, Schlafmittel und Verdauungsbeförderer und zugleich als ein Göttergeschenk, wie dies das schöne Trinklied ausdrückt: „Nu gesegen dich Got, du allerliebster Trost! Du hast mich offt von großen Durst erlost und jagst mir alle meine Sorge hinwegk und machest mir alle meine Glieder keck, wenn du machest manchen Pettler frolich, der alle Nacht leyt auf einem posen Strolich; so machst du tanntzen Munchen und Nunnen, das sie nicht teten, truncken sie Prunnen."

Der
Weltalp Wir kommen jetzt zu einer der wichtigsten Eigenschaften des Zeitalters, die wir als Diabolismus oder Satanismus bezeichnen könnten. In den damaligen Menschen, wenigstens in einem großen Teile von ihnen, war nämlich in der Tat etwas Teuflisches; etwas Teuflisches lag aber auch in den äußeren Ereignissen, die auf sie einstürmten. Es ist daher kein Wunder, daß in vielen dieser verstörten und verängstigten Köpfe sich die Meinung festsetzte, der Antichrist habe die Herrschaft über die Welt angetreten, das Reich des Bösen, das dem Jüngsten Tag vorhergeht, sei bereits angebrochen. Das Grundgefühl, das sie beherrschte, läßt sich vielleicht am ehesten in dem Begriff „Weltalp" zusammenfassen: die äußeren Eindrücke und Geschehnisse wirken nur noch wie ein ungeheurer Alpdruck, ein böser, spukhafter Traum; die gequälte Menschheit befindet sich in einer andauernden Angstneurose, die nur krampfhaft übertäubt wird durch eine ebenso angstvolle Jagd nach Besitz und Genuß. Die Menschen jener Zeiten zeigen schon in ihrem Extérieur diesen devastierten Zustand. Sie sind für unsere Begriffe ausgesprochen häßlich: entweder dürr und ausgemergelt oder schwammig und gedunsen, oft beides in grotesker Verbindung: auf mageren Beinen ruht ein massiger Bauch, über verfetteten Brüsten erheben sich eingefallene Gesichter. Die Augen blicken seltsam starr und geschreckt, wie hypnotisiert von einer unsichtbaren entsetzlichen Vision, die Körperhaltung ist entweder schwerfällig und roh oder eckig und befangen, deutet entweder auf übertriebene Schüchternheit oder deren Kehrseite: Brutalität, die die innere Angst zu überschreien sucht.

Die politischen Zustände waren bis zum Irrsinn verworren. Blinde Gier, die nur für sich selbt möglichst fette Brocken erraffen will, ohne an das Wohl des Nächsten, ja auch nur an die eigene nächste Zukunft zu denken, charakterisiert die Diplomatie der meisten Machthaber. Dabei wachsen die Bedrängnisse von allen Seiten ins Gespenstische. Wie von einem Polypen scheint Mitteleuropa umklammert, aus jeder der vier Windrichtungen erhebt sich eine drohende Zange, um den Weltteil zu zerfleischen. Im Osten ist die slawische Gefahr: Litauen, unter den Jagellonen mit Polen vereinigt, ein Riesenreich, das sich bis zum Schwarzen Meer erstreckte und außer den Stammländern noch Galizien, Wolhynien, Podolien, Rotrußland, die Ukraine und, nachdem es in der Schlacht bei Tannenberg die Herrschaft des Deutschen Ordens zertrümmert hatte, auch Westpreußen und Ostpreußen umfaßte. Im Norden die Kalmarische Union, die mächtige Vereinigung der drei skandinavischen Reiche, im Westen die neue Großmacht der Herzöge von Burgund, die immer größere Stücke vom Deutschen Reich abzusprengen suchen, und vor allem im Süden der Vorstoß der Türken, dieses einzigartigen Volkes, das alle Lebensäußerungen dem ausschließlichen Zweck der militärischen Eroberung dienstbar macht, einer Eroberung, die weder religiöse noch nationale noch soziale Ziele verfolgt, sondern einfach um ihrer selbst willen da ist, nicht organisch wachsend wie ein Lebewesen, das Benachbartes sich einverleibt und assimiliert, sondern anorganisch, sinnlos und grenzenlos sich ausdehnend wie ein

Die vierfache Zange

Kristall, das durch „Apposition" wächst. Ihre Erfolge verdankten die Osmanen in erster Linie ihrer ebenso einfachen wie straffen Organisation, die in der damaligen Zeit ein Unikum war: dem Sultan unterstanden die beiden Beglerbegs von Asien und Europa, diesen die Begs der einzelnen Sandschakate, diesen die Alaibegs, die Scharenführer, und diesen die Timarli, die Inhaber der kleinen Reiterlehen; der Großherr brauchte also nur ein Zeichen zu geben, und sogleich setzte sich dieses kolossale Heerlager in Bewegung. Es ist selbst für den heutigen Beobachter noch höchst unheimlich, zu verfolgen, wie sich die türkische Eroberung immer mehr in den Körper Europas hineinfrißt; die Zeitgenossen aber scheinen diese Gefahr lange Zeit hindurch nicht so bedenklich gefunden zu haben, sie rafften sich nur selten zu einer energischen und niemals zu einer gemeinsamen Aktion auf: die Westmächte machten ihre Hilfe von der Unterwerfung der orientalischen Kirche unter die römische abhängig, und während die kostbare Zeit in spitzfindigen Streitigkeiten über die Bedingungen dieser Union verzettelt wurde, machte der Vormarsch der Türken reißende Fortschritte. 1361 eroberten sie Adrianopel, ein Menschenalter später zerschmetterten sie in der furchtbaren Schlacht auf dem Amselfeld das großserbische Reich, noch in demselben Jahr bestieg Sultan Bajazeth, genannt *Il Derim*, der Wetterstrahl, den Thron und gewann bald darauf über ein Kreuzheer, das endlich zusammengebracht worden war, bei Nikopolis einen entscheidenden Sieg: er tat den Schwur, er werde nicht eher ruhen, als bis er den Altar von Sankt Peter zur Krippe für sein Pferd gemacht habe. Etwa ein halbes Jahrhundert später versetzte der Fall Konstantinopels das ganze Abendland in Schrecken, fünf Jahre nachher wurde Athen besetzt, im Laufe des nächsten Jahrzehnts Bosnien, die Walachei, Albanien: auf dem ganzen Balkan war die Herrschaft der Türken dauernd befestigt; schon bedrohten sie Ungarn.

Der luxemburgische Komet   In Zentraleuropa herrschten von der Mitte des vierzehnten bis zur Mitte des fünfzehnten Jahrhunderts die Luxemburger, dieses sonderbare bigotte und gottlose, verwegene und wankelmütige, staatskluge und geisteskranke Geschlecht, das wie ein farbiger Komet in dieser allgemeinen Nacht des Niedergangs aufleuchtet, um sich ebenso plötzlich wieder im Dunkel zu verlieren. Sie sind nicht mehr als ein Zwischenfall in der deutschen und europäischen Geschichte; aber ein sehr merkwürdiger, wenn man bedenkt, daß sie, wenn ihnen ihre weit ausgreifenden, kühn und erfolgreich begonnenen Pläne bis zu Ende geglückt wären, heute eine Macht besäßen, wie sie seither keine Dynastie in Europa erlangt hat. Aber dies eben war die Wurzel ihres schließlichen Mißerfolges, daß sie zu viel wollten: sie erstrebten nicht weniger als eine Vereinigung der drei Ländergruppen, die später die österrreichische und die preußische und vorher die böhmische Expansionssphäre gebildet haben, sie trieben gleichzeitig habsburgische, hohenzollerische und ottokarische Hausmachtpolitik. Ihre Entwürfe waren allzu großartig, wie Riesenbauten, die niemals fertig werden, ihre politische Phantasie litt, sehr im Sinne der Zeit, an Elefantiasis.

Die Regierung des ersten Luxemburgers, Karls des Vierten, ist verklärt durch kluge und liebevolle Förderungen der Wissenschaft und Kunst und vor allem durch die blendende Erscheinung Rienzos, des „letzten Tribunen", eines feurigen Phantasten aus der Familie jener pittoresken Abenteurer, die in der Geschichte keine dauerhaften Spuren zurücklassen und sich dennoch der Erinnerung tiefer einprägen als ihre fruchtbarsten Zeitgenossen. Es war etwas genial Unbedingtes, Konzessionsloses, Weiträumiges in seinem Denken, das alle bezwang, freilich auch etwas Undiszipliniertes, Wildschweifendes und Uferloses, das ihn nur zu bald die Grenzen des Möglichen überschreiten ließ und zu seinem Untergange führte. Aber seine grandiosen Träume von der Wiedergeburt der einstigen Größe Roms, von der Wiederaufrichtung eines europäischen Weltkaisertums sind nicht mit ihm gestorben, und so lebt er bis zum heutigen Tage fort in der Reihe jener glänzenden Fabelwesen, deren legendarisch gefälschtes Bild unsere Phantasie mehr befruchtet als hundert „epochemachende" Tatsachen der wirklichen Geschichte.

Auch der letzte Luxemburger, Sigismund, hat eine, freilich sehr anders geartete, legendäre Berühmtheit erlangt durch den Verrat an Huss, den er durch seinen Geleitsbrief in den Tod gelockt haben soll. In Wirklichkeit war sein Verhalten nach den damaligen

Anschauungen kein Rechtsbruch, und kein einziger namhafter Zeitgenosse hat sich in diesem Sinne geäußert, so sehr man sonst in juristischen, politischen und auch theologischen Kreisen gegen das Konzil polemisierte; und doch müssen wir auch hier in der ungeschichtlichen Volksauffassung die wahrere Wahrheit erkennen. Denn in einem höheren und tieferen Sinne hat er dennoch treulos gehandelt, als er sich gegen die vorwärtsweisenden Kräfte seines Kernlandes stellte und, einerlei wie die Rechtsfrage lauten mochte, den Mann fallen ließ, der den Willen des Volkes verkörperte. Man glaubt ihn vor sich zu sehen, wie er gleißnerisch hin und her schwankte, nach seichten Kompromissen suchend, bald Huss zur Nachgiebigkeit beredend, bald den Kirchenfürsten schmeichelnd, dieser geile Beau und feile Schönredner mit dem roten gabelförmigen Bart, Feinschmecker glitzernder Bonmots, eleganter Kurtisanen und erlesener Fischgerichte: glatt, leer, ohne Richtung, ohne Überzeugung, ohne Haß, ohne Liebe, ein gänzlich unwirklicher Mensch, ein glänzend poliertes Nichts.

Gekrönte Paranoiker

Es ist übrigens bemerkenswert, daß in jenem Zeitraum einmal fast gleichzeitig zwei wahnsinnige Könige herrschten: nämlich Karl der Sechste von Frankreich, 1380 bis 1422, und Wenzel, 1378 bis 1419, ein grotesk-dämonischer Sadist und Alkoholparanoiker. Als ihm sein Koch einige Speisen schlecht zubereitet hatte, ließ er ihn auf den Spieß stecken und braten. Ein anderes Mal rief er den Scharfrichter zu sich und sagte, er wolle doch gerne einmal wissen, wie einem Menschen zumute sei, der enthauptet werden soll. Er entblößte seinen Hals, verband sich die Augen, kniete nieder und befahl dem Scharfrichter, ihm den Kopf abzuschlagen. Dieser berührte nur den Hals des Königs mit dem Schwerte. Wenzel ließ nun den Mann niederknien, verband ihm die Augen und schlug ihm den Kopf mit einem Hiebe ab. Eines Tages begegnete ihm auf der Jagd ein Mönch; er spannte den Bogen, schoß ihn tot und sagte zu den Umstehenden: ich habe ein sonderbares Wild erlegt. Wegen dieser Untaten schrieb jemand an eine Wand: *Wenceslaus, alter Nero;* Wenzel schrieb darunter: *si non fui, adhuc ero.* (Alle diese Einzelheiten berichtet Dynter, der um 1413 Gesandter an Wenzels Hof war.) Allgemein bekannt ist, daß er Johann von

Nepomuk, den späteren tschechischen Nationalheiligen, in der Moldau ertränken ließ, allem Anschein nach, weil er ihm das Beichtgeheimnis seiner Gemahlin nicht verraten wollte: wir haben es hier mit einer Äußerung des Eifersuchtswahns zu tun, der eine regelmäßige Begleiterscheinung der Alkoholparanoia bildet. Dabei war er ein äußerst gerissener, überschlauer Diplomat, der alle seine Handlungen sehr scharfsinnig zu begründen wußte, was wiederum mehr ins Gebiet der *folie raisonnante* gehören dürfte. Und zu diesen beiden Wahnsinnigen kämen noch zwei Schwachsinnige: Heinrich der Sechste von England, der es notorisch war, und Friedrich der Dritte, der zumindest nicht weit davon entfernt war, jener Kaiser, der dreiundfünfzig Jahre lang über Deutschland herrschte oder vielmehr nicht herrschte, völlig apathisch, kindisch dahindämmernd. Als die Kunde vom Fall Konstantinopels nach Deutschland kam, schrieb ein deutscher Chronist: „Der Kaiser sitzt daheim, bepflanzt seinen Garten und fängt kleine Vögel, der Elende!"

Englische und französische Geschichte lassen sich in diesem Zeitraum nicht getrennt betrachten, da sie fast ununterbrochen ineinander verfließen. Sie bieten ein grauenvolles Schauspiel blutgieriger Fehden, tückischer Morde und Wortbrüche, tiefster politischer Gemeinheit. Shakespeare hat die Akteure jener Greuel in eine verwirrende Aura von narkotischer Dämonie getaucht und ihnen einen seltsam irisierenden Schlangenglanz angezaubert, der zugleich abstößt und fasziniert: seine Königsdramen sind die funkelnde Höllenfahrt eines ganzen Zeitalters, das, ergreifend hin und her gejagt zwischen übermenschlichem Heroismus und tierischer Niedertracht, unrettbar in den selbstgeschaffenen Abgrund saust. Natürlich ist hier die Wirklichkeit magisch gesteigert, aber etwas von alledem lag in der Zeit. Diese Menschen wirken auf uns wie gewisse prachtvolle Giftpilze oder wie die bösen fleischfressenden Orchideen, deren Grausamkeit und Hinterlist ein versöhnendes Aroma von mysteriöser Schönheit ausstrahlt.

Über ein Jahrhundert währten die Sukzessionskriege, hervorgerufen durch den Anspruch der englischen Könige auf den Thron Frankreichs, ein entnervendes Wechselspiel von Vormärschen und Rückzügen der Engländer, die glänzende Siege erfechten, oft große Teile Frankreichs besetzt halten, sich aber doch nirgends dauernd zu halten vermögen und schließlich auf den Brückenkopf Calais beschränkt bleiben. Die Wendung bringt Jeanne d'Arc, die Jungfrau von Orléans, eine ebenso unwirkliche Erscheinung wie Sigismund, nur in ganz entgegengesetztem Sinne, ein Wesen, das dauernd im Transzendenten lebte, in jener Welt des Geistes, deren Existenz, da wir über sie nichts Positives auszusagen wissen, von seichten Empirikern bestritten wird, deren deutlich spürbare Wirksamkeit aber die ganze Menschheitsgeschichte durchdringt und in ihren Höhepunkten bestimmt.

Auch die innere Geschichte der beiden Staaten ist ebenso blutig wie verworren. In England die Rosenkriege, die jene besonders unmenschlichen Formen annahmen, wie sie bei Kämpfen zwischen nahen Verwandten die Regel sind, und daneben die grausamen Verfolgungen der Lollharden, der Anhänger Wiclifs; in Frankreich Bürgeraufstände in Paris und eine große Bauernrevolte in den Provinzen: die Jacquerie, so genannt nach ihrem Führer Caillet, der den Beinamen Jacques Bonhomme trug, eines der greuelreichsten Ereignisse der Weltgeschichte; später Kämpfe zwischen dem erstarkenden Königtum und den großen Vasallen, die ihre Selbständigkeit zu behaupten suchen: unter dem klugen, energischen und perfiden Ludwig dem Elften wird das Reich immer mehr zentralisiert; aber dieser Erfolg ist mit dem Zerfall des burgundischen Reichs bezahlt, in dem alles versammelt gewesen war, was der Kultur des Zeitalters Wert und Bedeutung verlieh: hier standen die schönsten und blühendsten Städte, hier wurden die erlesensten Werke des Gewerbfleißes und der Handwerkskunst geschaffen, hier lebten die großen Maler, Musiker und Mystiker. Die burgundische Kultur darf überhaupt als die stärkste Repräsentation der „Inkubationszeit" gelten: eine Welt voll Blut und Farbe, roter Brunst und lichtem Schönheitswillen, blühend und finster, kindlich und pervers, dumpf und überprächtig, ein diamantener barbarischer Fiebertraum: als „Herbst des Mittelalters" schildert sie der holländische Gelehrte Huizinga in einem erst jüngst erschienenen vortrefflichen Werk. Für uns ist sie ein geheimnisvoller

Vorfrühling, das unterirdische Erwachen eines neuen Lebens unter Schneestürmen, Hagelgüssen und allen launischen Zuckungen einer erwartungsvoll erregten Natur.

Die beiden einzigen Aktivposten, die die europäische Politik in diesem Zeitraum zu verzeichnen hat, sind die Verdrängung der Araber aus Spanien und die Vernichtung der Mongolenherrschaft in Rußland.

Wie es um die Kirche stand, haben wir bereits mehrfach ange- Antikleri-kalismus deutet. Eine wilde Verachtung des Klerus ist die Signatur des Zeitalters. Bei allen erdenklichen Anlässen wird die Roheit und Unwissenheit, die Schwelgerei und Unzucht, die Habsucht und Trägheit der Geistlichen gerügt. Sie spielen, trinken, jagen, denken nur an ihren Bauch, laufen jedem Weiberrock nach: besonders in Italien ist Pfaffe und Cicisbeo fast gleichbedeutend. Zahlreiche öffentliche Äußerungen, stehende Redensarten und Sprichwörter spiegeln die landläufige Auffassung, die man diesem Stande entgegenbrachte. Allgemein war man der Ansicht, ein Bischof könne nicht in den Himmel kommen; eine besonders reichliche und üppige Mahlzeit nannte man ein Prälatenessen; vom Zölibat sagte man, es unterscheide sich von der Ehe dadurch, daß der Laie ein Weib habe, der Geistliche aber zehn; „solange der Bauer Weiber hat, braucht der Pfaffe nicht zu heiraten"; „ich kreuzige mein Fleisch, sagte der Mönch, da legte er Schinken und Wildbret kreuzweis übers Butterbrot". Konkubinen waren beim größten Teil der Kleriker eine Selbstverständlichkeit: man nannte sie, weil sie das ständige Zubehör der Seelenhirten bildeten, „Seelenkühe"; übrigens erklärte selbst eine theologische Autorität wie der Kanzler Gerson, das Gelübde der Keuschheit bedeute nur den Verzicht auf die Ehe; und wenn man jemandem besondere Ausschweifung vorwerfen wollte, so sagte man: er hurt wie ein Karmeliter. Daß Pfaffen Schenken besuchten, zum Tanz aufspielten, Zoten zum besten gaben, war etwas ganz Gewöhnliches, selbst im Vatikan erheiterte man sich gern an Vorlesungen pornographischer Geschichten; zum Konzil von Konstanz strömten aus allen Weltgegenden Kurtisanen, Gaukler und Kuppler herbei, und Avignon galt, seit die Päpste dort residierten, als Bordellstadt. Ja man kann sogar noch weiter gehen und sagen, daß ein Teil des Klerus von einer atheistischen Strömung erfaßt war, die wiederum im Volke ihre Resonanz fand.

Wiclif   Doch dies waren nur verstreute Einzelsymptome eines dumpfen Widerstandes, dem noch das Zielbewußtsein und die Einheitlichkeit fehlte. Die erste gesammelte Attacke gegen die Papstkirche geht von Wiclif aus, der mit wissenschaftlicher Systematik und Präzision, mit Temperament und polemischer Schleuderkraft, ja mit einer fast dichterischen Darstellungsgabe bereits alle Gedanken vertreten hat, die später die Grundlage der Reformation gebildet haben, und sogar in einigen Punkten weit über die Reformation hinausgelangt ist. Er geht von dem einfachen und klaren Prinzip aus, daß die Kirche nicht mehr die Kirche, der Papst nicht mehr der Papst sei. Dieser habe nicht der herrschsüchtige Statthalter, sondern der demütige Diener Christi zu sein, die Regierung über die Seelen sei ihm von Gott nur zum Lehen gegeben, wenn er aber ein schlechter Vasall sei, der das Gesetz seines Herrn nicht halte und sich mit dessen Todfeinden: der weltlichen Begierde und dem weltlichen Besitz, einlasse, so müsse ihm sein Lehen wieder abgenommen werden. Das Papsttum lasse sich überhaupt aus Gottes Gesetz nicht begründen: die Kirche hat kein sichtbares Oberhaupt. Wiclif will also nicht mehr und nicht weniger als eine papstlose Kirche; er führt aber noch zwei weitere wichtige Momente ein: er verlangte für den Laien das Recht, die Bibel zu lesen, die er zu diesem Zweck ins Englische übersetzte, und er bekämpfte fast den ganzen äußeren Apparat der kirchlichen Praxis: Wallfahrten und Reliquiendienst, Beichte und letzte Ölung, Zölibat und hierarchische Gliederung, ja er bestritt sogar das Dogma von der Transsubstantiation. Der Hussitismus hat das System Wiclifs in keinem Punkt erweitert und in vielen Punkten verengert, er ist nichts als eine schwächere und leerere Dublette des Wiclifismus und enthält nicht einen einzigen originalen Zug; aber die Gestalt Hussens wurde furchtbar durch ihren Ernst, ihre Charakterstärke und ihren unbeugsamen Wahrheitswillen, dem freilich auch viel Chaotik, Stiernackigkeit und Engstirnigkeit beigemischt ist: ein Charakteristikum fast aller slawischen Denker.

Auf dem Programm des Konstanzer Konzils standen drei Haupt- punkte: die *causa unionis*, die *causa reformationis* und die *causa fidei;* keine dieser drei Fragen ist einer Lösung auch nur nähergeführt worden. Der Konziliarismus war fast eine Art republikanischer Bewegung innerhalb der Kirche, er wollte das Papsttum zu einer Scheinmonarchie, einer Art Mikadotum herabdrücken und die eigentliche Regierung in die Hände des Konzils, des Parlaments der Bischöfe legen; und das Endresultat war nicht nur der Sieg des Kurialismus über alle diese Bestrebungen, sondern der päpstliche Absolutismus.

Das Papsttum war also völlig siegreich, siegreicher denn je. Es triumphierte über die Bischöfe und Landeskirchen, es triumphierte über die Ketzer und Häretiker, es triumphierte über Kaiser und Reich; nur an einem Orte triumphierte es nicht, dem wichtigsten, dem allein entscheidenden: in den Herzen der Menschen. Und darum versinkt es mit einem Male in Ohnmacht, Altersstarre und Asphyxie. Äußere Siege und Niederlagen entscheiden nichts im Gange der Geschichte. Der Kaisergedanke war tot, nicht wegen seiner Niederlagen, der Papstgedanke starb, trotz seiner Siege. Wie der Schatten eines Gespenstes liegt er nur noch über der Welt. Der Papst herrschte unumschränkt; aber man nahm ihn nicht mehr ernst. Man glaubte ihm nicht mehr. Darauf allein aber kommt es an. Er war nicht mehr der Nachfolger Petri, der Hirt der Völker, der Statthalter Christi, er war nur noch der mächtige Kirchenfürst, der oberste Bischof, ein König mit Krone, Geldsack und Kirchenstaat, ein reicher alter Mann wie andere auch.

Was half ihm seine Tiara? Er war nicht mehr der Heilige Vater. Alle mochten ihm huldigen, ihm die Herrschaft über diese Welt zuerkennen, ihm die Herrschaft über jene Welt zuerkennen, es half nichts: er war es nicht. Hätten sich die Päpste redlich bemüht – soweit es in ihren geringen menschlichen Kräften stand – Ebenbilder nicht etwa Christi, nein: bloß Petri zu werden, Ebenbilder des einfältigen, mißverstehenden, wankelmütigen, aber in seiner Einfalt gotterfüllten, in seinem Unverstand inbrünstig nach Verständnis ringenden, in seinem Wankelmut ergreifend menschlichen guten alten Fischers: ganz Europa wäre noch bis zum heutigen Tage katholisch und gläubig katholisch.

So aber dachten sie es sich nicht. Sie wollten ein unerlaubtes Geschäft machen: die Seelen beherrschen und zugleich irdische Herrscher sein; sich von dem Gesetz emanzipieren, daß die eine Herrschaft nur durch den Verzicht auf die andere erkauft werden kann. An dieser Unwahrheit, dieser Unmöglichkeit, dieser verwegenen und ungerechten Herausforderung der moralischen Weltordnung sind sie gescheitert.

Das Einfache siegt immer. In diesem Falle war es die einfache Erwägung: da hält einer Hof in Gold und Purpur, gebietet Millionen, spricht Millionen schuldig, will dem Kaiser seine Rechte nehmen und leitet die Befugnis zu alledem davon ab, daß er der irdische Stellvertreter Eines sei, der als verachteter Bettler unter den Menschen lebte, niemandem gebieten konnte, niemandem gebieten wollte, niemanden schuldig sprach und dem Kaiser gab, was des Kaisers ist: Kaiphas als Statthalter Christi!

Bei alledem dürfen wir aber eines nicht außer acht lassen: abgesehen vom Wiclifismus, der bald nach Wiclifs Tod unter dem Haus Lancaster fast völlig ausgerottet wurde, und vom Hussitismus, der in einem Kompromiß versandete, war die Bewegung vorerst nur antiklerikal, nicht antikatholisch. Das macht einen großen Unterschied. Man bekämpfte nicht die Dogmen und Einrichtungen, sondern bloß deren Verfälschung und Entwürdigung: die Mißbräuche, nicht den Brauch selbst. Es war also gewissermaßen mehr eine juristische Polemik als eine theologische.

Dämonen und Zauberer In diesem Stadium einer Erschütterung und Desorientierung des Glaubens, wo die Menschheit an den Dienern der Kirche völlig irre geworden war, ohne doch den Mut zu finden, an der Kirche selbst zu verzweifeln, kamen sonderbare Strömungen nach oben, die schon immer unterirdisch wirksam gewesen waren, nun aber durch die allgemeine Ratlosigkeit eine neue Macht im Leben wurden. Da Gott nicht aus seinen Priestern sprach, suchte man nach anderen Verkündern seines Willens und geriet so in einen abenteuerlichen, oft formidabeln und bisweilen skurrilen Dämonenglauben, einen nur sehr notdürftig maskierten Polytheismus.

Überall treiben allerlei phantastische Mittelformen zwischen Gott und Mensch ihr Wesen, und die Höllengeister erwecken mehr Angst und Ehrfurcht als die Heiligen. Die ganze Luft ist erfüllt von groben und feinen, klugen und törichten, harmlosen und boshaften Teufelchen: „sie sind so zahlreich wie die Stäubchen im Sonnenstrahl". Sie sitzen am Eßtisch, in der Werkstatt, auf dem Bettrand, sie reiten auf Böcken durch die Luft, sie erscheinen in Gestalt von Raben, Ratten und Kröten. Und daneben führen in Busch und Wald, in Quell und See, in Feuer und Wind allerlei Naturgeister, trübe Erinnerungen an die antike Mythologie, ein geheimnisvolles Leben. Alle die wundersamen Geschöpfe, die noch heute unsere Kindermärchen bevölkern, beherrschten damals das ganze Tun und Lassen der Erwachsenen: Elfen und Nixen, Feen und Hexen, Nachtmare und Kobolde. Ja selbst die Heiligen der Kirche werden zu Naturgöttern, zu heidnischen Elementarwesen. Auch die Juden, die Ketzer und die Mohammedaner erregten nicht bloß Haß und Abscheu, sondern ebensosehr Angst und ehrfürchtiges Grauen, alle Welt glaubte an die Hostienschändungen, Teufelsmessen und Ritualmorde. Es hieße aber die wahre Triebfeder dieses Aberglaubens sehr verkennen, wenn man ihn auf wahnwitzigen religiösen Fanatismus oder gar auf bewußte böswillige Verleumdung zurückführen wollte. Das Volk erblickte in diesen gottfeindlichen Handlungen keine bloße Negation, sondern einen sehr realen Teufelsdienst, eine Art gewendetes Christentum, zu dem es mit derselben Bewunderung emporblickte wie zur Gestalt des Antichrist. Die damaligen Menschen waren, wie wir bereits betont haben, von der mehr oder minder klaren Überzeugung durchdrungen, daß der Teufel die Welt beherrsche, und es war daher nur logisch, daß sie auch an die geheime Existenz einer Teufelskirche, einer Teufelsgemeinde, eines Teufelsrituals glaubten.

Daneben gewann ein abstruser, aber systematischer Zauberglaube immer mehr an Ausdehnung. Besprechen und Wahrsagen, Auslegung der Träume und des Vogelflugs, Befragung der Stunden und der Planeten gehörte zur Ökonomie des täglichen Lebens. In allem erblickte man eine Vorbedeutung: im Pferdegewieher und im Wolfsgeheul, in der Richtung der Winde und in der Gestalt der Wolken. Flüche und Segenssprüche besaßen eine bannende oder herbeiziehende Kraft; bestimmte Zeichen und Gesten konnten binden und lösen. Begegnete man einem Buckligen, so bedeutete es Glück, begegnete man einem alten Weib oder – was sehr bezeichnend ist – einem Geistlichen, so verhieß es Unheil. Auch in zahlreichen Legenden spiegelt sich der Glaube an die allgegenwärtige und oft siegreiche Macht des Bösen, so vor allem in der weitverbreiteten Sage vom Zauberer Virgilius, einer luziferischen Gestalt, die erfolgreich den Geboten Gottes trotzt, durch schwarze Kunst Gold und Herrschaft erwirbt und in ihrem magischen Spiegel alles Wissen der Welt erschaut: der Vorläufer des Faust. Und über alledem wölbt sich wie eine finstere Kuppel ein weltumspannender Fatalismus, der in der tatlosen Prostration vor dem längst in den Sternen verzeichneten Schicksal die letzte Weisheit erblickt.

Geldwirtschaft mit schlechtem Gewissen

Und nun bricht noch, um das Unglück voll zu machen, über diese religionslose Welt die trübe gelbe Flut des Goldes herein. Reichtum, zumal plötzlicher, wirkt immer depravierend; hier aber handelte es sich noch dazu um eine junge, gänzlich unvorbereitete Menschheit, der die mittelalterliche Anschauung von der Sündhaftigkeit des Geldnehmens noch tief im Blute saß. „Gott hat drei Leben geschaffen: Ritter, Bauern, Pfaffen. Das vierte schuf des Teufels List: das Leben Wucher gennennet ist“, sagt Freidank; er versteht aber unter Wucher offenbar jegliche Art von Handel. Dieselbe Ansicht faßt Cäsarius von Heisterbach in dem lapidaren Satz zusammen: *Mercator sine peccamine vix esse potest.* Auch die Bettelmönche vertraten ähnliche Anschauungen, und wenn man sie darauf verwies, daß ja selbst der Heiland sich des Geldes bedient habe, so erwiderten sie: „Ja, aber den Säckel gab er Judas!“ Und noch Geiler von Kaisersberg sagt: „Mit Geld wuchern heißt nicht arbeiten, sondern andere schinden in Müßiggang.“ Man hatte offenbar die Ansicht, daß Zinsnehmen, Warenvertreiben, überhaupt aller Erwerb, der nicht aus der Erzeugung, sondern aus dem Umsatz von Gütern fließt, nur eine feinere und versteckte Form des Betruges sei. Diese Auffassung ist gar nicht so paradox, wie sie dem modernen Empfinden auf den ersten Blick erscheinen mag; wir bekennen uns zu ihr bis zu einem gewissen Grade noch heute, nämlich in der sogenannten guten Gesellschaft. Auch dort nämlich würde eine Person sogleich der sozialen Ächtung verfallen, wenn man von ihr erführe, daß sie sich damit befaßt, Freunden und Bekannten gegen Zinsen (und seien es auch ganz bürgerliche Zinsen) Geld zu leihen oder ihnen mit Nutzen (und sei es auch ein ganz bescheidener Nutzen) Gegenstände weiterzuverkaufen: hier hat sich also ein ethisches Prinzip, das früher alle Welt beherrschte, noch in einem Kreis, der gewissermaßen eine Enklave des Anstands und der guten Sitten bildet, lebendig und wirksam erhalten. Übrigens ist es noch gar nicht so lange her, daß man in England auf das Prädikat *gentleman* nur Anspruch erheben konnte, wenn man keine merkantile Beschäftigung ausübte.

Das Handwerk galt nicht als Handel und war es auch nicht, denn hier wurde die Arbeit bezahlt, nicht die Warenvermittlung, wie denn auch in den meisten Fällen die Rohstoffe noch von der Kundschaft geliefert wurden: man brachte dem Schneider Tuch, dem Schuster Leder, dem Bäcker Mehl, dem Lichtzieher Wachs. Nun gab es aber doch schon zahlreiche Personen, die von Kauf und Verkauf lebten. Diese befanden sich nun in einer sehr sonderbaren psychischen Verfassung. Einerseits teilten sie selber die Anschauungen des Zeitalters, andererseits wollten sie aber doch von ihrer einträglichen Beschäftigung nicht lassen: sie trieben Handel, aber mit schlechtem Gewissen. Ein solcher Zustand mußte aber sehr demoralisierend wirken, indem er Desperadogefühle erzeugte: man empfand sich als outlaw, als jenseits von Gut und Böse des Zeitalters und geriet so in die Psychose des Immoralisten.

Wenn wir jetzt auf die Unsittlichkeit des Zeitalters zu sprechen kommen, so müssen wir dabei zunächst zweierlei erwägen: erstens, daß im Grunde jedes Zeitalter „unsittlich" ist, und zweitens, daß Unsittlichkeit oft nichts anderes bedeutet als eine höhere freiere kompliziertere Form der Sittlichkeit. In unserem Falle aber wird man doch wohl sagen dürfen, daß jenes normale und sozusagen legitime Ausmaß an Sittenlosigkeit, das wahr-

Das Weltbordell

scheinlich zum eisernen Bestand der Menschheit gehört, beträchtlich überschritten worden ist und daß alle jene Lebensäußerungen,
die vielleicht unter anderen Umständen als Ausdruck einer wachsenden Vorurteilslosigkeit und einer feineren Empfindlichkeit für
sittliche Nuancen angesprochen werden könnten, hier ganz im
Gegenteil die Symptome eines moralischen Starrkrampfs, einer
völligen Anästhesie gegen alle sittlichen Empfindungen darstellen.

Für die Freiheit im Geschlechtsverkehr sind vor allem die Bade-
häuser charakteristisch, die sich überall, sogar in Dörfern fanden
und nichts anderes waren als Rendezvousplätze für Liebespaare
oder Gelegenheitsorte für Anknüpfung von Bekanntschaften.
Männer und Frauen badeten völlig nackt, höchstens mit einem
Lendenschurz bekleidet, und meist vom Morgen bis zum Abend:
entweder in derselben Wanne zu zweit oder in großen Bassins,
die von Galerien für Zuschauer umgeben waren; natürlich gab
es dort auch Séparées. Diese Lokale wurden durchaus nicht bloß
von Dirnen und leichtfertigen Frauen, sondern von aller Welt besucht. Ein noch viel lockereres Leben entfaltete sich in den Bade-
orten, wo, wie dies ja zu allen Zeiten gewesen ist, neben den Heil-
suchenden auch alle Arten von Abenteurern, Lebemännern und
liebeshungrigen Frauen zusammenströmten. Ein Badesegen jener
Zeit lautet: „Für die unfruchtbaren Frauen ist das Bad das Beste.
Was das Bad nicht tut, das tun die Gäste." Andererseits hört man
auch wieder viel von Kindesabtreibung in vornehmen Kreisen.
So sagt schon Berthold von Regensburg: „Sie wollen nur ihr
Vergnügen mit den Männern haben, aber nicht die Arbeit mit
den Kindern." Die „Frauenhäuser" waren zahlreicher als je vorher und nachher: jedes kleine Städtchen besaß deren mehrere. Bezeichnend sind die Magistratsverordnungen, die verbieten, „Mädchen aufzunehmen, die noch keine Brüste haben": es war also
allem Anschein nach nicht ungebräuchlich, Kinder ins Bordell zu
bringen. Ebenso charakteristisch ist das Verbot, zwölf- bis vierzehnjährige Knaben weiterhin als Gäste ins Frauenhaus zu lassen.
Auch verheiratete Frauen begaben sich nicht selten dorthin. Die
„Hübschlerinnen" genossen übrigens ein gewisses soziales An-

sehen: man war noch weit entfernt von unserer Tartüfferie, die diese Märtyrerinnen der Gesellschaft mit Verachtung belohnt. Bei den offiziellen Empfängen der Fürsten erschienen sie korporativ, denn sie waren, wie bereits erwähnt wurde, ebenso organisiert wie jedes andere Gewerbe, und das unbefugte Treiben der „Bönhäsinnen": der Mägde, Kellnerinnen und Bürgerstöchter wurde von ihnen scharf kontrolliert; besonders schwer hatten sie über die Schmutzkonkurrenz der Nonnenklöster zu klagen, wie überhaupt im damaligen Sprachgebrauch Nonne und Hure fast synonyme Begriffe waren. Als einmal die Zustände in einem fränkischen Kloster so skandalös wurden, daß der Papst eine Untersuchung anordnete, mußte der damit beauftragte Kommissär berichten, er habe fast alle Nonnen in gesegneten Umständen angetroffen. Auch die Männerklöster waren oft der Schauplatz von Orgien, und die Homosexualität war unter den Ordensmitgliedern beiderlei Geschlechts in weitem Umfange verbreitet.

Eine merkwürdige Sitte waren die „Probenächte". Sie bestanden darin, daß das Mädchen dem Liebhaber jede Zärtlichkeit erlaubte, ohne sich ihm hinzugeben. Auf diese Weise konnten beide Teile sich von den Qualitäten des Partners überzeugen, und dieser Verkehr führte durchaus nicht immer zur Ehe, auch war das Mädchen ebensooft die verzichtende Partei wie der Mann. Es erinnert dies einigermaßen an das „Fensterln" oder „Gasseln", wie es noch heute hier und da auf dem Lande üblich ist, nur war dieser Brauch damals in allen Kreisen, auch in den allerhöchsten, gang und gäbe. Ja, es kam sogar nicht selten vor, daß ein Ehemann seinen Gast, um ihn besonders zu ehren, bei seiner Frau „auf Treu und Glauben liegen" ließ. Andererseits hatten die Ehemänner nicht nur häufig offizielle Konkubinen, sondern die unehelichen Kinder wurden auch mit den ehelichen zusammen erzogen.

Es herrschte eben auf sexuellem Gebiet die größte Unbefangenheit. Unflätige und unzüchtige Lieder waren bei den öffentlichen Tanzbelustigungen etwas Gewöhnliches (wie übrigens auch heute noch bei den Bauern), Küsse und Umarmungen waren die offizielle Form der Galanterie; wenn ein Kurmacher einer Dame, die er eben kennen gelernt hatte, seine Verehrung beweisen wollte, griff er ihr einfach in den Busen. Daß Männer und Frauen sich in ungeniertester Weise voreinander entkleideten, kam nicht nur in den Badehäusern, sondern bei jeder Gelegenheit vor: als Ludwig der Elfte in Paris einzog, wählte man die schönsten Mädchen der Stadt aus und ließ sie splitternackt allerlei Schäferspiele vor dem König aufführen. Schließlich wollen wir nicht unerwähnt lassen, daß es behördlich konzessionierte Falschspieler gab.

Wir haben gar keinen Anlaß, uns über diese Zustände pharisäisch zu entrüsten: es geschah damals nur offen und unverblümt, was später geheim und maskiert vor sich ging; aber eben die Tatsache, daß diese Dinge von der öffentlichen Meinung sanktioniert waren, ist ein Symptom für die Hemmungslosigkeit des damaligen Menschenschlags.

Das Narrengewand Der ganze Geist der Zeit prägt sich eindringlich und klar in dem Kostüm aus, das damals aufkam. Es ist die Kleidung von Erotomanen und Verrückten, ein wüster Hexensabbat von Formen und Farben, wie er in der Geschichte der Trachten vielleicht einzig dasteht. Die Frauen tragen kreisrunde Löcher im Gewand, die die nackten Brüste sehen lassen, der Gürtel drängt den Busen gewaltsam nach oben, um ihn möglichst voll erscheinen zu lassen, auch durch Ausstopfen wird gern nachgeholfen; an den Hosen der Männer, die ganz prall anliegen, um die Formen möglichst stark zur Geltung zu bringen, sind weithin sichtbare Penisfutterale angebracht, oft von riesigen Dimensionen. Mit diesen exhibitionistischen Moden kontrastiert seltsam die oft völlige Verhüllung des Antlitzes durch groteske Kapuzen, die Gugeln, die nur einen Ausschnitt für die Augen freilassen. Daneben macht sich ein Zug zum Perversen geltend: die Damen tragen Pagenfrisuren, die Männer kokette Locken, die sorgfältig mit Eiklar gekräuselt sind, und nicht selten sogar Zöpfe, sie schnüren sich und machen sich künstliche Brüste. Falls Vollbärte getragen werden, sind sie von bizarren Formen: entweder gabelförmig geteilt oder ganz spitz, mit zwirndünnen Enden, die im Bogen nach oben gedreht werden; dabei immer stark parfümiert und mit Vorliebe rot gefärbt: diese diabolische Farbe, die sonst gewöhnlich ein gewisses Odium an sich hat, wird jetzt die bevorzugte Mode. Abenteuerlich nach oben gekrümmt sind auch die riesigen Schuhe, deren Spitzen bisweilen bis zum Knie reichen und dort mit Schnüren befestigt werden müssen. Dazu kommen bei den Frauen enorme Schleppen und monströse Hauben, von denen lange Schwänze bis zum Boden herabschleifen, bei den Männern Zuckerhüte oder hohe Turbane und geschlitzte Wämser, von denen dicke Quasten und Troddeln oder lange gezackte Tuchstreifen, die sogenannten Zatteln, herunterbaumeln. Die Kleider waren mit Gold, Perlen und Edelsteinen und seltsamen eingestickten Figuren geschmückt: Blitzen, Wolken, Dreiecken, Schlangen, Buchstaben, symbolischen Zeichen. Die Farben waren glänzend und unruhig: Zinnoberrot, Grasgrün, Lachsrosa, Schwefelgelb waren besonders beliebt. Zugleich sollte die Kleidung einen möglichst gescheckten, gewürfelten Eindruck machen: man nähte daher die Röcke aus vielerlei verschiedenfarbigen Lappen zusammen, trennte die Ärmel auf, so daß das grellbunte Futter hervorsah, und wählte für Schleppen und Zatteln besondere Einfassungen, auch die beiden Hosenbeine durften nicht die gleiche Couleur haben. Dazu kam ein reicher Besatz von Goldstücken oder silbernen Schellen, die bei jeder Bewegung klingelten, kurz: es ist das stereotype Gewand, unter dem wir uns noch heute einen Narren vorstellen, und es fehlt nichts als die Pritsche.

Blicken wir auf alles noch einmal zurück, so haben wir die Impression eines tollen, grauenvoll unwirklichen Höllenspuks, und zwar, wie nochmals hervorgehoben werden muß, auch in jenen Partien des Bildes, die den Eindruck eines behaglich gefestigten, im praktischen Tun sicher verankerten Daseins machen. Denn auch hier ist die realistische Lebenshaltung nur Hülle und Maske, die harte und glänzende Schale, die einen giftigen und verfaulten Kern deckt: die Flucht in die Welt ist nicht Selbstzweck, nur Flucht vor sich selber. So hat es auch jener große englische Dichter gesehen, der in der zweiten Hälfte des vierzehnten Jahrhunderts unter dem Namen William Longland die „Vision Peters des Pflügers" schrieb: in einer Reihe von erschütternden Gesichten zieht das Zeitalter mit allen seinen Lastern vorüber, die sich von

Gesang zu Gesang zu immer unerträglicherer Schreckhaftigkeit steigern; und als der Dichter endlich aus seinen Träumen erwacht, muß er bitterlich weinen.

Der Bö-sianer auf dem Thron Wenn wir nun eine repräsentative Erscheinung nennen sollten, die das Bild des Zeitalters in verkürzten, aber eben darum übersichtlicheren Linien darstellt, so befinden wir uns in großer Verlegenheit: die Zeit hat nirgends solche Männer hervorgebracht. Es ist alles noch eine Masse, ein Rohstoff, ein Sauerteig, ein allgemeines Suchen und Tasten, das sich an keinem Punkte in einem starken Individuum zur selbstbewußten Klarheit kristallisiert. Wir müssen zu diesem Zwecke um fast hundert Jahre zurückgehen, und da finden wir allerdings zwei Persönlichkeiten, die die beiden antagonistischen Tendenzen des Zeitalters sozusagen vorverkörpert haben: zwei deutsche Kaiser, Rudolf von Habsburg und Friedrich der Zweite. Insofern sie das Vorstellungsleben späterer Generationen antizipiert haben, besaßen sie beide etwas Geniales, obschon man sich bei dem Habsburger zu diesem Prädikat wohl nur in dem Sinne wird entschließen können, daß er die Wesenszüge des ungenialen und antigenialen Menschen mit solcher Energie in sich konzentriert und zum höchsten Extrem gesteigert hat, daß man eben auch darin wieder eine schöpferische Tat erblicken muß. Vorauseilend hat er den ganzen Materialismus der städtischen Kultur in sich bereits erlebt und inkarniert; in einer Zeit, die die Zusammenhänge des Lebens noch vorwiegend romantisch sah. Es ist weder einem kuriosen Zufall noch einem schlauen Frontwechsel der kurfürstlichen Politik zu verdanken, daß nach den Hohenstaufen ein solcher Mann auf den Thron gelangte. In diesem Geschlecht hatte die Kaiseridee ausgeblüht; das deutsche Königtum hatte von nun an nur noch zwei Möglichkeiten: entweder völlig abzudanken oder aber sich auf eine neue Basis zu stellen, sein Gesicht so vollständig zu verändern, daß eine Negation des Bisherigen herauskommen mußte. Dies tat Rudolf von Habsburg: darum war er der rechte Mann. Und es ist klar, daß auch nur ein Mensch mit seinen Eigenschaften im Deutschen Reich Ordnung machen konnte: ein völlig feuerloser, idealloser, nur auf das Handgreiflichste und Nächste gerichteter, dies aber fest und sicher erfassender

Geist. Rudolf von Habsburg ist der erste große Philister der neueren Geschichte, der erste bürgerlich orientierte Mensch im Königsmantel; in ihm gelangt der Geschäftsmann, der Realpolitiker, der Hausmachtschieber ans Staatsruder, der Mann ohne Vorurteile, das heißt: ohne Gewissen und ohne Phantasie.

Eine eigentümliche, fast unheimliche Glanzlosigkeit liegt um seine Gestalt und seine Regierung. Wie sein Gewand, so war dieser ganze Mensch: grau, farblos, abgetragen, unansehnlich, unrepräsentativ. Seine vielgerühmte „Schlichtheit" hatte ihre Wurzel teils in schlauer Berechnung, einem Werben um Lesebuchsympathien, teils in Kleinlichkeit und Geiz, teils in einem völligen Mangel an Temperament. Er war eine vollkommen amusische Natur, ohne Verständnis oder auch nur Sympathie für die Künste, gegen die Dichter seines Hofes knauserig und sie nur so weit fördernd, als er in ihnen eine „gute Presse" witterte, wie er denn überhaupt alle Menschen nur unter dem Gesichtspunkt seines persönlichen Vorteils ansah, den er ebenso vorsichtig zu erspähen wie energisch festzuhalten wußte: der Prototyp des biegsamen und zähen, fischblütigen und gewalttätigen, versierten und skrupellosen selfmademan. Römisch war er aus reiner Politik, weder aus Frömmigkeit noch aus Überzeugung, auch nicht aus Bigotterie: denn in diesem engen Herzen hatte nicht einmal der Fanatismus Platz. Er war, wie alle Geschäftsleute, sehr peinlich um den äußerlich guten Ruf der Firma besorgt, was ihn natürlich nicht hinderte, überall, wo es sich vertuschen oder beschönigen ließ, zu den gröbsten Unredlichkeiten und Brutalitäten zu greifen und bei jeder passabeln Gelegenheit zu schnorren und zu erpressen. Sehr treffend sagt Johannes Scherr von ihm, daß er heutzutage wahrscheinlich an der Börse gespielt hätte wie Louis Philipp. Er erinnert auch darin an einen modernen Finanzmann, daß er die typische Börsianersexualität besaß, jene grobe Form der Geilheit und Potenz, die bei großen Geldmännern sehr häufig angetroffen wird. Schon die Zahl seiner legitimen Kinder war sehr groß, und er heiratete noch mit sechsundsechzig Jahren ein vierzehnjähriges Mädchen, aber auch das scheint ihm nicht genügt zu haben, denn er hielt sich „auf Anraten der Ärzte" dazu noch mehrere Mätressen.

Der Instinkt der Geschichte hat aber trotz oder vielmehr wegen dieser dubiosen Charaktereigenschaften durchaus das Richtige getroffen, wenn er in ihm den Inaugurator einer neuen Zeit und, im besonderen, den Begründer der österreichischen Großmacht erblickt hat. Denn er war es in der Tat, der den Kanevas geschaffen hat, nach dem Österreich groß geworden ist und allein groß werden konnte: er ist der Urheber der Austria-nube-Politik und der Erfinder jener Taktik des „Temporisierens", Lavierens, Hinhaltens, halben Versprechens, die sich sechs Jahrhunderte lang für die Habsburger so erfolgreich erwiesen hat; und er hat schon damals mit klarem Blick die Trassen für das spätere österreichisch-ungarische Staatsgebilde abgesteckt: Böhmen, Ungarn, Südslawien, gruppiert um den festen Kern der deutschen Stammländer. Er war die siegreiche Verkörperung eines Seelenzustandes, den die Welt erst viel später in seiner Nützlichkeit und in seiner Nichtsnutzigkeit begriff und dem erst Kürnberger einen Namen gegeben hat: der „österreichischen Haus,- Hof- und Staatspflicht: nicht zu sein, sondern zu scheinen".

Der Nihilist auf dem Thron Eine Figur von ganz anderem Guß ist Friedrich der Zweite: einer der genialsten Menschen, die jemals eine Krone getragen haben. Er erinnert in seiner humanen Universalität und weitblickenden Staatsklugheit an Julius Cäsar, in seiner Freiheit und Geistigkeit an Friedrich den Großen und durch sein Feuer, seinen Unternehmungsgeist und eine gewisse künstlerische Lausbubenhaftigkeit an Alexander den Großen. Alle diese Eigenschaften haben aber bei ihm eine ausgesprochen nihilistische Färbung: sein universelles Verständnis für alles Menschliche wurzelt weniger in der Erkenntnis, daß alles Lebende gleichberechtigt ist, als in der Überzeugung, daß niemand recht hat; seine Denkfreiheit ist eine Form des Atheismus, seine feine und überlegene Geistigkeit Skeptizismus, sein Temperament und seine Energie eine Art schöpferisches Auflösen aller politischen und religiösen Bindungen: er war nur ein Zertrümmerer, freilich ein grandioser und dämonischer.

Fühlte sich Rudolf von Habsburg sozusagen moralisch exterritorial, weil er in seinem extremen Materialismus ethische Gesichtspunkte überhaupt nicht bemerkte, so kam bei Friedrich eine ganz ähnliche Geisteshaltung dadurch zustande, daß er diese Gesichtspunkte tief unter sich erblickte. Er war ungefähr das, was Nietzsche unter einem „freien Geist" versteht: von einer großartigen Gewissenlosigkeit, einer antiken Ruchlosigkeit, wie sie etwa in Gestalten wie Alkibiades und Lysander verkörpert ist, dabei, wie fast alle freien Geister, „abergläubisch", der Astrologie und Nekromantik ergeben, alles Geschehen mit dem kalten Blick des Fatalisten abmessend, der sich als Schachfigur einer blinden und oft absurden Notwendigkeit empfindet. Es steht dazu in gar keinem Widerspruch, daß er zugleich ein eminent wissenschaftlicher Kopf war, Studien und Untersuchungen förderte, die der damaligen Anschauung als wertlos oder gottlos erschienen, Universitäten, Bibliotheken und den ersten zoologischen Garten gründete, ein geradezu leidenschaftliches Interesse für Naturkunde besaß, selber eine ausgezeichnete ornithologische Abhandlung verfaßte und alles in die Einflußsphäre seines Hofes zu ziehen suchte, was vorwärtsdrängend, geistig regsam, philosophisch orientiert war: in den Dichtern freilich hat er, obgleich er selber einer der ersten war, die italienische Verse schrieben, ebenfalls nur politische Werkzeuge erblickt, aber er hat sich ihrer in unvergleichlich großzügigerer und verständnisvollerer Weise bedient als Rudolf. Dabei war er aufs tiefste von seinem Gottesgnadentum durchdrungen, das er aber auf eine für mittelalterliche Ohren höchst befremdliche Weise als eine naturgesetzliche Notwendigkeit definierte. Daß er die Sarazenen lieber hatte als die Christen, ist bekannt: diese feinen, kühlen Weltleute mit ihrer raffinierten Diplomatie und Liebeskunst, ihrer toleranten und schon etwas senilen Philosophie, ihrer hochentwickelten Algebra und Medizin, Sternwissenschaft und Chemie mußten einer Natur wie der seinigen viel näher stehen. Sein Vorgehen in Palästina ist ein Unikum in der ganzen Geschichte der Kreuzzüge. Obgleich vom Papst gebannt und von den Kreuzrittern nicht unterstützt, ja befehdet, hat er dennoch größere positive Erfolge erzielt als alle seine Vorgänger, und zwar ganz einfach durch gütliche Verhandlung mit der arabischen Regierung. Es stellte sich sehr bald heraus, daß der Sultan ein ebenso feingebildeter, wohlerzogener und einsichtsvoller Kavalier war wie der Kaiser, und es kam sehr bald zu einer für beide Teile günstigen Lösung des Palästinaproblems. Aber das Vernünftige und Natürliche hat für die Menschen niemals großen Reiz besessen, und die Zeitgenossen haben Friedrich für seine unblutigen Siege im gelobten Land wenig gedankt.

Die drei Betrüger Weltbekannt ist der Ausspruch, den er getan haben soll: die drei größten Betrüger, die je gelebt haben, seien Moses, Christus und Mohammed gewesen; ja man behauptet sogar, daß ein Buch dieses Inhalts „De tribus impostoribus" von ihm verfaßt worden sei. Dies ist ganz bestimmt falsch; aber auch der Ausspruch ist nicht nachweisbar. Ein andermal soll er beim Anblick eines Kornfeldes ausgerufen haben: „Wie viele Götter wird man aus diesem Getreide entstehen sehen?" Einem sarazenischen Fürsten, der ihn bei einer Messe fragte, was die erhobene Monstranz bedeute, soll er geantwortet haben: „Die Priester erdichten, dies sei unser Gott." Auch diese Worte sind wahrscheinlich legendär. Es liegt jedoch in solchen Anekdoten, die hartnäckig die Jahrhunderte überdauern, immer eine tiefere Wahrheit. Auch Galileis Ausspruch: „*E pur si muove*" ist nicht historisch, und Luther hat niemals gesagt: „Hier steh ich, ich kann nicht anders." Mit solchen Erdichtungen soll aber ausgedrückt werden, daß diese Männer diese Worte damals gesagt haben k ö n n t e n, ja daß sie sie eigentlich hätten sagen m ü s s e n: sie haben den Zweck, die tatsächliche Situation einheitlicher und eindrucksvoller zusammenzufassen, und sind daher in gewissem Sinne wahrer als die Wahrheit der Geschichte. Ebenso verhält es sich mit der Bemerkung von den „drei Betrügern". Der Kaiser wollte mit ihr wahrscheinlich folgendes sagen: ich sehe, daß die Jünger Mosis unablässig gegen die zehn Gebote sündigen; ich sehe, daß die Schüler Mohammeds gegen den Koran leben; ich sehe, daß die Bekenner Christi in seinem Namen hassen und morden; wenn dem so ist, dann sind alle drei Religionen: Judentum, Islam und Christentum ein großer Betrug. Hingegen ist es gänzlich unwahrscheinlich, daß er damit irgendeine Gehässigkeit gegen die Person der drei Religionsstifter zum Ausdruck bringen wollte: dazu hätte er ein fanatischer religiöser Desperado oder ein moderner aufgeklärter Schwachkopf sein müssen. Er war aber keines von beidem, sondern das Erschütternde an seiner Gestalt ist eben der völlige religiöse Indifferentismus, der ihn durchdrang: er haßte und bekämpfte keines der drei monotheistischen Bekenntnisse, sondern sie waren ihm alle drei gleichgültig. Auch die Überzeugung von der Fluchwürdigkeit einer Glaubenslehre ist noch ein Glaube; Friedrich aber glaubte an gar nichts. Nietzsche korrigiert einmal: *„Tout comprendre c'est tout mépriser"*: dieser mépris für alle und alles war das verheerende Grundpathos in der Seele Friedrichs des Zweiten.

Es ist begreiflich, daß diese geheimnisvolle Persönlichkeit bei den Zeitgenossen ebensoviel Abscheu wie Bewunderung erregt hat: die einen nannten ihn *stupor mundi*, das Wunder der Welt, die anderen erblickten in ihm den Antichrist. „Aus dem Meer ist ein Tier aufgestiegen", beginnt ein Sendschreiben Gregors des Neunten, „voll Namen der Lästerung, mit den Füßen eines Bären, dem Rachen eines wütenden Löwen und an allen übrigen Gliedern einem Pardel gleich. Betrachtet genau Haupt, Mittel und Ende dieses Tieres, das sich Kaiser nennt." Das Volk aber machte aus ihm einen Nationalheiligen, eine unvergängliche Sagengestalt. Es hieß, er sei gar nicht gestorben, sondern werde eines Tages wiederkehren, um den päpstlichen Stuhl umzuwerfen, ein Reich des Glanzes und der Herrlichkeit zu errichten und allen Mühseligen und Beladenen als Heiland und Befreier zu erscheinen. Immer wieder tauchten von Zeit zu Zeit falsche Friedriche auf, der letzte erst im Jahre 1546. Dann wieder hieß es, er schlafe im Kyffhäuser, und diese Legende ist erst im prosaischen neunzehnten Jahrhundert auf seinen viel unbedeutenderen Großvater Friedrich den Ersten übertragen worden, dessen roter Bart seither zum Entzücken aller Oberlehrer um den Marmortisch wächst.

Aber im vierzehnten und fünfzehnten Jahrhundert war Europa überhaupt von lauter kleinen Rudolfen und Friedrichen bevölkert. Coincidentia oppositorum Nun entspringen ja Materialismus und Nihilismus einer ganz ähnlichen Seelenverfassung. Beide leugnen die Wirksamkeit höherer Kräfte im Dasein: der Nihilismus, weil er n i c h t m e h r, der Materialismus, weil er n o c h n i c h t an sie glaubt. Beide sind Krankheitserscheinungen, pathologische Lebensaspekte: der Nihilismus, weil er zu sehr von der Realität abrückt, sie aus einer zu fernen Perspektive ansieht, in der alles zu wesenlosem Dunst und Nebel verschwimmt, der Materialismus, weil er zu wenig von der Realität abrückt, sie aus seiner nahen Perspektive ansieht, in der die großen und wesentlichen Züge nicht erkennbar sind. Der Nihilismus leidet an Herzerweiterung, indem er alles gleichberechtigt anerkennt, was so viel heißt wie: nichts; das Gebrechen des Materialismus ist die Engherzigkeit, die nichts gelten läßt als das direkt Greifbare und den gröbsten Sinnen Eingängige, das heißt: das Wertlose und Unwichtige. Beide Standpunkte repräsentieren eine unernste Auffassung des Daseins, beide sind unfundiert, wurzellos. Der Philister hängt genau so in der Luft wie der Freigeist.

Dies ist die geheime innere Verwandtschaft, die zwischen diesen beiden Geistesrichtungen besteht. In ihrer Auswirkung und äußeren Erscheinung jedoch sind sie extreme Gegensätze, völlig polare Lebensanschauungen. Von allen möglichen Formen, unter denen sich die Wirklichkeit begreifen läßt, sind sie offenbar die beiden verschiedensten. Wie war es nun möglich, daß zwei so schroffe Kontraste in demselben Zeitalter, ja oft in demselben Menschen nebeneinander bestehen konnten? Hier gelangen wir zu dem Zeitgedanken, der diese ganze „Inkubationszeit" erfüllt und beherrscht hat; und während wir bei der Feststellung der repräsentativen Persönlichkeiten zu einem künstlichen Auskunftsmittel, einer Notkonstruktion greifen mußten, befinden wir uns hier in einer weit günstigeren Lage. Denn eben dies: daß das Leben in der Vereinigung scheinbar ganz unvereinbarer Gegensätze bestehe, daß der Mensch nichts anderes sei als das Zusammentreffen zweier Widersprüche, ist der Grundgedanke der Zeit, und er ist von dem größten, ja vielleicht einzigen Philosophen des Zeitalters mit leuchtender Klarheit formuliert worden.

Nikolaus Cusanus

Dieser Philosoph war Nikolaus aus Kues bei Trier, genannt Cusanus, gestorben 1464, einer der vielseitigsten Gelehrten des Zeitalters, der vom Sohn eines armen Moselfischers zum einflußreichen Kirchenfürsten emporstieg. In den großen theologischen Streitigkeiten seines Jahrhunderts hat er eine entscheidende Rolle gespielt: er vertrat dabei die moderne, die konziliare Anschauung, die er in seinem großen Werk „de concordantia catholica" dem Baseler Konzil unterbreitete. Sein Hauptgegner war Johannes de Torquemada, der in seiner Abhandlung „Summa de ecclesia et eius auctoritate" für Jahrhunderte die Grundlinien der papalistischen Doktrin festgelegt hat. Nikolaus Cusanus war auch der erste, der die konstantinische Schenkung bezweifelte, die dann Laurentius Valla als Fälschung entlarvte; er hat ein Religionsgespräch verfaßt, in dem er für die Vereinigung sämtlicher Konfessionen: der Christen, Juden, Türken, Inder, Perser eintritt; er beantragte in der Schrift „De reparatione calendarii" eine Kalenderreform, die die gregorianische vorwegnimmt, und er lehrte die Kugelgestalt und Achsendrehung der Erde. In seiner Philosophie ist er, als früherer Zögling der Fraterherren von Deventer, teilweise Mystiker; aber auch gewisse scholastische und naturphilosophische Gedankengänge finden in seinem Lehrgebäude ihren Platz, und so kommt es, daß ihn die verschiedensten Schulen für sich reklamiert haben. In Wirklichkeit war er ein umfassender Geist vom Schlage Leibnizens und Hegels, der den gesamten Bildungsgehalt seiner Zeit in sich zur organischen Einheit assimiliert hatte.

Auf der Rückfahrt von Konstantinopel, wo er sich als päpstlicher Gesandter aufgehalten hatte, 1438, ging ihm das Grundprinzip seiner Philosophie auf: die *coincidentia oppositorum*. Alles Existierende ist, lebt und wirkt dadurch, daß es der Kreuzungspunkt zweier Gegensätze ist. Eine solche coincidentia oppositorum ist Gott, der das absolute Maximum darstellt, denn er ist die allumfassende Unendlichkeit, und zugleich das absolute Minimum, denn er ist in jedem, auch dem kleinsten Ding enthalten; eine coincidentia oppositorum ist die Welt, die in den Einzelwesen eine unermeßliche Vielheit, als Ganzes aber eine Einheit bildet; eine coincidentia oppositorum ist jedes Individuum, denn es ist nicht bloß im All enthalten, sondern auch das ganze All in ihm: *in omnibus partibus relucet totum*; eine coincidentia oppositorum ist der Mensch, der als ein Mikrokosmos, ein *parvus mundus* alle erdenklichen Gegensätze: Sterblichkeit und Unsterblichkeit, Körper und Seele, Tierheit und Gottheit in sich vereinigt und dazu noch von dieser Verknüpfung weiß; eine coincidentia oppositorum ist schließlich der Cusaner selbst, der Religion und Naturwissenschaft, Patristik und Mystik miteinander versöhnt hat, ein bedächtiger Bewahrer des Alten und feuriger Verkünder des Neuen, Weltmann und Gottsucher, Ketzer und Kardinal, der letzte Scholastiker und der erste Moderne.

Wie aber diese allseitige Konkordanz des scheinbar Feindlichen, diese Übereinstimmung des Widerstreitenden zustande kommt, das ist ein göttliches Geheimnis, das wir nicht durch den Verstand ergründen, sondern nur durch übersinnliches Schauen erfassen können: durch einen inneren Vorgang, den der Cusaner, indem er wiederum zwei Widersprüche zusammenkoppelt, als *docta igno-rantia*, als *comprehensio incomprehensibilis* bezeichnet. Die Phänome-ne des Magnetismus und der Elektrizität waren ihm noch nicht bekannt, sonst hätte er auch aus ihnen die bedeutsamsten und spre-chendsten Belege für seine Lehre von der Polarität entnehmen können. Es ist, alles in allem genommen, das Prinzip der schöp-ferischen Paradoxie, das er in die Philosophie eingeführt, auf allen Gebieten der inneren und äußeren Erfahrung aufgespürt und erläutert und in seinem eigenen Leben und Schaffen in höchst sug-gestiver Weise verkörpert hat.

Zweifache Wahrheit, doppelte Buchfüh-rung, Kontrapunkt und Totentanz

Wir sagten am Schlusse des vorigen Kapitels, der mittelalterliche Mensch mache einen widerspruchsvollen Eindruck. Aber diese Widersprüchlichkeit ist ganz wesentlich verschieden von der des Menschen der „Inkubationszeit". Denn zunächst flossen diese Kon-traste doch alle aus einer großen Einheit: dem Glauben, und sodann waren sie nur objektiv vorhanden: für den Betrachter; die Men-schen selbst spürten sie nicht. Das ändert sich jetzt: die Zeitgenos-sen des Cusaners waren sich ihrer Widersprüche sehr wohl bewußt und litten unter ihnen. Durch alle Erscheinungen, die das Zeitalter hervorgebracht hat, geht ein Bruch, ein Riß, eine große Fuge, das Gefühl eines weltbeherrschenden Dualismus: der Zweiseelen-mensch tritt in die Geschichte.

Wir haben bereits erwähnt, daß erst in jener Zeit der Dualis-mus zwischen Stadt und Land in seiner vollen Schärfe zu-tage tritt; es gibt von jetzt an zwei gegensätzliche Kulturen, eine ritterliche und eine merkantile: die eine ist in der Burg konzentriert, die andere im Bürger. Um dieselbe Zeit kommt in der Theologie die Lehre von der zweifachen Wahrheit zum Durchbruch: die Theorie, daß dieselbe Behauptung in der Theologie richtig und in der Philosophie falsch sein könne, womit sich zum erstenmal jene ungeheure Kluft zwischen wissenschaftlicher und religiöser Weltanschauung auftut, die das Mittelalter nicht kannte und die durch die ganze Geschichte der Neuzeit gähnt. Gähnt: denn es ist sehr unheimlich und nicht selten recht langweilig, die Anstrengungen all der Priester, Politiker, Künstler, Philosophen, Naturforscher zu verfolgen, die sich in meist sophistischen Deduktionen mit dieser Frage befassen, indem sie die beiden Erlebnisformen des Glaubens und des Wissens bald künstlich und oberflächlich miteinander zu versöhnen, bald in eine möglichst scharfe Gegensätzlichkeit zu treiben suchen, während das Mittelalter hier noch eine große Einheit empfand: ich glaube, was ich weiß; ich weiß, was ich glaube. Es ist jedoch eines der vielen seichten Mißverständnisse der liberalen Geschichtschreibung, wenn sie in der Annahme jener „zweifachen Wahrheit" nichts als Jesuitismus erblickt: es handelte sich vielmehr um eine neue Dominante der Weltanschauung. Daß wir es auch hier nur mit einer der vielen Formulierungen des Gedankens der coincidentia oppositorum zu tun haben, wird völlig klar in der Lehre von der Diskrepanz, die die Occamisten vertraten: über jede theologische Grundfrage: Sündenfall und Jüngstes Gericht, Inkarnation und jungfräuliche Geburt, Abendmahl und Auferstehung gebe es zwei widerstreitende Ansichten, in deren Vereinigung erst die höchste Wahrheit bestehe. Und auf einem ganz heterogenen Gebiet gelangt in diesem Zeitraum ebenfalls eine dualistische Technik zur Herrschaft: im kaufmännischen Rechnungswesen kommt die doppelte Buchführung auf, die *partita doppia*, die *loi digraphique*: die Usance, jeden Betrag auf zwei entgegengesetzten Seiten zu buchen; das Geschäftskonto wird zu einer coincidentia oppositorum. Den stärksten Ausdruck schafft sich das neue Weltgefühl aber in der Musik: das mittelalterliche Prinzip der Monodie wird von der Polyphonie abgelöst und der Kontrapunkt gelangt zur vollen Ausbildung:

sein erster Klassiker ist John Dunstaple, gestorben 1453 in London. Ein sprechendes Symbol der coincidentia oppositorum sind auch die Totentänze, die *danses macabres*, die das vierzehnte und fünfzehnte Jahrhundert in zahllosen bildlichen und dramatischen Darstellungen veranschaulicht hat: Jünglinge und Greise, Frauen und Kinder, Bauern und Bischöfe, Könige und Bettler, Narren und Heilige, alle erdenklichen Menschenklassen drehen sich in wildem Reigen, und der Tod spielt dazu die Fiedel. Plastischer und ergreifender läßt sich die Art, wie die Menschen damals aufs Leben blickten, nicht zum Ausdruck bringen: Tod und Tanz verschwistert, die trunkenste Daseinsbejahung ein Taumeln ins Grab. So zieht dieses ganze Zeitalter noch heute an uns vorüber: als ein tolles Ballfest von Todgeweihten; und seine vielgerühmte Lebenslust war die Euphorie des Irren.

Die Überseele   Das Bild wäre aber nicht vollständig, wenn wir eine dritte Strömung unerwähnt ließen, nicht die wichtigste, wohl aber die gewichtigste des ganzen Zeitalters. Wenn wir im Materialismus und Nihilismus die beiden Antagonisten der Doppelseele dieser Jahrhunderte erblickten, so haben wir es hier gewissermaßen mit einer Überseele zu tun, die in seliger Geborgenheit ruhevoll und geheimnisvoll über der Zeit schwebt. Wir sprechen von der Mystik.

Allem Anschein nach regierte damals der Teufel die Welt: die Menschen glaubten es, und uns selbst scheint es so. Aber es scheint nur so: denn in Wahrheit regiert er ja niemals die Welt. Gott war auch damals nicht tot, er lebte so stark wie je in den Gemütern der irrenden und suchenden Menschen. Eine ganz neue, wilde und innige Frömmigkeit brach gerade zu jener Zeit aus den tiefsten Wurzeln der Menschenseele hervor. Schlichte Männer aus dem Volke hatten allerlei bedeutsame Visionen. Ein Kaufmann in Straßburg, Rulman Merswin, griff auf die Urlehre vom allgemeinen Priestertum aller Christgläubigen zurück und erklärte, der gottbegnadete Laie, der „Gottesfreund" sei der berufenste Vermittler der himmlischen Gnade. Unter diesem Sammelnamen vereinigten sich alle, denen es um ihr Christentum ernst war, durch nichts verbunden als durch die Lauterkeit ihrer Gesinnung und die

Tiefe ihrer Heilssehnsucht. Und ein Element vor allem begann in die religiöse Bewegung einzugreifen, das bisher fast ganz im Hintergrund geblieben war: die Frauen, denen noch vor kurzem von angesehenen Kirchenlehrern die Seele abgesprochen worden war. Religiös erweckte Frauen begannen ihre Gesichte und Entrückungen, ihre geheimnisvollen Erfahrungen im Verkehr mit Gott in Briefen und Tagebüchern, Memoiren und Lebensbeschreibungen aufzuzeichnen, eine ganz eigenartige Literatur der ekstatischen Beichten und Selbstbekenntnisse entstand. Bald taten sie sich auch in eigenen Klöstern zusammen: als Beghinen oder Betschwestern, denen erst später die männlichen Begharden an die Seite traten, und hier kam es zu großen mystischen Kollektiverlebnissen. Wir stehen hier vor einer wichtigen kulturhistorischen Tatsache, der wir noch oft begegnen werden: der Tatsache nämlich, daß große geistige Bewegungen, große seelische Erneuerungen sehr oft von den Frauen ihren Ausgang nehmen. Die Frau besitzt eine natürliche Witterung für alles Keimfähige, geheimnisvoll Werdende, für alles, was mehr der Zukunft angehört als der Gegenwart: dieser gewissermaßen telepathische Sinn ist bei ihr meist stärker entwickelt als beim Mann. Auch ist sie viel weniger konservativ und viel weniger einseitig als der Mann. Dieser bildet eine in sich abgeschlossene, scharf profilierte Einheit, er ist der geborene Berufsmensch und Fachmann; aber die Frau stellt eine Art Allheit dar, ihre Seele ist allen Möglichkeiten geöffnet, sie besitzt jene Gabe, alles zu sein, sich in alles verwandeln zu können, die unter den Männern nur dem Genie verliehen ist, weswegen man auch oft und mit Recht betont hat, daß jedem Genie etwas Weibliches anhafte.

Alle religiösen Erscheinungen des Zeitalters sind von einem großen gemeinsamen Grundwillen ins Leben gerufen worden: dem Willen, zu Gott zurückzufinden, nicht zu dem durch tausend äußere Zeremonien verdeckten und durch ein Gewirr spitzfindiger Syllogismen verdunkelten Kirchengott, sondern zu der tiefen, reinen und heiteren Quelle selbst, aus der alles Leben fließt. Innerhalb der Kirche waren die Hauptträger dieser Bewegung die Mönchsorden, vor allem die Dominikaner und die Franziskaner.

Sie begannen, wie dies allemal der Fall gewesen ist, die Reform des christlichen Glaubens und Lebens mit der Rückkehr zu den urchristlichen Lehren und Sitten. Die Dominikaner vertraten eine mehr gemäßigte Richtung, sie erklärten, der Mensch habe sich in der Nachfolge Christi auf das „Notwendigste" zu beschränken, die Franziskaner machten jedoch vollen Ernst, sie lehrten, niemand könne selig werden, der nicht der Welt entsage und danach strebe, in seinem Wandel ein Ebenbild der Apostel zu werden, und dies gelte vor allem von den irdischen Nachfolgern Petri, den Päpsten. Kein Wunder, daß Papst Johann der Zweiundzwanzigste ihre Doktrin für häretisch erklärte. Auf dem Gebiete der Predigt bewahrten umgekehrt die Franziskaner einen größeren Zusammenhang mit der Welt, sie wollten ins Volk wirken, hielten daher vor allem auf Plastik und Eindringlichkeit und scheuten auch vor grobrealistischen und derbsatirischen Mitteln nicht zurück. Die Dominikaner dagegen sind die Klassiker der mystischen Philosophie geworden. Ihre größte Leuchte ist Meister Eckhart, einer der tiefsten und universellsten Köpfe, die Deutschland hervorgebracht hat.

Die neue Religion
Eckhart ist eine eigenartige Kreuzung aus einem kristallklaren Denker, einem Dichter von unvergleichlicher Wucht, Plastik und Originalität der Bildersprache und einem religiösen Genie. Seine Lehren, die nach seinem Tode von der Kurie verdammt wurden, ziehen die Summe aller mystischen Spekulation. Es versteht sich, daß er Agnostiker ist; von der Wahrheit sagt er: wäre sie begreiflich, so könnte sie gar nicht Wahrheit sein. In undurchdringlicher Finsternis, in unbeweglicher Ruhe thront die Gottheit; wir können von ihr nur Negationen aussagen: daß sie unendlich, unerforschlich, ungeschaffen sei; jedes positive Prädikat macht aus Gott einen Abgott. Gott ist nicht dies oder das: wenn einer wähnt, er habe Gott erkannt, und sich irgend etwas darunter vorstellt, so hat er wohl „irgend etwas" erkannt, nur Gott nicht. „Du sollst ihn erkennen ohne Hilfe eines Bildes, einer Vermittlung oder Ähnlichkeit. – ‚Soll ich Gott so ohne Vermittlung erkennen, so muß ich ja geradezu er und er muß ich werden!' – Aber das meine ich ja gerade! Gott muß geradezu ich werden und ich geradezu Gott!" „Das

geringste kreatürliche Bild, das sich in dir bildet, ist so groß wie Gott. Warum? Es benimmt dir einen ganzen Gott! Denn in dem Augenblick, wo dieses Bild in dich eingeht, muß Gott weichen mit aller seiner Göttlichkeit. Aber wo dieses Bild ausgeht, da geht Gott ein. Ei, lieber Mensch, was schadet es dir denn, wenn du Gott gönnest, in dir Gott zu sein?" „Nie hat ein Mensch sich irgendwonach so sehr gesehnt, wie Gott sich danach sehnt, den Menschen dazu zu bringen, daß er Gottes inne werde. Gott ist allezeit bereit, aber wir sind sehr unbereit; Gott ist uns nahe, aber wir sind ihm fern; Gott ist drinnen, wir sind draußen; Gott ist bei uns heimisch, wir sind bei ihm Fremde!" Um nun zur reinen Anschauung Gottes, ja zur Einheit mit Gott, zur „Vergottung" zu gelangen, bedarf es nur des Stillehaltens: der Mensch muß schweigen, damit Gott sprechen kann, der Mensch muß leiden, damit Gott wirken kann. Alle Kreaturen sind ein lauteres Nichts: es gibt nur Gott, nicht Gott und die Kreatur, wie unser Unverstand glaubt. Daher müssen wir unsere Kreatürlichkeit abstreifen. Dazu gelangen wir durch die „Abgeschiedenheit", nämlich die Loslösung von aller Sinnlichkeit und durch die Armut: ein armer Mensch ist, wer nichts weiß, nichts will und nichts hat. Solange der Mensch noch etwas Bestimmtes begehrt, ist er noch nicht recht arm, das heißt: noch nicht recht vollkommen. Deshalb sollen wir auch im Gebet um nichts bitten als allein um Gott: wer um etwas bittet, der bittet um ein Nichts. Auch die kirchlichen Gnadengaben sind für den wahrhaft Frommen überflüssig, ihm wird jede Speise zum Sakrament. Nicht auf Beichten, Messehören und dergleichen kommt es an, sondern auf die Geburt Christi in uns: auch Maria ist selig, nicht weil sie Jesum leiblich, sondern weil sie ihn geistig geboren hat, und das kann ihr jeder Mensch in jeder Stunde nachmachen. Tugend besteht nicht in einem Tun, sondern in einem Sein, die Werke sollen nicht uns, wir sollen die Werke heiligen. Heilig sind aber nur die Werke, die um ihrer selbst willen geschehen. „Ich behaupte entschieden: solange du deine Werke verrichtest um des Himmelreichs, um Gottes oder um deiner Seligkeit willen, also von außen her, so bist du wirklich nicht auf dem richtigen Wege. Man kann es ja wohl mit dir aushalten, doch das Beste ist das nicht." Alles Höchste aber kann der Mensch erreichen, wenn er nur will, denn der Wille ist allmächtig: dich kann niemand hindern als du dich selber.

Es wird wohl schon aus diesen dürftigen Proben klargeworden sein, daß sich in Eckhart und seiner Schule nichts Geringeres vollzogen hat als die Geburt einer neuen Religion, eine völlige Umschöpfung des bisherigen christlichen Glaubens, zu der sich die lutherische Reformation verhält wie eine Erderschütterung zu einer geologischen Umbildung oder wie ein reinigendes und befruchtendes Gewitter zu einem irdischen Klimawechsel, der eine neue Fauna und Flora ins Leben ruft. Hätte diese Bewegung sich durchgesetzt, so wäre für Europa ein neues Weltalter angebrochen; sie ist aber von der Kirche unterdrückt worden, und daß dies so vollständig gelang, spricht weniger gegen die Kirche, die nur in ganz logischer Wahrung ihrer Interessen handelte, als gegen die europäische Menschheit, die offenbar für eine solche grundstürzende Erneuerung noch nicht reif war.

Die Schule Eckharts | Die Mystik enthält zwei Grundelemente: ein ekstatisches und ein praktisches. Dieses ist in Johannes Tauler aus Straßburg, jenes in Heinrich Suso aus Konstanz zu einseitiger, aber höchst eindrucksvoller Ausbildung gelangt. Tauler, der sich das Prädikat *doctor sublimis* erwarb, ist seinem Meister an Tiefe und Schärfe der Spekulation nicht ebenbürtig, aber auf diese legte er auch gar nicht das Schwergewicht: was er mit seltener Kraft und Innigkeit immer wieder als das „eine, was nottut" predigt, ist die unbedingte Nachfolge Christi. „Es soll sich niemand annehmen, hinaufzufliegen in die Höhe der Gottheit, er sei denn zuvor gewesen ein rechter, vollkommener, geübter Mensch mit einem wirkenden Leben und mit einer tapferen Nachfolgung des Lebens Christi. Danach nimm den Spiegel vor dich, der da ohne Makel ist, das vollkommene Bild, nämlich Jesu Christi, nach dem du all dein Leben einrichten sollst, inwendig und auswendig ... Alle Dinge müssen dir so bitter werden, wie es der Lust süß war, daß sie da waren." Suso hingegen war ein so überschwenglicher Prediger der neuen Weisheit, daß man ihn den Minnesänger Gottes genannt hat. Im Mittelpunkt seiner lyrischen Rhapsodien steht der mystische

Gedanke, daß die Seele die Braut Gottes sei, nach dem sie voll Inbrunst dürstet: „Wer gibt mir", ruft er, „des Himmels Breite zu Pergament, des Meeres Tiefe zu Tinte, Laub und Gras zu Federn, damit ich voll ausschreibe mein Herzeleid?" Er trug acht Jahre lang ein nägelbeschlagenes Kreuz auf dem nackten Rücken, „dem gekreuzigten Herrn zum Lobe".

Daneben wirkte Johann Ruysbroeck, der Stifter der Abtei Groenendael, von allen Mitlebenden angestaunt als ein Wunder göttlicher Erleuchtung, deren Eingebungen er in zahlreichen Werken von seltsam schwerfälliger Schönheit und einfältiger Tiefe aufzeichnete. Wenn die Veroneser Dante auf der Straße erblickten, so pflegten sie erschauernd zu ihren Kindern zu sagen: *Eccovi l'uom ch'è stato all'Inferno*, das ist der Mann, der in der Hölle war"; in ähnlicher Weise müssen die Zeitgenossen bei Ruysbroeck das erschütternde und beseligende Gefühl gehabt haben, daß er im Himmel gewesen sei. Er vereinigt die Heiterkeit eines Kindes, dem noch alles klar ist, mit der Hellsichtigkeit eines Greises, der schon Blicke ins Jenseits tut; seine Werke sind Bilderfibeln, die das Verborgenste darstellen. Die Kirche hat ihm den Namen *doctor ecstaticus* verliehen, seine Landsleute nannten ihn *l'admirable*, und als er 1381 hundertsiebenjährig starb, begannen alle Glocken der Umgebung von selber zu läuten. Einer seiner Jünger war Gerhard Groot, der in Deventer den Laienorden der „Brüder vom gemeinsamen Leben" stiftete, eine freie Vereinigung von Gläubigen, deren einziger Zweck die Förderung christlichen Wandels und der *moderna devotio* war, der neuen Hingabe an Gott, wie sie die Mystiker lehrten; bald gab es allenthalben in Deutschland und in den Niederlanden solche Bruderhäuser. Aus ihrem Kreise ging Thomas a Kempis hervor, dessen „Imitatio Christi", nächst der Bibel das verbreitetste Buch der Erde und von Katholiken und Protestanten gleich begierig gelesen, in alle europäischen und in zahlreiche außereuropäische Sprachen übersetzt worden ist: sie popularisiert die Lehren der großen Mystiker auf eine sehr edle, freie und kraftvolle Art, das quietistische Element gelangt in ihr zu besonders scharfer Ausprägung. „So viel du kannst, hüte dich vor dem Getümmel der Menschen. Warum schwatzen wir so gern unter anderen, da wir doch selten ohne Versehrung unseres Gewissens wieder umkehren mögen zum Stillschweigen? Ich wollte, daß ich oft geschwiegen hätte und oft unter den Menschen nicht gewesen wäre." Auch das viele Klügeln und Disputieren taugt nichts. „Ich will lieber, daß ich Buße und Reue in mir fände, als daß ich sagen und auslegen könnte, was Reue sei. Es ist alles lauter Nichtigkeit und Eitelkeit, außer Gott lieb haben und ihm allein dienen." „Der ist recht groß, der große Liebe hat. Der ist recht groß, der in sich selbst klein ist und alle große Ehre für nichts schätzet. Der ist recht klug, der alles Zeitliche für Kot achtet, auf daß er Christum gewinne. Und der ist recht wohl gelehret, der seinen eigenen Willen verläßt und Gottes Willen tun und vollbringen lernet."

Das schönste Denkmal aber hat sich der Zeitgeist in dem anonymen „Büchlein vom vollkommenen Leben" errichtet. Luther, der es neu herausgegeben hat, sagt in seiner Vorrede: „Zuvoran vermahnet dies Büchlein alle, die es lesen und verstehen wollen, daß sie nit sich selbst mit vorschnellem Urteil sich übereilen, da es in etlichen Worten untüchtig erscheinet und aus der Weise gewöhnlicher Prediger und Lehrer. Ja! Es schwebt nit oben wie Schaum auf dem Wasser, sondern es ist aus dem Grund des Jordans von einem wahrhaftigen Israeliten erlesen, welches Namen Gott weiß", und zwei Jahre später: „Und daß ich nach meinem alten Narren rühme, ist mir nächst der Biblien und Sankt Augustinus nit vorkommen ein Buch, daraus ich mehr erlernt hab und noch lernen will, was Gott, Christus und alle Dinge seien. Gott geb, daß dieser Büchlein mehr an den Tag kommen, so werden wir finden, daß die deutschen Theologen ohne Zweifel die besten Theologen sind." Dieses kleine, nicht viel mehr als fünf Bogen umfassende Werk ist in der Tat ein solches, das jedermann lesen müßte, ob hochgestellt oder niedrig, weise oder einfältig, gelehrt oder ununterrichtet, denn es wendet sich an jedermann, und das jedermann nicht bloß lesen, sondern sorgfältig studieren, innerlich nacherleben, am besten Wort für Wort auswendig lernen sollte, denn es ist eines der leuchtendsten Dokumente menschlicher Höhe und Tiefe, Größe und Demut. Es ist daher eigentlich ein müßiges Beginnen, wenn wir versuchen, den Grundgedanken des Werkes in Kürze wiederzugeben.

Der „Frankforter"

Der Mensch soll vollkommen werden. Was aber ist das Vollkommene und was das Stückwerk? Das Vollkommene ist das eine Wesen, das in seinem Sein alle Wesen begriffen und beschlossen hält. Das Stückwerk aber oder das Unvollkommene ist das, was aus diesem Vollkommenen entquollen ist oder was wird, wie ein Schein ausfließt aus der Sonne oder einem Lichte, und es erscheint als etwas, als dies oder das. Und das heißt Kreatur. Sünde bedeutet nichts anderes, als daß die Kreatur sich abkehrt von diesem Vollkommenen, diesem unwandelhaften Gut und sich zukehrt dem Besonderen, dem Wandelbaren und Unvollkommenen und vor allem sich selber. Also: wenn die Kreatur sich irgendein Gut annimmt, daß es das ihre sei, so kehrt sie sich ab. „Was tat der Teufel anderes, was war seine Abkehr oder sein Fall anderes, als daß er sich's annahm, er wär auch etwas und wollte etwas sein, und es wäre etwas sein Eigen und käm ihm zu? Und was tat Adam anderes als auch dasselbe? Man sagt: darum, weil er den Apfel gegessen hat, wär er verloren gegangen oder ‚gefallen‘. Ich sage: es geschah durch sein Annehmen, sein ‚Ich‘ und ‚Mir‘ und ‚Mein‘ und dergleichen! Hätt er sieben Äpfel gegessen und das Annehmen wär nicht gewesen, er wäre nicht gefallen!" Die Seele des Menschen hat zwei Augen. Das eine ist die Gabe, in die Ewigkeit zu blicken, das andere: in die Zeit zu blicken und in die Kreaturen und darin Unterschied wahrzunehmen. Und ein einziger Blick in die Ewigkeit ist Gott lieber als alles, was alle Kreaturen zuwege bringen als bloße Kreatur. Wer hierzu kommt, der fragt nicht mehr weiter: er hat das Himmelreich gefunden und das ewige Leben schon auf Erden. Er hat den innerlichen Frieden, den Christus meinte, der da durchdringt alle Anfechtung und Widerwärtigkeit, Druck, Elend und Schande, er hat die Ruhe, darinnen man fröhlich sein kann, wie die Apostel es waren, und nicht allein sie, sondern alle auserwählten Freunde Gottes und Nachfolger Christi. Der „alte Mensch" aber: das bedeutet Adam, Ungehorsam, Selbstheit, Etwasheit und dergleichen. Wer in seiner Selbstheit und „nach dem alten Menschen" lebt, der heißt und ist ein „Adamskind", ja er kann so lange und so wesentlich darin leben, daß er des Teufels Kind und Bruder ist. „Alles dies läßt sich zusammenfassen in dieses kurze Wort: sei wohl geschieden von dir selbst!" Dies gilt auch von der Nachfolge Christi. Wer das Christenleben darum führt, weil er dadurch etwas erreichen oder verdienen will, der hat es als ein Löhner und nicht aus Liebe, das heißt: er hat es überhaupt nicht. Ein einziger wahrer Liebhaber ist Gott lieber als tausend Löhner und Mietlinge. Solange der Mensch „sein Bestes" sucht, kann er es nicht finden. Denn dann sucht er nur sich selber und wähnt, er selber sei das Beste. Da er aber das Beste nicht ist, so sucht er auch nicht das Beste, solange er sich sucht. Für den Menschen aber, der das Vollkommene geschmeckt hat, werden alle geschaffenen Dinge zunichte: er selber eingeschlossen. So erst hebt ein wahres, inwendiges Leben an. Und dann, in stetem Vorwärtsschreiten, wird Gott selber Mensch, bis nichts mehr da ist, das nicht Gott oder Gottes wäre. „Daß wir uns selber entweichen und unseres Eigenwillens sterben und nur noch Gott und seinem Willen leben, des helf uns der, der seinem himmlischen Vater seinen Willen aufgegeben hat, Jesus Christus." „Hier endet sich der Frankfurter."

Der Verfasser, „welches Namen Gott weiß", war nämlich ein Mitglied des Deutschritterordens und in seinen letzten Lebensjahren Kustos des Deutschherrenhauses zu Frankfurt am Main. Das Buch ist etwa ein Menschenalter nach dem Tode Eckharts und ungefähr ebensolange vor dem Tode Ruysbroecks entstanden. Es kam wie alle übrigen mystischen Schriften auf den Index; aber es ist, ein hundertmal gebannter Geist, den Menschen immer wieder erschienen. Als Luther in seinen späteren Jahren selber ein Kirchenfürst wurde und sich zu manchen alten Dogmen und Zeremonien zurückwandte, hat es andere Verehrer gefunden. Es ist von Sebastian Franck, dem größten protestantischen Mystiker der Lutherzeit, sozusagen einem Häretiker innerhalb der Häresie, neuerlich hervorgeholt worden, es lebte in den Kreisen der Pietisten, es wurde ein Lieblingsbuch Schopenhauers, der den „Frankforter", wie er ihn nannte, neben Buddha und Plato stellte. Und es wird noch oft wiederkehren und Herzen und Köpfe aufwecken, denn es ist ein Buch, das, ganz ebenso wie die Bibel, wirklich und wahrhaftig von Gott geschrieben wurde.

Es besteht nun ein sehr merkwürdiger Zusammenhang zwischen diesen mystischen Spekulationen und der Malerei jener Zeit. Wir werden noch öfter sehen und später des näheren zu erörtern haben, daß die bildende Kunst, und vor allem die malende, beinahe stets den frühesten Ausdruck für das Neue findet, das sich in einer Zeitseele vorbereitet: sie ist unter allen künstlerischen Äußerungsformen die modernste; nicht immer, aber fast immer. So verhielt es sich auch diesmal. Die einsamen mystischen Denker haben Zusammenhänge erschaut, die der Fassungskraft der damaligen Menschheit weit vorauseilten; und die Bilder der großen deutschen und flämischen Meister sind gemalte Mystik.

Selbstverständlich hat sich auch der Materialismus und der Diabolismus des Zeitalters in der Malerei einen starken Ausdruck geschaffen. Auf den Porträts ist jedes Fältchen des Gesichts, jedes Härchen des Pelzes, jeder Faden des Rockes mit minutiöser und oft pedantischer Wirklichkeitstreue registriert. Nicht selten werden wir durch wahre Galgenphysiognomien voll verschmitzter Verkommenheit und teuflischer Niedertracht, durch gemeine Gebärden voll Roheit und Gier seltsam gepackt und erschreckt, und nicht bloß auf Darstellungen, wo dies durch den Gegenstand gegeben wäre, wie etwa bei Volksschilderungen oder Marterszenen, sondern auch dort, wo man es durchaus nicht erwarten würde: so machen zum Beispiel auf der „Anbetung des Kindes" von Hugo van der Goes die betenden Hirten den Eindruck von Sträflingen, die zur Sonntagsandacht geführt worden sind. Ein Meister der aufregenden, lebensvollen Darstellung grotesker Infamie und Brutalität war Hans Multscher in Ulm: er hat auf seinen Passionstafeln ganze Ameisenhaufen von fühllosen Halunken und hinterlistigen Banditen zusammengetrieben; und der anonyme „Meister des Amsterdamer Kabinetts" hat in seinen Kupferstichen eine ganze Zoologie von wüsten Kalibanwesen zusammengestellt: diese raufenden Bauern, lauernden Hurentreiber, zerlumpten Vagabunden und glotzenden Wüstlinge mit ihren stupiden Vogelgesichtern, geilen Schweinsschnauzen und skurrilen Tapirrüsseln haben nichts Menschliches mehr an sich. Auch bei ernsten und würdigen Vorwürfen frappieren die Menschen oft durch ihre Häßlichkeit.

Die Eva Jan van Eycks auf dem Genter Altarwerk ist nichts weniger als idealisiert, sondern mit ihren abfallenden Schultern und dürftigen Extremitäten, ihrem Hängebusen und Spitzbauch die rechte Stammutter des Menschengeschlechts, das damals lebte.

Aber die realistischen Schöpfungen sind weder die ganz großen noch die repräsentativen. Die Höhepunkte sind durch jene Werke bezeichnet, in denen die Welt Eckharts, Ruysbroecks und Susos Farbe geworden ist. Wie sich stets die neuen Ausdrucksmittel finden, wenn der Wille zum Ausdruck stark genug ist, wurden gerade damals von den Brüdern Hubert und Jan van Eyck die Ölfarben erfunden, die nicht so rasch trockneten wie die Temperafarben und außerdem das Lasieren ermöglichten, wodurch dem Pinsel ganz neue Feinheiten der Mischung, Abstufung, Lichtverteilung erschlossen wurden; zugleich verliehen sie den Gemälden eine bisher unerreichte Pracht des Kolorits: die reichen Brokatstickereien, die schimmernden Seidenstoffe, die Juwelen, Goldgewebe, Rüstungen und edeln Hölzer vereinigten sich zu einem sprühenden Feuerzauber von märchenhaftem Glanz. Die größten Psychologen sind in Flandern der ältere van Eyck und Rogier van der Weyden, in Deutschland Stefan Lochner und Hans Memling. Die Anlage der Gemälde erinnert oft in seltsamer Weise an eine Theaterdekoration: die Bäume, Berge und Häuser sind flächenhaft gesehen wie Kulissen, der Durchblick gleicht einem heruntergerollten Bühnenhintergrund. Alles macht den Eindruck, als ob es einer Spielzeugschachtel entnommen wäre: es ist nicht bloß ein Theater, sondern ein Kindertheater. Diese Impression hat man zum Beispiel besonders stark bei Memlings sogenannten „Sieben Schmerzen Mariä": hier ist äußerst geschickt eine ganze Stadt aufgebaut mit Mauern, Toren, Türmen, Treppen, Durchbrüchen und Kreuzgängen; aber es wirkt wie ein „Modellierbogen" oder ein Ankersteinbaukasten. Und die Personen, die in die Umgebung dieser Bilder gesetzt sind, haben ebenfalls etwas primitiv Theatralisches mit ihren hölzernen, aber dramatischen Gebärden, ihrer schachfigurenartigen Anordnung, ihrer steifen, befangenen, puppenhaften Körperhaltung, ihren prächtigen weiten Gewändern, die die Hauptsache zu sein scheinen und in ihrem selbständigen breitgebauschten Faltenwurf das Gefühl erwecken, als ob sie gar nicht zum Körper gehörten: sie sind viel lebensvoller, reicher, bewegter gestaltet als das, was darunter ist. Aber zu dieser Wirkung tritt noch eine zweite, höchst geheimnisvolle.

Bisweilen (im ersten Frühling, um die Sommermittagsstunde, nach langem Wachen oder Fasten oder auch ohne sichtbaren Grund) erscheinen die Menschen und Dinge und wir selbst uns wie intangibel, von einer unerklärlichen isolierenden Aura umgeben. Nichts kann an uns heran, alles, auch unser eigener Körper, scheint seine lastende Realität, seine sinnliche Beglaubigung eingebüßt zu haben und schwerelos, materielos geworden zu sein. In ein solches Seelenklima entführen uns die Bilder der flandrischen und kölnischen Meister. Jene ernsten hageren Männer und herben zarten Frauen mit den schmalen traurigen Händen und den geschreckten übernächtigen Gesichtern leben in einer imaginären Welt: entrückte Wesen, ganz in Wehmut und Schwermut getaucht und dennoch getragen von einer ewigen seligen Zuversicht. Aus dieser tiefen Gewißheit des allgegenwärtigen Göttlichen und einer steten Furcht vor der täuschenden feindlichen Unsicherheit alles Irdischen sind diese Gestalten ergreifend gemischt. Sie sind gelähmt von der Angst vor dem Leben, die jede Kreatur quälend durchdringt, sie blicken mit fragenden, zagenden, maßlos erstaunten Augen ins Dasein, sie können sich noch gar nicht fassen vor unartikuliertem dunkeln Entsetzen: das ist die Welt? In ihrer Vereinigung von kindhafter Ratlosigkeit und engelhafter Luzidität sind sie Bürger eines höheren Traumreiches, das uns ganz fern und fremd und doch wiederum wie unsere eigentliche Heimat anmutet. Und die Welt, die Welt der Dinge und Taten ist nicht völlig abgetan oder geflissentlich ignoriert: sie ist da, aber draußen. Durch die hohen Fenster scheint sie herein, in zauberhaften Landschaftsformen: Berge, Städte, Burgen, Flüsse, Mühlen, Schiffe, aber alles wie durch ein Fernrohr gesehen, gleichsam nicht dazu gehörig: nur wie eine unwirkliche Vision oder eine schattenhafte Erinnerung flattert es um die Seele; die Seele aber, des Raumes ledig, ruht schon auf Erden in Gott. Und auch die Zeit scheint stillzustehen, Vergangenheit und Zukunft sind mit der Gegenwart eins, vor Gott haben sie keinerlei Bewegung: „da ist", wie Meister Eckhart sagt, „alles ein Nun".

Fassen wir alles noch einmal zusammen, so ergibt sich eine frappierende Ähnlichkeit mit unserer Zeit. Daß wir in einer Periode der epidemischen Psychosen leben, bestreitet heute wohl niemand mehr, und Meinungsverschiedenheit herrscht nur noch über den Sinn dieser Erscheinungen. Schon der Mensch des Fin de siècle war der typische Maléquilibré aus seelischer Überfülle. Der Pest entspricht der Weltkrieg, und wenn jemand bei dieser noch bezweifeln wollte, daß sie eine Schöpfung des Zeitalters gewesen sei: beim Weltkrieg wird es gewiß niemand in Abrede stellen können. (Von der „Schuldfrage", einer Frage für Volksschüler, sehen wir hier natürlich ab: kein Kampf zwischen zwei gleichstarken Mächtegruppen kann entstehen, wenn nicht beide Teile wollen.) Ferner sehen wir heute dieselbe große Auflösung der bisherigen herrschenden Mächte, die das ausgehende Mittelalter charakterisiert. Das Ideal, das das politische Leben der letzten Generationen beseelte, war der Konstitutionalismus: er hat sich ebenso vollständig ausgelebt wie seinerzeit der Kaisergedanke, weder die Rechte noch die Linke nimmt ihn mehr ernst, die vorwärtstreibende Idee ist hier Diktatur des Proletariats, dort Diktatur eines Einzelnen: Cäsarismus. Was im Mittelalter die Kirche war, das war in den letzten Jahrhunderten die offizielle Wissenschaft, die Organisation der Gelehrten. Die ganze mittelalterliche Kultur war klerikal, alles Große, das damals geschaffen wurde, ist von Geistlichen geschaffen worden: in ihren Händen lag nicht nur die Kunst, die Wissenschaft und die Philosophie, sondern auch das höhere Handwerk, der rationelle Feldbau und die Industrie; sie haben nicht nur Dome und theologische Systeme gebaut, sondern auch Straßen und Brücken, sie haben nicht nur Bildung und Moral ins Volk getragen, sondern auch Wälder gerodet und Sümpfe ausgetrocknet; wo das Leben Fortschritte macht, erblicken wir sie am Werk, ob es sich um Buchmalerei und aristotelische Dialektik handelt oder um Stallfütterung und Dreifelderwirtschaft. In derselben dominierenden geistigen Position befand sich die zünftige Wissenschaft in den letzten Menschenaltern. Sie erhob, ganz ebenso wie seinerzeit die Kirche, den Anspruch, im vollen und im alleinigen Besitz der Wahrheit zu sein und jedem Lebenskreis und Beruf dogmatisch vorschreiben zu dürfen, was er zu denken und zu tun habe: dem Künstler, dem Forscher, dem Soldaten, dem Kaufmann, dem Arbeiter; sie war im vollsten Sinne des Wortes unsere Religion: das, woran wir wirklich glaubten. Sie besaß, und besitzt bis zum heutigen Tage, eine wohlgegliederte, sorgfältig abgestufte Hierarchie von hohen und niederen Würdenträgern, der nur der Papst fehlt, sie verfolgt mit pfäffischer Unversöhnlichkeit und Kurzsichtigkeit jegliche Häresie und wacht eifersüchtig darüber, daß niemand ihre Gnadengaben spende, der nicht ihre Weihen: die Prüfungen besitzt. Nun fußte aber die Macht der Kirche auf zwei Bedingungen: daß sie wirklich im Besitz der geistigen Hegemonie war und daß ihre Diener von ehrlich idealem Streben erfüllt waren. Um die Wende des Mittelalters begannen diese beiden Grundlagen zu verschwinden: die Kultur geriet immer mehr in die Hände der Laien, und die Majorität der Geistlichen übte ihren Dienst auf eine mechanische und banausische Weise. Und dazu kam noch, daß ein neues Weltbild heraufdämmerte, das der Kirchenlehre durchaus widersprach. In ganz derselben Situation befindet sich heute die Berufsgelehrsamkeit. Der Glaube an sie ist zusammengebrochen: er lebt nur noch in den niederen Schichten und bei den geistig Rückständigen; ihr Anspruch, eine weltumspannende katholische Lehre, eine Universitas zu sein, ist nicht mehr aufrechtzuerhalten, sie ist auf keinem Kulturgebiete mehr führend; und aus ihrem Schoße gehen keine unfehlbaren Kirchenväter, großen Konfessoren und kühnen Märtyrer mehr hervor, sondern nur noch Dutzendbeamte, Lippengläubige und Pfründner, in denen nicht der Heilige Geist lebt, sondern der profane Wunsch nach Brot und Ansehen.

Auch in der Kunst zeigen sich gewisse Gemeinsamkeiten: beide Male eine starke Tendenz zum Realismus in den niederen Gattungen und daneben ein ebenso starker Stilisierungswille auf dem Gebiet der hohen Dichtung und Malerei. Besonders bezeichnend hierfür sind die zum Teil ganz herrlichen Mysterienspiele und Passionsdramen des vierzehnten und fünfzehnten Jahrhunderts, in denen die klare Absicht wirksam ist, Typisches zu geben, das nicht für einmal, sondern ein für allemal gilt, kein Menschengeschehen zu zeigen, sondern ein Menschheitsgeschehen: Taten und Leiden, Höllenfahrt und Erlösung der ganzen Gattung. Und merkwürdig ist es, daß auch hier, ganz wie im expressionistischen Drama, das Pathos nicht selten in unbewußte Karikatur umschlägt. Auch der Mangel an repräsentativen Persönlichkeiten ist beiden Zeitaltern gemeinsam: es finden sich hier wie dort nur Lenins und Ludendorffs, Liebknechts und Mussolinis, die bloß die Verkehrtheiten der Zeit wie in einem verstärkenden Reflektor zusammenfassen und wieder zurückstrahlen; und mit dem Mangel an überragenden männlichen Kapazitäten kontrastiert das entscheidende Hervortreten der Frau, die beide Male im Geistesleben eine Stellung einnimmt, die ihr jahrhundertelang versagt war. Daß das Bürgertum sich heute in einer ähnlichen Lage befindet wie damals das Rittertum, wird sich schwer bezweifeln lassen; daß theosophische Strömungen heute einen größeren Raum einnehmen als seit langem, weiß jedermann; ja die Ähnlichkeit erstreckt sich sogar bis auf gewisse Äußerlichkeiten wie das gemeinsame Baden, das noch vor wenigen Jahren als shocking galt, die Herrenmode der Gürteltaillen und wattierten Brüste und die Damenmode der Pagenfrisuren. Und höchstwahrscheinlich wird einer späteren Zeit unser Jahrhundert ebenso gespenstisch und unwirklich vorkommen wie uns das vierzehnte.

Weltaufgang

In seinen ausgezeichneten Untersuchungen über den Begriff der Renaissance sagt Konrad Burdach: „Grenzenlose Erwartung der Seelen – das ist der Grundzug des vierzehnten Jahrhunderts." Es ist dasselbe, was wir am Anfang dieses Kapitels als Weltuntergangsstimmung bezeichnet haben. Und Karl Kraus hat unsere Zeit in einem Werk von fanatischer Phantastik und übermenschlichem Pinselstrich, das ihre Züge für immer aufbewahren wird, ebenfalls apokalyptisch gesehen als die „letzten Tage der Menschheit". Aber die Welt geht nicht unter, sooft es der Mensch auch geglaubt hat, und solche Stimmungen pflegen zumeist das gerade Gegenteil anzukündigen: einen Weltaufgang, das Emporsteigen einer neuen Art, die Welt zu begreifen und zu sehen.

VIERTES KAPITEL

LA RINASCITA

Die Schönheit ist das geoffenbarte Gesetz.
Leon Battista Alberti

„Problem" und „Tatsache" heißen die beiden großen Pole, zwi-Die beiden Pole schen denen sich alle menschliche Geistestätigkeit bewegt. Was wir noch nicht als Tatsache empfinden, nennen wir ein Problem; was wir nicht mehr als Problem empfinden, nennen wir eine Tatsache. Aber wie jedes Problem danach strebt, zur Tatsache zu gerinnen, so lebt in jeder Tatsache die geheime Tendenz, sich wieder zum Problem zu verflüchtigen. In dieser unendlichen, aber steigenden Reihe von Kristallisation und Sublimation, Verdichtung und Auflösung besteht die wahre und innere Geschichte des Menschengeschlechts.

Für den Historiker aber, der die abgeschlossenen Kulturperioden überblickt, ergibt sich hieraus eine seltsame Paradoxie. Jedes dieser Zeitalter verfügt über einen gewissen Fundus von Problemen und Tatsachen, die es geschaffen hat, die, nur ihm eigentümlich, sein ganzes Dasein tragen und gestalten; die sein Lebensschicksal sind. Aber die Tatsachen, die von der Wissenschaft und Philosophie jener versunkenen Kulturen festgestellt wurden und zumeist ihren größten Stolz bildeten, erscheinen dem Blick des später Geborenen als höchst problematisch, während umgekehrt die Probleme, mit denen jene früheren Jahrhunderte gerungen haben, auch heute noch für uns höchst positive kulturhistorische Tatsachen darstellen.

Ein französischer Denker hat einmal gesagt: „Es gibt nichts Verächtlicheres als eine Tatsache." Wir könnten hinzufügen: und auch nichts Ungewisseres und Vergänglicheres. Fast alle „exakten" Feststellungen, die von früheren Zeiten gemacht wurden, scheinbar so sicher auf klare Vernunft und scharfe Beobachtung gegründet, sind dahingeschwunden; und den unsrigen wird es genau so gehen. An allen unseren Ionen, Zellen, Nebelflecken, Sedimenten, Bazillen, Ätherwellen und sonstigen wissenschaftlichen Grundbegriffen wird eine kommende Welt nur noch interessieren, daß wir an sie geglaubt haben. Wahrheiten sind nichts Bleibendes; was bleibt, sind nur die Seelen, die hinter ihnen gestanden haben. Und während jede menschliche Philosophie dazu bestimmt ist, eines Tages nur noch von geschichtlichem Interesse zu sein, wird unser Interesse an der menschlichen Geschichte niemals aufhören, ein philosophisches zu sein.

Kultur ist Reichtum an Problemen

Wir messen daher die Macht und Höhe einer Kultur keineswegs an ihren „Wahrheiten", ihren „positiven Errungenschaften" und kompakten Erkenntnissen. Wonach wir bei ihrer Bewertung fragen, das ist die Intensität ihres geistigen Stoffwechsels, ihr Vorrat an lebendigen Energien. Wie die physische Leistungsfähigkeit eines Menschen nicht von seinem Leibesumfang abhängt, sondern von der Kraft und Schnelligkeit seiner Bewegungen, so wird auch die Lebenskraft einer Zeitseele von nichts anderem bestimmt als von ihrer Beweglichkeit und Elastizität, von der inneren Verschiebbarkeit ihrer Teile, von der Labilität ihres Gleichgewichts, kurz: von ihrem Reichtum an Problemen. Hier liegt das eigentliche Gebiet geistiger Produktivität; und dies ist auch der Grund, warum die religiösen und die künstlerischen Kulturen auf die Nachwelt kommen und warum die rein wissenschaftlichen Zeitalter nur eine vorübergehende Vitalität besitzen. Die Wissenschaft verbessert die allgemeine Ökonomie des Daseins; sie entdeckt einige neue Gesetze, die geeignet sind, die Gleichung des Lebens ein bißchen zu vereinfachen; sie macht den Planeten zu einem komfortableren und weniger strapaziösen Aufenthalt: aber wir nehmen ihre Gaben hin wie Brot und Äpfel, mit einer gewissen animalischen Genugtuung, jedoch ohne in eine höhere Geistesverfassung zu geraten und den Antrieb zu einer reicheren Seelentätigkeit zu empfangen. Die reellen Resultate des menschlichen Geistes, seine Funde und Treffer enthalten nichts Tonisierendes, nichts, was unser Eigenleben steigert. Wir „legen sie uns zu": unsere Berührung mit ihnen ist der Vorgang einer bloßen Addition, nicht einer Multiplikation oder Potenzierung. Die Schöpfungen der Kunst und der Religion dagegen, die die Maschine des Lebens keineswegs vervollkommnet haben, sondern sich darauf beschränkten, die an sich schon so zweideutige Angelegenheit des Daseins noch mehr zu verwickeln und das sichere Lebensgefühl, auf dem der Mensch von Natur ruht, zu erschüttern, haben dennoch immer über ein geheimnisvolles geistiges Energiekapital verfügt: sie sind wie Wein, der unsere Moleküle zwingt, in lebhaftere Schwingungen zu geraten, neue Blutwellen zum Kopfe führt und unseren gesamten Kreislauf beschleunigt.

So hat es ganze Zeitalter gegeben, die fade schmecken gleich chemisch reinem Wasser: sie sind uns zu destilliert, zu „abgeklärt", wir finden sie ungenießbar. Es fehlt ihnen an Problemen. Damit ein Zeitalter auch der Nachwelt noch etwas zu sagen habe, muß es eine lebendige Quelle sein, die nicht bloß die allgemeinen Elemente des Wassers enthält, sondern auch allerlei salzige, unlösliche Bestandteile, die ihm erst Körper, Aroma und Farbe verleihen.

Die italienische Renaissance war ein Zeitalter von anarchischer Geistesverfassung, das nichts mehr glaubte und noch nichts wußte, und dennoch haben wir das Gefühl, daß das Leben damals schön, reich und kraftvoll gewesen sein muß.

Wir haben in unserer bisherigen Darstellung Italien fast gar nicht erwähnt, und zwar mit Absicht. Denn Italien bildet im vierzehnten und fünfzehnten Jahrhundert eine Welt für sich. Viele Ursachen wirkten zusammen, um die Entwicklung dieses Landes zu einer so isolierten zu machen. Zunächst rein geographische, die in jenen Zeiten eine viel größere Bedeutung hatten als heutzutage. Die Halbinsel, während ihrer ganzen mittleren und neueren Geschichte politisch zersplittert, war dennoch stets innerlich geeint, denn sie ist durch natürliche Grenzen vom übrigen Europa sehr deutlich und bestimmt abgesondert: im Norden durch die Alpen, auf den übrigen Seiten durch das Meer, während die Apenninenkette, die wie ein breites Rückgrat den größten Teil des Gebietes durchzieht, die einzelnen Landschaften fest miteinander verbindet. Auch die Gunst der Natur: die große Fruchtbarkeit des Bodens, das milde Klima, das zwischen Norden und Süden die richtige Mitte hält, die Fülle

175

schiffbarer Flüsse, der Reichtum an schönen und nützlichen Gewächsen verleiht dem ganzen Lande etwas Gemeinsames und erhebt es zugleich weit über die meisten übrigen Regionen Europas; und diese Harmonie wird weder durch Gemischtsprachigkeit noch durch Nationalitätsunterschiede gestört. Der italienische Volkscharakter ist einheitlich, einmalig und unverwechselbar: diese reizvolle Verbindung von Gutmütigkeit und Falschheit, Lebhaftigkeit und Trägheit, Formensinn und Unordentlichkeit, Frivolität und Bigotterie, Naivität und Schlauheit, Oberflächlichkeit und Begabung findet sich sonst nirgends auf der Welt. Und nirgends steht die Kunst so selbstverständlich im Mittelpunkt des Lebens, nirgends ist die Musikalität eine so natürliche Mitgift des Volkes, nirgends sind die Menschen so geborene Schauspieler und nirgends ist das ganze Denken so exklusiv auf Auge, Temperament und Phantasie gestellt. Kein Land hat auch eine solche Vergangenheit und eine solche Hauptstadt, die zweimal Jahrhunderte hindurch der Kopf und das Herz Europas gewesen ist: zuerst durch die römischen Cäsaren, dann durch die römischen Bischöfe; und kein Volk hat eine so wohlgebaute und schöngliedrige Sprache: von so sprudelnder Klangfülle, so reichen und klaren Formen, so weichen Bindungen und so anmutiger Kadenz, eine Sprache, die man einen natürlichen Gesang nennen muß.

Dabei war Italien eigentlich immer ein Stadtterritorium: von der etrurischen Zeit bis auf den heutigen Tag hat sich alles Entscheidende dort immer in den Städten abgespielt. Rom heißt im Altertum schlechthin *Urbs*: die Stadt, und die römische Geschichte rechnet *ab Urbe condita*, die christliche Kirche des Abendlandes nennt sich nach derselben Stadt die römische, und in der Renaissance gab es nur Stadtstaaten. Die Kultur Italiens war immer eine intellektuelle, gesittete, u r b a n e, im Gegensatz zu der gebundenen, rustikalen, agrarischen der meisten anderen Länder Europas; und welchen einschneidenden Unterschied dies bedeutet, haben wir im vorigen Kapitel bereits angedeutet. Dazu kommt noch, daß die Städte Italiens im Grunde lauter Seestädte waren, auch wenn sie, wie Rom oder Florenz, nicht unmittelbar am Meer lagen, und nirgends entwickelt sich jener merkwürdig freie, lichte und bewegte Geist, der für Stadtbevölkerungen charakteristisch ist, reicher und intensiver als gerade in den Seestädten. Aber diese starke Übereinstimmung in Abstammung, Sprache, Gemütsart, Glauben, Boden, Geschichte und allen anderen Lebensbedingungen wird nirgends zur Uniformität: zwischen dem Lombarden und dem Venezianer, dem Toskaner und dem Umbrier und allen übrigen Stämmen Italiens haben immer genug charakteristische Unterschiede geherrscht, um das gesellschaftliche, künstlerische und politische Leben höchst polychrom zu gestalten und in fruchtbarem Wettkampf zu erhalten.

In den geschichtlichen Begriff der Renaissance ist eine große Verwirrung gebracht worden, weil man ihn ganz wahllos auf eine Reihe von Kulturströmungen angewendet hat, die miteinander nicht viel mehr gemeinsam haben als die Gleichzeitigkeit. Man spricht von einer nordischen, nämlich einer deutschen, englischen und niederländischen, und daneben noch von einer französischen, ja sogar von einer spanischen Renaissance. Alle diese Ausdrücke sind mißverständlich, aber sie haben sich einmal eingebürgert, und wir werden uns ihrer ebenfalls bedienen, dürfen aber dabei niemals vergessen, daß wir es mit einer bloßen façon de parler zu tun haben. In Wirklichkeit handelte es sich in den außeritalienischen Ländern um nichts weiter als um eine äußerliche Rezeption gewisser Stilprinzipien der italienischen Hochrenaissance, die wir die „klassischen" oder die „lateinischen" nennen können; aber unter diesem dünnen Lack und Überzug lebte das Nationale überall in ungebrochener Kraft weiter. Man muß in der seitherigen Entwicklung der europäischen Kunst diese „lateinische Formation", die durch alle Schichten des Gesteinslagers hindurchgeht, aber in den einzelnen Perioden ein sehr verschiedenes Ausdehnungsgebiet besitzt, immer genau abscheiden und darf sich durch sie nicht verwirren lassen: sie taucht um etwa 1450 in Italien auf und herrscht dort etwa hundert Jahre, begibt sich aber schon um 1500 nach Frankreich, wo sie sich während aller Stilwandlungen des übrigen Europa dauernd behauptet, als der eigentliche französische Stil, selbst mitten in der Hochblüte des Barock, weshalb auch der Kunsthistoriker Viollet-le-Duc, der in der Mitte des vorigen Jahrhunderts in Frankreich tonangebend war, den Satz aufstellte: *Louis Quatorze clôt la renaissance.* Aber selbst das ist noch zu wenig gesagt, denn der klassische Stil erhielt sich in Frankreich bis zum Wiener Kongreß, ja in einzelnen Richtungen, zum Beispiel in Ingres und Puvis de Chavanne, noch viel länger. Etwas Ähnliches ließe sich von der französischen Literatur behaupten, die in ihrem Grundzug stets klassizistisch gewesen ist: der lateinische Geist lebt ebenso in den Romantikern, die ihn bekämpften, wie in der klaren und kühlen Architektonik eines Maupassant oder Zola. Etwas ganz anderes war wieder der deutsche Klassizismus des achtzehnten Jahrhunderts, der mehr griechisch orientiert war und richtiger als d e u t s c h e r H e l l e n i s m u s bezeichnet werden sollte, während es in England und den Niederlanden überhaupt niemals einen wirklichen Klassizismus gegeben hat. Wir müssen die genauere Untersuchung dieser Fragen auf den Zeitpunkt verschieben, wo der Gang der Geschichte uns auf sie führen wird, und begnügen uns für jetzt mit der Feststellung: das Gespenst der Antike hat unseren Erdteil im Lauf der Jahrhunderte oft heimgesucht und ist überhaupt niemals völlig aus dem europäischen Gesichtskreis verschwunden, aber es hat sich in den verschiedenen Ländern sehr verschieden lange aufgehalten und ist auch immer in sehr verschiedenen Gestalten erblickt worden. Das aber, was man in Italien unter der *rinascita* verstand, ist vollkommen auf Italien beschränkt geblieben, und wenn man sich kulturhistorisch korrekt ausdrücken will, so darf man überhaupt nur von einer italienischen Renaissance sprechen. Die Italiener selbst hatten diese Empfindung sehr deutlich. Sie waren sich bewußt, eine Blüte der Kultur und der Gesittung zu verkörpern, wie sie sonst kein Volk der Welt besaß, und bezeichneten daher, ganz wie die Griechen und aus einem ähnlichen Gefühl heraus, alle Ausländer als Barbaren, ob es sich um Franzosen, Deutsche, Spanier, Engländer oder Mohren handelte.

Die Wiedergeburt zur Gottähnlichkeit

Wir müssen auch diesmal wieder die Frage nach dem Anfangspunkt an die Spitze stellen. Wann beginnt die Renaissance?

An einer der berühmtesten Stellen seiner „Rede über die Würde des Menschen" läßt Pico von Mirandola Gott zum Adamssohn sagen: „Ich habe dich mitten in die Welt gesetzt, damit du um so leichter zu erblicken vermögest, was darin ist. Weder zum himmlischen noch zum irdischen, weder zum sterblichen noch zum unsterblichen Wesen habe ich dich geschaffen, so daß du als dein eigener Bildhauer dir selber deine Züge meißeln kannst. Du kannst zum Tier entarten; aber du kannst dich auch aus dem freien Willen deines Geistes zum gottähnlichen Wesen wiedergebären." Dies ist offenbar der ursprüngliche Sinn der Renaissance: die Wiedergeburt des Menschen zur Gottähnlichkeit. In diesem Gedanken liegt eine ungeheure Hybris, wie sie dem Mittelalter fremd war, aber auch ein ungeheurer geistiger Aufschwung, wie er nur der Neuzeit eigen ist. In dem Augenblick, wo dieser Gedanke am Horizont erscheint, setzt die Renaissance ein. Dieser Gedanke erfüllt aber bereits das Trecento; und in der Tat haben auch fast alle italienischen Schriftsteller der Renaissance, die über die Erneuerung der italienischen Kultur rückblickende Betrachtungen anstellten, die Zeit Dantes und Giottos als die Epoche, die Wende, den großen Anfang bezeichnet. Insbesondere Vasari, der bekanntlich der erste Geschichtsschreiber der italienischen Kunst gewesen ist, faßt die drei Jahrhunderte Trecento, Quattrocento, Cinquecento als Einheit einer großen aufsteigenden nationalen Bewegung. In seinem 1550 erschienenen Werk sagt er, daß Cimabue mit dem *nuovo modo di disegnare e dipignere* den Anfang gemacht habe, und im weiteren Verlaufe unterscheidet er drei Abschnitte, *parti*, oder Zeiträume, *età*, die im wesentlichen den drei Jahrhunderten entsprechen. Auf die „Barbarei der Goten" seien zunächst die neuen Meister in Toskana gefolgt, in denen die Kunst wiedergefunden, wiedererstanden, wiedergeboren erscheint: also schon auf diese wendet er die nach der späteren Tradition erst für die Hochrenaissance gebräuchlichen Ausdrücke *ritrovare, risorgere, rinascita* an, während ihm das erst lange nachher üblich gewordene Wort *rinascimento* ebenso unbekannt ist wie der Ausdruck „Renaissance", der den heutigen Sprachgebrauch beherrscht, aber erst um 1750 bei Voltaire und den Enzyklopädisten auftaucht. Und zu demselben Resultat wie der älteste Historiker der Renaissance gelangen die neuesten genauen und umfassenden Untersuchungen Burdachs: „Das Bild des neuen Lebens, die Wiedergeburt beherrscht bereits das Zeitalter Bonaventuras, Dantes, Petrarcas, Boccaccios, Rienzos, es bleibt im fünfzehnten Jahrhundert wirksam und wird im sechzehnten Jahrhundert zu dauernder Gültigkeit fixiert ... Wer ... das vierzehnte Jahrhundert ... ausschließt, setzt sich in Widerspruch mit zahlreichen übereinstimmenden Aussagen und Anschauungen der gleichzeitigen geschichtlichen Zeugnisse."

Der Abschied vom Mittelalter

Alles in allem genommen, werden wir also zu dem Schluß gedrängt, daß die „Konzeption" der Neuzeit auch in Italien etwa in die Mitte des vierzehnten Jahrhunderts fällt. Damals trat Rienzo mit seinem großen Plan einer politischen Wiedergeburt Roms auf, damals entwickelten und erfüllten Petrarca und Boccaccio ihr Programm einer literarischen Wiederbelebung des Altertums, und damals setzte die „neue Art der Malerei" ein, die in der Beseelung: in der intimen und andächtigen Versenkung in die menschlichen Gefühle und Schicksale ihre Hauptaufgabe erblickte. Mit Dantes Tod hat das Mittelalter in Italien sein Ende erreicht. Ja Burdach geht sogar noch weiter, indem er in Dante den eigentlichen Schöpfer der Renaissance erblickt: eine Ansicht, der wir jedoch nicht beipflichten können. Vielmehr möchten wir glauben, daß gerade in Dante das Mittelalter mit einer letzten ungeheuern Gebärde, die ihren warnenden Schatten über die kommenden Jahrhunderte vorauswirft, von der Menschheit Abschied nimmt. Es ist, als hätte das Mittelalter am Ende seiner Erdenbahn noch einmal in einem gigantischen Wurf alles zusammenballen wollen, was es zu sagen hatte: wenn vom Mittelalter nichts übrig geblieben wäre als Dantes Gedicht, so wüßten wir alles, was wir von dieser geheimnisvollen Welt wissen können. Wie ein schwarzes erzenes Riesendenkmal steht dieser unergründliche Gesang an der Schwelle des Neuen, zu ewiger Erinnerung an das verklungene Alte. Und so magisch und inkommensurabel war die Macht dieses übermenschlichen Sehers, daß sein Gemälde, obgleich nur ein zusammenfassendes Symbol der Vergangenheit, dennoch alle neuen Bilder überglänzt und verdunkelt hat. Und es konnte auch nur das Mittelalter die seelischen Voraussetzungen für ein solches Wunderwerk liefern, das das gesamte Wissen der Zeit in einer rein künstlerischen Form aufbewahrt und in die Sphäre des Glaubens gehoben hat.

Die „göttliche Komödie" ist in jedem Vers zugleich Enzyklopädie, Predigt und dramatisches Epos. Diese sublime Einheit von Glauben, Erkenntnis und poetischer Gestaltung konnte nur einem mittelalterlichen Geist gelingen: sie ist seither der unerfüllte Traum aller Künstler; aber schon der bloße Versuch einer solchen Schöpfung könnte in unserer Zeit nur von einem Wahnsinnigen unternommen werden: er wird erst wieder möglich sein, wenn die Bedingungen unserer Kultur sich von Grund auf geändert haben.

Es ergeben sich nun allerdings gegen die Annahme, daß die italienische Renaissance schon so früh einsetzt, mehrere Einwände, zumal wenn man, wie dies gewöhnlich geschieht, ausschließlich die Kunstgeschichte ins Auge faßt. In der Tat kann man Giotto und die „Giottesken" noch ebensogut zum Mittelalter rechnen. Das gewollt Dekorative und Ornamentale ihrer Komposition, die Naivität und Volkstümlichkeit ihres Vortrags, ihre Freude am Novellistischen, am bloßen Erzählen, ihre stilisierende Behandlung der Tierwelt und des landschaftlichen Hintergrundes, die oft bis zur Vernachlässigung der Lokalfarbe geht, kurz, das Bilderbuchartige ihrer ganzen Malweise verleiht ihnen etwas Mittelalterliches. Auch ein Werk wie der „Trionfo della morte", eines der erschütterndsten und figurengewaltigsten Gemälde, die je geschaffen wurden, ist eigentlich nichts als gemalter, kongenial gemalter Dante, obgleich es wahrscheinlich bereits dem späteren Trecento angehört. Infolgedessen lassen die meisten Kunsthistoriker die Renaissance erst mit dem Quattrocento beginnen, ja einige sogar erst mit der zweiten Hälfte dieses Jahrhunderts, und auch diese haben nicht ganz unrecht. Andere wieder helfen sich mit Begriffen wie „Frührenaissance", „Vorrenaissance", „Protorenaissance". Die Schwierigkeit löst sich aber sehr einfach, wenn man sich klarmacht, daß es schon längst eine politische, eine gesellschaftliche und vor allem eine literarische Renaissance gab, als die Renaissance der bildenden Künste noch in den Anfängen steckte. Während die Maler und Bildhauer und selbst die Architekten noch tasteten und suchten und sich nur zögernd von der Gotik und Hieratik entfernten, besaßen die Humanisten bereits ein strenges und vollständiges

„Renaissance"-Programm. Wir kommen auf diesen merkwürdigen Vorgang noch zurück.

Obgleich nun das Neue in Italien ungefähr um dieselbe Zeit eingesetzt hat wie im Norden, so ist es doch dort ganz anders aufgenommen worden. Denn während die neuen Vorstellungsinhalte sonst überall, wie wir gesehen haben, einen Zustand völliger Desorientiertheit erzeugten, wurden sie in Italien sogleich viel voller, reicher und bewußter erlebt. Dies kam daher, daß die italienische Menschheit der des übrigen Europa in nahezu allem um Generationen voraus war. Wenn man sich während der „Inkubationszeit" nach Italien begibt, so ist es, als ob man aus grauer nebliger Dämmerung in die volle Sonne träte. Oben im Norden ist alles verhangen und düster, plump und ungeformt, wirr und schwerlebig: hier empfängt uns eine völlig andere Welt.

Was zunächst in die Augen fällt, ist das entschieden und viel früher Moderne der italienischen Gesellschaft und Politik. Rittertum und Feudalismus sind restlos beseitigt, die beiden „christlich-germanischen Dummheiten" Schopenhauers: der „point d'honneur" und die „Dame" sind gänzlich verschwunden. Die Liebe ist bloßer sinnlicher Genuß oder höhere geistige Gemeinschaft, aber niemals eine Sache der Sentimentalität. An die Stelle des Vasallen ist der Condottiere getreten, für den der Krieg nicht ein romantisches Ideal darstellt, sondern ein kühles Fach und Geschäft, das er gelernt hat und an den Meistbietenden verkauft: er liefert Schlachten wie der Schuster Stiefel oder der Maler Porträts; Person und Weltanschauung des Bestellers sind ihm gänzlich gleichgültig. Persönliche Differenzen werden nicht in komplizierten Duellen ausgetragen, sondern im Raufhandel oder durch bezahlte Bravos, am liebsten durch eine zum höchsten Raffinement gebrachte Technik des Vergiftens; von den Turnieren denken die Italiener wie ihre Vorfahren, die Römer: sie gelten ihnen als eine niedrige Schaustellung, für die die Sklaven oder die Komödianten gerade gut genug sind. Auch die Kriege sind eine reine Geldsache: wer sich genug Söldner mieten kann, ist jederzeit in der Lage, seine politischen oder kommerziellen Konkurrenten zu überfallen. Der Bürger aber denkt nicht daran, selber zur Waffe zu greifen, er hat

Wichtigeres zu tun: Handel, innere Politik, Wissenschaft, Kunst, Lebensgenuß, Geselligkeit füllen ihn zu vollständig aus, als daß er daran denken könnte, sich zeitraubenden militärischen Übungen zu widmen. Und nicht nur der Berufssoldat, sondern auch die Feuerwaffe gelangt in Italien am frühesten zu einer dominierenden Stellung. Die Staatskunst ist bereits völlige Realpolitik, nüchterne und subtile Abwägung der bestimmenden Faktoren, unterstützt durch eine ebenso geistreiche wie perfide Diplomatie, die besonders in Venedig bereits zur perfekten Virtuosität ausgebildet ist. Auch alle Staatsformen, die für die Neuzeit charakteristisch sind, finden sich schon zur höchsten Vollendung entwickelt: von der extrem demokratischen Republik, in der das „souveräne Volk" seinen Unfug treibt, bis zur Plutokratie, der modernen Form der Tyrannis, die die äußeren Insignien der Macht verschmäht, um desto sicherer durch kluge Intrige, geschickte Parteileitung, blendendes Mäzenatentum und den unwiderstehlichen Absolutismus des Kapitals zu herrschen.

Wenn auch eine außerordentliche Steigerung des Wirtschafts- lebens für die Entwicklung des ganzen Weltteils bezeichnend ist, so hat sie doch nirgends eine solche Intensität erlangt wie in den großen italienischen Handelszentren. Während, wie wir gesehen haben, der nordische Mensch den Übergang zur Geldwirtschaft nur unvollkommen und unter vielerlei moralischen und prakti- schen Hemmungen vollzog, erlebten Oberitalien und Toskana bereits eine Blüte des Frühkapitalismus, gefördert durch eine Reihe von Erfindungen, die den merkantilen Verkehr ungemein erleich- terten und belebten. Noch heute bedient sich ja die Kaufmanns- sprache fast lauter italienischer Fachausdrücke, zur Erinnerung daran, daß die Lombarden die Schöpfer dieser nützlichen Einrich- tungen waren. In die Wirtschaftsgebarung kommt planmäßiger Wille, Voraussicht, System. In seinen Lebensregeln sagt Alberti: *E ufficio del mercante e d'ogni mestiere, il quale ha a contrattare con più persone, essere sollecito allo scrivere, scrivere ogni compera, ogni vendita, ogni contratto, ogni entrata, ogni uscita in bottega e fuori di bottega; sempre avere la penna in mano.* Der Kaufmann mit der Feder in der Hand: das war etwas ganz Neues.

Blüte des Frühkapi- talismus

Das große Florentiner Bankhaus der Peruzzi hatte bereits im vierzehnten Jahrhundert sechzehn europäische Filialen, die sich von London bis Zypern erstreckten; ihre Handelsbeziehungen gingen bis nach Innerasien. Der Florentiner Gulden, der *fiorino d'oro*, galt im ganzen Abendland als die angesehenste und vollwertigste Münze. Neben den Peruzzi standen die Capponi, die Bardi, die Pitti, die Rucellai und die Strozzi: wie man sieht, zum Teil Namen, die sich durch unvergleichliche Palastbauten unsterblich gemacht haben. Der fabelhafte Aufstieg der Medici beginnt erst im fünfzehnten Jahrhundert: sie wurden in Kürze die erste Finanzmacht Europas. Einigermaßen ebenbürtig waren ihnen nur die Pazzi, berühmt durch die große Verschwörung des Jahres 1478, der Giuliano Medici zum Opfer fiel. Der Überfall fand im Dom statt, während der Messe; der Papst war mit im Spiel. Einer der Pazzi stürzte sich auf Giuliano und stach so wütend mit dem Dolch auf ihn ein, daß er sich selbst erheblich verletzte. Der Aufstand wurde noch im Laufe des Tages niedergeschlagen und die Herrschaft der Medici nur noch sicherer begründet. Man sieht: die Plutokratie war damals doch eine wesentlich andere Sache als heutzutage, eine Angelegenheit der heroischsten Leidenschaft und fanatischsten Kühnheit: für die Hegemonie der Firma wurde das Leben eingesetzt. Heute bekämpfen sich große konkurrierende Handelshäuser höchstens durch Wahlbestechungen, gekaufte Journalisten und inspirierte Parlamentsinterpellationen. In Rom herrschte das Bankhaus Chigi, das eine Reihe von Päpsten finanziert hat und dessen Chef Agostino Chigi, der Freund Raffaels und Erbauer der Farnesina, „ein Kaufmann im Erwerben, ein König im Ausgeben", sich gleich Lorenzo Medici den Beinamen *il magnifico* erwarb. Die ebenso erbitterte wie glänzende Handelsrivalität zwischen Venedig und Genua, die diese Zeit erfüllt, ist allgemein bekannt. Was aber die Finanzgebarung aller dieser Stadtrepubliken zu einem Unikum innerhalb ihres Zeitalters macht, ist die hellsichtige Energie und großartige Gewissenlosigkeit, von der sie getragen ist: im Mittelpunkt der Geschäftsmoral (wenn diese contradictio in adjecto gestattet ist) steht bereits der Gelderwerb als Selbstzweck, als lebengestaltendes Pathos, als stärkste Äußerungsform des Willens zur Macht. Im übrigen ist nichts für das Wirtschaftsleben Italiens charakteristischer als die Tatsache, daß die Juden darin nur eine sehr untergeordnete Rolle spielten: man brauchte sie nicht; man war geschäftlich noch viel talentierter als sie.

Dies alles hängt, wie bereits erwähnt, mit der Entwicklung des Städtewesens zusammen. Und die italienischen Städte waren bereits wirkliche Städte, ganz anders als die nordischen, die sich neben ihnen noch immer wie ummauerte mittelalterliche Dörfer ausnehmen. Man vergleiche Brügge mit Venedig, Köln mit Mailand, Lübeck mit Genua, selbst das damalige Paris mit Rom oder Florenz, und man wird den Eindruck haben, als ob man aus einer finsteren winkligen Seitengasse in eine breite luftige Avenue käme. Wir sagten im vorigen Kapitel, der Baufleiß und Kunstsinn habe sich im vierzehnten und fünfzehnten Jahrhundert noch wenig auf die Ausstattung und Bequemlichkeit der Privathäuser erstreckt, sondern fast ausschließlich auf die öffentlichen Gebäude: die Kirchen, Rathäuser, städtischen Kauflokale; es äußert sich hierin offenbar noch ein Rest von mittelalterlichem Kollektivempfinden. Ganz anders ist die Individualisierung in den italienischen Städten fortgeschritten: hier erheben sich bereits allenthalben Paläste, Villen, Privatkapellen, in denen majestätischer Prunk mit erlesenstem Geschmack wetteifert. Die Säle der Reichen bedecken sich mit den kostbarsten Malereien, ihre Gräber mit den prächtigsten Denkmälern, denen sie schon bei Lebzeiten die größte Sorge widmen: der Charakterbau ist in der nordischen Stadt nach wie vor der Dom, in der italienischen Stadt der Palazzo. Auch herrschten hier bedeutend geringere Standesvorurteile. Hierfür ist allein schon die Tatsache bezeichnend, daß es einem Geschlecht von bürgerlichen Parvenüs wie den Medici, die niemals auch nur die äußere Nobilität angestrebt haben, durch Generationen möglich war, die mächtigste, blühendste und kultivierteste Stadt der Halbinsel nur durch ihr Geld, ihre Virtuosität der Menschenbehandlung, ihren Geist und ihre Gabe glänzender Repräsentation souverän zu beherrschen. Aber auch in den übrigen Teilen Italiens hatte überall bereits der moderne Adel des Talents über den mittelalterlichen

Adel der Geburt gesiegt: in Mailand war das Condottierenge-schlecht der Sforza zur höchsten Würde gelangt, im Kirchenstaat konnte jeder Mensch, der genug Tatkraft und Klugheit besaß, Herzog oder Kardinal werden, und selbst in Venedig, dem relativ aristokratischsten Gemeinwesen, bestand das Patriziat doch schließ-lich auch nur aus reichgewordenen Krämern. Aber diese Macht-haber besaßen freilich alle eine außergewöhnliche innere Noblesse und angeborene Fähigkeit zur Herrschaft, die über ihre Herkunft gar nicht nachdenken ließ: vielleicht keine wirklich menschliche Größe, aber eine unvergleichliche seelische Grandezza.

Der
Komfort Diese zeigt sich schon in den bloßen Äußerlichkeiten des Da-seins: im Schmuck und Komfort, in jeglicher Art von Dekoration und Gerät. Der Rahmen, der das Leben umgibt, ist nicht nur rei-cher, sondern auch feiner als sonstwo: echt, gewachsen, selbstver-ständlich; unaufdringlich, maßvoll, harmonisch; und vor allem gewählt, das heißt: physiognomisch für den Besitzer; dagegen im Norden unpersönlich, konventionell, zufällig; parvenühaft, überladen, akzentlos; kindisch, klobig und bäurisch. Ein vorneh-mes italienisches Wohnhaus war nicht denkbar ohne weite helle Räume und hohe luftige Fenster, kostbare Teppiche und Arazzi, Tapeten aus Goldleder oder gemusterter Seide, Möbel aus edeln Hölzern, wertvolle Bilder in kunstvollen Rahmen, marmorne Kamine und ornamentierte Plafonds, Majoliken, Bronzen und Elfenbeinarbeiten, Kristallgeschirr, feines Weißzeug und pracht-volle orientalische Stickereien; dazu kam noch die breite ge-pflasterte Straße, die schon von zahlreichen zweispännigen Wagen belebt ist, und die höchste Freude des Italieners: die Landvilla mit ihren Grotten und Springbrunnen, Gärten und Alleen, die im Nor-den gänzlich unbekannt ist und bestenfalls durch das dürftige „Gartenhäuschen" ersetzt wird, in dem der Bürger seine Hühner hält, sein Gemüse pflanzt und ein paar Abendstunden verbringt; und schließlich ein Raffinement der Toilettekunst und Kosmetik: der Schminken, Schönheitswässer und Parfüms, Haarmittel, Pflaster und Coiffüren, wie es selbst unserer Zeit fremd geworden ist.

Künstleri-
scher Tafel-
genuß Der Tafelluxus stand ebenfalls auf einem viel höheren Niveau als anderwärts: er ist nicht so sehr kulinarisch als künstlerisch, dekorativ, spielerisch, mehr auf den Genuß des Auges als des Gaumens berechnet. Von einem berühmten Gastmahl, das der Florentiner Benedetto Salutati im Jahr 1476 in Neapel gab, haben wir folgende Schilderung: Zuerst gab es als Vorspeise für jeden Gast eine kleine Schüssel mit vergoldeten Kuchen aus Pinienkernen und einen Majolikanapf mit einem Milchgericht; dann Gelatine von Kapaunenbrust, mit Wappen und Devisen verziert: die Schüssel des vornehmsten Gastes hatte in der Mitte eine Fontäne, die einen Regen von Orangenwasser sprühte. Dann kamen verschiedene Fleischgattungen: Wild, Kalb, Hühner, Schinken, Fasane, Rebhühner, dazu brachte man ein großes silbernes Becken, aus dem, als man den Deckel hob, zahlreiche kleine Vögel aufflogen, und täuschend gemachte künstliche Pfauen, die das Rad schlugen und brennendes wohlriechendes Räucherwerk im Schnabel trugen. Der Nachtisch bestand in allerlei Süßspeisen: Torten, Marzipanen, leichtem zierlichem Backwerk, das Getränk in italienischen und sizilianischen Weinen, und zwischen je zwei Gästen lag eine Liste der fünfzehn Gattungen. Am Ende des Mahles wurde jedem parfümiertes Wasser zum Händewaschen gereicht und ein großer Berg aus grünen Zweigen aufgestellt, die mit kostbaren Essenzen imprägniert waren und ihren Duft durch den ganzen Saal verbreiteten. Vergleicht man dieses Souper mit den Mahlzeiten, die wir im vorigen Kapitel kennen gelernt haben, so hat man den Eindruck, als ob man von einer Bauernhochzeit zu einer Hoftafel käme. Bei einem anderen Fest, das Lorenzo Strozzi in Rom gab, wurden die Gäste zuerst in einen verdunkelten, mit Trauerstoffen ausgeschlagenen Saal geleitet, an dessen Wänden Totenköpfe angebracht waren und in dessen vier Ecken gespenstisch illuminierte Skelette standen. In der Mitte befand sich ein schwarz überzogener Tisch, auf dem zwei Schädel und vier große Knochen lagen. Die Diener hoben die Totenschädel auf, und darunter erschienen frisch gebratene Fasane, zwischen den Knochen lagen Würste. Niemand wagte zu essen, nur der päpstliche Hofnarr Fra Mariano, ein berühmter Vielfraß, ließ sich den Appetit nicht verderben. Nachdem sich die Gäste von ihrem Schrecken erholt hatten, öffneten sich die Flügeltüren und ein strahlend geschmückter Saal, der einen

Sternenhimmel darstellte, wurde sichtbar. Als man Platz genommen hatte, gab es eine neue Überraschung: Speisen und Flaschen sprangen für jeden Gast einzeln unter dem Tisch hervor, ohne daß man den Mechanismus enträtseln konnte. Der bereits erwähnte Agostino Chigi gab in Rom ein Bankett, bei dem er alle gebrauchten goldenen und silbernen Gefäße in den Tiber werfen ließ. Dies würde einigermaßen russisch anmuten, wenn es nicht ein bloßes Schaustück gewesen wäre, denn der Bankier hatte heimlich Netze am Flußufer auslegen lassen, um die kostbaren Geräte wieder auffischen zu können. Bei einem anderen Festmahl, dem der Papst beiwohnte, ließ er einen besonderen Fisch auftragen, den er lebend aus Byzanz hatte kommen lassen. Beim Abschied sagte ihm der Papst (und ein Dialog von so geistreicher und erlesener Höflichkeit war nur im Italien der Renaissance möglich): „Ich habe immer gedacht, Agostino, daß wir intimer miteinander wären." Agostino antwortete: „Und die Bescheidenheit meines Hauses hat die Ansicht Eurer Heiligkeit aufs neue bestätigt." Aus allen diesen Berichten geht hervor, daß bei den Mahlzeiten das Essen durchaus nicht die Hauptsache war.

Die Welt der Profile

Wir haben im Norden auf unserer Suche nach Individualitäten fast gar keinen Erfolg gehabt. Von Italien kann man im Gegenteil mit nur geringer Übertreibung sagen, daß es dort fast nur Individualitäten gegeben habe. Eine Fülle von scharf umrissenen Köpfen, einmaligen Physiognomien tritt uns auf den Plaketten, Porträts, Grabstatuen und Denkmünzen, in den Biographien, Briefen, Reden und Denkschriften, in Politik, Philosophie, Kunst und Geselligkeit entgegen: lauter bewußte und gewollte Besonderheiten, zum Eigenwillen, ja zum Eigensinn gesteigerte Profile. Man betrachte zum Beispiel die Medaillen der Medici: bis zur Häßlichkeit komplizierte Gesichter voll Hintergründen, ihr letztes Geheimnis nicht verratend; oder, um aufs Geratewohl etwas herauszugreifen, die beiden Päpste, die Raffael gemalt hat: auf der einen Seite eine so gewaltige Persönlichkeit, an der alles Kraft atmet, wie Julius der Zweite, *il pontefice terribile:* Luetiker, Sodomit, General und Despot; von dem Hutten gesagt hat, er habe den Himmel mit Gewalt stürmen wollen, als man ihm droben den Eintritt verweigerte; der sich mit niemand vertrug, alle Nachbarn mit Krieg überzog, in den dichtesten Kugelregen ritt, Konstantinopel und Jerusalem wiedererobern wollte, die Petersbasilika niederreißen ließ, weil sie ihm künstlerisch nicht zusagte, gleichzeitig das Festprogramm für den römischen Karneval bestätigte und die Verfügungen zu seinem Begräbnis traf und sich noch auf dem Sterbebette acht verschiedene Weinsorten reichen ließ, und dabei der einzige Papst, der seine in der Engelsburg aufgehäuften Schätze nicht den gierigen Nepoten, sondern seinem Nachfolger bestimmte, und der einzige Große seiner Zeit, der die Größe Michelangelos erkannte. Und daneben eine so genrehafte Figur wie Leo der Zehnte, *il papa Lione:* kurzsichtig, kurzhalsig, verfettet, fortwährend schwitzend und schnaufend, beim Gehen stets auf zwei Diener gestützt, um den schweren Körper fortschleppen zu können; lethargisch und schläfrig, besonders bei den kunstvoll gefeilten Vorträgen der Humanisten gern einnickend, dagegen ein begeisterter Freund platter Späße und leerer Aufzüge und eine Art Eßvoyeur, dessen höchstes Gaudium es war, wenn sein Hofnarr vor ihm ungeheure Mengen von Eiern oder Fasanen verschlang; ein maßloser Verschwender, der, wie man sagte, bei einem längeren Leben Rom, Christus und sich selbst verkauft hätte und bei seinem Tode nicht einmal so viel hinterließ, daß davon die Kerzen zu seinem Begräbnis bezahlt werden konnten, und der seiner Regierung dennoch den Namen des „goldenen Zeitalters" verschafft hat, weil Rom damals das bewunderte Zentrum der europäischen Kultur war und bezahlte Humanisten ihn, obgleich diese Kunstblüte sich ohne und zum Teil sogar gegen seinen Willen entfaltet hatte, als den großen Mäzen priesen: eine Fälschung, die die Nachwelt, obgleich sie nicht mehr von Leo dem Zehnten bezahlt ist, kritiklos übernommen hat.

Die Feder beginnt überhaupt bereits eine dominierende Macht zu werden, und es entwickeln sich die ersten energischen Anfänge der Presse und ihrer vollendetsten und konsequentesten Existenzform: der Revolverpresse. Hierfür ist zunächst überhaupt die ganze soziale Erscheinung der Humanisten maßgebend, die, bei allen ihren Verdiensten um die Hebung der allgemeinen Bildung

Geburt der Revolverpresse

und des Spezialinteresses für die Offenbarungen der antiken Kultur, doch zweifellos eine moralische Pest waren, indem sie durch ihr Vorbild und ihre Maximen lehrten, daß uneinschüchterbare Frechheit, absolute Gesinnungslosigkeit, maßlose Selbstberäucherung, dialektische Gedankenjongliererei und hemmungslose Unbedenklichkeit in der Wahl der polemischen Mittel die Hauptvehikel zum Ruhm und Erfolg seien. Sie haben mit einer Selbstverständlichkeit und Unverblümtheit, die sich selbst heute nur bei Winkelblättern findet, aus ihrer Meinung ein Geschäft gemacht: und sämtliche Praktiken, deren sich die heutige Presse bedient, sind von ihnen bereits mit vollendeter Virtuosität gehandhabt worden: die Verdrehung der Tatbestände und die Verdächtigung der Motive; der Griff ins Privatleben; die scheinbare Objektivität, die den Tadel um so glaubwürdiger macht; die versteckte Attacke, die die Gefährlichkeit der offenen nur erst ahnen läßt, und dergleichen mehr. Ebenso haben sie sich bereits untereinander aufs erbittertste bekämpft. Ihre Macht beruhte, ganz ähnlich wie bei der heutigen Journalistik, nicht bloß auf ihrem Witz, ihrer Schreibfertigkeit und ihrer Fähigkeit, schwer eingängige Themen in eine populäre und gefällige Form zu bringen, sondern auch auf ihrer Herrschaft über ein Material, das nur ihnen vollkommen zugänglich war: nur ist es heute das sogenannte Nachrichtenmaterial, dessen Verbreitung ein Privileg der Zeitungen bildet, während es sich damals um die Vermittlung des wiederentdeckten antiken Bildungsstoffes handelte. Insofern standen sie höher als die modernen Journalisten, denn sie waren nicht nur fast alle außerordentlich unterrichtet, sondern auch von einem begeisterten Eifer, ja Furor für das Altertum erfüllt, und so wird man ihrem geistigen Streben, bei aller ihrer sittlichen Verkommenheit, eine gewisse Idealität nicht absprechen können.

Natürlich waren viele von ihnen auch moralisch gänzlich einwandfreie Persönlichkeiten, und andere wiederum haben eine solche Energie und Ingeniosität entwickelt, daß auch die Nachwelt ihnen als wahren Giganten ihres Gewerbes die Bewunderung nicht zu versagen vermochte. Namentlich zwei von ihnen sind ebenso unsterblich geworden wie Raffael oder Machiavell: nämlich der bereits mehrfach erwähnte Vasari und Pietro Aretino. Vasari übte eine Geschmacksdiktatur von einer so unwidersprochenen Geltung, wie sie später nie wieder einem Rezensenten beschert worden ist. Er war selber ein ausübender Künstler, und zwar ein ziemlich mäßiger, und bietet damit das seither so oft wiederholte Schauspiel der Geburt der Kritik aus der schöpferischen Impotenz; außerdem verband er, worin er ebenfalls viele Nachfolger gefunden hat, mit seiner Tätigkeit das Geschäft des Kunstagenten. Selbst ein so intransigenter Charakter wie Michelangelo wußte, was er einem Vasari schuldig sei, und antwortete ihm auf die Übersendung seines Werks mit einem überaus schmeichelhaften Sonett, obgleich er von dem Inhalt und zumal von den Nachrichten und Urteilen, die sich mit ihm selbst beschäftigten, nichts weniger als erbaut war. Alle aber, die es wagten, Vasaris kritischen Offenbarungen zu opponieren oder ihn als Künstler nicht neben die Größten der Zeit zu stellen, wurden von ihm mit der äußersten Rachsucht und Ungerechtigkeit verfolgt, wobei es ihm auf Fälschungen nicht ankam: zahlreiche Künstler hat er auf diese Weise buchstäblich unmöglich gemacht.

Noch gefürchteter aber war der „göttliche Aretino“, der Vater der modernen Publizistik, von dem das Volk nicht mit Unrecht behauptete, er besitze den bösen Blick. Er bezog von den beiden großen Gegnern Karl dem Fünften und Franz dem Ersten gleichzeitig Pensionen und erhielt auch von anderen Potentaten: den Königen von England, Ungarn, Portugal und von vielen kleineren Fürsten reiche Geschenke; selbst der Sultan schickte ihm eine schöne Sklavin. Er war aber auch ein vollendeter Techniker der geistreichen Erpressung. Wir wollen als Beispiel wiederum nur seinen Verkehr mit Michelangelo anführen. Er schrieb diesem zunächst einige Briefe, in denen er den Ausdruck seiner Verehrung für Michelangelos Kunst sehr geschickt mit dem Hinweis auf seine eigene Machtstellung zu verbinden wußte: „Mir“, beginnt er, „der in Lob und Tadel so viel vermag, daß fast alle Anerkennung und Geringschätzung durch meine Hand verliehen wird, dessen Name jedem Fürsten Achtung einflößt, bleibt gleichwohl Dir gegenüber nichts als die Ehrfurcht. Denn Könige gibt es genug in der Welt, aber nur einen Michelangelo!" Infolgedessen bitte er ihn um „irgendein Stück Handzeichnung". Michelangelo erfüllte diese Bitte, die Gabe scheint aber nicht nach den Wünschen des Aretiners ausgefallen zu sein, denn nach einigen weiteren Mahnungen, die unbeantwortet blieben, schickte er Michelangelo ein vollendetes Muster und Prachtstück eines Erpresserbriefes, in dem es unter anderem heißt: „Mein Herr. Nachdem ich nun die ganze Komposition Eures jüngsten Gerichtes gesehen habe, erkenne ich darin, was die Schönheit der Komposition anlangt, die berühmte Grazie Raffaels wieder; als ein Christ aber, der die heilige Taufe empfangen hat, schäme ich mich der zügellosen Freiheit, mit der Euer Geist die Darstellung dessen gewagt hat, was den Inhalt unserer höchsten religiösen Gefühle bildet. Dieser Michelangelo also, so gewaltig durch seinen Ruhm, hat den Leuten zeigen wollen, daß ihm in ebenso hohem Grade Frömmigkeit und Glauben abgehen, als ihm in seiner Kunst Vollendung eigen ist. Ist es möglich, daß Ihr, der Ihr Euch im Gefühl Eurer Göttlichkeit zum Verkehr mit gewöhnlichen Menschen gar nicht herablaßt, dergleichen in den höchsten Tempel Gottes gebracht habt? ... In ein üppiges Badezimmer, nicht in den Chor der höchsten Kapelle durfte dergleichen gemalt werden ... Aber freilich, wenn die Haufen Goldes, die Papst Giulio Euch hinterlassen hat, damit sein irdisches Teil in einem Sarkophag von Eurer Hand ruhen könne, Euch nicht zur Einhaltung Eurer Verpflichtungen vermögen konnten, worauf konnte da ein Mann wie ich sich Rechnung machen? ... Aber Gott wollte offenbar, daß ein solcher Papst nur durch sich sei, was er ist, und nicht erst durch ein mächtiges Bauwerk etwas zu werden scheine. Trotzdem aber habt Ihr nicht getan, was Ihr solltet, und das nennt man stehlen." Und er schließt das Schreiben, in dem Denunziation wegen Irreligiosität, Vorwurf des Diebstahls und geheuchelte Trauer über ein irregeleitetes Genie mit vollendeter Kunst der Giftmischerei ineinandergemengt sind, mit dem triumphierenden Wortspiel: „Ich hoffe Euch nunmehr den Beweis geliefert zu haben, daß, wenn Ihr *divino (di vino)* seid, ich auch nicht *dell'acqua* bin." Und dieser Brief, für dessen Verbreitung natürlich Aretino sorgte, hat Michel-

angelo in der Tat unendlich geschadet. Es liegt aber in der Paradoxie des Renaissancecharakters, daß Aretino, abgesehen von den
Infamien, zu denen er sozusagen beruflich verpflichtet war, einer
der liebenswürdigsten, hilfreichsten und freigebigsten Menschen
gewesen ist, ein rührender Kinder- und Tierfreund, ein unermüd-
licher Wohltäter und Gastgeber, dessen Haus jedermann offen
stand, der Kranke unterstützte, Gefangene befreite, jeden Bettler
beschenkte, alles erpreßte Geld mit vollen Händen an andere aus-
teilte und jedem Bedürftigen seinen Rat und seinen Einfluß lieh,
ein „Sekretär der Menschheit", wie er sich selbst, *il banchiere della
misericordia*, wie einer seiner Freunde ihn genannt hat. Auch hat es
seinen Niederträchtigkeiten nicht an einer gewissen Großzügig-
keit und vornehmen Linie gefehlt; man braucht nur das Bild anzusehen, das sein Freund Tizian von ihm gemalt hat: etwas Im-
peratorisches, das auf wirkliche Geistesmacht hinweist, geht von
dieser Gestalt aus.

Etwas von diesem persönlichen Machtgefühl ging damals durch La grande
Putana
alle Menschen. Wie ein Motto stehen über der Renaissance die
Worte, die Francesco Sforza sprach, als die Mailänder ihm einen
Triumphbogen erbaut hatten: „Das sind abergläubische Einrichtungen der Könige, ich aber bin der Sforza." Auch die Frau erwacht zum vollen Eigenleben; sie ist dem Manne vollständig
gleichgestellt, nicht bloß sozial, sondern auch an Bildung. Und,
wie das fast immer in Zeiten der Emanzipation zu geschehen
pflegt, die gänzlich Befreite: die grande cocotte, *la grande Putana*,
gelangt zu dominierender Bedeutung; sie beherrscht zeitweilig
das ganze Gesellschaftsleben. Eine von ihnen, die sich bezeichnenderweise Imperia nannte, einen königlichen Haushalt führte, lateinisch und griechisch las und von Raffael als Sappho porträtiert
wurde, ist nach ihrem frühen Tode zu einer fast legendären Figur
geworden, und ein Dichter sang von ihr: Zwei Götter haben Rom
Großes geschenkt: Mars das Imperium, Venus die Imperia.

Der allseitige geistige Auftrieb kam natürlich auch den Univer- L'uomo
universale
sitäten zugute, zu denen sich alle Welt drängte: besonders die
Juristen von Bologna und Padua und die Mediziner von Salerno
waren in ganz Europa berühmt, und es wurde Mode, in Italien zu

studieren wie vorher in Paris und nachher in Deutschland, dessen junge Hochschulen damals noch weit zurückstanden. Aber nicht darauf beruhte der Hauptruhm Italiens, sondern was dem Geistesleben des Landes seinen besonderen Reichtum und Glanz verlieh, war gerade der Mangel jeglichen Spezialistentums, war die Tatsache, daß jeder führende Mensch eine ganze Universität in sich verkörperte und noch viel mehr als das. Denn die Menschheit war zwar schon reif genug zur Meisterschaft in allen Dingen, aber noch nicht alt genug zu dem ernüchternden und lähmenden Glauben, daß das Leben nur für die Meisterschaft in einem Dinge hinreiche. Im Gegenteil: das Ideal der Renaissance ist der *uomo universale*. Die hervorragenden Humanisten waren Philologen und Historiker, Theologen und Rechtslehrer, Astronomen und Ärzte in einer Person; nicht nur fast alle großen Künstler, auch zahlreiche kleinere waren gleichzeitig Maler, Bildhauer und Architekten und daneben auch noch oft hochbegabte Dichter und Musiker, scharfsinnige Gelehrte und Diplomaten. Das menschliche Talent war damals eben noch nicht künstlich in besondere Kanäle gepreßt, sondern ergoß sich als ein freier Strom befruchtend über alle Gebiete. Wir hingegen kommen heutzutage mit Gehirnen zur Welt, die gleichsam schon gefächert sind. Wir vermögen uns nicht vorzustellen, daß ein Mensch mehr als eine einzige Sache kann. Wir kleben jedem ein bestimmtes Etikett auf und sind erstaunt, mißtrauisch, beleidigt, wenn er sich nicht an dieses Etikett hält. Dies kommt daher, daß in unserer Kultur der Gelehrte, und zwar der Dutzendgelehrte, so vollständig dominiert, daß wir von ihm unwillkürlich den Rückschluß auf alle anderen geistigen Betätigungen gemacht haben. Dieser Dutzendgelehrte versteht in der Tat immer nur eine einzige Sache, während er auf sämtlichen anderen Gebieten die Hilflosigkeit und Ahnungslosigkeit eines Kindes oder eines Analphabeten besitzt. Das Wesen des wahren Künstlers besteht aber gerade darin, daß er alles versteht, allen Eindrücken geöffnet ist, zu allen Daseinsformen Zugänge hat, daß er eine enzyklopädische Seele besitzt. Wir bemerken daher in Zeiten künstlerischer Kultur bei sämtlichen begabten Menschen die größte Vielseitigkeit. Sie beschäftigten sich mit allem und konnten auch alles. In Griechenland war ein Mensch, der für hervorragend gelten wollte, genötigt, in nahezu allem hervorzustechen: als Musiker und Rhetor ebensogut wie als Feldherr und Ringkämpfer. Der Spezialist wurde von den Hellenen geradezu verachtet: er galt als „Banause". Und vollends in der Renaissance war Begabung, *virtù* einfach dasselbe wie Vielseitigkeit. Ein begabter Mensch war damals ein Mensch, der so ziemlich alle Gebiete beherrschte, auf denen sich Begabung zeigen läßt. Nur in entarteten Kulturen taucht der Spezialist auf.

Und dazu kam nun noch, daß diese Künstler ein unvergleichliches Publikum vorfanden, wie es nachher nie wieder und vorher nur ein einziges Mal, in Athen, bestanden hat. Es lag um die damalige Menschheit eine undefinierbare Aura von Genialität, eine eigentümlich geladene und gespannte Atmosphäre, die jeden produktiven Menschen zu den höchsten Kraftleistungen aufstacheln mußte. Für uns sind die künstlerischen Genüsse: Theater, Bildergalerie, Roman, Konzert eine angenehme Zugabe zum Leben, eine Sache, an der wir uns erholen, zerstreuen, vielleicht auch erheben, aber schließlich doch nur ein kostbarer Luxus und Überfluß, ein Stück Komfort wie Sekt oder Importen. Wir könnten uns das Leben auch ohne das denken. Aber in Athen oder Florenz war die Kunst eine Lebensfunktion des Menschen, die für seine Vitalität ebenso notwendig war wie das Fliegen für den Vogel. Die italienischen Karnevalsaufzüge, Spiele und Feste waren nicht wie bei uns eine rohe Volksbelustigung oder ein Apéritif für die überfeinerte Gesellschaft, sondern eine Lebensangelegenheit, die für jeden wichtig war, bei der jeder aktiv dabei sein wollte, wie heute in Amerika bei einem Meeting.

Die Rede, daß der Künstler einsam und menschenfern schaffe, nur aus sich, nur für sich, einzig von seinem inneren Genius geleitet, unbekümmert um äußeren Erfolg und Widerhall, ist eine der vielen kuranten Unwahrheiten, die jedermann glaubt, weil niemand widerspricht. Der Künstler schafft nicht aus sich. Er schafft, wir betonten es schon, aus seiner Zeit: das ganze Gewebe ihrer Sitten, Meinungen, Liebhabereien, Wahrheiten und nicht zuletzt ihrer Irrtümer ist sein Nährmaterial; er hat kein anderes.

Der Künstler schafft nicht für sich. Er schafft für seine Zeit: ihr Verständnis, ihre lebendige Reaktion ist seine Kraftquelle, erst durch ihr Echo vergewissert er sich, daß er gesprochen hat. Künstler, die das Unglück haben, „posthum geboren zu werden", wie Nietzsche sagt, das heißt: mit ihren Organen einer höheren Luft oder einem reicheren Boden angepaßt zu sein, haben immer etwas Verpflanztes, Unsymmetrisches, Entwicklungsgehemmtes, und Nietzsche selbst, der in seiner Zeit steht wie ein exotisches Luxusgewächs, ist das beste Beispiel dafür. Es kann die Schuld des Bodens sein, der nicht genügend Säfte hergibt, und das ist der Fall, wenn die Zeit zu arm, zu leer, zu seelenlos ist, und es kann an Sonne und Ozon fehlen, an Luftigkeit und Helle, und das tritt ein, wenn die Zeit rückständig ist und gleichsam nicht auf ihrer eigenen Höhe. Wir dürfen annehmen, daß die Fähigkeiten des Menschengeschlechts sich immer auf einem gewissen gleichmäßigen Durchschnitt halten, daß sie vielleicht im ganzen langsam fortschreiten, aber jedenfalls innerhalb dieser Evolution sich relativ so ziemlich gleichbleiben. Es ist nicht gut vorstellbar, daß plötzlich einige Jahrzehnte lang die Genies aus der Erde schießen und dann Generationen hindurch die Ernte wieder ganz mager bleibt. Aber wohl können wir uns denken, daß die Bodenbedingungen einmal besonders günstig sind und ein andermal elend, daß einmal – und das ist leider die Mehrzahl der Fälle – Hunderte von Samen nicht aufgehen oder nicht recht vorwärts kommen und daß bisweilen alles, was überhaupt lebensfähig ist, bis zu den äußersten Grenzen seines Wachstums gelangt. Ein bestimmter Pflanzenkeim wird in der gemäßigten Zone ein gerades, gesundes, korrektes Gewächs ergeben, nicht mehr und nicht weniger; gelangt er in einen Erdstrich, der entweder zu trocken oder zu rauh ist, so wird man entweder ein erschreckend dürres, struppiges, mißfarbiges und übelgelauntes Gewächs oder eine absonderlich greisenhafte, krüppelhaft am Boden hinschleichende und gewissermaßen asthmatische Zwergpflanze entstehen sehen; setzt man ihn aber in den fetten Boden und die warme wassergetränkte Luft der Tropen, so wird er ein mysteriöses Wundergebilde von Formen, Farben und Dimensionen entwickeln, die man ihm nie zugetraut hätte.

Es ist ein Vorrang der romanischen Nationen vor den germanischen, daß sie ein überaus günstiges Klima für Genies bilden; das geht so weit, daß man fast sagen könnte: sie bringen sogar Genies hervor, wenn sie gar keine haben. Bei ihnen ist der große Mann immer der gesteigerte Ausdruck des ganzen Volkes. Von Voltaire hat Goethe gesagt, er sei Frankreich, und ebenso könnte man von Calderon sagen, er sei Spanien; aber in den germanischen Ländern wirkt das Genie fast immer wie die unerklärliche Ausnahme, der lebende Protest, der glückliche Zufall: Goethe hätte von sich selbst nicht sagen können, er sei Deutschland. Und ebensowenig wird jemand im Ernst behaupten wollen, daß etwa Shakespeare der Typus des Engländers, Strindberg der Typus des Schweden, Ibsen der Typus des Norwegers, Schopenhauer der Typus des Preußen, Wagner der Typus des Sachsen sei. Aber von nahezu keinem der zahlreichen erlesenen Menschen, die während der italienischen Renaissance schufen, kann man leugnen, daß sie typische Vollblutitaliener waren, die nur leuchtend gestaltet haben, was die Menge unartikuliert empfand. In diesen verhältnismäßig kleinen Zentren herrschte eine Reibung, Intimität und seelische Dichte, die für den Schaffenden von höchstem Wert sein mußte. Jede dieser Stadtrepubliken war eine Welt für sich, ein in ewiger Fluktuation, Erregung und Spannung lebender Mikrokosmos. Wie im Bienenstock durch die Zahl der enggedrängten vibrierenden Individuen dauernd eine erhöhte Temperatur und belebende Eigenwärme erzeugt wird, so besaßen auch jene Gemeinwesen eine einzigartige température d'âme, und selbst die Laster und Leidenschaften, die sich hier entluden, wurden zu lebensteigernden, kunstfördernden Stimulantien.

Dies führt uns zu dem oft vernommenen Lamento über die "politische Zerrissenheit" des damaligen Italien. In der Tat: wenn man das Bild lediglich vom Standpunkt des Nationalpolitikers betrachtet, so ist es nicht erfreulich. In Mailand herrschten die Sforza, in Florenz die Medici, in Mantua die Gonzaga, in Ferrara die Este, im Kirchenstaat die Päpste, in Neapel die Aragonier, dazu kamen noch die beiden Seerepubliken Venedig und Genua und die zahlreichen kleineren Souveränitäten. Alle diese Staats-

Die „Zerrissenheit" Italiens

197

wesen bekämpften sich nicht nur untereinander durch offene Fehde oder versteckte diplomatische Intrige, sondern waren auch im Innern durch soziale und politische Parteien gespalten. Aber es läßt sich in der Geschichte verhältnismäßig selten die Beobachtung machen, daß Kräftigung des Nationalgeistes und Steigerung der politischen Macht mit Höherentwicklung der Kultur Hand in Hand gehen. Weder die Griechen der perikleischen Zeit noch die Deutschen des ausgehenden achtzehnten Jahrhunderts genossen das Glück eines nationalen Einheitsstaates, sondern befanden sich in ganz desolaten politischen Verhältnissen, und doch waren beide damals die stärkste geistige Kraftquelle unseres Planeten. Hingegen: die Römer brachten es zu der Zeit, als sie die ganze Welt beherrschten, in Kunst und Wissenschaft nur zu einem dürftigen, epigonenhaften Dilettantismus; die lateinische Renaissance, die Karl der Große auf der Höhe seiner Macht versuchte, verlief sehr kläglich; Frankreich hat unter Ludwig dem Vierzehnten nur eine fadenscheinige, aufgebauschte Goldbrokatkultur und unter Napoleon nur den leeren, lackierten Empirestil erzeugt; Deutschland hat weder nach 1813 noch nach 1870 eine bedeutende künstlerische Entwicklung genommen und besonders in dem Jahrzehnt nach seiner Einigung seine banausischste, geistloseste und kitschigste Kulturperiode erlebt, während das besiegte Frankreich auf dem Gebiet der Malerei und des Romans ganz Neues und Überwältigendes hervorbrachte.

Intimität, wahrhaft menschlicher Verkehr ist nur unter einer kleinen Anzahl von Individuen möglich. Ebenso wie ein wahrhaft fruchtbarer und belebender Unterricht eine Klasse mit verhältnismäßig geringer Schülerzahl zur Voraussetzung hat, darf auch ein Staatswesen, in dem ein persönliches Verhältnis zwischen den führenden Geistern und dem Volke und zwischen den einzelnen Gliedern des Volkes möglich sein soll, nicht allzu groß sein. Das Leben der italienischen Renaissance trug auch in seinen größten Verirrungen immer noch menschlichen Charakter, während das heutige unmenschlich, nämlich vollkommen unübersichtlich und noch dazu maschinell und seelenlos geworden ist. Das gleiche gilt vom Mittelalter. Die Innigkeit, der tiefe Realismus des Mittelalters ließ es zu keinen großen Staatsgebilden kommen. Eine Burg, ein autonomes Städtchen, ein Dorfflecken sind Wirklichkeiten, ein „Weltreich" ist ein toter und leerer Begriff. Die Römer haben es zum Imperialismus gebracht, die Griechen nicht, weil sie talentierter waren. Aus demselben Grunde, warum in einem Freilufttheater ein Ibsendrama oder eine Mozartoper unaufführbar ist, wird wahre geistige Kultur immer nur in relativ kleinen Staatswesen Wurzel fassen können. Die reichsten geistigen Entwicklungen sind immer von Zwergstaaten ausgegangen: von Athen, Florenz, Weimar. Und Italien, das jetzt nicht mehr „zerstückelt" ist, hat es in den zwei Menschenaltern seiner Einheit auf keinem Gebiet zu etwas anderem gebracht als zu matten und nichtssagenden Kopien der französischen Kultur.

Gesteigerte geistige Kultur kann mit „politischem Aufschwung", „militärischer Expansion", „nationaler Erhebung" Hand in Hand gehen; die Regel ist dies aber durchaus nicht. Die wahre Ursache jeder Höherentwicklung ist jedenfalls immer irgendein großer Gedanke, der die Massen so mächtig ergreift, daß er sie schöpferisch macht, das heißt: zu großen gemeinsamen Handlungen antreibt, denn eine andere Möglichkeit, schöpferisch zu werden, haben die Massen ja nicht. Dieser Gedanke kann politische Formen annehmen; er kann sich aber auch bloß darin äußern, daß der Kollektivgeist eine exzeptionelle künstlerische Atmosphäre schafft. Man führt die Blüte der griechischen Kultur auf die Perserkriege zurück. Aber was waren denn die Perserkriege? Ein Gedanke! Der Gedanke, daß Hellas, diese winzige Halbinsel einer Halbinsel, nicht einfach aufgefressen und verdaut, behaglich assimiliert werden dürfe von jenem Koloß Vorderasien, der nichts als groß war; daß der Geist notwendig stärker sein müsse als die Moles, die Qualität lebensberechtigter und lebensfähiger als die Quantität. Der griechische Bürger, der damals siegte, hatte mehr gedacht, mehr empfunden, mehr beobachtet, mehr, nämlich innerlicher und intensiver gelebt als der Perser mit seinen Wagenburgen, Riesenflotten, Prachtzelten und Harems. Im Grunde siegten damals Homer und Heraklit. Aber daß sie siegten, war nur eine sehr sekundäre Folge der sehr viel wichtigeren Tatsache, daß sie da waren! Und dreihundert Jahre später wurde Griechenland besiegt, und dies erwies sich als ebenso sekundär, die Römer wurden doch geistig abhängig von den Griechen, weil eben Homer und Heraklit noch immer da waren.

Die „Rückkehr zur Antike" Worin bestand nun der „Gedanke" der Renaissance? Wir haben es bereits angedeutet: der Mensch erkannte – oder vielmehr: er glaubte zu erkennen –, daß er ein gottähnliches schöpferisches Wesen, ja daß er selbst eine Art Gott sei: es ist der uralte Prometheusgedanke, der sich hier mit neuer Kraft Bahn bricht. Und die Formel, unter der er sich äußerte, lautete: Rückkehr zur Antike. Hierin liegt nun ein Problem. Denn man muß sich fragen: wie war es möglich, daß ein Volk gerade in dem Augenblick, wo ein neuer Lebensstrom durch seine Kultur ging, auf den Einfall kam, eine andere, längst versunkene Kultur nachzuahmen?

Zunächst wäre zu sagen, daß solche „Renaissancen": Wiederanknüpfungen an das Altertum, Rezeptionen des antiken Bildungsstoffes im Gange der europäischen Geschichte etwas ganz Gewöhnliches sind und fast der Ausdruck eines biologischen Gesetzes, indem sie sich mit der Regelmäßigkeit einer Serie im Laufe der Jahrhunderte wiederholen. Schon der Alexandrinismus war im Grunde eine Renaissance, eine bewußte und gewollte Rückkehr zu den literarischen Traditionen der klassischen Zeit. Daß die gesamte römische Dichtung nichts war als eine Wiederholung griechischer Formen, ja genau genommen eine bloße Übersetzungsliteratur, ist allgemein bekannt. Auch das Mittelalter hat zwei Renaissancen erlebt: die karolingische und die ottonische. Und auch die italienische Renaissance war ja nicht die letzte: wir werden im Verlauf unserer Darstellung noch öfters ähnlichen Bewegungen begegnen.

Ferner hat man darauf hingewiesen, daß die italienische Renaissance nichts anderes war als eine Fortsetzung der Landesgeschichte: daß die geistigen Zusammenhänge mit dem Altertum niemals gänzlich abgerissen, die Reste römischer Baukunst und Skulptur niemals gänzlich aus dem Stadtbild und der Landschaft verschwunden waren und der Volkscharakter, wenn auch durch Blutmischungen und neue Kultureinflüsse erheblich modifiziert, sich im wesentlichen auf einer Verlängerungslinie entwickelt hat, die im alten Rom ihren Ursprung hat.

Aber das Problem löst sich noch viel einfacher. Die italienische Renaissance war nämlich gar keine „Renaissance", sondern etwas schlechthin Neues: sie hat sich an die Antike nur in einem recht geringen Maße angelehnt und in einer ganz äußerlichen Weise, die nichts Entscheidendes bedeutete. Die „Rückkehr zum Altertum" war nichts als ein handliches, dekoratives und für jedermann verständliches Schlagwort, etwa wie die „Rückkehr zur Natur", die das achtzehnte Jahrhundert predigte; und die Zeitgenossen Petrarcas sind ebensowenig zur Antike zurückgekehrt wie die Zeitgenossen Rousseaus zur Natur.

Petrarca war der erste große Propagandist der Antike. Er war unermüdlich im Aufstöbern, Sammeln, Abschreiben und Kollationieren alter Manuskripte: ihm ist unter anderem die Wiederentdeckung einer ganzen Anzahl von Briefen und Reden Ciceros zu verdanken. Von der ganzen antiken Literatur läßt er aber im Grunde nur diesen einen gelten, den er für den Inbegriff aller Weisheit und Sprachkunst hält. Er besaß zwar auch ein griechisches Exemplar des Homer, von dem er jedoch kein Wort verstand. Im übrigen war er nichts weniger als ein antiker Geist, und epochemachend wurde er durch ganz andere Leistungen als durch seine Wiedererweckung Ciceros. Er hat die ersten großen Liebesgedichte in italienischer Sprache geschrieben, er hat die Form des Sonetts geschaffen, das seither die Lieblingsgattung der italienischen Schriftsteller und Leser geworden ist, und er ist vor allem der erste modern empfindende Mensch: der Poet des Weltschmerzes (einer dem antiken Menschen völlig unbekannten und heterogenen Empfindung), der Schöpfer der sentimental-pikanten Lebensbeichte im Rousseaustil und der Entdecker des Reizes der wildromantischen Natur: er war der erste, der Bergbesteigungen unternahm, was die Alten verabscheuten. Auch ist er dem Altertum gegenüber völlig christlich orientiert. „O gütiger heilbringender Jesus," ruft er, „wahrer Gott aller Wissenschaften und alles Geistes, für dich, nicht für die Wissenschaften bin ich geboren. Weit göttlicher ist einer von jenen Kleinen, die an dich glauben, als Plato, Aristoteles, Varro, Cicero, die mit all ihrem Wissen dich nicht kennen"; und von der Heiligen Schrift sagt er, daß aus ihr vielleicht weniger Blumen, sicher aber mehr Früchte zu gewinnen seien als aus den weltlichen Schriften. Im großen und ganzen kann man sagen, daß sein begeisterter Ciceronianismus ihm nur dazu gedient hat, sich eine glatte, gefällige, eingängige Form anzueignen, die den Schein zu erwecken versteht, daß viel gesagt sei, während bloß viel gesagt ist: auf dieser Basis hat er das Genre des Lehrbriefes ausgebildet, das etwa unserem heutigen Feuilleton entspricht. Schon manche seiner Zeitgenossen haben daher in seiner ganzen Vortragsweise etwas Komödiantisches erblicken wollen, und dieser Vorwurf ist ihm seither noch oft gemacht worden; und in der Tat haben alle seine Schöpfungen, selbst seine berühmte erotische Lyrik, etwas Posenhaftes, Gestelltes, auf den Effekt hin Drapiertes: sie wirken nicht ganz echt und waren es auch zweifellos nicht. Denn Lebenslauf und Dichtung decken sich bei ihm durchaus nicht: er schreibt glühende Verse an seine einzige Laura und unterhält daneben eine ganze Reihe anderer Liebschaften; er schwärmt für Einfachheit, Weltflucht und Bukolik und ist fortwährend bemüht, Pfründen zu ergattern; er gibt vor, den Ruhm zu verachten, und betreibt dabei aufs eifrigste seine Dichterkrönung. Aber mit alledem kreuzt sich seine leidenschaftliche Aufrichtigkeit und sein heroischer Drang nach Selbsterkenntnis: er war eben schon eine ganz moderne, komplexe Natur.

Die Scheinrenaissance Eine vollkommen äußerliche Sache war das Studium der Alten bei Boccaccio, der als zweiter Wiedererwecker der Antike genannt wird: er hat diese Richtung von seinem Lehrer Petrarca ganz mechanisch übernommen und überhaupt wohl nur deshalb vertreten, weil sie eben schon damals die große Mode war. Er versuchte Griechisch zu lernen, kam aber darin nicht weit und hat bloß eine Übersetzung Homers ins Lateinische angeregt, die sehr elend ausfiel. Die Nachwelt hat ihm denn auch volle Gerechtigkeit widerfahren lassen, indem sie nur dem Verfasser der graziösen schlüpfrigen Lebensbilder des „Decamerone" eine dauernde Erinnerung bewahrte. Auch die beiden bedeutendsten Humanisten des fünfzehnten Jahrhunderts: Enea Silvio (der spätere Papst Pius der Zweite) und Poggio waren der Weltanschauung des Altertums innerlich abgeneigt: dieser nennt Alexander den Großen einen verruchten Räuber und die Römer die Geißel des Erdkreises; nirgends in der alten Welt sei Treue, Frömmigkeit, Humanität zu finden gewesen. Griechisch wurde überhaupt nur in Florenz auf der von Cosimo Medici gestifteten Platonischen Akademie getrieben; ihr bedeutendstes Mitglied war Marsilio Ficino, der ausgezeichnete Übersetzer Platos, aber auch Plotins, den er mindestens ebenso hoch stellte und in seiner eigenen Philosophie zum Vorbild nahm: auch hier also wieder eine unantike Tendenz, da der Neuplatonismus bekanntlich die Auflösung des autochthonen griechischen Denkens und dessen Überleitung in mystische, dem Christentum verwandte Spekulationen bedeutet. Von einem exakten philologischen Betrieb ist überhaupt bei den Humanisten nirgends etwas zu bemerken: die Texte werden nach Gutdünken überarbeitet, korrigiert, ergänzt, zeitgenössische Schriften mit der größten Unbefangenheit für antike ausgegeben. Auch handelte es sich bei der antikisierenden Renaissanceschriftstellerei in den meisten Fällen weniger um eine wirkliche innere Aneignung der alten Autoren als um eine grobe und schülerhafte Entlehnung eines stereotypen Phrasenschatzes. Erst Laurentius Valla hat eine wissenschaftliche Sprachforschung und Grammatik ins Leben zu rufen versucht, gegen die Vergötterung Ciceros polemisiert, den er unter Quintilian stellt, und in seiner Schrift „de elegantiis", die ungeheures Aufsehen machte, den Nachweis geführt, daß kein einziger Zeitgenosse ordentlich Lateinisch schreiben könne; im übrigen hat er die Versuche, antike Lebensformen auf die Gegenwart zu übertragen, für lächerlich erklärt. Gegen die einseitigen Ciceronianer wandte sich auch Polizian: das Gesicht eines Stieres oder eines Löwen, schrieb er, erscheine ihm viel schöner als das eines Affen, und doch habe dieser viel mehr Ähnlichkeit mit einem Menschen. Auch Giovanni Pico della Mirandola, einer der größten Geister der Renaissance, warnt vor der parteiischen Glorifizierung des klassischen Altertums; er läßt die Scholastiker des Mittelalters einmal sagen: „Wir werden ewig leben, nicht in den Schulen der Silbenstecher, wo über die Mutter der Andromache und die Söhne der

Niobe debattiert wird, sondern im Kreise der Weisen, wo man den tieferen Gründen der göttlichen und menschlichen Dinge nachforscht. Wer da näher tritt, wird merken, daß auch die Barbaren den Geist hatten, nicht auf der Zunge, aber im Busen." Und sein Neffe Francesco Pico sagt: „Wer wird sich scheuen, Augustinus dem Plato gegenüberzustellen, Thomas, Albert und Scotus dem Aristoteles; wer möchte Äschines und Demosthenes den Vorzug vor Jesaias geben?" Und gegen Ende des fünfzehnten Jahrhunderts erfolgte die gewaltige Reaktion unter Savonarola, der letzte heroische Versuch, den neuen Geist zu ersticken und zur Gotik zurückzufinden: auf den Scheiterhaufen, die der große Bußprediger errichtete, brannten unter den anderen irdischen Eitelkeiten auch die Werke der Alten und der Humanisten. Diese ganze Bewegung war freilich nur ein Zwischenspiel, sie hat aber eine Zeitlang die weitesten Kreise ergriffen und die tiefsten Wirkungen geübt: sie hat der Malerei, der Dichtung, der Philosophie ihre Züge eingebrannt und eine Reihe der hervorragendsten Künstler zu einer völligen Umkehrung ihres Weltbildes und ihrer Darstellungsweise getrieben: aus mondänen Meistern einer heiteren Salonkunst und hymnischen Schilderern des rauschenden Lebensgenusses werden melancholische Grübler und weltverachtende Asketen, aus zarten Lyrikern hieratische Pathetiker; einige von ihnen haben seit Savonarolas Donnerreden überhaupt keinen Pinsel mehr angerührt. Und zu Anfang des sechzehnten Jahrhunderts erfolgt dann der „Sturz der Humanisten": alle Welt wendet sich von ihnen ab, niemand vermag mehr ihre Pedanterie und Wortkrämerei, ihre Eitelkeit und Reklamesucht, ihre Frivolität und Korruption, ihre Oberflächlichkeit und Geistesleere zu ertragen.

Aus alledem geht folgendes hervor: erstens, daß die italienische Renaissance eine nahezu rein lateinische war, zweitens, daß sie sich die längste Zeit hindurch nur auf die Literatur erstreckt hat, drittens, daß selbst diese literarische Rezeption eine vorwiegend theoretische, akademische war, und viertens, daß aus dem Altertum nicht die typisch antiken Elemente übernommen wurden, sondern hauptsächlich jene, die bereits das Christentum vorbereiten. „Heidnisch" war die Renaissance nur in einzelnen ihrer

Vertreter und auch bei diesen nur in dem negativen Sinn, daß sie den christlichen Glaubensvorstellungen skeptisch und zum Teil sogar atheistisch gegenüberstanden; die positiven Züge der Religion und Weltanschauung des altrömischen Heidentums traten jedoch nur in einigen kindischen Äußerlichkeiten hervor.

Eine umfassende, lebengestaltende und lebenbeherrschende Macht ist der Klassizismus nur in den ersten Jahrzehnten des Cinquecento gewesen: als ein kurzes Intermezzo zwischen Gotik und Barock. In der Baukunst und bei einzelnen Malern wie Mantegna oder Signorelli setzt er schon früher ein; im neuen Jahrhundert wird er zur allgemeinen Leidenschaft und einer Art fixen Idee. Das große Losungswort heißt Kontur: die Plastik ergreift Besitz von der Malerei. Zugleich siegt ein nüchterner, hochmütiger Vereinfachungswille, im Anschluß an einige antike Skulpturen, die damals ans Licht kamen: diese elenden Niedergangsexemplare einer herzlosen, leeren, prosaischen Epigonenkunst werden zu entscheidenden und noch dazu mißverstandenen Vorbildern, unter deren despotischem Druck nun alles künstlich sterilisiert, geglättet, ausgetrocknet und entseelt wird. Die stolze Schmucklosigkeit, die in den Bauten des Quattrocento unvergleichliche Triumphe gefeiert hatte, aber naturgemäß immer nur ein Privileg besonders begnadeter Naturen bleiben kann, soll nun alle Lebensäußerungen beherrschen, erscheint aber in den Händen der kleinen Geister zur aufgeblasenen, hoffärtigen, selbstgefälligen Langweile deformiert; die Einfachheit wird zur Dürftigkeit, die Klarheit zur Seichtheit, die Reinheit zur Abgewaschenheit; das römische Empire, eine Kunst, wie sie den Bedürfnissen der harten und mageren Geisteswelt der altrömischen Großschieber entsprach, soll nun plötzlich zur exklusiven Norm, zum höchsten Ideal erhoben werden. Im sechzehnten Jahrhundert beginnt auch der übermächtige Einfluß Vitruvs, dessen Lehrbuch als absoluter Kanon für den Baumeister galt. Alberti dachte darüber noch anders. In seinem „Trattato della pittura" sagt er: „Die Alten hatten es leichter, groß zu werden, da eine Schultradition sie zu jenen höchsten Künsten erzog, die uns jetzt so große Mühe kosten, aber um so viel größer soll auch unser Name werden, da wir ohne Lehrer, ohne Vorbild Künste und Wissenschaften finden, von denen man früher nichts gehört noch gesehen hatte." Mit dem Cinquecento weicht das Wunder, das Geheimnis, die Chaotik, Unergründlichkeit und Widersinnigkeit des Lebens aus der Kunst.

Nun konnten ja die Ruinen und Torsi selbst in der damaligen Zeit nur in recht beschränktem Maße einwirken, die antike Malerei gar nicht, am ehesten eben noch die alten Poeten, Rhetoren und Theoretiker. Und was hat man denn, bei Licht besehen, überhaupt übernommen? Ein paar Säulenformen und Dachprofile, Rundbogen und Plafondkassetten, Medaillen und Girlanden, etliche Redefloskeln und Metaphern, lateinische Namen und heidnische Allegorien: — lauter Dinge, die an der Peripherie liegen. Wenn man den Papst Pontifex maximus, die Kardinäle Senatoren, die städtischen Obrigkeiten Konsuln und Prätoren, die Nonnen Virgines vestales nannte, Giovanni in Janus, Pietro in Petreius, Antonio in Aonius latinisierte, wenn ein Dichter die Albernheit hatte, zu singen: „O sommo Giove per noi crocifisso; o höchster Jupiter, für uns gekreuzigt" und ein anderer das ewige Lämpchen des Muttergottesbildes unter die Büste Platos stellte, so wirkt das auf uns nur wie eine modische Marotte oder eine bizarre Maskerade. Aber die Sache lag eben nicht so, daß jene Menschen sich unter dem plötzlichen übermächtigen Einfluß antiker Vorbilder eine neue Kunst, Sprache, Weltanschauung schufen, sondern die wahre Erklärung des ganzen Vorgangs liegt darin, daß diese neue Art zu sehen schon latent da war und man nur nach jenen Paradigmen griff, weil man in ihnen ein ähnliches Weltgefühl verkörpert sah oder zu sehen glaubte. Die römischen Überreste waren schon immer, ja früher sogar viel reichlicher vorhanden gewesen, Vitruv war längst bekannt, aber erst jetzt fiel es den Italienern ein, sich nach diesen Mustern zu richten. Weil sie selber so waren: rationalistisch, formenklar, diesseitig, skeptisch, wurden sie antike Römer. Und was die Literatur anlangt, so ist es bezeichnend, daß aus der Fülle des Überlieferten gerade Cicero zu einer solchen Alleinherrschaft erhoben wurde: seine wässerige, aber rauschende Dekorationskunst, die handliche Glanzstukkatur seiner Eloquenz, die sich mühelos an jedem Gedankengebäude anbringen läßt, sein äußerlich impo-

santer, die innere Dürftigkeit geschickt verbergender Allerwelts-
enzyklopädismus: dies alles kam einem so starken Zeitbedürfnis
entgegen, daß zum Beispiel einzelne Humanisten sich überhaupt
weigerten, etwas anderes zu lesen als Cicero oder ein Wort zu gebrauchen, das bei ihm nicht vorkam.

Und doch hat es auch der sogenannten Hochrenaissance, die
eigentlich einen Tiefpunkt der Renaissancebewegung bezeichnet,
nicht an einer gewissen Größe gefehlt: vermöge des grandiosen
Stilisierungswillens, der alle ihre Lebensäußerungen durchdrang
und dem ganzen Dasein eine unnachahmliche Gehobenheit, Pracht
und Majestät verlieh. Alles trägt den Charakter einer heiteren Repräsentation, die sich der Natur bewußt entgegensetzt, weil sie sie
anders haben will: nicht so natürlich, so vulgär, so selbstverständlich, so „stillos“, sondern würdevoll und formvollendet, dekorativ
und geschmackvoll, wohltemperiert und in sorgfältige Falten gelegt. Wir erkannten bei der Betrachtung der nordischen Zustände
das Kostüm als eine der charakteristischsten Ausprägungen des
Zeitgeistes. Wir finden dasselbe im Süden, nur mit umgekehrter
Tendenz: hier strebt die Tracht nach dem Eindruck des Königlichen, Solennen, pathetisch Distanzierenden. Grelle Farben und
bizarre Formen werden gemieden; das Fallende und Wallende,
die große, kraftvoll fließende Linie gibt den Grundton. Man verlangt von der Frau, daß sie einen mächtigen Busen, starke Hüften,
üppige Glieder habe oder doch vortäusche, daß ihre äußere Erscheinung nichts Kleines, Genrehaftes, Niedliches an sich trage:
daher liebt man schwere feierliche Stoffe wie Samt, Seide, Brokat,
lange Schleppen und weite Bauschärmel, breite Mäntel und hohe
Coifffüren, nicht bloß aus künstlichem Haar, sondern zum Teil auch
aus weißer oder gelber Seide; die Modefarbe ist das majestätische
Goldblond, das die Damen durch alle möglichen Geheimmittel
und Tinkturen und durch tagelanges Liegen in der Sonne zu erzielen suchten. Jede Frau soll das Air einer Juno, jeder Mann die
Würde eines Jupiter haben, daher kommt auch wieder der stattliche Langbart auf. Das Ephebenhafte steht ebenso niedrig im Preise
wie das Mädchenhafte: man schätzt nur den reifen Mann und die
vollerblühte Frau, an der man wiederum einen Zug ins Virile liebt.

Für die männliche Kleidung werden ernste, dunkle, unauffällige Farben Vorschrift; die Damen tragen sogenannte Wulstenröcke, die, oft viele Pfund schwer, zur Verstärkung der Hüften dienen, Mieder, die den Busen in die Höhe pressen, und fußhohe Schuhuntersätze. Das Ideal des Gehens, Stehens, Sitzens und ganzen Gehabens ist die lässige Vornehmheit, die gehaltene Ruhe, die *gravità riposata*; man geht überhaupt nicht mehr: man wandelt. Das Leben soll ein immerwährender vornehmer Empfang, ein effektvolles Repräsentationsfest, eine großartige Gesellschaftsszene sein, bei der sorgfältig geschulte, bis in die Fingerspitzen beherrschte Menschen ihre imposante Kunst vollendeten Betragens zur Schau stellen.

Der herrschende Grundzug der italienischen Hochrenaissance ist ein extremer Rationalismus, der aber sehr bald nach Frankreich abwandert, um sich dort dauernd niederzulassen. Michelet sagt: *L'art et la raison réconciliés, voilà la renaissance.* In dieser Formel ist alles gesagt. Die Renaissance will die Welt einteilen, disponieren, artikulieren, licht und überschaubar machen: aus diesem einen Motiv erfließt alles, was sie geschaffen und zerstört, bejaht und negiert, entdeckt und übersehen, erkannt und verkannt hat. Sie will das Dasein fassen, organisieren, unter Gesichtspunkte bringen, von denen aus jederzeit eine leichte und sichere Orientierung möglich ist. Ihr Ideal ist auf allen Gebieten die Proportion, das Metrum. Das Höchste nach dieser Richtung hat sie in der rhythmischen Gliederung und Linienharmonie ihrer Bauwerke erreicht: mit ebenso genialen wie einfachen Mitteln. Aber auch überall sonst: in der Anlage der Gärten, Möbel, Ornamente, in dem einheitlichen und durchsichtigen Arrangement der Gemälde und Reliefs, in der symmetrischen Auffassung des menschlichen Körpers und seiner landschaftlichen Umgebung herrscht dasselbe mathematisch-musikalische Prinzip. Alle Künstler jener Zeit sind unübertreffliche Meister der Komposition gewesen: darüber hinaus aber sind sie merkwürdig wenig gewesen.

Ein sophistisches Zeitalter   Die italienische Renaissance besitzt eine große Ähnlichkeit mit dem Zeitalter des Perikles, das man eigentlich das Zeitalter der Sophisten nennen sollte. Denn der Peloponnesische Krieg, die athenische Demokratie, die attische Komödie: das waren lauter sophistische Erscheinungen. Man darf dabei natürlich nicht an den landläufigen Begriff der Sophistik denken, der keine Charakteristik dieser philosophischen Schule ist, sondern nur ein von Plato aufgebrachtes Schimpfwort. Im Grunde haben alle klassizistischen, alle sogenannten „goldenen" Zeitalter einen Zug ins Sophistische; auch die augusteische und die napoleonische Zeit zeigen innere Übereinstimmungen mit der Ära des Perikles: Sieg der purifizierenden Logik in Kunst, Weltanschauung, Verfassung. Die Ähnlichkeiten erstrecken sich in unserem Fall zunächst auf die politischen Lebensformen: beidemal Stadtrepubliken mit mehr oder minder deutlich markierter Tyrannis auf demokratischer oder scheindemokratischer Basis: ganz nach der Art der Medici hat auch Perikles seine Herrschaft lediglich als „erster Bürger" ausgeübt, indem er seine Macht nicht auf Erbrecht und Gottesgnadentum, sondern auf politische Klugheit, die Suggestion seiner Persönlichkeit und den Glanz der durch ihn geförderten Künste stützte, während wiederum Gestalten wie Themistokles oder Alkibiades in ihrer Vereinigung von Talent und Charakterlosigkeit, politischer Tatkraft und Mangel an Patriotismus zur Vergleichung mit den großen Condottieri herausfordern. Ferner üben die großen italienischen Stadtgemeinden über eine Reihe von kleineren oder schwächeren Städten eine Hegemonie aus, die ebenso rücksichtslos und egoistisch, verhaßt und unsicher ist wie die der hellenischen Vororte über ihre „Bundesgenossen"; und sie bekämpfen sich untereinander mit ebenso wahllos grausamen und perfiden Mitteln, ohne jeden Sinn für „nationale Einheit", während sie sich andererseits doch wieder durch das Bewußtsein ihrer gemeinsamen, allen anderen Völkern überlegenen Kultur in einen großen Zusammenhang gestellt fühlen, weshalb sie in allen künstlerischen und geistigen Fragen stets ebenso solidarisch empfunden haben wie in allen politischen Angelegenheiten unheilbar partikularistisch. Die Analogie erstreckt sich in gleichem Maße auf die Verhältnisse der inneren Politik: auch im Italien der Renaissance finden wir den Bürger an eine größenwahnsinnige Polis ausgeliefert, die mit dem Anspruch der Allmacht auftritt, an sinnloser Willkür, niedrigem Neid, verleumderischem Denunziantentum, habgieriger Korruption und frecher Erpressung das Äußerste leistet und sich die Beargwöhnung und Verfolgung und nicht selten die Verbannung oder Tötung ihrer Besten zum Prinzip macht: zur Behandlung eines Phidias und Sokrates bietet das Schicksal eines Dante und Savonarola ein sehr sprechendes Gegenstück. Auch an die große und bis dahin unerhörte Rolle, die die Hetären hier wie dort im geistigen und gesellschaftlichen Leben gespielt haben, könnte man denken, ferner an die künstlerische und soziale Bedeutung der Homosexualität und schließlich an die ebenso intensive wie kurze Blüte beider Kulturperioden, die mitten auf ihrer Sonnenhöhe gleichsam durch Selbstmord geendet haben. Kurz, was Plutarch von den Athenern des fünften vorchristlichen Jahrhunderts gesagt hat: daß sie extrem groß im Guten wie im Schlechten gewesen seien, gleichwie der attische Boden den süßesten Honig und den giftigsten Schierling hervorbringe, das gilt auch von den Italienern der Renaissance.

Die Humanisten   Den Sophisten entsprechen natürlich die Humanisten. Man denke an ihre maßlose Selbstberäucherung, ihre raffinierte Dialektik, ihre leidenschaftliche Obtrektationssucht und erbitterte gegenseitige Rivalität, die nicht selten zu Schlägereien und bisweilen sogar zu Mordanschlägen führte, ihren Rationalismus und Kritizismus, ihren sittlichen Subjektivismus, der den Menschen zum „Maß der Dinge" macht, ihren religiösen Skeptizismus, der hart bis an die Grenze des Atheismus geht, ohne jedoch die äußeren Formen des herrschenden Glaubens anzugreifen, an ihr wanderndes Virtuosentum, das im Gegensatz zu den bisherigen Anschauungen aus der Verbreitung von Kenntnissen und Fertigkeiten ein Geschäft macht, an ihren extremen Kultus der Eloquenz (von der selbst ein so reicher Geist wie Enea Silvio erklärte, nichts regiere den Erdkreis so sehr wie sie); und wenn sie bei allen ihren Schwächen und Mängeln doch den größten Zulauf fanden und auf eine Weise gepriesen und fetiert wurden, die uns heute fast pathologisch erscheint, so hat auch dies beidemal denselben Grund: sie redeten aus dem Herzen des Zeitalters, dessen tiefste Wünsche und Bedürfnisse sie mit wunderbarem Spürsinn erraten hatten; sie waren in ihrer grenzenlosen Beweglichkeit, Unruhe und Anpassungs-fähigkeit, ihrer edeln Neugierde und Wißbegierde und ihrer stets bereiten Empfänglichkeit für alle Dinge des Geistes und der Lebenserhöhung die legitimen Repräsentanten des damaligen Geschlechts.

Die Humanisten waren in der Tat die angesehensten Menschen des Zeitalters: jedermann bewarb sich um ihre Dienste und ihren Verkehr. Sie wurden gesellschaftlich viel höher gewertet als die bildenden Künstler, was sehr merkwürdig ist, da doch in diesen, und zwar ausschließlich in diesen, die gesamte schöpferische Kraft der Renaissance konzentriert war. Nicht selten nahmen sogar die Hofnarren einen höheren sozialen Rang ein als die Maler und Baumeister. Man bediente sich ihrer Talente, bewunderte sie wohl auch, erblickte in ihnen aber doch nur eine Art höherer Lakaien. Nur Raffael machte eine Ausnahme wegen seiner ausgezeichneten gesellschaftlichen Talente, seiner persönlichen Liebenswürdigkeit und seiner Fähigkeit zur Repräsentation. Vasari bezeichnet sich in seinen „Vite" ausdrücklich als Maler und ist sich bewußt, daß darin eine erlesene Courtoisie gegen seine Kollegen liegt, die er damit auf die schmeichelhafte Tatsache hinweisen will, daß aus ihren Kreisen ein Schriftsteller hervorgegangen sei. Und Alberti gibt den Künstlern den Rat, mit Poeten und Rhetoren Freundschaft zu schließen, da diese ihnen die Stoffe liefern.

Damit kommen wir auf einen sehr bemerkenswerten Punkt, den wir bereits kurz berührt haben: das „Literarische" der Renaissance. Die Humanisten lieferten den Künstlern nicht bloß die „Stoffe", sondern den ganzen geistigen Stoff, Fundus und Untergrund: Weltbild und Assoziationsmaterial, Kanevas und Programm.

Wir sagten im vorigen Kapitel, die bildende Kunst, und im besonderen die Malerei, sei jene Ausdrucksform, in der jede neue Art, die Welt zu begreifen, ihre früheste Ausprägung zu finden pflegt. Es ist auch ganz einleuchtend, warum dies der Fall ist. Betrachten wir den Entwicklungsgang des Individuums, so sehen wir, daß beim Kinde die ersten Eindrücke, die es aufnimmt und verarbeitet, durch das Auge gehen. Es vermag viel früher richtig zu sehen als zu hören oder gar zu denken. Dem entspricht die chronologische Reihenfolge im Werdegang der Kollektivseele. Der neue Inhalt, der das Leben der einzelnen Kulturperioden erfüllt, wird zuerst von den Gesichtskünsten erfaßt: der Malerei, Skulptur, Architektur, sodann von den Gehörskünsten: der Dichtung und Musik, und zuletzt von den Künsten des Denkens und Deutens: der Wissenschaft, Philosophie und „Literatur". Zuerst sind die neuen Sinne da; viel später erst fragt man nach deren Sinn.

Von dieser Regel macht die italienische Renaissance eine Ausnahme. Hier ging die Literatur der bildenden Kunst vorauf: es gab schon Antikisieren, Renaissance, Klassizismus in den sprechenden Künsten, als die bildenden noch mittelalterlich gebunden oder rein naturalistisch waren. Woher kam nun diese widersinnige Anomalie? Das Rätsel löst sich auch diesmal wieder sehr leicht, indem sich das Ganze als eine bloße Augentäuschung entpuppt, wenn man diese der bildenden Kunst vorauseilende Literatur ein wenig näher ins Auge faßt. Sie liegt nämlich auf einer ganz anderen Ebene als die anderen Künste, insofern sie überhaupt keine Kunst ist, sondern eine gänzlich unproduktive, sterile, akademische Programmatik und stilistische Spielerei. Erst im sechzehnten Jahrhundert, als die bildenden Künste schon längst geblüht und ausgeblüht hatten, erscheint eine schöpferische Literatur, eine Poesie, die ihren Namen wirklich verdient, und auch da bleibt sie in ihrer ganzen seelischen Haltung weit hinter der Malerei zurück: die Epik Ariosts und Tassos ist ohne Luftperspektive, ohne Kenntnis der Anatomie, ohne Kraft höchster Individualisierung, ohne echte Dramatik und wirkliche Porträts, in der Komposition noch ganz auf der Stufe der Primitiven: streifenförmig, linear, ohne Tiefendimension, ornamental; und vor allem ohne jene noble Einfachheit und Natürlichkeit, die den höchsten Ruhm der Renaissancekünstler bildet.

In Wahrheit gab es in jenen zwei Jahrhunderten nicht: erst Dichtkunst, dann bildende Kunst, sondern nur bildende Kunst, sofern man unter Kunst etwas Neues, Schöpferisches, Eigenes, eine Geburt versteht. Zu modifizieren ist aber diese Feststellung durch die andere Konstatierung, daß diese bildende Kunst allerdings zum Teil hervorgerufen war durch szientifische Erörterungen, Untersuchungen und Reminiszenzen, was sonst nicht der Fall zu sein pflegt; und dies war eine Art Fluch der Renaissance, denn hierdurch wurde der ganzen Bewegung der Charakter des Intellektuellen, Artifiziellen, Gewollten, Gemachten, Gestellten aufgeprägt, der sich von Generation zu Generation verstärkte und auf der Höhe der Entwicklung, als das verderbliche Programm endlich voll begriffen wurde, zu einer Seelenlosigkeit und Kälte führte, die alle Keime einer fruchtbaren Fortbildung ertöten mußte.

Ein häßlicher und zerstörender Riß geht von nun an durch alle höheren Betätigungssphären der Kultur. Kunst wird eine Sache der Kenner, Weisheit eine Sache der Gelehrten, Sitte eine Sache der guten Gesellschaft. Der Maler, der Bildhauer, der Poet schafft nicht mehr für die ganze Menschheit als Seher und Verkünder großer heiliger und beseligender Wahrheiten, sondern für einen kleinen Kreis, der die „Voraussetzungen" hat, die „Feinheiten" zu würdigen versteht, die „Nebenvorstellungen" zu vollziehen vermag. Die Baumeister errichten nicht mehr, wie im Mittelalter, ihre Kirchen und Dome als Vollstrecker der allgemeinen Gottessehnsucht, sondern als Angestellte kunstliebender Connoisseurpäpste, prunkliebender Fürsten oder ruhmliebender Privatleute. Die Denker meditieren für ein ausgewähltes Fachpublikum, die Poeten feilen ihre Verse für eine privilegierte Klasse von Feinschmeckern, das Kunsthandwerk schmückt nur noch das Leben der Reichen, die Musik wird eine hohe Wissenschaft, der Krieg, das Recht, die Politik, der Handel: alles wird ein Fach. Die Palazzi tragen den Geist der neuen Zeit deutlich an der Stirn: sie haben alle einen kalten, ungastlichen, schrankebildenden Gesichtsausdruck, man glaubt nicht recht, daß Menschen darin wohnen, ja daß überhaupt Häuser zu diesen Fassaden gehören: sie scheinen nichts als strenge, hochmütig abweisende Prunkwand und Dekorationskulisse zu sein. Auf den Porträts sieht man nur noch große Herren und grandes dames; die Gottesmutter ist nicht mehr die armselige Magd, die *donna umile*, sondern die stolze *Madonna*, die die heiligen drei Könige als gleichberechtigte Souveränin empfängt; Christus wird zum unnahbaren Herrn der Heerscharen, das Jesuskind zum steifen wohlerzogenen Kronprinzen, in dem schon das Bewußtsein seines künftigen Ranges lebt, die Apostel zu kühlen selbstbewußten Kavalieren: man malt eine Welt vornehmer Leute für vornehme Leute, für Menschen mit „Kinderstube", denen heftige Worte, hastige Bewegungen, unruhige Linien ein Greuel sind, die in der Luft des Reichtums, Komforts und Bontons aufgewachsen sind, sich niemals gehen lassen, nie intim werden und auch in den Momenten der Erschütterung und Überraschung Haltung zu bewahren verstehen; man malt nur, was in der großen Welt als geschmackvoll gilt. Keine Affekte: Affekte sind vulgär; keine Erzählung: Erzählen ist Volksgeschmack; keine Details: Details sind Basargeschmack; keine Unklarheiten, Mehrdeutigkeiten, Hintergründe: ein Gentleman ist niemals mehrdeutig; keine lauten Farben und grellen schreienden Kontraste: ein feiner Mensch schreit nicht. Um in Plastik und Architektur den Eindruck der größtmöglichen Ruhe und Vornehmheit zu erzielen, läßt man den Stein völlig weiß und glaubt damit echt römisch zu sein, ohne zu ahnen, welche Leidenschaft gerade das römische Empire für bunte Materialien: für grüne, rote, gelbe, violette, gefleckte, geäderte, gestreifte, geflammte Steinarten gehabt hat und wie es seine Fassaden, Reliefs und Fruchtstücke aufs leuchtendste und prachtvollste bemalt und selbst seine Triumphbogen, Statuen und Porträtbüsten mit den kräftigsten Farben getönt hat.

Damals wurde der Typus des borniertеn, besserwissenden, dünkelhaften Fachmanns und Gelehrten geboren, der bis zum heutigen Tage die europäische Kultur verseucht. Im Mittelalter zerfiel die Menschheit in Kleros und Laos; nun wird ein zweiter, viel tieferer und schärferer Schnitt durch sie geführt: es gibt fortan die Ungebildeten, die Ununterrichteten, das „Volk", die neuen Laien und die Wissenden, die Schlüsselbewahrer aller Lebensrätsel, die akademisch Geweihten und Eingeweihten. Eine neue Aristokratie kommt herauf, noch viel unduldsamer, brückenloser, kastenstolzer, unmenschlicher und exklusiver als die frühere.

Und hier hat auch die Parallele mit dem perikleischen Zeitalter ihre Grenze. Damals gab es eine Gesamtkultur, und zwar in doppeltem Sinne, nämlich erstens eine Kultur für alle, denn einen Sophokles, Phidias, Sokrates und selbst „Gelehrte" wie Thukydides

Prädominanz der bildenden Kunst

214

und Hippokrates verstand ein jeder, und zweitens (was vermutlich eine Folge des ersten war) eine Kultur, die auf allen Gebieten das Höchste erreicht hat, während die Italiener der Renaissance bei all ihrem Universalismus, der jedoch bloß technisch und äußerlich war, in mehreren wichtigen Kulturzweigen gänzlich unfruchtbar geblieben sind. Ihre einzige originelle Schöpfung auf dem Gebiete der Musik ist die *caccia*, ein zweistimmiges kanonisches Gesangsstück mit Instrumentalbegleitung, das alle möglichen Geräusche des täglichen Lebens: Regengeplätscher, Feilschen der Händler auf dem Markte, Straßenrufe, Mädchengeplauder, Tierstimmen und dergleichen tonmalend wiedergibt und den frühesten modernen Versuch einer Programmusik darstellt; und auch einen schöpferischen Philosophen haben sie niemals besessen: erst nach dem Absterben der Renaissance haben sie einen Musiker und einen Denker von Weltformat hervorgebracht: Palestrina und Giordano Bruno. Ihre dramatische Leistung beschränkte sich auf einige geistvolle satirische Schwänke von Laune und guter Lebensbeobachtung: selbst Machiavells „Mandragola" ist nur erlesenste Unterhaltungsliteratur; und das ernste Genre ist bloßes Ausstattungsstück, obschon von einer Pracht, Phantasie und künstlerischen Vollendung, von der man sich heute kaum mehr einen Begriff machen kann. Allerdings haben sie so überwältigend dramatisch gemalt, modelliert und gebaut und vor allem g e l e b t, daß man ihnen gerade aus dem Mangel eines geschriebenen Dramas am wenigsten einen Vorwurf machen kann.

Die Geschichte der italienischen Renaissance ist in Bildern geschrieben. Die Maler haben alle Windungen des seltsamen Weges, den der öffentliche Geist dieses Landes von der Mitte des vierzehnten bis zur Mitte des sechzehnten Jahrhunderts beschrieben hat, mit zartestem Verständnis und stärkster Ausdruckskraft widergespiegelt. Trotzdem wäre es gewagt, einen von ihnen als absoluten Repräsentanten des Zeitgeistes herauszugreifen: am ehesten kämen hierfür noch gewisse Sterne zweiten und selbst dritten Ranges in Betracht. So hat zum Beispiel Pisanello für die naive und doch schon sehr kennerische Freude am bunten Detail, die die Menschen des Quattrocento erfüllt, eine unvergleichlich reiche

Sprache gefunden, und ebenso hat Benozzo Gozzoli die unerschöpfliche schäumende Lebenslust dieser neuen Generation, ihre
jugendliche Leidenschaft für Feste, Aufzüge, Bauten, die im ganzen Dasein einen ewigen Karneval erblickt, zu rauschenden Symphonien verdichtet, während andererseits die Savonarolazeit in
den kargen, asketischen und vergeistigten und dabei doch stets
liebenswürdigen, milden und lächelnden Gestalten Peruginos ein
ergreifendes Denkmal erhalten hat und in einem Künstler wie
Giovanantonio Bazzi, der in der Kunstgeschichte unter dem bezeichnenden Namen Sodoma fortlebt, das Überblühen der Renaissance, ihre raffinierte sybaritische Sinnlichkeit, die bis zur Verworfenheit und Perversität fortschreitet, eine höchst charakteristische Ausprägung findet. Aber wenn man von der Renaissance
spricht, denkt niemand an dergleichen Namen. Es ist längst zur
feststehenden Tradition geworden, Michelangelo, Lionardo und
Raffael den unbestrittenen Herrscherprimat, gleichsam das Triumvirat zuzugestehen.

Allein Michelangelo steht völlig abseits. Man hat ihn als Vollender des Klassizismus und als Initiator der Barocke, als letzten
Gotiker und als Vater des Expressionismus reklamiert. Er ist all
das und nichts von alledem. Er gehört zu jenen höchst seltenen,
ebenso einseitigen wie allseitigen Geistern, die eine vollkommene
Welt für sich bilden, die keine Schüler und keine Zeitgenossen
haben, zu den Megatherien der Menschheit, die anderen Lebensbedingungen gehorchen als unsere Spezies, zu den wenigen Mo-
numentalstatuen im Pantheon des menschlichen Geschlechts, die
etwas Zeitloses und außerhalb der Natur Gestelltes an sich tragen.
In ihnen überschlägt sich gleichsam die Naturkraft und schießt
über sich selbst hinaus. Sie hätten zu jeder beliebigen Zeit leben
können und ebensogut zu gar keiner Zeit: denn wir können heute
noch nicht begreifen, daß sie jemals existiert haben. Es gibt kein
„Zeitalter Michelangelos". Er ragt über seine Zeit hinaus wie ein
scharfes Riesenriff oder ein unzugänglicher kolossaler Leuchtturm.
Es gibt auch keine Schule Michelangelos; oder sollte doch keine
gegeben haben. Denn der Irrglaube, daß man von ihm etwas
lernen könne, hat nur zu den widersinnigsten Schöpfungen

geführt und für die Kunstgeschichte die unheilvollsten Folgen gezeitigt.

Er stand mit seiner Zeit selbst äußerlich in gar keiner Kommunikation. Er paßte nicht zu seiner Umwelt und seine Umwelt nicht zu ihm. Alles an ihm atmet Menschenfeindlichkeit, für jede Art von Geselligkeit und Gemeinschaft war er ungeeignet; in seiner äußeren Erscheinung abstoßend häßlich: von „malaiischem" Gesichtsausdruck, klein und schwächlich, immer schlecht gekleidet; scheu, mißtrauisch, wortkarg, stets mit sich und den anderen unzufrieden; ohne jede Genußfreude, frugal bis zur Schäbigkeit: mit einem Tölpel von Diener in einer elenden Kammer lebend, seine Nahrung etwas Brot und Wein, seine Erholung ein paar Stunden Schlaf in den Kleidern; von gänzlich unverträglichem Charakter, intolerant und gehässig gegen andere Künstler; von einem exklusiven Selbstgefühl, das zwar berechtigt, aber nicht einnehmend war: ein neunundachtzigjähriges Leben ohne irgendeinen Lichtblick, ohne Glück, ohne Freundschaft, ohne eine einzige Liebesstunde (obgleich er von höchster erotischer Empfänglichkeit war und sich zumal zu Vittoria Colonna und Tommaso dei Cavalieri leidenschaftlich hingezogen fühlte), dagegen bis an den Rand angefüllt mit Verzweiflung: „kein tödlich Leid blieb mir ja unbekannt", hat er selbst von sich gedichtet; und in der Tat: die „Gabe, aus allem Gift zu saugen", von der Lichtenberg einmal spricht, besaß er in höchstem Maße. Nein, er war nicht liebenswürdig, dieser Michelangelo: so abgründliche abseitige Giganten, Heroen aus einer fremden Eiswelt pflegen das selten zu sein. Er selbst war sich über seine zeitlose Größe, seinen ungeheuern Abstand von allen anderen völlig klar. Als man ihn einmal darauf aufmerksam machte, daß seine Büsten der beiden Medici gar nicht ähnlich seien, erwiderte er: „Wem wird das in zehn Jahrhunderten auffallen?" Alle übrigen Renaissancewerke sind, mit den seinigen verglichen, Miniaturen, die anderen sind „schön", er ist groß, selbst Lionardos Seelenhaftigkeit wirkt neben ihm süß.

Was nun diesen anlangt, so kann er ebenfalls nicht recht als Repräsentant der Renaissance betrachtet werden; schon deshalb nicht, weil wir so wenig von ihm wissen. Es ist etwas wie ein

Lionardo

feiner Nebel um seine Gestalt. Selbst Burckhardt, der in den Mysterien der Renaissance wie in einem offenen Buch blättert, nennt ihn den „rätselhaften Meister". Er ist unergründlich wie das berühmte Lächeln seiner Mona Lisa. Und auch alle seine übrigen Gemälde sind wahre Vexierbilder, die hinter sich und über sich hinaus zu weisen scheinen; es liegt über ihnen eine seltsam gespenstische Leere: nicht die Leere der Hohlheit, sondern die Leere der Unendlichkeit. Selbst die Landschaft hat bei ihm etwas Fernes, Fremdes, Verschwiegenes. Und während es das tiefste Wesen fast aller Künstler ist, daß sie etwas sagen wollen, das in ihnen leidenschaftlich nach außen drängt, verschwindet er völlig hinter seiner Schöpfung: das „Abendmahl" ist vielleicht das objektivste Werk, das je aus einem Pinsel hervorgegangen ist. Es ist symbolisch für sein ganzes Wesen, daß er der erste große Meister des Helldunkels, der *respirazione* und des *sfumato* gewesen ist, daß er gelehrt hat, man müsse malen, als scheine die Sonne durch Nebel, und schlechtes Wetter sei das beste Licht für Gesichter: auch seine eigene Persönlichkeit ist ein magisches Chiaroscuro, in eine schwimmende Atmosphäre getaucht und in weiche verblasene Konturen gehüllt, die den Umriß nur ahnen lassen. Sehr bezeichnend ist es auch, daß es gerade zwei so geheimnisvollen Gestalten wie Lodovico Moro und Cesare Borgia gelungen ist, diesen ruhelosen Geist dauernd in ihren Diensten festzuhalten. Auch seine ans Wunderbare grenzende Universalität, die in der Weltgeschichte einzig dasteht, macht ihn zum unfaßbaren Proteus. Er war Maler, Architekt und Bildhauer, Philosoph, Dichter und Komponist, Fechter, Springer und Athlet, Mathematiker, Physiker und Anatom, Kriegsingenieur, Instrumentenmacher und Festarrangeur, erfand Schleusen und Kräne, Mühlenwerke und Bohrmaschinen, Flugapparate und Unterseeboote; und alle diese Tätigkeiten hat er nicht etwa als geistreicher Dilettant ausgeübt, sondern mit einer Meisterschaft, als ob jede von ihnen sein einziger Lebensinhalt gewesen wäre. Und zudem hat das Schicksal, als ob es seine Züge absichtlich noch mehr hätte verwischen wollen, seine Hauptwerke entweder, wie das Standbild Francesco Sforzas und die Reiterschlacht, völlig zugrunde gehen lassen oder, wie das Abendmahl, nur in sehr beschädigtem Zustande auf uns gebracht. Am deutlichsten kommt aber die völlige Unerforschlichkeit seines Wesens in dem herben, verschlossenen, wie mit Schleiern verhängten Antlitz der Rötelzeichnung zum Ausdruck, in der er sich selbst porträtiert hat.

Es bleibt also nur Raffael. Und dieser hat nun wirklich sein Zeitalter auf die vollkommenste Weise repräsentiert, und zwar – ein merkwürdiger Fall – nicht etwa, weil er eine so besonders hervorstechende, scharf profilierte, überragende, eigenwillige Persönlichkeit gewesen wäre, sondern vielmehr gerade durch seinen Mangel an Persönlichkeit, der es ihm ermöglichte, ganz aufnehmendes Medium, ganz Spiegel zu sein, alle Strahlen, die ihn trafen, zu fassen und wieder zurückzuwerfen. Raffaels Werk ist die sorgfältige, klare, vollständige und schöne, ja sogar allzu schöne Niederschrift des Cinquecento und – da das Cinquecento eben doch in gewissem Sinne die Vollendung, die stärkste und konzentrierteste Auswirkung des Renaissancewillens ist – eigentlich die Essenz der ganzen italienischen Renaissance. Aus dieser Mischung außerordentlicher und nichtssagender Qualitäten erklärt es sich auch, daß über ihn stets die größte Meinungsverschiedenheit geherrscht hat. Sein Werk ist ein unvergleichlicher Querschnitt und Durchschnitt seiner Zeit, und zu diesem Zwecke war es ganz unerläßlich, daß er selber nicht mehr als ein Durchschnittsmensch war; da aber diese Zeit voll Größe, Glanz und Reichtum war, so ist es ebenso natürlich, daß von ihm, der dies alles in sich eingetrunken hatte, Glück, Reichtum und unverlierbarer Glanz auf die Nachwelt zurückstrahlt.

Schon Michelangelo hat von Raffael gesagt, er sei nicht durch sein Genie, sondern durch seinen Fleiß so weit gekommen. Und derselbe Michelangelo leitete eine neue Ära ein, in der eine vollkommene Abwendung von Raffael stattfand: die Barocke, deren wichtigste Leistung die Auflösung der starren Linie war und der daher Raffael, der Meister der Kontur, nichts zu sagen hatte. In der Tat hat Bernini, der Diktator dieser Stilperiode, vor der Nachahmung Raffaels geradezu gewarnt. Aber auch im Zeitalter Ludwigs des Vierzehnten, das bereits wieder eine Rückkehr zum Klassizismus vollzog, wurde der Hofmaler Lebrun höher gestellt

Raffael

Raffaels
Nachruhm

als Raffael. Als die Sixtinische Madonna nach Dresden gebracht wurde, ließ August der Zweite sie im Thronsaal aufstellen und sagte zu den Hofbeamten, die außer Fassung darüber gerieten, daß der Thron dem Bilde weichen sollte: „Platz für den großen Raffael!" Und dennoch erklärten die damaligen Dresdener Kunstautoritäten, das Kind auf dem Arme der Madonna habe etwas Gemeines, und sein Gesichtsausdruck sei verdrießlich. Und noch im neunzehnten Jahrhundert behauptete man, die Engel auf dem Bilde habe ein Schüler hineingemalt. Boucher gab einem seiner Jünger, der nach Rom reiste, den Rat, sich nicht allzuviel mit dem Studium Raffaels abzugeben, der trotz seines Rufes *un peintre bien triste* sei. Daß Winckelmann, der verhängnisvolle Begründer des deutschen Gipsklassizismus, von Raffael sehr eingenommen war, ist begreiflich; aber gleichwohl zweifelte er keinen Augenblick, daß sein Freund Raffael Mengs, einer der ödesten Allegoristen, die je gelebt haben, größer sei als Raffael Santi. Beim Anbruch des neunzehnten Jahrhunderts hatte es freilich eine Zeitlang den Anschein, als sollte Raffael die absolute Hegemonie in der Malerei zufallen. Wenigstens konnten die Nazarener, die damals in einem gewissen Grade tonangebend waren, sich in seinem Lobe nicht genug tun. Aber sieht man näher zu, so bemerkt man, daß der Raffael, den diese begeisterten jungen Männer so überschwenglich priesen, gar nicht der eigentliche Raffael war; sondern wenn sie von ihm sprechen, so meinen sie immer nur den Raffael der vorrömischen Periode: die Bilder, die er malte, als er in den Vollbesitz seiner Meisterschaft gelangt war, erscheinen ihnen bereits als Verfall. Die Nazarener und die mit ihnen verwandten Romantiker sind es auch gewesen, die jene zähe Legende von Raffael, dem edeln unschuldsvollen Jüngling geschaffen haben, der wie ein Nachtwandler durchs Leben schritt, alle seine Schöpfungen einer mühelosen überirdischen Inspiration verdankte und die vollkommene Naivität eines begnadeten Kindes besaß, also gerade das Gegenteil von dem gewesen sein soll, was Michelangelo behauptet hatte und was der Wirklichkeit entsprach: es ist jener Raffael, der dann fast ein Jahrhundert lang als Spritzmalerei, Abziehbild und Handtuchschützer den deutschen Bürger entzückt hat. Dann aber kamen die Präraffaeliten, die den Höhepunkt der italienischen Kunst in die Periode vor Raffael verlegten und in diesem nur einen kalten seelenlosen Virtuosen erblickten. Ihr Wortführer war Ruskin, für den Raffael der Inbegriff der leeren, unwahren Eleganz ist. So sagt er zum Beispiel über die Berufung der Apostel: „Wir fühlen, wie unser Glaube an das Ereignis mit einemmal erlischt. Nichts bleibt davon als ein Potpourri von Mänteln, muskulösen Armen und wohlfrisierten griechischen Büsten. Durch Raffael ist alles verdorben worden, was an der Legende zart und ernst, grandios und heilig ist. Er hat aus der biblischen Dichtung ein totes Arrangement schöner, schön gebauter, schön gestellter, schön drapierter, schön gruppierter Menschen gemacht." Edmond de Goncourt nannte ihn den Schöpfer des Muttergottesideals für Spießbürger, und Manet erklärte, er werde vor einem Bild von Raffael buchstäblich seekrank. Man sieht also, daß es niemals an Kennern gefehlt hat, die mit Velazquez sagen konnten: „Um die Wahrheit zu gestehen: Raffael gefällt mir gar nicht."

Das Jahr 1517 ist jedermann bekannt als das Geburtsjahr der Reformation, in dem Luther seine fünfundneunzig Thesen an die Schloßkirche zu Wittenberg nagelte. In demselben Jahre malte Raffael seine Sixtinische Madonna, an die jedermann denkt, wenn der Name Raffael genannt wird. Und um dieselbe Zeit vollendete der Graf Balthasar Castiglione seinen „Cortegiano", jenes Werk, das man eine Art Renaissancebibel nennen könnte. Es ist der Knigge jener Tage, sein Held ist der Gentleman, wie die damalige Zeit sich ihn dachte: gewandt, würdig, repräsentativ, jeder Lebenslage voll Takt gewachsen und darin dem heutigen Gentleman ähnlich; aber es ist ein Gentleman voll Grazie, Heiterkeit und Unbeschwertheit. Diesen vollendeten Kavalier, um den alle Reize versammelt sind, den Geliebten der Fürsten, der Frauen und der Götter, hat Raffael gemalt und hat Raffael gelebt. So schreitet sein Bild durch vier Jahrhunderte.

Aber der Götterliebling Raffael hat, wenigstens für unser Lebensgefühl, einen großen Mangel. Götterlieblinge sind nämlich fad. Sie sind so langweilig wie das „blaue Meer des Südens", der „holde Frühlingstag", das „süße Baby in der Wiege" und alle ganz reinen, ganz ausgeglichenen, ganz glücklichen Dinge. Unsere Sehnsucht gilt etwas anderem, im Leben und in der Kunst.

Der Grundirrtum des Klassizismus   Raffael hat einmal gesagt: „Um eine Schöne zu malen, müßte ich deren mehrere vor Augen haben. Da es mir an Modellen fehlt, male ich aus dem Gedächtnis nach einer Idee, die ich im Kopfe habe." Er meint damit, daß er, da es in der Natur keine weibliche Schönheit gibt, die in jedem Teil absolut vollkommen ist, darauf angewiesen sei, sich in der Phantasie aus einzelnen Reminiszenzen ein solches Ideal zusammenzustellen. Diese Ansicht, daß die Darstellung des Vollkommenen die Aufgabe der Kunst sei, war der Grundirrtum Raffaels; und der Grundirrtum des ganzen Klassizismus. Immer wieder tauchen von Zeit zu Zeit große Künstler auf, die uns vorübergehend zu beweisen scheinen, daß Klassizismus, das heißt: strenge Ordnung, Einheit, Gradlinigkeit, Harmonie, farblose Durchsichtigkeit, die Blüte jeder Kunst sei. Sie beweisen es aber gewissermaßen nur in usum delphini, nämlich für sich selbst. In der Tat: manche „klassische" Schöpfungen sind bisweilen von einer so übernatürlichen, unwirklichen Schönheit, daß wir für den Augenblick geneigt sind, zu vermuten, dies sei die Spitze der Kunst und alles andere nur ein mehr oder minder unvollkommener tappender Versuch nach diesem Gipfel hin. Es ist aber eine Täuschung. Diese Phänomene sind nicht etwa die Verkörperung der Regel (was man glauben könnte, wenn man bedenkt, daß sie die regelmäßigsten sind); sie sind im Gegenteil interessante Abweichungen, bewundernswürdige Monstra. Unregelmäßigkeit ist das Wesen der Natur, des Lebens, des Menschen. „Regelmäßigkeit" ist ein künstliches Destillat oder ein seltsamer Zufall. Das regelmäßigste Gebilde, das die Natur hervorbringt, ist der Kristall. Und trotzdem: jeder Mineraloge weiß, daß ein vollkommen regelmäßiger Kristall nicht existiert. Aber schon seine bloße Annäherung an die Regelmäßigkeit macht den Kristall zu etwas Totem. Kreisrunde Bergkegel, radiär-symmetrische Tiere, völlig gleichmäßige Beleuchtungen und Klimata: dergleichen ist bisweilen zu beobachten. Aber es sind gewissermaßen Schrullen der Natur. Wir betrachten klassische Schöpfungen mit Staunen und Verehrung wie Gletscher; aber wir möchten nicht dort wohnen und könnten es auch gar nicht. Wir schlagen unsere Niederlassungen im Dickicht auf, im Mittelgebirge, auf der unregelmäßigen Ebene, am ewig bewegten Wasser. Wir sind unheilbare Romantiker, niemals Klassiker; wir müssen es sein, weil auch die Natur nur Romantisches zu schaffen vermag.

Raffael gibt keine Probleme auf: das ist der Haupteinwand gegen ihn. In seinem wunderschönen Buch „Das Leben Raffaels" sagt Herman Grimm: „Raffael will nichts. Seine Werke sind sofort verständlich. Er schafft absichtslos wie die Natur. Eine Rose ist eine Rose: nichts mehr und nichts weniger; Nachtigallengesang ist Nachtigallengesang: keine Geheimnisse sind da noch weiter zu ergründen. So auch sind Raffaels Werke frei von persönlicher Zutat, bei ihm fehlt auch den erschütterndsten Dingen alle persönliche Besonderheit, als seien eigene Erlebnisse des Künstlers hineingearbeitet worden, seine Persönlichkeit drängt sich nirgends vor." Bleiben wir ruhig bei dieser Vergleichung, und haben wir den Mut, uns einzugestehen: Rose und Nachtigall haben etwas Kitschiges. Sie sind ein bißchen zu schön. Und sie sind nur schön. Wir fragen uns unwillkürlich: schön und sonst nichts? Ähnlich ergeht es uns bei Raffael. Mit einem echten Kunstwerk muß man irgend etwas anfangen können. Es genügt nicht, daß es träge und majestätisch vor unserem Auge sich ausbreitet und behauptet, schön zu sein. Es muß über sich hinausweisen auf Schlösser, die es zu erschließen, Leichen, die es zu beleben, Träume, die es zu enträtseln vermag. Es muß ein Deuter des Lebens sein. Man muß es in jeder Lebenslage ans Ohr halten und befragen können. Jedes Kunstwerk hat eine „Tendenz", ja hierin besteht sogar sein Hauptwert. Es hat eine Tendenz oder mit anderen Worten: hinter ihm steht ein Mensch. Ein Mensch, der Fragen und Antworten, Gedanken und Leidenschaften hat. Aber da stehen Raffaels Figuren, „frei von jeder persönlichen Zutat", schön blau und rot angemalt wie Zuckerstengel oder Zinnsoldaten, und man kann sich des Eindrucks nicht erwehren, daß diese berühmten Frauenbildnisse auch ganz gut auf einer Seifenschachtel oder als Parfümpackung figurieren könnten und daß es so etwas wie „Sistinaschokolade" geben könnte. Dasselbe gilt von seiner Komposition. Oder würde zum

Beispiel die „Philosophie" in der Stanza della segnatura nicht einen prächtigen Theatervorhang abgeben? Der vielgerühmte Glanz, der Raffaels Werken eigentümlich ist, geht eben oft bis zum Satinierten, Raffael hat eine zu kalligraphische Handschrift. Man spürt in seinen Werken nur zu oft den Auftraggeber: die nichtssagende Glätte und leere Formfreude Leos des Zehnten, der weder Lionardo noch Michelangelo begriffen und überhaupt von Kunst sehr wenig verstanden hat, die Musik etwa ausgenommen. Das rein Musikalische seiner Natur hat er nun offenbar nicht ohne Erfolg auf Raffael, dieses Genie der Anpassung, übertragen; wie es auch dem Humanisten Bembo gelungen ist, auf seinen Freund Raffael seine nichtssagende Rhetorik abzufärben.

Aber war er nicht einer der vollkommensten Maler, die je gelebt haben? Zweifellos; wir betrachten ihn jedoch hier gar nicht als Maler, sondern als Kulturbegriff, wie es uns ja auch nicht einfallen könnte, in einem solchen Zusammenhang etwa Napoleon als Strategen oder Luther als Theologen zu betrachten. Und dann: die Vollkommenheit Raffaels ist es ja gerade, die ihn uns so fern, so fremd und stumm macht. „Das Unzulängliche ist produktiv", lautet einer der tiefsten Aussprüche Goethes. Alles Ganze, Vollendete ist eben vollendet, fertig und daher abgetan, gewesen; das Halbe ist entwicklungsfähig, fortschreitend, immer auf der Suche nach seinem Komplement. Vollkommenheit ist steril.

Wollten wir das Ganze zusammenfassen, so könnten wir sagen, daß es eben zwei Arten von Genies gibt: die Besonderen, Einmaligen, Isolierten, die großen Solitäre, deren Größe gerade darin besteht, daß sie ein Unikum, eine Monstrosität und Psychose, eine zeitlose und überlebensgroße Ausnahme darstellen. Und dann gibt es aber auch solche, die das Fühlen und Denken aller Welt darstellen; aber so zusammengefaßt, verdichtet und leuchtend, daß ein ewiger Typus daraus wird. Und zu diesen hat Raffael gehört. Dies meint wohl auch Herman Grimm, wenn er über ihn sagt: „Er hat etwas entzückend Mittelmäßiges, Gewöhnliches. Als könne jeder so sein wie er. Er steht jedem nahe, ist jedermanns Freund und Bruder; keiner fühlt sich geringer neben ihm." Seine süßen Frauenantlitze, seine klaren Figurenanordnungen, seine hellen und kräftigen Farbenharmonien versteht jeder. Er ist so, wie Monsieur Toutlemonde sich einen Maler vorstellt. Raffael spricht zu jedermann. Aber eben deshalb spricht er eigentlich zu niemand.

Wir sagten vorhin, die italienische Renaissance habe keinen Machiavell einzigen Philosophen hervorgebracht. Sie hat aber etwas besessen, was vielleicht ebensoviel wiegt: einen praktischen Beobachter, Schilderer und Beurteiler von höchster Klarheit, Schärfe und Weite des Blickes: Machiavell. Machiavell ist nicht bloß der erfahrungsreichste, einsichtsvollste, geordnetste, konsequenteste und großzügigste Kopf, das Gehirn seines Zeitalters gewesen, sondern geradezu eine Art Nationalheiliger und Schutzpatron der Renaissance, der ihren Lebenswillen, ihre ganze seelische Struktur auf einige kühne und leuchtende Formeln gebracht hat. Er ist Politiker und nichts als Politiker und daher selbstverständlich Immoralist; und alle Vorwürfe, die ihm seit vier Jahrhunderten entgegengeschleudert werden, haben ihre Wurzel in dem Mangel gerade jener Eigenschaft, die er am vollkommensten verkörperte: der Gabe des folgerichtigen Denkens. Wer ihn verdammt oder selbst nur zu widerlegen versucht, vergißt, daß er kein systematischer Philosoph, kein ethischer Reformator, kein Religionslehrer oder dergleichen sein wollte, sondern daß der Zweck und Inhalt seiner geistigen Arbeit ausschließlich darin bestand, die Menschen so zu schildern, wie sie wirklich waren, und aus dieser Realität praktische Schlüsse zu ziehen.

Er betrachtet den Staat als ein Naturphänomen, ein wissenschaftliches Objekt, das beschrieben und zergliedert, dessen Anatomie, Physiologie und Biologie exakt erforscht werden will: ohne „Gesichtspunkte", ohne Theologie, ohne Moral, ohne Ästhetik, ja selbst ohne Philosophie. Dies war völlig neu. Wie der Zoologe über Haifisch, Königstiger und Kobra nicht aburteilt, sie nicht „böser" findet als Pudel, Hase oder Schaf, sondern bloß ihre Lebensbedingungen und die günstigsten Voraussetzungen für das Gedeihen ihrer Art festzustellen sucht, so steht Machiavell zu der Erscheinung des „Herrschers", die er zu ergründen bemüht ist, und er hat diese Aufgabe in bewunderungswürdiger Weise gelöst, weshalb Lord Aston sehr richtig bemerkt hat, die ganze neuere Geschichte sei „ein commentarius perpetuus zu Machiavell".

Machiavell war ein ebenso phantasievoller und leidenschaftlicher „Wiederbeleber der Antike" wie nur irgendeiner seiner Zeitgenossen und ein ebenso verderblicher und falscher. Was ihm nämlich vorschwebt, ist die Polis, und zwar in ihrer latinisierten Form. An der Spitze seiner politischen Theorie steht der Satz: „Staat ist Macht." Er wünscht die Rückkehr zur Volksbewaffnung, zum altrömischen Stadtpatriotismus, zum nationalen Königtum. Er vergaß aber dabei, daß eine solche Rekonstruktion in einer Zeit, die das umwälzende Erlebnis des Christentums hinter sich und den Aufstieg zur paneuropäischen, ja zur Weltpolitik unmittelbar vor sich hatte, ein Ding der Unmöglichkeit war. Sein Ideal war bekanntlich Cesare Borgia, der nicht bloß ein gewissenloser Schurke, sondern auch – was für einen Staatsmann viel kompromittierender ist – ein prinzipienloser Abenteurer war.

Dies führt uns zur moralischen Bilanz der Renaissance.

Der „Immoralismus" Die geheimnisvolle Atmosphäre von Schönheit und Laster, Geist und Gewalttat, Reiz und Fäulnis, in die die Renaissance eingebettet ist, hat die Phantasie der Nachwelt dauernd beschäftigt: sie hat ebenso die Entrüstung aller bürgerlichen Gehirne entfacht, die sich eine andere Welt als ihre erleuchtete polizierte und paragraphierte nicht vorstellen können, wie die Begeisterung aller Gymnasiastengehirne, die über eine gewisse verdorbene Pubertätsphantasie ihr ganzes Leben lang nicht hinauskommen. Beide haben natürlich unrecht.

Zunächst ist zu bedenken, daß die meisten Verbrechen der Renaissance von offiziellen Persönlichkeiten begangen wurden, also sozusagen in amtlicher Eigenschaft, und daß dieselben Menschen außerhalb ihrer beruflichen Raub- und Mordpraxis oft sehr liebenswerte, ja edelmütige Charaktere waren: selbst von einem solchen Prachtexemplar von Renaissancescheusal wie dem Papst Alexander Borgia wird berichtet, daß er im Privatleben gut, milde, ohne Rachsucht, ein Freund und Wohltäter der Armen war. Die meisten Personen aber, die nicht politisch tätig waren, haben eine ebenso friedliche und harmlose Existenz geführt wie zu allen Zeiten; zumal an den Künstlern, in denen doch gerade die bestimmenden Züge der Zeit versammelt waren, bemerken wir fast niemals etwas von jenem sprichwörtlichen Renaissanceimmoralismus. Auch hat es niemals an großen Gegenspielern der öffentlichen Verderbtheit gefehlt, großen Unbedingten, düster heroischen Übermenschen des Moralismus, an ihrer Spitze Savonarola, das Gewissen von Florenz, der vom Ideal der Florentiner, dem *soave austero*, freilich nur die zweite Hälfte mit dämonischer Energie verkörperte, ein großer Prophet, aber kein Christ im Sinne Christi, da ihm das Proportionierte, das Menschliche, das große Verzeihen, die Anmut fehlt.

Weil wir nun dieses friedliche Nebeneinander von Talent und Verworfenheit, von feinstem Geschmack und raffiniertester Niedertracht, diesen Wetteifer vollendetster Geistesbildung mit vollendetster Verruchtheit nicht mehr begreifen können, pflegen wir zu sagen: es kann nicht so gewesen sein, im Innern müssen sich diese Menschen doch schuldig und unglücklich gefühlt haben. Wir müßten aber im Gegenteil sagen: diese Menschen müssen sich unbedingt schuldlos und glücklich gefühlt haben, sonst hätten sie diese Dinge niemals begehen können. Die Naivität der Renaissance ist die Wurzel ihrer Laster. Wir müssen, wenn wir die Schilderungen jener Schandtaten lesen, bei allem moralischen Schauder dennoch die Grazie, die Wohlerzogenheit, die Formvollendung, man möchte fast sagen: den Takt bewundern, mit dem die Leute sich damals hintergingen, ausplünderten und umbrachten. Der Mord gehörte damals ganz einfach zur Ökonomie des Daseins, wie heutzutage ja auch noch die Lüge zur Ökonomie des Daseins gehört. Unser Zeitungswesen, unser Parteiwesen, unsere politische Diplomatik, unser Geschäftsverkehr: dies alles ist auf einem umfassenden System der gegenseitigen Belügung, Übervorteilung und Bestechung aufgebaut. Niemand findet etwas daran. Wenn ein Politiker aus Gründen der Staatsraison oder im Interesse seiner Partei einem anderen Zyankali in die Schokolade schütten wollte, so würde die ganze zivilisierte Welt in Entsetzen geraten; daß aber ein Staatsmann aus ähnlichen Motiven betrügt, Tatsachen fälscht, heuchelt, intrigiert: das finden wir ganz selbstverständlich.

Die Italiener des fünfzehnten und sechzehnten Jahrhunderts befanden sich eben noch in einer Verfassung, die den gelegentlichen Mord zu einem Ferment des sozialen Stoffwechsels, man möchte fast sagen: zu einer gesellschaftlichen Umgangsform machte; so wie eben heute noch jede Art „Korruption" ein unentbehrliches Ingrediens des öffentlichen und privaten Verkehrs bildet. Dies sind nur Grade.

Gleichwohl dürfte es aber gestattet sein, von einer Art „Schuld" der Renaissance zu reden. Sie liegt aber viel tiefer.

Die Menschen der Renaissance waren bemüht, und mit glänzendem Erfolg bemüht, aus ihrem ganzen Leben ein großes herrliches Ballfest zu machen. Als leuchtende Devise schwebte über ihrem Dasein das Wort Lorenzo Medicis: *Facciamo festa tuttavia!* Und als Leo der Zehnte Papst wurde, rief er aus: „*Godiamoci il papato, poichè Dio ce l'ha dato;* laßt uns ein frohes Papsttum leben, da Gott es uns einmal gegeben!": dies war keine persönliche Frivolität, sondern so dachte alle Welt von den Rechten und Pflichten des Papstes. Eine leidenschaftliche Gier nach Genuß, aber nach durch Kunst und Geist geadeltem Genuß erfüllte die damaligen Menschen, ein unersättlicher Hunger nach Schönem, Schönem überall: nach schönen Worten und Werken, schönen Taten und Untaten, nach schönen Auftritten und Abgängen, schönen Gedanken und Leidenschaften, schönen Lügen und Skandalen, nach der Schönheit als Lebensstoff, die nicht bloß einzelne und einzelnes: Häuser, Statuen, Tafeln oder Gedichte, sondern das ganze Dasein zu einem Kunstwerk macht. Aber ein weiseres, innigeres Verhältnis zu den Geheimnissen der Schöpfung haben sie nicht angestrebt.

In seinem an neuen Gesichtspunkten so überaus reichen Werk „Shakespeare und der deutsche Geist" sagt Friedrich Gundolf: „Weltlicher Adel nimmt hier alle Dinge weltlich leicht und schwer und fragt nicht: was sagt Gott dazu?" Ob dies von Shakespeare völlig zutrifft, wollen wir dahingestellt sein lassen; auf die Italiener der Renaissance paßt es aber genau. Die Frage: was sagt Gott dazu?, diese tiefste, ja einzige Frage des Mittelalters, hat sie nie beschäftigt. Aber sind wir wirklich nur als Hanswürste und Hofnarren, Tapezierer und Vergnügungsarrangeure in die Welt gesetzt?

Wir berühren hier einen großen, ja vielleicht den größten Zwiespalt im Dasein der Erdenbewohner. Er besteht in der furchtbar
aufwühlenden Frage: was ist der Sinn des Lebens, Schönheit oder
Güte? Es liegt in der Natur dieser beiden Mächte, daß sie sich fast
immer im Kampfe miteinander befinden. Die Schönheit will sich
und immer nur sich; die Güte will niemals sich selbst und hat ihr
Ziel immer im Nicht-Ich. Schönheit ist Form und nur Form;
Güte ist Inhalt und nichts als Inhalt. Schönheit wendet sich an die
Sinne, Güte an die Seele. Ist es nicht die beglückendste und adelig-
ste Aufgabe des Menschen, die Welt immer reicher, begehrens-
werter und kostbarer zu machen, mit immer bestrickenderem
Geist und Glanz zu füllen? Oder ist es nicht vielleicht doch das
Beste, Natürlichste und Gottgefälligste, einfach ein guter Mensch
zu sein, die anderen bei der Hand zu nehmen, ihnen zu dienen
und zu nützen? Was ist das Ziel unserer irdischen Wanderung?
Die schrankenlose Bejahung dieser Welt in all ihrer Kraft und
Pracht? Aber das vermögen wir nur auf Kosten unserer Reinheit.
Oder die Rettung der uns von Gott anvertrauten Seele, ihre Läu-
terung und Entweltlichung? Aber dann haben wir vielleicht nicht
voll gelebt. Wer hat recht: der Künstler oder der Heilige, der
Schöpfer oder der Überwinder?

Wir erblicken diesen Konflikt im Leben Tolstois, dieses gewaltigen Träumers und Gestalters, der plötzlich die Kunst glühend
zu hassen begann und zum Bauer und Einsiedler wurde; wir
spüren seine dunklen Schatten in den letzten Dichtungen Shakespeares; wir hören ihn in den Alterswerken Ibsens seine bange
Stimme erheben und aus dem ganzen Schaffen Strindbergs mit
ehernen Glockenschlägen hervorgellen; der stärkste und wärmste
Kopf unserer Tage, Bernard Shaw, hat ihn im „Arzt am Scheide-
weg", einer seiner feinsten, reichsten und freiesten Komödien, zu
gestalten versucht, und Oscar Wilde läßt ihn in der Geschichte
vom „Bild des Dorian Gray" in erschütternder Plastik vor unsere
Seele treten: Dorian Gray ist einer, dem der Traum von ewiger
Schönheit zur Erfüllung wird, keine Häßlichkeit, kein Alter, kein
Schmutz greift an seinen Leib; aber der Leib ist nur der Schatten
der Seele und die Seele kann nur schön sein durch Reinheit und

Güte; und so ist Dorian Gray nichts als ein betrogener Betrüger: die Welt sieht ihn in unzerstörbarer Jugend und Anmut, aber das unsichtbare Bild in der verschlossenen Dachkammer bucht dennoch Zug für Zug jeden Schritt, den seine Seele zur Häßlichkeit getan hat.

Der zweite Sündenfall

Die Renaissance war der zweite und wahre Sündenfall des Menschen; wie die Reformation seine zweite und vielleicht endgültige Vertreibung aus dem Paradiese war. Die Reformation gebar das Dogma von der Heiligkeit der Arbeit, die Renaissance den Menschen, der sich selbst genießt und schließlich vergöttert. Und beide zusammen: die Arbeit mit gutem Gewissen und die narzissische Selbstbetrachtung und Selbstverherrlichung haben die moderne Langeweile geschaffen, unter der die Erde allmählich vereist: ihr Korrelat ist das „Interessante", ein Begriff, der sowohl der Antike wie dem Mittelalter fremd war.

Dantes göttliches Gedicht hängt wie ein brennendes Warnungszeichen am Eingang der Renaissance. Er hat die Zukunft seines Landes in dem Geschick jener gezeichnet, die dazu verurteilt sind, in der äußersten Ferne von Gott zu leben: im ewigen Eise stecken sie, wo selbst die Tränen gefrieren; ihnen ist sogar die letzte Wohltat versagt, die jeder andere Sünder genießt: sie können nicht einmal bereuen! Und indem Dante durch ihre Reihen schreitet, stößt er auf Alberigo, den die schrecklichste aller Strafen getroffen hat. Ihm wurde vom Schöpfer die Seele genommen.

Das Schicksal der Renaissance war Alberigos Schicksal. Sie war dazu verdammt, keine Seele zu haben.

FÜNFTES KAPITEL

DAS HEREINBRECHEN DER VERNUNFT

Der Mensch ist also nichts als ein Haufen
von Irrtümern, ohnmächtig ohne die Gnade.
Nichts zeigt ihm die Wahrheit: alles be-
trügt ihn. Die beiden Hauptstützen der
Wahrheit, der Verstand und die Sinne,
betrügen sich gegenseitig.   Pascal

Wir halten jetzt einen Augenblick inne, um in Kürze das Bisherige zu überblicken, das Kommende anzudeuten und über
Zweck und Inhalt unseres ganzen Darstellungsversuchs einigermaßen ins klare zu kommen.

Die Weltgeschichte ist ein dramatisches Problem. Sie ist
nichts anderes als der bunte, verwirrende und wechselvolle, aber
dennoch nach bestimmten psychologischen Gesetzen verlaufende
Schicksalsweg der menschlichen Kollektivseele, dessen einzelne
Etappen (man pflegt sie Zeitalter zu nennen) nicht bloß aufeinander, sondern auch auseinander folgen, indem ihr Gang den
Charakter einer Szenenreihe trägt: jeder dieser Auftritte ist gegen
die vorhergehenden und die nachfolgenden deutlich abgegrenzt,
und doch bildet er mit ihnen eine organische Kontinuität, indem
er die früheren auswirkt, die späteren bedingt. Es herrscht in dem
Drama der menschlichen Geschichte eine klare und unerschütterliche Notwendigkeit; aber da es kein kaltes akademisches Schul-
stück, sondern eine von genialer Hand entworfene Dichtung ist,
so trägt diese Notwendigkeit nicht den Charakter einer starren,
sterilen Logik oder eines errechneten psychologischen Schema-
tismus, sondern sie wird nur von fernher geahnt, thront geheimnisvoll und nur mittelbar wirksam im Hintergrunde, ist ganz von
der blühenden Chaotik des Lebens überwuchert und hat überhaupt
die Eigentümlichkeit, daß sie den handelnden Figuren gar nicht

Die Welt-
geschichte
ist ein dra-
matisches
Problem

231

zum Bewußtsein kommt, sondern erst hinterher vom Kritiker des Dramas, dem Historiker, in ohnmächtigen und desillusionierenden Reden aufgedeckt und beschrieben wird.

Das Drama der Neuzeit
Was wir auf diesen Blättern zu erzählen versuchen, ist der Entwicklungsgang der europäischen Seele während jenes Abschnitts, den man ihre „Neuzeit" nennt. Wir haben bisher in Kürze den Zustand der „traumatischen Neurose" zu schildern versucht, der die unmittelbare Folge des großen Traumas der schwarzen Pest war; die aber ihrerseits wiederum nur der äußerlich sichtbare Ausdruck einer großen inneren Erschütterung und seelischen Umlagerung war: der Entthronung des mittelalterlichen Weltbilds durch den Nominalismus, der entschiedenen, obschon meist unterbewußten Abkehr von fast allen bisherigen Dominanten des Daseins. Alle die religiösen, ethischen, philosophischen, politischen, ökonomischen, erotischen, künstlerischen Normen und „Wahrheiten", bisher so sicher geglaubt und begründet und die Orientierung des Menschen in Vergangenheit, Gegenwart und Zukunft scheinbar für immer garantierend, brechen mit einem Male zusammen, ein Trümmerfeld hinterlassend, auf dem, je nach der persönlichen Charakteranlage, der eine raubend und plündernd noch irgendein letztes zweifelhaftes Wertstück zu erraffen sucht, der andere in stumpfer Betäubung allen Gütern dieser Welt abschwört, der dritte, zwischen Gier und Genuß hin und her taumelnd, nur für das Bedürfnis der nächsten Stunde ein Auge hat, keiner aber aus noch ein weiß. Wir haben aber gesehen, wie sich in Italien bereits im fünfzehnten Jahrhundert das herauszubilden begann, was wir den „psychomotorischen Überbau" genannt haben: die Regulierung, Äquilibrierung und Organisierung der bisherigen Neurose. Aus dem labilen System wird ein stabiles, aus dem pathologischen Zustand ein physiologischer, der positive Charakter der neuen Seelenverfassung kommt allmählich zum Vorschein, neue Richtlinien werden sichtbar: es stellt sich heraus, daß das, was das Gesicht einer verheerenden, ja tödlichen Krankheit trug, ein heilkräftiges Fieber war, in dem sich der ganze Organismus erneuerte, ein Schwangerschaftsstadium, in dem neue Lebenskeime ausreiften und dem Licht entgegenwuchsen. Dieser

232

Zustand der Konsolidierung erreicht im Beginn des Cinquecento in Italien bereits seine volle Höhe und ergreift im Verlauf des Jahrhunderts die ganze westliche Hälfte des übrigen Europa.

Worin bestand nun dieses „Neue", das allmählich ins Bewußt- sein der europäischen Menschheit rückt? In nichts anderem als in der Heraufkunft eines extremen, exklusiven, allumspannenden Rationalismus. Wir könnten auch ebensogut sagen: Sensualismus, denn beides bedeutet im Grunde dasselbe. Der Sensualist glaubt nur an das, was ihm seine Sinne melden; aber wer rät ihm zu diesem Glauben? Sein Verstand. Der Rationalist baut nur auf das, was seinem Verstand einleuchtet; aber wer liefert ihm diesen Untergrund? Seine Sinneseindrücke. Beide sind nur der modifizierte, gewissermaßen verschieden pointierte Ausdruck desselben Seelenzustandes: des unbedingten Vertrauens des Menschen auf sich und seine natürlichen Hilfsquellen.

Diese Stellung zur Wirklichkeit, so selbstverständlich sie der ganzen späteren Neuzeit erschien, war etwas völlig Unerhörtes in der bisherigen Geschichte der christlichen Völkerfamilie, denn nur die Griechen und Römer kannten etwas Ähnliches; ja in dieser äußersten Zuspitzung und schärfsten Ausprägung ist sie sogar in der ganzen uns bekannten Weltgeschichte etwas Neues, denn selbst das Weltbild der Antike war nur ein rationalisierter Mystizismus, der seine orientalische Herkunft nie völlig überwunden hat.

Um die Wende des fünfzehnten Jahrhunderts ereignet sich also etwas sehr Merkwürdiges. Der Mensch, bisher in dumpfer andächtiger Gebundenheit den Geheimnissen Gottes, der Ewigkeit und seiner eigenen Seele hingegeben, schlägt die Augen auf und blickt um sich. Er blickt nicht mehr über sich, verloren in die heiligen Mysterien des Himmels, nicht mehr unter sich, erschauernd vor den feurigen Schrecknissen der Hölle, nicht mehr in sich, vergrübelt in die Schicksalsfragen seiner dunkeln Herkunft und noch dunkleren Bestimmung, sondern geradeaus, die Erde umspannend und erkennend, daß sie sein Eigentum ist. Die Erde gehört ihm, die Erde gefällt ihm; zum erstenmal seit den seligen Tagen der Griechen.

Dieser Blick ist von einer eigentümlich tiefen Flachheit. Es ist der Blick der untragischen Zufriedenheit, des philiströsen Wohlbehagens, der praktischen Klugheit, der problemlosen Vernünftigkeit, eine Art Mischung aus Yankeeblick und Wiederkäuerblick: die Welt ist schön, die Welt ist grün, die Welt ist saftig, sie riecht ausgezeichnet und schmeckt noch besser; assimiliere dir von ihr, soviel du kannst: dazu hat sie ja Gott, ein besonderer Gönner aller Wiederkäuer, ganz zweifellos geschaffen.

Aber die Welt ist für diesen Blick doch noch mehr als eine schmackhafte Wiese. Sie ist ein Bauplatz: ein Bauplatz für alles erdenkliche Nützliche, Wohltätige und Lebenfördernde, für Werkstätten der Heilkunst, der Meßkunst, der Scheidekunst, für Institute und Apparate zur Verfeinerung, Erleichterung und Erhöhung des Daseins, für babylonische Türme, die sich zum Himmel recken, um ihm sein Geheimnis zu entreißen, ein unermeßlich weites, unerschöpflich reiches Operationsfeld für die Betätigung und Steigerung der Kräfte des reinen Verstandes, des Verstandes, der sich ganz auf sich selbst stellt, sich alles zutraut, vor nichts zurückschreckt, durch nichts zu enttäuschen ist: dies ist die heroische Seite des neuen Blickes neben seiner animalischen.

Die Kurve
von 1500
bis 1900 Kurzum: der Mensch bemerkt, zum erstenmal seit langer Zeit, daß er Verstand hat und daß der Verstand allmächtig ist. Er entdeckt sich als denkendes Wesen, als ens rationale, oder vielmehr: er gebiert diese Kräfte in sich wieder; wenn man will, ist dies der Sinn des Wortes „Renaissance". Dieser erwachende Verstand beginnt alles zu durchdringen: Himmel und Erde, Wasser und Licht, das unendlich Große und das unendlich Kleine, die Beziehungen der Menschen untereinander und ihr Verhältnis zu Gott und Jenseits, das Walten der Natur und die Gesetze der Kunst; kein Wunder, daß er infolgedessen glaubt, er sei allein auf der Welt. Die ganze Geschichte der Neuzeit ist nun nichts anderes als die wachsende Steigerung und Übersteigerung dieser streng und einseitig rationalistisch orientierten Entwicklung. Einzelne Rückschläge sind nur scheinbar.

Der europäische Geist beschreibt von 1500 bis 1900 einen prachtvollen Bogen. Er erschöpft, planvoll fortschreitend, nahezu alle intellektuellen Möglichkeiten. Er gelangt im sechzehnten Jahrhundert in Italien zu jener extremen Rationalisierung der Kunst, von der wir bereits gehandelt haben, und im Norden zur Rationalisierung des Glaubens, die unter dem Namen „Reformation" bekannt ist. Er gibt sich in den Bewegungen der Gegenreformation und der Barocke den Anschein, als ob er zum Irrationalismus und Mystizismus zurückkehren wolle, aber dies ist nur eine optische Täuschung: der Jesuitismus ist eine Schöpfung der höchsten Logizität und intellektuellen Spannkraft, und die Barocke bedeutet erst recht die Alleinherrschaft des ordnenden, rechnenden, zerlegenden Verstandes, der das aber nicht wahr haben will und sich daher in tausend abenteuerliche Masken und künstliche Verkleidungen flüchtet: es ist der Rationalismus, der sich einen Rausch antrinkt, um der Prosa und Langweile einer reinen Verstandeskultur zu entrinnen. Das achtzehnte Jahrhundert bringt dann den unbestrittenen Triumph der reinen Vernunft auf allen Gebieten: es ist das Jahrhundert Voltaires und Kants, Racines und Winckelmanns. Man sollte glauben, daß dieser Extremismus nicht zu überbieten wäre, und dennoch wurde er überboten: durch das „junge Deutschland" und die ihm verwandten Richtungen des Auslands, die erfolgreich bemüht sind, Kunst, Religion, Wissenschaft, das ganze Leben zu einem puren Politikum umzustempeln und damit der letzten irrationalistischen Züge zu entkleiden. Dazwischen läuft die Gegenströmung der Romantik, die aber, ganz ähnlich wie die Barocke, nur viel impotenter als diese, nichts anderes ist als eine Revolte gegen den Intellektualismus, mit rein intellektuellen Mitteln unternommen, ein Literatenputsch gegen die Literatur, völlig akademisch, programmatisch, doktrinär, ein geistreiches Aperçu, aus der Lust an Paradoxie, Polemik und Modewechsel entsprungen. Und dann bringt die zweite Hälfte des neunzehnten Jahrhunderts den Sieg der „naturwissenschaftlichen Weltanschauung" und der Technik, womit die Entwicklung im Sinne der marxischen „Negation der Negation" durch Selbstmord endigt und in der ebenso sinnlosen wie naturnotwendigen Katastrophe des Weltkriegs zusammenbricht.

Der Weltkrieg selbst aber ist bereits ebensowohl das Finale eines ablaufenden Weltalters wie der Auftakt zu einem neuen. Denn in ihm haben wir, wie bereits angedeutet wurde, eines jener großen Traumen zu erblicken, die die Geburt einer neuen historischen Spezies einleiten. Er bedeutet zugleich einen Weltuntergang und eine Krisis oder, genauer ausgedrückt: das Ende jener einen großen ununterbrochenen Krisis der europäischen Seele, die den Namen „Neuzeit" führt. Wir stehen am Anfang eines neuen Zeitalters, und es ist daher jetzt möglich, die Geschichte der Neuzeit als Rückblick auf eine abgeschlossene Entwicklungsperiode zu schreiben. Zum erstenmal seit fast einem halben Jahrtausend beginnt die Welt dem Menschen wieder zu mißfallen, er beginnt an ihrem Besitz und an dessen Quellen, seinem Verstand und seinen Sinnen, zu zweifeln. Dies sind heute erst ferne Zeichen und Möglichkeiten, die blaß am Horizont unserer Kultur heraufdämmern, aber Zeichen, die eine völlige Umkehrung unseres Weltgefühls ankündigen.

Die mystische Erfahrungswelt der „Primitiven" Wir haben uns an die usurpierte Suprematie der logischen Funktionen bereits derart gewöhnt, daß uns jede andere Geisteshaltung absurd oder minderwertig erscheint. Dies ist aber eine ganz willkürliche Auffassung. Vielmehr ist unsere Art, die Welt rationalistisch zu begreifen, die große Exzeption, das Absonderliche und Widernatürliche. Höchst lehrreich ist in dieser Hinsicht ein im Jahr 1910 erschienenes Werk des französischen Forschers Levy-Brühl „Les fonctions mentales dans les sociétés inférieures", das auf Grund sehr umfangreicher und gewissenhafter Beobachtungen eine Psychologie der sogenannten „primitiven Völker" unternimmt. Für diese haben sämtliche Dinge und Wesen: jeder Baum, jedes Tier, jeder Mensch, jedes Bild, jedes Gerät sowohl eine sichtbare wie eine unsichtbare Existenz, und gerade diese gilt für die wirksamere; auch die Traumerlebnisse gelten für wirklich, ja für wirklicher als die wachen. „Was für uns Wahrnehmung ist, ist für den Naturmenschen hauptsächlich Verkehr mit den Geistern, mit den Seelen, mit den unsichtbaren und unberührbaren geheimnisvollen Kräften, die ihn von allen Seiten umgeben, sein Schicksal bestimmen und in seinem Bewußtsein einen größeren Platz einnehmen als die festen, tastbaren und sichtbaren Elemente seiner Vorstellungen. Demnach hat er keinen Grund, dem Traum die niedrige Stellung einer verdächtigen subjektiven Vorstellung anzuweisen, auf die man sich nicht verlassen dürfe: dieser ist im Gegenteil eine privilegierte Form der Wahrnehmung, weil in ihr der Anteil der materiellen Elemente minimal und daher die Kommunikation mit den unsichtbaren Kräften die unmittelbarste und vollkommenste ist." „Daher auch die Willfährigkeit und Hochachtung, die man Visionären, Sehern, Propheten, bisweilen auch Verrückten entgegenbringt. Man schreibt ihnen die spezielle Fähigkeit zu, mit der unsichtbaren Wirklichkeit zu verkehren." „Für uns besteht das wesentlichste Merkmal für die Objektivität einer Wahrnehmung darin, daß sie unter gegebenen identischen Bedingungen von allen Beobachtern gleichzeitig und auf gleiche Weise gemacht wird. Aber bei den Primitiven geschieht es im Gegenteil fortwährend, daß Wesen oder Gegenstände sich gewissen Leuten mit Ausschluß aller Anwesenden manifestieren. Niemand ist darüber erstaunt, alle Welt findet es natürlich." „Die Primitiven bedürfen nicht der Erfahrung, um sich von den unsichtbaren Eigenschaften der Dinge zu überzeugen, und deshalb bleiben sie auch durch die Widerlegungen, die die Erfahrung diesen Beobachtungen entgegensetzt, gänzlich ungerührt. Denn die Erfahrung, auf das Sichtbare, Tastbare, Faßbare der Wirklichkeit beschränkt, läßt sich gerade das Allerwichtigste: die geheimen Kräfte und Geister entschlüpfen." Kurz: der Primitive lebt in einer für die Sinne nicht wahrnehmbaren und dennoch wirklichen, in einer mystischen Welt. „Wenn der Arzt eine Heilung vollbringt, so ist es der Geist des Mittels, der auf den Geist der Krankheit wirkt. Die physische Tat wird ohne die mystische gar nicht begriffen. Oder richtiger: es gibt keine eigentlich physische Tat; es gibt nur mystische Taten."

Leider ist der ausgezeichnete Verfasser des Werks ein moderner „Wissenschaftler", der seine Untersuchungen an den Naturvölkern von oben herab macht und in den Anschauungsformen dieser Gesellschaften nur unvollkommene Vorstufen seines eigenen Denkens erblickt. Er nennt daher ihre Geistesverfassung, und zwar, wie er selbst zugibt, „in Ermangelung eines besseren Namens", prälogisch, wobei er ausdrücklich betont, daß sie weder antilogisch

Prälogisch oder überlogisch?

237

noch alogisch sei. „Mit der Bezeichnung ‚prälogisch' will ich nur sagen, daß nicht wie bei uns die Verpflichtung gefühlt wird, sich des Widerspruchs zu enthalten. Diese Denkart gefällt sich nicht in willkürlichen Widersprüchen (dadurch würde sie für uns einfach absurd werden), aber sie bemüht sich auch nicht, Widersprüche zu vermeiden." Gleichwohl bleibt das Wort irreführend, weil es den Eindruck erweckt, daß es sich hier um eine Art Vorstudie und Vorübung zum logischen Denken handle, die dazu bestimmt sei, durch die bei uns herrschende Denkart überwunden zu werden. Man könnte aber mit weit größerer Berechtigung von einem überlogischen Denken reden. Und in der Tat ist ja auch diese Art, die Welt zu begreifen, keineswegs auf die Primitiven beschränkt: sie vollziehen diese Vorstellungen nur leichter und selbstverständlicher, weil sie noch der Natur näher stehen. Es hat wohl kaum jemals ein Kulturvolk gegeben, in dem der Seher, der Halluzinierende nicht eine ähnliche privilegierte Stellung eingenommen hätte. Auch in der Anschauung der Griechen, die doch wohl nicht zu den „Primitiven" gehörten, ist der Mensch zweimal vorhanden: in seiner wahrnehmbaren Erscheinung und in seinem unsichtbaren Abbild, der „Psyche", die erst nach dem Tode frei wird; und die Gestalten der Träume galten auch ihnen für vollwertige Realitäten. Ferner ist die prälogische Form des Denkens das Merkmal aller schöpferischen Betätigungen: aller Kunst, aller Religion, aller wirklichen Philosophie, ja sogar aller echten Wissenschaft; denn das Leben selber ist „prälogisch". Die ganze Natur ist wunderbar. Jede in die Tiefe gehende Erklärung einer empirischen Tatsache ist nichts anderes als die Feststellung eines Wunders. Der Philologe beschäftigt sich mit dem Wunder der Sprache, der Botaniker mit dem Wunder des Pflanzenlebens, der Historiker mit dem Wunder des Weltlaufs: lauter Geheimnisse, die noch kein Mensch zu entziffern vermocht hat, ja selbst der Physiker, wenn er nämlich genial ist, stößt fortwährend auf Wunder. Je tiefer eine Wissenschaft in die Sphäre des Wunderbaren einzudringen vermag, desto wissenschaftlicher ist sie. Wenn wir heute keine Wunder mehr erleben, so zeigt dies nicht, daß wir klüger, sondern daß wir temperamentloser, phantasieärmer, instinktschwächer, geistig leerer, kurz: daß wir dümmer geworden sind. Es geschehen keine Wunder mehr, aber nicht, weil wir in einer so fortgeschrittenen und erleuchteten, sondern weil wir in einer so heruntergekommenen und gottverlassenen Zeit leben.

Der Rationalismus, dieses Irrlicht, das ganz willkürlich nur jene Ausschnitte der Wirklichkeit beleuchtet und gelten läßt, die nicht der „Erfahrung" und den „Denkgesetzen" widersprechen, das heißt: den rohen Sinneseindrücken und einer ihnen angepaßten defekten Logik, ist, dies müssen wir uns klarmachen, nichts als ein temporäres Vorurteil, dazu bestimmt, nach einer gewissen Herrschaftsdauer wieder zu verschwinden. Es soll nicht geleugnet werden, daß der Rationalismus nicht das einzige, sondern nur eines von den vielen Vorurteilen ist, die die Menschheit in ihrer Geschichte zu durchlaufen hat. Daß er aber besser als die anderen, daß er das einzig sinnvolle, ja daß er überhaupt kein Vorurteil sei: diese Annahme ist ein moderneuropäischer Lokalwahn.

Was ich also zu erzählen versuche, ist das kurze Intermezzo der Verstandesherrschaft zwischen zwei Irrationalismen: dem mittelalterlichen und dem zukünftigen, das im Rahmen der Menschheitsgeschichte nicht mehr bedeutet als eine flüchtige Mode, interessante Schrulle und kulturhistorische Kuriosität. Und es ist mehr als wahrscheinlich, daß der Mensch der Zukunft – im Besitz einer exakten Astrologie und Mantik, eines genauen und ständigen Rapports mit höheren Geistern, einer Seelenwissenschaft, die sich zu unserer heutigen Psychologie verhalten wird wie die Infinitesimalrechnung zum kleinen Einmaleins, und tausend anderer Dinge, die wir nicht einmal ahnen können – in unserer Neuzeit mit ihren „Errungenschaften" die Ära des finstersten, unfruchtbarsten und borniertesten Aberglaubens der bisherigen Geschichte erblicken wird. Wie ja auch der Mensch der Vergangenheit: der Ägypter mit der für uns unfaßbaren Großartigkeit seiner Kunst, der Chinese mit der für uns unerreichbaren Reife seiner Weltweisheit, der Babylonier mit seiner für uns unwiederbringlich verschollenen Wissenschaft der Sterndeutung und Schicksalsberechnung, der Inder mit der uns unzugänglichen Tiefe seiner Religion, für die analogen Kulturschöpfungen unserer Zeit, die liberalem Dünkel als die Krone der bisherigen Entwicklung erscheinen, nur ein mitleidiges Lächeln gehabt hätte. Er würde von uns finden, was jener Memphispriester bei Herodot von den Griechen fand: daß wir ewige Kinder geblieben seien. Und ein feineres Ohr als das unsrige vermöchte vielleicht sogar zu erkennen, daß auch noch die ganze europäische Geschichte der Neuzeit von einem leisen Gelächter des Orients begleitet ist, das wie eine feine spöttische Unterstimme neben allen unseren „Fortschritten" einhergeht.

Der europäische Rationalismus, dessen Entwicklungsgang wir zu schildern haben, war also nichts als die vorübergehende idée fixe einer kleinen asiatischen Halbinsel, eine der rudimentärsten, primitivsten und infantilsten Geistesperioden der Menschheit; und was wir unter dem Namen der „Neuzeit" erzählen, ist eigentlich die Geschichte eines grauen Altertums, einer Art Menschheitskindheit, Urzeit und Prähistorie.

Die drei
Schwarz-
künste Diese Neuzeit, so müssen es wenigstens noch immer alle Schulknaben lernen, war eine Wirkung der Entdeckung Amerikas. Aber, wir können dies nicht oft genug wiederholen, es verhielt sich gerade umgekehrt: ein solches Geschlecht, wie es damals lebte, mit dieser neuen Abenteuerlust, diesem Drang in die Ferne, diesem wiedererwachten Realismus, diesem unbezähmbaren Wissensdurst mußte eines Tages in Westindien anlegen, mit derselben Notwendigkeit, mit der es seine übrigen Erfindungen und Entdeckungen machen mußte. Daß ein Gemälde oder ein lyrisches Gedicht das organische Produkt des Zeitalters ist, in dem es geschaffen wurde, wissen heutzutage sogar schon die Universitätsprofessoren; aber mit den technischen Leistungen verhält es sich auch nicht anders. Es gibt keine „zufälligen" Erfindungen. Es ist ja auch nicht wahr, daß das ausgehende neunzehnte Jahrhundert dem Telephon, dem Telegraphen, den Blitzzügen und dergleichen Dingen ein neues Gefühl von Zeit und Raum, ein unendlich beschleunigtes Lebenstempo verdankt hat, sondern dieses neue Tempo war das Primäre, dieses neue Zeit- und Raumgefühl wurde mit der Generation, die den Magnetismus, die Elektrizität und die Dampfkraft nutzbar machte, bereits geboren, es mußte sich diese Lebensformen schaffen.

Unter den Ereignissen, die die Neuzeit einleiten, war die Entdeckung Amerikas auch gar nicht das Wesentlichste, ganz abgesehen davon, daß die damalige Menschheit Amerika ja gar nicht entdeckt hat, sondern bloß dort landete, um nicht zu sagen: strandete; für die seelische Gesamtverfassung eines Zeitalters fallen aber nur bewußte Kulturleistungen ins Gewicht. Die entscheidendsten Metamorphosen bewirkten vielmehr drei andere Tatsachen: der allgemeine Gebrauch des von Berthold Schwarz erfundenen Pulvers, die Verwendung beweglicher schwarzer Lettern zur Massenherstellung von Büchern und das leidenschaftliche Interesse für die Geheimnisse der Alchimie. Diese drei Schwarzkünste stehen bedeutungsvoll am Eingang der Neuzeit.

Neben diesen allbekannten großen Erscheinungen bringt das letzte Drittel des fünfzehnten Jahrhunderts und der Anfang des sechzehnten noch eine Reihe anderer bemerkenswerter Fortschritte auf dem Gebiet der Wissenschaft und Technik. 1471 wird die erste Sternwarte errichtet, 1490 entwirft Martin Behaim den ersten Globus, 1493 erscheint Hartman Schedels „Liber chronicarum", ein mit über zweitausend Holzschnitten geschmücktes epochemachendes geographisch-historisches Werk, 1505 wird die erste Post eingerichtet, 1506 gibt Reuchlin seine hebräische Grammatik heraus, 1510 ersinnt Peter Hele seine Federuhr, das berühmte „Nürnberger Ei", das man in der Tasche tragen kann, 1515 kommen die Radschloßgewehre in Gebrauch. Anfänge des modernen Zeitbegriffs setzen sich durch: die öffentlichen Uhren beginnen die Viertelstunden zu schlagen. Auch die weiteren Jahre sind von regem wissenschaftlichem Leben erfüllt. 1540 entdeckt Servet den kleinen Blutkreislauf, drei Jahre später, im Veröffentlichungsjahr des kopernikanischen Systems, läßt der große Anatom Vesalius sein grundlegendes Werk „De humani corporis fabrica" erscheinen, Christoph Rudolff schreibt das erste Kompendium der Algebra in deutscher Sprache, Adam Riese die ersten Lehrbücher der praktischen Rechenkunst, Georg Agricola begründet die Mineralogie, Konrad Gesner die wissenschaftliche Zoologie, Gerhard Kremer, Kosmograph und Kupferstecher, bekannt unter seinem latinisierten Namen Mercator, erneuert die Erfindung des Ptolemäus, die Kreise des Gradnetzes auf einen Kegelmantel zu projizieren, und verbessert sie so vorzüglich, daß „Mercators Projektion" bis zum heutigen Tage in Gebrauch ist.

Daß wir uns aber noch immer in einer Art Übergangszeit vom Mittelalter zum Rationalismus befinden, zeigen die zahlreichen Mystiker, Kabbalisten und Wunderkünstler, die den geistigen Bestrebungen des Zeitalters das eigentliche Gepräge geben. Sie haben gleichsam den Habitus einer neuentstandenen zoologischen Spezies, die noch Rudimente der früheren, aus der sie hervorgegangen ist, mit sich herumträgt, etwa wie wenn Geschöpfe, die bereits den Übergang von der Wasserexistenz zum Landleben vollzogen haben, noch Schwimmhäute oder Doppelatmung durch Kiemen und Lungen aufweisen. Im Grunde waren gerade sie es, die das lehrten, was man in jener Zeit unter „Wissenschaft" verstand. Unter ihnen erlangten Agrippa von Nettesheim und Theophrastus Bombastus Paracelsus von Hohenheim die meiste Popularität. Der erstere gab im Jahr 1510 unter dem Titel „De occulta philosophia" eine Art Lehrbuch der Magie heraus, die er in eine natürliche, eine himmlische und eine religiöse gliedert: die erste zeigt, wie man über die irdischen Kräfte Herr wird, die zweite, wie man in die Geheimnisse der Gestirne eindringt, die dritte, wie man Macht über die Dämonen gewinnt; und Paracelsus ist eine der originellsten Figuren des ganzen Zeitalters: Humanist und Physiker, Alchimist und Astrolog, Chiromant und Totenbeschwörer, Chirurg und Theurg, Entdecker des Wasserstoffs und Erneuerer der wissenschaftlichen Medizin; auf seinem steten Wanderleben als Arzt, Lehrer und Goldmacher von aller Welt umworben und von einem lärmenden Hofstaat umschwärmt, in dem wahre Jünger der Wissenschaft mit Abenteurern und Müßiggängern, die nach dem Stein der Weisen begehrten, bunt durcheinandergemischt waren (wie ja überhaupt in jener Zeit gemeiner Goldhunger und edler Wissensdurst kaum voneinander zu trennen sind); überall sensationelle Kuren vollbringend, Kenntnisse sammelnd und ausbreitend, Skandal und Bewunderung erregend, um schließlich auf Anstiften einiger graduierter Kollegen, die in seiner Genialität eine Geschäftsstörung erblickten, hinterlistig ermordet zu werden.

Im Gedächtnis der Nachwelt lebt er teils als Typus des Scharlatans, als skurrile und verächtliche Jahrmarktsfigur, teils als Typus des Sehers, als Märtyrer der Wissenschaft und Wohltäter der Menschheit. Beide Versionen haben recht.

Auch seine Schriften tragen diesen zwiespältigen Charakter. Schwülstig und gesucht, großsprecherisch und weitschweifig, dunkel und überladen, zeigen sie, daß ihr Verfasser den Namen Bombastus nicht mit Unrecht trug; aber auch dem Namen Theophrastus hat er Ehre gemacht: er war ein wahrer Beauftragter Gottes, ein Künder tiefen Wissens und echter Weisheit. Nicht in den Büchern, betont er immer wieder, müsse man die Wahrheit suchen, sondern im Buch der Natur: was in Galens Schriften zu finden ist, gleiche dem Schwamm, der auf dem Baum des Lebens wächst; nur ein Tor kann den Schwamm mit dem Baum verwechseln. Er lehrte, um es mit einem Worte zu sagen: eine pantheistische Medizin: alles hängt zusammen, Aufgabe des Arztes ist es, diesen Zusammenhang zu ergründen; auch die Welt, die Erde ist ein großer Organismus mit Leben und Störungen, Antlitz und Krankheiten, Atemzug, Pulsschlag, Fieber und Genesung.

An den Stein der Weisen hat er fest geglaubt: das Gesetz von der Erhaltung der Elemente war ihm eben noch unbekannt. Dieses Gesetz ist jedoch neuerdings durch das Radium widerlegt worden, das sich bekanntlich in ein anderes Element, das Helium, zu verwandeln vermag. So wird „unwissenschaftlich", was bisher ein Pfeiler der Naturforschung war, und „wissenschaftlich", was bisher als roher Aberglaube galt. Dies ist die Geschichte der sogenannten Wissenschaften, und ihre Betrachtung müßte den Dünkel der gelehrten Handwerker sehr herabmindern, wenn diese für freie Erwägungen des gesunden Menschenverstandes überhaupt zugänglich wären.

Die Alchimie bezweckte übrigens keineswegs bloß Goldmacherei. Der geheimnisvolle Stoff, das „Arcanum", das man suchte, sollte auch zugleich eine Panazee gegen alle Krankheiten sein, gleich dem Theriak des Altertums. Man war damals überhaupt der Ansicht, daß es eine allgemeine erlösende Formel geben müsse, die mit einem Schlage die Rätsel der Welt entschleiert, einen Generalschlüssel, der das Tor zu allen Geheimnissen öffnet: dies ist der tiefere Sinn des Steins der Weisen.

Menschen-
material
und
verschieb-
bare Letter

Die beiden anderen „Tendenzen des Zeitalters": das Schießpulver und der Buchdruck haben zweifellos ungleich verderblicher gewirkt als die Alchimie. Durch den Gebrauch der Feuerwaffen ist ein Moment der Verpöbelung, Barbarisierung und Mechanisierung ins Kriegswesen gekommen, wie es bisher unbekannt war. Durch das Pulver wird der Mut demokratisiert, nivelliert, entindividualisiert. Der ritterliche Kampf, Mann gegen Mann, zu Pferde, mit besonderen Schutz- und Angriffsrüstungen, deren Handhabung Sache eines besonderen Talents oder doch zumindest einer durch Jahre und Generationen währenden Übung und Züchtung war, schuf eine bestimmte Gesellschaftsklasse, ja Rasse, deren Beruf der Mut war. Mit dem entscheidenden Auftreten der Feuertaktik und des Fußvolks hört der Krieg auf, Sache einer besonderen Menschenart, Gemütsanlage und Fähigkeit zu sein, der Mut ist allgemein geworden, das heißt: er ist verschwunden. Die Waffe ist nicht mehr ein persönliches Organ des Menschen, gleichsam ein Glied seines Körpers, sondern der Mensch ist ein unpersönliches Organ der Waffe, nichts als ein Glied der großen Kriegsmaschine. Hieraus folgt zweierlei: erstens eine viel größere Skrupellosigkeit und Brutalität in der Kriegführung, da der einzelne nur noch ein leicht ersetzliches Teilchen des Ganzen, sozusagen ein Stück Fabrikware, ein leicht herstellbarer Massenartikel ist, und zweitens die Ausdehnung der Kriegstätigkeit auf viel größere Teile der Bevölkerung, schließlich auf alle. Der Begriff „Menschenmaterial" ist erst durch die Erfindung des Schießpulvers geschaffen worden, ebenso wie die allgemeine Wehrpflicht, denn eine allgemeine Pflicht kann nur sein, was jeder kann. Daher ist die Geschichte der Neuzeit die Geschichte der fortschreitenden Auflösung des Kriegsbegriffes, seines ursprünglichen Inhalts und Sinns. Die letzte Stufe dieser Selbstzersetzung bildet der Weltkrieg: der Krieg aus Geschäftsgründen.

Eine ähnliche mechanisierende und nivellierende Tendenz wohnt der Druckerpresse inne, die übrigens nie eine so allgemeine Bedeutung erlangt hätte, wenn ihre Erfindung nicht mit der Einführung guten und billigen Papiers zusammengefallen wäre. Gutenberg (oder wer es sonst war) zerlegte die Holztafeln, mit denen man zuerst Bilder, später Unterschriften und schließlich auch schon Bücher gedruckt hatte, in ihre einzelnen Bestandteile, die Buchstaben. Hierin liegt zunächst eine Tat des Individualismus, eine Befreiung aus der Gebundenheit, Assoziation und Korporation des Mittelalters. Die Elemente, die Zellen gleichsam, die den Organismus des Wortes, des Satzes, des Gedankens aufbauen, machen sich selbständig, freizügig, jede ein Leben für sich, unendliche Kombinationsmöglichkeiten eröffnend. Bisher war alles fest, gegeben, statisch, konventionell; jetzt wird alles flüssig, variabel, dynamisch, individuell. Die verschiebbare Letter ist das Symbol des Humanismus. Aber die Kehrseite ist: es wird auch alles mechanisch, dirigierbar, gleichwertig, uniform. Jede Letter ist ein gleichberechtigter Baustein im Organismus des Buches und zugleich etwas Unpersönliches, Dienendes, Technisches, Atom unter Atomen. Ähnliche Erscheinungen hat der neue Geist auch auf anderen Gebieten gezeitigt. Vom Kriegswesen sprachen wir soeben: jeder Ritter war eine Schlacht für sich, der Soldat ist bloß eine anonyme Kampfeinheit. An die Stelle des Bürgers tritt der Untertan, an die Stelle des Handwerkers der Arbeiter, an die Stelle der Ware das Geld. Alle vier: Soldat, Untertan, Arbeiter und Geldstück haben das Gemeinsame, daß sie gleichartige Größen, reine Quantitäten sind, die man nach Belieben addieren, umstellen und auswechseln kann. Ihr Wert wird nicht so sehr durch ihre persönlichen Eigenschaften als durch ihre Zahl bestimmt. Dasselbe zeigt sich auch auf dem Gebiet des Komforts und der ganzen äußeren Lebenshaltung. Der Mensch der Neuzeit hat praktischere Möbel, schnellere Fahrzeuge, wärmere Öfen, hellere Beleuchtungskörper, bequemere Wohnhäuser, bessere Bildungsanstalten als der mittelalterliche, und diese und noch hundert andere Dinge garantieren ihm ein freieres, unbelasteteres, individuelleres Dasein: aber alle diese Möbel, Fahrzeuge, Öfen, Beleuchtungskörper, Wohnhäuser und Bildungsanstalten sind vollkommen gleich. Es muß eben in Natur und Geschichte immer für alles bezahlt werden. Es ersteht die Individualität, und es verschwindet die Persönlichkeit.

Dies waren entscheidende Umlagerungen des Weltbildes, zu denen nun noch die neuen astronomischen Ansichten traten, die von Kopernikus ausgingen. Die Abhandlung „De revolutionibus orbium coelestium libri VI", in der er sein neues Weltsystem aufstellte, erschien erst in seinem Todesjahr, dazu noch mit einer Vorrede des protestantischen Theologen Osiander, die eigenmächtig das Ganze für eine Hypothese erklärte, offenbar weil Luther und Melanchthon sich dagegen ausgesprochen hatten: „Der Narr", sagte Luther, „will die ganze Kunst Astronomiam umkehren; aber die Heilige Schrift sagt uns, daß Josua die Sonne stillstehen ließ und nicht die Erde." Aber das Werk ist bereits viel früher entstanden. Kopernikus erklärt selbst in der Widmung (die merkwürdigerweise an Papst Paul den Dritten gerichtet war), es habe viermal neun Jahre bei ihm geruht, und es muß auch schon vorher durch geheimnisvolle Kanäle ins Publikum gedrungen sein. Sobald eine Erkenntnis einmal da ist, läßt sie sich eben nicht unterdrücken, sie infiziert gleichsam die Luft, verbreitet sich wie ein Bazillus.

Die Entdeckung war übrigens nicht völlig neu. Ein Vierteljahrtausend vor Christus hatte Aristarch von Samos ein ähnliches System aufgestellt: Sonne und Fixsterne unbeweglich, die Erde in Drehung um sich selbst und die Sonne; und schon von Plato berichtet Plutarch, daß er „die Erde nicht mehr in der Mitte des Ganzen gelassen, sondern diesen Platz einem besseren Gestirn eingeräumt habe". Aber der Grieche wollte die Welt als begrenzte geschlossene Kugel und sich als Betrachter in der Mitte, er wollte einen Kosmos, ein schönes, kunstvoll gegliedertes Ganzes, leicht vorstellbar und bequem überschaubar wie ein Tempel, eine Bildsäule oder ein Stadtstaat: das heliozentrische System entsprach nicht seinem Weltbild und war daher falsch. Jetzt erwacht im Menschen der Trieb ins Weite und zugleich der Trieb nach Ordnung, Gleichförmigkeit und Regelmäßigkeit, nach einer in Formeln ausdrückbaren Welt, die sozusagen eine mathematische Sprache redet. Durch die neue Astronomie wird er scheinbar zum Nichts herabgedrückt, in Wirklichkeit aber zum Entschleierer, Durchschauer, ja Gesetzgeber des Weltalls emporgehoben: er will lieber eine Welt von schauerlicher Unendlichkeit, in der die Erde als blasser Lichtfunken schwimmt, die aber be rechen bar, seinem Geist unterworfen ist, als eine wohlabgegrenzte, die aber in Dunkel und Geheimnis gehüllt und einem unerforschlichen Schicksal unterworfen ist. Es ist eine der größten Geschichtsfälschungen, wenn man immer wieder behauptet, das heliozentrische System habe den Menschen demütiger und bescheidener gemacht: ganz im Gegenteil.

Übrigens lehrte Kopernikus zwar eine heliozentrische und daher der bisherigen an Größe unendlich überlegene, aber doch eine fixe und endliche Welt, in deren Mittelpunkt unbeweglich die Sonne thront und deren äußerste Grenze von der „achten Sphäre" gebildet wird, einer festen, in sich geschlossenen Kugelschale, hinter der nichts mehr ist. Seine Welt war also doch noch eine wesentlich andere: nicht nur eine kleinere, sondern auch eine einfachere, übersichtlichere, stabilere, sozusagen solidere als die unsere, in der unzählbare Sonnensysteme, durch unfaßbare Entfernungen voneinander getrennt, mit rasender Geschwindigkeit durch einen Abgrund jagen, von dem wir nur sagen können, daß er nirgends aufhört.

Aber das Instrument, das für die beginnende Neuzeit im höchsten Maße symbolisch ist, ist nicht die Tafel des Astronomen, auch nicht die Druckerpresse, die Retorte oder die Kanone, sondern der Kompaß. Erfunden war er schon längst; aber erst jetzt wagt man, sich ihm ganz anzuvertrauen. Das Wesentliche der neuen Geisteshaltung ist, wie wir schon mehrfach betonten, ein unbezwinglicher, bisher unerhörter Zug in die Ferne, ein unersättlicher Trieb, alles zu entschleiern, zu penetrieren, zu durchforschen: darum heißen diese Jahrzehnte das Zeitalter der Entdeckungen. Aber nicht die Entdeckungen, die man machte, waren das Wichtige; das Entscheidende war die Tendenz, zu entdecken: ein edles Suchen um des Suchens willen war die dämonische Leidenschaft, die die Geister jener Zeit erfüllte. Das Reisen, bisher bestenfalls als ein notwendiges Übel angesehen, wird jetzt die höchste Lust der Menschen. Alles wandert, vagiert, schweift von Ort zu Ort: der Schüler, der Handwerker, der Soldat, der Künstler, der Kaufmann, der

Überwindung des „Cap Non"

Gelehrte, der Prediger; gewisse Berufe, wie der des Humanisten oder des Arztes, werden überhaupt fast nur im Umherziehen ausgeübt; man wertet einen jeden nach dem Maße, wie weit er herumgekommen ist: der „Fahrende" stellt in fast allen Berufszweigen eine höhere Qualifikation, eine Art Aristokratie dar. In der damaligen Zeit haben die Menschen alles Neue im eigentlichen Sinne des Wortes erfahren. Und es war gar nicht zu vermeiden, daß sich diese neue Reiseenergie alsbald auch der Wasserwege bemächtigte.

An der Spitze der modernen Entdeckungsgeschichte steht die Gestalt des Infanten Heinrich von Portugal, der zwar selber nie eine Seefahrt unternommen hat, aber wegen der großartigen Energie, mit der er alle maritimen Bestrebungen förderte, mit Recht den Namen „Heinrich der Seefahrer" erhalten hat. Nie berührte er ein Glas Wein oder einen Weibermund: seine einzige Leidenschaft war die Entschleierung der afrikanischen Küsten. Bis zu seiner Zeit hatte das Kap Bojador als die äußerste Grenze gegolten, über die kein Schiffer hinausgelangen könne, weil von da an das Meer so sehr an Salzgehalt zunehme, daß die zähe Masse von den Fahrzeugen nicht mehr zu zerteilen sei. Es führte daher den bezeichnenden Namen *Cap Non*. Auch herrschte allgemein die zuerst von Aristoteles aufgestellte und von Ptolemäus bestätigte Ansicht, daß es innerhalb der Wendekreise nur wüstes Land geben könne, weil die Glut der senkrecht auffallenden Sonnenstrahlen keine Vegetation dulde. Auf Veranlassung Heinrichs wurden aber gleichwohl Schiffe auf Expeditionen ausgesandt, und im Jahr 1445 konnte einer seiner Untertanen berichten, er habe weiter südlich Küsten mit saftigen Kräutern und großen Palmenhainen entdeckt: „Dies alles", fügte er ironisch hinzu, „schreibe ich mit Verlaub Seiner Gnaden des Ptolemäus, der recht gute Sachen über die Einteilung der Welt hat verlauten lassen, aber in diesem Stücke sehr fehlerhaft dachte. Zahllos wohnen am Äquator schwarze Völkerschaften, und zu unglaublicher Höhe erheben sich die Bäume, denn gerade im Süden steigert sich die Kraft und Fülle des Pflanzenwuchses." Und noch in demselben Jahre gelangte man zu dem fruchtbaren Vorgebirge, das seitdem unter dem Namen *Cap verde* bekannt ist.

Alsbald entwickelte sich ein lebhafter afrikanischer Tauschhandel: die wichtigsten Ausfuhrartikel waren Goldstaub, Moschus und Elfenbein, und auf Madeira entstanden reiche Zuckerplantagen. Auch der Sklavenfang gehörte zu den merkantilen Begleiterscheinungen dieser ersten Entdeckungsfahrten, bei denen der Infant selbst jedoch niemals andere als wissenschaftliche Interessen im Auge gehabt hat.

Als er im Jahre 1460 starb, gerieten die Unternehmungen ins Stocken. Erst die achtziger Jahre brachten wieder bedeutende Fortschritte. 1482 wurde auf einer Reise, an der auch Martin Behaim teilgenommen haben soll, die Kongomündung entdeckt, und 1486 erreichte Bartolomeo Diaz die Südspitze Afrikas, die von ihm wegen der furchtbaren Stürme, die dort herrschten, *Cabo tormentoso* genannt, von seinem König João dem Zweiten aber in *Cabo de bôa esperanza* umgetauft wurde, ja er fuhr sogar um das Kap herum und befand sich bereits auf dem Wege nach dem Indischen Ozean, als er von seiner Mannschaft bestimmt wurde, umzukehren. Die Hoffnung auf einen südlichen Seeweg nach Ostindien, die der König mit seiner Namensänderung zum Ausdruck bringen wollte, sollte sich zwölf Jahre später erfüllen: Vasco da Gama gelangte nach Kalikut, der Hauptstadt des vorderindischen Reiches Malabar, die zugleich der Hauptort für den Verkehr mit den Molukken, den „Gewürzinseln", war: von da an datiert die Suprematie der Portugiesen im europäischen Gewürzhandel.

Schon sechs Jahre früher aber hatte der Genuese Cristoforo Colombo im Dienste der spanischen Regierung, der zu Ehren er sich von nun an Cristobal Colon nannte, den ersten Vorstoß nach Westen gemacht. Er wählte zunächst den ungeschicktesten Weg nach Amerika, nämlich die weiteste Entfernung, und er wäre wahrscheinlich nie ans Ziel gekommen, wenn nicht besonders günstige Winde diesen Fehler ausgeglichen hätten. Sein Plan war, „das Morgenland in westlicher Richtung" zu erreichen. Mit der Kugelgestalt der Erde, wie sie auf Martin Behaims berühmtem „Erdapfel" zum Ausdruck gelangte, war er also schon vollkommen vertraut; aber er teilte auch den auf diesem Globus verzeichneten Irrtum, daß Asien eine zusammenhängende Masse bilde, die sich hufeisenförmig um den Planeten herumschlinge. Daß er jedoch, wie gemeinhin behauptet wird, auf diesem Wege nach „Westindien" zu gelangen glaubte, ist nicht ganz richtig, vielmehr nahm er an, und zwar in seinem Sinne ganz logisch, daß er in Kathai (China) oder an der vorgelagerten Insel Zipangu (Japan) landen werde. Bestärkt wurde er in dieser Vermutung durch das Werk des berühmten Weltreisenden Marco Polo „Mirabilia mundi", der tatsächlich zweihundert Jahre früher, aber in östlicher Richtung und auf dem Landwege, nach China und Japan gelangt war. Columbus hielt auch wirklich die Insel Cuba, das erste größere Gebiet, das er anlief, für Zipangu; als er etwas später die Nachbarinsel Haiti entdeckte, die er Española nannte, modifizierte er seine Ansicht dahin, daß diese Zipangu und Cuba das chinesische Festland sei. Er war in die Meinung, daß er sich auf asiatischem Boden befinde, so verrannt, daß er noch für seine letzte Reise arabische Dolmetscher für den Verkehr mit dem Großkhan von Kathai verlangte und einmal sogar einen Trupp Flamingos, den er gravitätisch durch die Nacht wandeln sah, für weißgekleidete chinesische Priester hielt. Er erreichte auf seiner zweiten Reise Jamaica, auf seiner dritten die Orinocomündung und damit das Festland, auf seiner letzten Honduras, das er für Hinterindien erklärte, und starb vier Jahre später, 1506, in demselben Jahre wie Martin Behaim, ohne zu ahnen, daß er einen neuen Weltteil entdeckt hatte.

Es ist daher kein so besonders himmelschreiendes Unrecht, daß dieser nicht den Namen Columbia trägt, obschon eine noch viel geringere Berechtigung vorlag, ihn nach Amerigo Vespucci zu benennen. Das Ereignis der Entdeckung Amerikas lag in der Luft. Es wäre ohne Columbus nicht ausgeblieben, ja nicht einmal verzögert worden. „Amerika wäre bald entdeckt worden," sagt der große Naturforscher Karl Ernst von Baer, „auch wenn Columbus in der Wiege gestorben wäre." 1497 erreichte der Venezianer Giovanni Gabotto (John Cabot) unter englischer Flagge die Küste von Labrador, betrat also ein Jahr früher als Columbus das amerikanische Festland. 1500 wurde Pedro Cabral auf seiner Fahrt nach Kalikut nach Westen abgetrieben und entdeckte auf diese Weise Brasilien und, allerdings ganz zufällig, eine viel kürzere Verbindung zwischen Europa und Amerika. Es kommt hinzu, daß Columbus mit seiner Entdeckung nicht bloß wissenschaftlich, sondern auch praktisch nichts anzufangen wußte. Seine Verwaltung der neuen Provinzen war eine wahre Schreckensherrschaft und zeigt an ihm nur häßliche Seiten: maßlose Goldgier, gedankenlose Grausamkeit gegen die Eingeborenen, Hinterhältigkeit und blinde Eifersucht gegen seine Landsleute. Alle administrativen Einrichtungen, die er getroffen hat, waren ebenso unmenschlich wie kurzsichtig: die skrupellose Dezimierung der Bevölkerung durch Sklavenhandel, ihre sinnlose Überanstrengung in der Plantagenarbeit, die Verschickung spanischer Verbrecher nach Española, die Einführung wilder Hunde zum Zwecke der Menschenjagd. Geiz und Habsucht hatten ein solche Macht über ihn, daß sie es dahin brachten, alle edleren Regungen in ihm zu ersticken und alle idealeren Züge seines Wesens zu verdunkeln: schon sein Eintritt in die Neue Welt ist dadurch bezeichnet, daß er den Matrosen, der zuerst Land gemeldet hatte, um die hierfür ausgesetzte Prämie prellte. Achtung verdient er nur für die unerschütterliche, durch nichts zu entmutigende Ausdauer und Tatkraft, mit der er seine Pläne verfolgte; im übrigen war sein Werk ein Produkt der Schwärmerei, der Gewinnsucht und des Eigensinns und seine ganze Fahrt ein zufälliger Prioritätserfolg und Lotterietreffer, eine nautische Rekordleistung von subalternem sportlichem Interesse. Columbus war ein Probierer: er fuhr in einer bestimmten Richtung los, probeweise, und fand Amerika, er probierte an einem Ei so lange herum, bis es stand, und beide Erfolge beweisen gleich viel für seine Genialität.

Die größte Entdeckertat des Zeitalters, schon deshalb, weil sie bewußt vollbracht wurde, ist die Erdumsegelung durch Fernão Magalhães, einen in spanische Dienste getretenen Portugiesen. Er verließ im September 1519 Spanien, fuhr, unter vielerlei Meutereien und Anschlägen seiner Gefährten, längs der südamerikanischen Ostküste bis zur südlichsten Spitze des Festlands, durchsegelte im Spätherbst 1520 die nach ihm benannte höchst beschwerliche und gefährliche Straße, die den Kontinent vom Feuerlandarchipel trennt, und erreichte so den Stillen Ozean, den er in nordwestlicher Richtung durchquerte. Nach einer fast viermonatigen mühseligen und entbehrungsreiche Reise, auf der sich die Besatzung schließlich von Leder und Ratten nähren mußte, gelangte er nach den Ladronen und einige Tage später nach den Philippinen, wo er im April 1521 in einem Kampfe mit den Eingeborenen, den er waghalsig ohne genügende Deckung unternommen hatte, getötet wurde. Sein Schiff „Vittoria" fuhr unter dem Kommando Sebastian d'Elcanos nach den Molukken und kam von da durch den Indischen Ozean über das Kap der Guten Hoffnung und die Kapverdischen Inseln glücklich nach der Heimat zurück. Im September 1522, fast genau nach drei Jahren, landete die Expedition in demselben Hafen, von dem sie ausgegangen war. Bei ihrer Ankunft auf der Kapverdischen Insel Santiago, Juli 1522, bemerkten die Seefahrer, daß der dortige Kalender bereits Donnerstag, den zehnten Juli anzeigte, während sie selbst erst Mittwoch, den neunten Juli zählten. Da sie sich von Ost nach West um die Erde bewegt hatten, hatten sie einen Tag verloren. Hätten sie die umgekehrte Richtung eingeschlagen, so wäre es ihnen wie in der „Reise um die Erde in achtzig Tagen" gegangen, deren geistreiche und überraschende Pointe bekanntlich darin besteht, daß der Held, ohne es zu ahnen, einen Tag und damit seine Wette gewinnt. Sie waren über ihre Entdeckung vermutlich nicht weniger verblüfft und erfreut als Mr. Phileas Fogg. Denn sie bedeutete einen absolut unwiderleglichen Beweis für die Kugelgestalt der Erde.

Das Verbrechen der Conquista   Um dieselbe Zeit wurde Mittelamerika und etwa zehn Jahre später die Westküste Südamerikas den Europäern erschlossen. Wir wollen bei diesen beiden Ereignissen: der Eroberung Mexikos und Perus ein wenig länger verweilen, weil sie zu den empörendsten und zugleich sinnlosesten Taten der Weltgeschichte gehören.

Als Hernando Cortez im Jahre 1519 den Boden Mexikos betrat, fand er dort eine hochentwickelte, ja überentwickelte Kultur, die der europäischen weit überlegen war; als Weißer und Katholik, verblendet durch den doppelten Größenwahn seiner Religion und seiner Rasse, vermochte er sich jedoch nicht zu dem Gedanken zu erheben, daß Wesen von anderer Weltanschauung und Hautfarbe ihm auch nur ebenbürtig seien. Es ist tragisch und grotesk, mit welchem Dünkel diese Spanier, Angehörige der brutalsten, abergläubischsten und ungebildetsten Nation ihres Weltteils, eine Kultur betrachteten, deren Grundlagen sie nicht einmal ahnen konnten. Gleichwohl läßt sich der Gestalt des Cortez eine gewisse Größe nicht absprechen; er war zwar ein Conquistador wie alle anderen: roh, verschlagen, gierig und ohne höhere moralische Hemmungen, aber es fehlte ihm nicht an planvollem Mut, politischer Klugheit und einer gewissen primitiven Anständigkeit; auch tat er nie etwas aus bloßer Blutgier, ja er hatte sogar einen gewissen Abscheu vor dem Blutvergießen, wie er ja auch die Schlachtopfer der Azteken abgeschafft hat: vielleicht die einzige eines Kulturmenschen würdige Handlung, die im Laufe der ganzen spanischen Conquista begangen worden ist. Seine Umgebung jedoch bestand mit wenigen Ausnahmen, zu denen vor allem die Geistlichen gehörten, aus Subjekten niedrigster Kategorie, Rowdys und Verbrechern, die ihr Mutterland ausgestoßen hatte: deklassierten Spaniern, also dem Abschaum des Abschaums des damaligen Europa. Das einzige Motiv der Expedition war ganz gemeine Goldgier: „Die Spanier", sagte Cortez nicht ohne eine gewisse überlegene Ironie zu dem Statthalter, den ihm Kaiser Montezuma entgegenschickte, „leiden an einer Herzkrankheit, gegen die Gold ein besonders geeignetes Mittel ist."

Die Kultur Mexikos haben wir uns ungefähr auf einer Entwicklungsstufe vorzustellen, die von der der römischen Kaiserzeit nicht allzuweit entfernt war. Sie war offenbar schon in jenes letzte Stadium getreten, das Spengler als „Zivilisation" bezeichnet und das durch Großstadtwesen, raffinierten Komfort, autokratische Regierungsform, expansiven Imperialismus, Massigkeit der Kunstbauten, gehäufte Ornamentik, ethischen Fatalismus und Barbarisierung der Religion charakterisiert ist. In der Hauptstadt Tenochtitlan, die auf Pfählen in einen wunderschönen See gebaut war, sahen die Spanier riesige Tempel und Spitzsäulen; ausgedehnte Arsenale, Krankenhäuser und Kriegerasyle; große Menagerien und botanische Gärten; Barbierläden, Dampfbäder und Springbrunnen; Teppiche und Gemälde aus prachtvollem Federmosaik; köstliche Goldschmiedearbeiten und kunstvoll ziselierte Geräte aus Schildpatt; herrliche Baumwollmäntel und Lederrüstungen; Plafonds

Die mexikanische Spätkultur

253

aus wohlriechendem Schnitzwerk; Thermophore für Speisen, Parfümzerstäuber und Warmwasserleitungen. Auf den von Hunderttausenden besuchten Wochenmärkten war eine Fülle aller erdenklichen gediegenen Waren zum Kauf ausgebreitet. Eine bewundernswert organisierte Post beförderte durch Schnelläufer auf sorgfältig ausgebauten Wegen und Stufengängen, die das ganze Land durchzogen, jede Nachricht mit unglaublicher Geschwindigkeit und Präzision; Polizei und Besteuerungsapparat funktionierten mit der größten Genauigkeit und Zuverlässigkeit. In den Küchen der Wohlhabenden dufteten die erlesensten Speisen und Getränke: Wildbret, Fische, Waffeln, Eingemachtes, zarte Brühen, pikante Gewürzgerichte; dazu kamen noch eine Reihe Genüsse, die der alten Welt neu waren: der delikate Truthahn; *chocolatl*, das Lieblingsgericht der Mexikaner, kein Getränk, sondern eine feine Creme, die, mit Vanille und anderen Spezereien gemischt, kalt gegessen wurde; *pulque*, ein berauschender Trank aus der Aloe, die den Azteken außerdem ein schmackhaftes artischockenähnliches Gemüse und ausgezeichneten Zucker lieferte; und *yetl*, der Tabak, der entweder, mit flüssigem Ambra vermischt, aus reich vergoldeten Holzpfeifen oder in Zigarrenform aus schönen silbernen Spitzen geraucht wurde. Die Sauberkeit der Straßen war so groß, daß, wie ein spanischer Bericht sagt, ein Mensch, der sie passierte, sicher sein konnte, sich die Füße ebensowenig zu beschmutzen wie die Hände. Ebenso erstaunlich war die Ehrlichkeit der Bevölkerung: alle Häuser standen vollkommen offen; wer seine Wohnung verließ, legte zum Zeichen seiner Abwesenheit ein Rohrstäbchen vor die Türmatte, und nie gab dies Anlaß zu Diebstählen; überhaupt sollen die Gerichte fast niemals genötigt gewesen sein, über Eigentumsdelikte zu judizieren. Die Aufzeichnungen geschahen auf piktographischem Wege, das heißt: mit Hilfe einer sehr ausgebildeten Bilderschrift; außerdem gab es Schnellmaler, die mit unglaublicher Geschwindigkeit alle Ereignisse sprechend ähnlich festzuhalten wußten. Der mathematische Sinn der Azteken muß sehr entwickelt gewesen sein, denn ihr arithmetisches System war auf dem schwierigen Prinzip der Potenzierung aufgebaut: die erste Grundzahl war 20, die nächsthöhere $20^2 = 400$, die nächste $20^3 = 8000$ und so weiter;

auch sollen die Maya, unabhängig von den Indern, die Null erfunden haben, jenen ebenso fruchtbaren wie komplizierten Begriff, der sich in Europa nur sehr langsam durch die Araber eingebürgert hat.

Höchstwahrscheinlich war der amerikanische Kulturkreis ein Glied jenes großen Kulturgürtels, der in für uns prähistorischer Zeit die ganze bewohnte Erde umschlang, indem er sich von Ägypten und Vorderasien über Indien und China bis nach Mittelamerika erstreckte und vermutlich auch die beiden vorantiken europäischen Welten, die etruskische und die ägäische, in sich schloß: eine Hypothese, die unter dem Namen „Panbabylonismus" viel Widerspruch und Anerkennung hervorgerufen hat. Und in der Tat zeigten die Azteken in ihrem Kalenderwesen, ihrer Bilderschrift und ihrem Gestirnkult eine große Verwandtschaft mit den Babyloniern, während anderseits eine ganze Reihe von Eigentümlichkeiten sehr lebhaft an die Ägypter erinnern: ihre Regierungsform, die eine Verbindung von Gottkönigtum und Priesterherrschaft darstellte; ihr Bureaukratismus, der in der pedantischen Bevormundung der breiten Volksmassen eine Hauptaufgabe der Verwaltung erblickte; das sorgfältig abgezirkelte Zeremoniell ihrer Verkehrsformen; die Fratzenhaftigkeit und Tiergestalt ihrer Götterbildnisse; ihre große Begabung für das naturalistische Porträt, verbunden mit einem starken Hang zur Stilisierung der höheren Kunstformen; die verschwenderische Pracht und ausschweifende Kolossalität ihrer Bauten.

Am frappantesten sind jedoch die Ähnlichkeiten zwischen der Religion der Mexikaner und dem Christentum. Die Krone ihres Kaisers, der zugleich der höchste Priester war, hatte fast dieselbe Form wie die päpstliche Tiara; ihre Mythologie kannte die Geschichten von Eva und der Schlange, der Sintflut und dem babylonischen Turmbau; sie besaßen in etwas transformierter Gestalt das Institut der Taufe, der Beichte und des Abendmahls; sie hatten Klöster mit Mönchen, die ihr Leben mit Vigilien, Fasten und Geißelungen verbrachten; sie erblickten im Kreuz ein heiliges Symbol und hatten sogar eine Ahnung von der Dreieinigkeit und der Inkarnation. Ihre Sittengebote zeigen manchmal eine fast wörtliche

Übereinstimmung mit der Bibel. Eine ihrer Lehren lautete: „Halte Frieden mit allen, ertrage Schmähungen mit Demut: Gott, der alles sieht, wird dich rächen." Und eine andere: „Wer eine Ehefrau zu aufmerksam ansieht, begeht Ehebruch mit seinen Augen."

Ihre Religion war jedoch, ganz ebenso wie die damalige christliche, befleckt durch die Sitte der Menschenopfer, wobei die Kriegsgefangenen die Rolle der Ketzer spielten. Sie wurden an bestimmten Festtagen zum Tempel geführt, wo ein für diesen Dienst bestimmter Priester ihnen mit einem scharfen Beinmesser die Brust öffnete und das noch rauchende und klopfende Herz herausriß, das dann am Altar des Gottes niedergelegt wurde. Dieser Brauch hat begreiflicherweise den Abscheu der Nachwelt erregt und der Vermutung Raum gegeben, daß die Mexikaner doch nur eine Art Wilde gewesen seien; doch läßt sich zu seiner Entschuldigung einiges anführen. Zunächst war er auf die Azteken beschränkt, die Tolteken übten ihn nicht, und er scheint auch bei jenen im Schwinden gewesen zu sein: wenigstens gab es in Cholula, der zweitgrößten Stadt Mexikos, einen Tempel des Gottes Quetzalcoatl, dessen Kultus die Menschenopfer durch Vegetationsopfer ersetzt wissen wollte. Sodann trug er keineswegs den Charakter der Grausamkeit und Blutgier, sondern war eine, obschon höchst barbarische, religiöse Zeremonie, durch die der Gläubige sich die Gottheit geneigt zu stimmen suchte und die für so wenig entehrend galt, daß sich bisweilen fromme Personen freiwillig dazu erboten: er war eine einfache Frucht der Angst und des Aberglaubens und stand moralisch sicher nicht tiefer als die Autodafés der Spanier, deren Motive Fanatismus und Rachsucht waren, und zweifellos höher als die Gladiatorenspiele der Römer, die ihre Gefangenen zum Vergnügen schlachten ließen.

Der weiße Gott Eine der merkwürdigsten Eigentümlichkeiten der mexikanischen Religion war der Glaube an die Rückkehr des soeben erwähnten Gottes Quetzalcoatl, von dem man annahm, daß er vor langer Zeit geherrscht und das Volk in allen möglichen nützlichen Künsten unterrichtet, auch alle bestehenden gesellschaftlichen Einrichtungen gestiftet habe und schließlich in seiner Zauberbarke davongefahren sei, mit dem Versprechen, eines Tages zurückzukehren. Nun hatten gerade um jene Zeit die Priester erklärt, daß die Zeit der Wiederkunft des Gottes nahe sei. Er wurde aus dem Osten erwartet, und es hieß, daß er sich von den Azteken durch weiße Hautfarbe, blaue Augen und blonden Bart unterscheiden werde. Alle diese Prophezeiungen sollten sich erfüllen, und dieser rührende Glaube, von den Spaniern in der niederträchtigsten Weise ausgenützt, war einer der Gründe für die wunderbare Tatsache, daß es einer hergelaufenen Rotte von analphabetischen Banditen gelungen ist, diese Kulturwelt nicht nur zu unterjochen, sondern völlig zu zertrampeln. Dazu kamen noch andere Ursachen: die geringere physische Energie der Eingeborenen, deren Existenz durch das erschlaffende Tropenklima und das jahrhundertelange Leben in Ruhe und Überfluß allmählich etwas Vegetatives, Blumenhaftes angenommen zu haben scheint; die Ausrüstung der Europäer mit Feuergewehren, Pulvergeschützen, Stahlpanzern und Pferden, lauter Dingen, die den Mexikanern völlig unbekannt waren und auf sie neben der physischen Wirkung auch einen ungeheuren moralischen Eindruck machen mußten; die höhere Entwicklungsstufe der spanischen Taktik, die der aztekischen etwa ebenso überlegen war wie die makedonische der persischen; die innere Uneinigkeit des Reichs und der Abfall mächtiger Stämme. Der Hauptgrund dürfte aber darin bestanden haben, daß die ganze Mayakultur sich bereits im Stadium der Agonie befand und es ihr irgendwie bestimmt gewesen sein muß, unterzugehen. In der ganzen uns bekannten Geschichte können wir ja das Schauspiel verfolgen, daß ältere Kulturen durch jüngere unterworfen werden: die sumerische durch die babylonische, die babylonische durch die assyrische, die assyrische durch die persische, die persische durch die griechische, die griechische durch die römische, die römische durch die germanische. Aber immer bemerken wir auch, daß die niedrigeren Kulturen die höheren assimilieren: so übernahmen die Babylonier die sumerische Keilschrift, die Perser die chaldäische Sternkunde, die Römer die griechische Kunst und Philosophie, die Germanen die römische Kirche. Aber in Amerika hat sich nichts dergleichen ereignet: die indianische Kultur ist spurlos verschwunden. Dieser in der Weltgeschichte einzig dastehende Fall erklärt sich aber eben durch die ebenfalls einzigartige Tatsache, daß ein ganzes Volk nicht von einem andern Volk, das zwar barbarischer, aber doch auch ein Volk war, unterjocht, sondern von einer ruchlosen Räuberbande ausgeplündert und ausgemordet wurde; und während längst versunkene Kulturen wie die ägyptische oder die vorderasiatische, von der griechischen und römischen gar nicht zu reden, noch heute auf geheimnisvolle Weise ihre befruchtenden Wirkungen ausüben, ist durch das schändliche Verbrechen der Conquista die Menschheit um eine hohe und einmalige Art, die Welt zu sehen, und damit gewissermaßen um einen Sinn ärmer geworden.

Peru   Vielleicht noch höher als die aztekische Kultur stand die ihr verwandte peruanische: beide Völker zeigen große Übereinstimmungen, scheinen aber nichts voneinander gewußt zu haben. Das ganze Land war mit wahren Wunderwerken der Ingenieurkunst bedeckt, durch endlose Kanäle, Aquädukte und Berieselungsterrassen zur höchsten Fruchtbarkeit gebracht und nicht bloß in die Breite, sondern auch in die Höhe aufs sorgfältigste bebaut: selbst über den Wolken waren Obstgärten angelegt. Straßen, die jedes Hindernis überwanden, durchzogen das ganze Gebiet, indem sie sich bald ausgehauener Treppenfluchten und ausgefüllter Schluchten, bald langer Tunnels und kunstvoller Hängebrücken bedienten. Die Dungmethoden der Peruaner haben ganz Europa belehrt, und von der Einführung des Guanos datiert bei uns eine neue Ära des Ackerbaues. Unerreicht war ferner ihre Webekunst, die ihnen zugleich durch ein kompliziertes, bis heute noch unentziffertes Knüpfsystem die Schrift ersetzte; auch waren sie Meister im Ziselieren und besaßen ein reguläres Drama. Ihr Staatswesen war eine Art Kommunismus mit aristokratischer Oberschicht und theokratischer Spitze, und es ist wahrscheinlich nicht zu viel gesagt, wenn man behauptet, daß unser Erdteil bisher noch keines von ähnlicher Vernünftigkeit, Gerechtigkeit und Wohltätigkeit hervorgebracht hat. Durch ihre genialen Bewässerungsanlagen, ihre Religion, die als höchsten Gott die Sonne und als dessen Schwestergattin den Mond verehrte, und ihren Mumienkult erinnern sie fast noch auffallender als die Azteken an die Ägypter.

Noch weit aufreizender als die mexikanische Eroberung ist die peruanische: eine Kette infamster Taten der Tücke und Bestialität. Der Name des Schurken Francisco Pizarro, der nicht umsonst von einer Sau gesäugt wurde, würde es verdienen, als sprichwörtliches Sinnbild hinterlistiger Gemeinheit, schamloser Raubgier und viehischer Roheit, als das entehrendste Schimpfwort, das ein Mensch dem andern entgegenzuschleudern vermag, in der Erinnerung der Nachwelt fortzuleben. Die Geschichte seiner „Eroberung" ist in Kürze die folgende. Er vereinbarte mit Atahuallpa, dem peruanischen Kaiser, eine Unterredung, zu der dieser mit einem großen, aber unbewaffneten Gefolge erschien. Während des Gesprächs gab er plötzlich ein Zeichen, Soldaten drangen aus dem Hinterhalt hervor, hieben die ganze kaiserliche Suite nieder und nahmen Atahuallpa gefangen. Dieser, der ebenso wie Montezuma ein Mensch von einer Sanftheit, Zartheit und Noblesse gewesen zu sein scheint, wie sie im damaligen Europa nicht einmal geahnt werden konnte, war anfangs über dieses niederträchtige Vorgehen, das jeder bessere Räuberhauptmann verschmäht hätte, wie erstarrt, faßte sich aber bald und bewahrte seine Ruhe und Würde so sehr, daß er sich sogar im Gespräch mit dem spanischen Gesindel zu scherzhaften Äußerungen herabließ. Da er bald durchschaute, daß es den Einbrechern hauptsächlich auf seine Schätze ankam, versprach er ihnen, als Lösegeld ein ganzes Zimmer bis zur Höhe eines emporgestreckten Mannesarmes mit Gold zu füllen. Pizarro ging darauf ein und schleppte eine unermeßliche Beute fort, wie sie bisher in seinem Mutterland noch nie auf einem Haufen gesehen worden war. Als er das Gold beisammen hatte, ließ er den Inka erdrosseln: auf Grund heuchlerischer Anklagen von so lächerlicher Frechheit und Stupidität, daß sogar einige der übrigen Banditen dagegen Protest erhoben. Dies vollbrachten Christen im Jahre 1533, genau anderthalb Jahrtausende nach der Kreuzigung ihres Heilands.

Pizarro endete wie die meisten Mörder: er wurde eines Tages von einigen seiner Spießgesellen geschlachtet. Und ganz Spanien hat von seinen amerikanischen Schandtaten keinen Segen gehabt: es ergab sich immer mehr der entnervenden und verdummenden

Gewohnheit, von gestohlenem Gut zu leben, und in kaum einem Jahrhundert lag es da, wie es bis zum heutigen Tage daliegt: ein seelenloser, halbtoter Kadaver, düster, träge, sich selber verzehrend, seiner eigenen trostlosen Geistesstumpfheit, schauerlichen Herzensöde und wilden Grausamkeit ausgeliefert. Ja ganz Europa ist von der göttlichen Nemesis ereilt worden; denn es brachte aus der neuen Welt nicht bloß Mais und Tabak, Tomate und Banane, Kakaobohne und Kartoffelknolle, Cochenille und Vanille, sondern auch das Gold und die Syphilis.

Die Lustseuche, die „Venerie", wurde in kürzester Zeit eine Art Modekrankheit des Zeitalters. Fast alle prominenten Persönlichkeiten jener Tage waren laut den zeitgenössischen Berichten Luetiker: Alexander und Cesare Borgia, Julius der Zweite und Leo der Zehnte, Celtes und Hutten, Karl der Fünfte und Franz der Erste, der sie sogar auf eine höchst romanhafte Art erworben haben soll, indem sich, wie Mézeray, der Verfasser der berühmten „Histoire de France", erzählt, der Gatte der schönen Ferronière, mit der der König ein Liebesverhältnis unterhielt, absichtlich schwer infizierte, um diesen zugrunde zu richten, und tatsächlich soll dies auch seinen Tod herbeigeführt haben. Die Krankheit war so verbreitet, daß niemand sich scheute, sie offen zu bekennen, sie war der Gesprächsstoff der besten Gesellschaft, ja es wurden sogar Gedichte auf sie gemacht. Sie ist sicherlich einer der Hauptgründe für die Verdüsterung Europas, die sich seit dem Ausgang des Mittelalters zu verbreiten beginnt: sie hat in den höchsten und niedrigsten, irdischsten und metaphysischsten Akt des Menschen ein Element des Mißtrauens gebracht und ihn damit doppelt vergiftet.

Das amerikanische Gold hat sich als ein vielleicht noch größerer Fluch erwiesen als die Syphilis. Die ebenso plötzliche wie massenhafte Einführung von Edelmetall, woran im Mittelalter Mangel geherrscht hatte, hat die Ausbreitung der Geldwirtschaft unmittelbar gefördert, ja überhaupt erst den vollen kapitalistischen Betrieb ermöglicht, die Unterschiede zwischen arm und reich maßlos gesteigert und eine allgemeine Teuerung erzeugt, mit der die Löhne nicht Schritt halten konnten: in der ersten Hälfte des sechzehnten

Jahrhunderts stiegen die Preise um hundert und hundertfünfzig, bei einzelnen Artikeln sogar um zweihundert und zweihundertfünfzig Prozent. Die Rachegeschenke Amerikas an Europa waren Seuche und Not oder vielmehr zwei Seuchen: Lues und Goldfieber. Jeder will möglichst schnell und mühelos reich werden, auch die heimische Erde wird gierig nach Schätzen durchwühlt, und in der Tat werden auch hier neue Edelmetalle entdeckt, die man durch eine vervollkommnete Bergwerkstechnik exploitiert.

Wir sehen: die „Inkubationszeit" ist vorüber, der Giftstoff wird wirksam und ergreift Kopf, Herz und Mark des europäischen Organismus.

Alle Tendenzen der anbrechenden Neuzeit sind von der Volks- _{Faust} phantasie sehr wirksam in eins zusammengefaßt worden in der Figur des Faust. Faust ist Goldmacher und Schwarzkünstler: durch Wissenschaft und Magie sucht er Reichtum und weltliche Macht zu erlangen. Faust ist Protestant und Theolog: Landsmann Melanchthons, Zeitgenosse Luthers und eine Zeitlang in Wittenberg ansässig. Faust ist Humanist und Liebhaber der Antike: er erbietet sich, die verlorengegangenen Komödien des Plautus und Terenz wieder herbeizuschaffen, zitiert die Schatten der homerischen Helden aus dem Hades, verbindet sich, durch geheimnisvolle Kräfte verjüngt, mit Helena und erfüllt damit symbolisch den Sinn der Renaissance: die Regeneration des gotischen Geistes durch seine Vermählung mit dem hellenischen. Faust galt sogar jahrhundertelang als der eigentliche Erfinder der Buchdruckerkunst: denn nach einer der Überlieferungen hat er die „Matrizen" ersonnen, mit denen die beweglichen Lettern gegossen wurden, während Gutenberg noch mit festen Holztafeln druckte. Diese Annahme wird neuerdings bestritten; aber jedenfalls hat das Volk einen gesunden Instinkt bewiesen, als es ihn zum Schöpfer jener Erfindung machte, durch die mehr als durch irgendeine andere der selbstherrliche Trieb des Menschen nach geistiger Expansion Nahrung und Sättigung gefunden hat. Faust verschreibt sich dem Teufel und verlangt von ihm kontraktlich, daß er ihm auf alle Fragen antworte, und immer die Wahrheit; hier personifiziert sich der tiefste Grundzug des Zeitalters: der grenzenlose

Erkenntnisdrang und zugleich der Glaube, daß es geheime Formeln gebe, die auf alles antworten; und wiederum hat die Legende einen sicheren Takt bewiesen, indem sie Faust als Verbündeten und Opfer des Teufels schildert und damit tiefsinnig ausdrückt, daß alle „reine Vernunft" vom Teufel ist und das Streben nach ihr blinde Hoffart, geweckt durch den trügerischen Rat der Satansschlange, wie es schon auf den ersten Blättern der Bibel verzeichnet steht: *eritis sicut Deus.* Ja schon in dem Namen Faustus, der Glückliche, offenbart sich die Grundtendenz, die ein neues Zeitalter einleitet: der Glaube, daß es in dieser Welt auf Glück ankomme und daß dieses Glück in Macht, Sinnengenuß und Wissen bestehe.

Das Außerordentliche und (vielleicht sogar unbewußt) Geniale der Goethischen Faustdichtung besteht darin, daß sie eine kompendiöse Darstellung der Kulturgeschichte der Neuzeit ist. Faust beginnt als Mystiker und endet als Realpolitiker. Faust ist die ganze Versuchung des modernen Menschen, die sich in tausend Masken und Verkleidungen anschleicht: als Alkoholismus, als Sexualität, als Weltschmerz, als Übermenschentum; und dabei ist er der vorbildliche Unbefriedigte, in allem Einzeldasein sich wiedererkennend, qualvoll nach der Einheit der Erscheinungen ringend, und immer vergeblich. Die Tragödie Fausts ist die Tragödie des Menschen der Neuzeit, die Tragödie des Rationalismus, des Skeptizismus, des Realismus. Ihm zur Seite steht der Teufel. Aber Mephisto ist gar nicht böse, sondern bloß frivol, zynisch, materialistisch und vor allem geistreich: die Erscheinung gewordene pure, kalte, sterile Intelligenz, ein höchst differenziertes Gehirnwesen und der konsequenteste Vertreter der genialen Ichsucht. Das Geistreiche und Nurgeistreiche ist der zerstörende Dämon im Menschen der Neuzeit. Mephisto hat den bösen Blick des Intellektualismus, des Sensualismus, des Nihilismus. Er zeigt dem ringenden Genius Fausts die ganze Welt und legt sie ihm zu Füßen; aber, betrogen, muß Faust erkennen, daß diese Welt ihm nur scheinbar gehört, nämlich nur seinem Verstand, der etwas schlechthin Unwirkliches ist. Dem Menschen des Mittelalters, dessen Weltbild eng und zum Teil schief war, gehörte dieses Bild, denn es war konkret, es war mit dem Herzen erfaßt. Seit dem Ausgang des Mittelalters aber gibt es keine Realitäten mehr! Die letzte große Realität, die Europa erlebt hat, war der Irrsinn der „Inkubationszeit": diese Menschen lebten noch in einer realen Welt, denn für den Irrsinnigen ist nicht, wie eine oberflächliche Betrachtung glauben könnte, alles Phantom, sondern ganz im Gegenteil alles leibhaft und wirklich, sogar seine Träume, seine Wahnbilder, seine Wunschvorstellungen. Alles, was seitdem kam, waren verzweifelte und ergebnislose Versuche, Wirklichkeit zu erraffen.

Es ist schwer über die Empfindung hinwegzukommen, daß der Schluß des „Faust" eigentlich unmoralisch ist. Faust wird durch die Liebe erlöst; aber ohne zureichenden Grund. Denn hier gibt es nur zwei Möglichkeiten. Die eine wäre, daß a l l e durch die göttliche Liebe erlöst werden: dann gibt es überhaupt keine Verdammten, und Faust verfällt nur deshalb nicht dem Teufel, weil ihm niemand verfällt; so aber ist es nicht gemeint, denn Goethe rezipiert mit voller Absicht das mittelalterliche Weltbild mit Himmel und Hölle, Seligkeit und Verdammnis. Es handelt sich vielmehr um den zweiten Fall: daß Faust gerettet wird, weil er ein besonders reines und frommes, Gott wohlgefälliges Leben geführt hat. Das hat er aber n i c h t getan: er hat mit der Sünde und dem inneren Versucher nicht einmal gekämpft, geschweige denn in diesem Kampf gesiegt; er hat niemals um seinen Gott gerungen: dieser Gedanke tritt nie in seinen Gesichtskreis. Der Himmel kommt bloß am Anfang und am Schluß vor, als eine eindrucksvolle Vedute und erhabene Kulisse, ein imposanter Farbenfleck, der im Gesamtgemälde der faustischen Seelengeschichte nicht gut entbehrt werden konnte. Was dazwischen liegt, ist pures Weltleben. Faust ist Polyhistor, Philanthrop, Lebemann, Kolonisator, Bankier, Wettermacher, Liebhaber, Ingenieur und noch vieles andere, aber niemals Gottsucher. Wie kann er da jemals erlöst werden? In den wenigen Bibelworten von der dreimaligen Versuchung Christi ist mehr Religiosität enthalten als im ganzen „Faust". Es treten wohl auch an Faust Versuchungen heran, aber diese Versuchungen sind keine christlichen.

Fausts Konflikt ist ein philosophischer, gelehrter, mondäner, der typische Konflikt des m o d e r n e n Menschen. Daß er vom

Dichter als der tragische Konflikt, als die Tragödie der ganzen Menschheit dargestellt wird, ist sehr charakteristisch: hier riecht man achtzehntes Jahrhundert, *common sense*, „reine Vernunft", kurz das ganze einseitig nach Bildung und Erkenntnis orientierte Weltbild des Klassizismus; und sogar neunzehntes Jahrhundert: Aktivismus, Technokratie, Imperialismus. Denn womit „krönt" Faust schließlich sein Lebenswerk? Er trocknet Sümpfe aus.

Sieg des Menschen über die Natur: in diesen Akkord klingt der „Faust" aus. Und mit diesem schließt auch die Tragödie der Neuzeit. An ihrem Beginn steht, ebenso wie am Beginn des „Faust", der Sieg des Menschen über Gott, nämlich die Entdeckung der weltgesetzgeberischen Selbstherrlichkeit des Menschen, seiner auf Sinne und Verstand gegründeten Allmacht. In einem lateinischen Epigramm sagt Agrippa von Nettesheim, der Goethe mehr als einen Zug für seinen Faust geliefert hat: „Agrippa ist ein Philosoph, ein Dämon, Heros, Gott und alles." Es ist eine sehr äußerliche, sehr oberflächliche Ansicht, daß zu Anfang der Neuzeit auf Grund der astronomischen Entdeckungen das anthropozentrische Weltbild aufgegeben worden sei. In Wahrheit verhielt es sich gerade umgekehrt: das Weltgefühl des Mittelalters, das ganz im Außermenschlichen: in Gott, im Jenseits, im Glauben, im Unbewußten verankert war, wird abgelöst von einem Weltgefühl, das im Menschlichen und Nurmenschlichen: im Diesseits, in der Erfahrung, im Verstand, im Bewußtsein wurzelt. Der Mensch, das Maß aller Dinge, tritt an die Stelle Gottes, die Erde an die Stelle des Himmels, das Weltbild, das bisher theozentrisch war, wird erst jetzt anthropozentrisch und geozentrisch: das Irdische, bisher mit Mißtrauen und Geringschätzung betrachtet, wird erst jetzt legitim, Realität, schließlich alleinige Realität. Und während die Erde in den astronomischen Experimenten und Systemen zum winzigen Lichtfleck herabsinkt, wird sie in den Herzen und Köpfen der Menschen zum alles beherrschenden Zentrum, zum allein Wichtigen, allein Wirksamen, allein Bewiesenen, allein Wahren, zum Mittelpunkt des Weltalls.

Wir können uns heute kaum mehr eine Vorstellung davon machen, welchen ungeheuren Auftrieb diese neue Erkenntnis, die sich

264

vorerst nur als ein allgemeines dunkles Grundgefühl geltend machte, den damaligen Menschen verlieh. Eine tiefe Heiterkeit und Daseinslust erfüllte die ganze Epoche. Wenn man die einzelnen kulturgeschichtlichen Zeitalter auf ihre allgemeine Stimmung und Temperatur, ihr Kolorit und „Ambiente" hin betrachtet, so wird man zumeist an irgendeine Tageszeit und Witterung erinnert werden. So hat man zum Beispiel beim ausgehenden achtzehnten Jahrhundert, dem Zeitalter unserer „Klassiker", die Impression eines gemütlichen, schummerigen Spätnachmittags: es ist die beste Zeit, zum Fenster hinauszusehen und bei Kaffee und Pfeife zu plaudern. Die „Inkubationszeit" haben wir mit einer Polarnacht verglichen; wir könnten auch sagen, sie wirke wie eine sternenklare und doch gruselige Winternacht: alles ist schattenhaft, transparent, unwirklich wie die Bilder einer Zauberlaterne. Jenes anbrechende sechzehnte Jahrhundert aber war wie ein kühler frischer Sommermorgen: die Hähne krähen, die Luft singt, die ganze Natur dampft von duftendem Leben, alle Welt ist prachtvoll ausgeschlafen und reckt sich tatenlustig dem Tagwerk und der Sonne entgegen. Ein vulkanischer Wagemut, eine edle Neugier und Wißbegierde durchbrauste die Köpfe und Herzen. Man forschte nach dem Fabelland Indien und lernte etwas viel Märchenhafteres kennen: einen ganzen Weltteil mit Dingen, wie sie bisher noch keine Phantasie geträumt hatte. Man suchte den Stein der Weisen und fand etwas viel Wertvolleres: die Kartoffel. Man bemühte sich um das Perpetuum mobile und entschleierte ein viel größeres Geheimnis: den ewigen Lauf der Gestirne. Aber während man draußen so große Dinge entdeckte, machte ein junger Augustinermönch eine noch viel wichtigere Entdeckung im Innern des Menschen, die mehr wert war als Goldsand, Tabak und Kartoffeln, als Druckerpresse, Schießpulver und alle Astronomie: er wies seinen Brüdern den Weg, wie sie das Wort Gottes wiederfinden könnten und die Freiheit eines Christenmenschen.

SECHSTES KAPITEL

DIE DEUTSCHE RELIGION

*Das einzige, was uns an der Reformation
interessiert, ist Luthers Charakter, und er
ist auch das einzige, was der Menge wirklich imponiert hat. Alles übrige ist nur ein
verworrener Quark, wie er uns noch täglich
zur Last fällt.   Goethe*

Gott und   Inhalt und Zweck aller schöpferischen Tätigkeiten besteht in
die Völker nichts anderem als in dem Nachweis, daß das Gute, der Sinn, kurz:
Gott in der Welt überall vorhanden ist. Diese höchste, ja einzige
Realität ist immer da, aber meist unsichtbar. Der Genius macht sie
sichtbar: dies ist seine Funktion. Man nennt ihn daher mit Vorliebe gotterfüllt. Die Tatsache „Gott" erfüllt ihn derart, daß er sie
überall wiederfindet, wiedererblickt, wiedererkennt. Dieses Wiedererkennen Gottes in der Welt ist die eigentümliche Fähigkeit
und Begabung jedes großen Menschen. Jeder Mensch trägt seinen
Gott und seinen Teufel in sich. „In deiner Brust sind deines Schicksals Sterne": dieses durch überhäufiges Zitieren bereits völlig abge-
plattete Wort ist sehr tief und aufschlußreich, wenn man es richtig
versteht. Gott regiert die Welt nicht draußen, sondern drinnen,
nicht mit Schwerkraft und chemischer Affinität, sondern im Herzen der Menschen: wie deine Seele ist, genau so wird das Schicksal
der Welt sein, in der du lebst und handelst.

Dies wird deutlicher als beim einzelnen bei ganzen Völkern. Sie
alle haben sich ihre Welt gemacht, und so, wie sie sie gemacht
hatten, mußten sie sie dann erleiden. Der Mensch kann zu vielerlei
Göttern beten, und zu welchen er betet, das ist entscheidend für
ihn und seine Nachkommen. Der Wilde tanzt um seinen Holzklotz,
den er Gott nennt, und richtig: die Welt ist auch wirklich nicht
mehr als ein dummer toter Holzklotz; die Ägypter vergötterten

die Sonne, die Tiere, den Nil, die ganze heilige Natur und blieben daher dazu bestimmt, immer nur ein großes Stück Natur zu bleiben, fruchtbar und tätig, aber stumm und überall gleich: es gibt keine ägyptischen Individuen. Die Griechen, verspielt und leichtsinnig, schufen sich eine Galerie von schönen, faulen, lüsternen und verlogenen Menschen, die sie Götter nannten, und gingen an diesen ihren Göttern zugrunde; der Inder, tief überzeugt von der Sinnlosigkeit und Unwirklichkeit des Daseins, beschloß, fortan nur noch an das Nichts zu glauben, und sein Glaube wurde Wahrheit: durch den Wandel der Geschichte unberührt, war und ist dieses herrliche Land ein riesiges Nichts.

Man sagt häufig, das Christentum habe die Völker des Abendlandes einem gemeinsamen Glauben zugeführt, aber ist dem wirklich so? An der Oberfläche mag es wohl so aussehen, aber blickt man tiefer, so muß man sagen: auch heute gibt es Nationalgötter und Nationalschicksale wie im Altertum. Dies ist es, was die Völker auch jetzt noch am tiefsten voneinander trennt, nicht Rasse, nicht Kostüm und äußere Sitte, nicht Staatsform und soziales Gefüge. Gerade in diesen Dingen sind die zivilisierten Nationen so ziemlich gleich geworden: in Griechenland und Irland, in Portugal und Schweden trägt man Zylinder und Boas, liebt man die Musik und Straßenreinigung, hat man mehr oder weniger dieselben Anschauungen über Parlamentarismus, Feldbau, gesellschaftliche Etikette; aber der Gott, der Gott ist überall ein anderer.

Es ist wahr, sie sind alle Christen: aber das ist ja gerade die ungeheure Macht und Lebenskraft des Christentums, daß es jeder Zeit und jedem Volke etwas zu sagen hat, daß es eine Form besitzt, in die alle Gedanken und Gefühle sich einordnen lassen. Es wäre niemals Weltreligion geworden, wenn es in einer Bagatelle von neunzehnhundert Jahren sich ausleben könnte. Welche Gemeinsamkeit besteht zwischen dem Absurditätsglauben Tertullians und dem fast mathematischen Rationalismus Calvins oder zwischen der Lehre der Satanisten und dem höchst familiären Verhältnis, das der Quäker zu seinem Gott hat? Und kann man es mit einem bloßen Zufall, mit der diktatorischen Laune eines Louis Quatorze und Cromwell erklären, daß Frankreich dem Papismus zurückgegeben wurde und England reformiert blieb? Der Gott Frankreichs war eben absolutistisch und der Gott Englands puritanisch.

Die vier Komponenten der Reformation

Wir haben im vierten Kapitel die Behauptung aufgestellt, es habe im Grunde nur eine italienische Renaissance gegeben und die Renaissancen aller übrigen europäischen Länder trügen diesen Namen nur in einem sehr übertragenen und uneigentlichen Sinne. Mit derselben Berechtigung können wir sagen, die Reformation sei in Wurzel und Wesen ein deutsches Phänomen gewesen, während alle anderen Reformationen: die englische, die französische, die skandinavische, die ungarische, die polnische nur dessen Dubletten oder Karikaturen darstellen. Moritz Heimann macht in einem seiner Essays die feine Bemerkung: „Das deutsche Volk nimmt die ideellen Dinge nicht als Fahne wie andere Völker, sondern um einige Grade wörtlicher als sie, und die realen um ebensoviel zu leichtsinnig." Hiermit ist haarscharf die Seelenhaltung gekennzeichnet, die die deutsche Nation während der ganzen Reformationsbewegung einnahm. Sie hat sich die Schlachtparolen, die ihre religiösen Führer damals ausgaben, mit einer Wörtlichkeit zu eigen gemacht, die bis zum Eigensinn und zum Mißverständnis, ja zur Umkehrung der ursprünglichen Tendenz ging, und sie hat gleichwohl in seltsamer Paradoxie bei der Übersetzung dieser neuen Normen in die politische Wirklichkeit eine Fahrlässigkeit gezeigt, die in Erstaunen setzt. Sie nahm, mit einem Wort, die geistige Reformation zu kompakt und die praktische Reformation zu leicht und befand sich damit, sehr zu ihrem Nachteil, in der Mitte zwischen jenen beiden anderen Bewegungen des Zeitalters, die welthistorisch wirksam geworden sind: dem angelsächsischen Calvinismus, der mit beispielloser Energie und Konsequenz eine ungeheure Umwälzung der gesamten politischen, sozialen und wirtschaftlichen Praxis ins Werk gesetzt hat, und dem romanischen Jesuitismus, der mit ebenso bewundernswerter Seelenkraft und Geistesstrenge eine moralische und intellektuelle Wiedergeburt ins Leben gerufen hat. Der Deutsche war eben auf seiner damaligen Entwicklungsstufe noch nicht reif genug, um erfolgreich und folgerichtig historisch zu handeln: er konnte, traumschwer und zukunftsschwanger, aber chaotisch und entschlußschwach, bloß gewaltige neue Anregungen geben, deren Früchte andere geerntet haben. Alle die weltbewegenden Gedanken, die dem Zeitalter der Reformation ihr Gepräge gegeben haben, sind auf deutschem Boden geboren worden; mit ihren Wirkungen gingen sie ins Ausland.

Die deutsche Reformation war nichts weniger als eine einheitliche Bewegung, sie war die Resultante aus mindestens vier Komponenten. Die erste, die sehr oft für die einzige gehalten wird, war religiös; sie vereinigte sich aber von allem Anfang an mit einer zweiten ebenso starken, der nationalen: man wünschte nicht länger von Rom aus dirigiert zu werden, die Kirche sollte nicht „welsch", sondern deutsch sein, und man wollte nicht mehr, daß einem fremden Souverän, denn das war, politisch genommen, der Beherrscher des Kirchenstaats, ein großer Teil der Steuergelder zufließe; und hier tritt bereits die dritte Komponente in Erscheinung: die wirtschaftliche, die eine sehr große Ausdehnung besaß, denn in ihr flossen alle jene Strömungen zusammen, die nach dem Muster der urchristlichen Zustände einschneidende Korrekturen des sozialen Gefüges herbeizuführen suchten; und schließlich trat dazu noch als vierter Faktor die Gärung in den wissenschaftlichen Kreisen: der Humanismus, das Erwachen der gelehrten Kritik. Diese Komponente war verhältnismäßig die schwächste, doch darf man ihre Bedeutung nicht unterschätzen, denn sie hat in dem ganzen Kampfe die Methoden, das Material, die geistigen Waffen geliefert. Das Gemeinsame aber, das alle diese verschiedenartigen Richtungen zu einer Einheit verknüpfte, war die Berufung auf das Evangelium: in der Bibel stand nichts von Klöstern und Mönchen, Prälaten und Bischöfen, Messen und Wallfahrten, Beichten und Ablässen: hier knüpfte die religiöse Reformation an; nichts von einem römischen Oberhirten: hierauf stützte sich die nationale Reformation; nichts von Fischereiverbot und Waldschutz, Zehnten und Frondienst: von hier leitete die soziale Reformation ihr Recht her; und überhaupt nichts von all den Dogmen, die die Kirche in mehr als tausendjähriger Arbeit aufgebaut hatte: hier setzte die Minierarbeit der philologischen und historischen Forschung ein.

Das dunkle oder klare, bewußte oder unbewußte Vorgefühl einer großen Umwälzung und Umwertung erzeugte in nahezu allen Kreisen der Nation eine ungeheure und vorwiegend freudig gefärbte Spannung. In zahlreichen Schriften der Zeit kehrt das Bild von der „Morgenröte" wieder, am schönsten in Hans Sachsens berühmtem Gedicht: „Die wittenbergisch Nachtigall": „Wacht auf, es nahet sich dem Tag! Ich höre singen im grünen Hag die wonnigliche Nachtigall; ihr Lied durchklinget Berg und Tal. Die Nacht neigt sich gen Okzident, der Tag geht auf von Orient. Die rotbrünstige Morgenröt her durch die trüben Wolken geht, daraus die lichte Sonn' tut blicken, der Mond tut sich hernieder drücken." In einem Drama, das denselben Titel führt, läßt Strindberg Ulrich von Hutten seine weltbekannten Worte „Die Geister erwachen, es ist eine Lust zu leben!" durch den Ausruf ergänzen: „Oh, jetzt kommt etwas Neues!"

Was war nun dieses Neue? Es war Martin Luther.

Es gibt vielleicht keine zweite Persönlichkeit in der Weltgeschichte, über die so widerstreitende Ansichten geherrscht haben und noch herrschen wie über den Gegenpapst von Wittenberg. Katholiken haben ihn begeistert gepriesen und Protestanten haben ihn leidenschaftlich verabscheut, Atheisten haben ihn für einen geistigen Erretter und fromme Männer haben ihn für einen Religionsverderber erklärt. Den einen gilt er als der „deutsche Catilina", den andern als der „größte Wohltäter der Menschheit"; Goethe sieht in ihm „ein Genie sehr bedeutender Art", Nietzsche einen „auf den Raum seiner Nagelschuhe beschränkten Bauer"; Schiller nennt ihn einen Kämpfer für die Freiheit der Vernunft, Friedrich der Große einen „wütenden Mönch und barbarischen Schriftsteller"; man hat zu beweisen versucht, daß er ein Fresser, Säufer, Lügner, Fälscher, Schänder, Luetiker, Paranoiker, Selbstmörder gewesen sei, und deutsche Künstler haben ihn mit einem Strahlenkranz ums Haupt gemalt.

Einige ihm feindliche Forscher waren auch bemüht, ihm jegliche schöpferische Originalität abzuerkennen, indem sie darauf hinwiesen, daß alle Ideen, die er vertreten hat, schon vor ihm ausgesprochen worden seien und daß es eine ganze Anzahl „Reformatoren vor der Reformation" gegeben habe, die sogar bedeutender waren als er. Und in der Tat: die Strömungen, aus denen die Reformation entstand, sind weitaus älter als Luther. Wir haben schon im dritten Kapitel Gelegenheit gehabt, einige von den zahlreichen Äußerungen antiklerikalen Geistes zu betrachten, die bereits das ganze fünfzehnte Jahrhundert erfüllen. Es konnte dies auch gar nicht anders sein: eine so gewaltige Empörung, wie sie plötzlich um Luther aufschoß, mußte lange und tief unter der Erde gebrodelt haben, bis sie sich mit so elementarer Kraft zu entladen vermochte. Gegen Ende des Jahrhunderts verdichtete sich die pfaffenfeindliche Stimmung immer mehr. In Sebastian Brants „Narrenschiff", das 1494 erschienen ist, finden sich unter zahlreichen ähnlichen Stellen die Verse: „Man schätzt die Priesterschaft gering, als ob es sei ein leichtes Ding. Drum gibt es jetzt viel junge Pfaffen, die soviel können wie die Affen, und Seelsorg' sieht man treiben die, die Hüter wären kaum fürs Vieh." Und in dem ungefähr gleichzeitigen satirischen Gedicht in plattdeutscher Mundart „Reinke de Vos", das wir bereits erwähnt haben, heißt es über Rom: „Man schwatzt dort wohl von Recht sehr viel; ja, Quark! Geld ist es, das man will. Ist eine Sache noch so krumm, mit Geld dreht man sie bald herum. Wer blechen kann, für den wird Rat; weh dem, der nichts im Säckel hat!" und die Summe des Ganzen bilden die berühmten Reime: „Wenn Blinde so die Blinden leiten, so müssen beide von Gott sich scheiden!" Ferner haben wir bereits gehört, daß die „Aufklärung", der Spott über die katholische Kirche, von den Humanisten propagiert und zur großen Mode erhoben, in allen gebildeten Kreisen Italiens und sogar in der nächsten Umgebung des Papstes den Ton angab. Ein Jahr vor den Wittenberger Thesen ließ der berühmte Philosoph Pietro Pomponazzi ein kleines Buch über die Unsterblichkeit der Seele erscheinen, worin gelehrt wird, daß die Religionsstifter für die große Masse, die die Tugend nur übe, wenn es Lohn oder Strafe gebe, die Unsterblichkeit erfunden hätten, wie ja auch die Amme manches erdichte, um das Kind zu gutem Betragen zu veranlassen, und der Arzt die Kranken oft zu ihrem Besten täusche. In einer anderen Schrift erklärt Pomponazzi die Wirkung der Reliquien für eine eingebildete, die ebenso erfolgen würde, wenn es Hundeknochen wären. Den Einwand, daß man an die Unsterblichkeit glauben müsse, weil ja sonst die Religion ein Betrug wäre, beantwortet er mit der Bemerkung, daß sie in der Tat einer sei, denn da es drei Gesetze gebe: das mosaische, das christliche und das mohammedanische, so seien entweder alle drei falsch, und dann sei die ganze Welt betrogen, oder mindestens zwei, und dann sei die Mehrzahl betrogen. Diese und ähnliche Erörterungen wurden von der Kurie toleriert, denn man durfte damals sagen und schreiben, was man wollte, wenn es nur *salva fide* geschah, das heißt: unbeschadet der äußeren Unterwerfung unter die Kirche.

Wir haben auch bereits hervorgehoben, daß Wiclif die ganze Reformation vorweggenommen hat, ja in wesentlichen Punkten über sie hinausgegangen ist. Er lehrt unter anderem: Bilder sollen nicht angebetet werden; Reliquien sollen nicht heiliggehalten werden; der Papst ist nicht der Nachfolger Petri; nicht er, sondern Gott allein kann Sünden vergeben; der Segen der Bischöfe hat keinen Wert; Priestern soll die Ehe gestattet sein; Wein und Brot des Abendmahls verwandeln sich nicht in den wirklichen Leib Christi; wahre Christen empfangen den Leib Christi täglich durch ihren Glauben; man soll nicht zur Jungfrau Maria beten; man kann ebensogut an anderen Orten beten als in der Kirche. Und Johann Wessel (1419–1489) erklärte, die Einheit der Kirche beruhe auf der Verbindung der Gläubigen mit ihrem himmlischen Oberhaupte Christus, nicht auf der Unterordnung unter ein sichtbares Oberhaupt; die meisten Päpste seien in verderbliche Irrtümer verstrickt gewesen und auch die Konzilien seien nicht unfehlbar. Ferner verwirft er die Ohrenbeichte, den Ablaß und die *satisfactio operis*, die Rechtfertigung durch Werke, und betrachtet das Fegefeuer als einen Läuterungsprozeß von rein geistiger Natur, auf den der Papst keinerlei Einfluß habe. „Wenn der Papst nach Willkür entscheiden könnte, so wäre nicht er der Statthalter Christi, sondern Christus wäre sein Statthalter, denn von seinem Willen hinge Christi Urteil ab." Kurz: er glaubt, wie er dies prägnant ausdrückt, mit der Kirche, nicht an die Kirche. Noch weiter ging sein Zeitgenosse, der Erfurter Theologieprofessor Johann von Wesel: er bekämpfte sogar das Abendmahl und die Letzte Ölung, erklärte, das geweihte Öl sei nicht mehr wert als das, womit die Kuchen gebacken werden, bezeichnete das Fasten als überflüssig, denn Petrus habe es wohl nur eingesetzt, um seine Fische besser zu verkaufen, und nannte den Papst einen bepurpurten Affen. Auch Erasmus von Rotterdam, die Leuchte des Jahrhunderts, verspottete die Heiligenverehrung, die Transsubstantiationslehre und die ganze scholastische Dogmatik, von deren Spitzfindigkeiten, wie er betonte, Christus und die Apostel nicht das mindeste verstehen würden. Die Sakramente hält er für bloße indifferente Zeremonien, die Heilige Schrift für vielfach gefälscht und teilweise widerspruchsvoll und unverständlich: die Gottheit Christi und die Dreieinigkeit seien aus ihr nicht zu erweisen; „keine schädlicheren Feinde aber hat die Kirche als die Päpste, denn sie ermorden durch ihr fluchwürdiges Leben Christus noch einmal."

Aber gerade an dem Beispiel des Erasmus von Rotterdam sehen wir den ungeheuren Unterschied, der zwischen Luther und seinen Vorläufern besteht. Denn diese lehrten bloß die Reform, er aber lebte sie. Hierin: daß er alle diese Theorien mit seinem kochenden Blut gefüllt hat, bestand seine unvergleichliche Originalität. Erasmus war zweifellos der farbigere, geräumigere und schärfere Geist, der konsequentere, universellere und sogar kühnere Denker; er war aber eben nur ein Denker. Luther war ein großer Mensch und Erasmus war nur ein großer Kopf. Es ist ihm niemals in den Sinn gekommen, auch nur für eine einzige seiner Ideen praktisch Zeugnis abzulegen. Er, der selber viel reformatorischer und radikaler orientiert war als die meisten Reformatoren, ist niemals für die neue Bewegung mit seiner Person eingetreten, sondern hat sie bei jeder Gelegenheit furchtsam verleugnet. Wiederholt betont er in seinen Briefen, daß er die Schriften Luthers überhaupt kaum kenne, was sicher eine Angstlüge war; seinem alten Freund Hutten hat er, als er verarmt, geächtet und dem Tode nahe in Basel bei ihm Schutz suchte, schroff die Tür gewiesen. Er zittere, hieß es, bei dem Worte Tod. Dies wäre jedoch bei einem so völlig geistigen Menschen noch durchaus verständlich gewesen. Aber er war auch nicht frei von der noch um vieles unedleren Furcht um Geld

273

und Einfluß: er zitterte auch um die Pfründen und reichen Geschenke, die er der Kirche verdankte, und um sein Ansehen in der geistlichen Creme: nicht mit Unrecht warfen seine Feinde ihm vor, er lasse sich wie ein Hund von einem Stück Brot locken. Deshalb ist die Geschichte über ihn hinweggegangen und nennt nicht ihn, sondern den beschränkten, eigensinnigen Bauernsohn als den großen Erneuerer und Wohltäter der Menschheit. Denn die Rangordnung der Menschen wird im allgemeinen viel weniger durch ihr Denken als durch ihr Tun bestimmt. Seneca war ein größerer Philosoph als Paulus, und doch stellen wir diesen unvergleichlich höher. Denn der arme Seneca argumentierte und deklamierte zwar sehr profund und packend über Menschenliebe und stoische Bedürfnislosigkeit, aber das war der eine Seneca, der philosophische: der andere Seneca, der Seneca des Lebens, war der skrupellose Geldmacher und Millionär, der liebedienerische Genosse neronischer Verbrechen.

„Neues" hat Luther in der Tat wenig gebracht. Aber hierin besteht auch gar nicht die Aufgabe des großen Mannes auf dieser Erde. In geistigen Dingen entscheidet niemals das Was, sondern immer nur das Wie. Das Genie tut den letzten Spatenstich: das, nicht mehr und nicht weniger, ist seine göttliche Mission. Es ist kein Neuigkeitenkrämer. Es sagt Dinge, die im Grunde jeder sagen könnte, aber es sagt sie so kurz und gut, so tief und empfunden, wie sie niemand sagen könnte. Es wiederholt einen Zeitgedanken, der in vielen, in allen schon dumpf schlummerte, aber es wiederholt ihn mit einer so hinreißenden Überzeugungskraft und entwaffnenden Simplizität, daß er erst jetzt Gemeingut wird.

Die „Ideen", die großen geistigen Strömungen sind wohl immer das, was den Wandel und Fortgang des historischen Verlaufs bestimmt; aber diese Ideen knüpfen sich, das können wir in unserer ganzen Erfahrung bestätigt finden, stets an große Persönlichkeiten. Die Weltgeschichte wird von einzelnen prominenten Menschen gemacht, von Menschen, in denen der „Geist der Zeit" so konzentriert verkörpert ist, daß er nun für jedermann lebendig, fruchtbar und wirksam wird. Die Idee ist immer das Primäre, gewiß; aber Leben und Realität gewinnt sie immer nur in bestimmten Individuen. Luther hat die Reformation nicht erfunden, etwa wie Auer das Auerlicht oder Morse den Morsetaster; aber er war so erfüllt von dem neuen Licht seiner Zeit wie keiner, und dadurch hat er es erst sichtbar gemacht für alle Welt. Er war die Zunge seines Jahrhunderts, er hat das schöpferische Wort gesprochen, das immer den Anfang macht. Wir werden später glänzenderen Männern begegnen, reicheren und differenzierteren, freieren und seelenkundigeren, aber keinem, der ein vollerer Ausdruck des Willens seiner Zeit und ihrer innersten Bedürfnisses war, der einfacher und gedrängter, leuchtender und schlagender im Namen seiner Mitlebenden gesagt hätte, was ist und was not tut. Und darum hat auch der größte Theolog unserer Tage, Adolf von Harnack, seine Gedächtnisrede zur Feier des vierhundertsten Geburtstags Luthers mit dem Satz beschließen können: „Den Weg zum Ziele hat uns nach einer langen Nacht der Mann gewiesen, von dem wir das Wort wagen dürfen: er war die Reformation."

Wenn man versuchen will, die Persönlichkeit Luthers einigermaßen zu begreifen – und das ist für die Menschen des zwanzigsten Jahrhunderts schwieriger, als sie gemeinhin annehmen –, so wird man wohl zunächst von der Tatsache ausgehen müssen, daß er ein ausgesprochener Übergangsmensch war, in dem sich Altes und Neues in höchst seltsamer Weise mischte. Gerade diese eigentümliche Legierung aus Altem und Neuem ist ja vielleicht überhaupt der Stoff, aus dem die großen Erneuerer, die Reformatoren und Regeneratoren jeglicher Art gemacht sind, und wir werden diesem Typus noch öfter begegnen. Die Gründe für diesen paradoxen Sachverhalt liegen ganz nahe. Nur weil das Alte in allen diesen Revolutionären noch stark genug lebte, vermochte es in ihnen jenen inbrünstigen schöpferischen Haß zu erzeugen, der sie dazu anreizte und befähigte, die konzentrierte Kraft ihrer ganzen Existenz der Bekämpfung und Beseitigung dieses Alten zu widmen. Um etwas mit der tiefsten Leidenschaft bekriegen zu können, muß man aufs tiefste daran leiden können, und um daran wirklich leiden zu können, muß man es sein. Nur der Manichäer Augustinus konnte zum Kirchenvater werden; nur der Altaristokrat Graf Mirabeau konnte die Französische Revolution ins Rollen bringen; nur der

275

Pastorssohn Friedrich Nietzsche konnte Antichrist und Immoralist werden; nur Männer von so durchaus bürgerlicher Abstammung und Erziehung wie Marx und Lassalle konnten den Sozialismus begründen; und nur ein katholischer Priester konnte den Katholizismus in seinem innersten Kern auflösen. Wer Paulus werden will, muß vorher Saulus gewesen sein, ja im Grunde sein ganzes Leben lang ein Stück Saulus bleiben: nur aus diesem immerwährenden Kampf gegen sich selbst und seine eigene Vergangenheit kann er die Kraft zum Kampf für die Zukunft schöpfen.

Der letzte Mönch

Luther war in seiner seelischen Grundstruktur noch eine durchaus mittelalterliche Erscheinung. Seine ganze Gestalt hat etwas imposant Einheitliches, Hieratisches, Steinernes, Gebundenes, sie erinnert in ihrer scharfen und starren Profilierung an eine gotische Bildsäule. Sein Wollen war von einer genialen dogmatischen Einseitigkeit, schematisch und gradlinig, sein Denken triebhaft, affektbetont, im Gefühl verankert: er dachte gewissermaßen in fixen Ideen. Er blieb verschont von dem Fluch und der Begnadung des modernen Menschen, die Dinge von allen Seiten, sozusagen mit Facettenaugen betrachten zu müssen. Und doch sind gerade seine Tage durch das Heraufkommen differenzierter, verwickelter, polychromer Persönlichkeiten gekennzeichnet: er ist der Zeitgenosse eines luziferischen Ironikers wie Rabelais und aller der großen italienischen Renaissancemenschen; aber auch unter seinen Landsleuten fand sich schon ein Weltmann und Diplomat von der seelischen Elastizität des Kurfürsten Moritz von Sachsen, ein Psychologe von der Buntheit und Subtilität des Erasmus, eine so oszillierende Mischfigur wie der Doktor Paracelsus. In Luthers Seele dagegen gab es keine Nüancen und Brechungen, sondern die Kontraste lagen bei ihm noch so hart nebeneinander, wie wir dies beim mittelalterlichen Menschen gesehen haben: alles in starken Tinten, jäh wechselnd, ohne Verschmelzung und Übergang: düsterste Verzweiflung und hellste Zuversicht, strahlendste Güte und finsterster Zorn, mildeste Zartheit und rauheste Tatkraft. Dazu kommt noch als ein der neuen Zeit durchaus entgegengesetzter Zug das völlig Instinktmäßige, Elementare, Unreflektierte, das Luthers Handeln kennzeichnet. Der Rationalismus, den wir als das große Thema der Neuzeit erkannt haben, hatte über ihn keine Macht: er verabscheute die Vernunft und ihre Werke wie nur irgendein Scholastiker und nannte sie „des Teufels Hure", die neue Astronomie hat er abgelehnt, weil sie mit der Bibel nicht in Einklang stand, die großen geographischen Entdeckungen des Zeitalters sind an ihm spurlos vorübergegangen. Er war auch nicht „sozial" denkend, wie sein Verhalten im Bauernkrieg gezeigt hat, überhaupt Ordnungsfanatiker, immer auf der Seite der „Obrigkeit" und in allen gesellschaftlichen und politischen Fragen ein Anhänger der mittelalterlichen Gebundenheit.

Auch sein Leben zeigt nichts von jener mathematischen Planmäßigkeit und Überhelle, die das Grundmerkmal der modernen Geisteshaltung bildet: die treibende Kraft in ihm war das Unbewußte; ohne daß er es gewollt hätte, war er plötzlich der Held der Zeit, ohne daß er es gesucht hätte, sprach er das Wort aus, das allen auf den Lippen lag: mit nachtwandlerischer Sicherheit ging er den Weg, auf dem schon so viele vor ihm gestürzt waren. Daß er inmitten einer gärenden, tastenden, zerrissenen Zeit ein Ganzer, noch ein Stück ungebrochener mittelalterlicher Kraft und Selbstgewißheit war, daß er mit dem Antlitz in ferne neue Zukunften blickte, mit den Füßen aber fest und breit auf dem alten ersessenen Boden stand, eben dies machte ihn zum Führer und befähigte ihn, als ein zweiter Moses an der Scheide zweier Weltalter die Fluten des Alten und des Neuen mit seinem Zauberstab zu teilen. Er ist, um es mit einem Wort zu sagen, der letzte große Mönch, den Europa gesehen hat, ähnlich wie Winckelmann im Zeitalter des sterbenden Klassizismus der letzte große Humanist und Bismarck in der Ära des siegreichen Liberalismus der letzte große Junker gewesen ist.

Aber anderseits hat Luther geistige Zusammenhänge gesehen, die erst in Jahrhunderten ihre volle lebendige Verwirklichung finden sollten. Das Moderne in Luthers Denken beruht im wesentlichen auf drei Momenten. Zunächst auf seinem Individualismus. Dadurch, daß er die Religion zu einer Sache des inneren Erlebnisses machte, hat er auf dem höchsten Gebiete menschlicher Seelenbetätigung etwas Ähnliches vollbracht wie die italienischen

Künstler auf dem Gebiete der Phantasie. In der Anweisung Luthers, daß jede Seele sich ihren eigenen Gott aus dem Innersten neu erschaffen müsse, lag die letzte und tiefste Befreiung der Persönlichkeit. Hiermit verband sich aber als zweites ein demokratisches Moment. Indem Luther verkündete, daß jeder Gläubige von wahrhaft geistlichem Stande, jedes Glied der Kirche ein Priester sei, vernichtete er das mittelalterliche Stellvertretungssystem, das der Laienwelt den Verkehr mit Christus nur durch besondere Mittelspersonen: durch Christi Statthalter und dessen Beamtenhierarchie gestattet hatte, und führte damit in das kirchliche Leben dasselbe Gleichberechtigungprinzip ein, das die Französische Revolution später in das politische Leben brachte. Und drittens hat er dadurch, daß er das ganze profane Leben des Tages für eine Art Gottesdienst erklärte, ein ganz neues weltliches Element in die Religion gebracht. Mit der Feststellung, daß man überall und zu jeder Stunde, in jedem Stand und Beruf, Amt und Gewerbe Gott wohlgefällig sein könne, hat Luther eine Art Heiligsprechung der Arbeit vollzogen: eine Tat von unermeßlichen Folgen, mit der wir uns später noch etwas genauer zu beschäftigen haben werden.

Die große Krisis   Häckel hat bekanntlich als „biogenetisches Grundgesetz" den Satz aufgestellt: die Ontogenese, die Keimesgeschichte, ist die gedrängte Rekapitulation der Phylogenese, der Stammesgeschichte, das heißt: der Mensch wiederholt im Mutterleib gleichsam in einem kurzen Auszug die gesamte Stufenreihe seiner Tierahnen von der Urzelle bis zu seiner eigenen Spezies. In ähnlicher Weise hat Luther den ganzen Entwicklungsgang der katholischen Kirche durchlaufen: die Kirchengeschichte entspricht der Phylogenese, seine eigene Geschichte bis zum großen „Durchbruch" der Ontogenese. Er begann mit dem kompakten Glauben des frühen Mittelalters an die Wirksamkeit der Sakramente und der Heiligen, er ergab sich in Erfurt den Doktrinen der strengen Scholastik, er suchte im Augustinerkloster mit einer Inbrunst, die an Selbstvernichtung grenzte, das Heil in mönchischer Askese, in Beten, Frieren, Wachen und Fasten, er widmete sich in Wittenberg mit glühender Begeisterung den Lehren der Mystik, er wurde in Rom von der großen antiklerikalen Strömung erfaßt, die bereits seit Menschenaltern die Welt erschütterte, ohne noch im geringsten Antipapist zu sein, und er hat erst als völlig ausgereifter Mann, auf der Höhe seines Lebens den Bruch mit dem Papsttum und der alleinseligmachenden Kirche vollzogen.

Die große Krisis im Leben Luthers fällt in seine Klosterzeit. Er befand sich damals in jenem gefährlichen Alter, wo gerade genial veranlagte Menschen sehr häufig an sich und ihrer Existenzberechtigung völlig zu verzweifeln pflegen. Carlyle, der mit Luther manche Ähnlichkeit besitzt, hat diesen Zustand in seinem Roman „Sartor resartus", einer Art Selbstbiographie, sehr anschaulich geschildert. Darin erzählt der Held von sich unter anderem: „Es war mir, als ob alle Dinge oben im Himmel und unten auf Erden mir nur zum Schaden wären und Himmel und Erde nichts weiter seien als der grenzenlose Rachen eines gefräßigen Ungeheuers, von dem ich zitternd erwartete, daß es mich verschlingen werde." Aber als er eines Tages wiederum, von seinen Zweifeln gepeinigt, ruhelos durch die Straßen irrt, kommt ihm eine plötzliche Erleuchtung, die er seine „Bekehrung" nennt. „Mit einem Male stieg ein Gedanke in mir auf und fragte mich: Wovor fürchtest du dich eigentlich? Warum willst du ewig klagen und jammern und zitternd und furchtsam wie ein Feigling umherschleichen? Was ist die Summe des Schlimmsten, das dich treffen kann? Tod? Wohlan denn, Tod; und sage auch, die Qualen Tophets und alles dessen, was der Mensch oder der Teufel gegen dich tun kann und will! Hast du kein Herz? Kannst du nicht alles, was es auch sei, erdulden und als ein Kind der Freiheit, obschon ausgestoßen, selbst Tophet unter die Füße treten, während es dich verzehrt? So laß es denn kommen! Ich will ihm begegnen und ihm Trotz bieten. Und während ich dies dachte, rauschte es wie ein feuriger Strom über meine ganze Seele, und ich schüttelte die niedrige Furcht auf immer ab. Ich war stark in ungeahnter Stärke: ein Geist, fast ein Gott. Von dieser Zeit an war die Natur meines Elends eine andere."

Dieser Zustand gänzlicher Ratlosigkeit und fast nihilistischer Resignation ist es, der im Leben fast aller großen geistigen Potenzen eine entscheidende Epoche bedeutet. Es ist die Übergangszeit, in der der werdende Geist sich einerseits nicht mehr rein aufnehmend zu verhalten vermag und anderseits noch nicht die klaren Richtlinien einer kommenden Produktivität gefunden hat. Man hat bereits den geschärften Blick für die Widersprüchlichkeit, Unvollkommenheit, ja Sinnlosigkeit so vieler Dinge und Beziehungen, und man hat noch nicht das, was allein diesem Pessimismus und der hohen Reizbarkeit, die die Vorbedingung alles genialen Schaffens bildet, die Waage zu halten vermag: das klare und sichere Bewußtsein einer Aufgabe. Die Unmöglichkeit, im bisherigen Zustand der Konvention, des Schülers zu leben, ist bereits erkannt, die Möglichkeit, schöpferisch zu wirken, eine eigene Welt zu gestalten und zu lehren, ist noch nicht erkannt. Das erschreckte Auge erblickt daher überall nur negative Instanzen. Es ist ein Stadium der völligen Selbstverneinung, der Selbstmordstimmung. Aber gerade darum vor allem müssen wir Luther ein Genie nennen, weil er, von allen erfolgreichen Reformatoren jener Zeit der einzige, sich in dämonischem Ringen eine eigene Welt aufgebaut hat.

Jehovah indelebilis

Die Wurzel jener großen Verzweiflung, die Luther damals zu Boden drückte und fast zu vernichten drohte, war die Angst vor Gott und seinem Gesetz. Es war dieselbe furchtbar aufwühlende Frage, die auch Paulus gepeinigt hatte, als er noch Pharisäer war: wie kann ich den Zorn Gottes vermeiden, wie seinem Eifer und seinen so strengen, fast unerfüllbaren Geboten Genüge tun? Es war, wie man sieht, der Judengott, der Luther so entsetzlich schreckte. Wieder einmal wurde ein wahrhaftiger, für Kompromisse und Zweideutigkeiten nicht geschaffener Mensch durch jene schauerliche Paradoxie in Verwirrung gebracht, die durch das ganze Christentum geht, jenen ungeheuren Riß, den zu verkleistern bereits fünfzig Menschengenerationen vergeblich ihren Scharfsinn, ihr Wissen und ihren Glauben aufgeboten hatten: er besteht darin, daß man einen rein national gedachten, nur den Interessen seiner Landsleute zugewandten, jede Konkurrenz unversöhnlich verfolgenden harten und herrischen Firmenchef, wie es der Judengott ist, mit Gott zu identifizieren suchte. Etwas Ähnliches hatten ja auch schon die Stoiker unternommen, indem sie behaupteten, Gott sei nichts anderes als der vergeistigte Zeus. Das eine ist so blasphemisch wie das andere. Ganz folgerichtig erklärten denn auch die Marcioniten, die klarsten und schärfsten Denker unter den frühen Christen, es existierten zwei Gottheiten, nämlich der „Demiurg", der die Welt geschaffen habe (unter „Welt" verstanden sie „Juden" und erklärten daher den Weltschöpfer für etwas Bösartiges), und der „höchste Gott", der zur Erlösung von der Welt seinen Sohn gesandt habe. Sie empfanden ganz richtig, daß, wenn man sich schon nicht entschließen könne, den Judengott ganz zu leugnen wie irgendeinen anderen Volksgott, die einzige logische Möglichkeit in der Annahme der Zweigötterei bestehe, einer Art Dualismus nach persischem Vorbild, wobei der Judengott natürlich den Geist der Finsternis vertritt; da aber eine solche Auslegung nichts war als ein maskierter Rückfall ins Heidentum, so konnte die Kirche sie natürlich nicht akzeptieren. Die Marcioniten (und andere) hatten übrigens auch vorgeschlagen, das Alte Testament einfach hinauszuwerfen, aber auch damit drangen sie nicht durch: Jehovah, auch darin ein echter Jude, ließ sich nicht hinauswerfen, und so ist bis zum heutigen Tage die reinste Religionslehre, die jemals in die Welt getreten ist und jemals in die Welt treten wird, verdorben und verwirrt durch das Gespenst eines rabiaten und nachträgerischen alten Beduinenhäuptlings.

Aber eines Tages erlebte auch Luther sein Damaskus. Nur rief ihm der Heiland nicht zu: „Warum verfolgst du mich?", sondern: „Warum glaubst du dich von mir verfolgt? Mein Vater ist nicht Jehovah!" Er erkannte, daß der Christengott kein „gerechter" Gott ist, sondern ein barmherziger Gott, und daß der Inhalt des Evangeliums nicht das Gesetz ist, sondern die Gnade. Luthers Damaskus

Es ist erschütternd, zu beobachten, daß Luther in der Zeit seiner inneren Kämpfe sogar eine Art Haß gegen Gott faßte: es gab Augenblicke in seinem Leben, wo er Gott aus der Welt hinwegwünschte. Und in der Tat: was man ganz und aus vollstem Herzen lieben soll, das muß man irgendwann einmal auch inbrünstig gehaßt oder doch einmal heiß und fast hoffnungslos umworben haben; und dies gilt gewiß auch nicht zuletzt von der Frömmigkeit: erwirb, um zu besitzen! Im Grunde war Luthers Glaubenskampf der Kampf gegen das billige Weidebehagen und Kuhglück der in

Gott Saturierten, gegen die tiefe Unsittlichkeit, die in der gedankenlosen Unangefochtenheit und trägen Selbstverständlichkeit aller Durchschnittsreligiosität verborgen liegt.

Luthers
heroische
Zeit Luthers Jugendgeschichte hat einen wahrhaft dramatischen Charakter; sein Mönchsgelübde unter Blitz und Donner, sein Thesenanschlag, die Disputation zu Leipzig, die Verbrennung der Bannbulle, seine Verteidigung auf dem Reichstag zu Worms: das sind große Szenen von welthistorischem Wurf und Gepräge, die in starken und großzügigen Bildern die jeweilige Situation prägnant und unvergeßlich zusammenfassen. Und mit einem überwältigend sicheren Griff, der gleichfalls etwas Dramatisches hat, hat Luther die katholische Kirche gerade an jenem Mißstand gepackt, der nicht nur der aufreizendste und widersinnigste, sondern auch der ostensibelste und einleuchtendste war: am Ablaßhandel. Es hatte sich im Laufe der Zeit eine richtige Börse für Sündenvergebung entwickelt, alles hatte seinen Kurs: Meineid, Schändung, Totschlag, falsches Zeugnis, Unzucht, in Kirchen verübt; Sodomie notierte in Tetzels Instruktion mit zwölf Dukaten, Kirchenraub mit neun, Hexerei mit sechs, Elternmord (merkwürdig wohlfeil) mit vier. Ja man konnte sogar, nicht in der Theorie, wohl aber in der Praxis, für gewisse Sünden vorausbezahlen und sich sozusagen eine Art Ablaßdepot anlegen; und das ganze Geschäft war an große Bankhäuser und Handelsfirmen verpachtet, die mit ganz modernen Mitteln der Reklame und des Kundenfangs arbeiteten: bei einer Verlosung in Bergen op Zoom waren zum Beispiel nebeneinander „köstliche Preise" und Ablässe zu gewinnen. Weiter konnte man die Entwürdigung und Merkantilisierung der Religion nicht treiben, und daß alle diese Usancen mit dem Christentum nichts mehr zu tun hatten, ja dessen offizielle und zynische Verleugnung und Verhöhnung bedeuteten, mußte auch dem einfachsten Kopf in die Augen springen.

Den Höhepunkt der publizistischen Wirksamkeit Luthers bezeichnet das Jahr 1520, wo er die drei kleinen, aber überaus gehaltvollen Schriften „An den christlichen Adel deutscher Nation", „Von der babylonischen Gefangenschaft der Kirche" und „Von der Freiheit eines Christenmenschen" erscheinen ließ: sie sind von einer Kraft und Tiefe, Gedrängtheit und Fülle, Klarheit und Ordnung, wie er sie später nie wieder erreicht hat. Er lehrt darin mit hinreißender Beredsamkeit, daß jeder Christ wahrhaft geistlichen Standes sei; daß der Papst mitnichten der Herr der Welt sei, denn Christus habe vor Pilatus gesagt: Mein Reich ist nicht von dieser Welt; daß als Sakrament nur gelten könne, was Christus selbst eingesetzt hat, nämlich Taufe, Buße und Abendmahl; daß durch die übrigen angemaßten Sakramente und die päpstlichen Ansprüche auf Weltherrschaft die Kirche unter die Botmäßigkeit einer ihr fremden und feindlichen Macht gelangt sei gleich den Juden in Babylon; daß ein Christenmensch ein ganz freier Herr aller Dinge sei und niemandem untertan und zugleich ein ganz dienstbarer Knecht aller Dinge und jedermann untertan: das erste ist er durch den Glauben, das zweite durch die Demut. Dort allein ist ein wahrhaft christliches Leben, wo der Glaube wahrhaft tätig ist durch die Liebe, wo er mit Freudigkeit an das Werk der freiesten Dienstbarkeit geht, in der er den anderen umsonst und freiwillig dient. „Wer mag begreifen den Reichtum und die Herrlichkeit eines Christenlebens, das alle Dinge vermag und hat und keines bedarf, der Sünde und des Todes und der Hölle Herr, zugleich jedoch allen dienstbar und willfährig und nützlich!" Hier ist Luther in die Nähe seiner großen Jugendlehrer, der Mystiker, gelangt, und dies hat ihn auch befähigt, die große Streitfrage des Christentums nach dem Verhältnis des Glaubens zu den Werken, auf die wir noch zurückkommen, mit der größten Reinheit und Einfachheit zu lösen; aber er hat später, durch kleinliche Reibereien und Ränke verbittert, in Arbeitsmühsal und Sektenpolemik verkalkt und vor allem aus Angst, mißverstanden zu werden (einer eines großen Genius unwürdigen Angst), diesen Gipfel wieder verlassen.

Daß aber diese große Bewegung nicht von dem gelehrten Paris, dem glänzenden Rom oder dem weltbeherrschenden Madrid ihren Ausgang nahm, sondern von der armseligen, eben erst gegründeten Universität Wittenberg, beruht auf der sonderbaren historischen Tatsache, daß es fast immer die Peripherie ist, die die neuen schöpferischen Kräfte entbindet und die bedeutenden geistigen Umwälzungen inauguriert. Auch das Christentum ist in einer verachteten kleinen Provinz des römischen Weltreichs geboren worden, der mosaische Monotheismus ist fern von den großen orientalischen Metropolen ans Licht getreten und der Mohammedanismus hat in der arabischen Wüste seinen Siegeslauf begonnen. Und es war ebenso notwendig, daß Luther auch im sozialen Sinne ein Kind der Peripherie war, daß er aus niederem Stande, aus Dunkel und Nichtigkeit hervorging. Dies ist immer notwendig, wenn Gott sich, stark oder schwächer, leuchtend oder nur in leisem Schimmer, für alle Welt oder nur für eine kleine Gemeinde, in einem Menschen offenbart. Das Göttliche wandelt auf Erden überall in Knechtgestalt.

Luthers Papst

Wir sagten vorhin: Luther sei in vielem noch eine durchaus mittelalterliche Erscheinung gewesen. Und in der Tat: er ist im höchsten Maße autoritätsgläubig, bis zur Blindheit. Er negierte zwar den Papst, aber „die Welt", das hat schon sein Zeitgenosse Sebastian Franck erkannt, „will und muß einen Papst haben, dem sie zu Dienst wohl alles glaube, und sollte sie ihn stehlen oder aus der Erde graben; und nähme man ihr alle Tage einen, sie sucht bald einen anderen". Luthers Papst war die Bibel. Was dort stand, war für ihn wörtlich und buchstäblich wahr, ohne die geringste Modifikation oder Einschränkung, und dabei führte er, wie gesagt, auch das Alte Testament überall mit sich, gleich einem unnützen Rudiment aus einer früheren Entwicklungsperiode, das längst seine Funktion verloren hat, und identifizierte das „Wort" mit seiner eigenen, oft irrtümlichen oder beschränkten Auslegung. Ein klassisches Beispiel für seinen engen Buchstabenglauben ist die berühmte Debatte über das Abendmahl auf dem Marburger Religionsgespräch. Als die Einsetzungsworte „τοῦτό ἐστι τὸ σῶμά μου, τοῦτό ἐστι τὸ αἷμά μου" zur Sprache kamen, erklärte Zwingli, sie seien nur symbolisch zu nehmen, das ἐστί sage hier keine Identität aus, sondern sei mit *significat* zu übersetzen. Hierüber ärgerte sich aber Luther sehr: er klopfte während dieser Erörterungen fortwährend mit dem Finger unter den Tisch und wiederholte halblaut die Worte: *est, est*. Für ihn war eben nur die äußere grammatikalische Form maßgebend.

Und doch erkennen wir auch in diesem starren Wortaberglau-
ben bereits den modernen Einschlag, der für Luther ebenfalls charakteristisch ist. Denn er ersetzt die bisherige oberste Instanz, den
Papst, der eine lebendige Autorität von Fleisch und Blut war, durch
die tote Autorität der „Schrift", die aus Druckerschwärze und Papier besteht; an die Stelle des menschlichen Irrens und Rechtbehal-
tenwollens eines einzelnen tritt eine ganz unmenschliche Form der
Irrlehre und Rechthaberei: die wissenschaftliche, an die Stelle
der Theologie die Philologie (und schließlich sogar die Mikro-
logie), an die Stelle der heiligen Kirche das Unheiligste: die Schule.
In der sich unwillkürlich vollziehenden Tatsache, daß im Mittelpunkt des Glaubens nicht mehr das Leben und Leiden des Erlösers
steht, sondern der Bericht darüber, das „Buch", erfüllt sich der
Sieg des schreibenden, druckenden, lesenden, szientifischen Menschen, der die Neuzeit regiert, kündigt sich der Anbruch eines
literarischen Zeitalters an. Auch die Sakramente wirken nach
protestantischer Auffassung nicht mehr durch geheimnisvolle
Magie, sondern lediglich durch das Wort. Kurz: der Gutenberg-
mensch triumphiert über den gotischen Menschen. Von hier führt
eine gerade Linie zur reinen Verstandeskultur und Verstandesreli-
gion, zur „Aufklärung". Luther selbst hat diese unvermeidlichen
Konsequenzen weder selbst verkörpert noch auch nur vorausge-
sehen, aber die von ihm gegründete Kirche hat sie vollzogen; und
auch seine eigene Wirksamkeit und Wirkung ist bereits ohne
Druckerpresse nicht zu denken: er ist der größte Publizist, den das
deutsche Volk hervorgebracht hat, und die fünfundneunzig Thesen sind die erste Extraausgabe der Weltgeschichte.

Harnack sagt einmal in seiner Dogmengeschichte, Luther habe
wie ein Kind im Hause der Kirche geschaltet. Dieses Wort um-
reißt fast erschöpfend alle Stärken und Schwächen des Reformators.
Sein Werk zeigt die Undifferenziertheit und Ungeschicklichkeit,
Beschränktheit und Gedankenflucht, aber auch die Reinheit und
Innigkeit, Herzensfülle und Unwiderstehlichkeit eines Kindes.
Weil er ein Kind war, konnte er dem Volke eine Religion geben;
weil er ein Kind war, vermochte er kein religiöses Lehrgebäude zu
errichten. Und weil die treibende Kraft in ihm eine kindliche

Impulsivität, Sprunghaftigkeit und Eigenwilligkeit war, entbehrte auch sein Wirken der Kontinuität und Folgerichtigkeit. Er ist später in vielen Punkten rezidiv, sich selbst und dem wahren Protestantismus untreu geworden. Protestantismus ist klarer mutiger Protest gegen jederlei Glaubenszwang, Formelwesen, Lippengläubigkeit, ist Rückkehr zur Reinheit der evangelischen Lehre und den Grundtatsachen des Christentums, ist Verwerfung jeglichen Mittlertums, das sich zwischen Gott und den Gläubigen stellen will, ist Frömmigkeit und Nachfolge Christi als wahres und alleiniges Priestertum; aber schon zu Luthers Lebzeiten und nicht ohne sein Dazutun ist ein großer Teil von alldem, in dessen Bekämpfung seine historische Mission bestand, wieder zurückgekehrt: ein neues System klerikaler Herrschsucht und toter Anbetung äußerer Formen machte sich breit, ein neues Fassadenchristentum stand im höchsten Ansehen, eine neue Dialektik, die an Spitzfindigkeit und Widersinnigkeit die katholische weit hinter sich ließ, hielt ihren Einzug und verdunkelte das Evangelium zum zweitenmal und mit weit weniger großartigen Mitteln, und wiederum zerfiel die Menschheit in Christen erster und zweiter Klasse: aber während der katholische Priester seine Superiorität aus einer transzendenten Quelle schöpft, gründete sich die Hegemonie der protestantischen Pastoren und Theologen auf den viel armseligeren und gebrechlicheren Anspruch, vor dem Laien das wahre wissenschaftliche Verständnis der Bibel vorauszuhaben.

Und was konnte Luther, was konnten die Lutheraner denn von dem Phänomen des Heilands verstehen? Die Erscheinung Christi in ihrer Umwelt ist für ein modernes, überhaupt für ein europäisches Gefühl etwas gänzlich Fremdes, fast Unbegreifliches; es ist ein magisches Leuchten um sie, ein zauberhafter Opalglanz, in dem sich endlose braune Wüste, Fata morgana, zitternde Mittagsstille spiegelt: eine Lebensform, die wir kaum mehr nachempfinden können, und darüber hinaus noch ein Abtun selbst dieser Lebensform. Die ganze glitzernde und doch so lautlose Buntheit, die unnachahmlich erhabene Schlichtheit und Eindeutigkeit des Orients ist im frühen Christentum und daneben ein fast hysterisches Mitfühlen mit dem Herzschlag jeglicher Kreatur und eine

Negierung der eigenen Existenz, die mit solch klarer Entschiedenheit nur in der Seele sehr später Menschen zum herrschenden Pathos werden kann. Eine höchst primitive und zugleich uralte Kultur spricht aus den Evangelien: die Einfachheit des Naturmenschen, vereinigt mit der Weisheit des Jahrtausendmenschen. Ein Luther kann den Christusglauben vom obersten Überzug jahrhundertelanger barbarischer Mißverständnisse reinigen, er kann ihn konzentrieren, vereinfachen, handlicher und übersichtlicher machen, der Rationalisierung entgegenführen; aber die unendliche Zartheit, Fragilität und Hyperästhesie dieser Seelenwelt kann ein kerngesunder deutscher Bauer, die funkelnde exotische Farbenpracht dieser Bilderwelt kann ein biederer sächsischer Theologieprofessor, die abgrundtiefe Urweisheit dieser so selbstverständlich im Unendlichen wohnenden Glaubenswelt kann der Sohn einer anbrechenden Zeitungskultur nicht nacherleben.

So ist auch Luthers Bibelübersetzung eine Leistung, die man, je nach dem Gesichtspunkt, von dem aus man sie betrachtet, als mißlungen oder als ein Meisterwerk bezeichnen kann. Von dem Duft, dem Lokalkolorit, dem ganzen Ambiente der biblischen Welt, ja selbst von den Gefühlen und Gedanken der Verfasser ist nicht allzuviel hinübergerettet worden: aber dafür ist es Luther gelungen, mit seiner in jederlei Sinn verdeutschten Bibel das deutscheste Buch der deutschen Literatur zu schreiben. Man hat daher oft die überschwengliche Behauptung aufgestellt, er sei der Schöpfer des Neuhochdeutschen gewesen, und eine Autorität vom Range Jacob Grimms hat dieser Ansicht zugestimmt: „Luthers Sprache", sagt er, „muß ihrer fast wundervollen Reinheit, auch ihres gewaltigen Einflusses halber für Kern und Grundlage der neuhochdeutschen Sprachniedersetzung gehalten werden." Nun läßt es sich ja anderseits nicht leugnen, daß Luther, wie er selbst ausdrücklich betont hat, die sogenannte „Sprache der sächsischen Kanzlei" geschrieben hat, eine Art Einheitsidiom, das, zwischen Mitteldeutschem und Süddeutschem die Mitte haltend, bereits um 1350 von der Kanzlei der luxemburgischen Könige in Prag begründet wurde und sich von da über die anderen deutschen Hofkanzleien verbreitete. Aber es ist doch zweierlei zu berücksichtigen: erstens, daß es zur Zeit

Luther als Sprach-schöpfer

287

Luthers im Volke tatsächlich noch keine Gemeinsprache gab, sondern nur eine Unzahl von Dialekten, und nur durch die außerordentliche Verbreitung und Wirkung seiner Schriften, vor allem seiner Bibel, diese Einheitssprache allmählich in weite Kreise drang und als allgemeines Schriftdeutsch akzeptiert wurde, und zweitens, daß dieses Gemeinsächsisch eben nichts anderes war als ein trockener, schwerlebiger und wortarmer Kanzleijargon, während Luther derselben Sprache das Höchste und Tiefste, Stärkste und Zarteste an Ausdruck entlockt und sie zum Organ für alle erdenklichen Bewußtseinserlebnisse gemacht hat. Er hat aus dem Material, das er vorfand, gerade das Gegenteil eines Kanzleistils geschaffen, indem er, wie er selbst in seinen „Tischgesprächen" erzählt, die Mutter im Hause, die Kinder auf der Gasse, den gemeinen Mann auf dem Markte befragte und ihnen aufs Maul sah, wie sie redeten: auf diese geniale Weise hat er mit einem Einfühlungs- und Nachahmungstalent, das dem schauspielerischen verwandt ist, das Kunststück zuwege gebracht, die subtilsten und gelehrtesten Dinge so gut wie die einfachsten und alltäglichsten in einer Sprache voll Natürlichkeit, Lebendigkeit, Verständlichkeit und Schlagkraft zur Darstellung zu bringen: wir stoßen hier wiederum auf jene eigentümliche dramatische Begabung, die Luther innewohnte; sie äußert sich auch in seinen Lehr- und Streitschriften, die, indem sie immer einen fiktiven Gegner supponieren, einen unterirdischen Dialogcharakter an sich tragen und hierin an Lessing erinnern. Und so dürfte es denn in der Tat nicht zuviel gesagt sein, wenn man behauptet, daß ohne Luther Deutschland heute höchstwahrscheinlich ein zweisprachiges Land wäre, das zur einen Hälfte niederdeutsch und zur andern Hälfte oberdeutsch reden würde.

Luther und die Künste   Auch Luthers nicht geringe Musikalität spricht aus seinem Stil: vor allem ist er ein Meister des kunstvoll gesteigerten Furioso. Er hat auch einige seiner Kirchenlieder selbst komponiert, spielte Laute und Flöte, verstand und würdigte polyphone Sätze und war ein großer Verehrer der niederländischen Kontrapunktiker; er hat den deutschen Kirchengesang zu einem festen Bestandteil des protestantischen Gottesdienstes gemacht und wollte ihn auch fleißig in der Schule geübt wissen. Bei jeder Gelegenheit preist er mit begeisterten Dankesworten die „Musica", die „herrliche schöne Gabe Gottes, nahe der Theologia".

Wenn wir uns aber zu den übrigen Künsten begeben, so stoßen wir bereits auf die großen Beschränkungen dieses großen Mannes. Schon zur Poesie hatte er kein rechtes Verhältnis. Von allen Dichtungsgattungen schätzte er am höchsten die didaktische Fabel, weil sie am nützlichsten sei zur Erkenntnis des äußeren Lebens: eine ziemlich banausische Ansicht, die aber in der Zeit lag. Ähnlich utilitaristisch äußerte er sich über das Drama: die Komödien des Terenz seien ein lehrreicher Spiegel der wirklichen Welt, die lateinischen Schuldramen eine gute Sprachübung, die geistlichen Spiele ein wirksames Mittel zur Verbreitung der evangelischen Wahrheit. Die bildende Kunst scheint für ihn überhaupt nicht existiert zu haben. Er reiste im Jahr 1511, zur Höhezeit der Renaissance, über Oberitalien nach Rom; aber er findet kein einziges Lobeswort für die Schönheit der Kunstwerke: in Florenz imponieren ihm am meisten die sauber eingerichteten Spitäler und in Rom beklagt er bloß, daß für die Bauten so viel Geld aus Deutschland fließe; auch am Kölner Dom und am Ulmer Münster interessiert ihn nur die schlechte Akustik, die den Gottesdienst erschwere. Und für die geschichtliche Größe Roms scheint er ebensowenig Verständnis gehabt zu haben wie für die künstlerische, ja er scheint überhaupt, im Gegensatz zu seinem Freund Melanchthon, gänzlich des historischen Sinnes entbehrt zu haben. Von Julius Cäsar sagt er zum Beispiel, er sei „nur ein Affe" gewesen; Cicero rühmt er als einen Weisen, der Aristoteles weit übertroffen habe, denn er habe seine Kräfte dem Staatsdienst geweiht, aber Aristoteles sei nur ein „müßiger Esel" gewesen: derartige Urteile über das größte strategische und politische Genie des alten Rom und über den umfassendsten und tätigsten Geist des alten Hellas, der das gesamte antike Wissen versammelt, geordnet und dargestellt und darüber hinaus noch ein halbes Dutzend neuer Wissenschaften begründet hat, kann man doch wohl nicht mehr mit „Subjektivismus", sondern nur mit einer völligen Blindheit für historische Zusammenhänge erklären.

Dieser essentielle Mangel an geschichtlichem Verständnis hat sich am krassesten in seinem Verhalten gegen die aufständischen Bauern gezeigt, wodurch ein häßlicher Fleck auf sein ganzes Leben gefallen ist. Der Bauernkrieg war der größte Versuch einer sozialen Revolution, den Deutschland jemals erlebt hat, und nur die rohe Undiszipliniertheit der Bauern und die dünkelhafte Eifersucht ihrer Führer hat verhindert, daß sie zum Ziele gelangte. Sie ging, wie wir bereits erwähnt haben, von urchristlichen Ideen aus und richtete sich in erster Linie gegen die reiche Hierarchie, viel weniger gegen die weltlichen Fürsten, gar nicht gegen den Adel; und vom Kaiser hoffte man sogar, daß er sich an die Spitze der Bewegung stellen werde. Auch von Luther, der immer die Rückkehr zum Evangelium gepredigt hatte, nahm man dies als ganz selbstverständlich an. Das Gefährlichste an der Erhebung war, daß sie sich von allem Anfang an keineswegs auf das flache Land beschränkte, sondern auch auf die Städte übergriff, wo unter den proletarischen Elementen längst eine heftige Gärung bestand, dazu kam noch die große Zahl der armen Geistlichen, kurz, es handelte sich um eine Bewegung des ganzen vierten Standes von außerordentlicher Breite und Tiefe.

Die berühmten „zwölf Artikel" vom Jahr 1525 stellten noch durchaus gemäßigte Forderungen: die Gemeinde soll sich ihren Pfarrer selbst wählen dürfen; der Kornzehnte soll bestehen bleiben, die übrigen Abgaben aber nicht mehr; die Leibeigenschaft soll aufgehoben werden, Jagd, Fischfang und Beholzung sollen frei sein. Daran schlossen sich im weiteren Verlauf der Revolution noch einige andere sehr vernünftige Postulate: Maß- und Münzeinheit für ganz Deutschland, Abschaffung aller Zölle, Reform des Gerichtswesens. Für die aus diesen Neuordnungen fließenden Verkürzungen sollten die Adeligen aus den Kirchengütern entschädigt werden, deren vollständige Säkularisation einen der wichtigsten Programmpunkte bildete. Die Gegner wollten sich jedoch zu keinerlei Konzessionen herbeilassen, und so kam es zum Krieg: „gleichwie die Bienen, wann sie stoßen" strömten von allen Seiten die Bauern zusammen. Die Städte leisteten keinen ernsthaften Widerstand; binnen wenigen Wochen unterwarfen sich alle Fürsten in

Franken und am Rhein; ein großes Bauernparlament wurde nach Heilbronn berufen, um über eine vollständige Reform des Reiches zu beraten. Gleichzeitig machte in Thüringen eine um vieles radikalere Gruppe von kommunistischer Tendenz, die „Wiedertäufer" unter der Führung Thomas Münzers, siegreiche Fortschritte. Hätten sich damals die Franken mit den Thüringern zu einem Hauptschlag vereinigt, so wäre eine Niederlage der „Weißen" kaum zu vermeiden gewesen; aber sie verzettelten und zerstückelten ihre Kräfte in Belagerungen und Plünderungen und wurden in allen sieben Schlachten, die nun rasch aufeinander folgten, gänzlich geschlagen, hauptsächlich durch die Reiterei, an der es ihnen überall fehlte. Im September des Jahres war der Aufstand bereits vollständig niedergeworfen. Aber die Borniertheit, Grausamkeit und Selbstsucht, mit der die Bauernfrage im Bauernkrieg behandelt worden ist, zieht ihre Folgen durch alle kommenden Jahrhunderte, ja sie steht indirekt auch im Zusammenhang mit der heutigen Verwirrung.

In dieser großen Entscheidungsstunde des deutschen Volkes hat Luther vollkommen versagt. Er zitiert Jesus Sirach: „Dem Esel gehört sein Futter, Last und Geißel" und meinte damit den Bauern: er sah also im Landmann nicht den Ernährer, sondern das Lasttier der menschlichen Gesellschaft. Greueltaten sind im Bauernkrieg auf beiden Seiten verübt worden, aber sicher mehr von der Gegenpartei, auch gehörten sie als etwas Selbstverständliches zum Charakter der Zeit. Daß Luther sich im Krieg extrem feindlich gegen die Bauern zeigte, ließe sich noch einigermaßen daraus erklären, daß er von ihrem Betragen ganz einseitige Schilderungen empfangen hatte und außerdem einen nicht unberechtigten Unwillen darüber empfinden mußte, daß seine rein religiöse Sache politisiert wurde; aber völlig unverzeihlich ist es, daß er diese übelwollende Haltung schon vor dem Ausbruch der Feindseligkeiten einnahm. In seiner Erwiderung auf die zwölf Artikel lehnt er fast alle darin enthaltenen Ansprüche rundweg ab. Zu der durchaus billigen Forderung, daß vom Zehnten fortan die Pfarrer bezahlt und von dem Rest die Armen der Gemeinde unterstützt werden sollen, bemerkt er: „Dieser Artikel ist eitel Raub und Strauchdieberei, denn da wollen sie den Zehnten, der nicht ihr ist, sondern der Obrigkeit, zu sich reißen und damit machen, was sie wollen. Wollt ihr geben und Gutes tun, so tut es von eurem Gute" (als ob der Zehnte, diese höchst ungerechte und drückende Auflage, die oft ein Drittel des Einkommens betrug und niemals irgendeinem gemeinnützigen Zwecke zugute kam, nicht ebenfalls das Gut der Bauern gewesen wäre!), und die Leibeigenschaft erklärt er für eine durchaus gottgefällige Einrichtung, wobei die zu allem brauchbare Bibel als Argument herhalten muß, denn auch Abraham habe Leibeigene gehabt, und Paulus lehre, daß jeder in dem Beruf bleiben solle, zu dem er berufen worden sei. Aber auch später, als er schon einigen Anlaß zur Mißbilligung hatte, hat er sich zum mindesten im Ton vergriffen. In seiner Schrift „Wider die räuberischen und mörderischen Bauern" heißt es: „Hohe Zeit ist's, daß sie erwürgt werden wie tolle Hunde" und: „Hie soll zuschmeißen, würgen und stechen, heimlich oder öffentlich, wer da kann . . . Solche wunderliche Zeiten sind jetzt, daß ein Fürst den Himmel mit Blutvergießen besser verdienen kann denn andere mit Beten." Hier steckt der rohe Heide, Barbar und Gewaltmensch, der, nur mühsam gebändigt, auf dem Grunde von Luthers Seele hauste, seinen Kopf hervor, und wir stoßen auf die erschreckende Tatsache, daß in diesem gottverlassenen sechzehnten Jahrhundert, das als die große Epoche der Erneuerung des Christentums gilt, die Christen überhaupt ausgestorben waren.

Luthers
Erschlaffen

Das Schlimmste an dem ganzen Handel aber war, daß Luther in seinem verblüffend brutalen und unvernünftigen Vorgehen zu einem guten Teil durch Opportunismus bestimmt war. Nun ist ja Opportunismus eine Eigenschaft, mit der man nicht allzu streng ins Gericht gehen soll, sie ist zu menschlich, als daß man sie sehr tadeln dürfte, und sie ist oft gerade eine Schwäche der starken Geister, die, in ihren eigenen Kreisen lebend und um deren Störung ängstlich besorgt, nur zu oft um ihrer inneren Ruhe und Freiheit willen zum Paktieren mit den Prätensionen der Außenwelt geneigt sind. Weder Goethe noch Schiller, weder Kant noch Schopenhauer, weder Descartes noch Galilei waren frei von Opportunismus. Daß vollends jeder staatsmännische Geist opportunistisch orientiert sein muß, ja daß seine Lebensfunktion im Grunde in nichts anderem besteht als in der Betätigung eines mehr oder minder treffsicheren, akkommodationsmächtigen und weitblickenden Opportunismus, ist völlig klar. Aber man wird doch sagen dürfen: einer darf niemals Opportunist sein: der Reformator! Denn dies ist ja eben sein innerster Beruf, seine tiefste Mission, nicht zu lavieren, Kompromisse zu schließen, „einzulenken", „sich auszugleichen", sondern ein bestimmtes Lebensideal, das von seiner ganzen Seele tyrannisch Besitz ergriffen hat, ohne die geringste Konzession und Einschränkung der Praxis aufzuzwingen. Jeder Reformator ist ein Monomane.

Auch Luther war es anfangs, und darauf allein beruhte seine Macht über die Zeitgenossen und seine Nachwirkung in der Geschichte. Später bog er um, verließ sich nicht mehr auf seinen gesunden Instinkt für das Rechte und Wahre, der seine stärkste Potenz war, sondern versuchte es mit allerlei Mittelwegen und Finessen der Diplomatie, die seine schwächste Seite war. Vielleicht glaubte er damit der „Sache" zu nützen, die Ausbreitung der protestantischen Kirche zu erleichtern, aber er vergaß dabei, daß seine Sache, für die Gott ihn in die Welt gesandt hatte, in etwas ganz anderem bestand: nämlich darin, jeweils immer das auszusprechen, was in ihm war, ohne Milderung, ohne Abzug, ohne Rücksicht nach rechts und nach links. Vielleicht lag der Grund für sein so plötzliches Erschlaffen auch in einem gewissen taedium vitae, das ihn merkwürdig früh ergriff: schon im Jahr 1530 schrieb er an Ludwig Senfl, den bedeutendsten Kirchenmusiker des damaligen Deutschland: „Fürwahr, ich glaube, daß mein Leben bald zu Ende geht. Die Welt haßt mich und kann mich nicht leiden; mich hingegen ekelt die Welt an, ich verachte sie." Er gehörte wahrscheinlich zu jenen vulkanischen Naturen wie Herder, Rousseau oder Nietzsche, die sich in einigen gewaltigen Eruptionen aufbrauchen und keinen Herbst haben.

Wir sagten vorhin, Luther habe nicht die Gabe besessen, historisch zu denken; er war aber überhaupt ein unwissenschaftlicher Kopf. Er verfügte nicht über die Fähigkeit, seine Gedanken zu ordnen, zu gliedern und auseinander abzuleiten, und dies ist um

Luther und die Transsubstantiation

so merkwürdiger, als die wissenschaftliche Literatur des sechzehnten Jahrhunderts an lichter Architektonik, Bündigkeit und Übersichtlichkeit Ausgezeichnetes geleistet hat. Von Luthers Unvermögen, klar, systematisch und folgerichtig zu denken, leitet sich ein großer Teil des späteren Geschwätzes und Gezänks der protestantischen Theologie her. Dies zeigt sich bereits bei seinen Ansichten über das Wesen der Kommunion.

Die Vorstellung der Brotverwandlung machte der Weltanschauung des Mittelalters keine Schwierigkeiten, da, wie wir ausführlich dargelegt haben, für sie nur die Universalien wirklich waren. Wirklich war ja nicht die einzelne Hostie, sondern allein das höchste Universale, der allgegenwärtige Gott, der in ihr erscheint. Allerdings hat es schon früh gewisse Freigeister gegeben, die die reelle Transsubstantiation bestritten, aber sie drangen nicht durch. Am berühmtesten ist der berengarische Streit. Um die Mitte des elften Jahrhunderts lehrte Berengar von Tours, die Einsetzungsworte seien tropisch zu verstehen. Seine Doktrin wurde verdammt, er selbst zum Widerruf gezwungen, worin er erklärte, daß der Leib Christi beim Abendmahl von den Gläubigen mit den Zähnen zerbissen werde. Demgegenüber behaupteten die Schweizer Zwingli, Calvin und ihre Anhänger, daß das Abendmahl bloß ein symbolischer Akt, eine Erinnerungsfeier sei und die Hostie nur den Leib Christi bedeute. Beide Anschauungen sind vollkommen klar, und man kann sich mit voller Bestimmtheit zwischen ihnen entscheiden. Es ist noch heute jedermann möglich, sich die Vorstellung der wahren Brotverwandlung zu eigen zu machen, und es ist jedermann möglich, das Abendmahl als einen rein geistigen Vorgang zu begreifen. Luthers mittelalterlich orientierte Religiosität neigte zweifellos zu der ersteren Anschauung, und er hat sie auch, wie wir bereits hörten, im Marburger Religionsgespräch hartnäckig vertreten, aber er wollte nicht zugeben, daß die Katholiken in irgendeinem Punkte recht hätten; die Calvinische Ansicht war ihm aber wiederum zu modern. Infolgedessen wählte er eine mittlere Auslegung, unter der kein Mensch sich etwas vorstellen kann: er erklärte, daß der Körper Christi sich in den geweihten Stoffen befinde wie das Feuer im erhitzten Eisen; wie Eisen und Feuer zusammen bestünden, so auch Hostie und Leib Christi; oder, wie Voltaire dies einmal frivol, aber anschaulich ausdrückt: die Papisten genießen Gott, die Calvinisten Brot und die Lutheraner Brot mit Gott. Unheilbarer kann man die Sache nicht verwirren. Luther tilgt das Mysterium (und zwar aus purem antipapistischen Eigensinn) und verwirft die philosophische Erklärung: er lehrt eine Verwandlung, bei der sich beides verwandelt und nichts verwandelt.

Aber das Kernproblem, von dem die ganze reformatorische Bewegung ausging und um das sie sich in ihrer ganzen weiteren Entwicklung drehte, war die Frage nach dem Wesen der Rechtfertigung. Nach katholischer Auffassung besteht die Buße aus drei Stücken: der *contritio cordis*, der *confessio oris* und der *satisfactio operis*; von diesen hat Luther nur das erste: die Reue des Herzens, für legitim erklärt und sich fanatisch und, was schlimmer ist, wiederum völlig unklar gegen die beiden anderen: Beichte und Werke, gewendet. Hiermit verknüpft sich aber eine noch tiefer liegende Frage. Der Punkt, von dem hier offenbar alles abhängt, ist die Entscheidung über die menschliche Willensfreiheit oder die Geltung der Prädestination. Es ist klar, daß dieses Problem das primäre ist: zuerst muß überhaupt entschieden werden, ob der menschliche Wille frei ist, und dann erst kann der Untersuchung über Art und Form der Rechtfertigung nähergetreten werden. In beiden Fragen haben auf Luther, wie er selbst oft und freudig bekannt hat, zwei der größten Kirchenlehrer einen tiefen und dauernden Einfluß ausgeübt: Paulus und Augustinus.

Mit Paulus tritt der erste leibhaftige greifbare Mensch in die Welt des Neuen Testaments. Die Evangelien zeigen uns ihre Gestalten in einer zuckenden, schwimmenden, man wäre fast versucht zu sagen: impressionistischen Beleuchtung, bald in nebliger Verhüllung, bald in blitzartiger Überhelle. In den Briefen des Paulus aber redet zu uns eine Stimme ganz aus nächster Nähe, eine dramatische Gestalt, die wir kämpfen, straucheln, siegen sehen, ein Sterblicher, der die Haupteigenschaft alles Lebens: die Paradoxie, leuchtend verkörpert, der seinen vollen Anteil hat an Zorn und Zärtlichkeit, Grenzenlosigkeit und Schranke, Narrheit und

Heiligkeit der irdischen Kreatur. Und eben darum, weil er in jederlei Sinn der menschlichste aller Menschen war, von denen die Geschichte des werdenden Christentums zu berichten weiß, ist er an fast allen religiösen Wendepunkten späteren Zeiten Führer und Sinnbild gewesen. An Paulus haben die großen Erneuerer des Christentums immer wieder angeknüpft: es war unvermeidlich, daß auch Luther diesen Weg ging.

Es gibt über die Rolle, die Paulus in der Entwicklung des Christentums gespielt hat, zwei extrem entgegengesetzte Ansichten. Die eine, die behauptet, daß ohne Paulus die Lehren des Evangeliums niemals die Welt erobert hätten, und daher in ihm den eigentlichen Stifter des Christentums erblickt, ist so töricht und niedrig, daß wir es für unwürdig halten, uns mit ihrer Widerlegung zu befassen. Die andere stammt von dem geistesmächtigen Bekämpfer des kirchlichen Christentums, Friedrich Nietzsche, der mit richtigem Instinkt gegen diesen größten aller Kirchenväter seine Hauptangriffe gerichtet hat. Mit dem Pinsel eines Dante malt er in seinem nachgelassenen Fragment „Der Antichrist" die Entwicklung des Urchristentums, wie sie sich ihm darstellt. „Dieser frohe Botschafter", sagt er über Christus, „lebte, wie er lehrte – nicht um ‚die Menschen zu erlösen', sondern um zu zeigen, wie man zu leben hat ... Er widersteht nicht, er verteidigt nicht sein Recht, er tut keinen Schritt, der das Äußerste von ihm abwehrt, mehr noch, er fordert es heraus ... Und er bittet, er leidet, er liebt mit denen, in denen, die ihm Böses tun ... Nicht sich wehren, nicht zürnen, nicht verantwortlich machen ... Sondern auch nicht dem Bösen widerstehen, – ihn lieben ... Im Grunde gab es nur Einen Christen, und der starb am Kreuz. Das ‚Evangelium' starb am Kreuz. Was von diesem Augenblick an ‚Evangelium' heißt, war bereits der Gegensatz dessen, was er gelebt: eine ‚schlimme Botschaft', ein Dysangelium ... Offenbar hat die kleine Gemeinde gerade die Hauptsache nicht verstanden, das Vorbildliche in dieser Art zu sterben, die Freiheit, die Überlegenheit über jedes Gefühl von *ressentiment* ... Aber seine Jünger waren ferne davon, diesen Tod zu verzeihen – was evangelisch im höchsten Sinne gewesen wäre." (Es sei bei dieser Gelegenheit in Parenthese bemerkt, daß ein „Antichrist", der solche Sätze niederzuschreiben vermag, dem Verständnis des Heilands doch wohl näher stehen dürfte als jene Pastoren, die ihr Christentum dadurch zu erweisen suchen, daß sie die Sätze des Evangeliums so lange fletschern, bis sie jeden Geschmack verloren haben. Möge uns Gott nur noch recht viele solcher „Atheisten" schicken, wie Friedrich Nietzsche einer war! Wenn sie eine so tief adelige Seele und ein so reines Feuer des Wahrheitsdranges besitzen und wenn sie ein so vorbildliches Heiligen- und Dulderleben führen, so werden sie damit Gott mehr dienen als dadurch, daß sie sich zu ihm bekennen.)

Werden wir aber nun mit Nietzsche sagen dürfen, daß der Paulinismus nichts anderes war als ein einziger großer Racheakt der Tschandalaseelen, eine Barbarisierung und völlige Entchristlichung des Christentums? Das wäre doch wohl ungerecht. Was an der Geschichte Jesu am meisten zum Nachdenken reizte, war die Tatsache seines Todes. Hier war das schlechthin Neue, das unfaßbar Grauenvolle und Wundervolle: der Größte, den Gott je in die Welt gesandt, nicht erhöht über alle Menschen als ihr Lenker, Lehrer und König, sondern grausam hingerichtet, eines schmählichen Sklaventodes gestorben, den er freiwillig gesucht hatte! Hier erhob sich die Frage: wie ist das zu erklären? Da ergab sich nur die eine Antwort: für uns, die anderen hat diese grandiose Umkehrung der Weltordnung stattgefunden, für uns Ungerechte hat der Gerechteste Unrecht gelitten, der Schuldloseste Strafe erduldet, damit wir gesühnt und selig seien! Anders konnte sich Paulus die Sache nicht begreiflich machen, und bis zum heutigen Tage haben alle christlichen Bekenntnisse, Lehren wie Irrlehren, keine andere Erklärung gefunden.

Wollte man die geschichtliche Bedeutung des Paulus in einem Schlagwort zusammenfassen, so könnte man sagen: er war der erste christliche Theologe. Er hat die religiösen Gedanken, die in den frühesten Christenvereinigungen verbreitet waren, in eine Art System gebracht, in eine sich logisch entwickelnde Abfolge von Begriffen, die sich leicht einprägen, behalten und weitertragen ließ. Man darf von dieser Tätigkeit des Paulus nicht gering denken.

Jeder Genius spricht seine eigene Sprache, ein Spezialidiom, das naturgemäß außer ihm nur sehr wenige verstehen. Er braucht daher einen Übersetzer, eine geistige Kraft, die den Versuch macht, sein Unaussprechliches auszusprechen, sein Undeutbares zu deuten, sein Ewiges und Grenzenloses in irdische und faßbare Formen zu gießen. Eine gute Formel soll man nicht verachten, sie ist auch Geist: der Spiritus, der manche Dinge, die sonst zerfallen würden, für spätere Zeiten konserviert. Einen solchen Dienst hat zum Beispiel Aristoteles dem griechischen Gedankenleben geleistet. Durch die Formel vom gekreuzigten Gottessohn, der die Schuld der Welt getilgt hat, ist Tausenden, die für die reine Lehre Jesu noch nicht reif waren, ein wertvolles Symbol gegeben worden, das sie theoretisch und praktisch zu handhaben vermochten.

Der jüdischste Apostel

Aber ein Wort in der Lehre des Paulus will nicht recht in den Geist des Evangeliums passen: es ist das Wort „Sühne". Der Gott Jesu ist die Gnade, die grundlose und grenzenlose, die jenseits von aller Gerechtigkeit und Ungerechtigkeit waltet, nicht als Lohn oder Ausgleich, sondern einfach nur deshalb, weil sie die Gnade ist: Gott ist nicht der Richter, der freispricht, sondern der Vater, der verzeiht. Bei Paulus aber stehen Gott und Mensch irgendwie in einer geheimnisvollen Verrechnung. Es scheint, daß Paulus den Gedanken, daß Gott nicht gerecht, sondern übergerecht ist, nicht ertragen hat, und in der Tat: dieser Gedanke wäre für die meisten Menschen keine Befreiung, sondern ein quälendes Rätsel gewesen, er war zu weit und zu groß, zu schwer und zu tief für sie. Die Juden konnten ihn nicht verstehen, denn für sie war seit Jahrtausenden Gott und Gesetz dasselbe, und es ist ja auch der frühere Pharisäer in Paulus, der ihm die Lehre vom Opfertod Christi eingab; die Römer waren in ihrem Denken viel zu sehr juristisch geschult, um auf den Satisfaktionsbegriff verzichten zu können; und den Griechen schließlich in ihrem durchaus konkreten und körperhaften Denken und ihrem alles klar umgrenzenden Rationalismus wäre ein Gott der uferlosen Gnade völlig unfaßbar gewesen.

Deshalb hat auch Lagarde nicht ohne Berechtigung den zunächst höchst paradox klingenden Satz aufstellen können, Paulus sei der jüdischste aller Apostel gewesen. Die Annahme, daß Gott die Erbsünde nur durch das Opfer seines Sohnes tilgen konnte, geht eben noch auf den alttestamentarischen Judengott zurück, der vor allem gerecht ist: es gilt auch hier noch irgendwie das Aug' um Auge, Zahn um Zahn; es ist eine Art Handel. Aber nur diese Grundvoraussetzung, daß die Gnade Gottes durch den Tod eines Unschuldigen erkauft, daß sie überhaupt gekauft werden mußte, ist anstößig; innerhalb seiner Erlösungslehre hat Paulus den juristisch-talmudischen Standpunkt vollständig verlassen und immer wieder betont, daß der Mensch nicht durch Werke, sondern nur durch die Gnade und den Glauben gerechtfertigt werde: „Denn es ist hier kein Unterschied," heißt es im Römerbrief, „sie sind allzumal Sünder und mangeln des Ruhmes, den sie an Gott haben sollten; und werden ohne Verdienst gerecht aus seiner Gnade durch die Erlösung, so durch Christum Jesum geschehen ist ... So halten wir nun dafür, daß der Mensch gerecht werde ohne des Gesetzes Werke, allein durch den Glauben"; und im Epheserbrief: „Denn aus Gnade seid ihr selig worden durch den Glauben, und dasselbige nicht aus euch, Gottes Gabe ist es; nicht aus den Werken, auf daß sich nicht jemand rühme": hierin liegt zugleich eine gewisse Leugnung der Willensfreiheit. Aber schon der Brief des Jakobus, der Luther auch darum so unsympathisch war, lehrt den sogenannten Synergismus, das Zusammenwirken von Glauben und Gnade: „Was hilft's, lieben Brüder, so jemand sagt, er habe den Glauben, und hat doch die Werke nicht? ... Der Glaube, wenn er nicht Werke hat, ist tot in ihm selber ... da siehest du, daß der Glaube mitgewirkt hat (συνήργει) an den Werken, und durch die Werke ist der Glaube vollkommen worden." Also schon innerhalb des Neuen Testaments erhebt sich ein Widerstreit der Satisfaktionslehren.

Was nun den zweiten großen Lehrer Luthers, Augustinus, anlangt, so behauptete er mit aller Bestimmtheit die Unfreiheit des Willens und die Prädestination: für ihn ist die Menschheit ein großer Sündenblock, eine *massa peccati* und daher eine *massa perditionis*; aus dieser wird durch die *gratia gratis data* ein *certus numerus electorum* gerettet. Nur Adam besaß die Freiheit, nicht zu sündigen, das *posse non peccare*; durch die Erbsünde befindet sich der Mensch in dem Stande der Unfreiheit, des *non posse non peccare*. Hierdurch verlieren natürlich auch die Werke jegliche Bedeutung. Dem Einwand, warum Gott in seiner ewigen Voraussicht nicht das Böse unerschaffen gelassen habe, begegnet Augustinus mit einem ästhetischen Argument: auch die Sünde gehöre zum Gesamtbild der Welt, wie schwarze Farbe an rechter Stelle zu einem vollkommenen Gemälde notwendig sei oder ein schönes Lied aus Gegensätzen bestehe. Die gegnerische Lehre des Pelagius wurde auf dem Konzil von Ephesus verdammt; allein noch bei Lebzeiten des Augustinus wurde von den „Massiliensern", Mönchen in Massilia, im Mittelalter Semipelagianer genannt, ein vielfach akzeptierter Vermittlungsstandpunkt eingenommen: daß nämlich die Gnade zwar unentbehrlich, in ihrer Wirkung aber auf den freien Willen des Menschen angewiesen sei und die Prädestination auf der Allwissenheit Gottes beruhe, die vorhergesehen habe, wie die künftigen Menschen aus freiem Willen handeln würden; auch lehrten sie die Kooperation von Glauben und Werken. Seitdem hat sich, schüchterner in der Theorie, nachdrücklicher in der Praxis, die Werkheiligkeit im Katholizismus immer mehr festgesetzt; dieser Begriff hat jedoch eine außerordentliche Spannweite: er umfaßt in gleicher Weise die abscheulichsten Ablaßpraktiken wie das erhabenste Heiligenleben und trägt daher keineswegs von vornherein jenen anrüchigen und widerchristlichen Charakter, den ihm die Protestanten anzuheften suchen.

Auch ist ein äußerlich den Geboten entsprechendes Werk nach katholischer Lehre nicht schon deshalb ein gutes Werk. Die Güte erhält es erst durch die *intentio*, die Gesinnung, in der es getan wird; und umgekehrt gilt auch nach katholischer Auffassung die bloße Gesinnung, wenn ihr die Gelegenheit oder die Möglichkeit zur Betätigung mangelt, für ebenso wertvoll wie das getane Werk. Das Konzil von Trient sagt: „Der Glaube ist der Anfang alles Heils, die Grundlage und die Wurzel aller Rechtfertigung; denn ohne ihn ist es unmöglich, Gott zu gefallen und zu seiner Kindschaft zu gelangen." Ganz ähnlich sagt Luther: „Gute fromme Werke machen nimmermehr einen guten frommen Mann, sondern ein guter frommer Mann macht gute fromme Werke ... Wie die

Bäume müssen eher sein denn die Früchte und die Früchte machen die Bäume weder gut noch böse, sondern die Bäume machen die Früchte, also muß der Mensch in der Person zuvor fromm oder böse sein, ehe er gute oder böse Werke tut." Luthers Baum entspricht offenbar der katholischen *intentio*, aber in dem Gleichnis, wenn wir es zu Ende denken, liegt auch die Anerkennung der natürlichen Notwendigkeit der Werke: denn es liegt im Wesen des Baumes und zumal jedes guten Baumes, daß er Früchte hervorbringt. Den Vorwurf aber, daß die katholische Doktrin die Werkheiligkeit und Selbstgerechtigkeit befördere, hat Adam Möhler in seiner „Symbolik" mit den schönen Worten widerlegt: gerade darin gehe die Bestimmung dieser Lehre auf, h e i l i g e Werke zutage zu fördern und zu bewirken, daß wir s e l b s t gerecht werden.

Versuchen wir, den Sachverhalt vorurteilslos zu überblicken, so kommen wir zu einem merkwürdigen Resultat. Der Protestantismus leugnet die Rechtfertigung durch Werke und verlegt die Buße ins Innere, in den bloßen Glauben; aber er fordert zugleich ein tätiges, praktisches Christentum und gelangt so wiederum zu einer Art Werkheiligkeit, ja er tut noch mehr, er heiligt, wie wir bald sehen werden, sogar die p r o f a n e n Werke: der äußerste Grad von „Werkheiligkeit"! Der Katholizismus bejaht die Rechtfertigung durch Werke, erblickt in ihnen aber nur Leistungen zweiten Grades und gelangt so zur Apotheose des völlig weltfernen, weltflüchtigen, ganz auf die innere Buße und Einkehr konzentrierten Lebens, das von Werken im profanen Sinne nichts mehr weiß. Somit enden beide Richtungen bei entgegengesetzten Ausgangspunkten in genau umgekehrten Ergebnissen. Der werkfeindliche Protestantismus mündet in eine Glorifikation der weltlichsten Dinge: des Staats, der Obrigkeit, der Familie, des Handwerks, der Wissenschaft, sogar des Krieges; der weltliche Katholizismus gipfelt in der tiefsten Verachtung aller dieser Dinge: Kaiser, Weib, Vernunft, Besitz, *vita activa* sind Mächte, die er auf seinen Höhen flieht und verwirft. Dabei ergab sich im historischen Verlauf noch die weitere Paradoxie, daß der reaktionäre Katholizismus oft viel toleranter, konzilianter und anpassungsfähiger war als der freiheitliche Protestantismus, wie dies schon ein so unverfänglicher Beurteiler wie Zinzendorf betont hat: „Die Katholiken führen das Anathem gegen die Gegner wohl im Munde und im Panier, haben aber oft viel Billigkeit gegen sie *in praxi;* wir Protestanten führen *libertatem* im Munde und auf dem Schild, und es gibt bei uns *in praxi,* das sage ich mit Weinen, wahre Gewissenshenker."

Es handelt sich freilich bei der ganzen Frage nach der Rechtfertigung im Grunde um einen puren Theologenstreit. Nie hat ein Katholik, der ein wahrer Christ war, geglaubt, daß die Werke allein genügen; nie hat ein Protestant, der ein wahrer Christ war, geglaubt, daß der Glaube allein genüge. Denn Glaube an Christus und Nachfolge Christi sind vollkommen identisch. Wer an ihn glaubt, muß ihm nachleben oder doch nachzuleben versuchen; wer dies tut, ist ein Christ und hat seinen Glauben auf die beste Weise bewiesen, die möglich ist. Die einseitig den Wert des Glaubens und die einseitig den Wert der Werke betonen: beide haben Christus nicht verstanden. Für ihn waren Lehre und Leben untrennbar vereinigt. Eben dadurch, daß er seine Lehre so vollständig bis zur letzten Konsequenz lebte, wurde er ja zum Heiland. Eben dadurch, daß sein Leben so beschaffen war, wurde es ja zur Lehre.

Gleichen sich auf diese Weise echter Katholizismus und echter Protestantismus gegeneinander aus, so bleibt doch dem letzteren ein großer Mangel: die prinzipielle Verwerfung des Mönchtums. Es muß in einer Welt des Schachers, des Mordes und der Brunst die Möglichkeit geben, daß eine bestimmte Klasse von Menschen nur Gott lebt, sowohl ihrethalben wie als Beispiel für die anderen. Zweifellos sind nicht alle katholischen Mönche richtige Mönche gewesen und zweifellos hat nur einen Bruchteil von ihnen die Sehnsucht, Gott zu dienen, ins Kloster getrieben; aber daß im Protestantismus für so etwas überhaupt kein Platz ist, ist das Bedenkliche. Man kann sich des Verdachts nicht erwehren, daß hier platt utilitaristische Tendenzen mitgespielt haben, die in einem anbrechenden Zeitalter des Merkantilismus „Müßiggängern" keine Existenzberechtigung zuerkennen wollten.

Der Calvinis-mus Im allgemeinen können wir in der Religiosität der Reformationszeit drei Stufen unterscheiden. Die unterste Stufe stellt der landläufige Katholizismus dar, der, vielleicht nicht in der Theorie, sicherlich aber in der Praxis, nichts war als rohe Anbetung äußerer Riten und Zeremonien, mechanischer Bußen und Leistungen. Gegen ihn wandten sich die reformierten Lehren, in denen wir die zweite Stufe erblicken dürfen: sie betonten die alleinige Heilkraft des Glaubens, der aber doch noch in vielen Punkten, besonders in der Deutung, die ihm später gegeben wurde, unfreier enger Doktrinarismus, kompakter Dogmatismus geblieben ist. Die höchste Stufe bezeichnen die sogenannten Radikalen, die mit der Rückkehr zum Urchristentum vollen Ernst machten; sie umfaßten in zahlreichen Färbungen und Schattierungen gleichsam das ganze Spektrum der unbedingten Religiosität: von den extremen Umsturzphantasien der Wiedertäufer bis zu den reinsten Spekulationen der protestantischen Mystik. Sind die Reformierten Ketzer des Katholizismus, so sind die Radikalen Ketzer zweiten Grades, nämlich Ketzer der Reformation; die ersteren wollten eine christliche Kirche ohne Papst, die letzteren ein Christentum überhaupt ohne Kirche.

Ihre reinste Ausprägung hat die zweite, die protestantische Stufe im Calvinismus gefunden. In der Republik Genf begründete Calvin eine Kirchenherrschaft, die alles hinter sich ließ, was jemals an katholischer Bevormundung und Gewissensinquisition versucht worden war. In alles mischte sich diese klerikale Polizei, fast jede Äußerung natürlichen Lebensdrangs und unbefangenen Frohsinns wurde beargwöhnt, untersagt und bestraft. Jegliche Art von Festlichkeit und Unterhaltung: Spiel, Tanz, Gesang, Theater, sogar das Lesen von Romanen war verboten. Der Gottesdienst ging in kahlen Wänden vor sich, kein Schmuck, kein Gepränge, kein Altar, nicht einmal ein Christusbild durfte ihn verschönen. Auf Fluchen, Kegelspiel, laute Scherze, leichtsinnige Reden standen hohe Bußen, auf Ehebruch der Tod. Calvin war, im Gegensatz zu Luther, ein deduktiver Kopf, ein sicher gliedernder und disponierender Intellekt: in ihm kommt zum erstenmal der lateinische Geist der Ordnung und Logizität, Systematik und Organisation, aber auch der Uniformität und Mechanik zur Herrschaft, der für die ganze spätere Kulturentwicklung Frankreichs so charakteristisch ist. Es besteht eine seltsame Ähnlichkeit zwischen dem Genfer Glaubensregiment Calvins und dem scheinbar so ganz anders gearteten Jakobinismus. Trägt man nämlich den christlichen Lack ab, mit dem dieses evangelische Gemeinwesen überzogen war, so kommt ganz dasselbe halb skurrile, halb schreckliche Gebilde aus Unverstand und Größenwahn zum Vorschein, das sich auf zwei ganz unhaltbaren Voraussetzungen aufbaut: nämlich erstens der lächerlichen Annahme, daß alle Menschen von Natur gleich seien oder doch durch einen richtig gebauten und richtig gehandhabten Prägestock gleich gemacht werden können, und zweitens der ebenso absurden Ansicht, daß der Staat berechtigt, ja sogar verpflichtet sei, sich um alles zu bekümmern, während doch gerade umgekehrt sein Wesen und seine Aufgabe darin besteht, ausschließlich das zu besorgen, womit sich der Private entweder nicht befassen will oder nicht befassen kann. Daß sich dieses schauerliche Monstrum bei Calvin als Theokratie gebärdet, bei den Jakobinern im Namen der „Philosophie" auftritt, macht nur einen sehr sekundären Unterschied; und übrigens zeigen sich selbst in der rationalistischen Auffassung der Religion gewisse Übereinstimmungen.

Der Calvinismus ist einerseits ganz mittelalterlich: denn er verwirklicht tatsächlich den geistlichen Staat, die Omnipotenz der Kirche, die immer der Traum des Papsttums gewesen war, ja er ist sogar antik: nämlich alttestamentarisch; anderseits ist er aber wieder viel moderner als das Luthertum, nämlich erstens durch seinen viel radikaleren Purismus der völligen Bildlosigkeit und der symbolischen Auffassung der Sakramente, zweitens durch seine nachdrückliche Betonung des republikanisch-demokratischen Elements und seine absolutistische Polizierung des Untertans, drittens durch seine humanistisch-kritische Behandlung der theologischen Probleme und viertens und vor allem durch seinen militanten, aggressiven, expansiven Imperialismus. Von Genf ist das ebenso paradoxe wie historisch bedeutsame Phänomen eines Christentums des Schwerts ausgegangen: französische Weltpolitik, holländische Kolonialeroberung, englische Seeherrschaft haben hier ihren Ursprung.

Die Verbrennung Servets ist nicht etwa ein „Fleck" in der Geschichte Calvins, der dem Verhalten Luthers im Bauernkriege analog wäre, sondern eine logische Folge seines Systems. Der Calvinismus war eine nackte Hierarchie, zu der Ketzerverbrennungen als organische Bestandteile gehörten. Servet, der zugleich einer der größten Physiologen seiner Zeit war, hatte die Trinität geleugnet, die er für unbiblisch, tritheistisch und atheistisch erklärte. Daraufhin machte ihm Calvin den Prozeß, und Melanchthon nannte diese Tat ein „frommes und denkwürdiges Beispiel für die ganze Nachwelt". So dachten damals fast alle Protestanten über Religionsfragen, und die allgemein verbreitete Vorstellung, daß sie die Vorkämpfer der Freiheit, die Katholiken die Diener der Finsternis gewesen seien, beruht auf einer liberalen Geschichtsfälschung. Ja der Protestantismus konnte sogar mit viel besserem Gewissen Verirrte vernichten, denn er glaubte an die Prädestination: Luther, wie wir sahen, neigte ihr zu, äußerte sich aber über sie sehr unklar und widersprechend; der Katholizismus hat sie nie gebilligt und nur aus Respekt vor Augustinus nicht offiziell verdammt; Calvin jedoch hat diese Lehre, von der Karl der Fünfte sagte, sie scheine ihm mehr viehisch als menschlich zu sein, mit unerbittlicher Konsequenz vertreten.

Je ketzerischer ein Glaube ist, desto reiner pflegt er zu sein, und tatsächlich geht ja auch das Wort Ketzer auf das griechische *katharos* zurück. Wirkliche Freireligiöse waren in jener Zeit nur die Radikalen: Karlstadt, Münzer, die Wiedertäufer und die Mystiker. Was Karlstadt anlangt, so war er einer jener alles entstellenden und kompromittierenden Wirrschädel, wie sie jede neue Bewegung hervorzubringen pflegt. Weniger leicht ist es, über Münzer ein abschließendes Urteil zu fällen. Luther nannte ihn und seine Anhänger „Mordpropheten und Rottengeister"; er wiederum nannte Luther das „geistlose, sanft lebende Fleisch zu Wittenberg" und einen „Erzbuben, Erzheiden, Wittenberger Papst, Drachen und Basilisken". Er wollte nicht bloß den römischen Stuhl, die Prälaten, Bischöfe und Mönche, sondern alles geistliche Mittlertum ausgetilgt sehen und mit dem Satz Ernst machen, daß jeder Gläubige sein eigener Priester sei und nur im direkten Verkehr mit Gott sein Heil finden könne; er wollte nicht bloß Pfründen und Klöster aufgehoben wissen, sondern jederlei Herrschaft, Bevorrechtigung und Unterdrückung, ja sogar das persönliche Eigentum; er bekämpfte nicht bloß die Autorität der Kirchentradition, sondern auch die Autorität des Schriftbuchstabens und berief sich allein auf das innere Wort, das Gott auch heute noch jedem Erleuchteten verkünde. Er war zweifellos ein Fanatiker, der vor wilden Gewalttaten, Zerstörungen und Blutopfern nicht zurückschreckte, aber ein Fanatiker von sehr hoher Religiosität. Die meisten, lehrt er, pochen sträflicherweise auf den süßen Christus und sein stellvertretendes Leiden, wollen sich mit seinem Kreuz das eigene Kreuz ersparen und mit dem bloßen Glauben die Bitterkeit der Wiedergeburt: hier verwirft er mit Entschiedenheit und mit den triftigsten Gründen die lutherische Rechtfertigungslehre. Nur in der Verzweiflung und Trostlosigkeit, im Fegefeuer und in der Hölle werde der Glaube geboren; den Weg zu Gott müsse jeder selbst von neuem finden unter allen Schmerzen und Ängsten der Nacht. Die Offenbarung des inneren Wortes ist nur möglich, wenn das Ich, die Welt und das Fleisch abgetötet sind. Im fleischlichen Menschen kann Christus nicht Mensch werden, der Geist sich nicht offenbaren. Darum glaubte Münzer aber anderseits auch an die Möglichkeit von Visionen und Erleuchtungen, an höhere Inspirationen und unmittelbare Eingriffe Gottes.

Mit Münzer berührten sich die Wiedertäufer oder Anabaptisten. Sie lehrten ebenfalls, daß die Angehörigen des „neuen Reichs Christi" nur direkt von Gott ihre Eingebungen empfingen: durch ein Versinken in die „Gelassenheit", worin alle Affekte und natürlichen Regungen verlöschen. Weil eine solche Beziehung zum Ewigen nur dem reifen Christen möglich ist, verwarfen sie die Kindertaufe. Die einzige Voraussetzung für die Zugehörigkeit zu ihrer Gemeinde war persönliches Christentum und sittliche Heiligkeit; den Sakramenten maßen sie keinen Wert bei. Viele von ihnen huldigten chiliastischen Vorstellungen. Den Eid erklärten sie für Sünde, die Kirchen für Götzenhäuser, darin noch über die Bilderstürmer hinausgehend. Ein hoher Idealismus, getragen von einem freudigen Willen zum Märtyrertum, lebte in ihren Lehren, die von den Protestanten fast noch mehr verworfen wurden als von den Altgläubigen.

Aber wenn man von der deutschen Reformation spricht, so sollte man immer an erster Stelle die Mystiker nennen, die den religiösen Willen der Zeit und des Volkes am reinsten und tiefsten verkörpert haben. Jedoch die Geschichte ist eine philiströse Macht: sie bewahrt nur die Namen der Erfolgreichen in fetten Lettern, während sie die Menschen, die im Strome der Zeit vorausschwammen, oft aus dem Auge verliert und sich ihrer höchstens einmal wieder im Kleingedruckten erinnert. Sebastian Franck

Die bedeutendsten Mystiker des Protestantismus sind Kaspar Schwenckfeld, Valentin Weigel und vor allem Sebastian Franck.

Schwenckfeld, ein Schlesier, von Luther erbittert angefeindet, hat sein ganzes Leben der Polemik gegen den Schriftbuchstaben gewidmet, in dem er eine neue Knechtung des Geistes, eine neue Veräußerlichung des Christentums erblickte. Die Pastoren, die so vermessen sind, sich allein im Besitz der wahren Bibelerklärung zu wähnen, stellen ihm nur ein neues System des überhebungsvollen monopolsüchtigen Klerikalismus dar: die äußere Kirche muß überhaupt aufgehoben werden, und an ihre Stelle soll die innere treten. Weigel, dessen Schriften zu seinen Lebzeiten nur handschriftlich verbreitet waren, lehrt, daß wir nur das erkennen können, was wir in uns tragen. Darum, wenn der Mensch sich selbst versteht, so hat er auch das All begriffen: er erkennt die irdische Welt, weil sein eigener Leib die Quintessenz aus allen sichtbaren Substanzen ist, er erkennt die Welt der Geister und Engel, weil sein Geist von den Sternen stammt, und er erkennt Gott, weil seine unsterbliche Seele göttlichen Ursprungs ist. Seine selbstgewählte Grabschrift lautete: „Summa Summarum, o Mensch, lerne dich selber erkennen und Gott, so hast du genug, hier und dort." Sebastian Franck aus Donauwörth, zuerst katholischer Priester, dann lutherischer Prediger, schließlich konfessionslos, hat ein unstetes Wanderleben geführt; unter vielen Anfechtungen, da auch er sich zu Schwenckfelds Lehre bekannte, daß der Buchstabe das Schwert des Antichrists sei, das Christum töte: er selbst wollte „ein frei, ohnsektisch, unparteiisch Christentum, das an kein äußerlich Ding gebunden ist"; „es sind zu unserer Zeit fürnehmlich drei Glauben aufgestanden, die großen Anhang haben: Lutherisch, Zwinglisch, Täufrisch, das vierte ist schon auf der Bahn: daß man alle äußerlich Predigt, Ceremoni, Sakrament, Bann, Beruf als unnötig will aus dem Wege räumen und glatt ein unsichtbar geistlich Kirchen, allein durchs ewig unsichtbar Wort von Gott ohn äußerlich Mittel regiert, will anrichten." Aus dieser sozusagen kirchlich exterritorialen Stellung fließt ihm zugleich die höchste Toleranz: „Der törichte Eifer vexiert jetzt jedermann, daß wir parteiisch glauben wie die Juden, Gott sei allein unser, sonst sei kein Himmel, Glaube, Geist, Christus als in unserer Sekte, jede Sekte will eifrig Gott niemandem lassen, so doch ein gemeiner Heiland der ganzen Welt ist . . . mir ist ein Papist, Lutheraner, Zwinglianer, Täufer, ja ein Türke ein guter Bruder . . . ganz und gar will ich einen freien Leser und Beurteiler und will niemand an meinen Verstand gebunden haben."

Nicht nur das Abendmahl, sondern alle Lehren und Einrichtungen der christlichen Religion betrachtet Franck symbolisch. Adams Sündenfall und Christi Himmelfahrt sind die ewige Geschichte des Menschengeschlechts: in jedem Menschen vollziehen sie sich aufs neue; Ostertag und Pfingsttag sind nur vergängliche Gleichnisse für das ewige Ostern und Pfingsten Gottes; auch die Schrift ist eine ewige Allegorie. Wie gar viele, ohne es zu wissen, Adam sind, so sind viele, ohne es zu wissen, Christus. Christus wird noch heute täglich gekreuzigt: „es hat seine Pharaones, Pilatos, Pharisäer, Schriftgelehrten, die Christum für und für in ihnen selbst, obwohl nicht äußerlich nach dem Buchstaben und der Historie kreuzigen." Es ist überhaupt nichts gewesen, das nicht auf seine Weise noch ist und sein wird bis zum Ende: Antiochus, Sanherib, Herodes leben noch. Gott selber aber ist undefinierbar; was man von ihm sagt, ist nur Schein und Schatten. Er ist und wirkt alles, und wäre die Sünde etwas und nicht nichts, so wäre Gott auch die Sünde im Menschen. Er verdammt niemanden, sondern ein jeder sich selbst, dem Frommen aber ist er auch ferne nah, ja niemals näher, als wenn er am fernsten zu sein scheint. Dem Gottlosen schaden gute Werke mehr, als sie ihm nützen. Denn gute Werke machen nicht fromm, wie böse nicht verdammen, sondern sie zeugen nur von den Menschen. Darum sind alle im Glauben getanen Werke gleich. Gott ist der Welt Gegensatz und Widerpart, der Welt Teufel und Antichrist; der Welt Reichtum und Weisheit ist vor Gott die größte Armut und Torheit, Weltherrschaft ist die größte Knechtschaft. Dagegen wieder: der Antichrist, Satan und sein Wort: das ist der Welt Christus, Gott und Evangelium.

Was tat nun in all diesen Verwirrungen und Klärungen der deutsche Kaiser? Man kann sagen: er tat, bei aller seiner klugen Geschäftigkeit und erfolgreichen Wirksamkeit, eigentlich nichts, nämlich nichts, was seinem welthistorischen Range und der welthistorischen Stunde entsprochen hätte. Die große Politik Europas ging damals ganz andere Wege als reformatorische und religiöse. Eben damals begannen sich die Großmächte zu konsolidieren und in jenen Umrissen festzusetzen, die sie im großen und ganzen die Neuzeit hindurch beibehalten haben: die Westmacht Frankreich, die Nordmacht England, die Mittelmacht Habsburg, von allen die ausgedehnteste und gefährlichste, denn sie umspannte nicht bloß die österreichischen Erbländer, zu denen bald Böhmen und Ungarn kamen, sondern auch Spanien, die Neue Welt, die Niederlande, die Franche Comté, Neapel, Sizilien, Sardinien, Teile von Süddeutschland (das sogenannte Vorderösterreich), ja sogar eine Zeitlang ganz Württemberg: sie erschien fast unüberwindlich und rief daher immer von neuem weitverzweigte Allianzen ins Leben. Der große Gegensatz Frankreich - Habsburg, der den größten Teil der neueren europäischen Geschichte bestimmt, trat zum erstenmal in voller Schärfe und Deutlichkeit ins Licht. Die wichtigsten Streitobjekte waren das Herzogtum Mailand, Süditalien und Burgund; denn beide Teile behaupteten, historische Ansprüche auf diese Gebiete zu besitzen. Karl der Fünfte hat sich immer in erster Linie als König von Spanien betrachtet und sich auch als Kaiser nicht als deutsches Oberhaupt, sondern als Weltbeherrscher, als Monarch des mittelalterlichen Universalreichs empfunden. Mit ihm und seinem ihm noch überlegenen Schüler und späteren Gegner Moritz von Sachsen gelangt die Kabinettspolitik ans Ruder, jene bloß vom persönlichen dynastischen Vorteil diktierte verruchte Diplomatie der lügnerischen Ränke, des unklaren Drohens, halben Versprechens, perfiden Lavierens und planmäßigen Durcheinanderhetzens, die im siebzehnten und achtzehnten Jahrhundert ihre höchsten Triumphe gefeiert hat; und gleichzeitig entwickelt sich jenes großartige Bestechungssystem, das in diesem Umfang und dieser Skrupellosigkeit neu und erst in einem Zeitalter der Geldwirtschaft möglich war: Geld und Politik vereinigen sich überhaupt erst jetzt zu jenem unzertrennlichen Bündnis, das für die Neuzeit charakteristisch ist. Schon die Art, wie die Wahl Karls des Fünften zustande kam, ist hierfür bezeichnend. Für die Kaiserkrone kamen außer ihm noch drei Kandidaten ernsthaft in Betracht: der Kurfürst von Sachsen Friedrich der Weise (der der geeignetste gewesen wäre), Franz der Erste von Frankreich und Heinrich der Achte von England. Aber Karl der Fünfte siegte; nicht etwa, weil er mehr Sympathien besaß oder weil politische Erwägungen für ihn gesprochen hätten, sondern einfach deshalb, weil das große Bankhaus Fugger für die Summen, die er den Kurfürsten versprochen hatte, garantierte. Also schon damals war die eigentliche Großmacht nicht Spanien, Frankreich oder England, sondern der Wechsler mit seinem Geldsack.

Die Stellung Karls des Fünften zur evangelischen Frage ist niemals von irgendeiner Rücksicht auf die Bedürfnisse des deutschen Volkes diktiert worden, sondern immer nur von der momentanen Lage der Außenpolitik. Die drei Bestimmungsstücke, aus denen er seine jeweilige Haltung konstruierte, waren: Papst, Orient, Frankreich. Die ganze Geschichte der deutschen Reformation von Luthers Bruch mit dem Papst bis zum Augsburger Religionsfrieden zeigt das mit vollkommener Deutlichkeit. Im Jahr 1521 braucht Karl der Fünfte die Bundesgenossenschaft des Papstes für seinen ersten Krieg gegen Franz von Frankreich: das Wormser Edikt verbietet daher alle Neuerungen, und Luther wird in die Reichsacht erklärt. 1526 schließt der Papst mit Frankreich die gegen den Kaiser gerichtete Heilige Liga von Cognac, und alsbald erhalten die Evangelischen auf dem ersten Speierer Reichstag einen für die Ausbreitung der Lehre günstigen Reichsabschied. Aber das Jahr 1529 bringt den allgemeinen Frieden von Cambrai und infolgedessen auf dem zweiten Speierer Reichstag die Erneuerung des Wormser Edikts. Im darauffolgenden Jahre wird Karl der Fünfte vom Papst gekrönt, und die Revanche dafür ist ein äußerst schroffer Reichsabschied auf dem großen Reichstag zu Augsburg. Aber in den nächsten Jahren wird die Türkengefahr immer drohender, und es kommt daher 1532 zum Religionsfrieden von Nürnberg, worin den Protestanten bis zu einem allgemeinen Konzil freie Religionsübung zugestanden wird. Durch den Frieden von Crespy und den Waffenstillstand mit den Türken bekommt der Kaiser jedoch wieder freie Hand und sucht die Kircheneinheit gewaltsam wieder herzustellen. Es kommt zum Schmalkaldischen Krieg, und es gelingt Karl, durch den glänzenden Sieg bei Mühlberg den Protestanten das Augsburger Interim aufzuzwingen, von dem es im Volksmund hieß, es habe „den Schalk hinter ihm". Aber durch den Abfall des Kurfürsten Moritz von Sachsen wendet sich die Situation vollständig: im Passauer Vertrag wird das Interim abgeschafft, und im Augsburger Religionsfrieden erhalten die Landesherren und freien Städte das Recht, die Religion ihrer Untertanen zu bestimmen: *cuius regio, eius religio.*

Karl der Fünfte war während seiner ganzen Regierung von unerhörtem Glück begleitet: siegreich gegen innere und äußere Feinde, gegen aufständische Spanier und Niederländer, Päpste und Ketzer, deutsche Fürsten und tunesische Seeräuber, Franzosen und Engländer, Indianer und Türken; und doch haben alle diese Siege im Grunde zu nichts geführt, was wert wäre, in einer Geschichte der europäischen Kultur als bedeutsam verzeichnet zu werden. Dies: das Leerlaufen aller seiner Erfolge lag in seinem Charakter und im Charakter der Habsburger überhaupt.

Dieses Geschlecht, das länger als ein halbes Jahrtausend die Geschicke Europas so wesentlich mitbestimmt hat, ist ein psychologisches Rätsel. Hermann Bahr sagt in seiner Monographie „Wien", einem Meisterwerk der psychologischen Vivisektion: „Unter den habsburgischen Fürsten sind genialische und simple, stürmische und stille, leutselige und mürrische, siegende und geschlagene, gesellige und vereinsamte gewesen, Menschen jeder

Psychologie der Habsburger

Art, aber allen ist gemein, daß ihnen der Sinn für das Wirkliche fehlt." Und in seiner knappen, aber gehaltvollen Schrift „Das Geschlecht Habsburg" bezeichnet Erich von Kahler als einen der entscheidendsten Grundzüge der Habsburger ihre Entrücktheit. „Wenn etwas die Habsburger unter den Sprossen anderer Geschlechter besonders auszeichnet, so ist es dies, daß sie alle ... stetig von Geheimnis umzogen sind. An jedem von ihnen und in jeder ihrer Bewegungen, von der Staatsaktion bis zur unwillkürlichen Wendung des Körpers, spürt man ein Ferngehaltensein." Die eine Beobachtung ergänzt die andere. Sie hatten keinen Sinn fürs Wirkliche, weil sie selbst nicht wirklich waren. Der Bischof Liudprand von Cremona, der um die Mitte des zehnten Jahrhunderts Konstantinopel besuchte, berichtet über seine Audienz beim byzantinischen Kaiser: „Nachdem ich zum drittenmal nach der Sitte mich vor dem Kaiser anbetend in den Staub geworfen hatte, erhob ich mein Antlitz, und ihn, den ich eben noch in mäßiger Höhe über der Erde hatte thronen sehen, sah ich jetzt in ganz neuem Gewand fast die Decke der Halle erreichen. Wie das kam, konnte ich nicht begreifen, wenn er nicht vielleicht durch eine Maschine emporgehoben wurde." Einer derartigen Maschinerie haben sich die Habsburger auf psychologischem Gebiet bedient. Oder eigentlich gar nicht einmal bedient: es war ihre natürliche Mitgift und ererbte Fähigkeit, in jedem Augenblick „in ganz neuem Gewand" hoch über der Erde schweben zu können. Alle Habsburger kann man irgendwie auf diesen Generalnenner bringen. Sie sind da und nicht da, zugleich stärker als das Wirkliche und schwächer als das Wirkliche, wie ein Alpdruck, ein böser Traum. Sie sind diaphan, zweidimensional, nicht zu fassen. Sie haben keine Brücken zu den Menschen und die Menschen keine zu ihnen. Sie sind Inseln. „Die Wirklichkeit soll sich nach ihnen richten, nicht sie nach der Wirklichkeit": aber das wäre ja die Definition des Genies; denn was ist das Genie anderes als ein höchstgespannter Wille, der die Welt, die Zeit gebieterisch nach seinem Ebenbilde modelt? Aber sie waren leider keine Genies. Ohne diese Voraussetzung jedoch ist, wer eine solche Veranlagung besitzt, ein gefährlicher Phantast, ein Feind des Menschengeschlechts. Sie haben aus einer selbstgeschaffenen Scheinwelt heraus, die sie nie verließen, jahrhundertelang die wirkliche Welt beherrscht: ein sehr sonderbarer Vorgang.

Nur die Kehrseite dieser seltsamen Verstiegenheit ist die große Nüchternheit, der Mangel an Begeisterung, Schwung, Hingabe, wodurch alle Habsburger charakterisiert sind. Und im Zusammenhang damit steht ihre vollständige Unbelehrbarkeit, der berühmte habsburgische Eigensinn, der es verschmäht, an Menschen, Dingen, Ereignissen etwas zuzulernen, am Leben zu wachsen und sich zu wandeln: sie haben alle keine Entwicklung. Ob sie papistische Fanatiker waren wie Ferdinand der Zweite oder liberale Weltverbesserer wie Joseph der Zweite, starre Legitimisten wie Franz der Zweite oder halbe Anarchisten wie der Kronprinz Rudolf: immer nehmen sie die Materialien zu dem Weltbild, das sie der übrigen Menschheit aufzwingen wollen, ganz aus sich selbst, wie die Spinne die Fäden zu ihrem Gewebe aus ihrem eigenen Leib zieht. Für alle diese Eigenschaften kann Franz Joseph der Erste als klassisches Beispiel dienen: in einem fast neunzigjährigen Leben ist ihm nie irgendein Mensch, irgendein Erlebnis nahe gekommen, in einer fast siebzigjährigen Regierung hat er nie einem Ratgeber oder dem Wandel der Zeiten Einfluß auf seine Entschließungen eingeräumt, nie ist ein farbiges oder auch nur ein warmes Wort, eine starke Geste, eine besonders hohe oder besonders niedrige Handlung, die ihn als Bruder der übrigen Menschen enthüllt hätte, von ihm ausgegangen: es war, als ob die Geschichte alle Wesenszüge des Geschlechts in dem letzten habsburgischen Herrscher noch einmal vorbildlich hätte zusammenfassen wollen. In dem letzten: denn – dies ist der tragisch-ironische Epilog dieses sechshundertjährigen Schicksals – die große Reihe endet mit einer Null. Karl der Erste war nur noch ein Linienoffizier. Die Zeit des Geschlechts Habsburg war erfüllt.

Mit jenem anderen Karl dem Ersten aber, der als deutscher Kaiser der Fünfte hieß, beginnt die Reihe der echten Habsburger. Maximilian war noch ein normaler deutscher Fürst: heiter, sportfreudig, redselig, von liebenswürdiger Sprunghaftigkeit, für alles mögliche lebhaft, wenn auch etwas oberflächlich interessiert, ein

Das Geheimnis Karls des Fünften

313

Mensch unter Menschen. Um seinen Enkel liegt der habsburgische Flor. Wer hat je in seiner Seele gelesen? War er ein Machtbesessener, ein unersättlicher Länderfresser, der alles Nahe und Ferne dem Riesenleib seines Weltreichs assimilieren wollte: afrikanische Küsten, amerikanische Märchenreiche, Italien, Deutschland, Ostfrankreich? Aber von seinem Erbe verschenkte er schon beim Antritt seiner Regierung fast die Hälfte an seinen Bruder, und auf der Höhe seines Lebens dankte er plötzlich ab, ging ins Kloster, wurde Gärtner und Uhrmacher und ließ seine eigene Totenmesse lesen. War er ein treuer Sohn der römischen Papstkirche, der gewaltsam das Mittelalter verlängern und die Kirchenspaltung um jeden Preis verhindern wollte? Aber er hat sein halbes Leben lang den Papst erbittert bekämpft, und seine Landsknechte haben das heilige Rom in der furchtbarsten Weise geplündert und verwüstet. War er deutsch wie sein Vater, spanisch wie seine Mutter, niederländisch wie seine Heimat, französisch wie seine Muttersprache? Er war nichts von alledem: er war ein Habsburger.

Tizian hat in seinen beiden Bildnissen mit fast unbegreiflicher Genialität dieses geheimnisvolle, weltentrückte, außermenschliche Wesen des Kaisers erfaßt. Im Morgengrauen läßt er ihn über das Schlachtfeld von Mühlberg reiten: als schwarzen gepanzerten Ritter, mit eingelegter Lanze langsam daherkommend wie ein unwiderstehliches Schicksal, ein Sieger, der aber seines eigenen Triumphes nicht froh werden kann: die Welt liegt ihm zu Füßen; aber was ist die Welt? Und auf dem Münchener Porträt läßt er ihn einfach still dasitzen, in schlichtes Schwarz gekleidet, den Blick in unergründliche Fernen gerichtet, als sei alles um ihn herum Luft oder Glas, durch das er teilnahmlos hindurchsieht: ein tiefeinsames, gegen alles Leben völlig abgeriegeltes Geschöpf; die ganze Tragik des Herrschens ist in diesen Gemälden aufgefangen und der ganze Fluch dieses Geschlechts, kein Herz besitzen zu dürfen.

Weil Kaiser Karl kein Herz hatte, hat ihm all sein scharfer Verstand, seine souveräne Diplomatie, sein weitschauendes Bauen und Planen nichts genützt. Er hat den Zentralgedanken der Zeit nicht erfaßt. Er hatte es damals in der Hand, gestützt auf Ritter, niederen

Klerus, Städte und Bauern, die Macht der Landesfürsten zu brechen und eine wirkliche Monarchie zu errichten. Diese Ansicht hat kein Geringerer vertreten als Napoleon der Erste. Die Zeit drängte auf eine solche Entwicklung hin: in allen übrigen Großstaaten ist das Experiment gelungen. Es läßt sich aber fragen, ob es für Deutschland ein Glück gewesen wäre, wenn der Kaiser dem Gebot der Stunde gefolgt wäre. Es wäre sehr bald aus der demokratischen Monarchie eine absolute, aus dem Nationalstaat ein „Einheitsstaat", aus dem deutschen Volke eine uniforme, despotisch (und dazu noch von Spanien aus) regierte Masse geworden.

Der eigentliche Gewinner in diesen Kriegen, die die erste Hälfte des sechzehnten Jahrhunderts erfüllen, war das fast immer besiegte Frankreich: es arrondierte sein Gebiet aufs vorteilhafteste, indem es aus den deutschen Wirren Metz, Toul und Verdun erbeutete und den Engländern Calais entriß. Diese kamen zur Reformation bekanntlich auf eine sehr sonderbare Weise: nämlich durch die Geilheit ihres Königs, der sich von der römischen Kirche trennte, weil der Papst nicht in seine Ehescheidung und Wiedervermählung willigen wollte. In Schweden wurde der neue Glaube durch Gustav Wasa eingeführt, der sein Land von der dänischen Oberherrschaft befreite und den Grund zu dessen späterer Großmachtstellung legte. Auch in Ländern, die heute wieder ganz katholisch sind, wie Österreich, Bayern, Ungarn, Polen, war der Protestantismus in siegreichem Vordringen.

Auf deutschem Boden hat der Umsturz die verschiedenartigsten Formen angenommen: er war kommunistisch in der Wiedertäuferbewegung, sozialistisch in der Bauernrevolution, demokratisch in den städtischen Tumulten, aristokratisch in den Erhebungen Sickingens, Huttens und des niederen Adels. An allen diesen Vorstößen hat sich jedoch der Protestantismus nicht beteiligt, und so kam er schließlich an die Fürsten: er wurde duodezabsolutistisch, höfisch, partikularistisch. Dieses Antlitz hat er dauernd behalten, und daß er es nicht verstanden hat, sich mit den anderen wahrhaft modernen Bewegungen zu verschmelzen, ist sein Verhängnis gewesen. Schon Luther hat in seiner späteren Zeit, um seine eigene derbe Sprache zu gebrauchen, den großen Herren

Sieg der Theologie über die Religion

315

gern nach dem Maul geredet, noch viel mehr tat dies sein Kollaborator Melanchthon. Ein Zug von Servilismus, Leisetreterei, Lavieren, Um-die-Ecke-Sehen gelangt seither in den Betrieb der Kirchen und Universitäten; der Typus des vor dem Patronatsherrn buckelnden Theologen, des unterwürfigen Hauslehrers, um sein Futter zitternden Schulmeisters, devoten „staatserhaltenden" Leibpfaffen wird geboren, und zwar aus dem Protestantismus. Denn hinter dem katholischen Geistlichen steht immer noch, sein Selbstgefühl stärkend, die allmächtige Kirche, hinter dem evangelischen nur seine kleine geduckte Parochie. Dort ist man immerhin der Knecht der Idee der einen großen allgemeinen Papstkirche, hier der Lakai irgendeines kleinen Landesherrn. Damit hängt es auch zusammen, daß der Protestantismus nicht nur eine ebenso starre Intoleranz im Gefolge gehabt hat wie der Katholizismus, sondern auch eine viel querköpfigere, kleinlichere, lokalere, sektiererhafte.

Obgleich es gewiß nicht an Männern gefehlt hat, die wie Melanchthon die Geheimnisse der Gottheit lieber verehrt als erforscht wissen wollten und von dem Prinzip ausgingen: „Christus erkennen, heißt seine Wohltaten erkennen, nicht aber seine Naturen und die Arten seiner Fleischwerdung betrachten", so bedeutet doch, wenn man die Summe im großen zieht, die Reformation keineswegs den Durchbruch eines reineren, tieferen, ursprünglicheren Verhältnisses zur Gottheit, sondern ganz im Gegenteil den Sieg der Wissenschaft vom Glauben über den Glauben selbst. Es triumphiert im Endresultat nicht die Religion, sondern die Theologie.

Und in der Praxis triumphiert ebenfalls nicht die Religion, sondern die Partei. Der Glaube wird immer mehr zu einer Sache der Gemeinsamkeit und Gemeinschaft. Nun kann man wohl in Massen Steine klopfen und im Varieté sitzen, man kann in Massen essen und trinken, politisieren und Menschen umbringen, aber man kann nicht in Massen Gott verehren, sowenig wie man in Massen lieben kann. Das für den modernen Menschen charakteristische unsinnige Vorurteil, daß alle menschlichen Lebensäußerungen gemeinsam verrichtet werden können, ja sollen, der Wille zur Neuzeit, der aus der ganzen Mensehheit eine Fabrik, eine

Kaserne, ein Riesenhotel, einen Trust, eine Korrektionsanstalt zu machen sucht, ergreift zunächst die Religion. Die Folge dieser massiven Massenreligiosität war der Dreißigjährige Krieg.

Die Reformation war keine schöpferische religiöse Bewegung. Es hat Menschen gegeben, die allen Ernstes Luther unter die Religionsstifter eingereiht wissen wollten. Aber die Gestalt des Religionsstifters war nur im Orient und im Altertum möglich; heute ist sie vielleicht wieder in Rußland möglich. Die Luft des sechzehnten Jahrhunderts war nicht die der Religiosität, dazu war sie viel zu trocken, zu kühl, zu scharf. Es war eine Welt von Kauffahrern, Diplomaten, Antiquaren, Skribenten, fern jedem Ewigkeitsbedürfnis, ganz dem Diesseits verschrieben: der Macht dieses Zeitgeists vermochte sich selbst ein Luther nicht ganz zu entziehen.

Man ist angesichts dieser Menschheit fast versucht, an das traurige Wort Goethes zu glauben: „Die Menschen sind nur dazu da, einander zu quälen und zu morden; so war es von jeher, so ist es, so wird es allzeit sein." Und dennoch besitzt der nachchristliche Mensch einen ungeheuren Vorsprung vor dem antiken: das schlechte Gewissen. Die Menschen haben sich nicht geändert. Sie leben den Sinnen, denken auf ihren Vorteil, lieben sich selbst, gebrauchen Gewalt, Betrug und Unrecht. Aber sie tun es nicht mehr unbefangen und gutgläubig, nicht mehr leichten Herzens und freien Kopfes, sondern bleich, heimlich und ängstlich. Sie haben nicht mehr die gute Laune des Raubtiers. Dies ist vielleicht der einzige bisherige Erfolg des Christentums.

Hier berühren wir das Zentralproblem des Christentums, die ungeheure Frage: wie kommt es, daß der Mensch einerseits ein ganz unleugbar böses Geschöpf ist und anderseits doch nicht böse sein will? Warum trifft er keine klare Wahl zwischen den beiden Möglichkeiten, die ihm gegeben sind? Er ist weder Tier noch Engel. Das Tier unternimmt ohne moralische Skrupel alles, was ihm oder seiner Nachkommenschaft nützt. Der Engel besitzt Gewissen und handelt danach. Der Mensch tut weder das eine noch das andere. Er lebt weder „gottgefällig" noch „natürlich". Durch dieses monströse Dilemma wird er zum grotesken Unikum, zum Absurdissimum in der gesamten Schöpfung. Er ist eine grandiose

Mißgeburt, ein wandelnder Fragebogen. Wenn er gut ist, warum tut er das Böse? Wenn er böse ist, warum liebt er das Gute? Diese beiden beängstigenden Fragen stellt jedes Menschenschicksal von neuem.

Der Grobianismus

Johannes V. Jensen macht einmal bei der Schilderung Pekings die frappante, aber aufschlußreiche Bemerkung, die heutigen Chinesen der höheren Stände erinnerten an die Menschen der Reformationszeit. „So ein listiger alter Chinese könnte ganz gut einer von den großen Männern der Reformationszeit gewesen sein, wie wir sie aus Bildern kennen, mit einer verschlossenen Physiognomie, aber innerlich erfüllt von der Religionspolitik der Zeit, von ihrer Strenge und Begehrlichkeit ... Trotz den vortrefflichen Porträts, die man aus jener Zeit hat, und trotz allem, was die Geschichte bis zu den kleinsten Einzelheiten aufbewahrt hat, habe ich mich immer vergeblich bemüht, mir die Menschen jener Zeit lebend vorzustellen, obwohl man weiß, daß sie gelebt haben. Ich habe sie nicht richtig hören und sehen können. Einen Anhaltspunkt hat man an den Bauern der jetzigen Zeit – etwas von der Maske; aber erst in China erlebt man wirklich das Mittelalter – so waren sie, eigentümlich zögernd, mit Willen, aus Stilgefühl zögernd, wie ja auch die Bauern noch heute sind, vor allem andern langsam." In der Tat: die Kultur jener Zeit war vorwiegend bäurisch, auch die Fürsten, ja selbst die Gelehrten und Künstler waren nur bessere Bauern, und wir begreifen, daß einem subtilen komplizierten Geist, einem Menschen, der Finger für Nuancen und eine Ahnung von der tiefen Ironie alles Daseins besaß wie Erasmus, diese Welt unerträglich sein mußte. Und etwas von der Verschmiztheit und Verschlagenheit des Mongolen, die wie ein selbstverständliches Naturprodukt wirkt und daher nichts Unmoralisches hat, werden jene Menschen schon auch besessen haben, freilich ohne den tiefen seelischen Takt, den Jensen den Chinesen nachrühmt. Denn die Zeit war äußerst roh, und gerade der erwachende Rationalismus, der sie kennzeichnet, verleiht ihren Schöpfungen etwas primitiv Konstruiertes, kindisch Mechanisches. Die Humanisten, die auch in Deutschland in Wissenschaft und Poesie den Ton angaben, wirkten wie ordinäre Kopien des italienischen Humanismus, den sie in billigem Farbendruck wiederholen. Gleichwohl hat es unter ihnen sehr merkwürdige Begabungen gegeben. Einer der interessantesten war Konrad Celtes, der „deutsche Erzhumanist", schon wegen seiner erstaunlichen Vielseitigkeit: er war der erste deutsche Dichter, der zum poeta laureatus gekrönt wurde, und der erste deutsche Gelehrte, der über allgemeine Weltgeschichte und deutsche Reichsgeschichte las; er ist der Auffinder der berühmten *tabula Peutingeriana*, einer römischen Reisekarte aus dem dritten Jahrhundert nach Christus; er hat den Nürnberger Holzschnitt reformiert, einen neuen Tonsatz, den sogenannten Odenstil, angeregt und die lateinischen Dramen der Nonne Roswitha herausgegeben, ja man hat sogar eine Zeitlang geglaubt, daß er sie selbst geschrieben habe.

Einer der hervorstechendsten Grundzüge des Zeitalters ist der sogenannte Grobianismus. Der Ausdruck leitet sich von Sebastian Brant her, der ihn nicht erfunden, aber populär gemacht hat: „Ein neuer Heiliger heißt Grobian, den will jetzt führen jedermann." Bei nahezu allen Schriftstellern der Zeit ist das „Läuten mit der Sauglocke" gang und gäbe: bei Luther, der in seiner Polemik fast immer maßlos war (gegen Erasmus schrieb er zum Beispiel: „Wer den Erasmus zerdrückt, der würget eine Wanze, und diese stinkt tot noch mehr als lebendig"); bei Fischart, der den rüden Ton bekämpfte, aber auf eine so rüde Weise, daß er sich selber desavouiert; selbst bei einem so feingebildeten Gelehrten wie Reuchlin, der seine Gegner giftige Tiere, bissige Hunde, Pferde, Maulesel, Schweine, Füchse, reißende Wölfe nennt. Aus dem Streben nach Volkstümlichkeit und dem Wunsch, das Objekt möglichst empfindlich zu treffen, erwächst die Satire zu einer Hegemonie, wie sie sie so unumschränkt in der deutschen Literatur weder vorher noch nachher ausgeübt hat. Am beliebtesten ist der Vorwurf der Narrheit: „Narr" ist vielleicht das Wort, das damals am häufigsten geschrieben und gedruckt wurde. Brants Hauptwerk führt den Titel „Das Narrenschiff"; Thomas Murners bekannteste Schrift heißt „Die Narrenbeschwörung"; das geistreichste Buch des Zeitalters ist das „Lob der Narrheit" des großen Erasmus: darin wird alles als Torheit gegeißelt, nicht bloß die Geldgier, die Trunksucht, die

Unbildung, die Ruhmliebe, der Krieg, sondern auch die Ehe, das Kindergebären, die Philosophie, die Kunst, die Kirche, das Staatsleben; auch bei Hans Sachs wimmelt es von Narren.

Das satirische Genie des Zeitalters, von dem alle bewußt oder unbewußt borgten, lebte freilich nicht in Deutschland, sondern in Frankreich: François Rabelais. Seine Form ist für heutige Leser im ganzen ungenießbar. Es lebte in ihm mit übermächtiger Kraft das, was der Franzose *la nostalgie de la boue* nennt: er ergeht sich mit einer fast pathologischen Behaglichkeit und Breite in allen jenen Naturalien, die vielleicht vom moralischen Standpunkt aus nicht schimpflich sind; daß sie es aber auch nicht vom ästhetischen Standpunkt aus sind, kann nur ein ganz engstirniger à tout prix-Naturalist leugnen oder einer von jenen weitverbreiteten Philistern mit umgekehrtem Vorzeichen, die eine Sache schon deshalb kraftvoll und suggestiv finden, weil sie anstößig oder unappetitlich ist. Ebenso unerträglich wie seine Koprophilie ist seine Überladenheit und Verzwicktheit, seine Lust am Verschnörkeln, Verdrehen, Auswalken jedes Objekts seiner Darstellung. Sein Grundwesen war eine gigantische Weitläufigkeit, Geschmacklosigkeit und Abgeschmacktheit: seine Lust an insipiden Kalauern war so groß, daß er sogar seinen Tod zum Gegenstand eines Wortwitzes gemacht haben soll, indem er sich einen Domino anzog, weil in der Schrift geschrieben steht: *Beati, qui moriuntur in domino.* Aber eben weil bei ihm alles dieselben überlebensgroßen Dimensionen hat wie die Gestalt, Tapferkeit und Gefräßigkeit seines Helden Gargantua, darf man an ihn nicht die Maße normaler Schönheit und Logik anlegen. Der Appetit nach Leben und Lebensschilderung, der ihn erfüllte, war offenbar riesenhaft und sein einziger Fehler vielleicht nur der, daß er im Leser dieselbe überschäumende Vitalität voraussetzte. Nie ist in jener extrem spottlustigen, kirchenfeindlichen und antischolastischen Zeit Kirche und Scholastik auch nur annähernd so großzügig verspottet worden wie von ihm. Er war eine Art satirischer Menschenfresser, der ungemessene Portionen von heuchlerischen Pfaffen, sterilen Gelehrten, korrupten Beamten verschlang. Der *esprit gaulois*, der *esprit gaillard* gelangt bei ihm siegreich und elementar zum Durchbruch, mit der

Vehemenz eines Naturereignisses, gegen das zu polemisieren völlig sinnlos wäre. Und doch wirkt er wiederum ganz unfranzösisch, da es ihm völlig an der Schmucklosigkeit, Durchsichtigkeit, Feinheit und Formsicherheit fehlt, die den höchsten literarischen Ruhm des Landes der *clarté* und des *bon goût* ausmacht. Aber diese Literatur sollte erst kommen; so, wie er war, ist er der hinreißendste und prägnanteste Ausdruck aller Stärken und Gebrechen seiner Zeit gewesen: unmäßig lebensgierig aus geheimem Lebensekel, überlaut lustig aus tiefer Melancholie und Zerrissenheit, beißend boshaft aus Menschenliebe und Herzensfülle, ausschweifend närrisch aus hellster Vernünftigkeit.

Der Norden, und zumal der deutsche, trug damals, wir erwähnten es schon, eben noch einen sehr plebejischen Charakter. In seinem Bericht über Deutschland vom Jahr 1508 sagt Machiavell: „Sie bauen nicht, sie machen für Kleider keinen Aufwand, sie verwenden nichts auf Hausgeräte; ihnen genügt, Überfluß an Brot und Fleisch und eine geheizte Stube zu haben." Und von den deutschen Gasthäusern gibt Erasmus von Rotterdam folgende überaus anschauliche Schilderung: „Bei der Ankunft grüßt niemand, damit es nicht scheine, als ob sie viel nach Gästen fragten, denn dies halten sie für schmutzig und niederträchtig und des deutschen Ernstes für unwürdig. Nachdem du lange vor dem Hause geschrien hast, steckt endlich irgendeiner den Kopf durch das kleine Fensterchen heraus gleich einer Schildkröte ... diesen Herausschauenden muß man nun fragen, ob man hier einkehren könne. Schlägt er es nicht ab, so begreifst du daraus, daß du Platz haben kannst. Die Frage nach dem Stall wird mit einer Handbewegung beantwortet. Dort kannst du nach Belieben dein Pferd behandeln; denn kein Diener legt eine Hand an ... Ist das Pferd besorgt, so begibst du dich, wie du bist, in die Stube, mit Stiefeln, Gepäck und Schmutz. Diese geheizte Stube ist allen Gästen gemeinsam. Daß man eigene Zimmer zum Umkleiden, Waschen, Wärmen und Ausruhen anweist, kommt hier nicht vor ... So kommen in demselben Raum oft achtzig oder neunzig Gäste zusammen, Fußreisende, Reiter, Kaufleute, Schiffer, Fuhrleute, Bauern, Knaben, Weiber, Gesunde, Kranke. Hier kämmt sich der eine das Haupt-

Unverminderter Plebejismus

haar, dort wischt sich ein anderer den Schweiß ab, wieder ein anderer reinigt sich Schuhe und Reitstiefel . . . Es bildet einen Hauptpunkt guter Bewirtung, daß alle vom Schweiße triefen. Öffnet einer, ungewohnt solchen Qualms, nur eine Fensterritze, so schreit man: Zugemacht! . . . Endlich wird der Wein, von bedeutender Säure, aufgesetzt. Fällt es nun etwa einem Gaste ein, für sein Geld um eine andere Weinsorte zu ersuchen, so tut man anfangs, als ob man es nicht hörte, aber mit einem Gesichte, als wollte man den ungebührlichen Begehrer umbringen. Wiederholt der Bittende sein Anliegen, so erhält er den Bescheid: ‚In diesem Gasthause sind schon so viele Grafen und Markgrafen eingekehrt, und noch keiner hat sich über den Wein beschwert; steht er dir nicht an, so suche dir ein anderes Gasthaus.' Denn nur die Adeligen ihres Volkes halten sie für Menschen . . . Bald kommen mit großem Gepränge die Schüsseln. Die erste bietet fast immer Brotstücke mit Fleischbrühe, hierauf kommt etwas aus aufgewärmten Fleischarten oder Pökelfleisch oder eingesalzener Fisch . . . Dann wird auch etwas besserer Wein gebracht. Es ist zum Verwundern, welches Schreien und Lärmen sich anhebt, wenn die Köpfe vom Trinken warm geworden sind. Keiner versteht den andern. Häufig mischen sich Possenreißer und Schalksnarren in diesen Tumult, und es ist kaum glaublich, welche Freude die Deutschen an solchen Leuten finden, die durch ihren Gesang, ihr Geschwätz und ihr Geschrei, ihre Sprünge und Prügeleien ein solches Getöse machen, daß der Stube der Einsturz droht . . . Wünscht ein von der Reise Ermüdeter gleich nach dem Essen zu Bett zu gehen, so heißt es: er solle warten, bis die übrigen sich niederlegen. Dann wird jedem sein Nest gezeigt, und das ist weiter nichts als ein Bett, denn es ist außer den Betten nichts vorhanden, was man brauchen könnte. Die Leintücher sind vielleicht vor sechs Monaten zuletzt gewaschen worden."

Das klassische Zeitalter der Völlerei

Bedenkt man, daß das Gasthauswesen einen ziemlich präzisen Gradmesser der jeweiligen materiellen Kultur darstellt und daß in diesen Herbergen nicht bloß das niedere Volk, sondern auch die Creme verkehrte, so gewinnt man den Eindruck, daß es den damaligen Deutschen noch an jeglicher Delikatesse und Differenzierung der Lebensführung gefehlt hat. Hingegen waren in quantitativer Hinsicht die Ernährungsverhältnisse zweifellos günstiger als heutzutage. Man hört zum Beispiel, daß in Sachsen die Werkleute ausdrücklich angewiesen wurden, sich mit zwei täglichen Mahlzeiten von je vier Gerichten: Suppe, zweierlei Fleisch und Gemüse, zufrieden zu geben. Ein Pfund Bratwurst kostete einen Pfennig, ein Pfund Rindfleisch zwei Pfennig, während der durchschnittliche Taglohn für einen gewöhnlichen Arbeiter achtzehn Pfennig betrug. Wenn in gewissen Gegenden die Armen sich bisweilen eine Woche lang kein Fleisch leisten konnten, so wird das immer mit besonderem Staunen hervorgehoben. Man wird überhaupt sagen dürfen, daß das sechzehnte Jahrhundert für Deutschland das klassische Zeitalter des Fressens und Saufens war; selbst von Luther wird berichtet, daß er sich hierin manchmal übernahm: überhaupt galten die Evangelischen als besondere Trunkenbolde und Vielfraße. Bei einem Essen, das der Nürnberger Doktor Christoph Scheurl Melanchthon zu Ehren veranstaltete, gab es folgende Gerichte: Saukopf und Lendenbraten in saurer Sauce; Forellen und Äschen; fünf Rebhühner; acht Vögel; einen Kapaun; Hecht in Sülze; Wildschweinfleisch in Pfeffersauce; Käsekuchen und Obst; Pistaziennüsse und Latwergen; Lebkuchen und Konfekt. Diese Unmenge von Fisch, Schwein, Geflügel und Süßigkeiten vertilgte eine Tischgesellschaft von nur zwölf Personen; dazu tranken sie so viel Wein, daß auf jeden dritthalb Liter kamen. Von vielen Fürstlichkeiten wird berichtet, daß sie fast täglich betrunken waren; nicht anders hielt es die Mehrzahl der Bürger, Soldaten und Bauern; auch bei den Frauen war der Alkohol bis in die höchsten Stände hinauf sehr beliebt. Und während man sich bisher auf nicht allzu stark eingebrautes Bier und dünnen Wein beschränkt hatte, lernte man jetzt auch die schweren Biere und hochgrädigen Weine schätzen, und um die Mitte des sechzehnten Jahrhunderts kam das Branntweinbrennen auf: der Kornschnaps wurde ein vielbegehrtes, wahrscheinlich aber noch nicht allgemeines Getränk, denn er war verhältnismäßig teuer. Es wurden zwar Mäßigkeitsvereine gegründet und Gesetze gegen Trunksucht erlassen; aber ohne jeden Erfolg. Was die damaligen Menschen an normalen Mahlzeiten vertrugen, zeigt eine zeitgenössische Schilderung des Tiroler Badelebens: „Des Morgens um sechs Uhr vor dem Bade Setzeier, eine Rahmsuppe, zwischen sieben und acht Uhr eine Pfanne voll Eier oder ein Milchmus, dazu Wein. Um neun Uhr genießt man Schmarren und kleine Fische oder Krebse. Dazu gehört ein Trunk. Zwischen zehn und elf findet das Mittagsmahl statt: fünf bis sieben Gerichte. Bis zwei Uhr geht man dann spazieren und ißt um zwei Uhr vor dem Bade eine Pfanne mit Dampfnudeln, eine Hühnerpastete. Zwischen drei und vier Uhr gesottene Eier oder ein Hähnchen. Zum Nachtmahl vier bis fünf kräftige Speisen, um acht Uhr vor dem Schlafengehen ein Schwingmus und eine Schüssel Wein mit Brot, Gewürz, Zucker." Nachmittags gab es noch die „Jause": sie bestand nach demselben Gewährsmann aus Salat mit Butter, harten Eiern, gebratenen Hühnern, Fisch, Schmarren und reichlichem Wein. Diese Menschen haben also fast ununterbrochen gegessen, und besonders unverständlich ist es, wie sich dies mit dem Baden vertrug.

Was die sogenannte „Sittlichkeit" anlangt, so ist eine gewisse Besserung gegenüber den Zuständen der Inkubationszeit zu verzeichnen: die Frauenhäuser sind weniger zahlreich, die Badhäuser kommen langsam außer Gebrauch, der Geschlechtsverkehr ist weniger zügellos und schamlos; aber diese Veränderungen sind höchstwahrscheinlich auf zwei Ursachen zurückzuführen, die außerhalb der Moral liegen: das Auftreten der Syphilis und das Muckertum des Protestantismus. Die Sitten jedoch sind fast noch roher als vordem: daß Männer ihre Frauen prügeln, kommt selbst in fürstlichen Kreisen vor, in der Kindererziehung spielt die Rute die Hauptrolle, Reden und Umgangsformen strotzen von Derbheiten und Unflätigkeiten. Selbst auf den Schlössern wurde der Kamin regelmäßig als Pissoir benutzt, und Erasmus ermahnt in seiner Schrift „Von der Höflichkeit im Umgang" den Leser, in feiner Gesellschaft Winde „durch Husten zu übertönen".

Der Landsknechtstil   Auch im Norden geht im Kostüm eine Stilwandlung vor sich. Aber das Majestätische und Imposante der italienischen Kleidung wird hier zum Breiten und Breitspurigen, Platten und Plattfüßigen, zur skurrilen und täppischen Schullehrer-, Pastoren- und Duodezfürstenwürde. Es ist eben kein eingeborener gewachsener Stil, sondern eine importierte gewollte Mode. Man gibt sich ein Air, man will etwas bedeuten, ohne etwas zu sein. Es fehlt die Selbstverständlichkeit, die die Kennmarke jedes geistigen oder physischen Adels bildet. Für den Nordländer ist sein Zeitkostüm wirklich nur ein Kostüm, eine Maskerade, eine Theatergarderobe, die er mit Aufdringlichkeit, Unterstreichung, Aplomb und zugleich mit Beengtheit, Unsicherheit, Lampenfieber trägt: er will um jeden Preis zeigen, welche große Rolle er spielt, und er erreicht damit, daß er wirklich nur eine Rolle spielt. Auf fast allen Bildnissen tritt uns dieser gravitätische Faltenwurf im Antlitz und im Kleide, dieses Herausstaffierte, bäurisch Geputzte, Endimanchierte entgegen; am deutlichsten in Lukas Cranachs vierschrötigen, aufgeblasenen, wichtigtuerischen, wie für den Vorstadtphotographen in Pose gestellten Porträtfiguren.

Der „Individualismus" der Renaissance äußert sich darin, daß eine luftigere, leichtere Kleidung bevorzugt wird, in der man sich frei und bequem bewegen kann. An die Stelle der früheren übertrieben engen Beinkleider, die ganz prall anlagen, tritt zunächst die ungeheuerlich weite Pluderhose, die, eine Unmenge Stoff in Anspruch nehmend, vom Gürtel bis zum Schuh schlottert; später gliedert sich von ihr der Strumpf ab. Auch in der Fußbekleidung löst ein Extrem das andere ab: statt der Schuhe mit den grotesk langen, nach oben gekrümmten Spitzen trägt man jetzt die ganz kurz abgeschnittenen, breiten und stumpfen „Kuhmäuler". Es ist bezeichnend, daß für diese ganze Mode der deutsche Landsknecht tonangebend war, die roheste und geschmackfernste Menschenklasse des ganzen Zeitalters, von ihm stammt die allgemein akzeptierte Sitte des Zerschlitzens der Kleidungsstücke, die das Hauptcharakteristikum der nordischen Renaissancetracht bildet. Es wird alles geschlitzt: Wams, Ärmel, Hose, Kopfbedeckung, Schuhe; darunter wird das Futter sichtbar, das dadurch zur Hauptsache wird. In der weiblichen Kleidung kommt die protestantische Prüderie zu Wort, indem nackte Schultern und Brüste verpönt werden und das Hemd, später auch das ganze Kleid bis zum Halse reicht; beiden Geschlechtern gemeinsam ist der Puffärmel und das

Barett, das, anfangs nur mit einer einzelnen Feder geschmückt, später oft einen ganzen Wald von Straußfedern trägt. Für Mäntel und Überwürfe sind Atlas, Samt und Goldbrokat die beliebtesten Stoffe, die Pelzverbrämung ist allgemein, sogar bei Bauern. Humanisten, Poeten und Kleriker gingen meist bartlos, die übrige Männerwelt bevorzugte den kurzgeschnittenen Vollbart und liebte auch das Kopfhaar schlicht und ziemlich kurz; Mädchen trugen lange Zöpfe, reifere Frauen umgaben das Haar gern mit einem Goldnetz. Die ganze Tracht hat etwas Gemessenes, Viereckiges, betont Ehrbares und anderseits wiederum etwas Hemmungsloses, Verzwicktes, Unausbalanciertes: es ist die berüchtigte „deutsche Renaissance", die bekanntlich in den siebziger und achtziger Jahren des vorigen Jahrhunderts eine Auferstehung gefeiert hat, jene eigentümliche Mischung aus Spießbürgerlichkeit und Phantastik, Verzierlichung und Schwerfälligkeit; jener verkräuselte und verschnörkelte, dumpfe und träumerische, knitterige und gedunsene, haltlos ornamentsüchtige Lebensstil, der unseren Großeltern für den Inbegriff der Romantik galt; die „abenteuerliche und ungeheuerliche Weise", die Fischart geißelt und von der selbst Dürer, das Genie des Zeitalters, bekannte, daß er ihr allzusehr gehuldigt habe. Es ist für Dürers Lust am Wirren und Verästelten, am Dunkel und Dickicht bezeichnend, daß sein graphisches Meisterwerk, die „Apokalypse", sich das Thema stellt, das undurchdringlichste Buch der Bibel, ja vielleicht der Weltliteratur in die Sprache des anschaulichen Bildes zu übersetzen. Wem anders als einem Zeitgenossen und Mitstreiter der deutschen Reformation konnte diese fast unlösbare Aufgabe gelingen?

Hegemonie des Kunsthandwerks Etwas Verspieltes und Bastelndes, Kindliches und Kindisches ist der gesamten Kunst der Deutschen im sechzehnten Jahrhundert eigentümlich. Es ist eine Art Lebkuchenstil. Der Mittelpunkt der damaligen Poesie und Bildnerei war Nürnberg, das noch heute die klassische Stadt der Zuckerbäcker und Spielwarenerzeuger ist. Etwas rührend Winterliches, beschaulich Enges, poetisch Eingeschneites liegt über allen Schöpfungen jener Zeit. Es fehlt völlig an Sinn für Strenge und Notwendigkeit, Maß und Bescheidung, Würde und Einfachheit; aber wir werden durch eine entzückende

Naivität entschädigt, die sonst überall bereits im Begriff ist, verlorenzugehen. Die Kunst hat noch den Charakter einer geheimnisvollen, ehrfürchtig in Empfang genommenen Weihnachtsbescherung: gerade die Tatsache, daß sie noch immer einen vorwiegend handwerksmäßigen Charakter trägt, macht sie zum reizenden Spielzeug. Man betrachte zum Beispiel das berühmte „Haus zum Ritter" in Schaffhausen: welches Kind würde es nicht noch heute als seinen sehnlichsten Wunsch ansehen, ein so entzückend ausgemaltes Häuschen besitzen zu dürfen?

Auf allen Kunstgebieten dominiert noch das Kunstgewerbe, nicht bloß äußerlich, sondern auch der inneren Tendenz nach: es herrscht die Freude an der Niaiserie, am Nippeshaften, selbständig Ornamentalen. Wir haben bereits hervorgehoben, daß die Größe der italienischen Kunst, auch noch in der von uns als Niedergangsperiode angesehenen Hochrenaissance, auf ihrer Gabe der lichtvollen Gliederung beruhte, ihrer virtuosen Kraft der Proportion, ihrem souveränen Gefühl für Rhythmus und Harmonie, Maß und Metrum. Dieser Sinn für klare, aufs feinste abgewogene und aufs schärfste abgegrenzte Form durchdringt alle Kunst- und Lebensäußerungen: Gemälde und Gewänder, Denkmäler und Denkmünzen, Gebärden und Geräte. Selbst jeder Schrank, jeder Kamin, jede Tür, jede Truhe ist im Grunde ein wohlartikuliertes Gebäude. Von der deutschen Renaissancekunst kann man umgekehrt sagen: selbst das monumentalste und weitläufigste Gebäude ist von ihr nach Analogie eines Ziermöbels, eines Schmuckgegenstands, eines untergeordneten Bauteils erdacht. Dort ist jedes Ornament Architektur, aus architektonischem Geiste geboren, hier ist alle Architektur ornamental, aus dem Willen zum Ornament geboren. Die Italiener waren in allem, noch bis in ihre Kleinkunst hinein, Kompositeure, die Deutschen in allem Ziseleure, Goldschmiede, Stukkateure, Filigranarbeiter. Auch Albrecht Dürer ist seinem innersten Wesen nach Zeichner. Er ist am größten im Kleinsten: in Illustrationen, Kupferstichen, Radierungen, losen Blättern. Und vielleicht zu keiner Zeit hat das Kunstgewerbe so volle und runde, subtile und kraftvolle Werke zutage gefördert wie damals: die Graveure und Buchdrucker, Juweliere und Elfenbeinarbeiter,

Schreiner und Holzschnitzer, Erzgießer und Waffenschmiede sind der Ruhm des Zeitalters, und alle Dinge, die das tägliche Leben umgaben, trugen ein ästhetisches Gepräge: Brunnen und Meßkrüge, Wetterfahnen und Wasserspeier, Leuchter und Gitter; sogar die Kanonen waren kleine Kunstwerke.

Die Kunst hatte sich auch noch nicht vom Leben als Sonderbetätigung abgegliedert. Die meisten Dichter und Bildner trieben irgendein ehrsames bürgerliches Gewerbe. Lukas Cranach war Buchdrucker und Apotheker, Sebastian Franck Seifensieder, Hans Sachs „ein Schuhmacher und Poet dazu": das Dichten war offenbar die Nebenbeschäftigung. Etwas Meisterliches, im edeln Sinne Handwerkliches zeichnet denn auch alle seine Dichtungen aus, deren saubere und treuherzige Buntdrucktechnik den gleichzeitigen Werken der bildenden Kunst vollkommen konform ist. In jedem solid und kundig geübten Handwerk liegt etwas, das zur Verehrung, ja zur Bewunderung herausfordert. Um einen Schrank, einen Rock, einen Krug wirklich gut zu machen, muß man eine gewisse Sittlichkeit besitzen: Achtung vor dem gottgeschaffenen Material, Selbstzucht, treue Hingabe an die Sache, Sinn für das Wesentliche. Ein Meister ist allemal etwas sehr Schönes, ob er eine Uhr baut oder einen Dom. Und es kann gar keinem Zweifel unterliegen, daß Hans Sachsens Schuhe, obwohl von ihnen nichts auf die Nachwelt gekommen ist, ebenso vorzüglich gearbeitet und allgemein geschätzt waren wie seine Fastnachtsspiele.

Auch auf musikalischem Gebiet äußert sich die Produktivität vorwiegend im Handwerklichen, nämlich weniger in originalen Kompositionen als in der Verbesserung der Tonwerkzeuge: zu Anfang des Jahrhunderts kommen Fagott und Spinett in Gebrauch und durch die Erfindung des Stegs, der es ermöglicht, jede einzelne der drei Saiten zu benützen, wird die Geige erst ihrer wahren Bedeutung zugeführt.

Daß es an Verirrungen des Geschmacks, ja an groben Taktlosigkeiten nicht gefehlt hat, ist die Kehrseite dieser handwerklich und das heißt: banausisch orientierten Kunst. Sie zeigen sich neben vielem anderen zum Beispiel in der Entstellung der Sprache durch abenteuerliche Wortverrenkungen und mißgewachsene Neubil-

dungen, die originell und packend sein wollen, aber bloß kako-
phon und albern sind; in der bereits erwähnten Vorliebe für Ausdrücke und Gleichnisse aus der Exkrementalsphäre, die sich nicht
selten bis zur Koprolalie steigert; in der Unsicherheit des Gefühls
für die Zusammenhänge zwischen Form und Material (zum Beispiel in der Übertragung der Metalltechnik auf die Gebäude-
ornamente, die wie aus Stein geschnittenes Blechzeug wirken);
in der Roheit der allegorischen Gemälde, deren berüchtigtstes
Lukas Cranachs Weimarer Altarbild sein dürfte, wo er selbst,
zwischen Luther und Johannes dem Täufer stehend, von einem
Blutstrahl aus dem Herzen des gekreuzigten Heilands getroffen
wird.

Auch die Rechtspflege war noch ebenso barbarisch wie bisher, Der Hexen-
hammer
und der Aberglaube hatte durch die Reformation eher zugenom-
men. Früher galten nur Juden, Türken und Zauberer als Teufels-
jünger, jetzt wurde die ganze Welt diabolisiert: der Papst war der
Antichrist, jeder Papist des Satans, und die Katholiken wiederum
sahen in Luther und allen seinen Anhängern Diener der Hölle. Zudem hatte der Protestantismus das Gefühl der Sündhaftigkeit gesteigert. Keiner konnte bestimmt wissen, ob er gerechtfertigt sei.
Werke galten nichts; der Glaube aber war mehr eine der menschlichen Seele gestellte unendliche Aufgabe als ein Pfeiler der Gewißheit. Und zumal im Calvinismus mit seiner starren Prädestinationslehre vermochte niemand zu sagen, ob er zu den Erwählten
oder zu den von aller Ewigkeit her Verdammten gehöre. Von
Doktor Eck und vielen anderen seiner Gegner hat Luther behauptet, daß sie mit dem Teufel einen Pakt geschlossen hätten, und der
Breslauer Domherr Johann Cochläus wiederum erklärte in seiner
Biographie Luthers, die schon drei Jahre nach dessen Tode erschien,
daß dieser im Ehebruch mit Margarete Luther vom Teufel gezeugt
worden sei. Daß Luther auf der Wartburg sein Tintenfaß nach dem
Teufel geschleudert habe, wird neuerdings bestritten, daß er aber
die ganze Welt von Teufeln erfüllt glaubte, geht aus zahllosen
seiner Äußerungen ganz unwiderleglich hervor, und ebenso
glaubte er an die Hexen, diese „Teufelshuren", die er von offener
Kanzel herab verfluchte und bedrohte. Er war darin nur, wie in

allem, der legitime Sohn seiner Zeit. Denn in der Tat stieg gerade
damals, als der Glaube an die christliche Lehre gespalten war und
zu wanken begann, aus der Tiefe der Seelen ein schaudererregen-
der, geheimnisvoller Bodensatz des Heidentums herauf.

Der Hexenglaube findet sich schon bei den Persern, im Alten
Testament und in der griechischen und römischen Mythologie, ja
in irgendeiner Form vielleicht in jeder Religion. Hexenbrände
fanden jedoch nur vereinzelt im frühen Mittelalter statt: sie hatten
damals noch den Sinn eines Menschenopfers und wurden von
Karl dem Großen verboten. In Italien gab es in der Renaissancezeit
ein besonderes Hexenland bei Norcia, das eine Attraktion für
Fremde bildete, und die Hexe, die *strega* mit ihrer Kunst, der
stregheria, wurde fast offiziell anerkannt und nur in Ausnahme-
fällen verfolgt. Erst gegen Ende des fünfzehnten Jahrhunderts beginnt der Hexenwahn, und zwar von den nördlichen Gebieten
aus, zu einer Geißel der Menschheit zu werden. Das entscheidende
Datum ist das Jahr 1487, wo der berühmte „Hexenhammer", der
malleus maleficarum, herausgegeben von den beiden päpstlichen
Inquisitoren Heinrich Institoris und Jakob Sprenger, zum erstenmal erschien. Darin wird das Hexenwesen, wenn man so sagen
darf, einer wissenschaftlichen Bearbeitung unterzogen und streng
systematisch abgehandelt. Im ersten Teil des Werkes werden
Fragen gestellt, bejaht und ausführlich erörtert wie die folgenden:
Gibt es eine Schwarzkunst? Ob der Teufel mit dem Schwarzkünstler zusammenwirke? Können durch Incubi (Drauflieger, das
heißt: Teufel, die sich in Mannesgestalt mit Frauen vermischen)
und Succubi (Drunterlieger: Teufel, die als Weiber mit Männern
Unzucht treiben) Menschen erzeugt werden? Können Schwarzkünstler die Menschen zur Liebe oder zum Haß bewegen? Kann
die Schwarzkunst den ehelichen Akt verhindern? Können Hexen
das männliche Glied durch Zauberei so behandeln, als sei es vom
Leibe getrennt? Können Hexen die Menschen in Tierleiber verwandeln? Der zweite Teil handelt mehr von Einzelheiten, zum
Beispiel: wie die Hexen Gewitter und Hagel hervorrufen; wie sie
die Kühe der Milch berauben; wie sie die Hühner am Eierlegen
verhindern; wie sie Fehlgeburten verursachen; wie sie das Vieh

krank machen; wie sie Besessenheit erregen; wie sie durch „Hexenschuß" die Glieder lähmen; warum sie besonders gern ungetaufte Kinder töten (Antwort: weil diese nicht in den Himmel eingelassen werden; das Reich Gottes und die endgültige Niederwerfung des Teufels tritt aber erst ein, wenn eine bestimmte Anzahl Seliger im Himmel versammelt ist; durch die Ermordung Neugeborener wird daher dieser Zeitpunkt hinausgeschoben).

Von den Hexen nahm man allgemein an, daß sie zu bestimmten Zeiten, vor allem in der Nacht des ersten Mai, der Walpurgisnacht, auf Stöcken oder Böcken nach gewissen verrufenen Bergen flögen, um dem Meister der Hölle durch Ringeltänze und Küsse auf die Genitalien und den Hintern zu huldigen (während er wiederum diese Ovation durch Ablassen von Gestank quittierte) und sich sodann mit den „Buhlteufeln" in üppigen Gelagen und wüster Unzucht zu vergnügen. Die „Hexenprobe" bestand zumeist darin, daß die Beschuldigte gebunden aufs Wasser gelegt wurde; sank sie nicht unter, so war sie überführt. In den Verdacht der Hexerei konnte jede auffallende Eigenschaft bringen: besonders hohe Gaben so gut wie besonders boshaftes Wesen, körperliche Gebrechen so gut wie erlesene Schönheit. Allmählich gewöhnte man sich daran, zur Erpressung des Geständnisses die Tortur anzuwenden, und nun ergab sich der Circulus vitiosus, daß diese Art des Prozeßverfahrens zahllose Beweise für Hexerei lieferte und die hierdurch gesteigerte Angst wiederum die Zahl der Anklagen und Prozesse vermehrte. Wenn auch bisweilen Geldgier und Rachsucht mitspielten, so kann doch keinesfalls daran gezweifelt werden, daß die meisten Richter optima fide gehandelt haben, wie ja auch ein heutiger Staatsanwalt sich als Hüter des Rechts und der Moral fühlt, wenn er seine Inkulpaten wegen Delikten verfolgt, deren Bestrafung einer späteren Zeit vollkommen unverständlich sein wird. Der Protestantismus hat hierin einen mindestens ebenso großen Fanatismus entwickelt wie der Katholizismus, was von liberalen und deutschnationalen Geschichtschreibern gern übersehen oder vertuscht wird, am krassesten wohl in der sehr gelehrten Hetzschrift des Grafen Hoensbroech „Das Papsttum in seiner sozial-kulturellen Wirksamkeit", worin die Untaten der römischen Inquisition die breiteste und strengste Schilderung erfahren, während von evangelischen Hexenprozessen kein Wort erwähnt wird. Es handelte sich eben um eine Zeitkrankheit, von der alle ergriffen waren: Volk und Gelehrte, Papisten und Reformierte, Fürsten und Untertanen, Ankläger und Inquisitoren und sogar die Hexen selbst, denn viele der Opfer glaubten an ihre eigene Schuld. Selbst ein Forschergenie vom Range Johannes Keplers, dem es doch gewiß nicht an der Gabe des wissenschaftlichen Denkens fehlte, hat behauptet, die Hexerei lasse sich nicht leugnen, und es muß ihm mit dieser Erklärung sehr Ernst gewesen sein, denn eine seiner Verwandten ist als Hexe verbrannt worden, und seine Mutter war mehrere Male in Gefahr, dasselbe Schicksal zu erleiden. Wir haben es bei dem ganzen Phänomen der Hexenverfolgung vermutlich mit einer Massenpsychose aus verdrängter Sexualität zu tun, die sich in der Form der Gynophobie manifestierte, und die Psychoanalyse, die sich so oft an unergiebigen Quisquilien abmüht, sollte dieses Problem einmal einer gründlichen Untersuchung unterwerfen. Der „Hexenhammer" gibt dafür einen ziemlich deutlichen Wink. Die Frage „Warum ist die Schwarzkunst bei den Frauen mehr verbreitet als bei den Männern?" beantwortet er mit den Worten: „Was ist denn das Weib anderes als eine Vernichtung der Freundschaft, eine unentfliehbare Strafe, ein notwendiges Unglück, eine natürliche Versuchung, ein begehrenswertes Unheil, eine häusliche Gefahr, ein reizvoller Schädling, ein Weltübel, mit schöner Farbe bestrichen?" Es äußert sich hierin die tiefe Angst des Mannes vor seiner geheimnisvollen Gefährtin, die erschütternde Ahnung von der unentwirrbaren Sündigkeit, dem unsichtbaren Verderben, das hinter der Geschlechtsgemeinschaft lauert, diesem grauenhaften schwarzen Wellentrichter, der tausend Taten und Tränen, Träume und Leidenschaften der irrenden Erdkreatur blind und gierig in sich hineinstrudelt: vom Hexenwahn der Reformationszeit führt eine lange, aber gerade Linie bis zu Strindberg. Daß es sich um kein religiöses, sondern nur um ein religiös verkleidetes sexuelles Problem handelt, kann man schon aus den wenigen Fragen des „malleus" ersehen, die wir angeführt haben: in den meisten von ihnen äußert sich die unterirdisch und, da sie über eine religiöse Deckung verfügt, hemmungslos entfesselte Phantasie der geschlechtlichen Unbefriedigtheit oder Impotenz, der Satyriasis und Perversität. Daß sich der Sexualhaß jetzt in so schauerlich grotesken Formen entlud, war eine der Folgen der vielgepriesenen „Befreiung des Individuums" durch Renaissance und Reformation.

Was bedeutet nun, so müssen wir uns zum Schluß fragen, die Reformation, im großen gerechnet, für die europäische Kultur? Sie bedeutet nicht mehr und nicht weniger als den Versuch, Leben, Denken und Glauben der Menschheit zu säkularisieren. Seit ihr und mit ihr kommt etwas flach Praktisches, profan Nützliches, langweilig Sachliches, etwas Düsteres, Nüchternes, Zweckmäßiges in alle Betätigungen. Sie negiert prinzipiell und zielbewußt aus platt kurzsichtigem Rationalismus eine Reihe von höheren Lebensformen, die bisher aus der Religiosität geflossen waren und allerdings vom Standpunkt einer niederen utilitarischen Logik kaum zu rechtfertigen sind: die „unfruchtbare" Askese, nicht bloß die weltflüchtige und weltfeindliche, sondern auch ihre erhabenste Gestalt: die weltfreie; das „widernatürliche" Zölibat; die „sinnlosen" Wallfahrten; die „überflüssige" Pracht der Zeremonien; die „unnützen" Klöster; den „törichten" Karneval; die „zeitraubenden" Feiertage; die „abergläubische" Anrufung der Heiligen, die als freundliche Beistände, gleichsam als Unterbeamte Gottes, den ganzen Alltag licht und hilfreich begleitet hatten; die „ungerechtfertigte" Armenpflege, die gibt, um zu geben, ohne viel nach „Würdigkeit" und „Notwendigkeit" zu fragen. Alle Kindlichkeit weicht aus dem Dasein; das Leben wird logisch, geordnet, gerecht und tüchtig, mit einem Wort: unerträglich.

Es muß nochmals betont werden, daß Luther nicht in allen, aber doch in vielen dieser Fragen noch wesentlich mittelalterlich dachte. Das war ja eben seine Größe, daß er als Reformator rein religiös, nie politisch, „sozial", „organisatorisch" empfand. Aber er hat, unter dem Druck der öffentlichen Meinung und auch aus einer Art eigensinnigem prinzipiellen Widerstand gegen alles, was katholisch war, doch alle diese Wandlungen gebilligt oder zumindest gewähren lassen.

Die Reformation heiligt erstens die Arbeit, zweitens den Beruf und damit indirekt den Erwerb, das Geld, drittens die Ehe und die Familie, viertens den Staat. Scheinbar zwar stellt sie ihn tiefer als das Mittelalter, nämlich außerhalb der Religion, aber gerade dadurch stellt sie ihn höher, begründet sie seine Souveränität. Indem sie ihn eximiert, emanzipiert sie ihn und schafft so die Geißel des Menschen der Neuzeit, den modernen Allmachtsstaat, der mit seinem Steuersystem das Eigentum, mit seiner allgegenwärtigen Polizierung die Freiheit, mit seinem Militarismus das Leben des Bürgers in Beschlag nimmt. Die scharfe Trennung des Weltlichen und Geistlichen, die Luther anstrebte, sollte offenbar den Zweck haben, die Religion frei zu machen; aber gerade das Gegenteil wurde erreicht: die protestantischen Fürsten entzogen sich zwar der päpstlichen Oberherrschaft, fühlten sich aber nun selber als Herren ihrer Landeskirchen und bevormundeten ihre Untertanen nun genau so in allen Glaubenssachen, wie dies bisher von Rom aus geschehen war. Statt eines Statthalters Christi, der den Menschen vorschreibt, welches Verhältnis sie zu ihrem Gott haben sollen, gab es jetzt deren viele und zweifellos weniger kompetente und infolge ihres kleineren Wirkungskreises auch weniger verantwortliche: das war der ganze Unterschied. Daß der Protestantismus, in krassem Widerspruch zu der Tendenz, die ihn ursprünglich ins Leben gerufen hatte, fast in allen Dominien, wo er siegreich war, ein System der starrsten Unduldsamkeit entwickelt hat, beruht auf seiner Begünstigung des Staatskirchentums; denn der Staat ist das intoleranteste Gebilde, das es gibt, und muß es sein; seiner innersten Natur nach.

Was die Ehe anlangt, so hat sie Luther als ein bloßes Zugeständnis an das Fleisch angesehen und offenbar nicht sehr hoch geschätzt. Er selbst hat zwar geheiratet, aber sicher nicht aus innerem Drange, sondern um ein befreiendes Beispiel zu geben und um die Katholiken zu ärgern, wofür bezeichnend ist, daß er sich gerade eine Nonne zur Frau wählte. Es spricht aber alles dafür, daß er in der guten Käthe bloß eine Wirtschafterin geheiratet hat; dies war überhaupt seine Ansicht vom Wert der Frauen: „Wenn man dies Geschlecht, das Weibervolk, nicht hätte, so fiele die Haushaltung, und alles, was dazugehört, läge gar darnieder." Hingegen äußerte er sich schon im Jahre 1521, mitten in seinen Glaubenskämpfen, begeistert über den Aufschwung der grobmateriellen Kultur, der das Reformationszeitalter kennzeichnet: „So jemand lieset alle Chroniken, so findet er, von Christi Geburt an, dieser Welt in diesen hundert Jahren gleichen nicht, in allen Stücken. Solch Bauen und Pflanzen ist nicht gewesen so gemein in aller Welt, solch köstlich und mancherlei Essen und Trinken auch nicht gewesen so gemein, wie es itzt ist. So ist das Kleiden so köstlich geworden, daß es nicht höher mag kommen. Wer hat auch je solch Kaufmannschaft gesehen, die itzt umb die Welt fähret und alle Welt verschlinget?" Es besteht eben von vornherein ein unterirdischer Zusammenhang zwischen protestantischer und kapitalistischer Weltanschauung, der freilich erst im englischen Puritanismus ganz offen zutage tritt: der geistige Vater dieser aus Börse und Bibel gemischten Welt ist Calvin, der das kanonische Zinsverbot aufs schärfste bekämpfte; aber auch Luther hat schon auf gelegentliche Anfragen ein „Wücherlein" für erlaubt erklärt.

Auf Luther ist auch, wie Hans Sperber nachgewiesen hat, der Bedeutungswandel des Wortes „Beruf" zurückzuführen, das bis dahin soviel wie Berufung, Vokation bedeutete und erst bei ihm den heutigen Sinn von Handwerk, Fachtätigkeit annimmt: er erblickt in der Ausübung gewerblicher Arbeit, die im Altertum als deklassierend, als banausisch, im Mittelalter als profan, als ungöttlich galt, eine gottgewollte sittliche Mission. Bis dahin hatte man die Arbeit als eine Strafe, bestenfalls als ein notwendiges Übel angesehen; jetzt wird sie geadelt, ja heiliggesprochen. Von dieser Auffassung, die erst der Protestantismus in die Welt gebracht hat, geht eine gerade Linie zum Kapitalismus und zum Marxismus, den zwei stärksten Verdüsterern Europas, die beide, obgleich in ihren Zielen entgegengesetzt, dieselbe ethische und soziale Grundlage haben.

Es ·ist sehr merkwürdig, daß die Reformation, die doch behauptete, eine Rückkehr zum reinen Bibelwort zu sein, in allen diesen Punkten mit der Heiligen Schrift im schärfsten Widerspruch steht. Zu Adam spricht der Herr gleich am Anfang des Alten

Testaments: „Dieweil du hast gehorchet der Stimme deines Weibes und gegessen von dem Baum, davon ich dir gebot und sprach: du sollst nicht davon essen – verflucht sei der Acker um deinetwillen, mit Kummer sollst du dich drauf nähren dein Leben lang. Im Schweiß deines Angesichts sollst du dein Brot essen." Von der „Heiligkeit", vom „Segen" der Arbeit ist hier nichts zu hören; vielmehr wird Adam zur Arbeit verflucht, offenbar der furchtbarsten Strafe, die Gott, der ja noch ein Gott der Rache ist, für den Frevel der ersten Menschen zu ersinnen vermag. Und das Neue Testament predigt fast in jeder Zeile die Seligkeit und Gottgefälligkeit des Nichtstuns. Der Heiland selbst hat niemals eine Arbeit verrichtet, auch seine Apostel und Begleiter nicht; Petrus und Matthäus entzieht er ihren Berufen; ja er warnt geradezu vor der Arbeit: „Sehet die Vögel unter dem Himmel an, sie säen nicht, sie ernten nicht, sie sammeln auch nicht in Scheuern, und euer himmlischer Vater nähret sie doch. Seid ihr denn nicht viel mehr als sie? Schauet die Lilien auf dem Felde an, wie sie wachsen: sie arbeiten nicht, auch spinnen sie nicht. Ich sage euch aber, daß auch Salomo in aller seiner Herrlichkeit nicht bekleidet gewesen ist wie derselben eine. Wenn aber Gott das Gras auf dem Felde also kleidet, das heute steht und morgen in den Ofen geworfen wird, sollte er das nicht viel mehr euch tun, ihr Kleingläubigen?"

Hieraus ergibt sich auch mit vollkommener Deutlichkeit die Stellung Jesu zur „sozialen Frage". Allerdings hat er die Armen den Reichen vorgezogen, indem er sagte, ein Reicher könne nicht ins Himmelreich kommen. Aber dieser Ausspruch hat durchaus keine sozialistische Pointe. Die Armen kommen eher ins Himmelreich als die Reichen, weil bei ihnen die Vorbedingungen für ein göttliches, dem Mammon abgewendetes Leben günstiger sind. Ein Reicher wird sich, ob er will oder nicht, mit seinen irdischen Gütern befassen müssen; der Arme ist in der glücklichen Lage, solche von Gott ablenkende Dinge nicht zu besitzen. Der Sozialismus will aber, ganz im Gegenteil, die Armen allmählich in die Vorteile einsetzen, die heutzutage nur die Reichen genießen; und er will, daß jeder Mensch, ob arm oder reich, arbeite. Jesus hingegen stellt die Lilien auf dem Felde und die Sperlinge auf dem Dache als Vorbilder hin. Er weiß, daß im „Segen der Arbeit" ein geheimer Fluch verborgen ist: die Gier nach Geld, nach Macht, nach Materie. Der Sozialismus will die Armen reich machen, Jesus will die Reichen arm machen; der Sozialismus beneidet die Reichen, Jesus bedauert sie; der Sozialismus will, daß womöglich alle arbeiten und besitzen, Jesus sieht den idealen Gesellschaftszustand darin, daß womöglich niemand arbeitet und besitzt. Das Verhältnis des Heilands zur sozialen Frage besteht also darin, daß er sie einfach ablehnt. Für ihn sind Dinge wie Güterverteilung, Besitz, gerechte Ordnung der Erwerbsverhältnisse das, was die Stoiker ein „Adiaphoron" und die Mathematiker eine „quantité négligeable" nennen: sie gehen ihn gar nichts an. Er erblickt seine Mission darin, die Menschen zum Göttlichen zu führen; ein „sozialer Reformator" hat es aber immer nur mit der Welt zu tun. Es ist daher die größte Blasphemie, die man gegen Jesus begehen kann, wenn man ihn in eine Reihe mit jenen Zwerggeistern stellt, die die Menschheit auf nationalökonomischem Wege erlösen wollten. Er ist von allen diesen nicht dem Grad, sondern der Art nach verschieden. Seine Wohltaten waren geistige, nicht materielle, und man kann ihn mit solchen Volksmännern überhaupt gar nicht vergleichen, so wenig wie etwa die Schöpfungen eines Dante oder Plato mit denen eines Marconi oder Edison. Jesus hat niemals gegen jene Mächte gekämpft, die der Gegenstand moderner Sozialpolemik sind, wie Bourgeoisie, Bürokratismus, Kapitalismus und dergleichen, weil ihm alle diese Dinge viel zu gleichgültig waren. Er hat immer nur einen Feind erbittert bekämpft: den Teufel im Menschen, den Materialismus. Aber unsere aufgeklärte Zeit glaubt ja nicht mehr an den Teufel, weil sie ihm derart verfallen ist, daß sie ihn gar nicht mehr sieht; und der „Geist" des Materialismus herrscht heute unter den Enterbten genau so wie unter den Besitzenden. Die einen haben Geld, die anderen haben noch keines; aber um Geld dreht es sich hier wie dort. Heute würde Jesus nicht mehr sagen: „Selig sind die Armen", denn diese sind heute ebenso unselig geworden wie die Reichen: dank den sozialistischen Theorien, die die degenerierte Plattheit unserer Tage aus seinen Worten herausgelesen hat.

Ganz ähnlich verhält sich Jesus zum Staat. Er hat zwar gesagt: „Gebt dem Kaiser, was des Kaisers ist", aber auch hier ist es wiederum die tiefe Geringschätzung irdischer Satzungen und Einrichtungen, aus der heraus er dieses Gebot aufstellt. Er empfiehlt, ruhig die vorgeschriebenen Steuern zu zahlen, weil es nicht der Mühe wert ist, sie zu verweigern; denn die Kinder Gottes haben sich um Höheres zu sorgen als um derlei niedrige Politika. Nur ein Mensch ohne Ohr für Nüancen und Untertöne kann die tiefe Ironie verkennen, mit der der Heiland über diese Fragen spricht, sooft er sie berührt. Einen zweifellos ironischen Charakter trägt auch seine Antwort: „Du sagst es" auf die Frage des Pilatus: „Bist du der Juden König?": er hält es offenbar für seiner unwürdig, auf solche platte Mißverständnisse überhaupt einzugehen; nach Johannes gibt er jedoch eine kurze Erklärung ab, die den Statthalter darüber unterweist, daß er wohl ein König sei, aber ein ganz anderer, als die niedrige Fassungskraft der jüdischen Hierarchen sich vorzustellen vermag.

Die durchgängige Haltung Christi ist ganz einfach die, daß er alles Menschengeschaffene bis zur Lächerlichkeit gleichgültig findet. Dies ist auch seine Ansicht über Ehe und Familie. Ja noch mehr: er verwirft sie, aber in jener milden duldsamen Art, die den anderen nur das Richtige als Ideal zeigt, ohne es ihnen, wenn sie dafür noch nicht reif und frei genug sind, aufzwingen zu wollen. Das Wort Jesu an seine Mutter: „Weib, was habe ich mit dir zu schaffen?", wohl mehr erstaunt als erzürnt gesprochen, ist eine ungeheure Verlegenheit für die bürgerlichen Theologen, über die sie gern mit ein paar nichtssagenden Redensarten hinweggleiten. Als man ihm meldet, daß seine Mutter und seine Brüder mit ihm zu reden suchen, antwortet er nach Matthäus: „Wer ist meine Mutter und wer sind meine Brüder?" und, indem er seine Hand über seine Jünger ausstreckt: „Siehe da, meine Mutter und meine Brüder!" Eine ebenso deutliche Sprache redet die Mahnung: „So jemand zu mir kommt und hasset nicht seinen Vater, Mutter, Weib, Kinder, Brüder, Schwestern, auch dazu sein eigenes Leben, der kann nicht mein Jünger sein."

Was also die wahrhaft christliche Auffassung aller dieser Dinge ist, geht aus den Evangelien für jeden, der sie mit gesundem Verstand und reinem Gefühl zu lesen vermag, ganz unzweideutig hervor. Die Pastoren, die den Rabbinern an Talmudismus nichts nachgeben, haben natürlich versucht, alle diese Äußerungen zu verdrehen, zu verschleifen und in ihr Gegenteil zu kommentieren, und man kann ja in der Tat aus der Bibel alles herauslesen, was man will, wenn man es an der nötigen Aufrichtigkeit oder Unbefangenheit fehlen läßt: es hat ja sogar der General von Bernhardi, einer der hervorragendsten Lehrer der Strategie, aber kein ebenso begabter Bibelleser, in einem seiner Werke nachzuweisen versucht, daß Christus den Krieg gepredigt habe, denn er habe gesagt: „Ich bin nicht gekommen, den Frieden zu bringen, sondern das Schwert": eine Auffassung, deren Widerlegung wohl überflüssig sein dürfte.

Gott und die Seele sind die einzigen Wirklichkeiten, die Welt aber ist das Unwirkliche: dies ist der Sinn der frohen Botschaft Jesu. Wahres Christentum will niemals die Welt „vervollkommnen", weder sozial noch politisch noch ökonomisch, ja nicht einmal moralisch; denn es läßt sie gar nicht gelten, es bemerkt sie überhaupt nicht. Eine „gerechter geordnete" Gesellschaft, ein der „allgemeinen Wohlfahrt" besser angepaßtes Dasein: was haben diese oder ähnliche Ziele mit dem Heil der Seele zu tun? Hierin unterscheidet sich das Christentum wesentlich von den beiden anderen monotheistischen Religionen: es ist weder flach weltordnend wie die jüdische Sittenlehre noch barbarisch welterobernd wie der Islam; es ist nicht Verbesserung der Welt nach irgendwelchen noch so edeln oder vernünftigen Prinzipien, sondern Erlösung von der Welt mit allen ihren schädlichen und wohltätigen, bösen und guten Mächten; es kümmert sich immer nur um die Einzelseele, niemals um die „Allgemeinheit", den „Fortschritt", das „Gedeihen der Gattung" und derlei niedrige Dinge. Wenn wir nun die Reformation vorurteilslos betrachten: nicht als das, was sie ursprünglich theoretisch wollte, sondern als das, was sie tatsächlich als historische Realität geworden ist, so müssen wir sagen, daß sie einen Rückfall in die beiden anderen monotheistischen Bekenntnisse vorstellt: sie wurde im Luthertum mosaischer Moralismus, im Puritanertum mohammedanischer Imperia-

lismus und bedeutet somit in ihren beiden Hauptformen die völlige
Umkehrung und Verneinung des ursprünglichen Sinnes der Verkündigung Christi. Denn diese will gar nichts „reformieren": ein
so platter Begriff hat in ihr gar keinen Raum. Die Reformation
ist nichts als ein tief irreligiöser Versuch, Religion zu erneuern.
Wir müssen jedoch hinzufügen, daß sie hierin nur dem Zuge der
Zeit folgte: sie konnte gar nicht anders, als sich von der Religion
wegbewegen; auch die „Gegenreformation" ist ja nichts als ein
Versuch, die Welt ganz mit demselben Apparat, den der Protestantismus anwendete, wieder katholisch zu machen. Die „heidnische" Renaissance, die Reformation und die Gegenreformation
haben dieselbe Wurzel: sie führen alle drei von Gott weg.

Das heilige   Die Heiligung des irdischen Daseins, die die Reformation voll-
Nichtstun zog, war in ihrer Art zweifellos eine Befreiungstat; aber sie war
doch auch ebensosehr eine Entheiligung, Trivialisierung, Ent-
leerung. Der Alltag, in Bausch und Bogen göttlich gesprochen,
läßt nun für jenen edeln und sublimen, ja heroischen Dualismus,
der der Sinn des Mittelalters war, keinen Raum mehr. Und es
besteht die Gefahr, daß eine solche Religiosität, wenn man von
ihr die starke persönliche Frömmigkeit ihres Begründers abzieht,
ins Philisterium mündet, zur Lieblingskonfession des Bourgeois
wird, der im Namen Gottes und ihm zum Wohlgefallen Kohl
baut, Kinder zeugt und Bilanz macht. Die große Wahrheit, daß
Staat und Wirtschaft, Beruf und Erwerb, Gesellschaft und Familie
unheilige Dinge sind, droht zu entschwinden; und sie verschwand
auch in der Tat.

Es gibt eine alte jüdische Sage, die aber nicht in der Bibel steht,
wonach nicht bloß Kain den Unwillen Gottes erregte, sondern
auch sein Bruder Habel, „denn er schaute die Herrlichkeit Gottes
mehr, als statthaft war": in müßiger Betrachtung. Es ist begreiflich, daß der Judengott das nicht gerne sah, im Grunde aber war
Habel der erste Dichter und zugleich der erste homo religiosus.
Wie jedoch der Christengott über die Frage dachte, was besser
sei: Schaffen oder Schauen, Arbeiten oder Nichtstun, darüber gibt
uns die Geschichte von Martha und Maria die deutlichste Antwort: Maria setzte sich zu den Füßen des Herrn und hörte auf

seine Rede, Martha aber wurde abgezogen durch mancherlei Dienstleistung. Und sie sprach zum Heiland: „Herr, fragst du nicht danach, daß meine Schwester mich allein dienen läßt? Sage ihr doch, daß sie es mit mir angreife." Der Herr aber antwortete: „Martha, Martha, du hast viele Sorge und Mühe. Weniges aber tut not oder vielmehr eines. Denn Maria hat das gute Teil erwählt, das darum nicht von ihr genommen werden soll."

Alle Arbeit hat den großen Nachteil, daß sie den Menschen ablenkt, zerteilt, von sich selbst entfernt. Und daher kommt es, daß alle Heiligen, alle Religionsstifter, alle Menschen, die in größerer Nähe zu Gott lebten, sich in die Einsamkeit zurückzuziehen pflegten. Was taten sie dort? Nichts. Aber dieses Nichtstun enthielt mehr Leben und innere Aktivität als alles Tun aller anderen. Der größte Mensch wird immer der sein, der ein Spiegel zu sein vermag: kein zitternder, getrübter, ewig bewegter, sondern ein klarer, reiner, ruhender Spiegel, der alles göttliche Licht in sich einsaugen kann. Selig sind die Müßigen, denn sie werden die Herrlichkeit Gottes schauen; selig sind die Stunden der Untätigkeit, denn in ihnen arbeitet unsere Seele.

SIEBENTES KAPITEL

DIE BARTHOLOMÄUSNACHT

*Die Wahrheit ist: wir sollen elend sein,
und sind's. Dabei ist die Hauptquelle der
ernstlichsten Übel, die den Menschen treffen,
der Mensch selbst: homo homini lupus. Wer
dies letztere recht ins Auge faßt, erblickt
die Welt als eine Hölle, welche die des
Dante dadurch übertrifft, daß einer der
Teufel des andern sein muß.*

Schopenhauer

Die Erd-
hölle
Wir nähern uns jetzt dem schwärzesten Abschnitt der europäischen Neuzeit. Es ist die Periode von der Mitte des sechzehnten
Jahrhunderts bis in den Dreißigjährigen Krieg hinein: die Zeit
der sogenannten Religionskämpfe, eine fast hundertjährige Bartholomäusnacht. Stehen Christentum und Krieg schon an sich in
einem unauflöslichen Widerspruch, so hat diese schauerliche Paradoxie, die die gesamte Geschichte der christlichen Völker befleckt,
damals insofern ihre grimassenhafteste Höhe erreicht, als jene miteinander kämpfenden Christen an Hinterlist, Grausamkeit und
schamloser Verhöhnung aller göttlichen und menschlichen Sitten-
gesetze alles übertrafen, was jemals von Tataren und Türken,
Hunnen und Hottentotten begangen worden ist. Denn in diesen
waltete bloß ein blind tierischer Zerstörungstrieb, während es sich
bei den Christen des Zeitalters der Gegenreformation um ein mit
höchstem geistigen Raffinement und vollendeter Kunst der Infamie ausgebautes System handelte. Drei Menschenalter lang fand
in den entwickeltsten und zivilisiertesten Ländern Europas ein
Wettrennen der Unmenschlichkeit statt, ein Schwelgen in erbar-
mungsloser Rachsucht, tückischer Bosheit und allen jenen teuf-
lischen Trieben, um deren Vertilgung der Heiland das Kreuz auf
sich genommen hatte.

Es muß jedoch gesagt werden, daß von diesen beiden schwarzen Parteien die Katholiken zweifellos die schwärzere waren. Wir hatten im vorigen Kapitel Gelegenheit, den Protestantismus in seinen Schwächen und Beschränktheiten kennenzulernen, und sind zu dem Resultat gelangt, daß er keineswegs, wie dies so oft mit größter Selbstverständlichkeit angenommen wird, als die unbedingt höhere und vorgeschrittenere Form des christlichen Glaubens anzusehen ist, ja daß er in vielem geradezu einen Rückschritt, eine Verflachung, Materialisierung und Entfernung vom Ursinn der Lehre Christi bedeutet. In der Periode der anbrechenden Gegenreformation verhielt es sich jedoch umgekehrt: Vernunft, Moral, Gewissen, Freiheit, Aufklärung befanden sich auf der Seite der Häretiker. Doch ist dies nur relativ zu verstehen: von wirklicher Sittlichkeit, geistiger Souveränität, Verantwortlichkeitsempfindung oder gar Denkfreiheit kann auf keiner der beiden Seiten die Rede sein.

Es ist ja Politik niemals von Lüge, Schmutz, Brutalität und Selbstsucht zu trennen; aber in jenem Zeitraum hatte die politische Verruchtheit einen ihrer erschreckendsten Kulminationsgrade erreicht. Überall: in Spanien, in Italien, in Frankreich, in England, in Schottland erblicken wir wahre Musterexemplare von hartgesottenen Schurken an der Spitze der öffentlichen Geschäfte, fühllose Massenmörder von der Wildheit des Urmenschen und zugleich von einer eiskalten Berechnung, die sie tief unter das Niveau des Urmenschen herabdrückt. Alba ist nur der zusammenfassende Typus für Hunderte von ähnlichen moralischen Mißgeburten, die damals wie eine plötzlich emporgeschossene Giftflora den europäischen Boden verseuchten. Selbst in dem vielgerühmten England der Elisabeth wimmelte es auf den Höhen der Gesellschaft von scheinheiligen gierigen Banditen, die vor keinem Verbrechen zurückschreckten, wenn es ihrem Machthunger oder ihrer Habsucht Befriedigung versprach. Die Kirchenspaltung hatte eben im wesentlichen nur negative Resultate gezeitigt: sie hatte bloß den Glauben an die Autorität der göttlichen Normen zerstört, und eine neue, auf profane Erwägungen der natürlichen Einsicht und Billigkeit gegründete Ethik, die die mittelalterliche

hätte ersetzen können, dämmerte erst in einigen wenigen erleuchteten Köpfen.

Erst seit dem Augsburger Religionsfrieden vom Jahr 1555, der
seinen Namen sehr mit Unrecht trug, beginnt der religiöse Fanatismus in beiden Lagern seine volle verheerende Kraft zu entfalten.
In der Tat enthielten die Bestimmungen dieses Vertrages die Keime
zu den größten Zwistigkeiten und Verwirrungen. Die Formel
„cuius regio, eius religio", die die freie Wahl der Landeskonfession
den Obrigkeiten einräumte, aber nur diesen, bedeutete eine empörende Vergewaltigung der Gewissensfreiheit aller Untertanen;
das berühmte *reservatum ecclesiasticum*, das verfügte, daß geistliche
Reichsstände, wenn sie zum Protestantismus übertreten, Amt,
Gebiet und Einkünfte verlieren sollen, führte sogleich nach seiner
Verkündigung zu erbitterten Diskussionen und Gegendeklaratio-
nen; und die Calvinisten waren in den Ausgleich überhaupt nicht
einbezogen: es gab also jetzt d r e i offizielle Religionsparteien, die
sich untereinander aufs heftigste bekämpften.

Der Reformismus war im Norden: in Dänemark, Schweden
und Norwegen, in England, Schottland und Holland, in Nord-
deutschland und dem deutschen Ordensgebiet schon so gut wie
Staatsreligion, er war aber auch schon im deutschen Westen und
in den österreichischen Erbländern, in Polen und Ungarn, in
Bayern und Böhmen öffentlich oder heimlich die herrschende
Glaubensform, und alle Anzeichen sprachen dafür, daß er auch in
Frankreich und in Italien zum Siege gelangen werde. Es gab überall, selbst in den Bistümern, im Kirchenstaat und im erzklerikalen
Spanien, kleine Gruppen von feurigen Protestanten; aber es gab
nirgends, auch nicht in den papsttreuesten Ländern, etwas anderes
als lahme Katholiken. Die Reformation ganz Europas schien nur
eine Frage der Zeit.

Aber gerade in diesem Augenblick setzt die Gegenreformation
ein. Bis dahin war die römische Kirche in Religionsdingen entweder völlig indifferent oder selbst reformatorisch gesinnt oder
rein politisch orientiert gewesen: es war für die Kurie viel wichtiger, daß das Haus Habsburg nicht übermächtig werde, als daß
irgendeine kleine Häresie sich ausbreite, von der man glaubte, daß

sie sich, wie alle bisherigen, leicht ersticken oder assimilieren lassen werde, und so konnte man sogar einige Male das sonderbare Schauspiel beobachten, daß der Papst die protestantische Bewegung, die ja nicht bloß in religiöser, sondern auch in politischer Hinsicht eine zentrifugale war, gegen den Kaiser unterstützte. Nun aber begann man die ungeheure Gefahr zu erkennen. Und es zeigte sich, daß Rom noch immer das stärkste Kraftzentrum Europas war.

Das System, das die katholische Kirche zur Eindämmung der Reformationsbewegung ergriff, war sehr klug und einsichtsvoll erdacht, aber sehr heikel und kompliziert zu handhaben und erforderte daher Personen von ungewöhnlichem Takt, Weltblick und Menschenurteil, die sich aber bald zur Verfügung stellen sollten. Es bestand darin, daß man einerseits die Glaubensnormen mit einer bisher noch nicht angewandten Schärfe formulierte, um dadurch jede Möglichkeit eines gradweisen Übergangs zur Häresie abzuschneiden, und daß man anderseits innerhalb dieser Normen die größte Schmiegsamkeit, Laxheit und Modernität bewährte, so daß auch freiere Regungen und zeitgemäße Forderungen ihre Befriedigung finden konnten.

Der klaren dogmatischen Abgrenzung dienten zunächst die Das Tridentinum
Beschlüsse des Konzils von Trient. Diese stellten vor allem fest, daß das alleinige Recht der Schriftauslegung der Kirche zukomme: damit war die Pfahlwurzel aller Häresie, das lutherische Laienchristentum, beseitigt. In der sehr diffizilen Frage nach der Rechtfertigung bezogen sie eine Mittelstellung zwischen Augustinismus und Semipelagianismus: die guten Werke sind nötig, werden aber erst durch die Gnade Gottes zu verdienstlichen gemacht. In der Sakramentslehre hielten sie starr an den sieben Sakramenten fest, die alle von Christus selbst eingesetzt worden seien: hier Konzessionen zu machen, wäre gefährlich gewesen; ebenso bewahrten sie in der Frage der Messe und Transsubstantiation den streng orthodoxen Standpunkt. Am Ablaß werden die Mißbräuche eingeräumt und gerügt, die erlösenden Wirkungen aber aufs neue bekräftigt. Im ganzen bedeutet das Tridentinum weniger eine erschöpfende Kodifizierung der katholischen Lehren als eine

genaue Grenzberichtigung gegen die neuen Häresien, besonders gegen das Luthertum: es ist eindeutig nur in der Verwerfung, hingegen in den positiven Feststellungen, und zwar offenbar mit Absicht, schwankend, doppelbodig, lückenhaft, dehnbar. Hierdurch kam in den Katholizismus einerseits ein Einschlag von Willkürlichkeit und Spitzfindigkeit, Pseudomoralität und Verweltlichung, anderseits aber auch ein Element von Liberalität und Biegsamkeit, Weltläufigkeit und Weltfreundlichkeit, das ihm bisher in diesem Maße nicht eigen war.

Paneuropäische Intoleranz Jedenfalls war durch die Strenge, mit der nunmehr die Linie zwischen Rechtgläubigkeit und Heterodoxie gezogen war, das Signal zur Entfaltung eines militanten, aggressiven, wiedereroberndern Papismus gegeben; und in der Tat datiert von jenem Zeitpunkt das Erwachen einer paneuropäischen Intoleranz von einer Gehässigkeit und Exklusivität, wie sie in der ersten Hälfte des Jahrhunderts nur vereinzelt zu beobachten war. Doch war das Tridentinum nicht die Ursache, sondern nur eines der zahlreichen Symptome dieser Generalpsychose, die sich auch auf die Angehörigen sämtlicher übrigen Konfessionen erstreckte.

Was die Calvinisten anlangt, so waren sie durch ihre extreme Prädestinationslehre, die die ganze Menschheit in Erwählte und Verdammte schied, geradezu gezwungen, jedem Andersgläubigen die Lebensberechtigung abzusprechen. Aber auch die Lutheraner waren eifrig bemüht, ein System der starrsten Unduldsamkeit zu entwickeln. Ihre dogmatischen Streitigkeiten waren um so absurder, als sie ein festes Dogma überhaupt nicht besaßen und nach der ganzen Natur ihrer Konfession gar nicht besitzen konnten. Melanchthons letzte Worte sollen gewesen sein, er sei glücklich, daß er von der *rabies theologorum* erlöst sei. Und in der Tat hatten sich bereits zu seinen Lebzeiten die Protestanten in die rechtgläubigen Lutheraner und die Melanchthonianer gespalten. In Kursachsen wurden diese **Philippisten**, wie sie sich nach Melanchthons Vornamen nannten, als heimliche Calvinisten, „Kryptocalvinisten", verfolgt, aus ihren Ämtern vertrieben, nicht selten verbannt oder eingekerkert. Zur alleinigen Glaubensrichtschnur wurde die „Konkordienformel" erhoben, eine Zusammenstellung von antiphilippistischen Sätzen, die aber niemand befriedigten und nur Anlaß zu neuen albernen Zänkereien gaben, weshalb man ihr den Spottnamen „Zwietrachtsformel" gab. In der Kurpfalz dagegen wurde im „Heidelberger Katechismus" der Calvinismus aufgerichtet und jeder Prediger, der ihn nicht annehmen wollte, aus dem Lande gewiesen. Aber auch in Kursachsen hatte das Luthertum keinen Bestand: ein Thronwechsel brachte die Konkordienformel zu Fall, und durch den Kanzler Nikolaus Crell gelangte der Philippismus zur Herrschaft. Der nächstfolgende Regent bevorzugte aber wieder die lutherische Bekenntnisform, Crell wurde gefangengesetzt und nach einem jahrelangen Intrigenspiel seiner Feinde, die sogar zu den Katholiken ihre Zuflucht nahmen, enthauptet. In der Kurpfalz spielte sich ein solcher offizieller Religionswechsel sogar viermal ab, natürlich unter steten Schikanen und Gewaltmaßregeln gegen alle Andersgesinnten. Kurz: es war nicht verwunderlich, daß einsichtige Zeitgenossen behaupteten, durch die Reformation sei eine ärgere Glaubenstyrannei in die Welt gekommen, als sie je unter dem Papsttum bestanden habe.

Von Polen aus gewann der von Lälius und Faustus Sozzini begründete und im Rakower Katechismus kodifizierte S o z i n i a n i s m u s einige Verbreitung. Er ist dezidiert antitrinitarisch, weshalb seine Anhänger sich auch Unitarier nannten. Sie lehrten, Christus habe sich nicht für die Sünden der Welt geopfert, sondern nur eine neue Lehre gegeben und ein sittliches Vorbild aufgerichtet. Nur der Vater Jesu Christi galt ihnen als Gott; er habe aber seinen Sohn nach dessen Tode wegen seiner Reinheit und seines Gehorsams zu göttlicher Würde erhoben, und darum sei man berechtigt, ja verpflichtet, beide anzubeten. Taufe und Abendmahl erklärten sie für nützliche, aber nicht absolut notwendige Einrichtungen. Die traditionelle Rechtfertigungslehre widerlegte der ältere Sozzini durch eine scharfsinnige, aber etwas oberflächliche Beweisführung, die seither oft wiederholt worden ist: Christus könne nicht als Repräsentant der ganzen Menschheit gelitten haben, da man andere nur zu vertreten vermöge, wenn man von ihnen eine Vollmacht besitze, eine solche Vollmacht aber konnten die kommenden Geschlechter dem Heiland unmöglich ausstellen; außerdem seien nur Geldschulden übertragbar, aber nicht moralische Verschuldungen und Strafen. Diese rein juristische Deduktion hat unter anderen der berühmte Rechtsgelehrte Hugo Grotius übernommen, obgleich sie ganz unstichhaltig ist, da sie sich ja auf einer ganz anderen Ebene bewegt als die theologische. Es zeigen sich aber schon in der bloßen Möglichkeit einer solchen Argumentation die übeln Folgen jener Rationalisierung des Satisfaktionsbegriffs, die Paulus teils nach römisch-strafrechtlichen, teils nach talmudisch-dialektischen Analogien seinerzeit vorgenommen hatte und auf deren Schwächen wir bereits hingewiesen haben.

Mit den Sozinianern und Grotius berührten sich die Arminianer oder Remonstranten in Holland, gegen die sich die Gomarianer oder Kontraremonstranten erhoben. Der Streit ging in erster Linie um die Prädestination, von der Jakob Arminius und seine Anhänger erklärten, daß sie sich auf den Glauben beziehe, indem Gott in seiner Allwissenheit bei jedem einzelnen vorhergesehen habe, ob er den Glauben besitzen werde oder nicht, während die Gomarianer im Anschluß an Franz Gomarus behaupteten, daß die Erwählung das Primäre, der Glaube nur deren Wirkung sei. Welche unüberbrückbare Kluft zwischen diesen beiden Auffassungen bestehen soll, ist für einen Vollsinnigen unersichtlich; aber wegen dieser läppischen Kontroverse wurden Tausende grausam verfolgt, der ausgezeichnete Staatsmann Oldenbarneveldt hingerichtet und Grotius zu lebenslänglichem Kerker verurteilt, dem er jedoch glücklich entkam. Solche Formen nahmen die theologischen Zwistigkeiten selbst in den Niederlanden an, die damals mit Recht als das freieste Land Europas gerühmt wurden.

Der Anglikanismus Auch in England hat die Reformation bewirkt, daß aus einer Kirche drei wurden. Als Heinrich der Achte sich vom Papst lossagte (teils um die Kirchengüter zu rauben, teils um sich unbehelligt seinen sadistischen Blaubartpassionen hingeben zu können), beließ er die hierarchische Gliederung und fast alle Dogmen und Einrichtungen der katholischen Kirche und änderte bloß die Spitze, indem er sich an die Stelle des Papstes setzte und von allen Geistlichen den Suprematseid forderte, durch den sie ihn als höchstes

Oberhaupt anerkennen mußten. Hieraus entwickelte sich die merkwürdige Form der sogenannten anglikanischen Kirche oder Hochkirche : ein Luthertum mit Prälaten und Bischöfen, Ohrenbeichte und Zölibat, ein Katholizismus ohne Papst und Peterspfennig, Orden und Klöster. Und es lag in der Natur einer so absurden und frivolen Reform, daß jeder, der eine wirkliche religiöse Überzeugung besaß, sich damit der Verfolgung aussetzen mußte. War er ein gläubiger Katholik, der dem Papst anhing und die späteren Vermählungen des Königs als Ehebruch ansah, so wurde er als Hochverräter enthauptet; war er ein ehrlicher Protestant, der das Zeremonienwesen verwarf und die Priesterehe für erlaubt hielt, so wurde er als Kirchenschänder gehängt; war er ein strenger Calvinist, der die Brotverwandlung leugnete, so wurde er als Ketzer verbrannt. Die willkürliche Zwitterschöpfung der *high church* hat denn auch die Wirkung gehabt, daß in den Gebieten der englischen Krone nicht nur der Katholizismus sich mit besonderer Hartnäckigkeit behauptete, so vor allem in Irland, sondern auch die evangelische Lehre eine große Reinheit bewahrte, wie dies die Puritaner schon durch ihren Namen anzeigten: ihr Hauptverbreitungsgebiet war Schottland, wo ihr ebenso rabiater wie sittenstrenger Anführer John Knox eine Kirche gründete, die lediglich auf dem Prinzip der Leitung durch die Gemeindeältesten, die Presbyter, aufgebaut war, weshalb sie sich gleichzeitig Presbyterianer nannten; später hießen sie wegen ihres Gegensatzes zur offiziellen Kirche auch Dissenters oder Nonkonformisten, wegen des Bündnisses, das sie zum Schutz ihrer Konfession geschlossen hatten, Covenanters und wegen der völligen staatlichen und kirchlichen Unabhängigkeit, die sie für jede ihrer einzelnen Gemeinden beanspruchten, Independenten: diese letztere Bezeichnung wird jedoch im allgemeinen nur auf eine besonders radikale Gruppe innerhalb des Puritanismus angewendet.

Kurz: ganz Europa wird ein riesiges Schlachtfeld sich bekämpfender Kirchenparteien. In diesem Zeitraum verschlingt das religiöse oder, richtiger gesagt, das theologische Interesse jede andere Art von Gemeinschaftsgefühl: ein Zustand, den Macaulay sehr treffend in den Worten zusammenfaßt: „Die physischen Grenzen wurden durch moralische verdrängt." Die politische Stellungnahme jedes einzelnen wurde nicht durch seine Staatszugehörigkeit, nicht durch Rasse, Sprache oder Familienbande, sondern lediglich durch sein Glaubensbekenntnis bedingt. Die Guisen und ihre Anhänger handelten als französische Landesverräter, indem sie mit Spanien konspirierten; die Hugenotten handelten ebenfalls als Landesverräter, indem sie heimlich mit Deutschland verhandelten. Die schottischen Katholiken suchten bei Frankreich Hilfe; die reformierten Provinzen der spanischen Niederlande riefen die Engländer ins Land. Die papistischen Untertanen der Königin Elisabeth wünschten den Sieg der spanischen Armada; die puritanischen Untertanen der Maria Stuart erhofften eine englische Invasion. Die deutschen Protestanten überließen die lothringischen Bistümer dem französischen Erbfeind; die französischen Protestanten zedierten Havre dem englischen Erbfeind. Im Zusammenhang hiermit stehen auch die ganz neuartigen Staatstheorien, die damals aufkamen. Ihre Hauptvertreter sind Jean Bodin, Johannes Althusius und der bereits erwähnte Hugo Grotius. Dieser ist der Begründer der Anschauung vom sogenannten „Naturrecht". die während des ganzen siebzehnten und achtzehnten Jahrhunderts in Europa geherrscht hat. Recht und Staat beruhen nach ihr nicht auf unmittelbarer Einsetzung Gottes, sondern sind Menschenwerk, hervorgegangen aus unserer vernünftigen Naturanlage, unserem Selbsterhaltungstrieb und unserer Neigung zu geselligem Zusammenschluß. Auf dieselbe Weise denkt sich Althusius die Entstehung des Staates: zuerst war die Familie, aus dieser wurde der Stamm, später bildeten sich Gemeinden, aus diesen Provinzen, und schließlich kam es zum Staat; dieser besteht also nicht aus einer Summe von Individuen, sondern aus einer Summe von Korporationen, und infolgedessen kann die höchste Macht im Staate nur den Korporationen zustehen, dem gegliederten Volke, den Ständen: dies ist die berühmte Doktrin von der „Volkssouveränität", deren Wirkungen ungeheuer waren. Aber auch Bodin, der noch ein Anhänger der absoluten Monarchie war, erklärte, die Souveränität des Fürsten finde ihre Schranke an der Religion und Moral. Gerade dies ist aber der springende Punkt, die zeitgemäße Pointe aller dieser Theorien, und hier setzte die Schule der „Monarchomachen", der Fürstenbekämpfer ein, die den Grundsatz vertraten, daß jeglicher staatliche Eingriff in die Religion der Untertanen unerlaubt sei: das Prinzip „cuius regio, eius religio" sei sowohl ungesetzlich wie unsittlich. Der Herrscher habe seine Gewalt lediglich vom Volke, das sie ihm durch einen Kontrakt übertragen habe: dies ist die sogenannte „Kommissionstheorie". Überschreitet er seine Befugnisse, insbesondere durch Vergewaltigung der Gewissensfreiheit seiner Untertanen, so kann der Vertrag jederzeit wieder rückgängig gemacht werden: das Volk habe in diesem Falle das ius resistendi, das Recht des Widerstandes, es dürfe den Tyrannen absetzen und, wenn er nicht freiwillig weiche, sogar töten. Die Praktiker dieser Theorie waren Jakob Clément, der Heinrich den Dritten niederstieß, Franz Ravaillac, der Heinrich den Vierten erdolchte, Balthasar Gérard, der Wilhelm von Oranien erschoß, Johann Savage und Anton Babington, die ein weitverzweigtes Komplott gegen das Leben der Königin Elisabeth anzettelten, und die Londoner Pulververschwörer, die beinahe Jakob den Ersten, seine Familie und das ganze Parlament in die Luft gesprengt hätten. Es verdient hervorgehoben zu werden, daß alle Genannten fanatische Katholiken waren.

Man hat nicht selten die Jesuiten beschuldigt, zu diesen und zahlreichen anderen Untaten die Anregung gegeben zu haben, und in der Tat waren ihre Lehren geeignet, über die Erlaubtheit des politischen Mordes zumindest Mißverständnisse entstehen zu lassen. Ehe die Pulververschwörer ihre Anstalten trafen, erbaten sie sich das Gutachten eines höheren Jesuiten; die Antwort lautete: bei einem so unzweifelhaft guten Zweck sei es verzeihlich, wenn auch einige „Unschuldige" ums Leben kämen. Doch lagen derartige Auffassungen im Geist der Zeit. Jakob Clément war Dominikaner; und auch diesem erklärte sein Oberer auf die Frage, ob es eine Todsünde sei, wenn ein Priester einen Tyrannen töte, in diesem Falle handle der Priester bloß „unregelmäßig". Aber auch die hugenottischen Prediger, denen Poltrot de Meré, der Mörder des Herzogs Franz von Guise, vorher seine Absicht enthüllte, beschränkten sich darauf, ihm zu bedenken zu geben, ob er nicht das Heil seiner Seele aufs Spiel setze.

Der Jesuitenorden ist eine der merkwürdigsten Schöpfungen der Weltgeschichte: er vereinigte in sich alle Widersprüche jener gewalttätigen und geistreichen, bigotten und verbrecherischen Übergangszeit, die ihn geboren hat und der er ihr Gesicht gegeben hat. Sein Begründer Ignatius von Loyola ist eigentlich, ganz ähnlich wie sein großer Gegenspieler Luther, eine Erscheinung, die noch vom Mittelalter herkommt, eine Mischung aus einem kühnen Ritter und einem verzückten Heiligen. Sein Grundwesen war verstiegene weltfremde Träumerei; aber gerade dadurch hat er halb Europa erobert: seine ekstatischen Phantasien waren stärker als die Realität, sie haben die Wirklichkeit vergewaltigt. Die Zentralidee, von der sein ganzes Leben beherrscht war, bestand in nichts anderem als in der Überzeugung, daß der Geist souverän sei und unsere Physis ein bloßes Instrument, auf dem er, wenn er die nötige Willenskraft und Selbstzucht besitze, nach Belieben spielen könne, ja daß er die ganze Welt nach seinem Ebenbild zu formen vermöge, wenn er nur ernstlich dazu entschlossen sei, kurz: daß die Seele stärker sei als die Materie. Loyola begann seine Laufbahn als schöner amouröser Hofmann und glorioser todesmutiger Offizier. Bei der Belagerung von Pampelona zerschmetterte ihm während eines tollkühnen Kampfes ein großer Stein den linken Fuß und brach ihm beide Beine. Ein ungeschickter Wundarzt setzte ihm das eine Bein so schlecht ein, daß es noch einmal gebrochen werden mußte. Aber es blieb noch immer verkürzt, und er war gezwungen, monatelang schwere dehnende Gewichte daran zu tragen. Unter diesen Schmerzen erwuchs in ihm die Sehnsucht und der Entschluß, zum Märtyrer der katholischen Kirche zu werden. Als er einigermaßen geheilt war, machte er sich auf die Pilgerfahrt nach Jerusalem. Das Reisegeld, das ihm sein Bruder gab, verteilte er unter die Armen. Auf dem Schiff hielt er Bußpredigten, von den rohen Matrosen verhöhnt. Dreimal des Tages geißelte er sich, sieben Stunden verbrachte er im Gebet, seine Nahrung war Wasser und Brot, seine Lagerstatt der nackte Boden. Zurückgekehrt hielt er in Spanien Wanderpredigten, die den größten Zulauf hatten. Bald jedoch erkannte er, daß zur Leitung der Menschen auch Wissen nötig sei: so erlernte er noch in seinem dreiunddreißigsten Lebensjahr unter großen Mühen das Lateinische und bezog dann die Universität in Alcala. Aus einer frommen Studentenverbindung entstanden die ersten Anfänge der *Compañia de Jesus*, die der Papst im Jahr 1540 feierlich bestätigte.

Schon der Name besagt, daß es sich um eine Organisation handelte, die nach militärischen Analogien gebildet war. An der Spitze stand der Ordensgeneral, der niemandem verantwortlich war als dem Papst, ihm waren die Provinzialgenerale untergeordnet und von diesen führten zahlreiche Stufen bis zum gemeinen Soldaten hinab. Von besonderer Bedeutung war es, daß ein striktes Verbot die Jesuiten von allen geistlichen Ämtern und Würden ausschloß: hierdurch wurden ihre Kräfte gänzlich auf den Dienst des Ordens konzentriert. Das Hauptgelübde, das sie ablegen mußten, war das des Gehorsams: „Wie bei den Weltkörpern", hieß es in ihrer Instruktion, „nach einem ewigen Gesetze der untere Kreis in seiner Bewegung dem höheren folgt, so muß das dienende Organ vom Wink des Oberen abhängig sein." Das Prinzip der Subordination wurde von ihnen mit derselben Strenge und Ausnahmslosigkeit gehandhabt wie bei einer Armee: sie waren angehalten, die blinde Unterwürfigkeit unter die Vorgesetzten bis zu jenem Grade zu schulen und zu betätigen, wo der Mensch „gleich einem Stück Holz oder Fleisch" werde: dies ist der berühmte jesuitische „Kadavergehorsam". Zur Stählung für diese und ähnliche Belastungsproben der Willenskraft dienten die von Loyola ersonnenen *exercitia spiritualia militaria*, jene kunstvolle Anleitung zur Beherrschung und Dirigierung der Gelüste und Affekte und sogar der Vorstellungen und Gedächtnisbilder, die Karl Ludwig Schleich nicht ganz mit Unrecht mit dem preußischen Drill verglichen hat, obgleich es sich hier um etwas viel Geistigeres handelt.

Auf der anderen Seite aber zeigte dieser Orden, der alle seine Glieder zu unpersönlichen uniformen Werkzeugen machte, eine bewundernswürdige Fähigkeit, die Aufgaben jedes einzelnen nach seinen natürlichen Anlagen zu individualisieren und ihn immer an

Die Ubiquität des Jesuitismus

353

den Platz zu stellen, wo er am meisten Nutzen stiften und seine Kräfte und Neigungen am reichsten entfalten konnte. Diese virtuose Technik der Menschenverwendung ist der Grund, warum über die Jesuiten zu allen Zeiten so verschiedenartige Urteile gefällt worden sind. Die Wahrheit ist, daß alle richtig sind, denn der Jesuit war kein eindeutiges Phänomen, sondern so vielfältig, verwandlungsfähig und tausendgestaltig wie die menschliche Natur. Die Jesuiten haben viel Verderbliches und viel Wohltätiges, viel Edles und viel Böses vollbracht; aber alles, was sie taten, haben sie so gut gemacht, als es überhaupt möglich war. Sie waren die glänzendsten Kavaliere und die strengsten Asketen, die aufopferndsten Missionare und die gerissensten Kaufleute, die ergebensten Dienstboten und die gewiegtesten Staatslenker, die weisesten Seelsorger und die geschmackvollsten Theaterregisseure, die tüchtigsten Ärzte und die geschicktesten Mörder. Sie erbauten Kirchen und Fabriken, leiteten Wallfahrten und Komplotte, vermehrten die Lehrsätze der Mathematik und der Dogmatik, unterdrückten die freie Forschung und machten selber eine Reihe wichtiger Entdeckungen, verbreiteten in einigen ihrer Schriften die christliche Lehre in ihrer höchsten Reinheit und gestatteten den Indern, ihre Götter weiter unter dem Namen Christi anzubeten, retteten die Indianer in Paraguay vor der Roheit und Vernichtungswut der Spanier und reizten die Pariser zum Massenmord der Bartholomäusnacht. Sie waren im vollsten Sinne des Wortes zu allem fähig. Noch unheimlicher und unwiderstehlicher aber als durch diese proteische Gabe wurden sie durch ihre mysteriöse Ubiquität. Sie waren buchstäblich überall. Man konnte von niemandem mit voller Bestimmtheit wissen, ob er nicht ein Jesuit oder doch unter jesuitischem Einfluß sei. Kein Platz auf Erden war ihnen zu hoch, keiner zu niedrig. Man konnte ihre Spuren in den schmutzigsten Hütten ebensogut finden wie in den Geheimkabinetten der Fürsten, und selbst in China und Japan gab es Jesuitenmissionen. Vor allem aber verstanden sie es, sich der drei stärksten geistigen Machtmittel der Zeit zu bemächtigen: der Kanzel, des Beichtstuhls und der Schule. Ihre Predigten wußten Würde mit Gefälligkeit, Ernst mit Aktualität zu verbinden; ihre Unterrichtsbücher übertrafen alle anderen an Klarheit, Anschaulichkeit und Lebendigkeit. Ihre Schulen waren in der ganzen Welt berühmt: nirgends fanden sich so verständige und geduldige, kenntnisreiche und anregende Pädagogen; auch an den Universitäten waren sie in den verschiedenartigsten Fächern durch bedeutende Lehrkräfte vertreten. „Wenn ich sehe", sagte Bacon, „was dieser Orden in der Erziehung leistet, in der Ausbildung sowohl der Gelehrsamkeit als des Charakters, so fällt mir ein, was Agesilaus von Barnabazus sagte: da du so bist, wie du bist, so wünschte ich, du wärest der unsrige." Und als Beichtväter zeigten sie erst recht ihre vollendete Fähigkeit, allen Wünschen und Bedürfnissen gerecht zu werden. Sie konnten fromm und sittenstreng sein, wenn es das Beichtkind so haben wollte, und sie konnten mit alles verstehendem Verzeihen über die schwersten Vergehen hinweggehen, wenn es ihnen nur so möglich war, sich in der einflußreichen Stellung des Gewissensrates zu behaupten.

Aus ihrer Beichtpraxis entsprang jenes System des Vertuschens, Glättens, Abblendens und Zurechtbiegens, das unter dem Namen Jesuitismus eine wenig ehrenvolle Berühmtheit erlangt hat. Der Satz vom Zweck, der die Mittel heiligt, findet sich zwar in den Schriften der Jesuiten nicht, aber sie lehrten doch vieles, was diesem Prinzip sehr bedenklich in die Nähe kommt. Schon in ihrem ersten Ordensstatut findet sich die Anweisung, kein Mitglied könne zu Handlungen verhalten werden, die eine Todsünde in sich schließen; aber mit dem Zusatz: „Es sei denn, daß der Obere es im Namen Jesu Christi befiehlt", wodurch der Vordersatz für die Praxis so gut wie aufgehoben erscheint. Und durch die Doktrin, daß bei jeder Handlung nur die *intentio* maßgebend sei und daher auch unerlaubte Taten zu rechtfertigen seien, wenn sie in guter Absicht geschehen, wurde ebenso wie durch den berüchtigten „geheimen Vorbehalt", der bei Schwüren, Zeugenaussagen und Versprechungen für zulässig erklärt wurde, der Boden für jenes Allerweltschristentum der Skrupellosigkeit und Sophisterei bereitet, das im Probabilismus gipfelt, der Lehre, wonach man alles tun darf, wenn es sich durch „probable" Gründe empfiehlt. Und dazu haben die Jesuiten noch unglücklicherweise in dem tiefsten Denker und glänzendsten Schriftsteller der Barocke, Pascal, einen Gegner gefunden, der in seinen *Lettres provinciales*, einem Meisterwerk schöpferischer Ironie, mit vernichtender Schärfe und Vollständigkeit alles zusammenfaßte, was sich gegen ihr System vorbringen läßt. Alles in allem genommen, wird kein objektiver Beurteiler leugnen dürfen, daß der Jesuitismus von der edelsten und selbstvergessensten Hingebung an eine große Idee geschaffen und getragen worden ist; aber es lebte von allem Anfang an ein Giftkeim in ihm, tödlich für seine Feinde, aber auch tödlich für ihn: er hatte vergessen, daß man niemals und nirgends lügen darf, auch nicht „zur Ehre Gottes", ja da am allerwenigsten.

Philipp der Zweite Während die Jesuiten in ganz Europa einen unterirdischen Minenkrieg gegen die Reformation führten, trat ihr Philipp der Zweite mit offener brutaler Gewalt entgegen. Es läßt sich die Frage aufwerfen, ob dieser Herrscher nicht bis zu einem gewissen Grade geistesgestört war. Sein Sohn Don Carlos war es zweifellos; ebenso seine Großmutter Johanna, die erste Königin des geeinigten Spanien, genannt die „Wahnsinnige". Jedenfalls erscheint in ihm die spezifisch habsburgische Psychose, von der wir schon sprachen, zu einer besonders krassen Form verdichtet. Sein Leben war von einer einzigen fixen Idee beherrscht: der völligen Restauration der römischen Universalkirche und der Ausbreitung des spanischen Absolutismus über die ganze Welt. Diesem Zweck war jede Stunde seiner mehr als vierzigjährigen Regierung gewidmet, diesem Zweck hat er unbedenklich alles geopfert, was zu opfern in seiner Macht stand: Schiffe und Gold, Äcker und Menschen, das Soldatenblut der Spanier und das Ketzerblut der Niederländer, die Ruhe seiner Nachbarn und die Wohlfahrt seiner Untertanen, und am Schlusse seiner Laufbahn sah er kein einziges seiner Ziele der Verwirklichung näher gerückt, alle Mächte, die er sein Leben lang bekämpft hatte, in siegreichem Aufstieg, sich selbst verhaßt und verarmt, machtlos und gichtgelähmt, und die Sonne, die in seinem Reich nicht unterging, hatte darin nichts zu bescheinen als Niedergang und Not.

In Philipp hat nicht nur das habsburgische, sondern auch das spanische Wesen eine seiner stärksten und absurdesten Zusammenfassungen erfahren. Der spanische Hidalgo ist bigott: Philipp war fanatisch; er ist rücksichtslos und brutal: Philipp ging über Leichen; er betrachtet sich als ein höheres Wesen: Philipp hielt sich für einen Gott; er ist exklusiv: Philipp war unnahbar; er ist finster: Philipp war überhaupt nicht zu sehen. Nur die höchsten Granden hatten bei ihm Zutritt, und auch diese durften sich ihm nur kniend nähern; seine Befehle erteilte er in halben Sätzen, deren Inhalt man erraten mußte. Niemand durfte ein Pferd besteigen, worauf er geritten hatte, niemand ein Weib ehelichen, das er besessen hatte: er galt dem Volke in Wahrheit als eine geheiligte Person, als eine Art Priesterkönig. Sein Leben verfloß in der trostlosesten Einförmigkeit: immer aß er dieselben pünktlich um die gleiche Stunde aufgetragenen Speisen; immer trug er dasselbe schwarze Gewand, selbst die Orden waren schwarz; täglich machte er dieselbe Ausfahrt durch die reizlose menschenleere Umgebung seines Schlosses, in seinen späteren Lebensjahren verließ er sein Zimmer überhaupt nur, um die Messe zu hören. In seiner ganzen Haltung verkörperte er das spanische Ideal des *sosiego*, der starren undurchdringlichen Ruhe und äußeren Gelassenheit, die keine ihrer inneren Regungen preisgibt; niemandem trat er zu nah, aber auch niemandem nahe, nie war er unfreundlich, aber auch niemals menschlich: er besaß jenen kalten distanzierenden Takt, der mehr demütigt und verletzt als der brutalste Hochmut. Er soll nur ein einziges Mal in seinem Leben gelacht haben: das war, als er die Nachricht von der Bartholomäusnacht empfing; der damalige Papst äußerte übrigens seine Freude noch viel sinnfälliger: er feierte das größte Massaker der neueren Geschichte durch eine Denkmünze und ein großes Tedeum und befleckte damit den Stuhl Petri mehr als alle seine Vorgänger durch ihre Sodomie, Simonie und Blutschande.

Nur in einer Eigenschaft war Philipp nicht spanisch: er war ungemein fleißig. Vom Morgen bis zum Abend saß er über seinen Staatspapieren, alles erledigte er persönlich, alles schriftlich und alles erst nach reiflichster Überlegung. Aber auch über dieser rastlosen Emsigkeit und Pflichttreue lag der Fluch der Sterilität. Seine Tätigkeit hatte nichts Schöpferisches: es war der subalterne Tretmühlenfleiß des Kanzlisten, der sich Selbstzweck ist. Hierin liegt einer der vielen Widersprüche, an denen sein Lebenswerk gescheitert ist. Er hatte die weltumspannenden Pläne eines Napoleon und wollte sie mit den Mitteln eines geistlosen, schwerfälligen, am einzelnen klebenden Bürokratismus zur Ausführung bringen. Diese zähflüssige Schneckenhaftigkeit charakterisiert sein ganzes Regime; sein Leitspruch lautete: „Ich und die Zeit" und seine stereotype Antwort auf alle, auch die dringendsten Anfragen war: *mañana*, morgen! Dazu kam die fast allen bürokratischen Verwaltungssystemen eingeborene Sucht, alles zu beargwöhnen. Keinem seiner Diener traute er ganz; immer suchte er einen gegen den andern auszuspielen; große militärische oder diplomatische Erfolge, starke Popularität, hervorstechende Gaben machten ihn unruhig. Gegen solche meist nur eingebildete Bedrohungen der königlichen Allmacht half ihm die Kunst der Heuchelei, die er als Spanier in vollendetstem Maße beherrschte, und der Undank, der ihm als Habsburger zur zweiten Natur geworden war: die beiden glänzendsten Opfer dieser Methode waren Egmont, der Sieger von Saint Quentin und Gravelingen, der aufs erlesenste umschmeichelt und gefeiert wurde, als sein Tod schon beschlossen war, und Don Juan d'Austria, der, nachdem er in der Schlacht von Lepanto die Seemacht der Türken für immer vernichtet hatte, auf der Höhe der königlichen Gunst plötzlich eines rätselhaften Todes starb. Durch dieses System des Verfolgungswahns und der kleinlichen Bevormundung hat Philipp aus den stolzen Spaniern eine Nation von Lakaien, Spionen und Vagabunden gemacht. Das sprechendste Symbol seines Wesens ist der Eskorial, der sich, in Form des Rostes, auf dem der heilige Laurentius litt, in steiniger Einöde erhebt: grau, kalt, monoton, freudlos, unnahbar, mehr Kloster und Totengruft als Residenz und Palast. Und was er hinterließ, war in der Tat nichts als ein riesiger *escorial*, auf deutsch: eine Halde von Schlacken. Es wird erzählt, daß Philipp, als er sein Ende herannahen fühlte, sich einen Totenschädel bringen ließ, auf dem eine goldene Krone ruhte; und diesen unverwandt anstarrend soll er gestorben sein: dieser ergreifende Aktschluß ist ein prachtvolles Symbol dieses ebenso machtvollen wie sinnlosen Herrscherlebens und zugleich der hohen Geistigkeit, die in diesem Untier lebte.

Die zerstörende Wirkung Philipps erstreckte sich auf alles, was seiner Regierung unterstand: nirgends zeigte er das geringste Verständnis für die besonderen Lebensbedingungen, deren jede menschliche und nationale Eigenart zu ihrer gedeihlichen Entwicklung bedarf. Auf den spanischen Stammländern lag der doppelte Druck der staatlichen Despotie und der kirchlichen Inquisition; durch die mit verschwenderischer Pracht und ehrfurchtgebietender Feierlichkeit vollzogenen zahlreichen Autodafés wurde das Volk dezimiert und der Rest zur Unduldsamkeit und Grausamkeit erzogen. Die Zensur war nirgends so engherzig und unerbittlich wie in Spanien; der Besuch ausländischer Schulen stand unter schweren Strafen, damit das Gift freierer Anschauungen nicht ins Land dringen könne. Die Aragonier, Katalonier und Andalusier in den Randprovinzen, die sich von der Bevölkerung des Zentrallandes, der Meseta, in Sprache, Charakter und Lebensformen sehr wesentlich unterschieden, wurden brutal unterdrückt: ganz Spanien sollte kastilisiert, dem Wesen des düstern und trägen, hochmütigen und bornierten Mittelländers unterworfen werden. 1580 wurde Portugal durch Erbgang und Waffengewalt Spanien angegliedert und damit für immer ruiniert: seine Kolonien gingen verloren oder verfielen, seine Rolle im Welthandel wurde von Jahr zu Jahr dürftiger und unbedeutender. Die Reste der Araber, die Morisken, die im Süden noch zahlreich verbreitet waren, wurden durch die sinnlosesten und unerträglichsten Verordnungen zur Verzweiflung getrieben: sie durften sich weder öffentlich noch insgeheim ihrer Muttersprache bedienen, man nahm ihnen ihre Negersklaven, an denen sie mit großer Zärtlichkeit hingen, selbst ihre Bäder, ihre Kleider und ihre Musikinstrumente waren ihnen untersagt. Nach einem blutig unterdrückten Aufstand flohen viele von ihnen übers Meer, aber gerade darauf hatte es Philipp mit seinen Maßregeln abgesehen, ohne zu bedenken, daß er sich damit seiner intelligentesten, geschicktesten und fleißigsten Untertanen beraubte: den Morisken verdankte das Land seine wunderbaren Bewässerungsanlagen, die Huertas, die aus der spanischen Sandwüste einen fruchtbaren Garten gemacht hatten, in ihren Händen lag die Reiskultur, die Zuckerbereitung und die Baumwollindustrie, die Fabrikation der

Seide und des Papiers: lauter Erwerbszweige, auf denen der Reichtum Spaniens beruhte.

Noch wahnwitziger verfuhr Philipp in der Kolonialpolitik. Schon für das Mutterland hatten die überseeischen Eroberungen eine Reihe von verderblichen Wirkungen: sie beförderten die Auswanderung in einem Ausmaße, das das dünn bevölkerte Spanien nicht vertrug, und steigerten bei den Zurückbleibenden den angeborenen Hang zur Faulheit und Genußsucht ins Abenteuerliche. Infolgedessen blieben die Felder bald auf weite Strecken hin unbestellt, der Bergbau wurde vernachlässigt, obgleich das Land noch ungehobene Mineralschätze im Überfluß besaß, Handel und Gewerbe gingen an Unterernährung zugrunde. In den Kolonien selbst haben sich die Spanier nicht nur wie ganz gemeine Räuber benommen, sondern auch wie ganz dumme Räuber: sie handelten ungefähr wie Banditen, die aus einem Mosaik von unschätzbarem Wert die Edelsteine herausbrechen und davontragen oder eine Milchkuh, von der sie sich jahrelang nähren könnten, erschlagen, um ihr Fleisch hinunterzuschlingen. Und in ihrer unvernünftigen Gier überfraßen sie sich an der Kuh und gingen mit ihr zugrunde. Wenn sie bloß die portugiesischen Kolonien besessen hätten, so wäre das für sie schon viel zu viel gewesen, denn diese umfaßten neben vielem andern die östliche und die westliche Küste Afrikas, die Molukken und das ungeheure Brasilien.

Zunächst kannten sie nicht einmal den einfachsten Grundsatz aller Kolonialpolitik, daß man aus einem eroberten Land nur dann dauernd Vorteile zu ziehen vermag, wenn es selbst gedeiht. Ihr einziges Wirtschaftsprinzip war die primitive Ausplünderung der Eingeborenen. Dieser dienten die berüchtigten *ripartimentos*, die zwangsweisen Verteilungen wertloser europäischer Importwaren zu Phantasiepreisen. Als diese Einnahmequelle bald versiegte, begannen sie mit der Exploitierung des Landes durch ebenfalls zwangsweise Arbeit. Aber die rote Rasse, durch ein jahrhundertelanges Leben in einer milden Natur und unter einer ebenso milden Regierung verweichlicht, war diesen Anforderungen nicht gewachsen, viele erlagen den Anstrengungen, andere flohen in die

Wildnis und der Rest griff zum systematischen Selbstmord: entweder vernichteten sie sich selbst durch Pflanzengifte oder ihre Nachkommenschaft durch Enthaltung vom Geschlechtsverkehr. Nur wenige harrten aus: das waren jene, die von den spanischen Priestern erfahren hatten, daß sie auch im Jenseits Weiße vorfinden würden. Auf Jamaika zum Beispiel war schon fünfzig Jahre nach der spanischen Eroberung die indianische Bevölkerung ausgestorben; ebenso auf Kuba. Die Geistlichkeit, die, wie immer wieder rühmend hervorgehoben werden muß, fast immer auf der Seite der Eingeborenen stand, verfiel nun auf ein Mittel zu ihrem Schutze, das leider zur Ursache neuer Bestialitäten wurde: sie proponierte die Einfuhr schwarzer Sklaven aus Afrika, und tatsächlich gelangte schon in der ersten Hälfte des sechzehnten Jahrhunderts dieser verruchte Handelszweig, an dem sich fast sämtliche europäischen Nationen eifrig beteiligten, zu großer Blüte. Daß die Spanier mit den stummen Eingeborenen Amerikas ebenfalls sehr töricht und rücksichtslos verfuhren, versteht sich von selbst: durch mutwillige Ausrottung der autochthonen Tierwelt, vandalische Entwaldung, planlose Erschöpfung der Bodenkräfte sind ihre Spuren überall bezeichnet.

Auch in den blühenden Niederlanden, dem reichsten, regsamsten und zivilisiertesten Gebiet des damaligen Nordens, haben die Spanier nicht anders gewirtschaftet, als ob es sich um eine unterworfene Negerkolonie gehandelt hätte. Es hat sehr lange gedauert, bis es ihnen gelang, durch die unsinnige Verbohrtheit, blinde Gier und unmenschliche Roheit ihrer Verwaltung dieses friedliebende und schwerbewegliche Volk von bücherführenden Kaufleuten und bücherschreibenden Schulmeistern zum todesmutigen Aufstand zu reizen; aber einmal entbrannt, war er nicht mehr zu ersticken. Die Art, wie Alba auf Grund der genauen Instruktionen seines Königs in den Niederlanden verfuhr, war mehr als niederträchtig: sie war unbegreiflich. Der von ihm errichtete „Rat der Unruhen" oder „Blutrat", wie ihn das Volk mit Recht nannte, hatte die Aufgabe, Hochverräter zu bestrafen. Als solcher galt unter anderem: wer sich an einer Bittschrift um Milderung der Inquisition beteiligt hatte; wer eine solche Bittschrift nicht ver-

Der Abfall der Niederlande

hindert hatte; wer, wenn auch gezwungen, eine evangelische Predigt geduldet hatte; wer gesagt hatte, der König habe nicht das Recht, den Provinzen ihre Freiheit zu nehmen; wer bezweifelt hatte, daß der „Rat der Unruhen" an keine Gesetze gebunden sei; wer behauptet hatte, man müsse Gott mehr gehorchen als den Menschen; und wer irgendeine derartige Äußerung stillschweigend angehört hatte. Es ist klar, daß es fast unmöglich war, wenigstens eines von diesen Delikten nicht zu begehen. Es war nichts als die streng logische Schlußfolgerung aus diesen wahnsinnigen Prämissen, daß am 16. Februar 1568 alle Einwohner der Niederlande als Ketzer zum Tode verurteilt wurden: ein Staatsakt, der in der Geschichte einzig dastehen dürfte. Nachdem Tausende gehängt, verbrannt, eingekerkert, exiliert, enteignet waren, erschien eine königliche Amnestie, die allen, die nachweisbar nicht das geringste begangen hatten, Straflosigkeit zusicherte, falls sie binnen einer bestimmten Frist reuig um Gnade bäten: auch von einer solchen Amnestie dürfte es in der Weltgeschichte kaum ein Duplikat geben.

Es ist nun für den Beobachter der menschlichen Natur sehr lehrreich, daß dies alles die Niederländer nicht zum Aufstand trieb, sondern erst eine Maßnahme des Statthalters auf finanziellem Gebiete, die allerdings an Dummheit und Infamie den übrigen gleichkam, von der man aber doch meinen sollte, daß sie leichter zu ertragen gewesen wäre als die bisherigen. Alba, der Philipp versprochen hatte, er werde einen klaftertiefen Goldstrom von den Niederlanden nach Spanien leiten, verfügte in einem Dekret, daß von allem beweglichen und unbeweglichen Besitz eine einmalige einprozentige Vermögenssteuer, von jedem verkauften Grundeigentum der „zwanzigste Pfennig", also fünf Prozent, und von jeder verkauften beweglichen Ware sogar der „zehnte Pfennig", also das Doppelte, erhoben werden solle. Besonders diese letztere Abgabe hätte, streng durchgeführt, den vollständigen Ruin des niederländischen Handels bedeutet. Nun erst sagte sich das ganze Land von Spanien los, und es begann unter dem Schlachtruf: „Lieber türkisch als päpstlich!" der große „Abfall der Niederlande", der weltbekannte siegreiche Heldenkampf eines kleinen

Krämervolkes gegen die größte Militärmacht des damaligen Europa. Dies ist sehr merkwürdig; aber so ist der Mensch nun einmal geartet: er läßt sich seine Freiheit, seinen Glauben, ja sein Leben eher antasten als seinen Verdienst, sein Geld, sein Geschäft. Auch die Jakobiner, deren Staatsverwaltung in ihrer Stupidität und Barbarei sehr sonderbar an dieses von einer so ganz anders gearteten Weltanschauung getragene Regime erinnert, machten sich nicht durch ihre Unterdrückung jeder freien Meinung, ihre Verhöhnung der Religion und ihre Massenhinrichtungen unmöglich, sondern durch ihre Eingriffe ins Privateigentum und ihre zerstörende Wirkung auf Handel, Gewerbe und Geldverkehr. Nicht ihre Guillotinen haben sie zu Fall gebracht, sondern ihre Assignaten.

Von der Erhebung der Niederlande datiert der Abstieg Philipps. Seitdem glückte ihm nichts mehr. Sein imperialistisches Programm bestand in Kürze in folgendem: er wollte in Frankreich, das er im Norden durch die Niederlande, im Osten durch die Franche-Comté und im Süden durch Spanien umklammert hielt und im Innern durch die ihm verbündete starke Macht der papistischen und antidynastischen Ligue beunruhigte, einen Agnaten seines Hauses oder eine von ihm abhängige französische Linie auf den Thron bringen und so die einzige Kontinentalmacht, die ihm gefährlich werden konnte, in einen spanischen Schutzstaat verwandeln; England hoffte er sich entweder durch eine Personalunion, wie sie schon einmal während seiner Ehe mit Maria der Blutigen bestanden hatte, oder durch die Überlegenheit seiner Flotte leicht unterwerfen zu können. Da er außerdem bereits einen großen Teil Italiens besaß, von dem aus er die anderen Gebiete diplomatisch und militärisch in Abhängigkeit hielt, und in den österreichischen Erblanden und auf dem deutschen Kaiserthron eine habsburgische Nebenlinie herrschte, so wäre dann in der Tat die Hispanisierung und Rekatholisierung ganz Europas erreicht gewesen; denn die Türken hätten sich gegenüber dieser vereinigten Riesenmacht wohl kaum zu halten vermocht.

Aber die Wirklichkeit versagte sich überall diesen scheinbar so leicht auszuführenden Entwürfen. Nicht einmal seine eigene Familie fügte sich Philipps Plänen. Unter seinem Oheim Ferdinand

Zusammenbruch des philippischen Systems

dem Ersten, dem Nachfolger Karls des Fünften, gewann die neue Lehre in den österreichischen Gebieten zahlreiche Anhänger, und dessen Sohn, Kaiser Maximilian der Zweite, einer der bedeutendsten habsburgischen Herrscher, war fast ein Protestant. In Frankreich kam nach jahrzehntelangen furchtbaren Wirren der erste und größte König aus dem Hause Bourbon, Heinrich der Vierte, auf den Thron, der nicht nur durch das Edikt von Nantes den Hugenotten dieselben bürgerlichen Rechte einräumte wie den Katholiken, sondern auch eine streng nationale antispanische Politik verfolgte. Elisabeth verschmähte die Heiratsanträge Philipps und unterstützte sogar die aufständischen Niederländer mit Geld und Truppen. Gegen England richtete daher Philipp seinen ersten großen Angriff. Im Frühling des Jahres 1588 verließ die „unüberwindliche Armada", die stärkste und bestausgerüstete Flotte, die das neuere Europa bisher gesehen hatte, den Hafen von Lissabon. Ihr Schicksal ist bekannt: aber es waren nicht die Stürme allein, die sie vernichteten. Sie unterlag aus ganz ähnlichen Gründen wie die ungeheuere Seemacht, die Xerxes gegen die Griechen aufbot. Sowohl die persischen wie die spanischen Schiffe waren riesige schwimmende Häuser, vollgepfropft mit Menschen und Waffen, aber unfähig zu manövrieren und durch ihre große Zahl einander mehr im Wege als dem Feinde. Die englischen und die griechischen Fahrzeuge dagegen waren nicht dazu gebaut, Schrecken zu erregen, sondern leichtbewegliche und wirksame taktische Einheiten zu bilden: sie konnten ebenso mühelos fliehen wie angreifen, während die unförmigen Kolosse der Gegner warten mußten, bis man zum Kampf an sie herankam, und sich, falls sie zum eiligen Rückzug gezwungen wurden, gegenseitig zertrümmerten. Die wahre und tiefere Ursache des Debakels lag aber in beiden Fällen darin, daß auf der Seite der schwächeren Partei der Geist stand: dieser ist es, der bei Salamis und im Kanal gesiegt hat.

Don Juan und Don Quixote

Und so konnte der italienische Dichter Alessandro Tassoni im Anfang des siebzehnten Jahrhunderts bereits die allgemeine Meinung aussprechen, wenn er sagte, Spanien sei ein Elefant mit der Seele eines Hühnchens, ein Blitz, der blende, aber nicht töte, ein Riese, dessen Arme mit Bindfäden gefesselt seien. Trotz diesen

Fehlschlägen haben aber die Spanier Philipp stets die leidenschaftlichste Loyalität bewahrt, und noch nach Jahrhunderten sagten sie: *Felipe segundo sin segundo*, es gibt keinen zweiten Philipp den Zweiten. Dies hat seinen Grund zunächst darin, daß in ihm, wie schon erwähnt wurde, die spanischen Nationaleigenschaften bis zum Extrem, ja bis zum Wahnsinn gesteigert erschienen; aber auch darin, daß dieser sonderbare Mensch einer der großzügigsten und verständnisvollsten Förderer der Kunst und Wissenschaft gewesen ist. Er hat seinem Volk einen bleibenden, starken und einzigartigen Geistesstil geschenkt. Seine Handschriftensammlung im Eskorial, riesenhaft wie alles, was er unternahm, erregte die Bewunderung der ganzen Welt; die unter seiner Patronanz geschaffene Architektur im Goldschmiedestil, *estilo plateresco*, ein verwirrendes Mosaik aus maurischen, gotischen und italienischen Elementen, eklektisch und dabei doch höchst eigentümlich in ihrer ornamentwütigen Überprächtigkeit, ist ein leuchtender Ausdruck des spanischen Nationalcharakters; und die Literatur hat schon unter seiner Regierung die merkwürdigsten Schöpfungen hervorgebracht. Unter ihm lebten Tirso de Molina und Cervantes, und ein jeder von beiden hat das Höchste und Seltenste geschaffen, was einem Dichter gelingen kann: eine Gestalt, die mehr ist als ein starkes einmaliges Individuum, nämlich eine neue menschliche Spezies, die künstlerische Zusammenfassung einer ganzen Gattung. Von Tirso de Molina stammt das erste Drama, das von Don Juan handelt, dem romanischen Gegenstück zum Faust; und der „Don Quixote", ursprünglich als bloße Verspottung des zeitgenössischen verstiegenen Ritterromans und der heroischen Unarten des Hidalgo gedacht, ist weit mehr geworden: die unsterbliche Tragikomödie des menschlichen Idealismus. Im Grunde ist Don Quixote der ewige Typus des Dichters: er hat entdeckt, daß die Realität ihrem innersten Wesen nach immer enttäuschen muß, weil sie eigentlich das Unwirkliche ist, und beschließt daher, sie nicht anzuerkennen! Und wie der „Don Quixote" der erste echte Roman der Weltliteratur ist, so ist Mendozas „Historia de la guerra de Granada" das erste wirkliche Geschichtswerk der Neuzeit: klar, anschaulich, präzis, erstaunlich unparteiisch, und

Lope de Vega, dieses *monstruo de naturaleza* mit seinen fünfzehnhundert Dramen, der erste moderne Theaterschriftsteller großen Stils. Denn jeder richtige Dramatiker ist von Natur Stückefabrikant, Polygraph: seine Lebensleistung gehört gar nicht in die Geschichte der Literatur, sondern in die Geschichte der Technik. Er will nicht Gestalten schaffen, sondern Rollen, nicht „Werke", sondern Textbücher, ja oft sogar nur Textrahmen, nicht Ewigkeitswerte, sondern Aktualitäten. Sein Herr ist das Publikum, das er verachtet, aber bedient. Dies hat Lope selber bekannt, als er in seiner Poetik erklärte, der Zweck der dramatischen Kunst sei, zu gefallen. Dies verhielt sich ebenso bei Calderon und Molière, und es war sicher auch nicht anders bei Shakespeare, der ungeheuer viel schrieb, aber nur solange er Theaterdirektor war, und kein einziges seiner Stücke selber drucken ließ, weil sie ihm außerhalb des Theaters keine Lebensberechtigung zu haben schienen: die Shakespearephilologen mit ihren Streitigkeiten über Reinheit und Authentizität des Wortlauts wären ihm ungeheuer lächerlich vorgekommen.

Der spanische Stil hatte eine solche Suggestionskraft, daß ganz Europa sich ihm unterwarf. Dies zeigte sich zunächst im Kostüm, das sich vom Ende des sechzehnten Jahrhunderts an völlig hispanisiert. Sein Grundcharakter ist finstere Nüchternheit, gepreßte Förmlichkeit und gespreizte Bigotterie. Man ist gewissermaßen immer im Staatskleid. Der enge spanische Stiefel, die starre spanische Krause, das steife spanische Mäntelchen sind noch heute sprichwörtlich. Dazu kam noch die mit Roßhaaren ausgestopfte spanische Puffhose, das spanische Wams mit den wattierten Ärmeln und dem gepolsterten „Gänsebauch" und der spitze spanische Hut mit kleinem Rand. Waren die Damen in der bisherigen Tracht bemüht, ihre Reize zu unterstreichen, so suchen sie sie jetzt schamhaft zu verbergen; sie tragen Schnürleibchen, die die Brust verflachen, und ausgesteifte oder auf Draht gezogene tonnenförmige Reifröcke, die den ganzen Unterkörper unsichtbar machen. Eine große Neuerung ist das Taschentuch; für eine komplette Toilette wird außerdem bei den Damen der Fächer und die Maske, bei den Herren der spitz abstehende Degen, bei beiden Geschlechtern der Handschuh unentbehrlich; auch im Zimmer gilt es für unschicklich, ohne Kopfbedeckung und Mantel zu erscheinen. Die bald zu riesigen Dimensionen anwachsende Halskrause hat zur Folge, daß die Kavaliere das Haar bürstenförmig kurz, den Bart schmal und spitz scheren: in Form des *Henri quatre*, den aber Heinrich der Vierte niemals getragen hat.

Gleichzeitig verbreitete sich von Spanien her der *estilo culto* oder *cultismo*, eine süßliche und geschwollene, gezierte und überschmückte, mit gesuchten Bildern und hohlen Allegorien prunkende Ausdrucksweise. Sein Begründer ist der Dichter Luis de Gongora, weshalb diese Richtung auch Gongorismus genannt wird; in Italien hieß sie Marinismus, nach ihrem Hauptvertreter Giambattista Marini, dessen gekünstelte Antithesen und blumige Gleichnisse von der ganzen Welt bewundert und nachgeahmt wurden, in Frankreich Preziosismus, in England Euphuismus, nach John Lillys berühmtem Roman „Euphues, anatomy of wit", einer Aneinanderreihung von frostigen Witzen und geschraubten Wortspielen, sogenannten *concetti*, die bekanntlich auf Shakespeares Diktion einen ebenso nachhaltigen wie nachteiligen Einfluß ausgeübt haben. Dieser Ton durchdrang die ganze Poesie des Zeitalters, aber auch die wissenschaftliche Literatur und die gesellschaftliche Konversation, ja er findet sich sogar in Akten, Petitionen und Parlamentsbeschlüssen. Sein Ideal ist die *bizzaria* um jeden Preis, sein Ziel *lo stupore*, die Verwunderung: „*è del poeta il fin la maraviglia*" lehrt Marini, von dem die Zeitgenossen erklärten, er stehe turmhoch über allen griechischen, römischen und hebräischen Dichtern.

Dieser Hang zur leeren Affektation und überladenen Manieriertheit äußerte sich auch in der krankhaften Sammelwut und kindischen Freude an jeglicher Art von Raritäten, die für diese Periode besonders charakteristisch ist. In den großen Kollektionen Kaiser Rudolfs des Zweiten in der Prager Burg fanden sich zwischen den erlesensten Kunstschätzen Schachteln mit Magnetsteinen und indianischen Federn, Alraunwurzeln, drei Sackpfeifen, zwei eiserne Nägel aus der Arche Noah, ein Krokodil in einem Futteral, ein „Stein, der da wächst", ein Monstrum mit zwei Köpfen, ein „Fell, welches vom Himmel gefallen", „allerlei seltene Meerfische, darunter eine Fledermaus". In dieselbe Linie gehört das wahllose Antikisieren und geschmacklose Prunken mit allen erdenklichen mythologischen, archäologischen und philologischen Reminiszenzen. So wird zum Beispiel vor Elisabeth ein großes Maskenfest „Das Urteil des Paris" aufgeführt. In den Gärten tummeln sich Waldnymphen, auf den Terrassen Satyrn, in den Teichen Nereiden und Tritonen. Diana kommt der Königin entgegen, erklärt sie für das Urbild unbefleckter Keuschheit und lädt sie in ihre Gebüsche ein, wo sie vor den Nachstellungen Aktäons sicher sei. Schließlich wird Paris der Prozeß gemacht, weil er nicht Elisabeth, sondern Venus den Apfel gegeben habe. Auf der königlichen Tafel erschienen Pasteten, die ovidische Verwandlungen darstellten, und man erzählte sich von einem Rosinenkuchen, worauf die Zerstörung Trojas zu sehen war. Ein andermal näherte sich der Königin Kupido inmitten einer Schar von olympischen Göttern und überreichte ihr einen goldenen Pfeil, den schärfsten seines Köchers, der, von so unwiderstehlichen Reizen gelenkt, auch das härteste Herz verwunden müsse. Sie war damals fünfzig Jahre alt.

Seine stärkste Einflußsphäre aber hatte der Klassizismus schon damals in Frankreich. Durch die Konsolidierung der Monarchie wurde Paris allmählich der beherrschende, alle Kräfte an sich heransaugende Mittelpunkt, das große Repräsentationszentrum des Landes, das es bis zum heutigen Tage geblieben ist. Die Literatur, die Architektur, die Mode, der Lebensstil: alles orientiert sich an der Hauptstadt. Seit Franz dem Ersten gehen alle Wandlungen der Bauform vom Hof, von der Residenz aus. Die Sorbonne ist in allen theologischen und wissenschaftlichen Fragen die absolute Autorität. Paris ist Frankreich.

Der eigentliche Begründer des französischen Klassizismus in der Poesie ist François de Malherbe, der, wie Boileau rühmt, „die Muse zu den Regeln der Pflicht zurückgeführt hat". Er ist der Vater jener korrekten und pathetischen, nüchternen und graziösen Dichtungsweise, die in Frankreich bis ins neunzehnte Jahrhundert regiert hat. Er hat den Alexandriner zur fast absoluten Herrschaft erhoben, jenes ebenso biegsame wie eintönige Versmaß, in dem sich, gerade weil es so nichtssagend ist, mit Leichtigkeit alles sagen läßt. Und um dieselbe Zeit ist ein zweites Element in die französische Literatur eingetreten, das für sie ebenso typisch geblieben ist: Honoré d'Urfé schrieb seinen berühmten Schäferroman „Astrée" und schuf damit das Vorbild für jenen kalt-sentimentalen, verlogenen Spieloper-Naturalismus, der zwei Jahrhunderte lang die Franzosen begeistert hat: sein Celadon ist ebenso wie Don Juan und Don Quixote aus einem Individuum ein Begriff geworden, und seine geschminkten Theaterhirten und parfümierten Nymphen, deren lüsterne Keuschheit sich zur natürlichen Sinnlichkeit verhält wie das Dekolleté zur Nacktheit, beleben noch die Vorstellungswelt Rousseaus.

In der Architektur hat der „französische Stil" schon damals einen Höhepunkt erreicht: in den Schlössern des sechzehnten Jahrhunderts hat sich die Oberschicht der Vornehmen und Geistigen, die auf den Gipfeln wandeln, ein strahlendes Symbol errichtet; diese Bauwerke sind genau so wie die Weltanschauung und Lebensform dieser Menschen: heiter und elegant, aber etwas prosaisch; voll Licht und weiter Aussicht, aber ohne rechte Wärme; wohlklingend und klar gegliedert, aber ohne den grandiosen Wurf ihrer italienischen Vorbilder; bilderreich und kostbar kassettiert, aber von sparsamer Innenarchitektur; luftig und geräumig, aber ein wenig kahl wirkend; und eben doch Schlösser: isoliert, abgeriegelt und auf sich selbst gestellt. Man wird vielleicht schon bemerkt haben, daß wir von Montaigne reden.

Bei den zünftigen Historikern der Philosophie, soweit sie sich überhaupt dazu herablassen, sich mit einem so unphilosophisch klaren und weltkundigen Denker zu befassen, figuriert Montaigne als der Typus des Skeptikers. Allein bei Montaigne fließt die Skepsis nicht aus einseitiger Verneinung, sondern aus allseitiger Bejahung: er ist der Mensch, der zu viel weiß, um noch etwas Positives behaupten zu können, der keinen bestimmten Standpunkt einzunehmen vermag, weil er alle Standpunkte einzunehmen vermag, dessen Denkapparat zu weiträumig ist, um an Platzmangel zu leiden: nämlich an einem „System".

Der Skeptiker im Sinne Montaignes ist ein leidenschaftlicher Freund der goldenen Mitte, er ist das „Zünglein der Waage", wie Emerson sagt. Er will weder die Welt beherrschen noch sich ihr willenlos hingeben, er will sie betrachten. Sein Wahlspruch ist Dantes wunderbares Wort: *Non ci badar, guarda e passa!* Blick hin und geh vorüber: das ist die beste Stellung, die man zum Weltlauf einnehmen kann. Oder wie Byron gesagt hat: „Ich betrachte mich als ein Wesen, das von der Hand Gottes in die Mitte eines großen Theaters gesetzt wurde." Der Skeptiker weiß alles, versteht alles und belächelt alles. Der Idealist nimmt die Wirklichkeit nicht ernst. Demgegenüber sagt der Realist zum Idealisten: ich nehme deine Welt der Ideen nicht ernst. Und der Skeptiker nimmt alle beide nicht ernst. Für ihn ist die Welt nichts als eine ewige Schaukel. „Alle Dinge schaukeln ohne Unterlaß", heißt es in den „Essays", „die Erde, die Felsen des Kaukasus, die ägyptischen Pyramiden. Die Beständigkeit selbst ist nichts als eine schwächer geschwungene Schaukel." Montaignes Gemütsart war eine wohltätige Mischung aus behaglicher Lebensfreude und einem beunruhigenden Hang zur Introspektion. „Ich bin von Haus aus nicht melancholisch, sondern nur grüblerisch" sagt er von sich selbst. Das Leben an sich ist in seinen Augen weder ein Gut noch ein Übel, „es ist der Raum des Guten und des Übels, je nachdem, was du hineinlegst": ein Gedanke, den wir bei Shakespeare wiederfinden. Und „in Bereitschaft sein" ist auch ihm alles: „ich singe und sage mir beständig vor: alles, was eines Tages geschehen kann, kann noch heute geschehen." Er war zweifellos ein Stoiker, aber der liebenswürdigste und menschlichste, der je gelebt hat. Den letzten Zweck des Daseins erblickt er im Vergnügen: „Selbst bei der Tugend ist das Endziel, auf das wir es abgesehen haben, die Wollust. Dieser Wollust sollten wir den Namen des angenehmsten, süßesten und natürlichsten Genusses geben." Er war also zweifellos ein Epikureer, aber einer der spirituellsten und veredeltsten, die je gelebt haben. Der Zentralzweck seiner ganzen Philosophie aber war die Selbstbeobachtung und Selbstschilderung: „Ich studiere mich selbst; das ist meine Metaphysik und Physik." Und der Mensch, an der Hand Montaignes auf sich selbst gelenkt, auf die liebevolle und rücksichtslose Erforschung seiner Besonderheiten und Idiotismen, Irrationalismen und Paradoxien, Zweideutigkeiten und Hintergründe, muß notwendig zum Skeptiker werden, indem er erkennt, daß er sich nicht auskennt.

Der von Montaigne geschaffene Typus des heiteren Weltmenschen, der starke Neigungen mit schwachen Überzeugungen verbindet und stets gleich bereit ist, zu genießen und zu sterben, begegnet uns allenthalben in den höheren Kreisen, doch waren nur die wenigsten imstande, der Gefahr der moral insanity zu entgehen, die in jedem konsequenten Skeptizismus verborgen liegt; auch haben sie Montaignes tapferen Wirklichkeitssinn zumeist zu massiv genommen. Aber sie alle haben Montaigne im Blut, sowohl seinen Zweifel wie seinen Sensualismus: der selbstprüferische und menschenkennerische Wilhelm von Oranien, dessen sprichwörtliche Schweigsamkeit nichts war als Skepsis, nämlich die Erkenntnis, daß das Wort die Wahrheit tötet, und der, obgleich der stärkste Vorkämpfer des Protestantismus, im tiefsten Innern in Glaubensdingen völlig gleichgültig war; die kühle Realpolitikerin Elisabeth, die als „Hort der Reformation" gepriesen wurde und gleichwohl ebenso neutral empfand; die sogar politisch völlig parteilose Katharina von Medici, die, mit der Leidenschaft einer Morphinistin nach dem Opiat der Macht lechzend, nur um jeden Preis herrschen will: ob durch Guisen oder Hugenotten, Spanier oder Franzosen, Adel oder Volk, ist ihr völlig gleichgültig; der ebenso blind machtgierige Essex; der „spottlustige" Cecil; der konfessionell, obschon nicht religiös indifferente Kepler; vor allem aber Heinrich der Vierte, der größte Regent des Zeitalters: er durchschaut mit seinem souveränen Scharfblick beide Parteien, wie sie wirklich sind, erkennt, daß sie so, wie sie sind, alle beide unrecht haben, und vermag so beiden gerecht zu werden. Daneben aber macht er die ebenso sachliche Erkenntnis, daß die kompakten Genüsse des Daseins: schöne Weiber und Kleider, Landhäuser, Gärten und Pferde, guter Wein und ein Huhn im Topf auch nicht zu verachten sind. Aber auch Hamlet hat Montaigne gelesen und gelangt durch ihn zu der sehr tiefen Einsicht, daß jeder Handelnde, indem er Partei ergreift, notwendig be-

371

schränkt, ungerecht, grausam sein muß, daß die Tat der Unsinn ist.

Jakob Böhme

Selbst in dem vollkommensten philosophischen Antipoden Montaignes, dem schwerblütigen und eigensinnigen, dumpfen und dunkeln Jakob Böhme lebt etwas von Montaigneschem Geiste. Denn keiner hat das Prinzip der coincidentia oppositorum, der Widersprüchlichkeit der Welt und des Menschen, so bohrend durchgedacht und so allseitig beleuchtet wie dieser tiefgründige Schustermeister. Eines Tages bemerkte er ein dummes altes Zinngefäß, in dem sich die Sonne spiegelte, und sagte sich mit Erstaunen: dies ist nur ein schlechter grober Zinnkrug und doch ist in ihm die ganze Sonne! Darauf wurde er, was man „tiefsinnig" nennt, zog sich zurück und schrieb eines der schönsten theosophischen Bücher. Es war ihm die plötzliche Einsicht aufgegangen, daß alles auf dieser Welt sich nur an seinem Gegensatze zu offenbaren vermöge: das Licht an der Finsternis, das Gute am Bösen, das Ja am Nein, Gott an der Welt, seine Liebe an seinem Zorn, und daß daher alles Sein nicht nur aus Gegensätzen bestehe, sondern auch durch Gegensätze, denn ihnen allein verdankt es seine Existenz.

Giordano Bruno

Auch der sublimste und universellste Kopf des Zeitalters, Giordano Bruno, hat die coincidentia oppositorum zu einem Kardinalbegriff seines Systems gemacht: „Die Koinzidenz der Gegensätze", sagt er, „ist eine Zauberformel der Philosophie." Seine genialen Intuitionen sind seinen Zeitgenossen um mehrere Jahrhunderte vorausgeeilt. Er begann als Dominikaner, verließ jedoch, wegen Ketzerei beargwöhnt, den Orden und führte ein unruhiges Wanderleben durch Italien, Frankreich, England und Deutschland, erwarb in Toulouse den philosophischen Doktorgrad, gewann in Paris zahlreiche begeisterte Anhänger, hielt in Oxford und in Wittenberg vielbesuchte astronomische und philosophische Vorlesungen, war aber überall wegen seiner freien Anschauungen und seiner Spottlust Verfolgungen ausgesetzt und wurde, von der Inquisition bei der Rückkehr in seine Heimat verhaftet, nach jahrelangen vergeblichen Versuchen, eine Ableugnung seiner Lehren zu erreichen, im Jahr 1600 in Rom verbrannt.

Wilhelm Dilthey weist einmal darauf hin, daß Bruno „der Sohn des Landstrichs zwischen Vesuv und Mittelmeer" gewesen sei. Und in der Tat, er war selber ein Vesuv: feurige und formlose Schlacken auswerfend, alle Welt durch die Pracht und Kraft seiner vulkanischen Ausbrüche in Bewunderung und Schrecken versetzend, sich in seiner eigenen Glut verzehrend und eines Tages zu Asche verbrannt. Er war ebensosehr Dichter wie Philosoph, aber diese beiden Gaben ergänzten sich nicht in seiner Seele, sondern lagen in tragischem Kampfe miteinander, weshalb er nur gigantische Zwittergeburten zutage gefördert hat: auch in ihm ist etwas von der Bilderwut und Übertreibungssucht des Gongorismus, aber zu unheimlicher Dämonie gesteigert. Gott ist ihm das schlechthin Unerkennbare, er wohnt in einem Licht, zu dem irdische Einsicht niemals gelangen kann. Wir sehen wohl die Statue, aber nicht den Bildhauer; von der göttlichen Substanz können wir nur eine Spur erkennen, eine entfernte Wirkung; wir vermögen sie nicht anders als im Spiegel, im Schatten, im Rätsel zu erblicken. Von da gelangt er aber zu einem ziemlich eindeutigen Pantheismus. Die spinozistische Formel „*deus sive natura*" findet sich schon bei ihm: „Nur im Glauben der Einsichtslosen bilden Gott und die Natur einen Gegensatz." Und das Prinzip der Monade hat Leibniz von ihm übernommen und zum Siege geführt. Seine Lehren hierüber decken sich vollkommen mit denen Leibnizens: es gibt ein mathematisches Minimum: den Punkt; ein physikalisches Minimum: das Atom; ein metaphysisches Minimum: die Monade. Jede dieser Monaden ist ein Spiegel des Alls, jede ewig, nur die Verbindung wechselt. Die Monaden sind daher die Gottheit selbst, die, obgleich eine unspaltbare Einheit, doch in jeder einzelnen von ihnen sich als eine besondere Erscheinungsform darstellt, gleichwie in jedem Teilchen des Organismus die organische Kraft, in jeder Einzelheit des Kunstwerks die künstlerische Kraft ungeteilt enthalten ist und sich doch eigenartig manifestiert: *omnia ubique*. Wie die Erde sich gleichzeitig um die eigene Achse und um die Sonne bewegt, so folgt jedes Ding sowohl seinem besonderen Lebensgesetz wie dem allgemeinen Weltgesetz. Der Tod der Monade ist ebensowenig ein Übergang ins Nichts, wie ihre Geburt ein Hervorgehen aus dem Nichts ist. Durch diese Spekulationen ist also Bruno der Lehrer der beiden größten Philosophen des Jahrhunderts geworden, in dessen erstem Jahr sein Leib den Flammen übergeben wurde. Sein Einfluß reicht aber noch viel weiter: Hamann, der tiefste Denker der deutschen Aufklärung, hat an ihn angeknüpft, und noch Schelling nannte eine seiner Schriften „Bruno oder über das natürliche und göttliche Prinzip der Dinge".

Noch erstaunlicher aber sind Brunos Antizipationen auf dem Gebiet der Astronomie. Er ist der Vollender des kopernikanischen Systems und der Vorläufer Galileis: er lehrte, daß die Erde nur eine annähernde Kugelgestalt besitze und an den Polen abgeplattet sei, daß auch die Sonne um ihre eigene Achse rotiere, daß alle Fixsterne Sonnen seien, um die sich zahlreiche wegen ihrer Entfernung für uns unsichtbare Planeten bewegen, er hat die Theorie vom Weltäther aufgestellt, die erst in allerneuester Zeit zur Geltung gelangt ist, er hatte sogar eine Ahnung von der Relativitätstheorie, indem er lehrte, es gebe ebenso viele Zeiten, als es Sterne gibt, ja einzelne seiner Ansichten greifen selbst über den Stand unserer jetzigen Wissenschaft hinaus und gehören der Zukunft an: es sind seine Hypothesen über den Zustand der Weltkörper. Im Kosmos, wie er ihn sich dachte, kreisen zahllose Sterne und Weltkugeln, Sonnen und Erden. Von diesen Gestirnen ist keines in der Mitte. Denn das Universum ist nach allen Seiten hin gleich unermeßlich. Es gibt vielmehr ebenso viele Mittelpunkte der Welt, als es Welten, ja Atome gibt. Alle Gestirne sind Individuen, Kolossalorganismen und im Verhältnis zu noch größeren Weltindividuen wiederum nur Teile und Organe. Alle diese Riesenkörper sind aus denselben Elementen aufgebaut. Es wirken daher in ihnen auch dieselben uns wohlbekannten Kräfte. „Wer meint, es gebe nicht mehr Planeten, als wir kennen, ist ungefähr ebenso vernünftig wie einer, der glaubt, es flögen nicht mehr Vögel durch die Luft, als er soeben aus seinem kleinen Fenster beobachtet hat." „Nur ein ganz Törichter kann die Ansicht haben, im unendlichen Raum, auf den zahllosen Riesenwelten, von denen gewiß die meisten mit einem besseren Lose begabt sind als wir, gebe es nichts anderes als das Licht, das wir auf ihnen wahrnehmen. Es ist geradezu albern, anzunehmen, es gebe keine anderen Lebewesen, keine anderen Denkvermögen, keine anderen Sinne als die uns bekannten." Mit dieser intuitiven Erkenntnis hat Bruno selbst unsere heutigen Astronomen weit überflügelt, die in kleinlicher Vorsicht und borniertder Pedanterie nicht wagen, über die armseligen Tatsachen hinauszugehen, die ihnen ihre angebeteten Röhren enthüllen. Immer wieder bekommen wir von Gelehrten, das heißt: Menschen, die nur die eine Seite irgendeiner Wahrheit erblickt haben, die Versicherung zu hören, der Mond sei eine „tote Erde", die Sonne sei nur dazu da, um Licht und Wärme zu spenden, aber Leben sei auf ihr unmöglich, der Mars habe vielleicht einmal hochintelligente Wesen beherbergt, das sei aber leider längst vorbei. Aber dies und dergleichen ist anthropomorphistisches Geschwätz hochmütiger und engstirniger Stubenmenschen. Es ist ganz und gar ausgeschlossen, daß es eine Erde gibt, die tot ist: das würde ihrem Begriff völlig widersprechen. Erde heißt Leben und Heimat von Leben; wie kann so etwas jemals tot sein? Und die Sonne: wie könnte sie so viel Leben auf so viel Planeten schaffen, erhalten, steigern, erneuern, wenn sie nicht selbst ein unerschöpflicher Lebensherd wäre? Oder sollte sie wirklich ihre ungeheueren schöpferischen Energien nur für ihre Trabanten aufbrauchen, für sich aber gar nichts davon verwenden? Und was den Mars anlangt, so ist es, wenn jemals Leben dort war, völlig ausgeschlossen, daß heute keines mehr dort ist. Leben hat die Tendenz, sich immer mehr zu verbreiten, zu erhöhen, zu vervielfältigen. Läßt sich im Ernst daran zweifeln, daß die Mission aller gottgeschaffenen Wesen, sich vollkommen zu vergeistigen, nicht schon auf vielen Weltkörpern erreicht ist? Jeder Weltkörper stellt eine Stufe der Vollkommenheit dar, das heißt: einen der möglichen Grade der Vergeistigung. Jeder ist belebt, bevölkert, in der Entwicklung nach oben begriffen, wenn auch seine Bewohner vielleicht nicht immer so aussehen wie ein Professor der Astronomie.

Es ist natürlich, daß Bruno, der sogar unserer Zeit noch in so vielem voraus ist, von fast allen Mitlebenden entweder als teuflischer Irrlehrer oder als grotesker Phantast angesehen wurde. Der Philosoph, der klar und bestimmt aussprach, was alle Welt dachte,

Francis Bacon

war Francis Bacon: kein abgrundtiefer Vulkan wie Bruno, kein im Dunkel ringender Gottsucher wie Böhme, kein feinnerviger Seelenanatom wie Montaigne, kein feuriges Weltauge wie Shakespeare, aber ein besonnener und eindrucksvoller Sprecher, der es verstand, das Streben seines Zeitalters in scharfgeprägten Worten deutlich zusammenzufassen und glänzend zu formulieren. Es ist wesentlich für ihn, daß er Engländer war; nur von England konnte eine solche Philosophie ausgehen.

Der Aufstieg Englands England ist während des sechzehnten Jahrhunderts von einem mittelalterlichen Kleinstaat zu einer modernen europäischen Großmacht emporgestiegen, nicht durch seine Herrscher, wie die loyale Legende berichtet, sondern trotz seinen Herrschern, die fast alle mittelmäßig und zum Teil niederträchtig waren. Heinrich dem Achten sind wir schon einige Male begegnet. Selbst Shakespeare hat in seiner bestellten Hofdichtung mit allen virtuosen Retuschen nicht vermocht, etwas anderes als das Bild eines rohen und tückischen Despoten zu geben. Man braucht nur Holbeins Porträt anzusehen, um von diesem brillantengeschmückten Fleischermeister, dieser vernichtenden Inkarnation bestialischer Energie und unersättlicher Vitalität eine Vorstellung zu bekommen. Sein Sohn Eduard der Sechste, der allem Anschein nach sehr begabt war, starb in sehr jungen Jahren. Nach ihm bestieg die „blutige Mary" den Thron, eine verbitterte alte Jungfer und verbohrte Bigotte, die, ganz unter dem Einfluß ihres Gatten, Philipps des Zweiten, in den sie zeitlebens unglücklich verliebt war, mit den brutalsten Mitteln die katholische Restauration anstrebte und im Krieg gegen Frankreich, den sie an der Seite Spaniens führte, Calais verlor, was ihr die Engländer noch mehr verübelten als ihre grausamen Reaktionsversuche: hätte sie nur einige Jahre länger regiert, so wäre es schon damals zu einer Revolution gekommen. Ihre Nachfolgerin war die „große Elisabeth", eine kluge und zielbewußte, aber maßlos eitle und egoistische Frau von jener brutalen Skrupellosigkeit, kalten Hinterlist und scheinheiligen Prüderie, die die Feinde Englands als typisch national bezeichnen. Jedenfalls war der *cant* in ihr bereits zu vollendeter Meisterschaft entwickelt, jene Eigenschaft, für die keine andere Sprache ein bezeichnendes Wort hat, weil kein anderes Volk etwas besitzt, das ihr entspricht. Was ist cant? Cant ist nicht „Verlogenheit", ist nicht „Heuchelei" oder dergleichen, sondern etwas viel Komplizierteres. Cant ist ein Talent, das Talent nämlich, alles für gut und wahr zu halten, was einem jeweils praktische Vorteile bringt. Wenn dem Engländer etwas aus irgendeinem Grunde unangenehm ist, so beschließt er (in seinem Unterbewußtsein natürlich), es für eine Sünde oder eine Unwahrheit zu erklären. Er hat also die merkwürdige Fähigkeit, nicht etwa bloß gegen andere, sondern auch gegen sich selbst perfid zu sein, und er betätigt diese Fähigkeit mit dem besten Gewissen, was ganz natürlich ist, denn er handelt in der Ausübung eines Instinkts. Cant ist etwas, das man „ehrliche Verlogenheit" nennen könnte oder „die Gabe, sich selbst hineinzulegen".

Die beiden berüchtigtsten Flecken der Regierung Elisabeths sind die beiden Hinrichtungsprozesse gegen Essex und Maria Stuart. Sie war beide Male als Königin und als Politikerin im Recht: Essex war ein Hochverräter und Maria Stuart das Haupt zahlreicher gefährlicher Verschwörungen. Nur das gereicht ihr zur Unehre, daß sie beide Male ihr blutiges Recht nicht einfach vollzogen hat, sondern auch noch den Ruhm der weiblichen Milde und christlichen Barmherzigkeit für sich einheimsen wollte. Auch ihre vielen Liebhaber wird ihr kein vernünftiger Mensch zum Vorwurf machen, wohl aber die unverfrorene Tartüfferie, mit der sie sich während ihrer ganzen Regierung als „jungfräuliche Königin" feiern ließ und zum Beispiel gestattete, daß die erste englische Kolonie von Walter Raleigh, der es selber besser wissen mußte, nach ihr Virginien genannt wurde. Hierin stand sie tief unter ihrer tödlichen Rivalin Maria Stuart, die in ihrem Leben vielleicht ebenso viele Verbrechen begangen hat, aber keines in kalter Berechnung, und sicherlich weniger „Fehltritte", aber sich zu ihnen offen bekannte. Als Marias Liebhaber Bothwell ihren Gatten Darnley in die Luft sprengte, geriet ganz Schottland in Aufruhr; als Elisabeths Günstling Leicester seine Gattin vergiftete, schwieg die öffentliche Meinung, denn es war viel schlauer arrangiert. Geschicklichkeit hat aber für Mörder niemals als besondere Entschuldigung gegolten.

Als Elisabeth nach fünfundvierzigjähriger Regierung starb, gelangte Jakob der Erste, der Sohn der Maria Stuart und Urenkel der Tochter Heinrich Tudors, zur Herrschaft und vereinigte in seiner Person die Kronen, aber auch die schlechten Eigenschaften der beiden feindlichen Häuser: den herrschsüchtigen Eigensinn und Hochmut der Tudors und die Trägheit und moralische Verantwortungslosigkeit der Stuarts. Sein Vater war wahrscheinlich Marias Sekretär, der häßliche David Riccio, der von Darnley auf die bestialischste Weise umgebracht worden war. Seine Gestalt war plump und unansehnlich, sein Kopf dick, sein Bart dünn, seine Augen hervorquellend, seine Rede stotternd und mißtönend: man sagte, daß er die Worte mehr herausspucke als artikuliere. Er war ungemein furchtsam und mißtrauisch, konnte keine blanke Waffe sehen und lebte in beständiger Angst vor Verschwörungen und Attentaten. Er war ebenso kindisch eitel wie seine Vorgängerin, aber viel unvernünftiger, denn er vertrug nur Ansichten, die mit den seinigen übereinstimmten. Besonders stolz war er auf seine theologische Bildung, die er zum Schrecken seiner Umgebung fortwährend in den spitzfindigsten Debatten zur Schau stellte. Seine zweite Passion waren schöne junge Menschen, die alles von ihm erreichen konnten, auch wenn sie noch so unbedeutend und vulgär waren. Obgleich er mit seinen zappelnden Bewegungen, seinem unbeholfenen Gang und seinen bäurischen Manieren das Gegenteil einer königlichen Erscheinung war, so war doch kein Herrscher von seinem Gottesgnadentum so überzeugt wie er. Er hielt sich für den unumschränkten Diktator über Leben, Eigentum und Meinungen seiner Untertanen, und dies in einer Zeit und einer Nation, die für solche Theorien nichts weniger als empfänglich war. Da es ihm außerdem völlig an politischem Takt und Überblick fehlte, so lag er ununterbrochen mit seinen Parlamenten im Streit; der offene Aufruhr kam aber erst unter seinem Nachfolger zum Ausbruch. Als er zu Ende regiert hatte, sagte man: Großbritannien ist kleiner als Britannien.

Trotzdem sind diese hundert Jahre die erste große Glanzperiode Englands. Handel, Gewerbe und Schiffahrt, Wissenschaft, Kunst und Literatur entwickelten sich zu überreicher Blüte. London war unter Elisabeth schon eine Stadt von dreimalhunderttausend Einwohnern mit zahllosen Kaufläden, einer gebietenden Börse, einer dauernden Messe und fast zwanzig stehenden Theatern. Die Straßenpflasterung war sorgfältig, die Wasserversorgung durch hölzerne Leitungen reguliert, die Beleuchtung und die Feuerpolizei erheblich verbessert. Es gab zahlreiche wohleingerichtete Schulen, Apotheken und Druckereien und sogar schon so etwas wie Zeitungen. Die Themse wimmelte von geschmückten Booten, ein ununterbrochener Strom von Fußgängern, Reitern, Sänften belebte die Stadt, die Vornehmen benutzten auch schon Kutschen, und ihre neuen Landhäuser, im Tudorstil erbaut, waren sachlich, praktisch, einladend und (im Unterschied von den kontinentalen Villen) in erster Linie für den Wohnzweck angelegt: schon damals äußert sich der Sinn des Engländers für gediegene und behagliche Häuslichkeit. Die Kleidung ist festlich, reich, soigniert und nicht ohne Geschmack, der Komfort aber noch nicht wesentlich vom mittelalterlichen unterschieden: man schläft noch ziemlich primitiv, ist mit der Gabel noch immer nicht bekannt, legt beim Essen den Hauptwert auf die Quantität und bedient sich für den gewöhnlichen Gebrauch mit Vorliebe hölzerner Geräte. Ein neues Genußmittel war der Tabak, der, von Jean Nicot zuerst als bloßes Arzneimittel angepriesen, später durch Drakes und Raleighs Matrosen rasch eingebürgert wurde und schon gegen Ende des Jahrhunderts allgemein beliebt war: man rauchte ihn aber nicht in Zigarrenform, wie es die Indianer mit Vorliebe taten, sondern ausschließlich in Pfeifen. Die Geistlichkeit bekämpfte das Rauchen, auch der doktrinäre Jakob belegte es aus theologischen Gründen zuerst mit Verboten und Strafen, erkannte es aber bald als eine ergiebige Steuerquelle. Die Tabaksläden, wo Unterricht im Rauchen erteilt wurde, waren überfüllt, die jeunesse dorée kam mit ihren dampfenden Pfeifen ins Theater, und Raleigh warf man vor, daß er sogar bei der Hinrichtung seines Feindes Essex Tabakswolken ausgestoßen habe.

Die Durchschnittsbildung der besseren Kreise stand auf einem ziemlich hohen Niveau: alle Welt las die römischen Dichter und Philosophen, sang und musizierte, trieb Mathematik und Astronomie, und zwar die Damen so gut wie die Herren; die Konversation war witzig und gewählt, obschon durch Euphuismen verkünstelt. Daneben fehlte es freilich auch nicht an Roheiten. Die Justiz war nach wie vor barbarisch. Die drei stärksten dramatischen Talente neben Shakespeare: Peel, Greene und Marlowe waren wüste Messerhelden und Trunkenbolde, König Jakob war ein vollkommener Flegel, aber auch die Queen Bess freute sich, wenn das Volk ihr auf der Straße zurief: „Wie geht's, alte Hure?", liebte es, mitten in der gepflegtesten Unterhaltung gemeine Matrosenausdrücke zu gebrauchen und konnte, wenn sie gereizt wurde, zanken wie ein Fischweib. Berühmt ist ihr Streit mit Essex, in dem dieser ihr zurief: „*Your mind is as crooked as your carcass;* dein Geist ist so krumm wie dein Gestell!", worauf sie ihm mit den Worten: „Häng dich auf!" eine schallende Ohrfeige versetzte.

Die Flegeljahre des Kapitalismus

Der Mensch der sogenannten „englischen Renaissance", die unter Elisabeth ihren Höhepunkt erreicht hat, ist überhaupt noch eine Mischung aus ungezügeltem Urmenschentum und modernem Engländertum, eine Kreuzung aus einem zähen und umsichtigen Sachlichkeitsmenschen und einem wilden und tollkühnen Abenteurer. Der präzise Ausdruck dieser Geisteslage sind die *merchants adventurers,* raubritternde Kaufleute und Seefahrer, die zuerst auf eigene Faust, später durch königliche Privilegien unterstützt, die Küsten des fernen Ostens und Westens plünderten, aber auch Geschäftsniederlassungen gründeten und Handelsbeziehungen einleiteten. Es war, mit einem Wort, Piraterie unter staatlicher Oberhoheit und Profitbeteiligung: im Kriegsfall nannte man es Kaperei. Die großen Admirale, Weltumsegler, Eroberer und Kolonisatoren: Drake, Raleigh, Hawkins, Essex und alle übrigen Seehelden des elisabethinischen Zeitalters waren nichts anderes als Korsaren. Etwas ganz Ähnliches waren die „Handelskompanien": konzessionierte Gesellschaften zur Ausbeutung überseeischer Länder. Schmuggel, Seeraub und Sklavenhandel stehen an der Wiege des englischen und des ganzen modernen Kapitalismus.

Dies hat zwei Gründe. Zunächst ist ja aller Handel und Gelderwerb nichts als eine Art zivilisierter und in geordnete Bahnen geleiteter Betrug. Wir haben im dritten Kapitel gesehen, unter wie großen moralischen und sozialen Widerständen sich der Übergang von der Naturalwirtschaft und dem reinen Handwerk zur Geldwirtschaft und zum Handel als Selbstzweck vollzogen hat. Sind nun diese Hemmungen im Anfang stärker als später, so pflegen diese Übergangszeiten auch anderseits als Korrelat die großen Hemmungslosen zu erzeugen. Sodann wird aber überhaupt jede neue Wirklichkeit: in Religion, Kunst, Wissenschaft, Gesellschaft zu ihrer Entstehungszeit von der Verfemung getroffen, da sie das „gute Gewissen" der bisherigen Wirklichkeit gegen sich hat, und ist daher gezwungen, in asozialen Formen aufzutreten: sie beginnt fast immer als Paralogismus, als „Romantik", als Verbrechertum. Und ebenso deutlich, wie wir noch in den respektabeln und friedliebenden Kaufherren des siebzehnten und achtzehnten Jahrhunderts die Züge ihres Stammvaters, des Raubritters und Piraten zu erkennen vermögen, können wir im heutigen Großfinanzier entdecken, daß er sich vom Glücksritter, vom Spieler und Falschspieler herleitet. Jene Zeiten aber waren die Flegeljahre des Kapitalismus. Der Erwerbstrieb trat damals noch in ekstatischen und tumultuarischen Formen auf: er hat den Charakter eines Fiebers, eines Rausches, einer Kinderkrankheit. Niemand vermochte sich dieser Ansteckung zu entziehen: wir werden sogleich sehen, daß selbst der hellste und besonnenste Kopf Englands und des ganzen Zeitalters von ihr ergriffen war. Das sichtbare Zeichen dieses neuen Merkantilgeistes war das große Londoner Börsengebäude, das 1571 vom Hofbankier Sir Thomas Gresham dem Verkehr übergeben wurde.

Parallel mit den wirtschaftlichen Wandlungen ging ein großer Aufschwung der exakten Wissenschaften. Wir haben gesehen, daß schon in der ersten Hälfte des Jahrhunderts eine Reihe wichtiger Fortschritte auf dem Gebiet der Mathematik und Kosmologie, der Medizin und Chemie, der Zoologie und Erdbeschreibung zu verzeichnen sind; und diese Forschungen finden in den beiden nächsten Menschenaltern ihre Fortsetzung und zum Teil sogar schon ihren vorläufigen Abschluß. François Viète erhob die Algebra zu wissenschaftlicher Höhe, begann bereits mit ihrer An-

Die exakten Wissenschaften

wendung auf die Geometrie und förderte die Kreisberechnung durch Untersuchungen über die Zahl π; Geronimo Cardano schuf die Formel für die Auflösung von Gleichungen dritten Grades und machte in den imaginären Größen, deren Typus $\sqrt{-1}$ ist, eine Erfindung von unberechenbarer Tragweite; John Napier edierte unter dem Titel „mirifici logarithmorum canonis descriptio" die ersten Logarithmentafeln; der niederländische Arzt Johann van Helmont entdeckte luftartige Stoffe, die sich von der Luft unterscheiden: die Gase, und Stoffe, die in den Körpersäften Zersetzungsprozesse anzuregen vermögen: die Fermente; Kaspar Bauhin beschrieb sämtliche bekannte Pflanzen nach Wurzel, Stengel und Blattbildung, Blüte, Frucht und Samenbeschaffenheit, gab ihnen eine doppelte Bezeichnung nach Gattung und Spezies und wurde damit der bedeutendste Vorläufer Linnés; Piccolomini begründete durch seine Beschreibung der Gewebe die allgemeine Anatomie, Coiter die pathologische Anatomie, Paré die neuere Chirurgie und Palissy die Paläontologie, indem er bereits mit voller Entschiedenheit erklärte, daß die versteinerten Tierformen Überreste von Organismen seien, die in früheren Perioden auf der Erde lebten.

Die erstaunlichsten Erfolge wurden aber in der Physik und Astronomie erzielt. William Gilbert, der Leibarzt der Königin Elisabeth, wurde zum Begründer der Lehre von der Elektrizität und dem Magnetismus und erkannte auch schon, daß die ganze Erde ein großer Magnet sei, weshalb er den kugelförmigen Magnetstein, mit dem er seine Experimente machte, *Terella*, Miniaturerde nannte. Der Holländer Simon Stevin, der sich auch als Festungsingenieur und Erfinder des Segelschlittens hervortat, untersuchte in seinen „Hypomnemata mathematica" als erster die mechanischen Eigenschaften der schiefen Ebene und legte in dem Satz vom Kräfteparallelogramm und in dem Prinzip der virtuellen Verschiebungen die Fundamente zur modernen Statik. Er machte auch eine Reihe folgenschwerer Untersuchungen auf dem Gebiet der Hydrostatik und fand unter anderm das „hydrostatische Paradoxon", wonach der Bodendruck in einem Gefäß, das sich nach oben erweitert, kleiner, in einem, das sich nach oben verengert, größer ist als das Gewicht der vorhandenen Flüssigkeitsmenge; ferner bewies er, daß in kommunizierenden Röhren der Wasserstand stets die gleiche Höhe hat, auch wenn sie verschiedene Durchmesser besitzen. Der große dänische Astronom Tycho de Brahe beobachtete die Konjunktion von Jupiter und Saturn, entdeckte einen neuen Stern in der Kassiopeia und erbaute mit Hilfe des Königs eine großartige Sternwarte, mußte aber später auf Betreiben der Theologen sein Vaterland verlassen und starb als Hofastrolog Kaiser Rudolfs des Zweiten in Prag. Dort war Kepler sein Gehilfe, dem er durch die beispiellos genauen Berechnungen und Tabellen, die er ihm hinterließ, seine Entdeckungen ermöglicht hat. Sein System bedeutet in gewisser Hinsicht einen Rückschritt, denn er nahm zwar an, daß die Planeten um die Sonne kreisen, ließ die Sonne selbst aber sich um die Erde bewegen, die er wieder in den Mittelpunkt des Weltalls zurückversetzte. Er gelangte zu dieser Annahme durch die Erwägung, daß, wenn das kopernikanische System richtig sei, im Frühjahr und im Spätjahr die Erde sich in ganz verschiedenen Entfernungen von den einzelnen Sterngruppen befinden und daher der Fixsternhimmel ein ganz ungleiches Aussehen haben müsse. Daß die ungeheuern Dimensionen des Weltalls diesen scheinbar so berechtigten Einwand gegenstandslos machen, konnte er noch nicht ahnen.

Die Erfindung des Fernrohrs lag zu Anfang des siebzehnten Jahrhunderts ebenso in der Luft wie hundert Jahre früher die Entdeckung der amerikanischen Küsten. Es wurde 1608 von Hans Lippershey konstruiert, dem Zacharias Jansen die Priorität bestritt, und im darauffolgenden Jahre ein drittes Mal ganz selbständig von Galilei. Im Jahr 1611 machte Kepler in seiner „Dioptrik" die Angaben für den Bau des sogenannten „astronomischen Fernrohrs", die der Jesuitenpater Scheiner 1613 zur Ausführung brachte. Ungefähr um dieselbe Zeit beobachtete Galilei die Mondgebirge, den Saturnring, die Sonnenflecken, deren Bewegung ihm die Achsendrehung der Sonne bestätigte, und die Jupitermonde: eine für die Anhänger der alten Lehren sehr kompromittierende Entdeckung, da durch sie die Welt des Jupiter sich als ein verkleinertes Abbild des Planetensystems enthüllte und bewiesen wurde, daß ein Weltkörper sehr wohl ein Bewegungszentrum zu bilden und gleichzeitig eine Eigenbewegung zu besitzen vermag. Seine Entdeckungen gingen aber noch viel weiter. 1610 schreibt er an einen Freund: „Auch habe ich eine Menge von nie gesehenen Fixsternen beobachtet, die die Zahl derer, die man mit bloßem Auge wahrnehmen kann, um mehr als das Zehnfache übertrifft, und weiß nun, was die Milchstraße ist, über die sich die Weltweisen zu allen Zeiten gestritten haben." Ebenso groß wie als Astronom ist Galilei als Physiker: er ist der Begründer der Dynamik, einer ganz neuen Wissenschaft, die den Alten fremd war, da sie nur Untersuchungen über Statik kannten, der Schöpfer der Theorie des Wurfs und des freien Falls, auf die er durch die Schwingungen einer Lampe im Dom zu Pisa gekommen sein soll, der Entdecker des Gesetzes der Trägheit und der Erfinder der hydrostatischen Waage und des Thermometers.

Die Lehren Galileis wirkten so beunruhigend, daß es Leute gab, die sich weigerten, in sein Teleskop zu blicken, um darin nicht Wahrnehmungen zu machen, die die Lehren der bisherigen Philosophie und der Kirche umstürzen könnten. Die Legende hat aus ihm einen Märtyrer der freien Forschung gemacht, dem von den Mächten der Finsternis ein Widerruf abgepreßt worden sei. Aber so lesebuchartig haben sich die Dinge nicht zugetragen. Die Wahrheit ist, daß viele kirchliche Würdenträger und zumal der damalige Papst Urban der Achte seinen Forschungen das größte Interesse entgegenbrachten und an ihnen anfangs nichts Anstößiges fanden. Die wahren Gründe für die Verfolgungen, die Galilei zu erdulden hatte, lagen in seiner krankhaften Reizbarkeit und Rechthaberei, seinem Mangel an diplomatischem Takt und Kunst der Menschenbehandlung und seiner noch in den Gepflogenheiten des Humanismus wurzelnden Sucht, religiöse Spekulationen mit exakten Untersuchungen zu vermengen: ein Verfahren, das schon die damalige Zeit mit Recht nicht nur als irreligiös, sondern auch als unwissenschaftlich ansah. Dazu kam freilich auch der Neid der Kollegen. In dem astronomischen Hauptwerk Galileis, worin er nach der Sitte der Zeit seine Lehre in Dialogform vortrug, kam eine alberne Figur namens Simplicius vor, die gegen das neue

Weltsystem die unsinnigsten Einwände vorbringt. In ihr sollten die Aristoteliker verspottet werden, aber es gelang den Feinden Galileis, den Papst glauben zu machen, daß er gemeint sei. Erst von diesem Augenblick an begann Urban, der ebenso geistreich und freidenkend wie eitel und cholerisch war, gegen Galilei einzuschreiten. Es wurde über ihn eine (übrigens ziemlich milde) Haft verhängt, und seine Bücher kamen zugleich mit allen andern, die das heliozentrische System lehrten, auf den Index. Von hier datiert der Gegensatz zwischen der katholischen Kirche und der neuen Astronomie. Kopernikus hatte, wie wir gehört haben, sein Werk dem Papst gewidmet, die Jesuiten, zum Beispiel der vorhin erwähnte Pater Scheiner, beteiligten sich sehr lebhaft an den neuen Untersuchungen, und der Jesuit Grimberger erklärte, wenn Galilei es verstanden hätte, sich die Sympathien der Jesuiten zu erwerben, so hätte er über alles mögliche schreiben können, auch über die Umdrehung der Erde. Übrigens hat die Kirche durch ihre veränderte Haltung sich selbst weit mehr geschadet als den Forschern, die sie verfolgte, denn sie hat sich dadurch in einen verhängnisvollen Kampf mit allen vorwärtsweisenden Kräften der nächsten Jahrhunderte verwickelt, in dem sie unvermeidlich unterliegen mußte.

Neben Galilei wirkte Johannes Kepler. Er entdeckte 1607 den sogenannten Halleyschen Kometen, den ersten, dessen Wiederkehr berechnet und seither regelmäßig (in Abständen von $76\frac{1}{3}$ Jahren, zuletzt 1910) beobachtet worden ist, entwickelte in seiner „Dioptrik" die Gesetze der Lichtbrechung und die Theorie des Sehens, ermittelte die wahre Gestalt der Planetenbahnen und schuf die dauernden Grundlagen für unsere Vorstellungen von der Einrichtung des Sonnensystems in den „Keplerschen Gesetzen", die besagen, daß erstens alle Planeten sich in Ellipsen bewegen, in deren einem Brennpunkt die Sonne steht, daß zweitens die Flächen, die die Verbindungslinie zwischen Sonne und Planet bestreicht, immer den darauf verwendeten Zeiträumen proportional sind und daß drittens die Quadrate der Umlaufzeiten der Planeten sich verhalten wie die Kuben ihrer mittleren Entfernungen von der Sonne. Hiermit war zugleich dargetan, daß ein einheitliches strenges Gesetz und eine gleichmäßig wirkende Kraft unser ganzes Planetensystem, ja das ganze Weltall regiert.

Bacon als Charakter

Alle diese wirtschaftlichen, gesellschaftlichen und wissenschaftlichen Tendenzen hat Bacon in seiner Philosophie zusammengefaßt. Er war in jederlei Sinn das, was man „auf der Höhe der Zeit stehend" nennt. Er machte eine glänzende politische Karriere, wurde Kronanwalt, Großsiegelbewahrer, Lordkanzler, Baron von Verulam und Viscount von Saint Albans. Alle Welt blickte auf ihn, alles Licht sammelte sich um seine Person; und dies hat bewirkt, daß nicht nur seine philosophischen Verdienste heller, sondern auch seine moralischen Verfehlungen greller erschienen, als sie in Wirklichkeit waren. Über seinen Charakter herrscht bis zum heutigen Tage noch keine Einigkeit. Macaulay, in seiner juristischen Betrachtungsart, die der Geschichte gegenüber gern den Advokaten oder den öffentlichen Ankläger spielt, hat ihn völlig verurteilt; andere haben, in noch viel einseitigerer Weise, versucht, ihn als gänzlich fleckenlos hinzustellen. Die beiden großen Skandale, in die sein Leben verwickelt wurde, waren der Prozeß gegen Essex unter Elisabeth und der Prozeß gegen ihn selbst unter Jakob. Essex, der sich von der Königin zurückgesetzt glaubte, hatte gegen sie in seiner leidenschaftlichen und unüberlegten Art einen Tumult angezettelt, der sofort niedergeschlagen wurde. In seiner Verteidigung erklärte er, der Aufstand sei nur gegen seinen mächtigsten Rivalen Walter Raleigh gerichtet gewesen, der ihm nach dem Leben getrachtet habe; das Todesurteil nahm er mit der größten Fassung entgegen. Bacon plädierte in der Untersuchung, der er beigezogen war, auf die schonungsloseste Weise gegen Essex, obgleich er mit ihm zeitlebens befreundet war und ihm viele Förderungen und Geschenke verdankte: er verglich ihn mit Heinrich von Guise, dem Haupt der antidynastischen Partei in Frankreich, mit Absalon, der sich gegen seinen Vater erhob, mit Pisistratus, der seine usurpatorischen Pläne damit zu maskieren suchte, daß er vorgab, selbst von Mördern bedroht zu sein, und Wunden vorzeigte, die er sich selbst geschlagen hatte. Aber er ging noch weiter. Nach der Hinrichtung schrieb er im Auftrag der Königin, die durch das Bluturteil gegen den Volksliebling Essex ihre Popularität bedroht sah, eine „Erklärung der Ränke und Verrätereien, versucht und begangen durch weiland Robert Graf Essex und seine Mitschuldigen", worin er alle seine früheren Anklagen in den gehässigsten Ausdrücken wiederholte und den Toten außerdem, und sicher mit Unrecht, beschuldigte, mit den irischen Rebellen, gegen die er als Feldherr geschickt worden war, gemeinsame Sache gemacht und eine bewaffnete Landung in England verabredet zu haben, um die Königin zu ermorden und sich selbst auf den Thron zu setzen. Zwanzig Jahre später, auf der Höhe seines Ruhms und seiner Macht, wurde er selbst unter Anklage gestellt: er wurde beschuldigt, in seinem Richteramte Geldgeschenke angenommen zu haben, und von den Lords auf Grund zahlreicher Zeugenaussagen und seines eigenen Geständnisses einstimmig zu einer Geldbuße und zur Verbannung auf seine Güter verurteilt, wodurch er endlich für die Abfassung seiner Werke die Muße gewann, die ihm die Jagd nach Reichtum und Einfluß bisher nicht vergönnt hatte. Bestechungen waren damals bei Beamten durchaus üblich, und wenn man gerade gegen Bacon die Anklage erhob, so lag der Grund nicht in besonders krassen Verfehlungen des Kanzlers, sondern darin, daß man in einem besonders exponierten Vertreter das ganze System treffen wollte. Eben darum beschwor auch der König Bacon, das Urteil widerstandslos hinzunehmen: er versprach ihm, ihn bei der ersten günstigen Gelegenheit zu rehabilitieren, wenn er nur durch Passivität verhindere, daß die Sache weitere Kreise ziehe; und darum hat Bacon auf jede Verteidigung verzichtet, obgleich sie für ihn bei seinem hohen wissenschaftlichen Ansehen, seiner außergewöhnlichen Rednergabe und der laxen Auffassung, die man allgemein von seinem Delikt hegte, keineswegs aussichtslos gewesen wäre.

Der Grund für die beiden Verirrungen, die ihm so viel üble Nachrede eingetragen haben, war also beide Male eine hemmungslose Servilität gegen den Hof, eine fast krankhafte Angst vor königlicher Ungnade und öffentlicher Zurücksetzung. Um sich bei der Königin in Gunst zu setzen, opferte er durch jene bestellte Schmähschrift das Andenken seines Freundes, und um das Wohlwollen des Königs nicht zu verlieren, opferte er durch den Verzicht auf jede persönliche Rechtfertigung sein eigenes Andenken bei der Nachwelt. Wenn wir also das Urteil über seinen Charakter zusammenzufassen versuchen, so werden wir sagen dürfen: er war sicherlich weder ein gemeiner noch ein boshafter Mensch (vielmehr schildern ihn sogar seine Feinde als liebenswürdig, dienstfertig, generös, frei von Anmaßung und, was zu jener Zeit fast ein Unikum bedeutete, frei von Rachsucht), wohl aber ein schwacher Mensch und ein kalter Mensch und, was gerade bei einem Mann vom Rufe Bacons sonderbar klingen mag, ein unphilosophischer Mensch. Aber wenn es wahr ist, daß eine der Grundeigenschaften des Philosophen in der Verachtung der Realität besteht, dann war Bacon kein Philosoph; er konnte nicht leben ohne Titel, Ämter, Würden, königliches Lächeln und Verbeugungen der Höflinge, ohne Pferde, Landgüter, Roben, Silbergeschirr und Lakaien: Ehre, Macht, Besitz, flüchtiger Genuß und leerer Prunk waren ihm allezeit wichtiger als Frieden und Wissen.

Bacon als Philosoph Ja es läßt sich sogar die Frage aufwerfen, ob er sich nicht in seinen Werken ebensowenig als Philosoph gezeigt hat wie in seinen Taten. Die landläufige Meinung geht dahin, daß sein Leben ebenso schwarz und verwerflich gewesen sei wie sein Schaffen strahlend und unvergleichlich. Es spricht aber viel dafür, daß beide Ansichten ungerecht sind und den wirklichen Tatbestand vergrößern.

Die Philosophie Bacons will, wie er schon durch die Titel seiner Schriften andeutet, nicht mehr und nicht weniger sein als eine *Instauratio Magna:* eine große Erneuerung der Wissenschaften, ein *Novum Organon* und „die größte Geburt der Zeit". „Die Wahrheit ist die Tochter der Zeit", sagt Bacon: eine solche Philosophie, die die legitime Tochter ihres Zeitalters ist, die aus allen Erfahrungen, Entdeckungen und Fortschritten der Gegenwart den Extrakt und die Summe zieht, will er begründen. Seine Betrachtungen sind also im Gegensatze zu denen Nietzsches höchst „zeitgemäße": er will gleichsam seinem Weltalter den Puls abhören und ihm die Diagnose stellen. Er will aber auch eine Prognose liefern und den Weg zu neuen Siegen weisen: „ich übernehme die

Rolle des Zeigers", sagt er in der Vorrede zu seinem Hauptwerk. Beide Zwecke sucht er dadurch zu erreichen, daß er ein System der reinen Erfahrungsphilosophie entwirft. Nach seiner Ansicht haben in der Philosophie bisher Grundsätze geherrscht, die der Verstand ohne Rücksicht auf die wirkliche Natur der Dinge einfach als gegeben voraussetzte: daher nennt er diese Forschungsart die „Methode der Antizipationen". Ihr stellt er seine eigene neue Untersuchungsweise als „Methode der Interpretationen" gegenüber, die auf das genaue und gründliche Verständnis der Natur abzielt. Der Verstand soll die Natur auslegen wie der gute Interpret einen Autor, indem er sich bemüht, möglichst genau auf ihren Geist einzugehen. Dies gelingt nicht durch hochfliegende Ideen und weltferne Spekulationen, sondern nur durch geduldige Unterwerfung unter die Natur: *natura parendo vincitur*. Dazu müssen wir uns vor allem der Vorurteile und Trugbilder, der Idole entledigen, mit denen unser Geist behaftet ist. Bacon unterscheidet vier Klassen solcher Idole. Die ersten sind die Trugbilder, die aus dem individuellen Charakter jedes einzelnen Menschen fließen und, weil sie sich ins Unbestimmbare und Dunkle, gleichsam in die Höhle der Individualität verlieren, von Bacon *idola specus* genannt werden: sie sind aber zu vielfältig und unberechenbar, um näher verfolgt und beschrieben werden zu können. Die zweiten stammen aus der Überlieferung, dem Respekt vor der Autorität fremder Meinungen und werden blind geglaubt, obgleich sie ebenso erdichtet sind wie die Fabeln der Theaterwelt und daher bloße *idola theatri* darstellen. Die dritten entspringen der Gewohnheit, an die Stelle der Dinge Worte zu setzen: sie verwechseln die konventionellen Zeichen für die Dinge mit den Dingen selbst, den Marktwert mit dem Realwert und heißen daher *idola fori:* in diesen Betrachtungen finden sich die ersten Anfänge einer Sprachkritik. Die vierte Gruppe endlich, die mächtigste und gefährlichste, die am schwersten zu erkennende und am mühsamsten zu überwindende, bilden die *idola tribus*, die unserer Gattung eingeborenen Trugbilder, die uns fortwährend veranlassen, die physische Natur in die menschliche zu übersetzen, wobei das Original seine Eigentümlichkeit einbüßt und den Geist des Übersetzers annimmt. Die menschliche Seele ist ein Spiegel der Dinge, aber dieser Spiegel ist so geschliffen, daß er die Dinge, indem er sie abbildet, zugleich verändert. Es ist aber falsch, den menschlichen Sinn für das Maß der Dinge zu halten. Hier könnte man Ansätze zu einer phänomenalistischen Betrachtungsweise vermuten; aber Bacon meint es ganz anders als Kant und seine Schule: für ihn ist das, was er „Natur" nennt, nicht eine Schöpfung unseres Geistes, ein Produkt unserer Apperzeptionsformen, sondern etwas, dessen wahres Wesen das menschliche Bewußtsein sehr wohl zu erkennen vermag, falls es ihm gelingt, sich der Idole zu entledigen. Ja Bacon ist sogar so wenig philosophischer Idealist, daß er den erkenntnistheoretischen Wert übergeordneter Ideen bei jeder Gelegenheit leugnet und sogar, wie wir gleich sehen werden, die Anwendung abstrakter mathematischer Spekulationen auf die Naturbetrachtung perhorresziert.

Als der sicherste Weg zur Erkenntnis der „Natur an sich", der Natur, wie sie wirklich ist, erscheint ihm die auf Beobachtung und Experiment gegründete und von Tatsache zu Tatsache behutsam vorwärtsschreitende Induktion; diese Methode erklärt er für die allein zuverlässige und ertragreiche, nicht allein in der Physik und den übrigen Naturwissenschaften, sondern auch in der Psychologie, der Logik, der Moral, der Politik: in dieser Feststellung dürfen wir die Vorausahnung einer ganzen Reihe von fruchtbaren Disziplinen erblicken, die erst viele Generationen nach ihm erfolgreich in Angriff genommen worden sind. Um den Induktionsschlüssen Sicherheit und Tragkraft zu geben, ist eine stetige und sorgfältige Beobachtung der negativen Instanzen notwendig, jener Fälle, die eine Ausnahme von einer bisher gültigen Regel statuieren: durch eine einzige solche negative Instanz wird die Regel zum Idol. Hat man nun durch gewissenhafteste Beobachtung und vorsichtiges Schließen ein einwandfreies Erfahrungsmaterial gesammelt, so steht das unermeßlich weite Reich der Erfindung offen: ihre Vervollkommnung zu immer höheren Graden ist das Lieblingsthema Bacons; wenn er von ihr spricht, erhebt sich seine Phantasie zu dichterischer Höhe. Aber darum ist seine Philosophie keineswegs einseitig utilitaristisch. Bei den Experimenten, in denen er die stärksten Hebel der fortschreitenden Naturbeherrschung erblickt, unterscheidet er lichtbringende und fruchtbringende: die ersteren führen zu neuen Axiomen, die letzteren zu neuen Erfindungen; aber er betont ausdrücklich, daß diese um so geringer zu schätzen seien, je mehr sie auf bloßen Gewinn ausgehen, statt die Einsicht in die Natur zu erleuchten. Ja er hat sogar für die mechanischen Bemühungen der Handwerker und Fabrikanten eine lebhafte Geringschätzung gehabt, die Goethe an ihm rügt. Auf Grund seines neuorientierten Weltbildes entwirft Bacon schließlich den *globus intellectualis*, eine Enumeration, Einteilung und Beschreibung aller Wissenschaften, wobei er mit scharfsinniger Kombinationsgabe eine Reihe ganz neuer Disziplinen aus dem Kopf konstruiert, wie die Literaturgeschichte, die er mit feinem Verständnis als einen Teil der Kulturgeschichte begreift, die Krankheitsgeschichte, die vergleichende Spezialforschung, die Handelswissenschaft, die Stenographie.

Man wird vielleicht schon aus diesen kurzen Angaben ersehen haben, daß Bacons System der Weltbetrachtung zwar eine Menge geistreicher und anregender Ideen enthält, aber weder auf Tiefe noch auch nur auf Neuheit Anspruch machen kann. Er sagt zwar im „Novum Organon", die Induktion sei der wahre Weg, den bisher noch keiner versucht habe, aber er ist bei der Aufstellung dieses Axioms selbst einem „Idolon" zum Opfer gefallen, denn ein nur flüchtiger Blick auf die Geschichte der Philosophie zeigt uns sogleich eine Reihe negativer Instanzen. Schon der von Bacon verabscheute Aristoteles hat die induktive Methode sehr wohl zu handhaben verstanden, die Alexandriner haben mit ihr auf den verschiedenartigsten Wissensgebieten großartige Resultate erzielt, und die ganze Philosophie der Renaissance ist, in den einen mehr dunkel, in anderen sehr bewußt, von baconischen Tendenzen erfüllt. Bacons Zeitgenosse, der italienische Naturphilosoph Tommaso Campanella, lehrte, das Ziel alles *velle* sei das *posse*, das *posse* aber sei nur möglich durch das *nosse*, und summiert seine Lehre in dem Satz: *tantum possumus, quantum scimus*, der mit Bacons berühmtem Wahlspruch: *wisdom is power* vollkommen identisch ist; und Bernardino Telesio, der zwei Menschenalter vor Campa-

Bacon vor Bacon

nella zu Cosenza geboren wurde, der Stifter der telesianischen oder, wie man sie lieber nannte, cosentinischen Akademie in Neapel, stellte das Leitprinzip auf: die Natur muß aus sich selbst erklärt werden. Noch älter als Telesio war der Spanier Ludovicus Vives, ein Zeitgenosse des Erasmus: auch er dringt auf Ausschaltung der subjektiven Elemente aus der Naturbetrachtung, auf „schweigende Betrachtung der Natur" und will alle Forschung auf Erfahrung gegründet, alle Metaphysik durch direkte Untersuchung und Experiment ersetzt wissen, wobei er der Antike viel gerechter wird als Bacon: „Die echten Schüler des Aristoteles", lehrt er, „befragen die Natur selbst, wie auch die Alten dies getan haben." Die überraschendsten Zusammenhänge aber bestehen zwischen Francis Bacon und Roger Bacon, dem *doctor mirabilis*, der während des größten Teils des dreizehnten Jahrhunderts, also mehr als dreihundert Jahre vor seinem Namensvetter gelebt hat. Er hatte sich aus arabischen und griechischen Schriften und durch eigene Beobachtung eine ungewöhnliche Kenntnis der mathematischen, mechanischen, optischen und chemischen Wissenschaften angeeignet und versuchte auf diesen Grundlagen ein System der Erfahrungsphilosophie zu errichten, das er der Scholastik, die damals auf der Höhe ihrer Herrschaft stand, entgegensetzte. Es gibt nach ihm zwei Arten der Erkenntnis: die erste geschieht durch Beweise, sie führt uns zu Schlüssen, die aber niemals zweifelfreie Wahrheiten zutage zu fördern vermögen; die zweite geht durchs Experiment, sie ist der einzige Weg zum gesicherten Wissen: *sine experientia nihil sufficienter sciri potest*. Die experientia selbst hat wiederum zwei Arten: sie ist entweder eine äußere durch die Sinne oder eine innere durch Eingebung; diese letztere Form, die mindestens ebenso wichtig ist wie die erstere, hat der jüngere Bacon vollkommen ignoriert. Ferner erkannte er die Mathematik als das Fundament aller Naturwissenschaft, worin er ebenfalls seinem Nachfolger an Einsicht voraus war. Er unterscheidet sich auch darin von ihm, daß er es verstand, seine Theorien fruchtbar zu machen: er erfand die Vergrößerungsgläser, reformierte den julianischen Kalender und stellte eine Mischung dar, die dem Schießpulver sehr ähnlich war. Anderseits zeigen die Lehren der beiden

Bacon in den Einzelheiten oft geradezu verblüffende Übereinstimmungen. Roger Bacon macht vier *offendicula* der Erkenntnis namhaft, die uns den Weg zur wahren Naturerfassung versperren: Respekt vor Autoritäten; Gewohnheit; Abhängigkeit von den marktgängigen Meinungen der großen Menge; Unbelehrbarkeit unserer natürlichen Sinne; wie man sieht, decken sie sich fast vollständig mit den *idola*. Auch er prophezeit der menschlichen Erfindungskunst eine unabsehbare Entwicklung, und seine phantastischen Konstruktionen möglicher neuer Apparate erinnern sehr an Lord Bacon: er spricht von Flugmaschinen, Fahrzeugen, die sich ohne Zugtiere fortbewegen, und Booten, die von einem einzelnen Menschen schneller als durch vier Ruderer gelenkt werden können. Wir haben es hier mit einem ähnlichen sonderbaren Zufall zu tun wie bei Erasmus Darwin, der die weltberühmten Theorien seines Namensvetters Charles Darwin über Vererbung, Anpassung, Schutzvorrichtungen und Konkurrenzkampf bereits vollständig vorweggenommen hat.

Indes: Neuheit ist kein Maßstab für die Größe einer Philosophie. Bei Bacon liegt der Fall aber insofern mißlich, als seine Philosophie, wenn sie nicht das ihr allgemein vindizierte Verdienst der Neuheit besitzt, eigentlich gar keines besitzt. Denn sie ist gar keine brauchbare und fruchtbare Methodik im modernen Sinne, und sie hat nicht nur Bacon, sondern auch die übrigen Forscher seines Zeitalters um keinen Schritt weiter geführt. Er war der Zeitgenosse Galileis und Keplers und der Landsmann Gilberts und Harveys, der beiden genialsten Naturforscher der englischen Renaissance, und alle diese sind von ihm nicht nur nicht gefördert, sondern, was schlimmer ist, nicht einmal verstanden worden: er lehnte ihre Arbeiten ab und mußte es auch von seinem System aus tun, das zwei katastrophale Gebrechen hatte. Das eine bestand darin, daß ihm der Sinn für den Wert der schöpferischen Intuition fehlte, die der beste Teil aller, auch der exaktesten Forschung ist. Ihm war eben, wie Goethe in der „Farbenlehre" hervorhebt, „in der Breite der Erscheinung alles gleich". Für die geniale Erleuchtung, die blitzartig Analogien erhellt, wie sie durch die rein empirische Beobachtung und Vergleichung von Tatsachen nie zutage gefördert werden können, für die kühne Kraft, die hundert bedeutungslose Schlußglieder überspringt, um zu dem einen auflösenden und entsiegelnden zu gelangen, war in seiner philiströsen Methode kein Platz. Er hätte niemals das Wort verstanden, das ein so außerordentliches Genie der exakten Forschung wie Gauß gesprochen hat: „Meine Resultate habe ich längst, ich weiß nur noch nicht, wie ich zu ihnen gelangen soll." Hier liegt auch der wahre Grund, warum er gegen die Antike so ungerecht war. Und dennoch bewahrt die Schlußlehre des Aristoteles, auf die er so hochmütig herabsah, ihre Brauchbarkeit noch heute, während sein neues Organon, durch das er sie ersetzen und abtun wollte, nur noch ein historisches Interesse beanspruchen kann. Den zweiten Mangel seiner Philosophie haben wir bereits angedeutet: er verkannte in fast unbegreiflicher Weise, welche grundlegende Bedeutung die Mathematik für die strenge Naturforschung besitzt. Gerade in dieser Entdeckung bestand aber das Umwälzende und Schöpferische der neuen Naturbetrachtung. Ihr Begründer ist Lionardo da Vinci, dessen Leitsatz lautete: „Keine menschliche Untersuchung kann wahre Wissenschaft genannt werden, wenn sie nicht durch die mathematischen Demonstrationen gegeben ist." Dasselbe lehrte Kepler: „Wahres Erkennen ist nur dort, wo Quanta erkannt werden", und dasselbe Galilei: „Das Buch des Universums ist in mathematischen Lettern geschrieben." Die Probe auf die Richtigkeit dieser Prinzipien war das neue Weltsystem.

Nicht den hohen Spekulationen, mit denen der Menschengeist in den nächsten Generationen den Aufbau und die Gesetze des Weltalls, der Erde, der Organismen und der in ihnen wirksamen Kräfte erhellte, hat Bacon den Weg gewiesen, sondern den vorwiegend technologisch orientierten bürgerlichen Nützlichkeitswissenschaften. Wir haben schon vorhin in Kürze hervorgehoben und müssen nochmals betonen, daß er selbst eine solche rein utilitaristische Richtung der Forschung nicht befürwortet und den Erkenntniswert immer über den praktischen Nutzen gestellt hat; aber eine solche Entwicklung lag trotzdem in seiner Linie. Macaulay hat die Absichten Bacons nicht ganz richtig gedeutet und doch aus ihnen nur die letzten unvermeidlichen Konsequenzen gezogen,

wenn er in seinem berühmten Essay, der im übrigen ein Meisterwerk gefüllter und farbiger Dialektik ist, die Behauptung aufstellt, das Ziel der baconischen Philosophie sei die Vervielfältigung
der menschlichen Genüsse und die Milderung der menschlichen
Leiden; dadurch habe sie die gesamte bisherige Philosophie überflügelt, die es verschmähte, dem Behagen und dem Fortschritt zu
dienen, und sich damit begnügte, unverrückbar auf derselben
Stelle stehen zu bleiben. Er zitiert Seneca, der gesagt hat, wenn es
das Amt der Philosophie sei, Erfindungen zu machen und die
Menschen über den Gebrauch ihrer Hände zu belehren, statt ihre
Seelen zu bilden, so könne man auch ebensogut behaupten, daß
der erste Schuhmacher ein Philosoph gewesen sei, und fügt hinzu:
„Was uns betrifft, so würden wir uns, wenn wir zwischen dem
ersten Schuhmacher und dem Verfasser der Bücher ‚Über den
Zorn‘ zu wählen hätten, für den Schuhmacher entscheiden. Es
mag schlimmer sein, zornig zu werden als naß zu werden. Aber
die Schuhe haben Millionen vor dem Naßwerden bewahrt, und
wir bezweifeln, ob es Seneca gelungen ist, einen einzigen Menschen
vor dem Zorn zu bewahren." Es wird nicht nötig sein, auf diese
Erörterung näher einzugehen: die Geschichte aller Religionen
lehrt, daß die Philosophie imstande ist, die Menschen gegen Är-
geres zu wappnen als gegen Nässe und Zorn; und zugleich lehrt
diese Deduktion, was für eine Art von Philosophie Bacon in seinen
Schülern schließlich erzeugt hat und erzeugen mußte: eine Philosophie für Schuster oder, um es vornehmer auszudrücken, für Erfinder von Fußbekleidungssystemen und Nässeschutzapparaten.
Macaulay fährt fort: „Wenn der Baum, den Sokrates pflanzte
und Plato pflegte, nach seinen Blüten und Blättern beurteilt werden soll, so ist er der edelste aller Bäume. Aber wenn wir den einfachen Probierstein Bacons anwenden und den Baum nach seinen
Früchten beurteilen, wird unsere Meinung vielleicht weniger
günstig ausfallen. Wenn wir alle nützlichen Wahrheiten, die wir
jener Philosophie verdanken, zusammenzählen, wie hoch wird
sich ihre Summe belaufen? . . . Ein Fußgänger kann in einer Tretmühle eine ebenso große Muskelkraft entfalten wie auf einer Landstraße. Aber auf der Landstraße wird seine Kraft ihn vorwärts

bringen, während er in der Tretmühle nicht um einen Zoll von der Stelle rückt. Die alte Philosophie war eine Tretmühle und kein Weg." In diesen Sätzen haben wir die ganze utilitaristische Philosophie, die sich von Bacon herleitet, im Extrakt. Macaulay weist den Gedanken weit von sich, daß der Zweck eines Baumes im Blühen bestehen könne. Bäume sind offenbar ausschließlich dazu geschaffen, um den Menschen Früchte zu liefern, und Philosophien, um ihnen nützliche Wahrheiten abzuwerfen. Es fällt Macaulay nicht ein, während er diese Wahrheiten sammelt, daß Nutzen und Wahrheit zweierlei Dinge sind, ja in den meisten Fällen einander ausschließen: kein Wunder, daß die Bilanz Platos so ungünstig ausfällt. Wahrheiten haben nur dann eine Existenzberechtigung, wenn sie den Menschen durch ihre Früchte fetter machen. Blüten nur eine Existenzberechtigung als Vorstadien dieser Nährprodukte, Blätter sind zu nichts gut als zum Verbrennen und Heizen, eine Philosophie, die sich Selbstzweck ist, hat gar keinen Zweck. Wer sich mit derlei müßigen Spekulationen abgibt, wandelt in einer Tretmühle, er vergeudet seine Muskelkraft, während er sie auf der Landstraße sehr vorteilhaft und fortschrittlich verwenden könnte, zum Beispiel zum Düngertransport oder zum Ausmessen der Länge der Landstraße; aber offenbar ist ein Spaziergänger, der wandert, um die Schönheiten des Weges kennenzulernen oder um einfach seine lebendigen Energien spielen zu lassen, ebenso sinnlos und wertlos wie ein Mühlentreter, und eine Philosophie, die dergleichen tut, ist Narretei oder Vagabondage.

Bacons Ruhm Wenn nun Bacons Philosophie im Grunde eine Antiphilosophie und dabei nicht neu und nicht einmal wissenschaftlich brauchbar war, welchem Umstande verdankte sie die ungeheuere Wirkung, die sie auf ihr Zeitalter und sogar auf die Nachwelt ausgeübt hat? Denn irgendwelche Qualitäten muß sie doch gehabt haben. „Die Natur", sagt Emerson, „läutert ununterbrochen ihr Wasser und ihren Wein: kein Filter kann vollkommener sein. Was für eine furchtbare Überprüfung muß ein Werk durchgemacht haben, damit es nach zwanzig Jahren wieder erscheinen darf, und wenn es gar nach einem Jahrhundert wieder gedruckt wird! Dann ist es,

als ob Minos und Rhadamanthys ihr Imprimatur gegeben hätten."
Die Menschheit pflegt ihre Ehrungen nicht zu verschenken. *Ex
nihilo nihil fit*: wo Rauch ist, muß Feuer sein oder doch gewesen
sein.

Ein Hauptgrund für die außerordentliche Wirkung Bacons liegt
zunächst darin, daß er der größte Schriftsteller seines Zeitalters
und überhaupt einer der vollkommensten englischen Prosaisten
gewesen ist. Er besaß das Geheimnis, Farbigkeit mit Durchsichtigkeit und Fülle mit Klarheit zu verbinden. Was seine Feder beschrieb, das umriß sie mit unvergeßlich scharfen und leuchtenden
Zügen. Schon von den Parlamentsreden des jungen Bacon sagte
Ben Jonson, ihre Urteile seien so gehaltvoll und ernst, ihre Wendungen so anmutig und leicht, ihre Gedanken so streng und durch-
gearbeitet gewesen, daß er die Aufmerksamkeit aller Zuhörer
fortwährend spannte und jeder den Augenblick fürchtete, wo er
aufhören werde. Das Grundwesen seines Stils ist ein gediegener
Prunk: Glanz, Reichtum und Kolorit leben bei ihm nicht auf
Kosten der Solidität, Gründlichkeit und Ordnung. Seine Bildersprache ist eine ganz andere als die Shakespeares: bei diesem
herrscht eine gejagte Bilderflucht, die eine ganze Welt von sich
kreuzenden und überstürzenden Gleichnissen zusammenzuraffen
sucht, bei Bacon saubere Porträtplastik, die treffend veranschaulichen will; Shakespeares Metaphern dienen der Suggestion, Bacons Metaphern der Verdeutlichung. Er sagt zum Beispiel von
der Philosophie, ein Tropfen aus ihrem Becher führe zum Un-
glauben, leere man aber den Becher bis auf den Grund, so werde
man fromm, und von der Ethik, sie habe bisher nur kalligraphische Vorschriften gezeigt, aber nicht gelehrt, wie man beim
Schreiben die Feder führen soll; er vergleicht die Weisheit der
Griechen mit einem Kinde, das fertig zum Schwatzen, aber un-
kräftig und unreif zum Zeugen sei, die mittelalterliche Wissenschaft
mit einer gottgeweihten Nonne, die in ein Kloster gesperrt wurde
und unfruchtbar geblieben sei, die Werke des Aristoteles mit
leichten Tafeln, die sich auf dem Strome der Zeit durch ihr geringes Gewicht über Wasser gehalten hätten, während das Schwerere
und Gehaltvollere versunken sei, und die Wahrheit mit dem

nackten hellen Tageslicht, das die Masken, Mummereien und Prunkzüge der Welt nicht halb so schön und stattlich zeige wie das Kerzenlicht der Lüge. Sehr einprägsam sagt er in der Schrift „De dignitate et augmentis scientiarum": die Natur erscheine uns in direktem Licht, Gott, den wir nur durch die Natur zu erkennen vermögen, in gebrochenem Licht und unser eigenes Wesen, zu dem wir durch die Selbstbespiegelung gelangen, in reflektiertem Licht, und im „Novum Organon": die bloße Erfahrung mache es wie die Ameisen, die nur zu sammeln verstehen, der sich selbst überlassene Verstand wie die Spinnen, die aus sich ihr Gewebe hervorbringen, die denkende Erfahrung aber wie die Bienen, die zugleich sammeln und sichten; und berühmt ist sein Ausspruch: wenn wir aus dem Reich der Natur in das Reich der Offenbarung gelangen wollen, so müssen wir aus dem Boot der Wissenschaft, worin wir die Welt umsegelt haben, in das Schiff der Kirche steigen. Solche glückliche Bilder, die ihm wie von selbst zuström-ten, durchdrangen alle seine Schriften, machten alle von ihm er-örterten Gegenstände anziehend und anschaulich und belebten sogar seine Konversation: so sagte er zum Beispiel zu Essex, sein herrisches Benehmen gegen die Königin gleiche den heißen Was-serkuren, die wohl bisweilen helfen, aber fortgesetzt schaden, und Kriegsruhm und Volksgunst seien wie die Schwingen des Ikarus mit Wachs befestigt.

Den zweiten Grund für die Wirkung Bacons haben wir bereits erwähnt. Er hat den Willen der Zeit, der leidenschaftlich nach Wissen und Macht strebte, in zündenden Devisen, schlagenden Formeln und weithin leuchtenden Signalen zum Ausdruck ge-bracht, er hat seinem Jahrhundert die präzisen Stichworte gegeben. Seine Bedeutung war daher, in dem besten Sinne, den dieses Wort haben kann, eine journalistische. Er war der klare glän-zende Spiegel, in dem der elisabethinische Mensch mit Vergnügen sein Porträt erblicken durfte, ja noch mehr: er hat den Typus des englischen Menschen, der sich erst im Laufe der späteren Genera-tionen voll ausprägen sollte, vorauskonzipiert. Hier steht er be-reits vor uns: der kühle, wohlinformierte, weitblickende Englän-der mit seinem leidenschaftlichen Positivismus, seinem praktischen

Genie, seiner gesunden Mischung aus Konsequenz und Anpassungsfägigkeit, seinem welterobernden Tatsachensinn; Gentleman, Gelehrter und Weltreisender in einer Person, in der einen Hand den Kompaß, in der anderen die „Times".

Das neue Organon, die wahre Enzyklopädie, Instauratio Magna und Geburt der Zeit war aber nicht Bacon, sondern jener Mann, an dem den Mitlebenden nur denkwürdig erschienen ist, daß er einmal wegen Wilderns in Untersuchung war, eines der vielen Londoner Theater mit ziemlich gutem Geschäftserfolg leitete und in seiner Vaterstadt als leidlich begüterter Bodenspekulant starb. Bacon hat ihn in seinen Schriften nicht ein einziges Mal erwähnt, nicht einmal dort, wo er von der dramatischen Poesie redet, die er überhaupt sehr gering einschätzte: was konnte denn auch ein so seriöser Gelehrter und vornehmer Lord, was konnte ein Zeitalter, angefüllt mit Armadasiegen, Kolonialpolitik und wissenschaftlichen Fortschritten, an derlei Komödiantenplunder Bemerkenswertes finden? Aber so machen es die Menschen immer. Sie wollen ihr Leben erhöht sehen, den Sinn der Stunde erklärt wissen, Schönheit erblicken. Sie spähen ängstlich und angestrengt, ob sich nicht am Horizont ein neues Licht zeigt. Es zeigt sich nicht. Denn am Horizont ist es nicht zu finden. Sondern es müßte mitten unter ihnen, neben ihnen, in ihnen selbst aufleuchten. Da aber suchen sie es niemals. Ein Dichter, denken sie, muß aufsteigen wie eine ferne blendende Prachtsonne, in blutigroten pompösen Farben. Es gibt aber keine „pompösen Dichter". Die echten Dichter gehen immer inkognito umher wie die Könige in den Anekdoten. Sie sprechen mit dem Volk, das Volk antwortet ihnen kaum und sieht an ihnen vorbei. Später kommt dann einer und erklärt den Leuten, wer das eigentlich gewesen sei. Aber inzwischen hat sich der verkleidete König längst davongemacht. Zweihundert Jahre nach Shakespeares Tode kamen einige Menschen und sagten: „Ja wißt ihr denn, wer dieser kleine Schauspieler und Schmierendirektor war? Es war William Shakespeare!" Da waren alle sehr erstaunt, aber Shakespeare hatte sich längst davongemacht.

Shakespeare hat inmitten einer Zeit des Jubels, der Weltwenden und des Glanzes ein stilles, einfaches und fast banales Leben geführt.

Er begann als Inspizient und „Hausdichter", hielt täglich seine Proben, überarbeitete Dramen, schrieb selbst ein paar eigene, grübelte über Kostümrechnungen, Kassenrapporten und Grundbüchern und erreichte erst wenige Jahre vor seinem Tode das höchste Ziel, das er seinem Leben gesetzt hatte: ein sorgenloses Dorfdasein in Stratford, ohne Schminke und ohne Manuskripte. Der Poeta laureatus des Zeitalters war Ben Jonson, ein Mann von stupender Gelehrsamkeit, die er ungemein geschickt in seine Dramen verflocht, ein geschmackvoller Mosaikmaler und scharf gliedernder Logiker, der, weil er sich an der leeren Typenkunst der römischen Dichter fleißig geschult hatte, für einen Klassiker galt und sich selber für einen Hohenpriester der Kunst hielt. Es ist, so sonderbar es uns heute klingen mag, mehr als wahrscheinlich, daß die Zeitgenossen in ihm den Vertreter der hohen Richtung, den Dichter für die Unsterblichkeit erblickten und in Shakespeare den unterhaltenden und packenden Tagesschriftsteller, den Mann für die Galerie.

Die geringe oder falsche Schätzung, die Shakespeare zu seinen Lebzeiten erfahren hat, ist manchen so paradox erschienen, daß sie auf das Auskunftsmittel verfielen, seine Existenz überhaupt zu leugnen. Das ist allerdings eine sonderbare Art, den Widerspruch zu lösen. Denn wenn es schon schwer vorstellbar ist, daß diese beispiellose Schöpferkraft im Dunkel gelebt hat, so ist es völlig unvorstellbar, daß sie überhaupt nicht gelebt haben soll. Diesen Zweiflern muß man erwidern: wer hätte denn diese sechsunddreißig Dramen, deren Gewalt und Fülle bis heute noch niemand erreicht hat, schreiben sollen, wenn nicht Shakespeare? Vielleicht hieß er nicht Shakespeare: was kümmert uns seine Adresse! Aber vorhanden muß er doch gewesen sein. Shakespeare ist auf uns gekommen in der untrüglichsten und sichersten Form, in der der Genius sein Leben bezeugen kann: durch seine Geisteswerke. Seine Dramen sind der evidenteste Beleg für seine Existenz. So viele haben ihre Meldezettel, Geburtsatteste und Totenscheine und sind nicht gewesen, haben niemals gelebt vor dem Antlitz der Geschichte. Shakespeare ist von keinem Seelsorger, Magistratsbeamten und Bezirksarzt bescheinigt und lebt.

Und doch würden wir viel darum geben, noch heute ein wenig in der Seele dieses *myriad minded man*, wie ihn Coleridge so schön nennt, ein wenig lesen zu dürfen. Aber seine Seele schweigt in seinen Werken: sie hat sich verflüchtigt in den tausendköpfigen farbensprühenden Zug seiner Gestalten. Viele halten den „Macbeth" für die stärkste dramatische Blase, die dieser Planet bisher ausgeworfen hat, und doch wissen wir bis zum heutigen Tage noch nicht, was Shakespeare damit beabsichtigt hat: wollte er ein Zugstück schreiben, dessen gedrängten Schreckwirkungen das Publikum willenlos erliegen müsse, oder in einem Helden, der ganz Tat ist, ein Gegenstück zum Hamlet schaffen oder einen der schottischen Stoffe, die durch die Thronbesteigung Jakobs aktuell geworden waren, neu und effektvoll appretieren oder die letzten Weisheiten über Weltlauf und Schicksal verkünden, die sich ihm auf dem Scheitel seiner Erdenbahn enthüllt hatten? Alle diese Fragen sind ebenso viele Philistrositäten. Was bei Shakespeare zurückbleibt, selbst bei seinen primitivsten Gelegenheitslustspielen, ist immer eine große Irrationalität. Die geheimnisvolle dreifache Erscheinungsform des Genies, von der wir in der Einleitung sprachen, zeigt sich an Shakespeare in besonders suggestiver Weise. Er ist der kompletteste und intensivste Ausdruck seiner Zeit; er hat seine Zeit, obgleich sie die Quelle dieser Kraftwirkungen übersah, aufs gebieterischste und nachhaltigste influenziert; aber am stärksten ist doch der Eindruck, daß er selbst hinter allen diesen Wechselbeziehungen als unergründliche einmalige Absurdität thront. Wollte man den Versuch wagen, das Wesen dieses unfaßbaren Menschen in einem einzigen Wort auszudrücken, so könnte man vielleicht sagen: er war der vollkommenste Schauspieler, der je gelebt hat. Er war der leidenschaftlichste und objektivste, hingegebenste und souveränste Charakterdarsteller der menschlichen Natur, aller ihrer Höhen und Niederungen, Flachheiten und Abgründe, Zartheiten und Bestialitäten, Träume, Taten und Widersprüche. Er ist der roheste Schlächter und der femininste Gefühlsmensch, der feinste Artist und der geschmackloseste Barbar, der, gleich den Edelleuten seiner Zeit, mit einer Überfülle von Juwelen prunkt, er schreckt vor nichts zurück und bevorzugt nichts: denn alles ist ja nur eine Rolle, die möglichst glaubhaft und möglichst einprägsam vorgetäuscht werden will. Deshalb ist er auch völlig skrupellos in der Verwendung fremden Eigentums, den Begriff Plagiat kennt er nicht, er nimmt die Texte, wo er sie findet, in dem Vertrauen, daß dadurch, daß er sie aufsagt, etwas Besseres herauskommen wird, als diese Texte jemals waren. Er selbst aber erscheint nie, und wenn er eines Tages das ganze Repertoire der Menschheit heruntergespielt haben wird, dann wird er seine glitzernde Puppenbühne schließen, ins Dunkel der Nacht hinaustreten und den Blicken der Zuschauer für immer entschwinden.

Das Theater Shakespeares

Dieses Bühnengenie mußte seine Phantasiewelt, die alles enthielt, was es gibt, und daneben noch so ziemlich alles, was es nicht gibt, in einer bretternen Matrosenschenke realisieren und, was noch merkwürdiger ist, dieser erotischste aller Dramatiker hatte ein Theater ohne Weiber. Aber das Allersonderbarste ist doch, daß in seinen Dramen, die sich ohne jede Szenerie behelfen mußten, die stumme Außenwelt auf Schritt und Tritt als ein wirksamer Faktor in die Entwicklung eingreift und die Schicksale der Menschen fast wie eine handelnde Person bestimmt. Die Lokalität ist bei Shakespeare stets so stark mitgemalt und so organisch mit den Vorgängen verknüpft wie bei keinem einzigen der modernen Dramatiker, denen alle Mittel der Illusion zu Gebote standen. Zum Beispiel die erste Szene im „Hamlet": hier ist die Umwelt geradezu ein Stück der Exposition. Man fühlt es: wer diesen Schauplatz betritt, muß Hamlets Vater erblicken, aus dem Grauen und Dunkel wächst das Gespenst förmlich hervor. Oder die Nacht im „Macbeth": sie ist sozusagen der Hauptintrigant. Oder man denke an die sturmumbrauste Heide im „Lear", an die aus Blumenduft, Mondschein und Nachtigallenschlag gewobene Atmosphäre in „Romeo und Julia", an die magische Waldwelt im „Sommernachtstraum". In eigentümlich pantheistischer Weise spielt die Natur überall mit, läßt geheimnisvoll aus ihrem Schoße Gefühle und Taten heraufsteigen.

Damit hängt es zusammen, daß Shakespeare einer der größten Dichter des Unbewußten geworden ist, der dumpfen und dunklen

Triebe, die die wahren Motoren unserer Handlungen sind und sich doch unserer Lenkung fast gänzlich entziehen. Daher kommt auch die elementare Wirkung seiner Dramen, die den Charakter von Urgeschehnissen, von Naturereignissen an sich tragen, daher sein unnachahmlicher Realismus, der nicht aus den Oberflächen, sondern aus den Tiefen kommt. Daher auch seine Undeutbarkeit, die er mit dem Leben selbst teilt. Wir sahen vorhin, daß der Montaignemensch, indem er tiefer als bisher in die schwarzen Schachte der menschlichen Seele hinabgrub, notwendig zum Agnostizismus gelangen mußte: ein ähnliches Weltgefühl macht auch Shakespeares Dramen so chaotisch. Dies erstreckt sich auch auf die äußere Form: Shakespeare ist der Dramatiker der bunten Szenenfolge, der aufgelösten Architektur; gerade dies aber macht sein Theater unsterblich. Denn das „starre System" des Klassizismus kann nur so lange leben, als die Leidenschaft für rationalistische Gliederung den Kunstsinn beherrscht, Shakespeares Bühnenform aber hat allen Zeiten etwas zu sagen, und nicht bloß allen Zeiten, sondern auch allen Ständen, Altersklassen und Bildungsgraden: sie verhält sich zum klassischen Drama ähnlich wie die Kolportagegeschichte zum Kunstroman, die ebenfalls unsterblich ist, wenn sie auch zu allen Zeiten totgesagt wurde. Devrient nennt in seiner „Geschichte der deutschen Schauspielkunst" Shakespeares Dramen „die höchste Verherrlichung des mittelalterlichen Dramas". Und so verhält es sich in der Tat. Dieses mittelalterliche Drama war bei aller Unbeholfenheit der Technik und Dürftigkeit der Individualisierung ein Fund und Treffer, die Entdeckung der wahren, allein lebensvollen und allein lebensberechtigten Form des Dramas. Bilderflucht und Gestaltenflucht, Mystik und Supranaturalismus sind das innerste Wesen aller Theaterkunst. Es ist ja auch der letzte große Theatermagier, den die europäische Kultur hervorgebracht hat, wiederum, wenn auch auf Umwegen, zu dieser ewigen Form zurückgekehrt; denn wenn sich Ibsen auch bisweilen der klassischen Einheit des Ortes und der Zeit bedenklich zu nähern scheint, so ist das doch nur eine optische Täuschung: daß die Kulisse stehen bleibt, ist eine belanglose Äußerlichkeit, die Handlung selbst aber in ihrer bunten Verwickeltheit und

Vielfältigkeit, in ihren tausendfachen Wechselbeziehungen, die auch Vergangenheit und Zukunft fast körperlich mitspielen lassen, ist aus einem romantischen Kunstgefühl geboren, und was den Supranaturalismus anlangt, so vermögen wir heute, aus der Entfernung eines Menschenalters sehr deutlich zu erkennen, daß sich Dichtungen wie die „Gespenster" oder „Rosmersholm" nur durch ihren modernen und daher raffinierten Apparat von Zaubermärchen unterscheiden.

Die Welt als Traum   Shakespeares Dramen sind wirkliche Spiele: das macht sie so amüsant. In ihnen ist das ganze Dasein als Traum, als Maskerade oder, bitterer ausgedrückt, als Narrenhaus konzipiert. Taten sind Tollheit: dies ist die Kernweisheit aller seiner Dichtungen, nicht bloß des „Hamlet". Er hat einen ganzen Kosmos von Tatmenschen, eine komplette Zoologie dieser so varietätenreichen Spezies geschaffen; aber er belächelte und verachtete sie alle. Sein ganzes Leben war dem Drama, der Darstellung von Handlungen gewidmet: Abbilder menschlicher Taten zu malen, war der Sinn seiner Erdenmission; und er selbst fand alles Handeln sinnlos. Darin, daß er sich auf diese Weise über seine eigene Tätigkeit erhob, zeigt sich seine höchste Genialität. Seine ganze Weltanschauung ist in seiner Grabschrift enthalten: „*We are such stuff as dreams are made of;* wir sind aus gleichem Stoff gemacht wie Träume." Dies scheint mir auch der Sinn des „Hamlet" zu sein: Hamlet ist ein so intensiver Phantasiemensch, daß er alles, was erst noch geschehen soll, in seinen Träumen vorwegnimmt, durchdenkt, zuendedenkt und schließlich zerdenkt; man kann aber eine Sache nur einmal voll erleben: in der Vorstellung oder in der Realität; Hamlet hat ohne seine Schuld und vielleicht sogar gegen seinen Willen das erstere gewählt: er träumt die Welt so stark, daß er sie nicht mehr erleben kann.

Und was war denn dieser Shakespeare selber anderes als ein luftiges Traumgebilde oder flackerndes Lichtspiel, ein zitternder Spuk und Alpdruck, der durch die Welt fuhr, unheimlich und unwirklich, alle bunten Geschehnisse der Wirklichkeit widerspiegelnd und vorüberhuschend wie eine gigantische Sinnestäuschung? Wie ein riesiges Brillantfeuerwerk ging er nieder, den Himmel mit Flammengarben der Leidenschaft und Leuchtkugeln des Witzes färbend und eine unendliche Schleppe von prasselndem Gelächter und glitzernden Tränen hinter sich herziehend.

Die Welt als Traum, die Welt als Mysterium, die Welt als Chaos: dies ist eine Apperzeptionsform, die der Renaissance völlig entgegengesetzt ist. Und Shakespeare bedeutet denn auch in der Tat nicht etwa den Höhepunkt, sondern das Ende und die definitive Auflösung der Renaissance. In den Zeitraum von der Mitte des sechzehnten Jahrhunderts bis zum Ausbruch des Dreißigjährigen Kriegs fällt die Agonie der Renaissance. Dies zeigt sich am deutlichsten in ihrem Geburtsland. Genau im Jahre 1550, wie um einen Schlußpunkt zu machen, erscheint Vasaris berühmtes Werk, das die Gesamtleistung der italienischen Renaissancekunst rekapitulierend zusammenfaßt. Aber schon hatten sich bedeutsame Geschmackswandlungen angekündigt: in der häßlichen und blutigen Phantastik der Cellinischen Perseusstatue; in der Begeisterung, mit der neu ausgegrabene Werke von einer so unantik wirkenden wildbewegten Kolossalität wie die farnesischen Skulpturen: die Flora, der Herkules, der Nil begrüßt wurden; in dem Beifall, den die großsprecherischen, hart ans Groteske streifenden Kompositionen Giulio Romanos errangen. Das große Losungswort heißt von nun an nicht mehr Kontur, sondern Bewegung; die Plastik gilt zwar noch immer als Kanon alles Kunstschaffens, aber es ist eine aus allen Maßen geschleuderte, betrunkene Plastik, die nun die Herrschaft antritt. Und dazu kam der von Jahrzehnt zu Jahrzehnt immer gebieterischer lastende Druck der allgemeinen Hispanisierung. Wie eine Spinne begann die spanische Großmacht von Norden und Süden her das Land zu umklammern: sie herrschte unmittelbar in Mailand und Neapel, indirekt in Toskana und Mantua, in Piemont und im Kirchenstaat. Durch die Entdeckung Amerikas hatte der Mittelmeerhandel seine zentrale Stellung eingebüßt, die großen Seemächte Venedig und Genua glitten langsam von ihrer Höhe herab und konnten kein Gegengewicht mehr bilden. In Florenz herrschten die Medici nicht mehr als erste Bürger, sondern als Großherzoge. Die neuen Päpste sind nicht mehr prunkliebende weltfreudige Kunstmäcene, sondern feurige Glaubensstreiter und ernste Asketen. Nirgends war man vor der Inquisition sicher. Italien, das Kernland des Klassizismus und des Freigeists, wird romantisch und kirchlich. Aber die meisten machten den neuen Kurs freiwillig mit: die Gegenreformation siegte auch über die Köpfe und Herzen. Tintoretto ist bereits der vollendetste Maler jener starren Eiswelt besinnungsloser Unterwerfung unter Staat und Kirche, die nur von den unheimlichen Strahlen eines ekstatischen Glaubens erhellt wird. Vergeblich suchten die Caracci den Geist der Antike am Leben zu erhalten, um so vergeblicher, als sie selbst unbewußt von dem neuen Geist ergriffen waren. 1583 kam die Niobegruppe ans Tageslicht, ein pathetisches und larmoyantes Werk der griechischen Dekadenz; ihre Spuren sind noch in den religiösen Bildern Guido Renis zu erkennen, deren verzuckerte Sentimentalität geradezu blasphemisch wirkt. Unter dem Eindruck der Beschlüsse des Konzils von Trient schuf der größte Musiker des Zeitalters den nach ihm benannten streng kirchlichen Palestrinastil. Francesco Braccioloni erlangte mit seinem burlesken Gedicht „Lo scherno degli Dei", worin er die antike Mythologie travestiert, die größte Popularität, und Tassonis Epos „La secchia rapita", das die olympischen Götter auf offenbachische Manier verspottet, war in ganz Europa berühmt: Venus ist darin eine mondäne Lebedame, Jupiter ein träger alter Wichtigtuer, die Parzen backen Brot, Merkur trägt eine Brille, Saturn hat Schnupfen und eine rote Nase; das Ganze ist eine offenkundige Parodie auf alle antikisierenden Kunstrichtungen. Zugleich macht die Wildheit der menschlichen Natur, die fast ein Jahrhundert lang künstlich zurückgedämmt war, wieder ihre Rechte geltend: etwas Bestialisches und Plebejisches kommt in die Kunst. Caravaggio, der größte Meister dieses Zeitraums, hat die Existenz eines lebensgefährlichen Rowdys geführt und hieß „der Maler der schmutzigen Füße". Man malt am liebsten den anarchischen Menschen und die entfesselte Natur: Briganten, verrufenes lärmendes Gesindel, wüstes rauhes Felsgeklüft, aufgeregte Gewässer, Gewitter und Sturm. Europa treibt dem Dreißigjährigen Krieg entgegen.

Das zweite Trauma   Dieser Krieg war, als Produkt der hemmungslosen Roheit, des engstirnigen Partikularismus und des fanatischen Theologengezänks, die stärkste und sinnfälligste Zusammenfassung der bisherigen Entwicklung und darum eine Art Schlußpunkt, aber doch auch, wie jede Krisis, der Anfang von etwas Neuem. Er ist die große Wasserscheide, die zwei Weltalter trennt und verbindet, weshalb seine Behandlung besser dem nächsten Buch vorbehalten bleibt.

Wir haben gesehen, wie der europäische Mensch durch den Sieg des Nominalismus und durch das große Trauma der Schwarzen Pest einen ungeheuren Choc erlitt, der sich in einer mehr als hundertjährigen Psychose entlud, einer Psychose der Erwartung; wie am Schlusse dieser Inkubationsfrist der Mensch der Neuzeit endlich ans Licht trat: noch unklar, unreif und unsicher, voll Atavismen, Reminiszenzen und Rezidiven, aber schon deutlich sein Wesen verratend, das in einem extremen, exklusiven, selbstherrlichen Rationalismus oder, was dasselbe ist, Sensualismus bestand; wie er in der Renaissance die Kunst und die Philosophie, in der Reformation die Religion und den Staat säkularisierte und schließlich zusammenfassend den ersten Versuch machte, die ganze Erscheinungswelt dem ordnenden, sichtenden, rechnenden Verstande zu unterwerfen, indem er das souveräne Wissen als die einzige legitime Macht proklamierte. Aber dies alles geschah noch tastend und unvollkommen, blieb überall in der Tendenz, im Ansatz, im Entwurf stecken. Ein neuartiges großes Trauma schließt diese Werdeperiode ab. Deshalb beginnt die wahre Neuzeit erst nach dem Westfälischen Frieden, und was wir bisher zu erzählen versucht haben, war nur das Vorwort und Vorspiel, gleichsam die Prähistorie der Neuzeit.

Die folgenden Jahrhunderte bringen dann den definitiven, umfassenden und völlig bewußten Sieg der Verstandeskultur. Sie tragen daher auch eine viel einheitlichere Signatur als die bisherigen Stufen der Neuzeit: die Kristallisationsgedanken werden uns mächtiger und klarer, die verdichtenden Persönlichkeiten reicher und zahlreicher und die einander ablösenden Lebensstile so scharf geprägt und umrissen entgegentreten, wie wir dies bisher nur ein einziges Mal, nämlich bei der italienischen Hochrenaissance, beobachten konnten.

Die neue Frage

Der Verstand, der zu Beginn des sechzehnten Jahrhunderts erwachte und im Laufe des Jahrhunderts seine Herrschaft immer mehr ausbreitete und befestigte, beginnt um die Wende des Jahrhunderts zu stutzen und während der ersten Hälfte des folgenden Jahrhunderts an sich irre zu werden; er bemerkt die Widersprüche des Daseins, die Täuschungen des Daseins, die Leiden des Daseins: lauter Probleme, die sich seiner Auflösung entziehen, und wirft sich abermals in die Arme der Religion. Aber er bleibt doch da, läßt sich nicht einfach auslöschen. Wie kann man nun gleichzeitig der Realist und Verstandesmensch sein, der man nun einmal ist, und der Supranaturalist und homo religiosus, der man doch gerne sein möchte? Wie lassen sich diese beiden äußersten Enden zusammenknüpfen, diese beiden extremsten Gegensätze menschlichen Wesens verschmelzen? Mit dieser Frage und dem Versuch, sie zu beantworten, befinden wir uns bereits mitten in der Barocke.

ZWEITES BUCH

BAROCK UND ROKOKO

VOM DREISSIGJÄHRIGEN KRIEG
BIS ZUM SIEBENJÄHRIGEN KRIEG

ERSTES KAPITEL

DIE OUVERTÜRE DER BAROCKE

> *Wenn wir geboren werden, weinen wir,*
> *Daß wir die große Narrenbühne Welt*
> *Betreten müssen.* **Lear**

Während die Barockkultur sich anschickt, ihre ersten dunklen Das Sinnlose
Blüten zu entfalten, sieht man in einem östlichen Winkel Mittel-
europas einen wilden Krieg aufflammen, der, an plötzlichen Zufällen entzündet und doch aus den tiefsten Untergründen der Zeitseele hervorbrechend, sogleich gierig weiter rast, sich unaufhaltsam in den halben Erdteil hineinfrißt und, launisch bald hier, bald
dort emporlodernd, Städte, Wälder, Dörfer, Felder, Kronen,
Weltanschauungen in Asche legt, schließlich aber nur noch seinem
eigenen Gesetz gehorcht, indem er wahllos überallhin züngelt, wo
er noch Nahrung vermutet, bis er eines Tages ebenso rätselhaft
verlischt, wie er entbrannt war, als einzige große Veränderung
nichts hinter sich lassend als eine ungeheure gespenstische Leere:
zerbrochene Menschen, beraubte Erde, tote Heimstätten und eine
entgötterte Welt.

Unter den vielen langen und sinnlosen Kriegen, von denen die
Weltgeschichte zu berichten weiß, war der Dreißigjährige einer
der längsten und sinnlosesten, wahrscheinlich gerade darum so
lang, weil er so sinnlos war. Denn er hatte kein festumschriebenes
Ziel, das zu erreichen oder zu verfehlen, keinen runden greifbaren
„Zankapfel", der zu gewinnen oder zu verlieren gewesen wäre.
Es läßt sich überhaupt beobachten, daß zumeist nur verhältnismäßig kleine Kriege ein deutliches Streitobjekt und infolgedessen
eine klare Entscheidung aufweisen. So handelte es sich, um nur
einige Beispiele aus der jüngsten Geschichte zu nennen, im Jahr
1866 um die deutsche Hegemonie, im Jahr 1870 um die deutsche

Einheit, im russisch-japanischen Krieg um Korea, im Balkankrieg um die europäische Türkei. Die großen, die sogenannten Weltkriege hatten aber in der Regel nur sehr allgemeine Intentionen wie „Vernichtung der Vorherrschaft" einer bestimmten Großmacht, „Wiederherstellung des europäischen Gleichgewichts", „Befreiung der Völker" und dergleichen; auch endeten sie fast immer als Remispartien: man denke an den Spanischen Erbfolgekrieg, den Siebenjährigen Krieg, die napoleonischen Kriege (und dies ließe sich sogar vom letzten Weltkrieg beweisen, was zu erörtern aber hier nicht der Ort ist). Derartige ungeheure Konvulsionen bedeuten, im Großen, aus der Ferne und von oben gesehen, nichts anderes als geheimnisvolle Vitalitätsäußerungen der menschlichen Gattung, die sich automatisch, vegetativ und ohne ersichtlichen „praktischen" Zweck vollziehen, nicht moralisch, nicht politisch, nicht logisch, sondern bloß physiologisch zu werten sind und „sinnlos" erscheinen wie alles, was über unsere Sinne geht. Es sind gigantische Stoffwechselphänomene unseres Weltkörpers, Elementarereignisse, an denen wir nur das Katastrophale zu erkennen vermögen, vielleicht großartige Selbstreinigungsvorgänge, vielleicht heilkräftige Fiebererscheinungen, vielleicht zyklische Krankheitsprozesse: wir wissen es nicht. Eine gewisse Periodizität kommt ihnen aber ganz zweifellos zu, und eine der Zukunft vorbehaltene Wissenschaft, nämlich die Biologie und Pathologie des Organismus „Menschheit", deren Aufgabe es bilden wird, die Dynamik dieses mysteriösen Lebewesens auf Grund seiner bisherigen Entwicklungs- und Krankheitsgeschichte zu erforschen, wird hierüber wahrscheinlich einmal exakte Aufschlüsse geben können.

Das Unkraut   Zu dieser „Sinnlosigkeit", die dem Dreißigjährigen Krieg mit den übrigen Riesen unter den Kriegen gemeinsam war, kam aber noch eine zweite Eigenschaft, die im besonderen Charakter der Zeit wurzelte: das eigentümlich Verfilzte, Verholzte, Wuchernde, Unkrauthafte aller Bildungen, die diese Periode, zumal in Deutschland, hervorgebracht hat. Einer der Grundzüge des Geschlechts, das damals lebte, war eine Verzwicktheit und Umständlichkeit, Direktionslosigkeit und Gedankenflucht, die ihresgleichen sucht: wir wissen bereits, daß eine derartige Chaotik und seelische Labilität in einem gewissen Grade das Merkmal aller Zeitalter bildet, in denen sich Neues vorbereitet. Trat hiezu nun noch die wüste Desperadoroheit und hemmungslose Amoralität, die der damaligen Generation ebenfalls in seltenem Maße eigen war, so war es ganz unvermeidlich, daß das schauerlich-groteske Monstrum dieses bestialischen, blindwütigen, endlosen und prinzipienlosen Krieges entstand, der ein Menschenalter lang fraß, um zu fressen, und nicht begreifen läßt, warum er anfing, warum er aufhörte und warum er überhaupt auf der Welt war.

Denn er hätte sich noch jahrelang, wenn auch immer armseliger und hungriger, fortschleppen können. Unendliche Verhandlungen gingen dem Friedensschluß voraus und ebenso unendliche hätten ihn noch hinauszuziehen können. Es war weder auf der schwedisch-französischen noch auf der kaiserlich-bayrischen Seite ein absolut zwingender Grund vorhanden, den Kampf einzustellen. Und daß er erst im Jahr 1618 ausbrach, war ebenfalls keine historische Notwendigkeit. Der Konflikt, den er zu entscheiden suchte und trotz so starker und langer Anspannung der Kräfte nicht im geringsten entschied, wurzelte in der Streitfrage, ob Deutschland ein katholisches oder ein protestantisches Land sein solle; und diese Streitfrage war hundert Jahre alt. Andrerseits aber bestand schon nach einem Jahr die Möglichkeit, die Fehde zu beenden. Matthias Thurn stand Anfang Juni 1619 mit einem starken Aufgebot in Wien, Ferdinand der Zweite hatte fast gar keine Truppen; die niederösterreichischen Stände hätten ihn ohne weiteres gefangennehmen und zum Frieden zwingen können. Aber eine so einfache, rasche und klare Lösung wäre ganz gegen die österreichischen und ganz gegen die Barockusancen gewesen. Im nächsten Jahre, nach der Schlacht am Weißen Berge, ist der Krieg wiederum zu Ende, diesmal zugunsten der kaiserlichen Partei. Die gesamten österreichischen Erblande leisteten, vollkommen niedergeworfen, Ferdinand den bedingungslosen Huldigungseid; die Union der protestantischen deutschen Fürsten löste sich auf. Aber mit diesem unerwarteten und restlosen Siege sich zufriedenzugeben, wäre ganz gegen die habsburgischen und die katholischen Usancen gewesen. Ferdinand trug den Krieg in die Pfalz und damit nach Deutschland; und nun gibt es binnen kurzem kaum ein europäisches Staatswesen, das sich nicht, mutwillig oder gezwungen, leidenschaftlich oder lässig, militärisch oder bloß finanziell und diplomatisch, dauernd oder sporadisch, an dem Kampf beteiligt: Polen, Schweden, Dänemark, Holland, England, Frankreich, Spanien, Italien werden nach und nach in den Wirbel hineingezogen. Gleichwohl ist nach Wallensteins Tod auf keiner Seite mehr ein Anlaß, den Krieg fortzuführen, alle Beteiligten sind erschöpft und saturiert zugleich. Aber obwohl er fast gar keine Lebenskraft mehr hat, kann er sich doch nicht entschließen, zu sterben, und so keucht er fast ebenso lange weiter, als er schon währte, immer asthmatischer, immer anämischer, eine vierzehnjährige Agonie. Als er endlich ausgerungen hat, ist im wesentlichen alles beim alten geblieben: Habsburg ist nicht aus seiner Vormachtstellung verdrängt, aber die Souveränität der deutschen Landesfürsten ist ebensowenig vermindert, ja erhöht; der Papismus hat nichts von seiner Machtfülle eingebüßt, aber die Gleichberechtigung der Evangelischen muß er aufs neue und noch entschiedener als bisher anerkennen; und fast ein jeder muß sich fragen: wofür haben wir diesen Krieg geführt und erlitten, während dieser dreißig langen Jahre alles geopfert, was zu opfern in unserer Macht stand? Manchem freilich hatte er noch immer nicht lange genug gedauert. Als General Wrangel die Nachricht vom Friedensschluß erhielt, bekam er einen Tobsuchtsanfall, schleuderte seinen Generalshut zu Boden, trat ihn mit Füßen und wies dem Unglücksboten unter Flüchen die Tür.

Kurz: was den Dreißigjährigen Krieg mehr charakterisiert als jeden anderen, ist seine Zufälligkeit. Alles war an ihm zufällig: seine Entstehung, sein Verlauf, seine Ausbreitung, sein Ende. Aber diese Zufälligkeit selber war nichts weniger als zufällig: sie floß aus der innersten Natur der Epoche, die seinen Namen trägt. Er war so lang und langstielig, so leer und lahm, so unzusammenhängend, geistverlassen und durch das bloße Gesetz der Trägheit weiterrollend wie die Reden und Carmina, Dokumente und Episteln, Allüren und Formalitäten jener Zeit. Er hatte, so paradox es klingen mag, trotz seiner gigantischen Maße und formidabeln

Zerstörerkräfte etwas Amorphes, Asyndetisches, Anekdotisches.

Und in der Tat hat die Nachwelt bei allem Schauder, den sie noch nach Menschenaltern vor ihm empfand, ihn immer nur anekdotisch gesehen, ohne jemals zu einem wirklichen Verständnis seines Wesens zu gelangen; aus dem sehr einfachen Grunde, weil an ihm nichts zu verstehen ist. Der Dreißigjährige Krieg hat keine eigentliche Geschichte, er besteht nur aus einer Anzahl von Geschichten, die ein mehr oder weniger lückenhaftes Mosaik ergeben, aber kein komponiertes Gemälde. Was uns von ihm in der Hand geblieben ist, sind ein halbes Dutzend origineller Charakterköpfe, ein paar packende Kulturkuriosa und ein Haufen gruseliger Schreckensmärchen. Dies zeigt sich zum Beispiel gleich an der berühmtesten Einzelheit des Krieges, der Erstürmung Magdeburgs, die in Deutschland durch Schillers virtuose Schilderung jedermann vertraut geworden ist. Der brillante Schlachtkarton, den er entwirft, beruht auf einer Fiktion. Es ist nämlich durch neuere Forschungen sehr wahrscheinlich gemacht worden, daß der Brand nicht von den Soldaten Tillys gelegt wurde, sondern im Gegenteil das Werk des Leiters der Verteidigung war, des von Gustav Adolf entsendeten Hofmarschalls Dietrich von Falkenberg, der, als er sah, daß er die Stadt nicht mehr halten könne, mit Hilfe einer Schar evangelischer Fanatiker diese ungeheure Katastrophe hervorrief; übrigens war die Plünderung Mantuas, der zumeist gar keine Beachtung geschenkt wird, ein ebenso furchtbares Ereignis: sie hat aber keinen Homer gefunden. Indes: obgleich Schiller auch sonst mit ungenügendem oder dubiosem Material arbeitet und sogar oft selber ganz bewußt retouchiert, wird sein Bild des Dreißigjährigen Krieges doch immer eine hohe dichterische Wahrheit behalten. Und ebenso hat er im „Wallenstein" mit genialem Flair erkannt, daß das „Lager", also wiederum die Anekdote, das Wesentliche und historisch Bedeutsame an diesem Kriege war. Hier haben wir den ganzen Hexenkessel beisammen mit allen seinen gefährlichen und kindischen, kostbaren und ekelhaften, schaurigen und lächerlichen Ingredienzien; bunt, roh und zynisch wie das Kostüm der Zeit ist diese zerklüftete Welt, in der sich alle Stände,

Nationen und Lebensformen durcheinander mischten: Adel und Gemeinheit, Gottesstreitertum und Verbrecherwesen, Tollkühnheit und Krämersinn, Todesschauer und Galgenhumor. Und überall nur Genrefiguren und Chargenspieler, Köpfe, die bestenfalls ein Profil haben oder eine gute Maske; aber nirgends volle Menschen. Aus diesem fast unübersehbaren Aufgebot von Episodisten, Figuranten und Komparsen ragen nur zwei ernstliche Protagonisten hervor, die mit einiger Berechtigung als „Helden" des Dreißigjährigen Krieges bezeichnet werden können: der König von Schweden und der Herzog von Friedland.

Aber wie sonderbar verzerrt, befleckt und degradiert tritt uns die Gestalt des Helden in diesem unbegreiflichen Zeitalter entgegen! Nur die Führerrolle ist ihm geblieben: alle blicken auf ihn, alle folgen ihm willig, seiner höheren Einsicht und Übersicht, Tatkraft und Festigkeit vertrauend; aber er ist für sie alle nur ein Führer in Dunkel und Wirrnis, in Niederungen und Abgründe. Keine göttliche Idee lebt in ihm, auch keine irdische, überhaupt keine Idee. Keine edle Überzeugung treibt ihn manisch vorwärts, nicht einmal ein sublimes Vorurteil, ein frommer Irrtum. Er ist bloß klüger als die Herde, aber nicht weiser, bloß stärker als sie, aber nicht besser. Sein Himmelsglaube ist die Astrologie und sein Bibelglaube ist Politik.

Wallenstein — Als Staatsmänner waren Gustav Adolf und Wallenstein einander ebenbürtig, als Feldherr war der Schwedenkönig die größere Potenz, dafür war der Friedländer ein einzigartiger Organisator. Er besaß das Talent, in jener aus den Fugen gegangenen Zeit buchstäblich Armeen aus der Erde zu stampfen. Dies kann nicht allein sein Reichtum, seine Geschicklichkeit und sein militärisches Renommee bewirkt haben, sondern es muß noch eine geheimnisvolle Wirkung seiner Persönlichkeit hinzugekommen sein, die wir uns für die damalige Zeit gar nicht faszinierend genug vorstellen können. Das ruchlose, aber in seiner großzügigen Einfachheit unwiderstehliche Prinzip, daß der Krieg sich selbst ernähren müsse, hat erst er entdeckt und zur vollen Wirksamkeit gebracht. Auch sonst überrascht er nicht selten durch eine Klarheit und Gesundheit des Denkens, die seinem Zeitalter völlig fremd ist; aber er legitimiert sich andrerseits wiederum als Sohn seines Jahrhunderts durch die zögernde und tastende, abwägende und hinausschiebende, stets zwischen mehreren Chancen unsicher schwankende Art seiner Diplomatie und Kriegführung, die ihn keines seiner politischen Ziele ganz erreichen ließ, ihm mehr als einmal seine militärischen Erfolge schmälerte und schließlich zu seinem Untergang führte. Mit großem Scharfblick erkannte er gleich bei Beginn des Krieges den springenden Punkt, auf den alles ankam: der große Religionskampf mit all den innerpolitischen und territorialen Streitfragen, aus denen er stets neue Nahrung zog, konnte nur definitiv entschieden werden, wenn es der habsburgischen Dynastie gelang, einen vollkommenen Absolutismus aufzurichten, wie er in Frankreich und Spanien bereits bestand und in England das stehende Programm der Stuarts bildete: diesen auch in Deutschland mit allen verfügbaren Mitteln zu erzwingen, empfahl er immer wieder aufs nachdrücklichste, und hiebei hatte er sich allem Anschein nach die Rolle des Militärdiktators vorbehalten. Diese Stellung wäre etwa der eines Majordomus gleichgekommen und das eigentliche Zentrum der Macht gewesen, denn wer der Armee befahl, befahl Deutschland; aber eben aus diesem Grunde konnte Ferdinand der Zweite, der seinem Generalissimus vom ersten Tage an mißtraute, sich mit diesem Plan nicht befreunden; auch an dem Widerstand Maximilians von Bayern, des Hauptes der katholischen Liga, wäre er gescheitert. Später hatte dann Wallenstein die Absicht, sich als Herzog von Mecklenburg ein großes nordisches Fürstentum zu schaffen, wobei er weitblickend auch das Dominium über die Ostsee ins Auge faßte: hier kam ihm weniger der Kaiser als Gustav Adolf in die Quere. Dann dachte er an eine Allianz mit den Schweden, und es unterliegt keinem Zweifel, daß er darüber Verhandlungen geführt hat, obgleich schriftliche Dokumente aus naheliegenden Gründen nicht existieren; aber der „Schneekönig" traute ihm ebensowenig wie der Habsburger. Nach Lützen versuchte er dasselbe Spiel mit den evangelischen Reichsfürsten, wobei er vermutlich auf die böhmische Krone aspirierte. Dies wäre wahrscheinlich für ihn die passendste Lösung gewesen, denn in Böhmen hätte seine Herrschaft eine starke Tradition vorgefunden, hier besaß er nicht nur ausgedehnte Liegenschaften, sondern auch große Sympathien, und er hätte als Oberhaupt eines Tschechenreichs sicher eine vorzügliche Figur gemacht. Aber er griff nicht rasch genug zu, und über diesen Vorschlägen und Gegenvorschlägen, die von beiden Seiten ohne volle Aufrichtigkeit und unter steter Sicherung der Rückzugslinie geführt wurden, kam es zu seiner Ermordung. Daß sie mit sehr schlechtem Gewissen anbefohlen wurde, zeigt das nachherige Verhalten des Wiener Hofes, der alles tat, um die Schuld von sich abzuschieben. In allen erwähnten Fällen ist Wallenstein nicht wie ein kaiserlicher Beamter, sondern wie ein Potentat aufgetreten, der er auch war, denn in jener Zeit gab es unter Hunderten von Schein- und Titularsouveränitäten nur eine reelle: die des kriegsgewaltigen Kondottiere mit seiner Geld-, Truppen- und Talentmacht.

Gustav
Adolf

Um die Gestalt Wallensteins liegt ein seltsam düsterer Glanz, der sie interessant und suggestiv macht, aber keine menschliche Teilnahme erweckt. Schon zu seinen Lebzeiten wuchs er ins Überlebensgroße. Man glaubte, er sei „kugelfest", befehlige unsichtbare Reiterscharen und habe mit dem Teufel einen Pakt geschlossen. Zweifellos gehörte er in die Reihe jener diplomatisch-strategischen Ingenien von weitem Blickfeld und überragender Fähigkeit zur Synthese, an deren Spitze Napoleon steht. Aber sein eisiger Egoismus, seine finstere Herrschsucht, sein Mangel an jeglichen sozusagen privaten Eigenschaften bringt ihn zugleich mit unserer Sympathie um unser Verständnis. Man hat ihm daher mit Vorliebe Gustav Adolf gegenübergestellt: als die Kontrastfigur des sonnigen Helden aus Nordland, der segenspendend ans Land steigt, Duldung, Schutz und Befreiung auf der Spitze seines Schwertes tragend. Aber das ist eine protestantische Legende. In Wirklichkeit war er ein naher geistiger Blutsverwandter Wallensteins, ebenso gierzerfressen und selbstsüchtig, schlangenklug und kaltherzig.

Gustav Adolfs Glaube an die lutherische Lehre war zweifellos ebenso echt wie Wallensteins Glaube an die Astrologie; aber sowenig dieser den Sternen zuliebe seine Pläne ins Werk setzte, so wenig hätte jenen die evangelische Sache allein dazu vermocht, sich in den Krieg zu mengen. Vielmehr war für den einen die Bibel, was für den anderen das Horoskop war: ein Instrument der Politik. Was Wallenstein einmal vorübergehend ins Auge gefaßt hatte, war der permanente Leitgedanke Gustav Adolfs: die Herrschaft über die Ostsee. Er kam, um dem bedrängten Protestantismus gegen den Kaiser zu helfen; aber wie hätte er diese Hilfe zu einer dauernd wirksamen machen können, ohne sich bleibend in Deutschland festzusetzen? Die Reformation sollte über Rom siegen; das hieß, ins Schwedische übersetzt: Pommern, Preußen, halb Norddeutschland sollte an die Wasas fallen.

Sein Siegeslauf setzte ganz Europa in Staunen und Schrecken. Ein Jahr nach seiner Landung stand er schon in München. Diese Erfolge verdankte er zum Teil seinen Truppen, die ein wirkliches Nationalheer bildeten und nicht einen durch Raubsucht, Abenteuerlust und Aberglauben zusammengetriebenen Haufen wie die übrigen Armeen, in erster Linie aber seinem eigenen Genie. Fast alle Teile des Heerwesens hat er mit einem Scharfblick, der der Zeit weit vorauseilte, entscheidend reformiert: er verbesserte die Feuertechnik, indem er statt der umständlichen Hakenbüchsen leichte Handgewehre und statt der Holzpatronen Papierpatronen einführte, die man in der Tasche tragen konnte; die Taktik, indem er die Infanterie in drei Gliedern aufstellte: das vorderste kniete, das mittlere stand, das dritte lud; die Strategie, indem er seinen Truppeneinheiten eine erhöhte Manövrierfähigkeit verlieh und mitten in der Schlacht Schwenkungen ausführte, was damals für etwas Unerhörtes galt; und er machte, was das Wichtigste war, die Reiterei wieder zur dominierenden Waffe. Aber mit den Siegen steigerte sich auch sein Appetit, und es kann keinem Zweifel unterliegen, daß er am Ende seiner Laufbahn entschlossen war, sich nicht mehr mit einem norddeutschen Küstensaum zufrieden zu geben, sondern sich viel Höheres und Dauerhafteres zu sichern. Höchstwahrscheinlich dachte er an die deutsche Kaiserkrone und an das Herzogtum Bayern, das bei einem entscheidenden Sieg der protestantischen Partei dem katholischen Maximilian verlorengegangen wäre: hiefür ist sehr bezeichnend, daß er dem „Winterkönig" die Pfalz, die diesem vom Kaiser zugunsten Bayerns abgenommen worden war, bei ihrer Wiedereroberung nicht zurückgab. Es war daher kein Wunder, daß auch den Evangelischen vor ihrem Befreier allmählich bange wurde. Aber alle diese Pläne und Befürchtungen wurden bei Lützen unter kroatischen Pferdehufen zertrampelt. Darin war Gustav Adolf, dieser stahlharte nüchterne Realpolitiker, eben doch noch Romantiker, nordischer Seekönig, daß er, obgleich kurzsichtig und fettleibig, stets inmitten seiner Truppen den Kampf ausfocht und eines Tages im wildesten Getümmel wie ein gepanzerter Herzog aus dem grauen Mittelalter seinen Tod fand, spät genug, um die Welt seine überlegene Kraft kennen gelehrt zu haben, früh genug, um noch als reiner Schirmherr der Freiheit und des Glaubens in protestantische Lesebücher und Festspiele eingehen zu können.

Übertreibende Beurteilungen Der „Große Krieg", wie man ihn nannte, hat überhaupt die Nachwelt im Guten wie im Bösen immer wieder zu stilisierenden und übertreibenden Beurteilungen verlockt. Man gewöhnte sich daran, ihn durch ein Vergrößerungsglas zu sehen, und hat bis in die jüngste Zeit auch seine verheerenden Wirkungen sehr überschätzt, indem man sich dabei ausschließlich auf die zeitgenössischen Darstellungen stützte, ohne zu bedenken, daß diese durchwegs polemischen Charakter tragen und daher ebensowenig die natürliche Lebensgröße wiedergeben wie etwa heutige Schilderungen des weißen oder roten Regimes in den einzelnen Ländern und daß außerdem eine Sucht, alles zu verzerren, aufzublasen, ins Abstruse und Monströse zu steigern, zum Grundcharakter der Zeit gehörte. Auch das berühmteste Zeitdokument, Grimmelshausens „Simplizissimus", hat nur den Wert eines ebenso groben wie starken Farbendrucks, einer phantastischen, obschon sehr eindrucksvollen Karikatur und macht von dem dichterischen Recht, die Dinge komprimierter zu geben als die Wirklichkeit, einen sehr naiven und ausschweifenden Gebrauch. Ferner vergaß man, daß diese Mißgeburt von Krieg eben überhaupt keine zusammenhängende Aktion darstellte, sondern ein amorphes Gemenge von einzelnen isolierten Kriegshandlungen und daher nur wenige Gegenden dauernd von ihm betroffen wurden, die meisten nur vorübergehend oder in großen Intervallen, manche gar nicht. Auch fehlte ihm jede Ähnlichkeit mit den heutigen Kriegen, deren Charakter die Anspannung aller verfügbaren Kräfte bis zum Äußersten ist. Von einer Heranziehung aller Landesteile, aller Volksschichten, aller physischen und materiellen Kampfmittel war nirgends die Rede. Eine Pflicht zum Waffentragen bestand nicht einmal für die Bürger belagerter Städte. Soldat war man nur, wenn es einem gefiel und solange es einem gefiel. Zur Armee ging man aus Beruf, aus Verkommenheit, aus Gewinnsucht, aus Ehrgeiz, aus Sport, und so bestand das Kriegsvolk im wesentlichen aus dreierlei Menschensorten: Professionals, Deklassierten und Sensationslustigen. Infolgedessen waren nach unseren Begriffen die Heere sehr klein, die Schlachten sehr kurz und von geringer Ausdehnung, auch infolge des zaudernden Charakters der ganzen Kriegführung nicht häufig. Während also die Formlosigkeit und Undiszipliniertheit des Zeitalters es zu einem „Weltkrieg" in unserem Sinne gar nicht kommen ließ, führte sie allerdings in Einzelfällen zu den empörendsten Ausschreitungen; doch darf man auch hier nicht glauben, daß Vorgänge, wie sie Grimmelshausen schildert, einfach die Regel waren. Wenn man sich erinnert, was für Geschichten über die Greueltaten der Russen in Polen und die „*atrocités*" der Deutschen in Belgien seinerzeit verbreitet waren und zum Teil noch heute geglaubt werden, so wird man auch hier die nötigen Reduktionen vornehmen.

Gleichwohl kann man sich den Zustand Deutschlands nach dem Krieg gar nicht desolat genug vorstellen. Aber wir haben es hier wiederum mit jener Verwechslung von Ursache und Wirkung zu tun, die uns im ersten Buch bereits einige Male begegnet ist. Nicht weil gegen Ausgang des Mittelalters Gewerbe und Handel emporblühten, entwickelte sich eine neue materielle Kultur, sondern weil damals eine Menschheit mit dieser Wirtschaftsgesinnung lebte, hob sich der internationale Verkehr, entstand die Geldwirtschaft, steigerte sich die Gütererzeugung. Nicht durch die Entdeckung Amerikas, die Buchdruckerkunst, die Reformation ist die „Neuzeit" entstanden, sondern weil um die Wende des fünfzehnten Jahrhunderts eine bestimmte Menschenvarietät, der „Mensch der Neuzeit", die Bühne der Geschichte betrat, wurden die Küsten Westindiens erforscht, Bücher gedruckt, die Institutionen der römischen Kirche bekämpft. Und ebenso ist das deutsche Volk nicht durch den Dreißigjährigen Krieg heruntergebracht worden, sondern weil es so heruntergekommen war, entstand der Dreißigjährige Krieg.

Wirtschaftliche Deroute Dies zeigt sich am deutlichsten auf dem wirtschaftlichen Gebiet. Deutschland verlor schon vor dem Krieg die Führung in der Tuchindustrie durch die überlegene Konkurrenz des Westens, vor allem Hollands, und während es im ganzen sechzehnten Jahrhundert der europäische Markt für die Luxuserzeugnisse des Kunstgewerbes gewesen war, wurde es nunmehr auch auf diesem Felde von den französischen Manufakturen überholt, mit denen es weder in der Mode noch in der Qualität gleichen Schritt halten konnte. Auch war der Mittelmeerhandel, für den Deutschland die natürliche Durchgangsstation nach Norden bildete, längst vom atlantischen Seeweg aus seiner dominierenden Stellung verdrängt worden, zum Teil durch die Verbesserung der Schiffahrt und die großen Entdeckungen, zum Teil aber auch durch Deutschlands eigene Schuld, denn die zahllosen Zollschranken mit ihren Schikanen und Erpressungen und die vielfachen Münzsorten machten den festländischen Handelsverkehr zu einer wahren Tortur. Besonders der letztere Umstand, der Mangel einer einheitlichen Geldwährung, führte zu einer Landplage, die Deutschland noch viel mehr geschädigt hat als der Krieg: dem in zahllosen zeitgenössischen Flugschriften beklagten Unwesen der „Kipper und Wipper". Dies war der volkstümliche Spitzname für die Münzer und Geldwechsler, der damals ebenso oft und in ebenso schmeichelhaftem Sinne gebraucht wurde wie heutzutage das Wort „Schieber"; und diese Elemente machte man, gewiß nicht ohne einige Berechtigung, für das ganze Elend verantwortlich. Die Hauptschuldigen waren aber eigentlich die Landesherren. Diese hatten bald herausbekommen, daß der Mißstand der verschiedenen Währungen für sie einen großen Vorteil hatte, indem er ihnen ermöglichte, eigenes Geld von geringerem Feingehalt zum vollen Zwangskurs auszugeben: es war dies die damalige primitive Form, sich durch Staatsanleihen zu bereichern. Zuerst hatte die Bevölkerung gar nichts dagegen einzuwenden, denn das vollwertige alte Gold, wovon fast ein jeder

Ersparnisse gesammelt hatte, stieg dadurch im Preise; aber im weiteren Verlaufe war die allgemeine Deroute unvermeidlich. Alsbald bemächtigten sich Schmuggel, Zwischenhandel, betrügerischer Tauschverkehr und andere unreelle Praktiken der Geldmanipulation; „leichtes" Geld auszugeben, gutes aufzukaufen wurde eine Spekulation, die dem heutigen Börsenspiel entsprach. Die Landesfürsten, in einen circulus vitiosus geraten (da auch sie jetzt ihre Steuern und Abgaben in ihrem eigenen schlechten Gelde bezahlt bekamen), griffen zu immer verzweifelteren Maßregeln; schließlich bestanden die Münzen nur noch aus versilbertem Kupfer oder noch wertloserem Material und waren zu reinen Rechenmarken geworden: es vollzog sich etwas Ähnliches wie in unseren Tagen, nur statt in Papier in Blech. Die Folge waren auch ganz analoge soziale Erscheinungen: plötzlicher Reichtum und ausschweifender Luxus der glücklichen Spekulanten, Not der Festbesoldeten und der geistigen Arbeiter, Verarmung der kleinen Sparer, rapide Entwertung aller Kapitalforderungen, endlose Streiks, wilde Tumulte.

Den Ruin vollendete der Westfälische Friede, der Deutschland fast zu einem Binnenlande machte; denn nunmehr war beinahe keine große Strommündung mehr in deutschem Besitz: der Rhein holländisch, die Weichsel polnisch, Oder, Elbe, Weser schwedisch; um die Ostsee stritten Dänen, Schweden und Polen, um die Nordsee Franzosen, Holländer und Engländer: für Deutschland war nirgends Platz. Und zugleich verewigte dieser Friedensschluß den deutschen Partikularismus, indem er sämtlichen Reichsständen die *superitas territorialis* und damit das Recht zuerkannte, Bündnisse untereinander und mit auswärtigen Mächten zu schließen, „außer gegen Kaiser und Reich", was aber eine bloße Formel war. Der schwedische Kanzler Oxenstierna, von dem der weise Ausspruch stammt: „*An nescis, mi fili, quantilla prudentia regatur orbis?*; aber weißt du denn nicht, mein Sohn, mit wie wenig Verstand die Welt regiert wird?", scheint auch dieses bescheidene Quantum in der deutschen Verfassung vermißt zu haben, denn er bezeichnete sie als eine nur von der Vorsehung erhaltene Konfusion; noch deutlicher war zweihundert Jahre später Hegel, der sie eine „konstituierte Anarchie" nannte.

Die „konstituierte Anarchie"

Der Dreißigjährige Krieg, ursprünglich als „Glaubenskrieg" entbrannt, verliert schon während seines ersten Jahrzehnts den religiösen Charakter und politisiert sich während seines weiteren Verlaufs immer mehr. Wie wir gesehen haben, war das Hauptmotiv für das Eingreifen Gustav Adolfs keineswegs konfessionelle Parteinahme: er trieb schwedische Großmachtpolitik und wandte sich gegen die kaiserliche Partei vor allem auch deshalb, weil sie seine Erbfeinde, die Polen, und deren Prätensionen auf den Thron der Wasas unterstützte; außerdem beunruhigten ihn die Pläne Wallensteins, der vom Kaiser zum General des Baltischen Meeres ernannt worden war und alles daransetzte, aus diesem Titel eine Wirklichkeit zu machen. Und dieser selbst hat während seiner ganzen Laufbahn nicht einen Augenblick an die katholische Sache gedacht. Nach der zweiten Schlacht bei Leipzig hindert der protestantische König von Dänemark die Schweden durch seine drohende Haltung an der Ausnützung ihrer Siege. Im Frieden von Prag, der etwa in die Mitte des Krieges fällt, tritt die lutherische Vormacht Kursachsen zu den Kaiserlichen über. Und der nun anhebende letzte Abschnitt steht gänzlich unter dem Einfluß Frankreichs, das durch protestantische Fürsten und Feldherren den Krieg gegen die katholische Partei fortsetzt. Das Haupt und der Kopf dieser Politik war ein Kardinal der römischen Kirche, der große Richelieu, der damit das Testament Heinrichs des Vierten vollstreckte, des allerchristlichsten Königs von Frankreich. Nach seinem Tode wurde sein Lebenswerk von Mazarin fortgesetzt und vollendet, der ebenfalls römischer Kardinal war. Nur Ferdinand der Zweite kämpfte für seine „Generalissima", die Muttergottes; und sein Jugendfreund Maximilian von Bayern war ebenfalls ein papistischer Glaubensstreiter. Aber das Leben schritt über sie hinweg, und schließlich hatte jedermann vergessen, woraus der Krieg entsprungen war: Katholiken kämpften im schwedischen, Protestanten im kaiserlichen Heere. So erwies sich das Gesetz der Zeit stärker als beide Parteien: jener Wille zur Säkularisation aller menschlichen Betätigungen und Beziehungen, den wir als das Wesen der Reformation erkannt haben, ergreift auch die katholische Welt. Und während noch im sechzehnten Jahrhundert konfessionelle Überzeugungen und Leidenschaften in der Seele der Menschen eine solche Alleinherrschaft innehatten, daß sie alle nationalen, sozialen, patriotischen Erwägungen und Gefühle verdrängten, ereignet sich nun genau das Umgekehrte: ganz Europa ist völlig politisiert, säkularisiert, rationalisiert. Das Mittelalter ist zu Ende.

Der erste Abschnitt der eigentlichen Neuzeit, der demnach etwa gleichzeitig mit dem Dreißigjährigen Krieg einsetzt, reicht ungefähr bis zum Jahre 1660 und läßt sich als eine Art „Vorbarocke" bezeichnen: das neue Weltbild tritt in teils noch allzu groben, teils noch allzu blassen Zügen langsam ins Blickfeld. Es ist eine Ära der Vorbereitung, in der gleichsam der provisorische Entwurf, die erste Skizze, das Brouillon des Barockmenschen konzipiert wird. Der Anfang der sechziger Jahre macht hier eine ziemlich deutliche Zäsur. Nach dem Tode Cromwells erfolgt 1660 die Restauration der Stuarts; nach dem Tode Mazarins gelangt 1661 Ludwig der Vierzehnte zur selbständigen Regierung. 1660 stirbt Velasquez, 1662 Pascal. Diese vier Daten, um die sich zahlreiche zweiten Ranges von ähnlicher Bedeutung gruppieren, schließen eine geschichtliche Etappe ab und eröffnen eine neue. *Die Vorbarocke*

Der politische Zentralbegriff dieses Zeitraums, in dem der Absolutismus heranreift, ist die Staatsraison, die *ratio status*, von der der deutsche Satiriker Moscherosch sagt: „Ratio status ist ihrem Ursprunge nach ein herrlich, trefflich und göttlich Ding. Aber was kann der Teufel nicht tun? Der hat sich auch zur Ratio status gesellt und dieselbe also verkehrt, daß sie nun nichts mehr als die größte Schelmerei von der Welt ist, daß ein Regent, der rationem status in Acht nimmt, unter derselben Namen frei tun mag, was ihm gelüstet." Und in einer anderen zeitgenössischen Schrift heißt es: „Es ist ein Augenpulver oder Staub, welchen die Regenten den Untertanen in die Augen sprengen; es ist eins der vornehmsten Kunststücklein, den Pöbel in Ruhe zu halten." Die führende politische Person wird der allmächtige Staatsminister mit seinen allwissenden Gesandten und Sekretären, der mit allen Ränken, Finten und Finessen der Geheimdiplomatie vertraut ist; an die Stelle des Hoftheologen tritt der Hofjurist, während jener, soweit ihm *Die Staatsraison* noch ein bestimmender Einfluß geblieben ist, sich durch besonders gehässige Intoleranz hervortut, und zwar am stärksten im lutherischen Lager und mit gleicher Erbitterung gegen die helvetische und die römische Lehre. Der kursächsische Hofprediger von Hohenegg zum Beispiel äußerte, für die Calvinisten die Waffen ergreifen sei nichts anderes als dem Urheber des Calvinismus, nämlich dem Teufel, Reiterdienste tun; wer nur in der geringsten Einzelheit vom Augsburger Bekenntnis abwich, hieß Synkretist, die furchtbarste Beschimpfung in den Augen der strengen Lutheraner; selbst ein Mann von so echter und persönlicher Frömmigkeit wie Paulus Gerhardt sagte: „Ich kann die Calvinisten *quatales* nicht für Christen halten"; kurz, es war der Zustand, den Karl von Hase in seiner prachtvollen Kirchengeschichte mit den Worten charakterisiert: „Bei aller Subtilität dachte man doch eigentlich Gott als einen großen lutherischen Pastor, der zur Rettung seiner Ehre mit Fäusten dreinschlägt." Nur Angelus Silesius, ursprünglich ebenfalls Protestant, später Katholik, macht eine Ausnahme: in seinem „Cherubinischen Wandersmann" entfaltet die deutsche Mystik noch einmal ihre ganze Tiefe und Schöpferkraft. Und sogar dieser reine und starke Geist, der gedichtet hat: „Wer saget, daß sich Gott vom Sünder abwendt, der gibet klar an Tag, daß er Gott noch nicht kennt", hat in seinen letzten Lebensjahren die Welt mit zelotischen Schriften überschwemmt, worin er den Protestantismus mit demselben engen und harten Fanatismus verfolgte, der diesen so tief herabgewürdigt hatte.

Damals erhielt das Wort „politisch" jenen Nebensinn von versiert, gerieben, diplomatisch, weltläufig, den es noch heutigentags in der Volkssprache besitzt. Ein „politischer Kopf": das war einer, der sich darauf verstand, alle Mitmenschen geschickt zu behandeln und zu gebrauchen, alles pfiffig zu seinem Vorteil zu wenden, sich in alle Verhältnisse charakterlos einzuschmeicheln, kurz, jene Gaben zur Geltung zu bringen, mit denen man in der Welt zu allen Zeiten Karriere zu machen pflegte. Unter „Politesse" hinwiederum verstand man die Kunst der abgeschliffenen Manieren, des schmiegsamen Verkehrs, der flüssigen Konversation: ebenfalls lauter Mittel, in den höheren Kreisen vorwärtszukommen. Auch einige andere

Worte erhalten in bezeichnender Weise einen neuen Sinn: was allen gemein ist, nennt man nun gemein; als gesittet gilt, wer sich höflich, hofmäßig benimmt; schlecht, bisher gleichbedeutend mit schlicht, gerade, heißt jetzt so viel wie gering.

Obgleich sich die damaligen Menschen auf ihre gesellschaftlichen Formen und Fertigkeiten besonders viel zugute taten, war doch das deutsche Leben niemals loser, lockerer, unbeherrschter als gerade zu jener Zeit. Eine wirkliche Gesellschaft, wie sie die romanischen Völker fast immer besaßen, hat ja in den germanischen Ländern niemals bestanden, und am wenigsten in Deutschland. Niemals gab es auf deutschem Boden einen allgemeinen Schönheitsstil des öffentlichen Lebens, eine allgemeine Kunst des Betragens, der Urbanität, der Unterhaltung, eine allgemeine Reinheit und Gefälligkeit der Rede, der Schrift, des Geschmacks. Dieser vielgerühmte Vorzug der Romanen hat jedoch auch seine Schattenseiten: er ist begründet in einem Mangel an innerer Freiheit und Individualität. Hohe Gesamtkultur setzt annähernde Gleichförmigkeit der Menschen voraus, nämlich den gemeinsamen Willen, sich auch im Geistigen gewissen Konventionen, Traditionen, Gesetzbüchern, Reglements zu unterwerfen. Hieraus ergibt sich nun ein bemerkenswerter Gegensatz zwischen den germanischen und den romanischen Kulturen. In Italien, in Spanien, in Frankreich herrscht ein höherer Kollektivgeist und dementsprechend gibt es dort kaum die Erscheinung des verkannten Genies; aber dafür sehen wir das Genie dort nicht so oft über die ganze Menschheit hinausragen wie in England, Deutschland, Skandinavien. Diese Länder besitzen ein tieferes Gesamtniveau, ihre großen Geister werden überaus langsam, nicht selten erst nach ihrem Tode begriffen; aber Erscheinungen von allerhöchstem Range wird man auf romanischem Boden weniger häufig begegnen. Und ebenso schwer wird sich dort ein Großer finden lassen, der auf sein eigenes Volk herabgeblickt, sich in seinem Vaterlande wie im Exil gefühlt und seine Versteher im Ausland gesucht hätte, was aber bei den germanischen Genies fast die Regel ist: man denke an Friedrich den Großen, Schopenhauer, Nietzsche, Händel, Beethoven, Strindberg, Ibsen, Shaw, Byron und viele andere. Dante blieb auch verbannt sein Leben lang Florentiner, Voltaire blickte Tag und Nacht aus seinem Schweizer Asyl sehnsüchtig nach Frankreich, Descartes hat in seiner freigewählten „holländischen Einsiedelei" immer nur für seine Pariser Freunde meditiert, Victor Hugo hat auf Guernsey nur für Frankreich und über Frankreich geschrieben, und überhaupt niemals wäre irgendein italienischer, spanischer, französischer Künstler oder Denker auf den für ihn wahnwitzigen Gedanken gekommen, für etwas anderes leben und schaffen zu wollen als für sein Land, seine Hauptstadt, sein Volk, seine Kultur. Dies alles kommt aber eben daher, daß, wie wir schon im Abschnitt über die italienische Renaissance hervorgehoben haben, bei den Romanen der große Mann der zusammengefaßte Ausdruck, die Essenz seines Volkes ist, bei den Germanen aber nicht. Wie aber in Natur und Geschichte nach dem großen Gesetz der Aktion und Reaktion scheinbare Schädigungen und Attacken immer wieder ausgeglichen, ja überkompensiert werden, so steigert sich auch in diesem Falle das Genie bisweilen gerade durch den stumpfen oder aggressiven Widerstand der Umwelt zu Kraftleistungen, die es sonst nirgends erreicht. In Descartes, Calderon, Balzac, Verdi kulminiert die Rasse, in Kant, Shakespeare, Goethe, Beethoven die Menschheit.

Das „ala-modische Wesen" Es versteht sich von selbst, daß in jener sterilsten Periode, die Deutschland erlebt hat, alle entscheidenden Anregungen in Literatur, Kunst, Luxus, Sitte vom Ausland kamen. Das Ideal der Zeit war der *homme du monde*, auch *homme de cour*, *honnête homme*, *monsieur à la mode* genannt. Man bezeichnete daher das ganze Treiben mit Vorliebe als „alamodisches Wesen". Der stärkste fremdländische Einfluß kam aber damals noch nicht von Frankreich, sondern von Holland: die „Kavaliertour" ins Ausland, die für jeden, der mitreden wollte, unerläßlich war, ging zumeist nach den Niederlanden. Andrerseits klagt schon Moscherosch sehr drastisch über die allgemeine Französierung: „O ihr mehr als unvernünftigen Nachkömmlinge! Welches unvernünftige Tier ist doch, das, um andern zu gefallen, seine Sprache und Stimme änderte? Hast du je eine Katze, dem Hunde zu gefallen, bellen, einen Hund der Katze zu Lieb mauchzen hören? Nun sind wahrhaftig in ihrer Natur ein teutsches festes Gemüt und ein schlüpfriger welscher Sinn anders nicht als Hund und Katze gegen einander geartet und gleichwohl wollet ihr, unverständiger als die Tiere, ihnen wider allen Dank nacharten? Hast du je einen Vogel blärren, eine Kuh pfeifen hören?" Die Briefsprache der Adeligen ist bereits durchwegs französisch. Und von Adel war eigentlich jedermann. Denn es war ungemein leicht, sich den Adelstitel zu verschaffen, entweder durch Kauf oder durch Verdienste um irgendeinen kleinen Duodezfürsten. Dieser „Briefadel", der vom Uradel ebenso heftig wie erfolglos angefochten wurde, umfaßte schließlich alle oberen Zehntausend: von hier datiert die in Österreich bis in unsere Tage festgehaltene Sitte, jeden gutangezogenen Menschen mit „Herr von" anzureden; noch weiter ging man in Italien, wo man jeden Angehörigen der besseren Gesellschaft zum Marchese beförderte. In diesem Streben nach äußerer Nobilitierung bei fortdauernder innerer Vulgarität kündigt sich der Servilismus an, der bald zur hervorstechenden Signatur des sozialen Lebens werden sollte. Die „Reputation", die „Honnêteté" gilt nunmehr als alleiniger Wertmesser, und ihre Reversseite ist die „Fuchsschwänzerei", das Kriechen vor dem Hof, der Bürokratie und jedem, der eine Staffel höher steht. Die Kunst des artigen Benehmens und der wohlgesetzten Rede lehrten ganz grob und mechanisch die „Komplimentierbücher", und was die Franzosen schon damals leicht, anmutig und natürlich trafen, suchte man in Deutschland auf eine sehr plumpe, philiströse und abgeschmackte Weise nachzuahmen. Vor allem huldigt jedermann einem affektierten und in dieser Winkelwelt höchst deplaciert wirkenden Aristokratismus. Das Degentragen wird allgemein: als man es den Studenten in Jena verbot, machten sie den Witz, sich die Degen auf Karren nachfahren zu lassen. Für besonders vornehm galt auch der möglichst häufige Gebrauch des Zahnstochers.

Die Konversation war trotz allen diesen Edukationsmitteln höchst trocken und langweilig; in größeren Gesellschaften herrschte die geistlose Methode, ein bestimmtes Thema aufzuwerfen und jeden der Reihe nach seine Ansicht sagen zu lassen; Rede und Gegenrede bestanden zumeist im Austausch einstudierter hochtrabender Redensarten, bei denen niemand etwas dachte oder empfand. Lernte ein Jüngling ein Mädchen kennen, so war sie sogleich eine Pallas Athene, anbetungswürdige Göttin und „hochtugendselige Nymphe"; bei der Verlobung gehörte es zum guten Ton, daß beide Teile einander in endlosen stereotypen Phrasen versicherten, daß sie dieser Ehre nicht würdig seien. Unter diesem betonten Formalismus gewannen die geringfügigsten Umstände eine ungeheure Wichtigkeit. Ein großes Problem war es, ob man einem bestimmten Gast ein Taburett oder einen Fauteuil zum Sitzen anbieten solle, jahrelang wurde darüber gestritten, ob die Kutschen der höheren Gesandten, auch wenn sie leer seien, den Vorrang vor denen der niederen Gesandten hätten, wenn diese in persona darin säßen, und endlose Debatten erfüllten den Reichstag, als die fürstlichen Gesandten den kurfürstlichen das Recht bestritten, als einzige ihre Stühle auf den Teppich des Konferenzsaals zu stellen, bis schließlich entschieden wurde, daß es ihnen gestattet sein solle, wenigstens die Vorderfüße ihrer Sessel auf die Fransen des Teppichs zu setzen. Schon in der merkwürdig verschnörkelten, wie aus lauter Initialen zusammengesetzten Schrift zeigt sich der Charakter der Zeit, ebenso in den Adressen und Briefköpfen: die einfache Anrede „Herr" genügte nicht mehr, man schrieb: „dem hochwohlgeborenen Herrn Herrn", und die offizielle Adresse des Reichskammergerichts zu Wetzlar lautete: „Denen hoch- und wohlgeborenen, edlen, festen und wohlgelahrten, dann respektiven hochgebornen, hoch- und wohledelgeborn, respektive Ihro kaiserlichen und königlichen katholischen Majestät verordneten wirklichen geheimen Räten, dann des löblich kaiserlichen und Reichskammergerichts zu Wetzlar fachverordneten Kammer-Richter-Präsidenten und Beisitzern, unseren besonders lieben Herren und lieben Besondern, dann hochgeehrtest auch respektive freundlich vielgeliebten und hochgeehrten Herren Vettern, dann hoch- und vielgeehrten wie auch weiteres respektive insonders hochgeneigt und hochgeehrtesten Herren." Die Freude am Fremdklingenden und Aufgedonnerten zeigt sich auch in der Latinisierung der Namen, die, früher nur von den Humanisten geübt, jetzt allgemeine Mode wird. „Es will keiner mehr

Roßkopf heißen, sondern Hippocephalus, nicht Schütz, sondern Sagittarius", sagt Moscherosch, und damals sind jene vielen Textor, Molitor, Faber, Sartorius entstanden, die ursprünglich ganz schlicht Weber, Müller, Schmidt und Schneider hießen.

Auf das Kostüm hat zunächst natürlich der Krieg eingewirkt. Der Trompeter von Säckingen Die spanische Tracht, deren gepreßte Steifheit wir im vorigen Buche kennengelernt haben, war für Soldaten unbrauchbar; da aber in jener Zeit überhaupt das Militär den Ton angab, so wurde die Kleidung allgemein bequemer, handfester, kriegerischer: man trägt weite sackartige Hosen, hohe sporenklirrende Kanonenstiefel, mächtige Stulpenhandschuhe, große herausfordernde Filzhüte mit wippender Feder und breiter, auf einer Seite aufgeschlagener Krempe, flache weiße Umlegkragen und den Degen im rasselnden metallbesetzten Bandelier: es ist im wesentlichen das Kostüm, das noch heute die Chargierten der Studentenverbindungen bei festlichen Anlässen anzulegen pflegen, außerdem jedermann bekannt aus den billigen und süßen Buntdrucken, die die achtziger Jahre des vorigen Jahrhunderts in Form von Romanen und Opern produziert haben und deren berühmtestes Exemplar wohl Neßlers „Trompeter von Säckingen" sein dürfte. Es ist bemerkenswert, wie es die verklärende Macht des historischen Rückblicks hier verstanden hat, eine der rohesten, poesielosesten und banalsten Kulturperioden mit dem Schimmer der Romantik zu umkleiden.

Das Haar, das infolge der spanischen „Mühlsteinkrause" notgedrungen kurz war, trägt man nun wieder in langen freien Locken, den Schnurrbart hochgezwirbelt und dazu anfangs noch den Knebelbart, der aber im Laufe des Krieges aus der Mode kommt. Auch hier ist der entscheidende Gesichtspunkt das Provokante, Schneidige, Martialische; um diese Wirkung möglichst vollkommen zu erreichen, bediente man sich schon damals der Schnurrbartbinden und dunkler Färbemittel, die den drohenden finsteren Eindruck unterstreichen sollten: das Ideal ist, mit einem Wort, der Bramarbas, der aber sehr bald zur lächerlichen Figur wird, von Gryphius im „Horribiliscribifax" nicht ohne einen gewissen schleppenden Humor geschildert, in der französischen Literatur durch die Figur des *capitaine Rodomont* verewigt, dessen Geburtsort nach Spanien, dem Lande der größten Renommisten und Scharfmacher, verlegt ist, und schließlich der commedia dell'arte als die stehende Maske des *capitano* einverleibt, dessen Aussehen und Wesen die genaue Karikatur des damaligen Typus ist: er hat einen Bart wie ein Luchs, einen riesigen Stoßdegen, handgroße Sporen und einen schreckenerregenden Federhut und spricht ununterbrochen von Krieg, Duellen, verführten Weibern und abgehauenen Gliedmaßen; in Wirklichkeit interessiert er sich aber nur für Küchengerüche und Weinflaschen und macht sich bei dem geringsten verdächtigen Geräusch aus dem Staube.

Die Damen trugen Korsetts mit Stahlschienen, verzichteten aber auf den Reifrock, der einem weiten faltenreichen Schoß weicht: dafür wurde es Mode, mehrere verschiedenfarbige Unterröcke übereinander zu tragen. Das Haar wurde ähnlich wie das männliche getragen, nur in Lockenbündel geteilt und rechts und links über die Ohren fallend. Übrigens wechselte die Frisur in ihren Einzelheiten, in der Anordnung der Stirn- und Schläfenlöckchen und des Scheitels, ungemein rasch, und ebenso die Barttracht der Männer: der Schnurrbart ist zuerst mächtig und ausladend, später nur eine dunkle Linie auf der Oberlippe, schließlich besteht er bloß aus zwei Punkten rechts und links von der Nase. Die Gestalt des Huts änderte sich fast alle Vierteljahre; er sieht abwechselnd aus wie ein Buttertopf, ein Holländerkäse, ein Zuckerhut, ein Kardinalshut. Auch die Farben sind großen Wandlungen unterworfen: anfangs werden die starken und lärmenden bevorzugt, später die zarten und gebrochenen wie bleu-mourant und Isabelle. Eine ebenso große Vielfältigkeit zeigten die Knöpfe, Tressen und Rosetten in ihren oft abenteuerlichen und aufdringlichen Formen und die reichen Spitzeneinfassungen am Kragen und an den Stiefelschäften.

Tabak und Kartoffel   Zwei andere Modeartikel, wenn man sie so nennen kann, fanden damals in Deutschland ebenfalls Verbreitung: der Tabak und die Kartoffel. Die „Tartuffelfrucht", von der man zuerst glaubte, das Eßbare an ihr sei die Samenkapsel, wurde von Walter Raleigh nach Irland gebracht, wo sie zuerst wenig Beachtung fand, später aber das bevorzugte und leider nicht selten alleinige Volksnah-

rungsmittel wurde. In Frankreich galt sie lange Zeit nur als Leckerbissen, was sie ja auch tatsächlich ist. In Deutschland bürgerte sie
sich durch die Not des Krieges rascher und widerstandsloser ein
als anderwärts, und seither ist sie infolge ihrer Nahrhaftigkeit
(obgleich sie bei ihrem relativ großen Stärkegehalt fast gar kein
Eiweiß besitzt und daher nur als Zusatzgericht in Betracht kommt),
ihres leichten Anbaus und ihrer unerschöpflichen Küchenverwend-
barkeit die Lieblingsspeise des Deutschen geworden, die für ihn
dieselbe Bedeutung hat wie die Feige für den Kleinasiaten, der
Reis für den Japaner und die Tomate für den Italiener. Das „Ta-
bakessen", wie man das Kauen, das „Tabaktrinken", wie man das
Rauchen damals nannte, und das Schnupfen, das als die feinste
Form des Tabakgenusses galt, gelangte von England über Holland
und Frankreich nach Deutschland, wo die Pfeife bald zum unentbehrlichen Inventarstück des Soldaten, Studenten und Stutzers
wurde und selbst von den Damen geschätzt zu werden begann.
Natürlich bemächtigten sich sogleich die Satiriker in ihrer groben
und salzlosen Art des aktuellen Themas, während die Ärzte die
Krankheiten, die Prediger die Höllenstrafen schilderten, die die
neue Unsitte im Gefolge habe; mit dem Erfolg, den solche War-
nungen vor modischen Vergnügungen zu allen Zeiten gehabt
haben. Urban der Achte erließ gegen das Schnupfen sogar eine
Bulle, und in Rußland kam man auf den liebenswürdigen Gedanken, es dadurch zu verhindern, daß man seinen Anhängern die
Nase abschnitt. Aber schon während der ersten Hälfte des siebzehnten Jahrhunderts gab es in Europa Tabakkulturen und allenthalben
„Tabagien", besondere Lokale, wo man alle nötigen Einrichtungen
vorfand, mit deren Hilfe man das begehrte Kraut ungestört essen,
trinken und wieder von sich geben konnte. Und sehr bald ver-
söhnte sich auch der strenge Absolutismus mit dem neuen Höllen-
lieferanten, indem er ihn durch Steuern und Monopole zu einer
sehr ergiebigen Finanzquelle machte.

Ungehobelt und verschnörkelt, lärmend und koloriert, eine Die
Mischung aus Roheit und Geziertheit ist auch die Literatur jener Poeterey
Periode. Zur Reinigung der Sprache von den zahlreichen spani-
schen, italienischen und französischen Brocken wurden zwei große

literarische Vereine gegründet: 1617 die Fruchtbringende Gesellschaft oder der Palmenorden, 1644 die Pegnitzschäfer oder der Gekrönte Blumenorden; aus dem Kreise des letzteren ging der berühmte Nürnberger Trichter hervor: „Poetischer Trichter, die Teutsche Dicht- und Reimkunst in sechs Stunden einzugießen." Aber der Purismus, den diese Reformer so eifrig betrieben, war nichts als gewendete Kauderwelscherei. Der rabiateste von ihnen, Philipp von Zesen, begnügte sich nicht damit, alle Fremdwörter zu exkommunizieren, sondern wollte auch den griechischen Göttern nicht ihre ehrlichen Namen lassen, indem er Pallas in Kluginne, Venus in Lustinne, Vulkan in Glutfang verdeutschte, und duldete nicht einmal gute deutsche Lehnwörter, indem er Fenster in Tageleuchter, Natur in Zeugemutter und sogar Kloster in Jungfernzwinger übersetzte: eine besonders grausame Maßregel, durch die die ohnehin schon durch ihre Lehnwortbenennung kompromittierten Mönche auf die Straße gesetzt werden.

Die Poesie ist von einer gedankenlosen und kunstlosen Bildermechanik beherrscht; sie wird zu einer Art kindischem primitiven Mosaik- und Legespiel. Es bildete sich nämlich eine Dichterei heraus, die für jede Vorstellung eine bestimmte Vokabel als die „poetische" einsetzt und zu jedem Substantivum ebenso automatisch bestimmte Beiwörter als die „schmückenden" hinzutut: eine nur fürs Auge berechnete, konventionelle und äußerliche, leere und gefallsüchtige, im toten Arrangement von Farben, Finessen und Falten aufgehende Wortschneiderei. Die Reimpaare Hans Sachsens und der Meistersinger, für den damaligen noch wenig differenzierten Seelenzustand eine sehr adäquate Ausdrucksform, werden verpönt und als „Knüttelverse" verhöhnt; der französische Alexandriner, im Deutschen ganz unmöglich, stelzt und stolziert wie ein klappernder Storch daher. Die hölzerne Gravität und Wichtigtuerei, verbunden mit der Sucht, durch Überschwang und gemachte Exaltiertheit um jeden Preis Eindruck zu erwecken, hat zur Folge, daß die Produkte jener Zeit für uns großenteils zur humoristischen Literatur gehören. Bei Lohenstein schildert zum Beispiel der Held seine Gemütsverfassung in folgendem Monolog:

434

O hätte je mein Blut des Sinans Durst gestillet!
O hätt' ich meine Seel' im Würgen ausgebillet!
O wär' ein gifftig Pfeil durch Lung und Herz geschlippt!
O hätt' ein Persisch Beil mir Hals und Stirn zerkippt!

und einer der Pegnitzschäfer besingt den Frühling mit den poetischen Versen:

Im Lentzen da glänzen die blumigen Auen,
Es grünet das Feld,
Es lachet die Welt,
Der Gärtner löst Geld.

Eine allenthalben aufgeklebte Gelehrsamkeit erhöht noch diese skurrile Wirkung und nimmt der Dichtung den letzten Rest von Ursprünglichkeit. Gryphius nennt daher die einzelnen Teile seiner Theaterstücke mit Recht „Abhandlungen". Er war ein Nachahmer Senecas, der selber schon ein kalter akademischer Epigone war, und von diesem hat er, wie die ganze Dramatik seiner Zeit, den Hang für das Ungeheuerliche und Gräßliche, den rohen Zirkuseffekt. In den „Mordspektakeln", die, wie schon der Titel sagt, nichts waren als eine Aneinanderreihung von wüsten und absurden Blutszenen, ist der banausische Realismus auf die Spitze getrieben. Wenn der Held sich umbringen mußte, so rannte er zu diesem Zweck mit Vorliebe den Kopf gegen die Wand, weil das am greulichsten war, wozu die Regiebemerkung zu lauten pflegte: „Er fellt in Verzweiflung, laufft mit dem Kopf an die Wand, daß das Blut unter dem Hut herfür dringet, welches mit einer Blase wohl gemacht werden kan." Von Mars wird verlangt, er solle auftreten „herausbrausend mit Trommelschall und Büchsenknall, mit einem blutigen Degen in der Faust, brüllend und das Maul voll Tabakrauch, den er herausbläset". Vossius, einer der berühmtesten holländischen Gelehrten, der in allen Fragen der Kunst und Wissenschaft für ein Orakel galt, schlug sogar vor, man solle in der Tragödie wirkliche Verbrecher hinrichten lassen. Die Komödie beherrschte der „Pickelhering", der niederländische Ableger des englischen Clowns und Vorläufer des deutschen Hans Wurst, durch ein stehendes Repertoire ebenso alberner wie ordinärer Späße, die ihren Höhepunkt erreichten, wenn er die Hosen verlor. Im übrigen behandelte die Komödie nach Opitzens Einteilung „schlechtes Wesen und Personen, Hochzeiten, Gastgebote, Spiele, Betrug und Schalkheit der Knechte, ruhmrätige Landsknechte, Buhlersachen, Leichtfertigkeit der Jugend, Geitz des Alters, Kupplerey und solche Sachen, die täglich unter gemeinen Leuten vorlaufen", während die Tragödie „Totschläge, Verzweiffelungen, Kinds- und Vatermorde, Brand, Blutschande, Krieg, Aufruhr, Klagen, Heulen, Seufzen" zum Inhalt hatte.

Dieser Opitz, schon deshalb allgemein verhaßt, weil mit ihm auf der Schule die Tortur der Jahreszahlen und Büchertitel anhebt, von seinen Zeitgenossen als *princeps poetarum Germaniae* gefeiert, war in der Tat nicht mehr als der Häuptling dieser Gilde von ledernen, eingebildeten und blutarmen Pedanten, und auch die geistvolle und tiefdringende Ehrenrettung, die Gundolf erst jüngst an ihm versucht hat, vermag wohl die Kenntnis seiner psychologischen Anatomie zu verfeinern und zu verdeutlichen, dürfte aber im übrigen sein schlechtes Renommee kaum aus der Welt schaffen. Er war, und daher wahrscheinlich die Treue, mit der die Schulmeister noch heute an ihm hängen, in erster und letzter Linie ein Präzeptor: er zeigte, theoretisch und praktisch, wie man dichten müsse, worunter er eine Art ergötzlicher Belehrung verstand (die aber bei ihm nur insoweit ergötzt, als sie unfreiwillig belustigt); er war also ein doppelter Schulmeister: ein Lehrer des Lehrens. Da aber den wirklichen Dichtern zu allen Zeiten beides gleichermaßen zuwider gewesen ist: sowohl Lehrer zu haben wie Lehrer zu sein, so müssen wir in ihm einen der vollkommensten Antipoeten erblicken, die jemals in die Poesie hineingeredet haben. Für die Geschichte der deutschen Sprache und Metrik mag er eine gewisse Bedeutung haben; für die Geschichte der europäischen Kultur besteht keine Veranlassung, sich mit dieser Panoptikumfigur näher zu befassen.

Comenius Auch auf den übrigen Wissenschaftsgebieten herrschte derselbe starrsinnige intransigente Doktrinarismus. An den Universitäten wurde der Theolog auf die Dogmen vereidigt, der Jurist auf das Corpus iuris, der Philosoph auf den Aristoteles. Eine Gestalt wie die des großen Pädagogen Comenius sucht in dieser Zeit vergeblich ihresgleichen. Es klingt wie eine Rede aus einer anderen Welt, wenn er fordert, daß der Mensch sich nicht von fremder, sondern von eigener Vernunft leiten lassen solle, daß er die Kenntnis der Dinge nicht aus den Büchern, sondern aus den Originalen schöpfen müsse: aus dem Himmel, der Erde, den Eichen und Buchen, allen den Gegenständen, die ihm täglich leiblich vor Augen stehen, daß immer zuvörderst die Sache zu kommen habe und dann erst der Begriff, daß das A und O der Pädagogik nicht die Bibel sei, sondern die Natur. Sein Ideal war die „Pansophia", eine Synthese aus Frömmigkeit und Naturkenntnis, die alle christlichen Sekten unter der freien Gläubigkeit wissender Humanität vereinigen sollte.

Nur auf dem Felde der Naturforschung hat auch Deutschland Bedeutendes hervorgebracht. Der Magdeburger Bürgermeister Otto von Guericke erfand die Luftpumpe, das Manometer, die Elektrisiermaschine, das Wasserbarometer und wies nach, daß im luftleeren Raum das Feuer verlischt, Tiere nach kurzer Zeit sterben, der Schall sich nicht fortpflanzt, hingegen das Licht ungehindert weitergeleitet wird; dem fränkischen Arzt Johann Rudolf Glauber gelang die Darstellung des Salmiaks und des schwefelsauern Natrons, das nach ihm Glaubersalz genannt wird und noch heute als Blutreinigungsmittel Verwendung findet; auch sind beide dadurch bemerkenswert, daß sie sich dem Verständnis des Polaritätsphänomens näherten, indem Guericke zeigte, daß gleichnamig elektrisierte Körper sich abstoßen, und Glauber den Begriff der chemischen Verwandtschaft aufstellte, die sich gerade bei verschiedenartigen Stoffen am stärksten äußert. Überhaupt läßt das siebzehnte Jahrhundert schon in dieser seiner ersten Hälfte allenthalben erkennen, daß wir uns dem klassischen Zeitalter der Naturwissenschaften nähern. Die beiden bedeutendsten Forscher dieser Periode sind der Italiener Torricelli und der Engländer Boyle. Evangelista Torricelli bearbeitete mit großem Erfolg ein bis dahin noch wenig beachtetes Gebiet der Physik, die Dynamik der Flüssigkeiten, wobei er unter anderem das hochwichtige Gesetz entdeckte, daß ein Strahl, der aus einem gefüllten Behälter heraustritt, immer die

Form der Parabel annimmt und eine Ausflußgeschwindigkeit besitzt, die der Quadratwurzel aus der Druckhöhe proportional ist. Robert Boyle, dem seine Landsleute den Beinamen „*the great experimenter*" verliehen, kann als der Begründer der modernen Chemie angesehen werden. Sein Hauptwerk, der „Chymista scepticus" ist, wie schon der Titel andeutet, eine Ablehnung der bisherigen chemischen Methoden. „Die Chemiker", sagt er darin in der Vorrede, „haben sich bisher durch enge Prinzipien leiten lassen, die der höheren Gesichtspunkte entbehrten. Sie erblickten ihre Aufgabe in der Bereitung von Heilmitteln und in der Verwandlung der Metalle. Ich habe versucht, die Chemie von einem ganz andern Gesichtspunkte zu behandeln, nicht als Arzt, nicht als Alchimist, sondern als Naturphilosoph." Chemie ist für ihn Erkenntnis der Zusammensetzung der Körper. Er definierte zum erstenmal mit voller Klarheit den Begriff des Elements, machte Untersuchungen über die Bestandteile der Luft und das Verhältnis zwischen Druck und Volumen bei Gasen und wies nach, daß beim Rosten der Metalle eine Gewichtszunahme stattfindet. Neben ihm wirkte William Harvey, der den doppelten Blutkreislauf entdeckte und den Satz aufstellte: „*Omne animal ex ovo.*" Auf dem Gebiet der praktischen Mechanik: des Schiffsbaus, des Festungsbaus, des Kanalbaus exzellierte Holland, das überhaupt in jenem Zeitraum die wirtschaftliche und kulturelle Führung innehat.

Die Vorherrschaft Hollands   Der kühne und opfervolle Kampf der Niederländer gegen die spanische Despotie hatte mit der vollen Anerkennung ihrer Unabhängigkeit geendet. Nun hatte dieses Volk endlich die Freiheit, seine ebenso bewundernswerten wie unsympathischen Gaben voll zu entfalten. Die Holländer sind das erste große Handelsvolk der Neuzeit. Sie erinnern in ihrem harten und platten Materialismus, ihrem listigen und skrupellosen Erwerbsegoismus und ihrer turbulenten verrotteten Oligarchie an die Phönizier; sie verdankten ihre wirtschaftliche Übermacht ebenso wie diese dem Umstande, daß sie in der Entwicklung des merkantilen Denkens den anderen Völkern voraus waren; und sie konnten ihre Vorherrschaft aus den gleichen Gründen nicht dauernd behaupten: ihrem emsigen und zähen Ringen fehlte es an einer höheren Idee und daher an wirklicher Lebenskraft und außerdem waren sie an Kopfzahl viel zu gering, um auf die Länge die halbe Welt beherrschen und aussaugen zu können. Es war dasselbe Mißverhältnis, das auch die schwedische Großmachtstellung zu einer Episode machte: die nationale Basis war zu schmal.

Die Kultur stand damals in Holland zweifellos auf einem höheren Niveau als im übrigen Europa. Die Universitäten genossen internationalen Ruf, besonders Leyden galt als die hohe Schule der Sprachforschung, der Staatswissenschaften und der Naturkunde. In Holland lebten und wirkten Descartes und Spinoza, die berühmten Philologen Heinsius und Vossius, der große Rechtsphilosoph Grotius, von dem wir schon gehört haben, der Dichter Vondel, dessen Dramen in der ganzen Welt nachgeahmt wurden. Die Verlegerdynastie Elzevir beherrschte den Buchhandel Europas, und die Elzevirdrucke, Duodezausgaben der Bibel, der Klassiker und der hervorragenden Zeitgenossen waren wegen ihrer erlesenen Schönheit und Korrektheit in jeder Bibliothek zu finden. Während sonst überall der Analphabetismus noch weit verbreitet war, konnte in Holland fast jedermann schreiben und lesen, und holländische Bildung und Sitte waren so geschätzt, daß man in der höheren Gesellschaft nur für voll galt, wenn man von sich sagen konnte, man sei in Holland erzogen, *civilisé en Hollande*.

Die Kolonisationstätigkeit der Holländer setzt ungefähr gleichzeitig mit dem neuen Jahrhundert ein und erfüllt seine beiden ersten Drittel. Es gelang ihnen sehr schnell, in allen Weltteilen Fuß zu fassen. Sie besetzten an der Nordostküste Südamerikas Guayana und gründeten in Nordamerika Neu-Amsterdam, das spätere New York: noch nach Jahrhunderten galten die holländischen Familien, die „Knickerbockers", dort als eine Art Aristokratie. Sie breiteten sich als „Buren" an der Südspitze Afrikas aus und importierten von dort den vorzüglichen Kapwein. Ein ganzer Weltteil trug ihren Namen: Neu-Holland, das spätere Australien, das Tasman zum erstenmal umsegelte; er drang aber nicht ins Innere und hielt die später Tasmanien genannte Insel für eine Halbinsel. Auch die Südspitze Amerikas wurde von ihnen zuerst betreten und nach der Geburtsstadt ihres Entdeckers Cap Hoorn genannt. Die größten Erwerbungen machten sie aber auf den Sundainseln: Sumatra, Java, Borneo, Celebes, die Molukken gelangten in ihren Besitz. Sie dehnten sich auch auf Ceylon und in Hinterindien aus und gründeten schon 1610 ihren Hauptstützpunkt Batavia mit seinen prachtvollen Handelsgebäuden: sie beherrschten den ganzen indischen Archipel. Sie besaßen sogar eine Zeitlang Brasilien. Sie haben aber niemals im eigentlichen Sinne kolonisiert, sondern überall bloße Handelsemporien angelegt, periphere Niederlassungen mit Forts und Faktoreien, die lediglich der wirtschaftlichen Ausbeutung des Landes und der Sicherung der Seelinien dienten, und nirgends ist es ihnen gelungen, wirkliche Eroberungen zu machen, wofür, wie gesagt, ihre Bevölkerungsziffer zu niedrig war und sie auch, als ein reines Kaufmannsvolk, gar kein Interesse besaßen. Ihre Hauptausfuhrartikel waren kostbare Gewürze, Reis und Tee, an den man sich in Europa nur langsam gewöhnte: am englischen Hof taucht er erst 1664 zum erstenmal auf, man fand ihn aber nicht sehr schmackhaft, denn er kam als Gemüse auf den Tisch; in Frankreich war er schon ein Menschenalter früher bekannt, doch hatte er auch dort gegen große Vorurteile zu kämpfen; zudem wurde sein Konsum durch die Holländer selbst beschränkt, die im Besitze seines alleinigen Exports die Preise aufs ausbeuterischste in die Höhe trieben. Dies war überhaupt ihr durchgängiges System und sie schreckten dabei vor den infamsten Praktiken wie dem Verbrennen großer Pfeffer- und Muskatkulturen und dem Versenken ganzer Schiffsladungen nicht zurück. Auch ihre heimische Produktion beherrschte durch eine Reihe von Spezialitäten den europäischen Markt. Alle Welt bezog von ihnen die Tonpfeifen, eine Fischerflotte von mehr als zweitausend Fahrzeugen versorgte ganz Europa mit Heringen, Delft war der Hauptsitz der Fayenceindustrie: von hier gingen die beliebten blau-weiß glasierten Krüge, Schüsseln und Eßbestecke, Kacheln, Kamine und Nippesfiguren in alle Windrichtungen.

Ein allgemein begehrter Artikel waren auch die Tulpenzwiebeln. Es wurde ein Sport und eine Wissenschaft, immer neue Farben, Formen und Muster dieser prächtigen Blume zu züchten, riesige Tulpenkulturen bedeckten den holländischen Boden und es kam damals vor, daß von Liebhabern oder Spekulanten für eine einzige seltene Spielart der Preis eines Landguts bezahlt wurde. Leute, die rasch reich werden wollten, warfen sich nun auf den Terminhandel, das heißt: sie verkauften kostbare Exemplare, die oft nur in der Phantasie existierten, auf Zeit, indem sie bloß die Differenz zwischen dem vereinbarten und dem am Verfallstage notierten Preis entrichteten. Die Holländer haben überhaupt den wenig ehrenvollen Ruhm, das moderne Börsenwesen mit allen seinen heutigen Manipulationen begründet zu haben. Der große „Tulpenkrach" vom Jahr 1637, der sich aus diesen „Windgeschäften" entwickelte, ist der erste Börsenkrach der Welt; die Aktien ihrer Handelskompanien, besonders der ostindischen, die 1602, und der westindischen, die 1621 ins Leben gerufen wurde, waren die ersten börsenmäßig gehandelten Effekten: in kurzer Zeit stiegen die Kurse auf das Dreifache und die Dividenden bis zu zwanzig Prozent und darüber; die weltbeherrschende Börse von Amsterdam wurde die hohe Schule des Hausse- und Baissespiels. Ferner waren die Holländer während der ersten Hälfte des siebzehnten Jahrhunderts die Zwischenhändler von ganz Europa: ihre Handelsflotte war dreimal so groß wie die aller übrigen Staaten. Und obgleich oder vielmehr weil die ganze Welt auf sie angewiesen war, entwickelte sich gegen sie ein allgemeiner erbitterter Haß, seltsam kontrastierend mit der überschwenglichen Bewunderung, die man ihren Sitten und Einrichtungen entgegenbrachte, und gesteigert durch die brutale Hemmungslosigkeit, mit der sie überall in der Wahrung ihres Vorteils bis zum Äußersten gingen. „Frei muß der Handel sein, überall, bis in die Hölle", lautete ihr höchster Glaubensartikel. Unter Handelsfreiheit verstanden sie aber nur Freiheit für sich selbst, das heißt: rücksichtslos ausgenütztes Monopol. So war es auch gemeint, wenn Grotius in seinem berühmten völkerrechtlichen Werk „Mare liberum" ausführte, die Entdeckung fremder Länder gebe allein noch kein Recht auf ihren Besitz und das Meer entziehe sich seiner Natur nach überhaupt jeder Besitzergreifung, es sei das Eigentum aller. Da das Meer sich aber tatsächlich im Besitz der Holländer befand, so war diese liberale Philosophie nichts als eine heuchlerische Maskierung ihres wirtschaftlichen Terrorismus.

Durch ihn wurden die „Vereinigten Staaten" zum reichsten und blühendsten Land Europas. Es war so viel Geld vorhanden, daß der Zinsfuß nur zwei bis drei Prozent betrug. Aber obgleich das Volk sich natürlich in viel besseren Lebensumständen befand als anderwärts, so hatte doch den Hauptprofit eine verhältnismäßig kleine Oligarchie von harten und dicken Geldsäcken, die sogenannten „Regentenfamilien", die das Land, da alle leitenden Stellen in der Verwaltung, der Judikatur und den Kolonien aus ihnen besetzt wurden, fast absolutistisch beherrschten und auf den einfachen Mann, den „Jan Hagel", ebenso geringschätzig herabblickten wie die Aristokratien der anderen Länder. Ihnen stand die Partei der Oranier gegenüber, die nach einem ungeschriebenen Gesetz die erbliche Statthalterwürde innehatten und eine legitime Monarchie anstrebten, aber dabei viel demokratischer dachten als die „Hochmögenden" und daher beim Volk sehr beliebt waren. Um sie scharten sich die großen militärischen und technischen Talente: in ihrem Stab befanden sich die ersten Strategen des Zeitalters; sie erzogen eine Generation von Virtuosen des Festungskriegs, des Kaperkriegs, des Artilleriewesens, der Ingenieurkunst; das von ihnen geschaffene Wassernetz, das ganz Holland überzog, galt für ein Weltwunder; auch waren sie Meister der Diplomatie.

Das niederländische Bilderbuch Aber wenn man von der damaligen Kultur Hollands spricht, so denkt jedermann zuerst an die Malerei. Sie wurzelt in dem gesunden Tatsachensinn und vorurteilslosen Weitblick, den der weltumspannende Imperialismus dem ganzen Volke verlieh; aber andrerseits darf man sich nicht vorstellen, daß sie durch ein organisiertes und kunstbewußtes Mäcenatentum wesentlich gefördert wurde. Die Prosa und Trockenheit, Phantasiearmut und Herzensenge, die jedes Kaufmannsregime kennzeichnet, war auch die Signatur Hollands, und das Milieu, in dem diese Kunst aufgewachsen ist, hat ihr jenen Charakter von grandioser Alltäglichkeit aufgedrückt, der sie in den meisten ihrer Vertreter zu einem Phänomen zweiten Ranges macht; wo sie sich zu überlebensgroßen, wahrhaft genialen Schöpfungen erhebt, hat sie es in bitterem Kampf gegen ihr Milieu getan. Die Langweiligkeit, Schwunglosigkeit und rechnerische Korrektheit nüchterner und „ehrbarer" Großkrämer, die sich alles recht „ordentlich" und stattlich wünscht, aber alles „Überflüssige" und „Extravagante" ängstlich vermeidet, zeigt sich am deutlichsten in dem öden Geschäftsstil der Architektur, zum Beispiel am Amsterdamer Rathaus, das lange Zeit für ein Meisterwerk der Baukunst galt. Frans Hals, Ruisdael, Rembrandt, um nur drei der bedeutendsten Künstler zu nennen, starben in Not; und andrerseits hat Belgien fast ebenso viele große Namen aufzuweisen wie Holland.

In den meisten Kunstgeschichten werden diese beiden Länder in scharfer Trennung behandelt; doch liegt dazu eigentlich kein zwingender Anlaß vor. Zwar sagte schon Grotius, dem Norden und dem Süden sei nichts gemeinsam als der Haß gegen die Spanier, aber es verhielt sich fast umgekehrt, denn gerade die Ungleichheit des Hasses gegen Spanien, der im Süden viel schwächer war als im Norden, führte zur Teilung in die spanischen Niederlande, die unter habsburgischer Herrschaft blieben und ungefähr dem heutigen Belgien entsprachen, und in die republikanische Vereinigung der nördlichen Provinzen, während im übrigen die Bevölkerung beider Gebiete eine große Ähnlichkeit zeigt. Die nördliche Hälfte Belgiens ist von den Flamen bewohnt, die mit den Holländern in Sprache und Abstammung, Charakter und Lebensauffassung fast vollständig übereinstimmen, und in der Tat: was ist zum Beispiel an den Belgiern Jordaens, Brouwer, Teniers, Snyders nicht holländisch? Die südliche Hälfte ist allerdings von den französisch sprechenden romanischen Wallonen bevölkert, die aber auf die Kunst und Kultur des Landes keinen nennenswerten Einfluß ausgeübt haben. Nur in einem Punkte unterscheidet sich auch der nördliche Teil Belgiens sehr wesentlich von Holland: er ist durchwegs katholisch. Dies ist aber eher ein kunstförderndes Moment gewesen, während der holländische Calvinismus mit seiner puritanischen Prüderie und seiner fast mosaischen Bildlosigkeit des Kultus die Malerei der großen Stoffe beraubte, wodurch sie, auf Porträt, Sittenbild und Naturstudie beschränkt, ein genrehaftes Gepräge erhielt. Wie sehr der philiströse Geist in den Publikumsbedürfnissen vorherrschte, zeigt sich daran, daß man selbst historischen Kompositionen, zu denen doch die Vergangenheit des Landes dringend aufgefordert hätte, nur wenig Interesse entgegenbrachte.

Die Kunst Hollands ist rein bürgerlich. Der Bürger will in erster Linie sich selbst gemalt sehen, sich und was ihm das Leben lebenswert macht: seine Familie, seine Geschäfte, seine Festlichkeiten, seine Genüsse. Also: Einzelporträts und Gruppenbilder, auf denen die ganze Verwandtschaft halb schüchtern, halb patzig Modell steht; „Schützenstücke", auf denen der Spießer Soldat spielt; gravitätische Ratskollegien, Vereinssitzungen, Bankette; protzige Interieurs und verführerische Stilleben mit gemütlichem Hausrat, bunten Topfpflanzen, kostbarem Tafelgeschirr, Weinflaschen, Fischen, Schinken, Wildbret und all den übrigen Dingen, womit dieses Volk von fetten Schlemmern sich das Dasein schmackhaft zu machen wußte. Außer diesen Gegenständen, die sich alle auf der Verlängerungslinie seiner eigenen Persönlichkeit befinden, pflegt den Bürger nur noch die Anekdote zu interessieren: saftig erzählte Familienszenen, Raufereien, Sportberichte, rührende, komische oder schauerliche Charaktergemälde, alles nachdrücklich auf die Pointe gestellt, die man möglichst breit und deutlich ablesen will. Daher kommt es denn auch, daß in Holland jene Maler den größten Publikumserfolg hatten, die fleißig und banal genug waren, ihre Produktion auf einen einzigen Artikel einzustellen: Paul Potter war Spezialist für Rinder, Philips Wouwerman für Schimmel, Melchior d'Hondecoeter für Geflügel, Willem van de Velde für Schiffe, Jan van Huysum für Blumen, Abraham van Beijeren für Austern, Hummer, Früchte, Pieter Claesz für feines Silberzeug. Kurz: die ganze niederländische Pinselkunst ist, einige wenige von niemand verstandene Große ausgenommen, ein einziger großer „Hausschatz" und Bilderbogen, ein Unterhaltungsbuch und Familienalbum.

Die Mythologie des Alltags Aber andrerseits ist die holländische Genremalerei von einer verschwenderischen Vielfältigkeit und Fülle, lapidaren Sachlichkeit und Unbeteiligtheit, großartigen Roheit und selbstverständlichen Nacktheit, schäumenden Kraft und schwellenden Fruchtbarkeit, wie sie sonst nur die Natur besitzt. Was ausschließlich geschildert, aber mit einem wahren Heißhunger, einer wilden kochenden Gier geschildert wird, ist das Leben sans phrase, ohne Beschönigung, ohne Moral, ohne Auswahl, ohne Sinn-Interpolation, das Leben als Selbstzweck, ein kurzer selbstgenießerischer Augenblick aufzischender hemmungsloser Vitalität.

Kunst hat immer die unwiderstehliche Tendenz zur Potenzierung der Wirklichkeit, zur Ideologie in irgendeinem Sinne. Aber diese Holländer befanden sich in einer sehr unglücklichen Situation. Der konventionelle Idealismus der Vergangenheit, die italienische Tradition war ihnen im Innersten zuwider, und einen neuen eigenen Idealismus aus ihrer Zeit und ihrem Volke hervorzubringen, war ihnen in einer Kulturwelt, deren Protagonisten der Pfaffe und der Krämer waren, gänzlich unmöglich gemacht. So blieb nur das Ventil eines ins Dämonische gesteigerten Naturalismus. Auf diesem Wege kamen sie dazu, den Ewigkeitszug im Niedrigsten, die Symbolik im Trivialsten, das Göttliche im Gemeinen zu entdecken. Sie bewiesen, daß der Mensch auch heroisch fressen, saufen, kotzen, unter die Röcke greifen kann, wenn nämlich gezeigt wird, daß hinter alledem geheimnisvoll und majestätisch die schöpferische Natur thront. Indem sie das Dasein in seiner vollen überwältigenden L e b e n s g r ö ß e wiedergaben, haben sie das Wunder zuwege gebracht, eine Art Mythologie des Alltags zu schaffen.

In einsamer Superiorität ragt aus ihrer emsigen lärmenden Schar ein Riese hervor, ihren zur Erde gesenkten Blicken entzogen: Rembrandt. Wie Shakespeare und Michelangelo in ihrem Zeitalter, so steht er in dem seinen: als ein Exilierter und Fremder, dem alle ausweichen und den niemand wirklich kennt. Mit Michelangelo ist ihm die Zeitlosigkeit gemeinsam: er gehört überallhin und nirgendhin, denn er hätte ebensogut hundert Jahre früher leben können, als ein unverstanden schaffender Renaissancemeister, und ebensogut zweihundert Jahre später, als ein Führer des Impressionismus. Mit Shakespeare teilt er die Anonymität, denn er verschwindet völlig hinter seinem Lebenswerk, das in seiner Vieldeutigkeit und Gestaltenfülle das Antlitz seines Schöpfers undeutlich und unbestimmbar macht. Und mit beiden ist er aufs tiefste verwandt durch die Kunst seiner letzten Lebensperiode, die sich völlig ins Transzendente verliert und geheimnisvolle Schöpfungen hervorbringt, auf die so grobe und banale Bezeichnungen wie Realismus und Idealismus nicht mehr passen. Die Kunst, um die er zuerst mühsam rang, mit der er auf der Höhe seines Schaffens souverän spielte, hat er am Ende seiner Erdenbahn völlig durchschaut: in ihrer Leere, ihrer Ohnmacht, ihrer Äußerlichkeit, er weiß jetzt, daß sie nicht das Höchste ist, wie er sein Leben lang glaubte, und sie fällt von ihm ab, Tieferem Platz machend, das sich aber, weil es nicht mehr völlig irdisch ist, menschlichem Fassen entzieht.

Rubens   Er ist daher ebensowenig ein Ausdruck seiner Zeit gewesen wie Michelangelo und Shakespeare, und wie wir damals die Rolle des *representative man* einem weit Geringeren zuweisen mußten, nämlich das einemal Raffael, das andremal Bacon, so ist auch hier der Held der Zeit ein viel flacherer Meister gewesen: Peter Paul Rubens. In Rubens ist die trunkene Lebensfreude, die triumphierende Bejahung der strotzenden Gegenwart Farbe geworden, sein Werk ist ein einziger großer Hymnus auf die gesunde Genußkraft, den stämmigen Materialismus des niederdeutschen Menschenschlags. Als Katholik und Flame hat er den doppelten Sieg der Gegenreformation und des holländischen Handels in leuchtenden Tinten, groß ausladenden Kompositionen und olympischen Kraftgestalten koloriert und besungen. Der Mensch, wie er ihn sieht, ist eine Art Halbgott, auf die Erde herabgestiegen, um seine unversieglichen Kräfte spielen zu lassen, niemals krank, niemals müde, niemals melancholisch, auch im zerfleischendsten Kampfe heiter, noch als Lazarus ein Athlet, im Grunde ein prachtvolles Raubtier, das jagt, kämpft, frißt, sich begattet und eines Tages auf der Höhe seiner Kraft brüllend verreckt. Seine Weiber sind niemals Jungfrauen, ja nicht einmal Mütter, sondern fette rosige Fleischstücke mit exemplarischen Becken, Busen und Hintern, nur dazu da, um nach wildem Brunstkampf, der den Genuß nur erhöht, aufs Bett geschmissen zu werden. Eine massive Geilheit nach ausschweifender Lebensbetätigung in jeder Form ist das

Grundpathos aller seiner Gemälde; es ist, als läge um sie die süße duftende Brutwärme eines summenden Bienenstocks oder die riesige weiße Samenwolke eines laichenden Heringszugs. Auch in ihrer Form sind sie nur zur Erhöhung des Lebensprunks und der Daseinsfreude gedacht, als farbenglühende Dekorationsstücke, geschmackvolle und phantasiereiche Prachttapeten. Im übrigen ist sein Verhältnis zur antiken Vorstellungswelt, der er seine festlichsten Allegorien entlehnt, ein ganz kühles und akademisches, sie sind sein Ausstattungsvokabular, nicht mehr.

Man hat Rubens in den Zeitaltern wirtschaftlichen Aufschwungs immer sehr gefeiert. Aus seiner immer jubelnden, immer sinnenfreudigen Animalität spricht das gute Gewissen, das gute Geschäfte verleihen, spricht die Flachheit des Glücklichen, denn Rubens war Zeit seines Lebens ein Liebling des Glücks, und spricht vor allem jener tiefe Atheismus, der allmählich von Europa Besitz ergreift und zuerst in Holland als dem vorgeschrittensten Lande sein Haupt erhebt. Rubens ist zweifellos einer der irreligiösesten Maler, die jemals den Pinsel geführt haben, und darum wird er auch immer der Abgott aller jener bleiben, die Gott beschwerlich oder überflüssig finden. Aber jedes feinere Gefühl wird sich, wenn es ehrlich gegen sich selbst ist, bei aller Bewunderung für seine Maße, seine Farbengewalt und seine grandiose Gabe, die Hülle des Menschen zu erfassen, zu dem Geständnis zwingen müssen, daß er nichts gewesen ist als ein königlicher Tiermaler und Verherrlicher einer dampfenden Übergesundheit, die ebenso unwiderstehlich wie barbarisch ist.

Die Blüte Hollands war ebenso üppig wie kurz, denn es konnte King Charles auf die Dauer nicht ausbleiben, daß die wirklichen Großmächte diesen feisten Parvenü aus seiner unorganischen Vormachtstellung verdrängten. Vor allem England mußte es sehr bald unerträglich finden, daß der ganze Nordseeverkehr und sogar sein eigener Handel sich in fremden Händen befand. Wir erinnern uns, daß dieses Land in der zweiten Hälfte des sechzehnten Jahrhunderts auf allen Gebieten einen überraschend schnellen Aufschwung nahm und daß diesen Fortschritt auch die Regierung Jakobs des Ersten nicht aufzuhalten vermochte, der, obgleich er einer der beschränktesten, ordinärsten und unfähigsten Menschen und überhaupt die Karikatur eines Königs war, von seinem Gottesgnadentum eine so extreme Auffassung hatte wie wenige seines Standes. Schon in seiner Thronrede sagte er: „Gott hat Gewalt, zu schaffen und zu vernichten, Leben und Tod zu geben. Ihm gehorchen Seele und Leib. Dieselbe Macht haben die Könige, sie schaffen und vernichten ihre Untertanen, gebieten über Leben und Tod, richten in allen Dingen, sind niemand verantwortlich als Gott allein. Sie können mit ihren Untertanen handeln wie mit Schachpuppen, das Volk wie eine Münze erhöhen und herabsetzen." Sein Sohn Karl der Erste war in vielem sein Gegenteil: klug, liebenswürdig, gesittet, ein vollendeter Kavalier und feinnerviger Förderer der Künste und Wissenschaften. Van Dyck hat den ganzen englischen Hof gemalt: den selbstbewußten eleganten König, die dekorative träumerische Königin, die zarten steifen Prinzessinnen, den anämischen femininen Kronprinzen, eine vornehme dekadente Welt in diskreten absterbenden Farben.

Aber Karl besaß eine schlechte Eigenschaft, die alle seine guten aufwog: er war nicht imstande, ein gerades Wort und eine gerade Handlung hervorzubringen. Nach ihm sind die noch heute beliebten King-Charles-Hündchen benannt, sehr blaublütige und sensitive, aber ziemlich falsche und eingebildete Geschöpfe. Einen ebensolchen Charakter besaß der König. Es war schlechterdings unmöglich, mit ihm zu verhandeln, er hinterging und belog jedermann, hielt niemals, was er versprochen hatte, und verdrehte seine eigenen Worte ins Gegenteil. Er war so töricht, zu glauben, es sei die beste Kampfmethode, alle Parteien zu täuschen, um dadurch über alle zu herrschen. Es scheint, daß diese grundsätzliche Doppelzüngigkeit und Wortbrüchigkeit bei ihm nicht bloß in der erblichen Perfidie der Stuarts begründet war, sondern auch in der Überzeugung, der König stehe so hoch über seinen Untertanen, daß ihm ihnen gegenüber alles erlaubt sei. So geriet er immer mehr in ein Netz von Finten und Widersprüchen und verlor schließlich das Vertrauen des ganzen Landes. Es ist aber trotzdem eine tendenziöse Unwahrheit demokratischer Geschichtschreiber, wenn sie behaupten, seine Hinrichtung sei der Wille des

Volkes gewesen. Sie erregte allgemeines Entsetzen und war überhaupt keine Hinrichtung, sondern ein politischer Mord, denn sie wurde von einer hiezu nicht befugten Jury ausgesprochen und auch von dieser nur unter Pression.

Seine Situation war anfangs nichts weniger als ungünstig. Seine Thronbesteigung wurde von dem größten Teil der Bevölkerung mit Jubel begrüßt, und auch als die Lage anfing, kritisch zu werden, hätte er sich durch eine einigermaßen vernünftige und eindeutige Politik leicht behaupten können. Die Majorität des Parlaments war stets auf der Seite der Monarchie, wenn auch nicht des Absolutismus, und selbst beim niedrigen Volk genossen die Royalisten immer noch mehr Sympathien als die Independenten. Er versuchte aber sogleich, gegen und sogar ohne das Parlament zu regieren. Er machte zum leitenden Staatsmann den Grafen von Strafford, der, getreu seiner Devise „*Through!*", mit allen Mitteln der Rechtsbeugung und Gewalt die unumschränkte Despotie durchzusetzen suchte, und zum leitenden Kirchenmann den Erzbischof Laud, der bestrebt war, die anglikanische Kirche der römischen bis zur fast vollkommenen Identität anzunähern, was dem größten Teil der Engländer ein Greuel war. Aber der Aufruhr brach nicht in England aus, sondern bei den Schotten. Durch den unklugen Versuch, die Laudsche Liturgie auch bei ihnen einzuführen, aufs äußerste erbittert, schlossen sie den *covenant*, einen Bund zum Schutze ihrer religiösen und politischen Freiheiten. Gegen sie sandte Karl ein Heer, das, da das mißtrauische Parlament ihm kein Geld für Truppen bewilligen wollte, durch freiwillige Spenden der königlich Gesinnten aufgebracht worden war. Alsbald traten diesen, die die „Kavaliere" genannt wurden, im ganzen Lande die demokratischen „Rundköpfe" entgegen, anfänglich noch Anhänger einer durch das Parlament beschränkten und kontrollierten Monarchie, später immer mehr zur Republik geneigt. Der Bürgerkrieg war unvermeidlich geworden.

Und nun reckt sich aus dem Dunkel die eherne Gestalt Cromwells, der an der Spitze seiner „Eisenseiter" wie ein Dampfpflug über das Land fegt und alles niederwirft: König und Volk, Hochkirche und Covenant, Oberhaus und Unterhaus, Iren und Schotten. Man kann nicht sagen, daß es während des Jahrzehnts seiner Regierung eine Partei gab, die ihm unbedingt anhing. Den Royalisten war er als Königsmörder verhaßt, den Republikanern als Vergewaltiger des Parlaments, den Episkopalen als brutaler Fanatiker, den Independenten als lauer Kompromißler, den Großgrundbesitzern als Sozialrevolutionär, den Levellers als Schützer des Kapitals und allen zusammen als Diktator und Tyrann. Er stand vollkommen allein, weil er als genialer Politiker, der er war, überhaupt keinen bestimmten vorgefaßten Standpunkt hatte, sondern immer nur den der jeweiligen Situation und Sache. Er paßte nicht, wie alle die engen und kleinen Geister, die ihn umgaben, die Dinge sich, sondern sich den Dingen an. Mit einem Wort: er wußte immer, als Diplomat, als Organisator, als Stratege, worauf es ankam; und das nahmen ihm die Menschen schrecklich übel.

Aber er war in der glücklichen Lage, nicht viel danach fragen zu müssen. Denn durch diese ebenso einfache wie seltene Fähigkeit, mit gesundem Blick den Kern jeder Sache zu ergreifen, besiegte er alle, und obgleich die Cromwellpartei eigentlich nur aus ihm selbst bestand, hat er doch über drei Reiche mit einer Unumschränktheit geherrscht, wie sie kein Plantagenet des Mittelalters besessen hat. Großbritannien hat nur ein einziges Mal einem absoluten König gehorcht: dem Lord-Protektor Oliver Cromwell. Das hatte zunächst einen äußerlichen Grund: er war der einzige Regent, der ein stehendes Heer besaß. Aber der wahre und innere Titel seiner Herrschaft beruhte nicht auf seiner Macht, sondern auf seinem Recht, einem ungeschriebenen, „ungesetzlichen", von keinem Parlament feierlich anerkannten, durch keinen „Volksvertrag" verbrieften und doch dem gegründetsten, legitimsten, ja einzigen Recht auf Königtum: er war der stärkste, der tapferste, der weiseste und, wenn wir die Dinge von einem höheren Standpunkt betrachten als die demokratische Philistermoral, auch der sittlichste Mann seines Landes. Er selber sagte von sich, er wolle der Nation dienen *„not as a king, but as a constable"*. Aber ist ein guter Konnetabel nicht der beste König und sogar mehr als ein König? Dieser einfache Landvogt hat für sein Land mehr getan als die rabiatesten Lancasters und Yorks, die schlauesten Tudors, die stolzesten Stuarts: er hat Ordnung in die ganze innere Verwaltung gebracht, Irland pazifiziert, die Handelstyrannei des gierigen Rivalen jenseits des Wassers zerbrochen, ein neues Calais gewonnen, eine der schönsten und reichsten Inseln Westindiens erobert und den festen Grund für die glänzende Zukunft gelegt, die England zur ersten Seemacht der Welt machen sollte. Ja wir werden der Bedeutung Cromwells vielleicht am gerechtesten, wenn wir dem Wort Constable seinen heutigen Sinn beilegen: er war nicht mehr und nicht weniger als der treue und unermüdliche, energische und kluge „Schutzmann" seines Landes.

Es ist eine alte historische Tradition, in Cromwell einen der größten Heuchler und Ränkeschmiede zu erblicken, die je gelebt haben, den „Fürsten der Lügner". Demgegenüber behauptet sein großer Apologet Carlyle, er habe überhaupt niemals in seinem Leben gelogen. Im Grunde haben beide Auffassungen recht. Cromwell hatte in seinem Wesen eine Vorliebe für das englisch Verzwickte, Doppelbödige, Hintergründige, für mehrdeutige, verklausulierte, absichtlich dunkle Reden und insoferne etwas Gewundenes, Verfitztes, Verbogenes, aber sicherlich nichts Verlogenes. Die Position des Engländers zur Wahrheit ist eben, wie wir schon im ersten Buch bei der Betrachtung des *cant* hervorgehoben haben, keine einfache und einsinnige und ergibt niemals eine reine Lösung. Das Verhältnis der einzelnen Nationen zur „Realität" ist überhaupt ein sehr ungleichartiges. Der Franzose benimmt sich zu ihr wie ein passionierter Liebhaber, der aber in seiner Blindheit sehr leicht zu betrügen ist; der Deutsche behandelt sie wie ein grundehrlicher, aber etwas langweiliger und pedantischer Verlobter; und der Engländer spielt ihr gegenüber den brutalen Ehemann, den Haustyrannen. Der genußsüchtige Franzose will nur das Angenehme, einerlei ob es wahr oder falsch ist, der biedere Deutsche will um jeden Preis die Wahrheit, ob sie angenehm oder unangenehm ist, und der praktische Engländer dekretiert, daß das Angenehme wahr und das Unangenehme falsch ist.

Der englische Cant hat seinen Gipfel in den Puritanern erreicht, die damals England beherrschten. Aus ihnen bestand die Armee, Die Puritaner die Verwaltung und sogar das neugeschaffene Oberhaus. Jedermann machte sich so schnell wie möglich aus dem Staube, wenn diese ebenso lächerlichen wie gefährlichen neuen Heiligen erschienen, näselnd, augenverdrehend, kurzgeschoren, schwarzgekleidet, von langsamem Gang und gemessenen Bewegungen, überall Verderbtheit, Gottlosigkeit und Ärgernis witternd. Es war selbstverständlich eine Sünde, zu trinken, zu spielen, zu lärmen; es war aber auch eine Sünde, zu tanzen, ins Theater zu gehen, Liebesbriefe zu schreiben, einen gestärkten Kragen zu tragen, sich das Essen schmecken zu lassen; und sonntags war überhaupt alles eine Sünde. An diesem heiligen Tage war es verboten, ein Beet zu begießen, sich rasieren zu lassen, einen Besuch zu machen, ja sogar zu lächeln; und am Samstag und Montag, die dem Sonntag so nahe benachbart sind, waren solche Dinge zumindest suspekt. Aus dieser übertriebenen Sabbatheiligung spricht der Geist des Judentums; und in der Tat: es fällt schwer, die Puritaner überhaupt noch als christliche Sekte anzusehen; sie stützten sich in fast allem auf das Alte Testament. Sie nannten sich nach den israelitischen Helden, Propheten und Patriarchen, sie durchsetzten ihre Rede mit hebräischen Wendungen, Sprüchen und Gleichnissen, sie fühlten sich als militante Diener Jehovahs, die er berufen habe, die Götzenanbeter, Irrgläubigen und verstockten Kanaaniter mit Feuer und Schwert zu vertilgen. Auch er hatte ja sein Volk durch Plagen und Strafen zum rechten Glauben gezwungen und Schrekken und Vernichtung unter den Abgefallenen verbreitet. Die Streiter Gottes, das auserwählte Volk waren sie, die rechtgläubigen Puritaner, und jedes Mittel der List, Gewalt und Grausamkeit war erlaubt zum guten Endzweck: der Niederwerfung der Heiden und der Aufrichtung der Theokratie. Ihr Gott ist der Gott Mosis, ein Gott der Rache, des Zornes, der erbarmungslosen Gerechtigkeit und eifervollen Demütigung der Sünder. Und wiederum rächte sich die unglückliche Verkoppelung der Evangelien mit dem Judenbuche, von der wir schon sprachen, an einem Teile der Christenheit.

Die Quäker   Nur ein Zweig des Puritanismus kann zum Christentum gezählt werden: die unter dem Spottnamen „Quäker" oder Zitterer bekannte Gesellschaft der Freunde des Lichts, die sich in Pennsylvanien am Delaware ausbreitete und noch heute in Amerika besteht. Sie machten nicht nur in der Theorie, sondern auch in der Praxis mit den Lehren des Neuen Testaments Ernst, wie die Independenten mit den Geboten des Alten Testaments Ernst gemacht hatten. Sie verweigerten den Kriegsdienst, den Eid, den Sklavenhandel, ja sogar den Verkauf von Kriegsartikeln und erweiterten ihre Kolonien auf völlig friedlichem Wege, ohne mit den Indianern zu kämpfen oder sie auch nur auszubeuten. Sie verschmähten die reguläre Predigt, die sie in ihrem Mutterland als eine Ausgeburt geistloser Routine und selbstgefälliger Unaufrichtigkeit erkannt hatten, und gestatteten jedermann, zu sprechen, aber nur wenn er vom „inneren Licht" inspiriert sei. Sie verwarfen die Liturgie und die Sakramente und auch im täglichen Leben alles Zeremonienwesen, redeten jedermann mit du an und zogen vor niemand den Hut. Sie sind, wenn ihnen auch infolge ihrer Übertreibungen und Schrullen etwas Genremäßiges anhaftet, eine der liebenswürdigsten und erfreulichsten Erscheinungen in der Geschichte der christlichen Bekenntnisse.

Der Dichter des Puritanismus ist der große John Milton, zugleich einer der hervorragendsten Publizisten seines Landes, der in seiner berühmten „Defensio pro populo Anglicano" eine wissenschaftliche Verteidigung des Königsmordes geliefert hat. An der grandiosen Rhetorik des Miltonschen Satans hat der jüngere Pitt sich zum Redner geschult; und es ist nichts weniger als ein Zufall, daß dem Dichter gerade der Fürst der Hölle unter den Händen und fast wider Willen zu einer so überwältigenden Figur emporgewachsen ist. Dies kommt eben daher, daß in Milton der Puritanergeist Gestalt geworden ist, ein Geist, der des Teufels ist, weil er durch und durch weltlich ist, in seiner Verwerfung der Welt noch hundertmal weltlicher als der Katholizismus in seiner sinnlichsten Weltbejahung; und der des Teufels ist, weil er rächt und richtet. In Miltons titanischem Epos wird die ganze Weltgeschichte streng und gnadenlos, parteiisch und ohne den geringsten Willen zum Feindesverständnis, geschweige denn zur Feindesliebe vorgerufen, verhört und verurteilt vom Standpunkt des Puritanismus, der die alleinige Wahrheit und Gerechtigkeit ist. Gott schickt gegen die Heerscharen der rebellierenden Engel seinen Sohn, der zehntausend Blitze auf sie schleudert: „wie eine Herde Ziegen, die vom Ungewitter überfallen sind" fliehen sie und stürzen in die Tiefe. Christus als Donnergott: dies ist eine ebenso monumentale Blasphemie wie der Christus Michelangelos, der als Apoll und Herakles in den Wolken thront. Ein Gott, der mit Köcher, Bogen, Blitzen und Streitwagen, mit Scharen von kämpfenden Heiligen siegt: das ist ganz offenbar nicht der Gottessohn der Evangelien, der Christus, an den die Christen glauben, sondern der legitime Sohn Jehovahs.

Hobbes Der Gegenspieler Miltons, der scharfsinnige und geistesmächtige Advokat der Monarchie, der Restauration und der Legitimität, war Thomas Hobbes. Seine Philosophie ist nicht niedrig oder böse, wie man bisweilen gemeint hat, sondern bloß pessimistisch. Er sieht überall, wohin er blickt, auf der einen Seite eine Welt wilder und starker, hart und scharf rechnender Herrennaturen und auf der anderen Seite eine Masse stumpfer und sklavischer, nur durch das Gesetz der Trägheit in Bewegung gehaltener Herdenmenschen, beide bloße Automaten ihrer gröberen oder feineren Freß- und Greifinstinkte, und zieht aus diesem Beobachtungsmaterial seine Induktionsschlüsse, aus diesen Prämissen seine Gesetze. Unter diesen Voraussetzungen wird ihm der Staat zum allmächtigen Riesenungeheuer, das alle, die sich ihm feindlich entgegenstellen, erbarmungslos verschlingt. Der Staat ist ein sterblicher Gott und die bestehende Ordnung ist allemal die rechtmäßige, weil sie die Ordnung ist. Freiheit ist, was die Gesetze nicht verbieten, Gewissen ist Privatmeinung, das Gesetz aber das öffentliche Gewissen, dem allein der Bürger zu gehorchen hat. Eine nicht staatlich legitimierte Religion ist Aberglaube. Daß die Könige unmittelbar von Gott eingesetzt seien, lehrt er nicht, vielmehr hat das Volk dem Staatsoberhaupt die höchste Gewalt übertragen; aber von diesem Augenblick an hat es keine Rechte mehr. Die Monarchie ist bloß deshalb die beste Staatsform, weil sie die zentralisierteste ist, und daß sie absolut sein muß, folgt einfach aus der Forderung, daß die Leitung eines Staates unter allen Umständen, auch wenn sie einer Körperschaft anvertraut wäre, absolute Gewalt haben muß.

Nimmt man diese Lehren nach dem Buchstaben, so erscheinen sie wie zur Rechtfertigung der Stuarts bestellt: der größenwahnsinnigen Doktrinen Jakobs des Ersten, der Intransigenz Karls des Ersten, der noch auf dem Schafott souveräner Autokrat blieb, der Wiederherstellungspläne Karls des Zweiten, dessen Lehrer Hobbes war. Faßt man aber ihren Geist ins Auge, so erscheint als ihr klügster Schüler und ihre siegreichste Verkörperung niemand anders als der Plebejer, Rebell und Usurpator Oliver Cromwell.

Die Fundamente dieser Staatsphilosophie, die in ihrer harten und klaren Unsentimentalität und ihrer rein naturwissenschaftlichen Wertung der politischen Phänomene noch beträchtlich über Machiavell hinausgeht, sind so, wie sie bei einem so konsequenten Denker wie Hobbes nicht anders sein können: eine nihilistische Ethik: an sich ist nichts gut oder böse, ein bestimmter Maßstab der Moral ist erst im Staat gegeben; eine materialistische Ontologie: alles Sein ist Körper, alles Geschehen Bewegung, auch Empfindungen sind hervorgerufen durch körperliche Bewegungen; eine sensualistische Psychologie: es gibt nur Empfindungen, alles andere ist aus ihnen abgezogen, Gattungsbegriffe und dergleichen sind nichts als verblaßte Erinnerungsbilder früherer Wahrnehmungen; eine mechanistische Erkenntnislehre: Worte sind Noten oder Marken für Vorstellungen, Begründen und Folgern ein Addieren und Subtrahieren dieser Zeichen, alles Denken ist Rechnen.

Noch viel weiter aber ging Baruch Spinoza, vielleicht der merk- Spinoza würdigste Denker, der je gelebt hat. In einer Geschichte der Philosophie müßte er nach Descartes behandelt werden, auf dem er fußt; aber da in unserem Zusammenhange nicht die Lehrgebäude von Bedeutung sind, sondern die Weltanschauungen, und auch diese nur, soweit sie als formbildendes Prinzip repräsentativer Persönlichkeiten oder großer Zeitströmungen gewirkt haben, so erscheint uns eine didaktische Anordnung, die der begrifflichen Entwicklung folgt, nicht unerläßlich. In seinem Privatleben war Spinoza weder ein Heiliger, wie das sentimentale achtzehnte Jahrhundert behauptet hat, noch ein Verworfener, wie das zelotische siebzehnte Jahrhundert geglaubt hat. Er hat die Verfolgungen, denen er ausgesetzt war, weder streitbar zurückgewiesen noch als Märtyrer erduldet, sondern sich ihnen kühl und überlegen entzogen. Sein Vater war ein portugiesischer Jude, der schon in früher Jugend vor der Inquisition nach Amsterdam flüchtete, wo zahlreiche seiner Glaubensgenossen ein Asyl gefunden hatten. Kaum genossen aber die jüdischen Gemeinden in dem „neuen Jerusalem", wie sie es nannten, ihre volle Freiheit, als sie auch schon mit erneuter Kraft jene gehässige Unduldsamkeit zu entwickeln begannen, die ihrer Religion immer eigentümlich war und leider zum Teil auch auf die christliche Kirche vererbt worden ist. Der Geist des Kaiphas, der die ganze Geschichte des Volkes Israel bestimmt hat, solange es noch seine nationale Selbständigkeit besaß, ist später oft infolge äußerer Umstände ohnmächtig gewesen, aber immer wieder zum Leben erwacht, wenn es zur Macht gelangte. So verhielt es sich auch diesmal. Der Fall des Uriel da Costa, der wegen seiner freireligiösen Ansichten von der Amsterdamer Synagoge durch die boshaftesten Peinigungen in den Tod getrieben wurde, ist ein trauriges Beispiel dafür. Spinoza war damals acht Jahre alt. Ein halbes Menschenalter später geriet er selbst in einen ähnlichen Konflikt. Man hatte von seinen philosophischen Neigungen und Beschäftigungen gehört und bemühte sich, ihn zuerst durch Bekehrungsversuche, dann durch Drohungen zur Rechtgläubigkeit zurückzubringen. Als beides fehlschlug, griff man zur Bestechung, indem man ihm ein Jahrgehalt von tausend Gulden anbot, wenn er dem Judentum treu bleiben wolle. Da er auch auf diese Art nicht zu gewinnen war, hielt es ein Mitglied der Gemeinde für angezeigt, ihn zu ermorden; aber das Attentat mißlang. Nun blieb der Synagoge nur noch das Mittel der Exkommunikation. Vor versammelter Gemeinde wurde über ihn der große Bannfluch verhängt, der mit den Worten schloß: „Er sei verflucht bei Tag und sei verflucht bei Nacht! Er sei verflucht, wenn er schläft und sei verflucht, wenn er aufsteht! Er sei verflucht bei seinem Ausgang und sei verflucht bei seinem Eingang! Der Herr wolle ihm nie verzeihen! Er wird seinen Grimm und Eifer gegen diesen Menschen lodern lassen, der mit allen Flüchen beladen ist, die im Buche des Gesetzes geschrieben sind. Er wird seinen Namen unter dem Himmel vertilgen." So handelte das Judentum an einem Manne, dessen ganze Schuld darin bestand, daß er ein gedankenvolleres, friedfertigeres und weltabgewandteres Leben führte als seine Stammesgenossen. Da es aber von jeher gute jüdische Tradition war, die Propheten zu steinigen, so liegt in diesem Vorgang nichts Auffallendes; und zudem sind wir der Ansicht, daß Spinoza nicht zu den größten Söhnen Israels gehört hat, denen dieses Schicksal widerfuhr, da wir in ihm nur eine, allerdings monumentale und einzigartige, Kuriosität zu erblicken vermögen.

Spinoza selbst verlor über dem Geschrei der Rabbiner nicht einen Augenblick seine Ruhe und lebte fortan in gänzlicher Zurückgezogenheit nur seinen Studien und Schriften, vollkommen uneigennützig und bedürfnislos, jede Berührung mit den Genüssen und Ehren, Ablenkungen und Strapazen der Welt vermeidend. Die unter den schmeichelhaftesten Bedingungen angebotene Heidelberger Professur lehnte er ab. Sein philosophischer Ruhm, der aber erst ein Jahrhundert nach seinem Tode die Welt zu erfüllen begann, beruht auf seinem „theologisch-politischen Traktat", dem ersten großen Versuch einer historischen Bibelkritik, und seiner „Ethik", die sein System erschöpfend zur Darstellung bringt. Indes: niemals hat ein Buch seinen Titel mit geringerer Berechtigung geführt als dieses.

Sein Lehrgebäude errichtete Spinoza in einem sehr ungewöhnlichen und etwas marottenhaften Stil. Da er der Überzeugung war, daß sichere Erkenntnis nur gewonnen werden könne, wenn sie sich der mathematischen Methode bediene, so beschloß er, sein ganzes System *geometrico modo* zu demonstrieren. Jeder Paragraph beginnt zunächst mit den erforderlichen Begriffsbestimmungen oder Definitionen, an diese schließen sich die Grundsätze oder Axiome, aus denen sich die Lehrsätze oder Propositionen ergeben, dann folgen die Beweise oder Demonstrationen und die Folgesätze oder Corrolarien und den Beschluß machen die Erläuterungen oder Scholien. Infolgedessen liest sich das ganze

Werk wie ein mathematisches Lehrbuch, wodurch es nicht nur etwas Mazeriertes und Trockenes, sondern auch etwas Gezwungenes und Konstruiertes erhält.

Da Gott, schließt Spinoza, nur als ein vollkommen unendliches und daher vollkommen unbestimmtes Wesen gefaßt werden kann, so kann er auch kein Selbst und keine Persönlichkeit besitzen. Und da sowohl Verstand wie Wille ein Selbstbewußtsein voraussetzen, so sind auch diese beiden Fähigkeiten ihm abzusprechen. Außer diesem absolut unendlichen Wesen kann nichts existieren. Folglich ist die ganze Welt identisch mit Gott, und es ergibt sich die berühmte Formel: *deus sive natura*. Aus dieser Gottnatur gehen alle Dinge mit derselben Notwendigkeit hervor, wie es aus der Natur des Dreiecks folgt, daß die Summe seiner Winkel gleich zwei Rechten ist. Daher gibt es keine Freiheit: ein Mensch, der glaubt, frei zu sein, ist wie ein Stein, der während des Wurfs sich einbildet, zu fliegen. Und da Gott keinen Verstand besitzt, so fehlt ihm auch das Vermögen, Zwecke zu setzen: diese sind ebenfalls eine menschliche Illusion. Ebensowenig gibt es Werte, denn diese bezeichnen nicht die Eigenschaften der Dinge selbst, sondern nur deren Wirkungen auf uns.

In seiner Psychologie erklärt Spinoza für die Grundkraft der menschlichen Natur den *appetitus*, das Streben nach Selbsterhaltung. Was dieses Streben fördert, nennen wir gut; was es beeinträchtigt, böse: wir begehren die Dinge nicht, weil sie gut sind, sondern wir nennen sie gut, weil wir sie begehren (wobei jedoch ignoriert wird, daß alle höheren Religionen, vor allem das Christentum, in der Begierde und deren Objekt, der sinnlichen Welt, stets das Prinzip des Bösen erblickt haben). Alle Affekte lassen sich in zwei Grundformen scheiden: in aktive und passive; die ersteren sind von Lust oder Freude, die letzteren von Schmerz oder Trauer begleitet. In dieser Einteilung gehört das Mitleid zu den schädlichen Affekten, da es Schmerz verursacht; man soll daher den Leidenden zwar helfen, aber ohne Anteilnahme, nur aus vernünftiger Erwägung. Ebenso verhält es sich mit der Reue, da sie zu den schlechten Handlungen, die an sich schon ein Unglück sind, noch den Schmerz der Zerknirschung hinzufügt. Ähnliche amoralische

Prinzipien statuiert Spinoza auch für die Politik; so erklärt er zum Beispiel: „Ein Vertrag zwischen Völkern besteht, solange seine Ursache besteht: die Furcht vor Schande oder die Hoffnung auf Gewinn." Den höchsten Gipfel aber erreicht die Seele im *amor Dei intellectualis*, der intellektuellen Liebe zu Gott, die nichts anderes ist als die Erkenntnis der ewigen Substanz, also nach gewöhnlichen Begriffen etwas von Gottesliebe sehr Entferntes. Da jeder Mensch nur ein Teil der Gottnatur ist, so liebt Gott in dieser Liebe sich selbst.

Wir stehen nicht an, dieses System, das wir hier nur in ganz aphoristischer Skizzierung wiedergegeben haben, für das Werk eines bewunderungswürdig scharfsinnigen Geistesgestörten zu erklären. Der cartesianische Rationalismus war erträglich durch seine Inkonsequenz, Spinoza jedoch denkt jeden Begriff so folgerichtig und unerbittlich zu Ende, daß er ihn annulliert: die Idee Gottes so folgerichtig, daß er zum nackten Atheismus gelangt; die Kausalität so folgerichtig, daß er zum toten Automatismus gelangt; die Verschiedenheit der Geister und der Körper, daß er zu der Behauptung gelangt, es gebe zwischen ihnen überhaupt keine Beziehung; die wünschbare Herrschaft über die Affekte, daß er zum Postulat der Fühllosigkeit gelangt; den Pantheismus, die Identität von Gott und Natur, daß er zu einem trostlosen Naturalismus gelangt, der die Welt völlig entgeistet und zu einer schaurigen Öde und gespenstischen Wüstenei macht, kurz: er hebt durch sein anomal konsequentes Denken die Objekte dieses Denkens auf, vernichtet sie, zersetzt sie, denkt sie zugrunde. Zurück bleibt als „letzte Wahrheit" eine leere Gleichung aus einem Gott, der ein Nichts ist, und einer Welt, die weniger als ein Nichts ist.

Man pflegt Spinozas System unter die pantheistischen zu zählen; aber das ist ein irreführender Vorgang. Der Pantheismus beruht allerdings auf der Gleichsetzung von Gott und Welt: insoweit wäre die Klassifizierung berechtigt. Aber man vergißt, daß der *Deus*, den Spinoza mit der *natura* identifiziert, gar kein Gott ist, sondern eben ein blindes totes Nichts, eine ohnmächtige mathematische Chiffre, etwa wie das Zeichen ∞ oder die Zahl 0. Es ist eine heillose Verwirrung dadurch entstanden, daß man den

[Randnotiz:] Die Gleichung aus zwei Nullen

Pantheismus der Mystik mit dem spinozistischen in eine Reihe gestellt hat, denn diese kommt zu ihrem Prinzip der Allgöttlichkeit nicht durch logische Schlußfiguren, sondern durch das religiöse Erlebnis; und wenn sie in Gott ebenfalls ein unendliches, unfaßbares, undefinierbares Wesen erblickt, so tut sie es aus tiefster Ehrfurcht und höchster Gläubigkeit und nicht aus Nihilismus und mathematischer Marotte. Mit anderen Worten: der Mystiker gelangt zu seiner Gottesvorstellung durch frommen Agnostizismus, er ist von der Größe Gottes so erfüllt, daß sie seinen Begriffen entschwindet; der Spinozist hiegegen (wenn es außer Spinoza je einen wirklichen gegeben haben sollte) gelangt zu einem ähnlichen Resultat durch selbstherrlichen Rationalismus: er ist so sehr von seiner eigenen Größe und der Unfehlbarkeit seiner Denkoperationen erfüllt, daß ihm die Gottheit unter lauter logischen Begriffen ebenfalls entschwindet.

Die Welt ohne Zwecke   Die schauerliche Monstrosität dieses Systems, die zugleich seine unvergleichliche Originalität bildet, wird völlig klar, wenn man bedenkt, daß es das einzige ist, das ganz und gar ohne Teleologie auszukommen vermochte. Daß alle spiritualistischen Philosophen den Zweckbegriff an die Spitze gestellt haben, ist nur selbstverständlich. Aber auch die gegnerischen Richtungen konnten ihn nicht entbehren. Kein noch so kompakter Materialismus, kein noch so luftiger Skeptizismus vor oder nach Spinoza hat zu behaupten gewagt, daß die kosmische Kausalität sich in derselben willenlosen und absichtslosen Weise abwickle wie ein Kettenschluß. Man hat sehr häufig mit blinden Kräften, unbewußten Willensimpulsen, intelligenzlosen Instinkten operiert. Aber alle diese Potenzen verfolgen, ob sie es wissen oder nicht, einen bestimmten Zweck. Auch wenn wir uns die Welt aus lauter stupiden Atomen aufgebaut denken, so wollen diese doch noch irgend etwas, vermöge einer dumpfen Zielstrebigkeit, die ihre Anordnung und Bewegung bestimmt. Der Darwinismus, der als die stärkste Antithese gegen alle metaphysischen Welterklärungsversuche gilt, ist sogar ein extrem teleologisches System, indem er den Begriff der Entwicklung zu seinem Kardinalprinzip macht; auch der von ihm hergeleitete Monismus, der sich rühmte, die theologische Weltanschauung für immer entthront zu haben, ist emsig bemüht, an allen Naturerscheinungen die höchste Zweckmäßigkeit aufzuzeigen. Und der ausschweifendste Pessimist glaubt immer noch an böse Zwecke und räumt dem Weltgeschehen zumindest ein Ziel ein: nämlich den Untergang, wie ja auch der vollkommenste Gottesleugner eine Welt bestehen läßt, die ohne Gott bestimmten Absichten gehorcht, und der extremste Phänomenalist die Illusion einer solchen Welt. Aber eine Welt, in der ein Geschehnis aus dem andern in derselben Weise folgt wie die Gleichheit der Radien aus der Natur des Kreises, in der, mit einem Wort, die alleinige Ursache aller Dinge und Erscheinungen ihre Definitionen sind, eine solche Welt hat nur einer ersonnen. Vielleicht ist die Vorstellung der Zwecke wirklich nur ein unvermeidlicher Anthropomorphismus; aber eben daraus ergibt sich, daß, wer sie völlig negiert, außerhalb der Menschheit steht. Ein solches Geschöpf ist entweder weniger als ein Mensch oder mehr als ein Mensch, aber auf jeden Fall ein Unmensch.

Spinoza war von einer exzessiven, penetranten, alles zerfressenden und aufsaugenden, pathologischen Logik und kam daher auch zu vollkommen pathologischen Resultaten. Es ist wahr, daß man, wenn man vollkommen konsequent folgert und ausschließlich geometrico modo denkt, zu solchen Ergebnissen gelangen muß; aber dies eben ist nicht natürlich, nicht menschlich und wahrscheinlich auch nicht göttlich. Denn sowohl die Natur wie der Mensch wie Gott (wenigstens der christliche und der aller höheren Religionen) handeln nicht vollkommen folgerichtig, logisch und mathematisch, sondern paradox und überlogisch.

Die Logik der folie raisonnante

Und in der Tat: „*le misérable Spinoza*", wie ihn der edle Malebranche mit einer Mischung von Schauder und Erbarmen nannte, war sicherlich nicht geistig normal. Es ist bekannt, daß gewisse Irrsinnige sich durch tadellose Logizität auszeichnen. Nur die erste Prämisse ist bei ihnen falsch, von da an folgern sie mit einer staunenswerten Schlußfähigkeit, Geistesstärke und Denkschärfe: es ist jene Gehirnkrankheit, die unter dem Namen „*folie raisonnante*" beschrieben wird. Wir wollen damit natürlich nicht sagen, daß Spinoza wirklich wahnsinnig gewesen sei, sondern nur, daß der Ver-

stand bei ihm zu einer unnatürlichen Ausschließlichkeit, Einseitigkeit und Alleinherrschaft entwickelt war. Chesterton macht in
einem seiner Werke die tiefe Bemerkung: „Große Rationalisten
sind nicht selten geisteskrank; und Geisteskranke sind in der Regel
große Rationalisten ... Wer mit einem Irrsinnigen diskutiert,
wird wahrscheinlich den kürzeren ziehen; denn in mancher Hinsicht funktioniert sein Geist nur um so schneller, je weniger er sich
bei all den Erwägungen aufhält, die für den gesunden Menschenverstand in Betracht kommen. Er wird durch keine humoristische
Anwandlung gehemmt, durch keine Regung der Nächstenliebe,
durch keinen Einwand der eigenen Lebenserfahrung. Er ist gerade
deshalb logischer, weil gewisse Sympathien bei ihm nicht mehr
vorhanden sind. Insofern ist der Terminus ‚irrsinnig‘ irreführend.
Der Irrsinnige ist nicht ein Mensch, der die Vernunft verloren hat;
vielmehr ist er der Mensch, der alles verloren hat, nur nicht die
Vernunft. Die Aussagen, die ein Irrsinniger macht, sind stets erschöpfend und, vom rein rationellen Standpunkt betrachtet, auch
einwandfrei ... Sein Geist beherrscht einen vollkommenen, aber
zu engen Kreis. Die Erklärungen eines Wahnsinnigen sind ebenso
vollkommen wie die eines Gesunden, nur sind sie nicht so umfassend ... Das stärkste und unverkennbarste Merkmal des Wahn-
sinns ist eben jene Vereinigung von fehlerloser Logik und geistiger Kontraktion ... Der Kranke befindet sich in der leeren und
grellen Zelle einer einzelnen Idee, auf die sein Geist mit peinvoller
Schärfe konzentriert ist ... Der Materialismus trägt den Stempel
einer gewissen wahnwitzigen Einfachheit, genau wie die Argumente eines Irrsinnigen; man gewinnt sofort den Eindruck, daß hier
alles gesagt und zugleich alles ausgelassen ist. Der Materialist versteht alles, aber dieses ‚Alles‘ erscheint zugleich als sehr nichtig.“
Diese Charakteristik läßt sich wörtlich auf Spinoza und sein System anwenden.

Das luft-
leere System

Von der reinen Verstandesmäßigkeit Spinozas kommt auch die
unerträgliche Kälte, die seine Werke ausströmen: aber es ist nicht
die Kälte der Höhenregion, wie bisweilen an ihnen gerühmt worden ist, sondern die Kälte des luftleeren Raums. Man hat das erhabene und trostlose Gefühl, als ob man sich in einem der ungeheu-

ern Zwischenräume befände, die die Weltkörper voneinander trennen: in einem Medium, das kein Leben, keine Wärme, kein Atmen, keinen Schall duldet und nichts hindurchläßt als das strenge Licht einer fernen fremden Sonne. Man erfriert, wenn man aus seiner „Ethik" erfährt, daß nichts anders sein könnte oder auch nur anders sein sollte, als es ist, daß alle Dinge gleich vollkommen, alle Handlungen gleich gut sind, weil sie alle gleich notwendig sind, wie ja auch ein mathematischer Lehrsatz nicht vollkommener ist als der andere. „Ich werde", sagt er in dem Abschnitt „Über den Ursprung und die Natur der Affekte", „die menschlichen Handlungen und Begierden ganz so betrachten, als ob es sich um Linien, Flächen und Körper handelte"; denn man soll sie, nach einem seiner berühmtesten Aussprüche, „weder beklagen noch belachen noch verabscheuen, sondern begreifen". Daß man aber in die Seelen seiner Mitmenschen durch Mitleid, durch Humor und sogar durch leidenschaftliche Gegnerschaft eher eine Brücke bauen kann als durch sterile Intelligenz, das wußte er nicht.

Spinoza steht als ein Unikum in seiner Zeit, ja in der ganzen Menschheit. Er war natürlich kein Christ: über die Inkarnation schrieb er an einen Freund (indem er wiederum eines seiner schrecklichen mathematischen Beispiele heranzog), was dieses Dogma angehe, so erkläre er ausdrücklich, daß er es nicht verstehe, vielmehr erscheine es ihm ebenso ungereimt, wie wenn jemand behaupten wollte, der Kreis habe die Natur des Quadrats angenommen. Er war aber auch kein Heide, denn der sinnliche naturnahe Pantheismus der Antike und der Renaissance hat eine ganz andere Farbe als der seinige. Am allerwenigsten aber war er ein Jude: niemand hat den Erwählungsglauben, die Gesetzesfrömmigkeit, den versteckten Materialismus der mosaischen Religion schärfer durchschaut und greller durchleuchtet als er. Ja er war nicht einmal das, was man im landläufigen Sinne einen Atheisten nennt, weshalb es ein ganz richtiger Instinkt war, daß man lange Zeit „Spinozist" als eine Steigerung von „Atheist" empfand.

Nur in einem könnte man Spinoza als Juden ansprechen: in seinem Extremismus. Denn die Juden sind das Volk der äußersten Polaritäten; keine Nation hat eine solche Spannweite. Sie sind die zähesten Stützen des Kapitalismus und die enragiertesten Vorkämpfer des Sozialismus; sie sind die Erfinder der Kirche und des Pfaffentums und die leidenschaftlichsten Prediger der Freiheit und der Toleranz; sie sind im europäischen Kulturkreis die ersten gewesen, die das Evangelium verbreitet haben, und die einzigen geblieben, die es bis zum heutigen Tage verleugnen. Und so haben sie auch den Schöpfer des Monotheismus hervorgebracht und den stärksten Verneiner des Monotheismus: Moses und Spinoza.

Sigmund Freud sagt am Schlusse seines Aufsatzes „Die Widerstände gegen die Psychoanalyse": „Es ist vielleicht kein bloßer Zufall, daß der erste Vertreter der Psychoanalyse ein Jude war. Um sich zu ihr zu bekennen, brauchte es ein ziemliches Maß von Bereitwilligkeit, das Schicksal der Vereinsamung in der Opposition auf sich zu nehmen, ein Schicksal, das dem Juden vertrauter ist als einem anderen." In einer ähnlichen, nur noch viel krasseren Situation befand sich Spinoza. Er steht völlig isoliert da: ohne Familie, ohne Gemeinde, ohne einen einzigen Gleichgesinnten oder Versteher, ja selbst ohne Hörer. Er spricht völlig ins Leere oder vielmehr mit sich selbst: seine Philosophie ist ein einziger herzbeklemmender Monolog, den ein von der Welt Verstoßener in seiner stillen ärmlichen Kammer führt; und diese völlige Absperrung und Aussperrung hat sicher den pathologischen Zug in ihm noch verstärkt. Hiedurch: durch diesen heroischen Verzicht auf jede antwortende Stimme, über dessen Unvermeidlichkeit er sich von allem Anfang an klar war, durch diesen zähen lautlosen Kampf gegen Mitwelt und Nachwelt, gegen das ganze Menschengeschlecht wächst seine Gestalt ins Tragische und zugleich ins Zeitlose, wo sie sich menschlichem Begreifen und Werten ebenso entzieht wie die Gottheit seiner „Ethik".

Der künstliche Irrationalismus

Die werdende Barocke war in der Tat für nichts weniger empfangsbereit als für eine solche Philosophie. Wir haben am Schluß des vorigen Buches in Kürze zu schildern versucht, wie in der zweiten Hälfte des sechzehnten Jahrhunderts eine asketische, spiritualistische Strömung die katholischen Teile Europas ergriff. Diese Rückkehr zur Strenge und Geistigkeit des Mittelalters war die Antwort auf den Ernst und Purismus der Reformation, weshalb diese Bewegung den sehr bezeichnenden Namen der Gegenreformation erhalten hat. Man verwarf und verfolgte in der Kunst das Nackte und Profane, in der Poesie das Schlüpfrige und Heitere, in der Philosophie das Libertinische und Skeptische. Man bekleidete die Gestalten Michelangelos und „reinigte" die Sonette Petrarcas. Aber diese klerikale Reaktion blieb ebenso eine Episode wie der düstere Reformversuch, den Savonarola auf der Höhe der Renaissance versucht hatte. In dem Maße, als der Papismus seine frühere Macht über die Gemüter zurückgewann, begann er sich wieder der Welt zu öffnen, um so mehr als er einsah, daß gerade sein weitherziges und mildes Verständnis für die sinnliche Hälfte der Menschenkreatur ihm eine große Überlegenheit über den doktrinären und phantasiearmen Protestantismus verlieh. Zu Beginn des neuen Jahrhunderts rückt an die Stelle der ringenden und leidenden Kirche die herrschende und triumphierende Kirche, die in rauschenden Jubelakkorden ihren Sieg feiert und dem Sensualismus einer Menschheit, die danach begehrte, ihre Kräfte frei auszuleben, wieder vollen Lauf läßt. Der Mensch der Neuzeit, einmal da, ließ sich eben auf die Dauer nicht unterdrücken. Aber es ergab sich hier keine ganz reine Lösung. Der Erbfeind der Kirche war der Rationalismus. Sie macht daher, da sie ihn nicht völlig zu vertilgen vermag, den Versuch, ihn durch die andere gefährliche, aber für sie doch nicht ebenso gefährliche Großmacht der Zeit: durch den Sensualismus auszutreiben; sie will den Rationalismus durch Sensualismus ablösen, auslösen, erlösen. Hiedurch entstand jene merkwürdige Psychose, die man Barocke genannt hat. Die Barocke ist keine natürliche normale Rückkehr zum Irrationalismus, sondern eine ausgeklügelte Therapie, ein stellvertretendes Surrogat, ein aufreizender Exorzismus. Der Mensch, unfähig, zur echten Naivität zurückzufinden, erzeugt in sich eine falsche durch allerlei Drogen, Elixiere, Opiate, Berauschungs- und Betäubungsgifte; er verzichtet nicht auf seine Vernunft, weil das gar nicht in seiner Macht steht, er versucht bloß, sie zu benebeln, zu verwirren, zu ertränken, durch raffinierte Narkotika auszuschalten. Und hieraus, gerade aus ihrer Künstlichkeit erklärt es sich, daß die Barocke einen überwältigenden und vielleicht einzig dastehenden Triumph der Artistik darstellt.

Die Farbenanschauung der *tenebrosi*, die alles in düsteren Tinten hielten, und der „Kellerlukenstil", der alles so darstellte, als ob das Licht von oben in einen finsteren Keller fiele, ist nicht bloß für die Malerei, sondern für Weltgefühl und Lebensform der ganzen Generation bestimmend gewesen, die auf das Konzil von Trient folgte. Mit einem Mal aber dringt Musik, Dekoration, Pomp, Weihrauch in die katholische Kirche und von da in die Kunst. Die Architektur bekommt etwas Spektakulöses, Weitausholendes, Beredtes, fast Geschwätziges. Arkaden und Kolonnaden, Loggien und Galerien häufen sich nebeneinander, gewundene und geknickte Säulen, abenteuerliche Ornamente und Dachprofile drängen sich hervor: allenthalben kann die Formensprache nicht ostentativ und eindringlich genug sein. Die Fassaden, die schon in der Renaissance wie aufgeklebt wirkten, erhalten jetzt völlig den Charakter einer prachtvollen, nur für sich selbst geschaffenen Kulisse: sie ragen oft um ganze Stockwerke über das eigentliche Gebäude hinaus; die Innendekoration schwelgt in Spiegeln, Damastblumen, Girlanden, Goldleisten, Stuckaturen. Kurz: es ist ein vollkommener Theaterstil, aber eben darum ein wirklicher Stil, wie man ihn seit der Gotik nicht mehr erlebt hatte: ganz wie im Theater ist alles einem großen Zentralzweck untergeordnet, der alle Künste, alle Lebensbetätigungen tyrannisch in sein Herrschaftsreich zieht; in jeder Pore fiebert der leidenschaftliche Wille zur zauberischen Illusion, die stärker ist als die Wirklichkeit, zur hypnotischen Faszination, die packt und umwirft, zur Magie der „Stimmung", die alles in den Duft und Schimmer einer farbigeren und aromatischeren Welt taucht. Und wie im Theater neigt man dazu, die Grenzen der einzelnen Künste zu verwischen: man malt Deckengewölbe, die aufs täuschendste wirkliche Architektur nachahmen, man macht die Schatten- und Lichtverhältnisse der Gebäudenischen, worein man die Skulpturen plaziert, zum integrierenden Bestandteil des plastischen Kunstwerks, man stellt dem spröden Stein Aufgaben, die man bisher kaum der Malerei zugemutet hatte, modelliert Blitze, Lichtstrahlen, Flammen, flatternde Bärte, gebauschte

Gewänder, die Wolken des Himmels, die Wellen des Meeres, den Glanz der Seide und die Wärme des Fleisches. Säule und Querbalken, die bisher dazu da waren, zu tragen, verlieren ihre Funktion: man verdoppelt und verdreifacht die Pfeiler, setzt sie an Stellen, wo sie nichts zu stützen haben, und bricht die Mauerbogen in der Mitte entzwei: sie sollen ja nicht einen organischen Bauteil bilden oder auch nur vortäuschen, sondern lediglich zum rhetorischen Effekt und lärmenden Schmuck dienen; und drei Säulen reden lauter und energischer als eine, gespaltene Wölbungen origineller und frappanter als geschlossene. Logische und praktische Bedenken können sich nicht erheben, denn es ist ja alles nur ein Theater. Man inszeniert sogar die Natur: künstliche Felsen, Wasserfälle, Fontänen, Schluchten, Brunnen müssen auch ihr den Charakter einer dramatischen Komposition verleihen. Und weil man überall, selbst an dem kalten Marmor und der starren Bronze, bemüht ist, das Zerfließende, Gestaltlose, nicht endgültig und eindeutig Konturierte zu suggerieren, um hiedurch den Stimmungsgehalt, die geheimnisvolle Bühnenwirkung zu erhöhen, wirft man sich mit besonderer Leidenschaft auf Wasserwerke und Feuerwerke, die, aus einem stets Farbe und Form wechselnden Material aufgebaut, sich launisch und ungreifbar jeder Fixierung entziehen. Der geniale Regisseur dieses Theaters war der Cavaliere Bernini, Architekt, Bildhauer, Dichter, Maschinenmeister und Ausstattungschef in einer Person, der durch eine unerschöpfliche Fülle von Einfällen, eine grandiose, vor keiner Kühnheit zurückschreckende Phantasie und einen bei aller Bizarrerie unerbittlich einheitlichen Stilwillen der Kunstdiktator des damaligen Europa geworden ist.

Es war, wie man sieht, die äußerste Reaktion gegen die Renaissance. War dort das Ideal die *gravità riposata*, so herrschte hier die zügellose, ja oft gemacht zügellose Leidenschaft, Bewegung, Exaltation. In Architektur und Plastik, in Malerei und Ornament, in den Schöpfern und den Nachahmern weht uns immer wieder dieses Brausende, Rauschende, Schnaubende und dabei Schmachtende, Schwimmende, Schwebende entgegen. Diese Kunst hält nicht vornehm Distanz wie die Hochrenaissance, sucht nicht sanft zu überreden wie die Frührenaissance, ist nicht andächtig in sich

Exaltation, Extravaganz, Aenigmatik, latente Erotik

467

selbst versunken wie die Gotik, sondern treibt ganz unverhohlen Propaganda, deklamiert, schreit, gestikuliert mit einer Leidenschaftlichkeit, ja Schamlosigkeit, die Einwände gar nicht aufkommen läßt. Sie ist immer unerbittlich entschlossen, das Äußerste zu geben. Ob sie mit himmelndem, bis zur Affektation demütigem Augenaufschlag in Sehnsucht und Zerknirschung vergeht, sich in visionären Krämpfen der Ekstase bis zur religiösen Hysterie steigert oder die Wirklichkeit in ihren monströsesten, erschreckendsten Gestaltungen rückhaltlos abschildert: immer ist es das Exaggerierte und Exorbitante, das Schrille und Grelle, wonach sie ihre Produktion orientiert. Sie wählt mit Leidenschaft gerade jene Stoffe, die die kühle Renaissanceästhetik hochmütig vermieden hatte: das Kranke, Geschlagene, Aussätzige; das Alte, Dekrepide, Erschöpfte; das Zerlumpte, Verwitterte, Mißgewachsene; den Tod, das Skelett, die Verwesung; sie läßt die Kreatur heulen, grinsen, zittern, sich in Verzerrungen und Verzückungen winden: sie liebt das Extravagante und das Häßliche, weil es das Stärkere und das Wahrere ist. Und während es der tiefste Wille und das höchste Ziel der Renaissance war, zu umgrenzen und zu erhellen, zu harmonisieren und zu ordnen, ist sie aufs raffinierteste bestrebt, den Duft der ewigen Sehnsucht und Unerfülltheit, den Reiz des Rätsels, der Verwirrung, der Dissonanz um ihre Schöpfungen zu breiten. Ihr artistisches Meisterstück ist es, daß sie sogar das Licht, jene scheidende und klärende Macht, die seit jeher aller Kunst als Verdeutlichungsmittel gedient hatte, in ihre Dienste zieht: durch die Unbestimmtheit, die sie den Übergängen vom Schatten zur Helle verleiht, durch die Betonung der undefinierbaren Aura, die, den Umriß verwischend, alle Objekte umhüllt, versteht sie es, Undurchsichtigkeit und Verschwommenheit zu erzeugen und die Farbenmischung zum Range einer mystischen Kunst zu erheben: eine der gewaltigsten und umwälzendsten Taten, die die Geschichte des Sehens zu verzeichnen hat.

Zugleich umgibt sie alles mit einer Atmosphäre des Schwülen und Schwellenden, der latenten Erotik. Man bekleidet die Gestalten, aber die Gewandung wirkt im Verschweigen viel lüsterner als die frühere Nacktheit. Der Mensch, in der Renaissance bloß anatomisch schön, erhält nun eine sexuelle Schönheit; unter der dezenten Drapierung atmet viel wärmeres Fleisch. Bisweilen gibt man den Hüllen eine Anordnung, daß sie jeden Augenblick zu fallen drohen; oder man drängt die ganze Sinnlichkeit ins Gesicht. Grausamkeit und Wollust fließen ineinander. Man schwelgt in Blutszenen, Martern und Wunden, man verherrlicht die Süße des Schmerzes. Schließlich vereinigen sich Erotik, Algolagnie und Sehnsucht nach dem Übernatürlichen zu jener bizarren Mischung, deren überwältigendster Ausdruck Berninis Heilige Theresa ist, ein Werk, das zugleich ewig denkwürdig bleiben wird durch die sublime Kunst der raffiniertesten Illusionswirkungen, wie sie sonst nur die Bühne erreicht. Es ist ganz ohne Zweifel eine tief religiöse Konzeption; und doch spürt man überall, in der Gesamtkomposition wie im Arrangement jeder Einzelheit, geheime Schminke und Rampe. Aber warum sollten Theater und Religion völlig unvereinbare Gegensätze sein? Ist denn nicht das Theater für alle, die ihm ernst und leidenschaftlich dienen, eine Art Religion und ist die Religion in ihrem sinnfälligen Kultus nicht eine Art Theatrum Dei, eine Schaustellung der Größe Gottes?

Es wird immer Menschen geben, die die Renaissance höher stellen als die Barocke. Es sind dies vorwiegend jene Menschen, die glauben, daß man ein Kunstwerk nur dann erhaben finden dürfe, wenn es langweilig ist, wie ja auch viele annehmen, daß ein philosophisches Werk nur dann tief sein könne, wenn es unverständlich ist. Dies sind jedoch Geschmacksfragen, über die unparteiisch zu urteilen fast unmöglich ist. Aber eines scheint uns ganz unwiderleglich, obgleich so oft das Gegenteil erklärt worden ist: daß die Barockkunst naturalistischer war als die Renaissancekunst. Diese Behauptung hätte noch vor wenigen Jahrzehnten wie ein schlechter Witz geklungen, denn man hatte sich im neunzehnten Jahrhundert daran gewöhnt, unter Barocke soviel wie äußerste Unnatur, Verschrobenheit und Verzerrung zu verstehen, wie ja auch im achtzehnten Jahrhundert gotisch soviel bedeutete wie roh, kunstlos, barbarisch. In diesem Bedeutungswandel der Fachausdrücke liegt eine ganze Geschichte der Ästhetik; und es ist nicht ausgeschlossen, daß auch das Wort „klassisch" eines Tages eine

Die natürliche Unnatürlichkeit

solche Metamorphose zum Schimpfwort durchmachen wird. In Wirklichkeit war aber gerade *naturalezza* das Losungswort der Barocke, und, gehalten gegen die Renaissance, bedeutete sie auch tatsächlich ein Freiwerden der ungebrochenen Instinkte, der quellenden Leidenschaft, der lebensvollen Lust am Spiel mit Formen, Farben, Motiven. Sie ist eine Rückkehr zur Natur sowohl in der Form wie im Inhalt: in der Form, weil sie überall auf elementaren Ausdruck geht, ohne sich durch die einseitigen Regeln einer kalten Kunstetikette binden zu lassen, und im Inhalt, weil sie in die Tiefen des Seelenlebens hinabsteigt und gerade das zu ihrem Lieblingsthema macht, was die Renaissance als unschön perhorreszierte: den Menschen in seiner Qual, seiner Verzückung, seinen Manien und Abgründen; in dieser Sucht, niemals die Norm, die Mitte, die gerade Linie zu geben, streift sie oft bis an die Karikatur. Sie war, um es paradox auszudrücken, gerade deshalb so natürlich, weil sie unnatürlich war. Denn die Normalität ist nicht die Regel, sondern die große Exzeption. Auf zehntausend Menschen kommt vielleicht ein einziger, der genau nach dem anatomischen Kanon gebaut ist, und wahrscheinlich nicht einmal ein einziger, dessen Seele vollkommen normal funktioniert. Der verzeichnete, der monströse, der pathologische Mensch, der Mensch als Verirrung und Fehlleistung der Natur ist der „normale" Mensch, und darum hat nur er unser ästhetisches Interesse und unser moralisches Mitgefühl. Natürlich ist dieser Schönheitsmaßstab ebenso subjektiv wie der klassizistische; aber eines wird an ihm jedenfalls klar: daß nämlich „Naturalismus" ein höchst problematischer Begriff ist. Jede neue Richtung hält sich für naturalistischer als die früheren, gegen die sie reagiert, für einen Sieg der Wahrheit, der Freiheit, des gesteigerten Wirklichkeitssinnes.

Die Hegemonie der Oper   In jedem Zeitalter hat eine bestimmte Kunst die Hegemonie: in der Renaissance war es die Plastik, im Barock ist es die Musik. Ein überreich besetztes Orchester schmettert uns aus allen seinen Schöpfungen entgegen. Und die Wende des sechzehnten Jahrhunderts ist auch für die Tonkunst selber die Geburtszeit der *moderna musica*, des *stile nuovo*. Fast gleichzeitig setzen sich eine Reihe höchst bedeutsamer Neuerungen durch. Die *sonata*, das

Instrumentalstück, tritt in siegreichen Gegensatz zur *cantata*, dem Singstück: der *a-cappella*-Stil, der mehrstimmige Gesang ohne Orchester wird überwunden. Wir haben gehört, daß in der ersten Hälfte des fünfzehnten Jahrhunderts das Prinzip der Polyphonie zur vollen Ausbildung gelangte; jetzt kommt wiederum die Monodie empor, der instrumental begleitete Sologesang. Da nämlich im Vergleich zur führenden Oberstimme die Gesamtheit der übrigen Stimmen nur noch die Bedeutung von akkompagnierenden Akkorden hat, wird sie durch Instrumente ersetzt und diese Begleitung allgemein skizziert im sogenannten *basso generale*. In der Bevorzugung des Tonwerkzeugs vor der menschlichen Stimme äußert sich das Spielerische und Artistische der Barocke, ihre Vorliebe für das Malerische und die Stimmung, ihr Wille zum gesteigerten künstlerischen Raffinement, zur Farbe und Nuancierung, Wucht und Ausdrucksfülle und zugleich ihr geringes Bedürfnis nach Ursprünglichkeit, Unmittelbarkeit und Einfachheit der Empfindungsäußerung.

Und alsbald bemächtigt sich die Musik auch der effektvollsten künstlerischen Ausdrucksform: der dramatischen. Emilio de' Cavalieris „Rappresentazione di anima e di corpo", 1600 in Rom zur ersten Aufführung gelangt, gilt als das erste Oratorium, und in kurzer Zeit erreichte diese Kunstform, die sich zur Oper etwa verhält wie der Karton zum Gemälde, eine sehr hohe Blüte. Aber die geschichtliche Entwicklung hat sich nicht nach der didaktischen Reihenfolge gehalten, in der das Oratorium dem eigentlichen Musikdrama vorhergehen müßte, denn schon dieses erste Oratorium war mehr das, was man heute eine „Konzertoper" nennen würde (wie denn überhaupt das italienische Oratorium während des ganzen siebzehnten Jahrhunderts eine Hinneigung zur Oper zeigte und noch im achtzehnten Jahrhundert nicht selten in opernmäßiger Inszenierung vorgeführt wurde) und die erste wirkliche Oper ist drei Jahre früher geboren worden: die „Dafne", zu der Ottavio Rinuccini den Text, Jacopo Peri die Musik geschrieben hatte, erlebte im Karneval 1597 zu Florenz ihre Uraufführung. Das *dramma per musica*, wie man anfangs sagte, war durch Versuche und Diskussionen eines geistreichen Dilettantenkreises entstanden, die auf die Wiederbelebung der antiken Tragödie abzielten: man dachte sich diese als eine Folge von Rezitationen zur Kithara, durch Chöre unterbrochen. Dementsprechend wählte man allerlei einfache Handlungen vorwiegend mythologischen Inhalts mit sangbaren Situationen und setzte sie in Musik. Diese Art Oper war unserer heutigen noch sehr unähnlich: mehr musikalische Deklamation als Gesang, psalmodierend in der Art der kirchlichen Litaneien des Mittelalters und von einem recht dürftigen Orchester unterstützt, das unsichtbar hinter den Kulissen aufgestellt war, dafür aber von allem Anfang an mit Tanz und verschiedenartigen Ausstattungseffekten verbunden. Man nannte diese neue Art des Sprechgesanges, die immerhin vor der bisherigen Vokalmusik die größere Natürlichkeit und Deutlichkeit voraushatte, da sie der normalen Betonung folgte, den *stile rappresentativo* oder *stile parlante*. Einen Fortschritt bedeutete bereits Claudio Monteverdis „Orfeo" vom Jahre 1607: das Rezitativ ist belebter, die Rolle der Musik viel selbständiger, indem ihr schon das Zwischenspiel und die Klangmalerei als eigene Aufgaben zugewiesen werden. Ferner verdankt die damalige Oper diesem ihrem stärksten Talent die Einführung des Duetts und die Erfindung des Geigentremolos, und schon in seinem ersten Werk taucht das Leitmotiv auf.

An äußerem Prunk haben die Opernvorstellungen der Barocke alle ihre Nachfolger übertroffen. Man sah die Zwietracht auf ihrem Drachenwagen und Pallas Athene in ihrer Eulenkutsche durch die Lüfte schweben, Jupiter und Apoll in den Wolken thronen, das Schiff des Paris durch Wogen und Wetter steuern; die Unterwelt spie Geister und Ungeheuer aus ihrem roten Rachen; Pferde und Büffel, Elefanten und Kamele zogen vorüber, Truppenkörper von oft vielen hundert Menschen defilierten, lieferten Gefechte, beschossen Festungen; der Himmel mit Sonne und Mond, Sternen und farbigen Kometen spielte fast ununterbrochen mit. Bernini, der Meister aller dieser Künste, zeigte einmal die Engelsburg und davor den rauschenden Tiber mit Kähnen und Menschen: plötzlich riß der Damm, der den Fluß vom Zuschauerraum trennte, und die Wellen stürzten dem Publikum mit solcher

Wucht entgegen, daß es entsetzt die Flucht ergriff; aber Bernini hatte alles so genau berechnet, daß das Wasser vor der ersten Reihe haltmachte. Ein andermal brachte er einen glänzenden Karnevalszug auf die Bühne, an der Spitze Maskierte mit Fackeln: ein Teil der Kulissen geriet in Brand, alles begann davonzulaufen; aber auf ein Zeichen verloschen die Flammen und die Bühne verwandelte sich in einen blühenden Garten, in dem ein feister Esel ruhig graste. Man ermißt an diesen grotesken und glänzenden Coups, wie blasiert und anspruchsvoll das damalige Theaterpublikum gewesen sein muß.

Die Oper wurde bald zur Königin des Zeitalters. 1637 entstand das erste öffentliche Opernhaus in Venedig, 1650 gab es dort bereits vier. 1627 erschien die erste deutsche Oper, die ebenfalls „Daphne" hieß, komponiert von Heinrich Schütz, dem bedeutendsten Vorläufer Händels und Bachs; den Text hatte der Literaturpapst Opitz höchst persönlich nach Rinuccini bearbeitet. Allmählich gliederte sich vom Rezitativ die Arie ab, der Chor trat fast ganz zurück und aus den Sängern wurden Statisten, die nur von Zeit zu Zeit einige Rufe von sich zu geben hatten wie „viva", „mori", „all'armi" und dergleichen. Daß es den neuen Dingen damals nicht anders ging als heutzutage, zeigt das Werk des Kanonikus Giovanni Maria Artusi, eines eingefleischten Kontrapunktisten, „Delle imperfezioni della moderna musica", worin es heißt: „Die neuen Komponisten sind Ignoranten, die nur ein Geräusch machen und nicht wissen, was man schreiben darf und was nicht."

Zur höchsten Blüte gelangte die Frühbarocke in Spanien. Wir haben hier wieder einen Beweis, daß politischer und wirtschaftlicher Aufschwung durchaus nicht immer die notwendige Vorbedingung für hohe künstlerische Entwicklung bildet. Denn das siebzehnte Jahrhundert bedeutet für die Spanier den Verlust ihrer Großmachtstellung und den völligen ökonomischen Ruin, und doch nennen sie es mit Recht *el siglo de oro*, das goldene Jahrhundert. Auf Philipp den Zweiten, den wir bereits näher kennen gelernt haben, folgte um die Wende des sechzehnten Jahrhunderts der phlegmatische energielose Philipp der Dritte, von dem er gesagt haben soll: „Gott, der mir so viele Reiche geschenkt hat, hat mir einen Sohn verweigert, der sie regieren könnte; ich fürchte, daß sie ihn regieren werden." Die planlose und korrupte Günstlingsherrschaft, unter der sein Regime litt, verschlimmerte sich noch unter seinem Nachfolger Philipp dem Vierten, dessen Interesse den Freuden der Liebe und der Jagd, aber auch dem Theater und der Malerei gehörte. Die unfähige und träge Staatsverwaltung, die gleichwohl jede selbständige Regung der städtischen Kommunen und der Landbevölkerung unterdrückte, und die allgemeine Bestechlichkeit, Rückständigkeit und Protektion führte zu einem vollständigen Niedergang der Volkswirtschaft. Schließlich sah sich die Regierung zu dem verzweifelten Mittel genötigt, jedem Feldarbeiter den erblichen Adel zu versprechen, aber auch dies erwies sich als wirkungslos, denn Arbeit galt jedem freien Spanier als Schande. Von den unklugen und unmenschlichen Bedrückungen der Morisken haben wir schon gehört: im Jahre 1609 kam es zu ihrer völligen Vertreibung, die auf die heimische Industrie ungemein lähmend wirkte; ähnliche Folgen hatte die erzwungene Auswanderung der Juden nach Holland, wo sie viel zu dem großen wirtschaftlichen Aufschwung beigetragen haben. Auf dem flachen Lande und unter dem städtischen Proletariat, das nirgends zahlreicher und verkommener war als in Spanien, herrschte bitterste Hungersnot; aber auch das Kleinbürgertum befand sich in sehr gedrückter Lage. Die Steuern wurden immer uneinbringlicher, und so wurden auch Adel und Hof in den Bankerott hineingezogen: man konnte nicht selten die königliche Leibwache an den Klostertüren um die Armensuppe betteln sehen. Brot, Zwiebeln, getrocknete Trauben, etwas Schafkäse und ein paar Eier bildeten die tägliche Nahrung des Spaniers; nur selten konnte er sich sein Nationalgericht, die berühmte *olla podrida* leisten, eine aus Kohl, Rüben, Knoblauch, Hammelfleisch und Speck bereitete Suppe. Einen staatlichen Schulunterricht oder gar Schulzwang gab es nicht; nur die Angehörigen des Adels und des höheren Bürgertums waren imstande zu lesen, und auch diese nur, was ihnen eine streng und fanatisch gehandhabte Zensur gestattete. Das Inquisitionsgericht stand nach wie vor in voller Wirksamkeit, und durch die

Bestimmung, daß der Angeklagte die Zeugen und Angeber nicht zu Gesicht bekommen dürfe, war der feigen Rachsucht und hinterlistigen Denunziation der größte Spielraum gewährt. Eine ausgedehnte Verbrecherorganisation, die sogenannte *germanía*, die mit der Polizei kartelliert war, beunruhigte das ganze Land. Trotz der Verarmung war die Spielsucht bei hoch und nieder allgemein, und der Staat war als Inhaber des Monopols für die Fabrikation von Spielkarten der Nutznießer dieses Lasters. Nur die Trunksucht gehörte nicht zu den spanischen Nationalübeln: das Schimpfwort *borracho*, Trunkenbold, galt als eine Beleidigung, die nur mit Blut gesühnt werden konnte. Überhaupt war in allen Kreisen der äußerliche Ehrbegriff zu krankhafter Höhe entwickelt. Diese Seite des spanischen Volkscharakters, in der sich seine Härte, Leidenschaftlichkeit und Verbohrtheit am sinnfälligsten ausprägt, ist aus der Dichtung allgemein bekannt, am ergreifendsten geschildert in Calderons „Arzt seiner Ehre". Lope de Vega sagt: „Ehre ist etwas, das im andern beruht, niemand ist durch sich selbst geehrt, denn durch den andern empfängt er die Ehre." Das deckt sich merkwürdig mit der Definition Schopenhauers: „Die Ehre ist, objektiv, die Meinung anderer von unserem Wert und, subjektiv, unsere Furcht vor dieser Meinung." Sehr bezeichnend für die fast pathologische Loyalität der Spanier ist es übrigens, daß es für sie trotz ihrer extremen Empfindlichkeit, die lieber den Tod als eine ungestrafte Kränkung ertrug, Beleidigungen durch den König nicht gab, wie sich dies in einer Reihe berühmter Dramen, in Zorillas „*Del Rey abajo ninguno*" zum Beispiel schon im Titel ausdrückt, der so viel bedeutet wie „Unter dem König darf niemand beleidigen"; auch konnte das Machtwort des Königs jede verletzte Ehre wiederherstellen.

Nicht bloß die Dörfer, sondern auch die Städte bestanden mit Ausnahme der Paläste und öffentlichen Gebäude aus Lehmhäusern, es gab keine Trottoirs und für die Beleuchtung sorgten bloß die Öllämpchen, die unter den Muttergottesbildern brannten. Die Reinlichkeit war kaum größer als in Rußland, der Schmutz Madrids sprichwörtlich; Postkutschen waren unbekannt, die Gasthöfe in einem so elenden Zustand, daß man sie gar nicht als solche ansehen kann; von einem geordneten Meldewesen, öffentlicher Sicherheit und dergleichen war keine Rede. Und doch war das Leben nicht ohne Farbe, Poesie und Heiterkeit. Die zahlreichen Feiertage brachten prachtvolle Prozessionen, in denen Kirche und Hof den Glanz ihrer Macht zur Schau stellten, bunte ausgelassene Volksfeste, imposante Stierkämpfe und vor allem Theateraufführungen, wie sie in der ganzen Welt nicht zu sehen waren. Und auch die Dürftigkeit des Alltags war gewürzt durch ewige Liebeshändel, Scherze voll Anmut und Galgenhumor und den berauschenden Duft der Gärten und Mondscheinnächte, die nichts kosteten.

Die Königinnen
ohne Beine

Die Krone und Spitze dieser sonderbaren Welt bildete ein Geschlecht von glänzenden und melancholischen Drohnen, die Granden, die oft in großer Not lebten, aber auch dann noch ihre abgeschabte Capa und ihre stets stichbereite Espada mit einer stilvollen Würde trugen, die bis zum heutigen Tage sprichwörtlich geblieben ist. Ihr Stolz machte nicht einmal vor dem König halt, dem sie mit dem Hut auf dem Kopfe entgegentraten. Den müden Rassenhochmut ihres bis zur Anämie gereinigten Bluts, die zur Leblosigkeit geronnene Exklusivität ihres Standesbewußtseins, ihre ganz Maske und Form gewordene Geistigkeit hat Velasquez ebenso unvergleichlich festgehalten wie Tizian das so ganz anders geartete Selbstgefühl des Renaissancemenschen. Und die Frau, zugleich die Königin und die Sklavin dieser christlich-orientalischen Welt, erstarrt vollends zur Puppe. Eine dicke Schminkschicht aus Eiweiß und kandiertem Zucker verbirgt jede Regung ihres Antlitzes, eine enorme Tonne von Reifrock, *guardia de virtud*, Tugendwächter genannt, bedeckt ihren Unterkörper. Als die Braut Philipps des Vierten durch eine spanische Stadt reiste und ihr dort von der Cortes als Ehrengeschenk kostbare seidene Strümpfe überreicht wurden, rief der Zeremonienmeister, indem er sie empört zu Boden schleuderte: „Ihr sollt wissen, daß die Königinnen von Spanien keine Beine haben."

Gracian

Ein sehr charakteristisches Denkmal hat sich die Weltanschauung jener Gesellschaftsklasse in dem 1653 erschienenen „*Oraculo manual y arte de prudencia*" des Jesuitenpaters Balthasar Gracian errichtet, das von Schopenhauer vortrefflich ins Deutsche übersetzt worden ist. Darin werden Lebensregeln erteilt wie die folgenden: „Über sein Vorhaben in Ungewißheit lassen: mit offenen Karten spielen ist weder nützlich noch angenehm, bei allem lasse man etwas Geheimnisvolles durchblicken"; „die Hoffnung erhalten, nie aber ganz befriedigen"; „nicht unter übermäßigen Erwartungen auftreten"; „stets handeln, als würde man gesehen"; „denken wie die wenigsten und reden wie die meisten"; „sich verzeihliche Fehler erlauben, denn eine Nachlässigkeit ist zu Zeiten die größte Empfehlung"; „sich vor dem Siege über Vorgesetzte hüten"; „was Gunst erwirbt, selbst verrichten, was Ungunst durch andere"; „nicht abwarten, daß man eine untergehende Sonne sei, die Dinge verlassen, ehe sie uns verlassen"; „weder ganz sich noch ganz den andern angehören, denn beides ist eine niederträchtige Tyrannei". Und am Schluß gelangen diese Maximen zu dem überraschenden Resümee: „Mit einem Wort: ein Heiliger sein, und damit ist alles auf einmal gesagt. Drei Dinge, die mit S anfangen, machen glücklich: *santitad, sanidad, sabiduría*, Heiligkeit, Gesundheit und Weisheit."

Aber aus dieser seltsamen Atmosphäre erblühten die rauschenden Sprachwunder Calderons; die brennenden Farbenorgien der Dekorationskunst, die mit ihren aneinandergereihten *azulejos* an die musivische Bilderpracht dieses Dichters erinnern; die in der Kunstgeschichte einzig dastehenden Holzplastiken, die durch grellste Bemalung, natürliche Fleischtönung, Blutgeriesel, Kristallaugen, Dornenkronen, Silberdolche, echte Seidengewänder, Tränen aus Glasperlen und Perücken aus wirklichem Haar die roheste Panoptikumillusion und gleichwohl eben damit eine geheimnisvolle suggestive Wirkung erzeugen, die über alle Kunst hinausgeht. Und in der Malerei hat der wuchtige Ernst und unerbittliche Naturalismus Riberas, die einfache und doch so tiefe Klosterfrömmigkeit Zurbarans die höchsten Schöpfungen vollbracht. Neben ihnen Murillo zu nennen, der dem ganzen neunzehnten Jahrhundert als der größte spanische Maler galt, ist fast eine Blasphemie. Seine auf süßen Parfüm- und Daunenwölkchen einherschwebende Kunst hat den seidigen Optimismus und die billige Beschwingtheit des Allerweltsvirtuosen, der dem großen Publikum immer

imponiert, und seine berühmten Szenen aus dem spanischen Volksleben sind gefällige Opernarrangements und glasierte Idyllen, die,
durch kolorierende Verfälschung der Wirklichkeit dem Philister
schmeichelnd, es nur zu begreiflich machen, daß Murillo der Abgott der Bourgeoisie geworden ist. Murillo ist der spanische
Raffael; aber es ist für die spanische Welt des siebzehnten Jahrhunderts bezeichnend, daß diesmal nicht, wie wir dies in Italien
bei Raffael und in Holland bei Rubens konstatieren mußten, der
flachste unter den bedeutenden Künstlern als der repräsentativste
anzusehen ist, sondern der tiefste, nämlich el Greco.

Greco hat in Toledo gelebt, dessen Agonie gerade damals begann, obgleich es noch immer die stolze Stadt der Inquisition und
der Konzile war; und er hat die Seele Toledos gemalt: den Triumph
der römischen Weltkirche und die Todeswehen der spanischen
Weltmonarchie. Aber dies allein ist es nicht, was seinen Bildern
eine so unvergleichliche Macht verleiht, sondern vor allem jene
vollkommene Entrücktheit, Unwirklichkeit und Transzendenz,
die aus jeder seiner Gestalten redet: ihren welken Gebärden, ihren
seltsam verkrümmten und in die Länge gestreckten Körpern,
ihrem visionären, um höhere Geheimnisse wissenden Blick und
der ganz unnatürlichen, nämlich magischen Raumverkürzung
und Lichtverteilung. Gravitation, Ähnlichkeit, Perspektive: diese
und dergleichen Dinge erscheinen uns vor seinen Bildern plötzlich als ungeheuer nebensächlich und flach, ja falsch. Dieser
Grieche hat nicht die Wahrheit gemalt, die „verdächtige Wahrheit", wie sie Calderons Vorgänger Alarcón in dem Titel eines
seiner Stücke nennt, und man hat ihn jahrhundertelang für einen
Narren angesehen, weil er den Verstand als Narrheit erkannt hatte,
als den „Hofnarren" der Menschheit, wie Calderon ihn darstellt.
Aber eben darum ist er, zusammen mit Loyola und Don Quixote,
der stärkste Ausdruck der spanischen Barocke.

Die drei
Therapien
gegen den
Rationalis-
mus Es ist jetzt noch nicht der Augenblick, über die Barocke etwas
Zusammenfassendes zu sagen; aber einige Züge treten bereits hervor. Die Barocke ist, wie jede geschlossene Weltanschauung, ein
Versuch, mit der Wirklichkeit fertig zu werden, deren Widersprüche aufzulösen. Wir haben als das große Thema der Neuzeit

den Rationalismus erkannt, den Versuch, alle Erscheinungen der Alleinherrschaft des Verstandes zu unterwerfen. Durch ihn gelangt in die Seele des modernen Menschen ein ungeheurer Hiatus, eine Kluft und Fuge, die ihn auseinanderreißt. Im Mittelalter war noch alles wahr, wirklich, göttlich; die Welt eine Tatsache des Glaubens. Der Rationalismus unterminiert den Glauben und damit die Wirklichkeit.

Aber auch in jener Übergangsära und Vorbereitungsperiode, die wir die „Inkubationszeit" nannten, verlor das Leben zwar sehr an Realität, war aber doch noch deutbar, faßbar, bestimmbar. Wir haben gesehen, wie mit dem Sieg des Nominalismus der „Zweiseelenmensch" in die Geschichte trat, der kontrapunktische Mensch, der nichts anderes ist als die fleischgewordene coincidentia oppositorum, die Vereinigung zweier extremer Gegensätze und Widersprüche. Dieser Mensch war zwar nicht mehr einheitlich, aber doch noch eindeutig. Er ist gleichsam eine gebrochene Zahl, aber doch noch eine rationale Zahl. Das ändert sich jetzt. Zum erstenmal erscheinen wirklich komplizierte Menschen auf der Bühne der europäischen Geschichte, die jeder Formel trotzen. Es kommt wiederum etwas Neues.

Wir haben den Rationalismus als einen Giftkörper bezeichnet, der zum Beginn der Neuzeit in die europäische Menschheit eintrat. Die ganze Geschichte der folgenden Jahrhunderte ist nun ein bewußter oder unbewußter Kampf gegen dieses Toxin. Ein solcher Kampf kann natürlich verschiedene Formen annehmen. Man kann, was viele für eine besonders glückliche Therapie halten, die Tatsache der Vergiftung einfach leugnen. Man kann versuchen, das Gift aus dem Blut zu entfernen, was meist nur durch Antitoxine gelingt. Und man kann schließlich auch zu dem sehr bedenklichen Mittel greifen, den Körper an das Gift zu gewöhnen.

Alle diese Möglichkeiten wurden im Laufe der Neuzeit verwirklicht. Renaissance und Reformation versuchten es mit der Leugnung, die erstere, indem sie behauptete, der Rationalismus sei identisch mit dem, was für sie das Höchste bedeutete, mit der Kunst, die letztere, indem sie erklärte: der Rationalismus kommt von Gott. Die letzte Phase der nunmehr abgelaufenen Neuzeit, die

etwa um die Mitte des achtzehnten Jahrhunderts mit der sogenannten „Aufklärung" einsetzt, hatte sich an das Gift angepaßt und
lehnte sich gegen die Krankheit überhaupt nicht mehr auf, die
bereits zu einem Zustand geworden war. Die Barocke hingegen
griff zum „Gegenkörper", zum Antidot.

Zunächst sucht sie den Rationalismus durch Sensualismus zu verdrängen. Aber da beide, wie wir im ersten Buche nachzuweisen
versuchten, im Grunde dasselbe sind, so war das kein sehr geeignetes Gegengift. Sie begibt sich daher sehr bald auf einen zweiten
Ausweg. Da die Wirklichkeit nun einmal rational ist oder vielmehr: da der Mensch der Neuzeit nicht imstande ist, sie anders zu
sehen, so verfällt sie auf die List, sie zu negieren, zu einer Realität
zweiter Ordnung zu degradieren, indem sie sie entweder nicht
ernst nimmt, mit ihr spielt: dies ist die künstlerische Form der
Lösung, oder indem sie sie für unwahr und vorgetäuscht, für ein
Trugbild erklärt: dies ist die religiöse Form der Lösung. Beide
Formen vermögen sich recht wohl miteinander zu vermischen, sie
haben sogar eine ausgesprochene Tendenz dazu.

Die Welt
als Fiktion

Vor etwa einem halben Menschenalter erschien ein höchst be-
deutsames, bis heute noch nicht genügend gewürdigtes Werk,
dem man den Namen geben könnte: „Die Welt als Fiktion".
Tatsächlich heißt es anders, nämlich: „Die Philosophie des Als ob.
System eines idealistischen Positivismus, herausgegeben von Hans
Vaihinger." Aber schon dieser Titel ist eine Fiktion, denn in Wirklichkeit war der Kantforscher Professor Vaihinger nicht der Herausgeber, sondern der Verfasser. Nach seiner Grunddefinition ist
eine Fiktion nichts anderes als ein gewollter Fehler, ein bewußter
Irrtum. Der sprachliche Ausdruck für diese Denkfunktion ist die
Partikel „als ob", eine Wortzusammensetzung, die wir in fast
allen Kultursprachen wiederfinden. Merkwürdigerweise gelangen
wir nun durch solche bewußt falsche Vorstellungen sehr oft zu
neuen und richtigen Erkenntnissen. Denn es gibt nicht nur schädliche Wahrheiten, sondern auch fruchtbare Irrtümer. Wir erreichen durch solche Fiktionen häufig überhaupt erst die Möglichkeit, uns in der Wirklichkeit zurechtzufinden; sie haben daher,
trotz ihrer theoretischen Unrichtigkeit, einen außerordentlichen

praktischen Wert. Die Annahme der Willensfreiheit zum Beispiel ist die unerläßliche Grundlage unserer sozialen und juristischen Ordnungen, und doch sagt uns unser logisches Gewissen, daß diese Annahme ein Nonsens ist. Wir operieren in der Naturwissenschaft mit „Atomen", obgleich wir wissen, daß diese Vorstellung willkürlich und falsch ist; aber wir operieren glücklich und erfolgreich mit dieser falschen Vorstellung: wir kämen ohne sie nicht so gut, ja überhaupt nicht zum Ziele. Wir rechnen mit „unendlich kleinen Größen", einem völlig widerspruchsvollen Begriff (denn etwas, das unendlich klein ist, ist ja eben keine Größe mehr), und dennoch beruht die gesamte höhere Mathematik und Mechanik auf diesem Unbegriff. Die ganze Algebra basiert auf der Fiktion, daß symbolische Buchstaben für wirkliche Zahlen eingesetzt werden. Dies macht vielen Schülern furchtbares Kopfzerbrechen; aber jeder Mensch, der spricht, tut etwas ganz Ähnliches: er setzt symbolische Zeichen, nämlich Worte, für wirkliche Dinge. Die Geometrie arbeitet bereits in ihren einfachsten Grundbegriffen mit Fiktionen, mit unvorstellbaren Vorstellungen: mit Punkten ohne Ausdehnung, Linien ohne Breite, Räumen ohne Ausfüllung. Sie betrachtet den Kreis als eine Ellipse mit zwei Brennpunkten, die keine Distanz haben: ein offenbarer Unsinn, denn zwei Punkte, die keine Distanz haben, sind eben ein Punkt. Auch sämtliche botanischen und zoologischen Systeme, überhaupt alle wissenschaftlichen Klassifikationen sind willkürliche Fiktionen, und doch sind sie vortreffliche Hilfsmittel zur näheren Bestimmung der einzelnen Individuen und zur Übersicht über die verschiedenen Naturgebiete. In der Mechanik wird der Schwerpunkt eines schwebenden Ringes in dessen Mitte verlegt, also völlig ins Leere, was ohne Zweifel falsch ist. Einer der Grundbegriffe des christlichen Glaubens ist die Fiktion der „unsichtbaren Kirche". Schon in den gewöhnlichen Phrasen des gesellschaftlichen Verkehrs zeigt sich die Herrschaft der Fiktion. Wenn ich zum Beispiel sage: „Ihr Diener", so heißt das nicht: ich bin Ihr Diener, sondern: betrachten Sie mich so, als ob ich es wäre. Und in der Tat ist ohne diese hunderterlei „als ob" überhaupt keine höhere Kultur möglich. Wenn das Stubenmädchen dem Besucher sagt: „Die gnädige

Frau ist nicht zu Hause", obgleich diese tatsächlich zu Hause ist, so spricht sie, glauben wir, damit keine Lüge aus, denn diese Auskunft will nur so viel besagen wie: die gnädige Frau wünscht so behandelt zu werden, als ob sie nicht zu Hause wäre. Kunst, Philosophie, Religion, Politik, Sittlichkeit, Wissenschaft beruhen alle zum größten Teil auf solchen mehr oder weniger komplizierten Fiktionen. Auch dieses Werk tut ja nur so, als ob es eine Kulturgeschichte wäre, während es in Wirklichkeit etwas ganz anderes ist.

In der Barocke wird nun in einer vielleicht einzig dastehenden Weise das ganze Leben in allen seinen Formen und Betätigungen tyrannisch und prinzipiell unter den Aspekt des „als ob" gestellt. Für den Barockmenschen löst sich alles Geschehen in schönen Schein, in Fiktion auf. Er spielt mit der Wirklichkeit wie der souveräne Schauspieler mit seiner Rolle, der Meisterfechter mit seinem Partner: sie kann ihm nichts anhaben, denn er weiß ganz genau, daß sie ein Phantom, ein Maskenscherz, ein falsches Gerücht, eine Lebenslüge ist; er stellt sich nur so, als ob er sie für wirklich hielte. Aus dieser sonderbaren Barockposition versucht Hermann Bahr in seiner bereits erwähnten Studie „Wien", die auf ihren acht Bogen eine ganze Kulturgeschichte im Extrakt enthält, sogar die zügellose Skrupellosigkeit in Sünde und Genuß herzuleiten, der sich in der Tat nicht wenige Barockmenschen hingaben: „Wer kann uns hemmen? Ein Gefühl des Unrechts? Tun wir es denn? Es träumt uns ja doch bloß . . . frei vom Gewissen: du hast keine Schuld, denn du bist es nicht, der tut . . . Recht ist hier derselbe Wahn wie Unrecht." Aber dies kann doch nur für die kleinen Geister Geltung gehabt haben, die es zu allen Zeiten verstanden haben, das jeweils herrschende Weltbild in eine Legitimation für ihre Gier und Selbstsucht umzufälschen. Die Optik der Barocke ist, wie wir sahen, die des Künstlers und des homo religiosus. Aber der Künstler, obgleich er sein Werk, ja das ganze Dasein nur als farbige Illusion und Luftspiegelung ansieht, exzelliert gerade durch das empfindlichste moralische Verantwortungsgefühl und spielt mit einer Gewissenhaftigkeit, Hingabe und Sorgfalt, die man bei den „ernsten" Beschäftigungen des Philisters vergeblich suchen wird; und der religiöse Mensch, wiewohl er die irdische Welt als trügerische Versuchung und lügnerischen Schattenwurf des Teufels erkannt hat, erblickt in ihr gerade darum die schicksalentscheidende Vorbereitung auf jene wahre Welt, deren Zerrbild sie ist. Die legitime Deutung der „Vorbarocke" ist nicht im Jesuitismus zu finden, sondern in dessen vernichtendstem Gegner: Blaise Pascal, einem der wenigen, die als Boten und Erben einer reineren, höheren und unwirklicheren Welt durch das immer kompakter und grauer, immer gottleerer und selbsterfüllter werdende Chaos der Neuzeit schritten.

Das Einzigartige Pascals bestand darin, daß er zugleich der modernste und der christlichste Geist seines Zeitalters war. Bei ihm stieß eine exzeptionell scharfe Logizität und Denkkraft mit einer exzeptionell leidenschaftlichen und abgründlichen Religiosität zusammen. Er ist der luzideste Kopf, den das Mutterland der *clarté* hervorgebracht hat, und der feinste Seelenanalytiker seines Jahrhunderts: neben ihm erscheint Descartes als ein bloßer Rechenkünstler und virtuoser Mechaniker. Zugleich aber ist er ein fast hysterischer Religiöser und Gottsucher, ein Theomane. Religiosität, als ein ungeheures verzehrendes Pathos, geschmiedet an einen zerlegenden Forschergeist ersten Ranges: dies war die erschütternde Psychose Pascals, ein pittoreskes und spannendes Schauspiel des Geistes, wie es wenige gibt. Nicht umsonst kommt Nietzsche in seiner Polemik gegen das Christentum immer wieder auf Pascal zurück: auch wenn er ihn nicht nennt und ganz allgemein von der Korruption des europäischen Geistes durch christliche Wertungen spricht, merkt man, daß er insgeheim doch nur an ihn denkt; er hatte das richtige Gefühl, daß man, wenn man die christliche Gedankenwelt bekämpfen wolle, sie vor allem in Pascal bekämpfen müsse, ja man gewinnt fast den Eindruck, als habe er gespürt, daß man sie in Pascal gar nicht bekämpfen k ö n n e.

Schon in der Lebensgeschichte Pascals zeigt sich sein Doppelgesicht: sie ist zur einen Hälfte die glänzende Laufbahn eines modernen Gelehrten, zur andern Hälfte eine zarte mittelalterliche Heiligenlegende. Mit zwölf Jahren entdeckte er ganz selbständig, ohne andere Hilfsmittel als etwas Kohle und Papier, einen großen

Pascals Lebenslegende

Teil der Lehrsätze des Euklid; mit sechzehn Jahren verfaßte er eine Abhandlung über die Kegelschnitte, von der die Zeitgenossen sagten, seit Archimedes sei nichts dergleichen geschrieben worden; mit neunzehn Jahren erfand er eine Rechenmaschine, mit der man alle arithmetischen Operationen ohne Kenntnis der Regeln fehlerfrei ausführen konnte; mit dreiundzwanzig Jahren überraschte er die Gelehrtenwelt durch seinen epochemachenden Traktat über den horror vacui und die berühmten Experimente zur Höhenmessung des Luftdrucks, die seinen Namen tragen. Schon um diese Zeit jedoch begann er zu erkennen, daß die Wissenschaft mit allen ihren Fortschritten für uns im höheren Sinne wertlos sei und die wahre Aufgabe des Geistes in der Hingabe an Gott bestehe. Er trat in nähere Beziehung zu den Jansenisten, einer Vereinigung von frommen und gelehrten Männern, die sich den Lehren des Bischofs Jansenius von Ypern anschlossen. Dieser hatte in einem nachgelassenen Werk „Augustinus" bewiesen, daß Papsttum und Scholastik der ketzerischen Lehre des Pelagius näher gestanden hätten und noch stünden als der augustinischen: dies ging vor allem gegen die Theorie und Praxis der Jesuiten; und aus diesem Gedankenkreise sind auch Pascals „Provinzialbriefe" hervorgegangen, jenes Meisterwerk satirischer Prosa, von dem wir bereits gesprochen haben. Die Kongregation lebte in der Nähe von Port-Royal des Champs in klösterlicher Zurückgezogenheit, aber ohne einen wirklichen Orden zu bilden: aus ihr erwuchs die berühmte Schule von Port-Royal, die später auch eine Filiale in Paris hatte und der Brennpunkt des ganzen wissenschaftlichen und religiösen Lebens jener Zeit war.

Die zweite Hälfte seines Lebens, das nur neununddreißig Jahre währte, hat Pascal unter den größten körperlichen Heimsuchungen verbracht, die er aber mit der edelsten Geduld und Fassung, ja fast mit Heiterkeit ertrug. Obgleich durch beständige Kolik, Kopfneuralgie, Zahnfleischentzündung und Schlaflosigkeit geplagt, verzichtete er doch auf jede Bequemlichkeit, machte sich alle Handreichungen selber und nahm sogar noch einen kranken Armen zu sich, den er bediente und pflegte. Er pries Gott für seine Krankheiten, denn Kranksein, pflegte er zu sagen, sei der einzige eines Christen würdige Zustand, ja er hatte eine förmliche Angst davor, wieder gesund zu werden. Und seine Leiden haben ihn in der Tat in Höhen entrückt, die dem gewöhnlichen Sterblichen verschlossen sind: durch die Schwerelosigkeit, die sie ihm verliehen, gelang es ihm, mitten in der profanen gierigen Welt des mazarinischen Frankreich und beim hellen Tageslicht seines rationalistischen Jahrhunderts ein magisches und mystisches Dasein zu führen. Um seine letzten Lebensjahre liegt ein überwirklicher Astralglanz.

Pascals philosophische Methode ist in dem Satz enthalten: „Man muß dreierlei sein: Mathematiker, Skeptiker und gläubiger Christ." Er gelangt, und dies ist das Besondere und Zeitgemäße an ihm, zum Glauben nicht durch das Dogma, sondern durch die Skepsis; und er zeigt, worin er sich als der äußerste Antipode Spinozas erweist, daß die Mathematik den Glauben nicht zerstört, sondern begründet. Man könnte sagen: die religiösen Wahrheiten nehmen bei ihm dieselbe Stelle ein wie die Wahrheiten der höheren Mathematik: der niedere Verstand hält sie so lange für ungereimt, als er sie nicht begreift; aber in dem Augenblick, wo er sie begreift, muß er sie als notwendig, bewiesen und unwiderleglich anerkennen.

Diesem Gegenstand sind die „Pensées" gewidmet, vermutlich das tiefste Buch der französischen Literatur. Sie befassen sich mit dem „Studium des Menschen". Für den Naturforscher Pascal ist die menschliche Seele ein einziges großes Experimentierfeld, und mit den subtilsten Präzisionsinstrumenten der Analyse tritt er an sie heran, legt ihre geheimsten und zartesten, dunkelsten und widerspruchsvollsten Regungen bloß, mißt alle ihre Höhen und Tiefen aus, erhellt und fixiert ihre schwimmendsten Nüancen, kurz: er hat die von ihm begründete Wahrscheinlichkeitsrechnung auch auf die Psychologie angewandt, und wie er die Schwere der Luft maß, so hat er auch hier als erster das scheinbar Imponderable gewogen und zum Objekt exakter Untersuchung gemacht. Das Endresultat ist gleichwohl ein ungeheurer *„amas d'incertitude"*. „Denn schließlich, was ist der Mensch in der Natur? Ein Nichts, gehalten gegen das Unendliche, eine Welt, gehalten gegen das Nichts, ein Mittelding zwischen Null und All. Er ist unendlich

Pascals Seelenanatomie

485

weit entfernt von beidem und sein Wesen ist dem Nichts, woraus er emporgetaucht ist, ebenso fern wie dem Unendlichen, worein er geschleudert ist ... Dies ist unser wahrer Zustand. Dies bannt unsere Erkenntnis in bestimmte Grenzen, die wir nicht zu überschreiten vermögen, unfähig, alles zu wissen, und unfähig, alles zu ignorieren. Wir befinden uns auf einer weiten Mittelebene, immer unsicher, immer schwankend zwischen Unwissenheit und Erkenntnis ... Wir brennen vor Begierde, alles zu ergründen und einen Turm zu errichten, der sich in die Unendlichkeit emporreckt. Aber unser ganzes Gebäude kracht zusammen und die tiefe Erde öffnet ihren Abgrund." „Wir sind ohnmächtig im Beweisen: das kann kein Dogmatismus widerlegen; wir tragen in uns die Idee der Wahrheit: das kann kein Skeptizismus widerlegen. Wir ersehnen die Wahrheit und finden nur Ungewißheit. Wir suchen das Glück und finden nur Elend ... Aber unser Elend ist die Folge unserer Größe und unsere Größe ist die Folge unseres Elends ... Denn der Mensch weiß, daß er elend ist. Er ist elend, weil er es weiß; aber er ist groß, weil er weiß, daß er elend ist. Was für eine Chimäre ist also dieser Mensch! Wunder, Wirrnis, Widerspruch! Richter über alle Dinge, ohnmächtiger Erdenwurm, Schatzkammer der Wahrheit, Dunkelkammer der Ungewißheit, Glorie und Schmach des Weltalls: wenn er sich rühmt, will ich ihn erniedrigen; wenn er sich erniedrigt, will ich ihn rühmen; und so lange will ich ihm widersprechen, bis er begreift, daß er unbegreiflich ist." (Wozu Voltaire, der die „Pensées" mit Noten versehen hat, die Bemerkung macht: „Echtes Krankengerede"; und wozu wir bemerken möchten, daß es zwar völlig begreiflich ist, wenn Voltaire, der glänzende Herold und Dolmetsch des achtzehnten Jahrhunderts, hier nur „Gerede" hört, hingegen völlig unbegreiflich, wie er Pascal Krankheit vorwerfen kann, denn woher hatte denn er selber seine Genialität, wenn nicht aus seiner „physiologischen Minderwertigkeit", seiner Rückgratsverkrümmung, seiner abnorm schwächlichen Konstitution, seiner pathologischen Reizbarkeit?)

Die Summe der Pascalschen Anthropologie dürfte in dem Satz enthalten sein: „Der Mensch ist nur ein schwaches Rohr, aber ein

denkendes Rohr." „*Ainsi toute notre dignité consiste dans la pensée* . . .
Travaillons donc à bien penser: voilà le principe de la morale." Der
gute Gebrauch der Denkkraft muß aber unausbleiblich zu Christus
führen. „Alle Körper, das Firmament, die Sterne, die Erde und die
Naturreiche zählen nicht so viel wie der kleinste der Geister; denn
er weiß von alldem und von sich selbst, und der Körper von nichts.
Und alle Körper und alle Geister zusammen und alle ihre Werke
zählen nicht so viel wie die geringste Regung der Liebe; denn die
Liebe gehört einer unvergleichlich erhabeneren Ordnung an. Aus
allen Körpern zusammen könnte man nicht den kleinsten Gedanken bilden: das ist unmöglich, er ist von anderem Range. Alle
Körper und alle Geister zusammen vermögen nicht eine einzige
Regung wahrer Liebe hervorzubringen: das ist unmöglich, sie ist
von anderem, durchaus übernatürlichem Range."

Wir haben bereits gelegentlich beobachten können und werden
bald genauer erkennen, daß das siebzehnte Jahrhundert den Sieg
des wissenschaftlichen Geistes bezeichnet: in alle Gebiete hält er
seinen triumphierenden Einzug; er ergreift die Naturforschung,
die Sprachforschung, die Geschichtsforschung, die Politik, die
Wirtschaft, die Kriegskunde, ja sogar die Moral, die Poesie, die
Religion. Alle Gedankensysteme, die dieses Jahrhundert hervorgebracht hat, haben entweder von vornherein die wissenschaftliche
Betrachtung sämtlicher Lebensprobleme zu ihrem Fundament oder
sie sehen in ihr das höchste und letzte Endziel. Aber nur einer hat
einen anderen Weg genommen, den Weg des gotterleuchteten
Genies, indem er die Wissenschaft nicht bloß suchte wie alle,
nicht bloß fand wie die wenigen Auserlesenen, sondern über-
wand: Pascal, der größte Geist, den die gallische Rasse geboren
hat.

Der größte, aber nicht der wirksamste. Dies war ein anderer
Denker, ihm an Weite ebenbürtig, aber nicht an Tiefe, an Helle,
aber nicht an Erleuchtung. Es war der Mann, der das glänzende
Zeitalter Ludwigs des Vierzehnten geschaffen hat, das Grand
Siècle, dem wir uns nunmehr zuwenden, und darüber hinaus den
ganzen modernen Franzosen bis in die Revolution und den Weltkrieg hinein und der daher, obschon sein Leben unter den grauen

Nebeln Hollands still und einsam dahinfloß, der wahre Sonnenkönig gewesen ist, während jener Ludwig nicht mehr war als eine vergoldete Dekorationspuppe und von ihm erfundene Theaterfigur: ein sehr merkwürdiger Vorgang, der eine um so genauere Betrachtung verdient, als er eine sehr wertvolle und überraschende Lektion enthält, nämlich die Erkenntnis, daß das Bleibende und Fortwirkende, das im wahren Sinne Historische immer von einigen wenigen Personen getan worden ist, die ihrer Zeit als unwesentliche und überflüssige, ja schädliche Grübler erschienen und die uns in demselben Lichte erscheinen würden, wenn sie heute lebten: von einigen Phantasten und Sonderlingen, deren Wirkungssphäre sich völlig abseits von dem befand, was ihre Zeitgenossen für beachtenswert und zentral hielten; und daß umgekehrt all dieses Wichtige, das so viel Glanz und Geschrei verbreitete, heute versunken, dem Fluch der Vergessenheit oder gar der Verachtung und Lächerlichkeit anheimgefallen ist. Kurzum: wir werden die Lehre empfangen, daß alles Große unnützlich und nichts Nützliches groß ist und daß die wahre Welthistorie in der Geschichte einiger weltfremder Träumereien, Visionen und Hirngespinste besteht.

Das Wunder, von dem wir reden, eine Art Schöpfung zweiten Grades, hat, ohne es selber zu ahnen, ein versponnener Begriffsdichter und menschenscheuer Aristokrat vollbracht: der *chevalier René Descartes, seigneur de Perron.*

ZWEITES KAPITEL

LE GRAND SIÈCLE

Aimez donc la raison!
Boileau

Das goldene Zeitalter Frankreichs beginnt mit Richelieu. Dieser Richelieu großartige und nichtswürdige, ideenreiche und geistesenge Staats-lenker, der in sich nicht nur alle bewundernswerten und abscheuli-chen Eigenschaften eines eminenten Politikers, sondern auch alle strahlenden Vorzüge und häßlichen Untugenden seiner Rasse ver-einigte, gilt als der eigentliche Begründer des bourbonischen Ab-solutismus, und in der Tat: an dem imposanten Bau, den der geniale unglückliche Heinrich der Vierte begonnen hatte und der mehr glückliche als geniale Ludwig der Vierzehnte nur zu vollenden brauchte, hat er das meiste geschaffen. Wenn man aber anderseits bedenkt, daß er nicht nur die Königin-Mutter Maria von Medici, die anfangs für ihren unmündigen Sohn regierte, mit allen Mitteln der List und Gewalt beiseite gedrängt hat, sondern auch Ludwig den Dreizehnten selber, einen pathologischen Taugenichts, an dem nichts menschlich wertvoll war als seine blinde Unterwerfung unter den überlegenen Geist des Kardinals, wie eine als König kostümierte Attrappe behandelt hat, so gelangt man zu dem Schluß, daß das treibende Pathos in Richelieus gewaltiger Politik nicht der Royalismus gewesen ist, sondern der typisch französische Zentrali-sationswille, der alles, Staat, Kirche, Wirtschaft, Kunst um einen einzigen leuchtenden Mittelpunkt zu organisieren strebt; und darin: in dieser tiefen Erkenntnis des Volkscharakters und der Zeitströ-mung lag das Geheimnis seines Sieges. Der aristokratische Feuda-lismus lag im Sterben, der bürgerliche Liberalismus noch nicht einmal in den Geburtswehen: so blieb als einziger brauchbarer Träger der Macht die Krone. Dies war der Sinn der Zeit; und darum war Richelieu einer der ersten modernen Politiker im doppelten Sinne: zugleich einer der frühesten und größten. Wenn wir ihn „modern" nennen, so bedeutet dies freilich nichts weniger als ein Lob im Geiste unserer Geschichtsauffassung, wohl aber ein Lob im Geiste der profanen Historie: er verstand, was die Menschheit seines Jahrhunderts wollte, ehe sie selbst es recht wußte, und er besaß genug Klugheit und Tatkraft, um diese Einsicht in Wirklichkeit verwandeln zu können.

Dieser Fürst, liebenswürdig und brutal, nobel und rachsüchtig, wie es nur ein Kavalier seiner Zeit sein konnte, hatte außerdem erkannt, daß Politik die Kunst der unerlaubten Mittel und das System der Prinzipienlosigkeit ist. Er befolgte daher in seiner inneren und seiner äußeren Diplomatie ganz verschiedene Grundsätze. Es dürfte wohl selten ein merkwürdigerer Kardinal den roten Hut getragen haben. Daß der Dreißigjährige Krieg nicht mit einem Sieg des Kaisers endete, war hauptsächlich ihm zu verdanken; daß die katholische Vormacht Spanien zu einer Potenz zweiten und selbst dritten Ranges herabsank, war sein Werk. Er nahm zwar den Hugenotten ihre Festungen, gewährte ihnen aber volle Religionsfreiheit und Zulassung zu den öffentlichen Ämtern und unterdrückte die zentrifugalen Bestrebungen des papistischen Klerus mit derselben Strenge, nach seinem Leitsatz: die Kirche ist im Staat, nicht der Staat in der Kirche; überhaupt war er, obgleich der Vertreter der Macht und Majorität, von einer für die damaligen Verhältnisse fast unfaßbaren religiösen Toleranz, während die Geduldeten merkwürdigerweise sehr unduldsam auftraten. Ebenso „vorurteilslos" verhielt er sich bei der Einmischung in die inneren Verhältnisse der Nachbarstaaten. Verfechter der königlichen Allmacht war er nur als Franzose, hingegen unterstützte er die katalonischen und portugiesischen Insurgenten gegen die spanische Herrschaft, die deutschen Fürsten gegen Kaiser und Reich und die Schotten gegen die englische Krone. Auch darin zeigte er sich als durchaus moderner Politiker, daß er versuchte, an den Kolonisationsbestrebungen kräftigen Anteil zu nehmen. Er begründete die *Compagnie de l'Orient*, um sich Madagaskars zu bemächtigen, was jedoch nur sehr unvollständig gelang. Später stiftete Colbert zu demselben Zweck die ostindische Kompagnie, vermochte aber ebenfalls nur einige Randplätze zu besetzen. An der Westküste Afrikas wurde Senegambien, das Land zwischen Senegal und Gambia, erobert und das Fort Saint Louis errichtet; in Südamerika erstand Französisch-Guayana mit der Hauptstadt Cayenne; das größte Interesse brachte man aber Canada entgegen, der *France-Nouvelle*, während Louisiana erst gegen Ende des Jahrhunderts in französischen Besitz gelangte. Im ganzen haben die Franzosen als Kolonisatoren damals wenig Erfolge gehabt, denn auf diesem Gebiete versagte das zentralistische System Richelieus, das jede selbständige Regung unter falscher staatlicher Bevormundung verkümmern ließ und bei der Art höherer Seeräuberei, in der das ganze europäische Kolonisationswesen bestand, besonders unangebracht war. Richelieu war übrigens auch auf anderen Gebieten ein Vorläufer Colberts. Er suchte die heimische Industrie, besonders die blühende Tuchmacherei, durch Zölle zu schützen, rief neue Branchen ins Leben, förderte den Ackerbau und erleichterte den Verkehr durch prachtvolle baumbepflanzte Chausseen, die für ganz Europa vorbildlich wurden.

Man würde jedoch Richelieu sehr unvollständig gerecht werden, wenn man ihn nur als Politiker würdigen wollte. Wie alle bedeutenden Staatslenker hat er nicht nur der Verwaltung und Diplomatie, sondern auch dem ganzen geistigen und gesellschaftlichen Leben seine Physiognomie aufgedrückt. Er verfolgte hier dieselben Prinzipien wie in seiner Politik: straffste Zusammenfassung, Übersicht und Ordnung. Er erbaute zur Verherrlichung seiner Macht das *Palais Cardinal*, das später als *Palais Royal* eine so interessante historische Rolle gespielt hat, begründete zur Leitung der öffentlichen Meinung die *Gazette de France*, an der er selbst mitarbeitete, und stiftete zur Reinigung und Vervollkommnung der französischen Sprache die *Académie française*, die von nun an souverän feststellte, wie man richtig zu schreiben und zu reden habe, wodurch das Französische erst seine volle Klarheit, Feinheit und Korrektheit, aber zugleich eine gewisse mechanische Regelmäßigkeit und unfreie Uniformität erhielt; auch die „drei Einheiten", die er im Drama durchsetzte, erkauften eine größere

Präzision und Durchsichtigkeit des Baues mit einem empfindlichen Verlust an Farbigkeit, Natürlichkeit und poetischem Leben. Unter Richelieu ist auch der erste große Salon entstanden: im Haus der schönen, geistreichen und liebenswürdigen Marquise de Rambouillet, wo sich die hohe Aristokratie mit der geistigen Creme ihre Rendezvous gab, und es begann sich jene sublime Verbindung von Adel und Literatur zu entwickeln, die für das französische Gesellschaftsleben der nächsten zwei Jahrhunderte typisch geblieben ist. Das Ideal jenes Kreises war *„le précieux"*, das Erlesene, Kostbare in Sprache, Denken und Sitte, und hieraus ist später, als diese Bestrebungen in Zimperlichkeit, Verzierlichung und Vornehmtuerei ausarteten, der Spottbegriff des Preziösen entstanden. Aber ursprünglich zielten die Tendenzen gerade auf das Entgegengesetzte: auf edle Einfachheit, künstlerische Sparsamkeit, geschmackvolle Zurückhaltung: *ordre, économie, choix* waren die Grundeigenschaften, die von einem guten Stil gefordert wurden. Kurz: wir spüren im Zeitalter Richelieus bereits allenthalben die kühle und helle, dünne und reine Luft des Grand Siècle.

Mazarin   Als Richelieu und der König fast gleichzeitig gestorben waren, führte wiederum eine Ausländerin, Anna von Österreich, die Regentschaft für ihren minderjährigen Sohn und wiederum hatte ein Kardinal die eigentliche Herrschaft inne, aber diesmal nicht als der Gegner der Königin, sondern als ihr Liebhaber. Im übrigen war Mazarin eine Art schwächere Doublette und „zweite Besetzung" Richelieus; seine äußeren Erfolge waren aber fast noch größer: er warf den Aufstand der Fronde, in dem sich die feudalen Elemente zum letztenmal gegen die Alleinherrschaft des Königtums erhoben, vollständig nieder, erreichte für Frankreich durch den Westfälischen Frieden die langersehnte Rheingrenze und durch den Pyrenäischen Frieden im Süden die Pyrenäengrenze und im Norden mit der Einverleibung einiger sehr wertvoller südbelgischer Festungen ein starkes Einfallstor nach den beiden Niederlanden, errichtete den Rheinbund, der, ganz unter französischem Einfluß, den Westen Deutschlands fast zu einem bourbonischen Schutzgebiet machte, und schloß vorteilhafte Allianzen mit Schweden, Polen, Holland und England, so daß sich Frankreich damals auf einer diplomatischen Machthöhe befand, die es selbst unter Ludwig dem Vierzehnten nicht wieder erreicht hat. Gleichwohl nimmt er sich neben dem großen Richelieu nur wie eine Genrefigur aus. Geradezu molièrisch grotesk war seine unersättliche Geldgier, zu deren Befriedigung ihm kein Mittel schmutzig oder abenteuerlich genug war. Als zur Zeit der Fronde eine Unmenge gehässigster Pamphlete gegen ihn erschienen, die wegen seiner Unbeliebtheit reißenden Absatz fanden, ließ er alle konfiszieren und verkaufte sie selber unter der Hand zu hohen Preisen; ja sogar sterbend beschäftigte er sich noch damit, Goldstücke abzuwägen, um die nicht vollwertigen als Spieleinsatz zu verwenden.

Dies war im Jahre 1661. Nach dem Tode Mazarins glaubten viele, daß nun ein dritter Kirchenfürst, der begabte und intrigante Kardinal von Retz, zum Lenker Frankreichs avancieren werde, aber zur allgemeinen Überraschung erklärte der dreiundzwanzigjährige Monarch, daß er von nun an selbst regieren werde. Mit diesem Tage begann das Zeitalter Ludwigs des Vierzehnten, das wir auch die Hochbarocke oder vielleicht am richtigsten das cartesianische Zeitalter nennen könnten. *Das cartesianische Zeitalter*

Das Leben des merkwürdigen Mannes, der den Geist des Grand Siècle geformt hat, steht in einem scheinbaren Widerspruche zu der ungeheuern Wirkung, die er hervorgerufen hat, denn es bewegte sich äußerlich in sehr anspruchslosen und fast konventionellen Formen. Descartes nahm den normalen Entwicklungsgang eines damaligen Adeligen: er besuchte die Jesuitenschule, wurde Lizentiat der Rechte, tat Kriegsdienste in Deutschland, Böhmen und Holland und machte eine Wallfahrt nach Loretto; die letzten zwanzig Jahre seines Lebens verbrachte er in völliger Abgeschiedenheit in den Niederlanden, nur durch eine umfangreiche Korrespondenz mit dem Mittelpunkt der Welt, dem Paris Richelieus und Mazarins, verbunden. Er fühlte, wie er selber sagte, gar keine Lust, in der Welt berühmt zu werden, ja er hatte geradezu Angst davor: „Die Wilden", schrieb er an einen seiner Verehrer, „behaupten, daß die Affen sprechen könnten, wenn sie wollten, aber es absichtlich nicht tun, damit man sie nicht zwinge, zu arbeiten. Ich bin nicht so klug gewesen, das Schreiben zu unterlassen: darum habe ich nicht mehr so viel Ruhe und Muße, als ich durch Schweigen behalten hätte." Er wollte überhaupt mit der Welt, die er nur als Störung empfand, möglichst wenig zu schaffen haben und vermied daher jederlei Konflikte mit den herrschenden Mächten. Er unterdrückte sein Werk über den Kosmos, das, wenn auch nicht auf galileischer, so doch auf heliozentrischer Grundlage ruhte, als er erfuhr, in welche Differenzen mit der Kirche Galilei durch seine neuen Theorien gebracht worden war. Oberflächliche Menschen haben darin einen Mangel an Wahrheitswillen und persönlichem Mut erblicken wollen, aber diese vergessen, daß Descartes als Mensch niemals aufgehört hat, der französische Altaristokrat und Sohn der heiligen römischen Kirche zu sein: wenn er nichts gegen die bestehenden Ordnungen unternahm, so folgte er der Stimme seines Blutes. Und im übrigen war es ihm wichtiger, seinen großen Gedanken unbehelligt nachhängen zu können als sie unter Behelligungen und Kämpfen in die Welt zu tragen; er wollte daher nicht einmal eine Schule.

Das magische Koordinatenkreuz

Gleichwohl konnte er nicht verhindern, daß er schon zu seinen Lebzeiten zahlreiche Gegner und Anhänger fand. Denn schon allein seine Leistungen als Mathematiker und Naturforscher hätten genügt, ihm Weltruf zu verschaffen. Er fand das Gesetz der Lichtbrechung, entdeckte die Funktion der Kristallinse im menschlichen Auge und löste das Rätsel des Regenbogens; auch seine Wirbeltheorie, durch die er die Bewegungen der Himmelskörper zu erklären versuchte, hat, obgleich von der späteren Forschung wieder verlassen, für seine Zeit eine hervorragende Bedeutung gehabt. Seine größte Leistung aber ist die Begründung der analytischen Geometrie, durch die es bekanntlich ermöglicht wird, die Eigenschaften jeder ebenen Kurve in einer Gleichung auszudrücken, deren Hauptbestandteile aus zwei veränderlichen Größen, den Koordinaten, gebildet werden. Dies war nicht nur eine ganz neue Wissenschaft, die sich in der Folgezeit als außerordentlich fruchtbar erweisen sollte, sondern noch etwas viel Bedeutsameres: es war nicht mehr und nicht weniger als der gigantische Versuch, die Algebra, das heißt: das reine Denken auf die Geometrie, das heißt: das reale Sein anzuwenden, die Eigenschaften und Existenzgesetze der wirklichen Dinge zu finden, ehe diese Dinge selbst da sind, die Realität in ein feststehendes Liniennetz einzufangen, an dem sie sich zu orientieren hat und von dem aus sie durch den souveränen Verstand jederzeit bestimmt und vorausbestimmt werden kann: ein höchster Sieg des Rationalismus über die Materie, wenn auch nur ein Scheinsieg. Der irrationalen Wirklichkeit hält der cartesianische Mensch sein magisches Koordinatenkreuz entgegen; und damit bannt er sie gleichsam in seine Gefolgschaft. Die symbolische Bedeutung dieses Vorgangs ist unermeßlich: in ihm ruht der Schlüssel der ganzen französischen Barocke.

Wie die Mathematik soll nun auch die Metaphysik aus unmittelbar durch sich selbst gewissen Prinzipien deduktiv ihre Sätze entwickeln. Wahr ist alles, was ich klar und deutlich vorstelle: wir dürfen daher nur dem folgen, was wir entweder selbst einleuchtend zu erkennen oder aus einer solchen Erkenntnis mit Sicherheit abzuleiten vermögen. In einer streng geprüften und geordneten Reihe derartiger fortschreitender und entdeckender Folgerungen besteht die cartesianische Methode. Der deduktive Mensch

Der oberste Grundsatz, den Descartes aufstellt, lautet nun: alles ist zweifelhaft; *de omnibus dubitandum*. Die Sinneseindrücke, aus denen wir unser Weltbild aufbauen, täuschen uns sicherlich zuweilen, vielleicht sogar immer. Indes, selbst in dem Falle, daß wir berechtigt sein sollten, an allem zu zweifeln, wäre eines ganz unbezweifelbar: nämlich dieser unser Zweifel. Auch wenn alle unsere Vorstellungen falsch sind, bleibt als positiver Rest die Tatsache übrig, daß sie Vorstellungen sind; auch wenn alles Irrtum ist: die Existenz unseres Irrtums selbst ist keiner; auch wenn ich alles leugne, so bin doch immer noch ich es, der leugnet. So gelangt Descartes von seinem Ausgangspunkte: *de omnibus dubito* unmittelbar zu der Folgerung: *dubito ergo sum* oder, da alles Zweifeln Denken ist: *cogito ergo sum*. Diesen Satz identifiziert er aber sofort mit einem dritten: *sum cogitans*, indem er die Behauptung aufstellt, daß der Mensch nicht nur ein Wesen sei, dessen Existenz aus seinem Denken erhellt, sondern daß das ganze Sein seiner geistigen Hälfte im Denken bestehe. Die Welt zerfällt für Descartes in zwei Substanzen: die Körper, deren Grundeigenschaft die Ausdehnung ist, und die

Geister, deren wesentliches Attribut das Denken bildet. Der Körper ist nie ohne Ausdehnung, der Geist nie ohne Denken: *mens semper cogitat*. Dies führt Descartes zu zwei merkwürdigen Folgerungen, die aber für ihn und seine Zeit ungemein charakteristisch sind, erstens nämlich: daß der Mensch, wenn er die cartesianische Methode mit der nötigen Vorsicht anwendet und nur dem zustimmt, was er klar und deutlich erkannt hat, niemals irren kann, daß der Irrtum seine eigene Schuld ist, der er nur dadurch verfällt, daß er von der göttlichen Gabe der Erkenntnis nicht den richtigen Gebrauch macht, und zweitens: daß, da denkende Substanzen nie ausgedehnt, ausgedehnte nie denkend sein können, der menschliche Körper eine Maschine ist, die mit der Seele nichts gemeinsam hat, und die Tiere, da sie nicht denken, überhaupt keine Seele besitzen und sich in nichts von komplizierten Automaten unterscheiden.

Versuchen wir nun, diese Philosophie, die Descartes in einer kristallenen und bisweilen fast dramatisch bewegten Sprache vorgetragen hat, etwas näher ins Auge zu fassen. Ihr hervorstechendster Grundzug ist zunächst eine strenge und allseitige Methodik und der leidenschaftliche Glaube an den Sieg dieser Methodik. Es gibt eine Methode, einen logischen Universalschlüssel: wer ihn besitzt, besitzt die Welt; habe ich die Methode, die „wahre Methode", so habe ich die Sache: dies ist die cartesianische Kardinalüberzeugung, die sich bis zum gebietenden und beherrschenden Lebenspathos steigert und den ganzen ferneren Entwicklungsgang der lateinischen Seele bestimmt hat, von Descartes über Voltaire und Napoleon bis zu Taine und Zola. Diese Methode ist die analytische. Sie zerlegt die gegebene Realität oder ihre zur Untersuchung gestellten Ausschnitte zunächst in ihre „Elemente", um von da an deduktiv auf dem „richtigen" Wege wieder zu ihr zurückzukehren. Sie korrigiert die Welt und deren Betrachtung oder vielmehr: sie korrigiert die Welt durch deren Betrachtung. „Um die Wahrheit methodisch zu finden, muß man die verwickelten und dunklen Sätze stufenweise auf einfachere zurückführen und dann von der Anschauung dieser ausgehen, um ebenso stufenweise zu der Erkenntnis jener zu gelangen." Erst seziert man, dann konstruiert man: beides sind extrem rationalistisch-mechanische Funktionen.

Mathematik ist die Universalwissenschaft, weil sie allein jene Anforderungen restlos zu erfüllen vermag. Nur sie hat die Möglichkeit, ihre Objekte in ihre letzten Bestandteile zu zerlegen, und nur sie ist imstande, an der Hand einer lückenlosen Kette von Beweisen und Schlüssen zu ihren letzten Erkenntnissen emporzusteigen. Im Grunde ist daher alles ein mathematisches Problem: die gesamte physische Welt, die uns umgibt, unser Geist, der sie aufnimmt, und sogar die Ethik, das charakteristischste und merkwürdigste Stück des cartesianischen Systems: in seiner Abhandlung „les passions de l'âme" hat nämlich Descartes in sehr geistvoller und scharfsinniger Weise eine erschöpfende analytische Darstellung der menschlichen Leidenschaften und zugleich eine Anleitung zu ihrer Lenkung und Bekämpfung gegeben; dieser berühmte Essay, der von den Zeitgenossen aufs höchste bewundert wurde, ist nichts anderes als der Versuch, die Gesamtheit der Affekte auf eine Reihe allgemeiner Grundformen zurückzuführen und so eine Art Algebra der Passionen zu liefern. Kurz: alles ist ein Problem der Analysis, der analytischen Geometrie. Was nun ist analytische Geometrie? Wir sagten es bereits: nichts anderes als die Kunst, Gesetz und Gestalt einer Sache zu finden, ohne hinzusehen: die Gleichung des Kreises, der Ellipse, der Parabel, ehe diese da sind, denn sie folgen ganz von selber aus der Gleichung, sie müssen folgen, logisch-mathematischen Gehorsam leisten. Descartes wußte auch sein eigenes Leben nach dieser algebraischen Methode einzurichten: zuerst entwarf er sich sozusagen die Gleichung seiner Biographie und dann konstruierte er ganz exakt die Kurve seines Lebens nach dieser theoretischen Formel. In seinem Entwicklungsgang war nichts zufällig oder von außen aufgedrängt, sondern alles von ihm selbst vorherbestimmt: mit vollem Bewußtsein begab er sich während der ersten Hälfte seines Daseins in die große Welt, um „in ihrem Buche zu lesen", und ebenso bewußt schloß er sich während des Restes seiner Erdenbahn von ihr ab, um über sie zu philosophieren. Mit Descartes betritt der deduktive Mensch die Bühne der Geschichte.

Die erste Grundüberzeugung dieses deduktiven Menschen lautet: nur was man denkt, ist wirklich; und nur was man geordnet denkt, ist wirklich gedacht. Was ich klar und deutlich einsehe, ist wahr: die *clara et distincta perceptio* ist das untrügliche Kriterium des Richtigen. Descartes gebraucht auch in seinem Stil mit Vorliebe Metaphern, die in diesem Vorstellungskreise liegen, wie Tag, Licht, Sonne; er beschäftigte sich als Naturforscher besonders gern mit optischen Problemen, und in seinem verlorengegangenen großen Werk, das wahrscheinlich den Titel „le monde" führte, hatte er den ganzen Kosmos vom Standpunkt seiner Theorie des Lichts behandelt. Das Ziel seiner gesamten Philosophie ist *„la recherche de la vérité par les lumières naturelles"*, wie er eine seiner nachgelassenen Schriften genannt hat. Für dieses natürliche Licht des Verstandes gibt es nichts, was es nicht zu erhellen vermöchte: was nicht in seiner Sonne liegt, ist nicht wert, beschienen zu werden, ja noch mehr: es existiert nicht; und was es bescheint, ruht in vollem Tagesglanze, klar und gleichmäßig erhellt, ohne Schatten und Nuancen, ohne Dunkelheiten und Widersprüche, denn für den reinen seiner selbst bewußten und sicheren Verstand gibt es nur eine einzige große Gewißheit ohne Grade: es ist eine Art Mittagshöhe, die der menschliche Geist hier erklimmt, einseitig, aber heroisch.

Dieser Zenith kann natürlich nur erreicht werden, indem alles vernachlässigt und sogar geleugnet wird, was nicht im Strahlenkegel der klaren Ratio liegt. Es gibt daher für diese Weltanschauung nichts Unterbewußtes und nichts Halbbewußtes, keine undefinierbaren Seelenregungen, keine dunkeln Triebe, keine geheimnisvollen Ahnungen, auch Empfindungen nur, soweit sie der Ausdruck klarer Gedanken sind. Etwas begehren heißt: etwas für wahr halten, etwas verabscheuen: es für falsch halten; gute Handlungen sind jene, denen eine adäquate Erkenntnis zugrunde liegt, böse Handlungen solche, die aus unrichtigen Vorstellungen fließen. Tiere und Pflanzen sind, wie wir bereits gehört haben, bloße Automaten; ihre Empfindungen sind nichts als körperliche Bewegungen, die rein mechanischen Gesetzen gehorchen, denn alles, was ohne Denken vor sich geht, ist ein bloß physikalischer Vorgang. Descartes scheut nicht davor zurück, zu erklären, daß sie weder sehen noch hören, weder hungern noch dürsten, weder Freude noch Trauer fühlen: sie wissen, sagt er, von ihren Lebensäußerungen nicht mehr als eine Uhr, die sieben oder acht schlägt. Er geht konsequenterweise noch weiter und zählt auch die menschlichen Empfindungen nicht unter die seelischen Vorgänge: sie sind für ihn ebenfalls nur Bewegungserscheinungen. Die Leidenschaften sind nichts als falsche Urteile, verworrene, unrichtige, dunkle Vorstellungen, sie sind daher nicht existenzberechtigt und können und müssen besiegt werden durch die Vernunft, die das Vermögen der klaren Begriffe und deutlichen Vorstellungen ist. Wir erkennen hier jene der griechischen Stoa verwandte, aber ins Weltmännische gewendete Geisteshaltung, wie sie dem siebzehnten Jahrhundert als ethisches Ideal vorschwebte: der Mensch, der alle seine Triebe gebändigt, rationalisiert hat durch klare Methodik, die ihm Lebensform geworden ist, der alles, was aus den elementaren Instinkten, der unregulierten Willenssphäre fließt, als unzivilisiert und plebejisch, geschmacklos und barbarisch, unphilosophisch und unästhetisch unter sich sieht, alles, was nicht der Raison unterworfen ist, als subaltern und *mauvais genre* empfindet. Aber hier kündigt sich auch schon achtzehntes Jahrhundert an, nämlich die Überzeugung, daß alles, was mit der Vernunft in Widerspruch steht, eine unreife Bildung und Verirrung der Natur darstellt, die dazu bestimmt ist, im Gange des Fortschritts überwunden zu werden.

Das cartesianische System hat auf allen einzelnen Gebieten nur die natürlichen Folgerungen gezogen, die ihm von seinem obersten Grundsatz vorgezeichnet waren: dem *cogito ergo sum*. Aus dem Denken erhellt für Descartes die Tatsache des menschlichen Ich und der ganzen Welt. Allerdings hat Descartes auf den Einwand Gassendis, daß der Mensch seine Existenz auch aus jeder seiner anderen Tätigkeiten folgern und daher zum Beispiel auch sagen könne: „*ambulo ergo sum*, ich gehe spazieren, also bin ich", mit Recht erwidert, daß der Mensch der Tatsache, daß er spazieren gehe, nur dadurch gewiß werde, daß er sie vorstelle, also sein Spazierengehen denke; aber Descartes hat Denken und Sein nicht nur in die Beziehung von Obersatz und Untersatz gebracht, sondern in das Verhältnis der Identität, indem er feststellte, daß das Wesen der Seele ausschließlich im Denken bestehe und daher nur das Ge-

Die Seele ohne Brüder

dachte wirklich sei. Hätte ihm Gassendi als Beispiel den Satz „*volo ergo sum*, ich will, also bin ich" entgegengehalten, auf dem die Philosophie Schopenhauers fußt, so hätte Descartes nicht dieselbe Replik vorbringen können, denn wenn ich auch meines Willens nur dadurch bewußt werde, daß ich ihn vorstelle, so bleibt doch noch immer die Frage offen, ob dieser Wille nicht trotzdem die Ursache meiner Existenz sein könnte. Durch die Tatsache meines Denkens wird mir mein Ich bloß b e w i e s e n; aber Descartes machte den logischen Grund zum metaphysischen. Zu diesem Trugschluß war er jedoch gleichwohl berechtigt. Denn die Aufgabe des großen Philosophen besteht nicht darin, korrekt zu schließen, sondern die Stimme seiner Zeit zu sein, das Weltgefühl seiner Epoche in ein System zu bringen. Und der damalige Mensch war aufs tiefste überzeugt, daß nur jene Tätigkeit, von der er wisse, s e i n e Tätigkeit sei: *quod nescis, quomodo fiat, id non facis*, sagt der Cartesianer Geulinx. Nur wer denkt, hat eine Seele, und wer eine Seele hat, muß denken: *l'âme pense toujours*, sagt der Cartesianer Malebranche.

Diese Seele, die immer denkt, hat keine Brüder. Es zeigt sich am Cartesianismus in besonders starkem Maße die starre Isolation, in die jeder konsequente Rationalismus den Menschen einschließt. Es ist die heroische Öde und selbstherrliche Einsamkeit des reinen Denkens, aus der heraus Descartes sein furchtbares „cogito ergo sum" aufstellt. Der von ihm konzipierte Mensch befindet sich auf der ganzen weiten Welt allein mit seinem *cogito*, der erhabenen Kraft, zu denken, zu ordnen, zu klären, die ihm den ganzen Kosmos: Gott, Mensch und Natur; Weltaufgänge und Weltuntergänge; Soziologien, Astronomien, Physiken; Atome, Wirbel, Planeten; Staaten, Leidenschaften, Tugenden aufbaut. Wirklich ist im Grunde doch nur, obgleich sie es nicht wahr haben will und vielleicht selbst nicht weiß, diese M o n a s Cartesius, die denkt, denkt . . . Die Sinneswahrnehmungen sind nicht wahr, wahr ist nur das Denken dieser Wahrnehmungen. Wie ja auch in der analytischen Geometrie die reale Kurve nicht wahr, jedenfalls nicht das Wesentliche ist, sondern ihre durch den Verstand gefundene allgemeine Formel. Die sinnlichen Vorstellungen haben geringere Realität, weil sie „unklar" sind. Und wer verbürgt uns, daß nicht

die ganze Sinnenwelt ein Traum ist? „Wenn ich mir die Sache sorgfältig überlege, finde ich nicht ein einziges Merkmal, um den wachen Zustand vom Traum sicher zu unterscheiden. So sehr gleichen sich beide, daß ich völlig stutzig werde und nicht weiß, ob
ich nicht in diesem Augenblick träume." Hier demaskiert sich
Descartes plötzlich als echter Barockphilosoph, indem er die Sinnenwelt zu einer Wirklichkeit zweiter Ordnung degradiert, sie,
wenn auch nur in der Hypothese, als Traum konzipiert und jedenfalls dem Ganzen aufs höchste mißtraut. Er war auch darin eine
Barocknatur, daß er mit seinem grundsätzlichen Skeptizismus und
seinem höchst revolutionären Rationalismus eine bedingungslose
Anerkennung des Wirklichen in seiner Machteigenschaft verband.
Er war, wie wir bereits andeuteten, als Mensch streng konservativ,
fast reaktionär, im Innersten gegenreformatorisch gesinnt. Denn
die Reformation war individualistisch, demokratisch, „fortschrittlich", freiheitlich in der Praxis, wovon Descartes niemals
etwas wissen wollte. Bossuet sagte von ihm, daß seine Vorsicht
gegenüber der Kirche bis zum Äußersten ging, und er selbst empfahl in einer seiner Schriften, unter allen Umständen die Gesetze
und Gewohnheiten des Landes zu beobachten, in dem man lebe,
an der Religion festzuhalten, in der man erzogen sei, im Verkehr
die gemäßigtesten und verbreitetsten Maximen zu befolgen, und
vermied es überhaupt, über ethische Gegenstände zu handeln, weil
es nur Sache mächtiger Personen sei, sittliche Normen für andere
aufzustellen. Er war Aristokrat und Katholik und hat niemals
„protestiert"; gleichwohl oder wahrscheinlich eben deshalb hat
kein Bürgerlicher und kein Reformierter seines Landes eine so
voraussetzungslose Philosophie geschaffen. Es weht in ihr die
Luft eines Geistes, der so frei ist, daß er selbst die Freiheit verachtet.

Und tatsächlich erhoben sich auch die ersten Gegner seiner Philosophie in der protestantischen Republik der freien Niederlande.
Aber dreizehn Jahre nach seinem Tode traten auch die Jesuiten
gegen ihn auf und setzten es durch, daß seine Bücher auf den Index kamen, und nicht lange darauf wurde seine Lehre von den
französischen Universitäten verbannt. Aber seine Schule breitete

Übergang
der Vor-
barocke in
die Voll-
barocke

sich trotzdem unaufhaltsam aus. Nicht bloß durch die „Okkasionalisten", wie man seine nächsten Nachfolger und Fortbildner in der Geschichte der Philosophie nennt, nicht bloß durch die berühmte Logik des Port-Royal „L'art de penser" und die tonangebende „Art poétique" Boileaus; vielmehr war ganz Frankreich seine Schule, an der Spitze der Sonnenkönig selbst, der seine Werke verboten hatte. Der Staat, die Wirtschaft, das Drama, die Architektur, die Geselligkeit, die Strategie, die Gartenkunst: alles wird cartesianisch. In der Tragödie, wo die Begriffe der Leidenschaften miteinander kämpfen; in der Komödie, wo die algebraischen Formeln der menschlichen Charaktere entwickelt werden; in den Anlagen von Versailles, die abstrakte Gleichungen von Gärten sind; in der analytischen Methode der Kriegführung und der Volkswirtschaft; in dem sozusagen deduktiven Zeremoniell der Gebärden und Manieren, des Tanzes und der Konversation: überall herrscht als unumschränkter Gebieter Descartes. Und man kann sogar sagen, daß fast bis zum heutigen Tage jeder Franzose ein geborener Cartesianer ist. Die Französische Revolution hat den Absolutismus der Bourbonen so gründlich beseitigt, als es nur denkbar war; aber Descartes hat sie nicht vom Thron gestürzt, sondern in seiner Macht aufs ausschweifendste bestätigt.

Mit Ludwig dem Vierzehnten vollzieht sich der Übergang der Vorbarocke in die Vollbarocke. Seine selbständige Regierung umfaßt ungefähr fünfeinhalb Jahrzehnte; mit seinem Tode setzt die Spätbarocke ein, die unter dem Namen Rokoko bekannt ist. Wir haben im vorigen Kapitel erwähnt, daß die Zeit, wo er zur Alleinherrschaft gelangt, auch sonst eine Anzahl entscheidender Daten enthält; und ebenso verhält es sich mit dem Ende seiner Regierungsperiode. Er selbst stirbt 1715, und in demselben Jahre Malebranche, der bedeutendste Cartesianer. 1713 gelangt Friedrich Wilhelm der Erste in Preußen, 1714 das Haus Hannover in England auf den Thron: zwei gewichtige politische Wendepunkte. Und 1716 stirbt Leibniz, in dem, wie wir später sehen werden, der Barockgeist seine höchste Konzentration gefunden hat. Der Tod des Sonnenkönigs bedeutet somit in mehr als einem Sinne das Ende einer geschichtlichen Epoche.

Der extreme Absolutismus, den Ludwig der Vierzehnte auf- richtete, folgte ganz von selber aus der Allherrschaft der carte- sianischen Raison, die ein Zentrum fordert, wovon aus alles ein- heitlich und methodisch beherrscht und gelenkt wird. Das „*l'état c'est moi*" hatte für die Menschen jener Zeit nichts weniger als jene frivole Bedeutung, die spätere Beurteiler diesem Worte beigelegt haben. Der König ist der von Gott und der Vernunft eingesetzte Mittelpunkt des irdischen Koordinatennetzes: an ihm hat sich alles zu orientieren; wer anders empfunden hätte, wäre dem Zeitgefühl nicht etwa bloß als ein Staatsverräter und Majestätsverbrecher, son- dern als etwas viel Schlimmeres erschienen: als ein Mensch, der nicht methodisch zu denken vermag. Erst ist der König da, dann der Staat, aus ihm entwickelt sich der Staat, wie zuerst das Koordi- natenkreuz da ist und dann erst die realen Punkte, Linien und Flä- chen. Der König beherrscht nicht nur den Staat, er m a c h t den Staat. Hieraus ergaben sich selbstverständlich radikal absolutisti- sche Theorien, am klarsten und eindringlichsten dargelegt in den Schriften Bossuets, des „Adlers von Meaux", der einer der pak- kendsten Kanzelredner und glänzendsten Historiker seiner Zeit war. In seiner „Politik nach den Lehren der Heiligen Schrift" er- klärt er, der König sei der Statthalter und das Bild Gottes auf Er- den, seine Majestät der Abglanz der göttlichen; der ganze Staat, der Wille des gesamten Volkes sei in ihm beschlossen, nur wer dem König diene, diene dem Staat. Dies war Bossuets tiefste Überzeugung und keine gefällige Hoftheologie und Hofpolitik. Und wenn wir beobachten, wie nicht nur die große Masse, son- dern auch die edelsten und kühnsten Geister der Zeit von densel- ben Gefühlen durchdrungen waren, so müssen wir zu der Ansicht gelangen, daß Ludwig der Vierzehnte kein größenwahnsinniger Autokrat war, sondern nur nahm, was die öffentliche Meinung ihm entgegenbrachte, ja aufdrängte. Er herrschte nicht bloß mit den Mitteln äußerer Gewalt, sondern als legitimer Mandatar des Zeitgeists. Er war wirklich, was bei Hobbes der Staat ist: ein „sterblicher Gott". Seine Gnade beseligte, seine Ungnade tötete. Nicht bloß der „große Vatel", der übrigens ein Genie unter den Köchen gewesen sein muß (Madame de Sévigné sagt, sein Kopf hätte hingereicht, alle Sorgen einer Staatsverwaltung in sich zu fassen), stürzte sich in sein Küchenmesser, als ein Festessen, das Condé dem König gab, nicht vollkommen geriet. Auch Colbert verfiel in ein todbringendes nervöses Fieber, weil ihm, als er gegen die allzu kostspieligen Versailler Bauten Einspruch erhob, der erzürnte König andeutete, es müßten Unterschleife vorgekommen sein. Vauban hatte eine sehr einsichtsvolle Schrift über Steuerreformen veröffentlicht, die aber das königliche Mißfallen erregte und daher beschlagnahmt und vernichtet wurde; elf Tage später war er eine Leiche. Und einen vierten, der in der *haute tragédie* ebenso groß war wie Vatel in der Kochkunst, Colbert im Finanzwesen und Vauban im Festungsbau, ereilte dasselbe Schicksal: Racine, der sich aus Zerstreutheit eine grobe Taktlosigkeit hatte zuschulden kommen lassen. Eines Abends unterhielt er sich bei Frau von Maintenon mit Ludwig dem Vierzehnten, der gern und häufig seinen Verkehr suchte, über die Pariser Theater. Der König fragte, woher es komme, daß die Komödie von ihrer einstigen Höhe so tief herabgesunken sei. Racine antwortete, der Hauptgrund liege nach seiner Ansicht darin, daß zu viele Stücke von Scarron gespielt würden. Bei dieser Äußerung errötete Madame de Maintenon, die einmal Madame Scarron gewesen war, es entstand ein peinliches Schweigen, der König brach die Unterredung ab und richtete seitdem nie wieder ein Wort an Racine, der darüber in Trübsinn verfiel und starb. Kurz: die Empfindungen, die man dem König entgegenbrachte, sind in nicht allzu übertriebener Weise in der Antwort ausgedrückt, die der Frau von Maintenon von ihrem Bruder gegeben wurde, als sie erklärte, das langweilige Leben an der Seite Ludwigs nicht mehr ertragen zu können: „Sie haben also die Aussicht, Gott Vater zu heiraten?"

Innere Verwaltung Ludwigs des Vierzehnten

Die äußeren Instrumente, durch die Ludwig der Vierzehnte seine allgegenwärtige Herrschaft ausübte und befestigte, waren Bürokratie, Polizei und stehendes Heer, drei Elemente, die das moderne Staatswesen in hervorragendem Maße charakterisieren und unter seiner Regierung zur höchsten Ausbildung gebracht worden sind. Über das ganze Land zog sich das Netz einer sorgfältig abgestuften und organisierten Beamtenhierarchie. Die Besteuerung wurde prompt und unerbittlich gehandhabt, als eine stets offene, aber schließlich doch versiegende Quelle für die ungeheuern Ausgaben des Staatshaushalts. Die Kopfsteuer, *la taille*, war sehr hoch und dabei ungerecht verteilt, da Adel und Geistlichkeit von ihr befreit waren; dazu kamen noch drückende indirekte Abgaben von einer Reihe der notwendigsten Gebrauchsartikel, vor allem die berüchtigte Salzsteuer, *la gabelle*. Ebenso verhaßt und gefürchtet waren die *lettres de cachet*, mittels deren der König jede beliebige Person ohne Prozeß auf unbestimmte Zeit internieren konnte.

Den selbstbewußten und selbstherrlichen Feudaladel verwandelte Ludwig der Vierzehnte in eine Hofaristokratie, die nur noch den Zweck hatte, den Glanz des Königtums zu erhöhen. Er gab zwar bei der Besetzung der öffentlichen Ämter und vor allem bei der Vergebung der höheren Offiziersstellen den Edelleuten den Vorzug, aber sie waren aus kleinen Souveränen Beamte der Krone geworden, die sich nur durch äußere Ehren und Abzeichen von gewöhnlichen Untertanen unterschieden. Übrigens zog der König auch zahlreiche Bürgerliche in seinen Dienst, wenn sie Talent und Unternehmungsgeist zeigten, und besetzte mit ihnen nicht selten die höchsten Posten, zumal in der Verwaltung, weshalb ihn der Herzog von Saint-Simon in seinen Memoiren „*le roi des commis*" nannte. So entstand eine neue sehr einflußreiche Kaste der *nouveaux riches*, die durch Länderkauf, nachträgliche Nobilitierung, glückliche Spekulationen und vornehme Heiratsverbindungen rasch emporkamen.

Seine größte Aufmerksamkeit richtete er auf das Heerwesen. Er war selber nicht das, was man einen „Militaristen" nennt, aber er erkannte in fortwährenden Kriegen, die der patriotischen Eitelkeit schmeichelten und zugleich den Betätigungsdrang nach außen ablenkten, das sicherste Mittel, sich bei einer so ruhmgierigen, unruhigen und herrschsüchtigen Nation wie der seinigen in dauerndem Ansehen zu erhalten: es ist das System, das seither alle französischen Regierungen angewendet haben, einerlei, ob sie bourbonisch, jakobinisch oder napoleonisch waren. Es gelang ihm denn auch binnen kurzem, seine Armee zur stärksten, geschultesten, bestausgerüsteten und bestgeführten Europas zu machen. Turenne,

Condé, Luxembourg und Catinat waren Meister der Strategie, denen niemand gleichkam. Vauban, der größte Kriegsingenieur des Jahrhunderts, umgab Frankreich mit einem bewundernswerten Festungsgürtel, brachte die Belagerungskunst auf eine bis dahin unerreichte Höhe und vervollkommnete das Artilleriewesen durch die Einführung der bombenwerfenden Mörser und des Rikoschettierschusses, des ersten Versuches indirekten Feuers. Sein Kriegsminister Louvois, der berüchtigte Verwüster der Pfalz, reformierte das gesamte Heerwesen. Er ersetzte die schwerfällige Luntenflinte durch das handliche Steinschloßgewehr und die Pike durch das Bajonett, eine sowohl für die Fernwirkung wie für den Nahkampf geeignete Waffe, und machte das Fußvolk wieder zur Haupttruppengattung, denn auch die Dragoner waren nur eine Art berittene Infanterie, die, mit Karabiner und Säbel ausgerüstet, zum Gefecht absaß, so daß das Pferd bei ihnen nur die Rolle eines Beförderungsmittels spielte, wie etwa bei den heutigen Truppenkörpern die Eisenbahn. Ferner war er der erste, der die allgemeine Uniformierung einführte, während bisher die Soldaten nach freier Wahl selber für ihre Kleidung gesorgt hatten. Auch in diesem Zuge zeigt sich der neue Geist der rationellen Ordnung, der alle Lebensgebiete ergreift. Das Militär wird zum erstenmal exakt. Der Soldat ist keine lebendige einmalige Individualität mehr, sondern eine gleichgültige Ziffer, für die das algebraische Symbol der Uniform eingesetzt wird; statt eines bestimmten Soldaten gibt es nur noch den Begriff Soldat, mit dem man nach Belieben zu operieren vermag, wie es in den Alleen von Versailles keine einzelnen Bäume mehr gibt, sondern nur noch eine Anzahl von identischen Proben der Gattung Baum, eine schnurgerade Reihe gleichförmig geschnittener, unter eine allgemeine Schablone subsumierter Exemplare.

Von demselben Einheitswahn war Ludwig der Vierzehnte auch in seiner Religionspolitik geleitet. Wenn er gegen die Jansenisten, denen die Literatur seines Zeitalters einen großen Teil ihres Glanzes verdankt, mit großer Strenge vorging, so tat er dies nur aus seinem Willen zur Uniformität und Korrektheit. Sein Widerstand gegen den Papst hatte dieselben Motive wie sein Einschreiten gegen die Häretiker. Er berief eine Kirchenversammlung nach Paris, die erklärte, Petrus und seine Nachfolger hätten von Gott nur Macht im Geistlichen, nicht im Weltlichen, und auch diese Macht sei beschränkt durch die höhere Autorität der allgemeinen Konzilien und durch die Vorschriften und Gebräuche der gallikanischen Kirche. Diese gallikanische Kirche ist eine französische Nationalkirche, die dem Papst keinerlei Einfluß auf die Besetzung der Pfründen einräumt und daher als politischer Körper von der englischen Hochkirche nicht allzuweit entfernt ist. Leider ließ sich der König in diesem Kampf gegen alle zentrifugalen Bestrebungen auch zur Aufhebung des Ediktes von Nantes bewegen, wodurch alle Hugenotten entrechtet und der gehässigsten Verfolgung preisgegeben wurden. Durch diesen ebenso unmenschlichen wie unklugen Akt hat er sich und seinem Lande den größten Schaden zugefügt und alle Billigdenkenden in Europa gegen sich aufgeregt: von hier datiert sein Abstieg. Während der zweiten Hälfte seiner Regierung beginnt seine Sonne immer deutlicher ihre häßlichen Flecken zu offenbaren, um alsbald langsam zu verbleichen und schließlich in grauer trauriger Dämmerung unterzugehen. Man hatte den Hugenotten zwar verboten, das Land zu verlassen, aber ein großer Bruchteil, etwa eine halbe Million, konnte trotz strengster Bestimmungen nicht an der Auswanderung verhindert werden. Dieser Verlust bedeutete für Frankreich weit mehr als eine Verminderung der Bevölkerungsziffer, denn die Hugenotten zählten zu den geschicktesten und fleißigsten Untertanen des Sonnenkönigs: die Brokat-, Seiden- und Samtweberei, die Herstellung feiner Hüte, Stiefel und Handschuhe, die Fabrikation von Borten, Bändern und Tapeten, die Uhrmacherei, die Spitzenklöppelei, die Tabakbereitung, die Kristallschleiferei lag fast ganz in ihren Händen. Sie entzogen nicht nur diese Industrien ihrem Vaterland, das sie erst sehr allmählich und nicht mehr mit derselben Vollkommenheit wiederherstellen konnte, sondern trugen sie auch ins Ausland, das sie dadurch konkurrenzfähiger machten. Sie wirkten dort auch mit großem Erfolg als Seeleute und Ingenieure und organisierten, wo sie konnten, vor allem in Holland, eine freie Presse, die die ganze Welt über den egoistischen und brutalen Charakter der bewunderten Regierung Ludwigs des Vierzehnten aufklärte und aufs nachteiligste gegen sie Stimmung machte.

Das tägliche Leben war demselben Prinzip unterworfen wie das religiöse und politische: es sollte alles „erhaben", großartig, pompös, effektvoll und zugleich „einfach", korrekt, geordnet, überschaubar sein. Unter Ludwig dem Vierzehnten wird die *place royale* mit ihren Nebenstraßen in vollkommenster geometrischer Regelmäßigkeit erbaut. Lenôtre ist der Schöpfer des französischen Gartenstils, der den Anlagen die Form mathematischer Figuren gibt und ihr Wachstum mit Zirkel und Lineal beaufsichtigt. Ebenso symmetrisch waren die „Wasserkünste" angelegt, zum Beispiel das *bassin de Latone* in Versailles, wo in regelmäßigen Abständen Frösche im Kreise sitzen, die genau die gleichen tadellosen Kurven spritzen. Denselben Geist atmet das Menuett, vielleicht der merkwürdigste Tanz, der jemals erfunden wurde, denn in ihm ist das Kunststück zuwege gebracht, lähmendste Gezwungenheit, Abgemessenheit und Marionettenhaftigkeit mit bezauberndster Anmut, Lebendigkeit und Leichtigkeit zu vermählen. Im Grunde war jedoch das ganze Salonleben jener Zeit ein Menuett. Es war genau vorgezeichnet, wie viel Schritte man machen müsse, bis man sich verbeugen dürfe, welche Linie diese Verbeugung zu beschreiben habe und wie tief sie in jedem einzelnen Falle sein solle. Es gibt in dieser Welt nichts, das nicht einem minutiösen und wohldurchdachten Reglement unterworfen, nichts, das dem Zufall überlassen wäre; das ganze Leben ist ein Reißbrett mit einem Millimeterquadratnetz, ein Schachbrett, auf dem bestimmte gleichartige Figuren ihre vorschriftsmäßigen Züge machen.

Dieser strengen Geistesetikette durfte sich auch der große König nicht entziehen, sie war die einzige Macht, die stärker war als er. Seine Tagesordnung war genau geregelt: jede Stunde hatte ihre bestimmte Beschäftigung, Kleidung und Gesellschaft. Der unumschränkte Herrscher ist im Grunde nicht mehr als eine große Puppe, die von gewissen hiezu ausgewählten Personen angekleidet, umgekleidet, gefüttert, spazierengefahren und zu Bett gebracht wird. Niemand darf ihm ein Taschentuch präsentieren als der Vorsteher der Taschentücherabteilung; die Prüfung seines Nachtstuhls ist

Sache einer eigenen Hofcharge; um ihm ein Glas Wasser zu überreichen, sind vier Personen nötig. Sein ganzes Leben ist ein lästiger
und langweiliger Empfang immer derselben Gesichter, die immer
dasselbe ausdrücken. Als man Friedrich dem Großen das französische Hofzeremoniell beschrieb, sagte er, wenn er König von
Frankreich wäre, so würde es seine erste Regierungshandlung sein,
einen Vizekönig zu ernennen, der für ihn Hof zu halten hätte.

Das Leben des Hofs ist ein ewig gleiches Repertoirestück, das
um acht Uhr morgens beginnt und um zehn Uhr abends endet,
um am nächsten Tage von vorne anzufangen, noch mehr: das Leben ganz Frankreichs ist eine solche Komödie. Es bedurfte einer
bewundernswerten Selbstbeherrschung und Selbstverleugnung,
um die heikle und aufreibende Rolle des Titelhelden dieser Komödie würdig durchzuführen, aber Ludwig der Vierzehnte hat diese
schwierige Aufgabe mit so souveräner Meisterschaft gelöst, daß man
nicht einmal die Mühe spürte; er hat Europa vierundfünfzig Jahre
lang ein großes Theater vorgespielt: ein sehr geschmackvolles, sehr
pompöses, sehr geistreiches Theater und ein sehr äußerliches, sehr
brutales, sehr verlogenes Theater.

Ludwig der Vierzehnte wollte imponieren, aber mit Grazie. Er
ließ sich mit Vorliebe als Imperator abbilden; Berninis prachtvolle
Reiterstatue zeigt vielleicht am besten, wie er sich aufgefaßt sehen
wollte. Sie stellt ihn auf einem ungezäumten Pferd dar, das im
Begriff ist, den Hügel des Ruhmes zu erklimmen. Der französische Bildhauer Girardon meißelte auf den Hügel marmorne
Flammen, die andeuten sollten, daß Ludwig der Vierzehnte sich
als ein neuer Curtius für sein Vaterland geopfert habe: eine schamlose Speichelleckerei, die das Werk auch künstlerisch ruiniert hat.
In seinen Manieren betonte der König jedoch niemals den Auto-
kraten. Er war immer taktvoll, immer beherrscht, auch bei
schlechter Laune liebenswürdig und zornig nur in der maßvollen
Rolle eines Jupiter tonans. Er war besonders gegen Damen von
der ritterlichsten Zuvorkommenheit und zog vor dem letzten
Küchenmädchen tief den Hut. Er verstand die Kunst, zu schenken,
ohne zu demütigen, und zu verweigern, ohne zu verletzen. Wie
weit sein Zartgefühl ging, zeigt sein Benehmen gegen Jakob den

Zweiten von England, der nach seiner Entthronung bei ihm Zuflucht gefunden hatte. Er behandelte ihn nicht nur als gleichgestellten Souverän, sondern gestattete ihm sogar, sich König von Frankreich zu nennen und die Lilien im Wappen zu führen, welche beiden Rechte die englischen Könige noch aus der Zeit herleiteten, wo sie Besitzer eines großen Teiles von Frankreich gewesen waren. Er warf seinen Stock aus dem Fenster, um nicht in die Versuchung zu geraten, den sehr hochmütigen Marschall Lauzun, der ihn beleidigt hatte, zu schlagen. Als ein höherer Offizier, der in einem Gefecht einen Arm verloren hatte, einmal zu ihm sagte: „ich wollte, ich hätte auch den zweiten verloren, dann brauchte ich Eurer Majestät nicht mehr zu dienen", erwiderte er bloß: „das würde mir sowohl Ihretwegen wie meinetwegen leid tun" und machte ihm ein bedeutendes Geschenk.

Er besaß eine vorzügliche Konstitution, die allein es ermöglicht hat, daß er so viele Jahre den Strapazen seiner Position gewachsen war. Sein Mittagessen bestand für gewöhnlich aus vier Tellern verschiedener Suppen, einem ganzen Fasan, einem Rebhuhn, einer großen Schüssel Salat, Hammelfleisch mit Knoblauch und Sauce, Schinken, einem Teller Backwerk, Früchten und Marmelade. Auf sexuellem Gebiet entwickelte er eine ebenso große Vitalität. „Dem König war alles recht, wenn es nur einen Unterrock anhatte", schrieb Liselotte. Sein Hofstaat umfaßte nicht nur die jeweilige erklärte Mätresse, die *maîtresse en titre*, sondern auch eine Anzahl *dames du lit royal*, die ebenfalls offiziellen Charakter trugen und in eine bestimmte Rangordnung eingereiht waren. Er hat überhaupt fast alle Frauen seiner Umgebung besessen und war der Vater einer Legion legitimer, halblegitimer und illegitimer Kinder: allein von der Königin, der Lavallière und der Montespan hatte er im ganzen sechzehn.

Äußere Politik Ludwigs des Vierzehnten   Die Politik Ludwigs des Vierzehnten hat sowohl bei seinen Zeitgenossen wie bei späteren Beurteilern großen Tadel erfahren: sie gilt als das Musterbeispiel der Rücksichtslosigkeit und Brutalität, Widerrechtlichkeit und Perfidie. Der Überfall auf Holland, der Raub Straßburgs, die *chambres de réunion*, die die Ansprüche Frankreichs auf deutsche Gebiete bis auf Pipin den Kleinen und König

Dagobert zurückverfolgten und unter diesem Rechtstitel zahlreiche Städte für den König einzogen, die Einäscherung Heidelbergs und Mannheims: dies und noch vieles andere hat die Entrüstung der Mitwelt und Nachwelt erregt. Indes: solange die Politik nichts anderes sein wird als die Kunst, seinen Gegner zu täuschen und zu überlisten, und die Frechheit, seine Macht so lange zu mißbrauchen, bis eine noch stärkere Macht Einhalt gebietet, wird es immer lächerlich bleiben, staatsmännische Handlungen vor ein juristisches oder gar ein ethisches Tribunal zu zitieren. Wir wollen daher mit den Untaten des Sonnenkönigs nicht allzusehr ins Gericht gehen, sondern in ihnen bloß den Ausdruck ihrer Zeit und der allgemein menschlichen Roheit und Verblendung erblicken.

Sein politisches Programm war nicht minder großartig als das Philipps des Zweiten und ist ebensowenig erfüllt worden. Er dachte zunächst daran, Belgien, Holland und die Herrschaft über die Nordsee zu gewinnen: ein ewiger Traum des französischen Volkes, bis in die Tage Napoleons des Dritten hinein, der aber nur einmal vorübergehend, unter Napoleon dem Ersten, verwirklicht worden ist; außerdem begehrte er Spanien mit allen seinen Dependenzen: Westindien, Mailand, Sardinien, Neapel, der Franche Comté, wozu noch zur Abrundung Savoyen kommen sollte. In Deutschland wollte er den ganzen Westen an sich reißen, teils durch unmittelbare Einverleibung, teils durch Errichtung abhängiger Fürstentümer; gegen die Habsburger mobilisierte er die Türken, mit denen er verbündet war: er wünschte ihnen die Eroberung Wiens und Österreichs, um im letzten Moment als rettender Vermittler zwischen dem bedrängten Deutschland und der Pforte erscheinen zu können und als Lohn dafür die Kaiserkrone zu empfangen. Dies alles zusammen hätte das Reich Charlemagnes wiedererstehen lassen, den die Franzosen bekanntlich ebenso für sich reklamieren wie die Deutschen. Aber die Zeit der Universalmonarchien war ebenso unwiederbringlich vorbei wie die Zeit der Universalkirchen: er erhielt am Schluß nur die Franche Comté, Teile des Elsaß und einige belgische Grenzfestungen.

Der letzte Abschnitt seiner Regierung ist durch einen dreizehnjährigen Weltkrieg ausgefüllt, den Spanischen Erbfolgekrieg, in dem fast ganz Europa Partei ergriff. Ludwigs Hauptgegner war Kaiser Leopold der Erste, ein echter Habsburger mit glanzlosem Blick und hängender Unterlippe, in dessen Naturell Schlamperei und Eigensinn keine sehr vorteilhafte Mischung eingegangen hatten: beide erhoben Anspruch auf den spanischen Thron, für den jeder einen Prätendenten aus seiner Familie aufgestellt hatte. Auf der Seite Frankreichs standen Bayern, Köln und Savoyen, das später zum Kaiser übertrat; mit diesem waren Portugal, Preußen, Hannover und vor allem Wilhelm von Oranien verbündet, der damals in Personalunion Holland und England regierte und sein ganzes Leben lang der gefährlichste und hartnäckigste Gegner des Sonnenkönigs gewesen ist. Die Hauptkriegsschauplätze waren Süddeutschland, die Niederlande, Italien und Spanien. In diesem Krieg war Ludwig von Anfang an unglücklich. An der Spitze der Gegenkoalition standen die beiden hervorragendsten Feldherren des Zeitalters, Marlborough und Prinz Eugen, die in fast allen Schlachten siegreich blieben; außerdem war Frankreich durch den jahrzehntelangen Steuerdruck, Mißwachs und Hungersnot vollkommen erschöpft. Der König entschloß sich zu Friedensverhandlungen, in denen er sich zu den größten Zugeständnissen bereit erklärte; er willigte in die Wiederherstellung des im Westfälischen Frieden festgesetzten Besitzstandes, die Herausgabe der niederländischen Grenzfestungen und die Verleihung der spanischen Krone an Karl, den zweiten Sohn Leopolds des Ersten. Aber die Alliierten waren beschränkt und übermütig genug, noch schärfere, unannehmbare Bedingungen zu stellen. Hätten sie damals Frieden geschlossen, so hätte Leopolds Sohn Karl, im Besitz der gesamten spanischen und österreichischen Länder und der deutschen Kaiserwürde Habsburg zur europäischen Weltmacht erhoben, da er kurz darauf als Karl der Sechste die Nachfolge seines Bruders antrat. Aber gerade diese Tatsache bewirkte einen vollkommenen Umschwung, denn eine solche Machtfülle in der Hand eines einzigen Herrschers war auch nicht in den Wünschen der mit Habsburg verbündeten Staaten. Dazu kam der Fall des Whigministeriums in England, der einen politischen Frontwechsel und die Abberufung Marlboroughs zur Folge hatte. Infolgedessen gelangte

Frankreich zu einem verhältnismäßig vorteilhaften Friedensschluß, worin die spanische Herrschaft in der Weise geteilt wurde,
daß der Enkel Ludwigs des Vierzehnten auf dem spanischen Thron
und in dem Besitz der Kolonien bestätigt wurde, Karl der Sechste
Belgien, Mailand, Neapel und Sardinien, England das hochwichtige Gibraltar und Savoyen Sizilien erhielt. Aber es war gleichwohl
eine tiefe Niederlage des französischen Hegemoniewillens und ein
unverkennbares Zeichen, daß die Zeit Ludwigs des Großen
vorüber war.

Schon während der ganzen zweiten Hälfte seiner Regierung begannen sich die übeln Wirkungen der egalisierenden Raison empfindlich bemerkbar zu machen. Unter der Sonne des Einheits-
regimes wird allmählich alles zur leeren Wüste und dürren Einöde
verbrannt. Der Hof, und durch ihn die Welt um ihn, wird fröm-
melnd, senil, moros und, was für französische Begriffe das Unver-
zeihlichste ist, langweilig. Der Goldglanz von Versailles wird
stumpf, der bunte Lack springt ab: man beginnt zu beten und zu
gähnen. Selbst das Volk fängt an, zu erkennen, daß alles nur die
trügerische Schaustellung einer aufgebauschten Talmigröße ist,
hinter der sich nichts als blinde Gier und Selbstsucht verbirgt. Als
der große König tot war, jubelten nicht bloß seine Feinde, sondern
auch seine Untertanen, die Mauern von Paris bedeckten sich mit
Pasquillen, die Menge verfolgte seinen Leichenzug mit Schimpf-
reden und Steinwürfen und in den Provinzen wurden Dankgottes-
dienste abgehalten. Aber schon ein Menschenalter früher mußte
Colbert unter militärischer Bedeckung beerdigt werden.

Und doch war Colbert einer der größten Organisatoren des Der Col-
Jahrhunderts, dessen einzige Schuld es war, daß er die Irrtümer bertismus
seiner Zeit auf grandiose Weise in die Realität übersetzt hat. Seine
rastlose Tätigkeit umfaßte alle Teile der Verwaltung: er reformierte
die Rechtspflege und das Steuerwesen, brachte die Handelsflotte
und die Kriegsmarine auf eine gebietende Höhe, gründete die
Akademie der Wissenschaften und die Bauakademie, errichtete
eine Sternwarte und einen botanischen Garten und schuf den
Canal du midi, der den Atlantischen Ozean mit dem Mittelmeer
verbindet. Seine bedeutendste Leistung aber war das von ihm ge-

schaffene Wirtschaftssystem, das unter dem Namen Merkantilismus das ganze Zeitalter beherrschte und dessen Prinzipien so sehr sein geistiges Eigentum waren, daß man es oft schlechthin als Colbertismus bezeichnet hat. Der Merkantilismus geht von dem Grundsatz aus, daß der Reichtum eines Landes in seinem Vorrat an Edelmetall bestehe und man daher bestrebt sein müsse, so viel wie möglich davon hereinzubekommen und so wenig wie möglich davon abzugeben: dies ist die Theorie von der aktiven Handelsbilanz. Rohstoffe sollen tunlichst im Lande bleiben, weil sie ein Kapital darstellen, Industrieprodukte dagegen tunlichst exportiert werden, weil man an ihnen verdient, das Eindringen fremder Industrieerzeugnisse aber soll verhindert oder doch möglichst erschwert werden: also hohe Ausfuhrzölle auf Rohmaterialien, hohe Einfuhrzölle auf Fertigfabrikate. In der Verfolgung dieser Prinzipien wurden die Kolonien zu bloßen Konsumenten herabgedrückt, man verbot ihnen den selbständigen Handel und jegliche Warenerzeugung und drängte ihnen im Austausch gegen ihre Rohstoffe, die sie nirgend andershin liefern durften, die eigenen Industrieprodukte auf. Im Mutterlande wurden umgekehrt die Manufakturen mit allen erdenklichen Mitteln unterstützt: durch Exportprämien, Monopole, Steuerbefreiungen, unverzinsliche Staatsdarlehen, unentgeltliche Bauplätze, Verleihung des Adels an rührige Unternehmer und ähnliche Begünstigungen. So entstanden in Frankreich unter staatlicher Fürsorge und Beaufsichtigung eine Reihe blühender Industrien, die halb Europa versorgten; die Hauptspezialitäten waren Seidenstoffe, Spitzen, Tapeten, Galanteriewaren und überhaupt Modeartikel aller Art: Ziermöbel, Kleider, Perücken, Parfüms. Man suchte auch fleißig bei anderen Nationen zu lernen und betrieb die Strumpfwirkerei nach englischem, die Blechwarenerzeugung nach deutschem, die Spiegelfabrikation nach venetianischem und die Tuchmacherei nach holländischem Muster. Das logische Korrelat zur möglichsten Abschließung nach außen war die Aufhebung der Binnenzölle, die Colbert zum großen Teil durchgesetzt hat und die allein genügt hätte, Frankreich einen wirtschaftlichen Vorsprung vor Deutschland zu verschaffen. Um den Gewerbefleiß möglichst rege zu erhalten, richtete er auch sein Augenmerk auf Erhöhung der Arbeitszeit, Bekämpfung der Arbeitslosigkeit durch polizeiliche Maßnahmen gegen Bettler und Vagabunden, Vermehrung der Bevölkerung durch Prämien für Kinderreiche und besondere Steuern für Unverehelichte und Versorgung des Landes mit geschickten Arbeitern, indem er deren Auswanderung verbot, deren Einwanderung begünstigte. Der Merkantilismus gelangte, indem er das System der staatlichen Bevormundung immer starrer und einseitiger ausbaute, später zu den absonderlichsten Praktiken: er organisierte den Schmuggel, um mehr Waren ins Ausland abzusetzen, versuchte die Löhne künstlich niedrig zu halten und wurde überhaupt zu einer lästigen und nicht selten lächerlichen Tyrannei. Friedrich Wilhelm der Erste verbot die Holzschuhe, um die Ledermanufaktur zu heben, Friedrich der Große bestellte eigene „Kaffeeriecher", die überall herumschnüffeln mußten, ob sich jemand gegen das Staatsmonopol des Kaffeebrennens vergehe, und unter Friedrich dem Ersten gab es sogar ein Schweineborstenmonopol, wonach jeder Besitzer von Schweinen verpflichtet war, deren Haare alljährlich um Johanni an die Behörde abzuliefern.

Schon John Locke hat sich gegen diesen Wohlfahrtsstaat gewendet, weil er die Freiheit des Individuums beeinträchtige, während doch die Menschen den Staatsvertrag nur zur Sicherung ihrer von Natur aus unzerstörbaren Rechte auf Freiheit geschlossen hätten. Man muß allerdings bedenken, daß damals alle Staaten Europas noch vorwiegend Agrarländer waren, fast den ganzen Getreidebedarf selber deckten und die wichtigsten Verarbeitungsstoffe wie Wolle, Seide, Flachs in genügender Menge im eigenen Lande hervorbrachten und daß Colbert sich, wie er selbst sagte, seine Maßnahmen nur als Krücken dachte, an denen man lernen solle, so bald wie möglich die eigenen Füße zu gebrauchen. Aber die Krücken blieben nicht einmal Krücken, sondern wurden zu unerträglichen Stelzen, und das Endresultat des Colbertismus war nach einer anfänglichen kurzen Scheinblüte Verschuldung und Elend. Die „aktive Handelsbilanz" bot eine große theoretische Befriedigung; aber die Masse hungerte dabei. Der Staat Ludwigs des Vierzehnten war buchstäblich zum Leviathan geworden; die

Kriege dienten, selbst wenn sie siegreich waren, nicht dem Volks-wohl und der großzügige Export bereicherte nur eine kleine Ober-schicht. Die deduktive Methode, die es unternimmt, aus einigen wenigen Axiomen ein Weltsystem aufzubauen und mit einer ab-strakten Formel die Wirklichkeit zu vergewaltigen, hat auch auf dem Gebiet der Wirtschaft ihren Glanz und ihre Ohnmacht enthüllt.

Dramati-
sche Kri-
stallogra-
phie

Es ist aber ein wirklicher Ruhm Ludwigs des Vierzehnten, daß er sich nicht damit begnügt hat, Kriege zu führen und Hof zu halten, sondern auch den höheren Ehrgeiz hatte, seine Regierungs-zeit zu einer goldenen Ära der Kunst zu machen. Man hat ihn daher gerne mit Augustus verglichen, was in gewisser Beziehung zutreffend, aber lange nicht so schmeichelhaft war, wie seine Zeit-genossen glaubten. Denn was unter ihm entstand, war in der Tat nicht mehr als eine prunkvoll arrangierte und geschmackvoll ver-goldete Hofkunst und raffinierte Artistik, in der die Etikette die Phantasie erwürgt. Ihr großer Zeremonienmeister war Nicolas Boileau, der *législateur du goût*, der ebenso diktatorisch festsetzte, was und wie man zu dichten habe, wie die Académie française den Umfang und Gebrauch des Wortschatzes bestimmt hatte. Den Ausgangspunkt seiner Ästhetik bildet wiederum die cartesianische *clara et distincta perceptio*. Was nicht klar und deutlich ist, ist auch nicht schön, die erhellende und ordnende Vernunft ist auch die Gesetzgeberin der Poesie: „*tout doit tendre au bon sens*". Die Kunst hat bei Boileau dasselbe Ziel wie die Philosophie bei Descartes: *la vérité*. Der oberste Leitsatz seiner Poetik lautet: „*rien n'est beau que le vrai*." Auch Nicole, ein namhaftes Mitglied des Port-Royal, bezeichnet als die drei künstlerischen Grundprinzipien *ratio, natura, veritas*. Dies klingt ganz naturalistisch und war doch das völlige Gegenteil davon. Wir stoßen hier wieder einmal auf die Erkennt-nis, wie problematisch der Begriff des Naturalismus ist. Die Künst-ler des Grand Siècle erblickten in ihren Schöpfungen einen Sieg der Natur, während diese doch eine ebenso sublime wie absurde Vergewaltigung der Natur darstellten. Das Rätsel löst sich aber sehr leicht, wenn wir uns daran erinnern, daß sie eben Cartesianer waren. Sie setzten Natur gleich Vernunft. Diese Prämisse eingeräumt, waren ihre Werke wirklich die natürlichsten, die man bisher erblickt hatte, denn sie waren die vernünftigsten. Unter Wahrheit verstanden sie nicht Übereinstimmung mit der Erfahrung, sondern Übereinstimmung mit der Logik. Diese gibt die Gesetze des Lebens, des Schauens, des Gestaltens: wer sie befolgt, handelt „natürlich".

Aus dieser Geisteshaltung ergibt sich das Ideal des *grand facile*, des großartig Einfachen, wie Fénelon es aufgestellt hat, der „Schwan von Cambrai" und Verfasser der „aventures de Télémaque", die bezeichnenderweise für das größte Epos der Zeit, ja der Welt galten, obgleich sie ein ausgesprochenes Lehrgedicht sind, geschrieben zur Unterweisung des Herzogs von Burgund in den Pflichten und Aufgaben eines Herrschers. Aus der Forderung der leichten Überschaubarkeit flossen auch ganz von selber die irrtümlich aus Aristoteles hergeleiteten drei Einheiten. Hier bildet gewissermaßen die Einheit des Orts die Ordinate, die Einheit der Zeit die Abszisse und die Einheit der Handlung eine ideale Kurve. Ferner müssen, da überall die Raison herrscht, auch die Leidenschaften gemäßigt und zivilisiert, überhaupt alle Äußerungen einer ungebundenen elementaren Vitalität vermieden und auch die extremsten Situationen mit Verstand und Anstand bewältigt werden: noch im Sterben wissen die Helden der Tragödie, was sie sich, dem Hof und Descartes schuldig sind. Die Vorgänge entwickeln sich nicht in wilden Eruptionen und plötzlichen Sprüngen wie bei Shakespeare, der ein Barbar ist, sondern wie die Glieder eines Kettenschlusses oder die Kolonnen einer Gleichung. Diese Dichter sind in ihrer Darstellung vorzügliche Kristallographen, niemals Mineralogen. Wir erfahren sehr erschöpfend und anschaulich, genau und übersichtlich die allgemeine Formensprache der Dinge, aber nichts über ihren Härtegrad, ihre Farbe, ihren Glanz, ihre Dichtigkeit, ihr Vorkommen, ihre Abweichungen vom Modell, kurz: über ihre Individualität.

„*Le grand Corneille*" ist noch der Dichter der Fronde: heldisch, kühn, bisweilen fast heiß, aber dabei doch schon Akademiker, Raisonneur. Seine Ethik ist ein erhabener Stoizismus, der im Sieg des Menschen über sich selbst und in der Aufopferung des Indi-

Der Hofnarr des Zeitgeists

viduums für eine Idee, die meistens das Staatswohl ist, seine höchste Befriedigung findet. In seiner Abhandlung über die Passionen bezeichnet Descartes als die höchste Tugend, „gleichsam den Schlüssel aller Tugenden und das Hauptmittel gegen den Taumel der Leidenschaften" die großherzige Gesinnung, *la magnanimité* oder *générosité*: diese ist auch der eigentliche Held in den Trauerspielen Corneilles. Wollte man die drei großen Dramatiker jenes Zeitalters mit den drei großen griechischen Tragikern vergleichen, wobei natürlich nicht die dichterische Qualität, sondern nur das gegenseitige Verhältnis in Parallele gestellt werden soll, so würde dem in mancher Beziehung noch archaischen Corneille Aischylos entsprechen, dem weiblicheren und differenzierteren Racine Sophokles, dem problematischen und seelenkundigen Molière aber Euripides, der fast ebenfalls ein Komödiendichter war und einen ebenso zähen und vergeblichen Kampf gegen die ihm aufgezwungene Theaterform geführt hat. Denn die demokratischen und skeptischen Griechen um Perikles waren in Fragen der äußeren Form ebenso unerbittlich konservativ wie die aristokratischen und dogmatischen Franzosen um Ludwig den Vierzehnten. Euripides, der reiche müde Erbe einer Kultur, die in Lebensweisheit, Ausdruckstechnik, Kunst des Sehens und Hörens nahezu bis an die letzten Grenzen gelangt war, sah sich genötigt, seine psychologischen Differentialkalküle mit äußeren Mitteln zur Darstellung zu bringen, die für einen Indianertanz oder einen Dorfzirkus gerade noch fein genug gewesen wären; und Molières zappelnde Lebendigkeit, misanthropische Zerrissenheit und opalisierende Laune wurde in einen langweiligen vergoldeten Salon gesperrt, unter Menschen, deren höchster Ehrgeiz es war, das Aussehen und Gefühlsleben einer Drahtpuppe zu erlangen. Darum ist Molière, obgleich scheinbar der Lustigmacher unter den Dreien, in Wahrheit die tragische Figur unter ihnen. Daß er auch der größte war, hatten schon einige seiner urteilsfähigsten Zeitgenossen erkannt. Als Boileau von Ludwig dem Vierzehnten gefragt wurde, wer der wertvollste Dichter des Zeitalters sei, antwortete er: „Majestät, das ist Monsieur Molière". „Das hätte ich nicht gedacht", erwiderte der König, „aber Sie müssen es ja besser wissen."

Strindberg sagt im Nachwort zu „Fräulein Julie": „Die Lust, die Menschen einfach zu sehen, ist noch bei dem großen Molière vorhanden. Harpagon ist nur geizig, obwohl Harpagon nicht bloß ein Geizkragen, sondern auch ein ausgezeichneter Finanzier hätte sein können, ein prächtiger Vater, ein gutes Gemeindemitglied." Wiewohl diese Kritik im Prinzip vollkommen recht hat, tut sie Molière dennoch unrecht, indem sie übersieht, daß dieser gar nichts anderes geben durfte als die Gleichungen des Geizigen, des Hypochonders, des Heuchlers, des Parvenus, der frechen Kammerzofe, des treuen Liebhabers. Er mußte mit Schablonen malen, weil es die Kundschaft so wünschte, und es ist doppelt bewundernswert, daß er mit dieser groben und geistlosen Technik so abwechslungsreiche und pikante, originelle und lebensprühende Muster zustande brachte. Er mußte seine chaotische Zwiespältigkeit und Unruhe in Gestalten ausleben, die uns heute in ihrer künstlichen Primitivität gespenstisch anmuten, denn er war der Hanswurst eines großen Herrn, eines noch mächtigeren, selbstherrlicheren und eigensinnigeren, als es selbst Ludwig der Vierzehnte war; er war der Hofnarr des Zeitgeists! Er war aber doch noch etwas mehr: nämlich ein moralischer Gesetzgeber, wenn auch nur versteckt und sozusagen anonym. Dies ist im Grunde die Mission jedes genialen Komödiendichters: sie ist von Shakespeare so gut erfüllt worden wie von Shaw, von Ibsen so gut wie von Nestroy; sie alle waren heimliche Lehrer der Sittlichkeit und Sitte.

Auch die Maler waren von cartesianischen Prinzipien erfüllt, Poussin sogar so sehr, daß er selbst seinen Zeitgenossen zu streng erschien. Es ist charakteristisch für ihn, daß er sich an den antiken Reliefs zum Zeichner gebildet hat. Seine Figuren haben nur typische Gesichter, sie sind bloße Gattungsexemplare wie die Pflanzen in einem Herbarium, man hat, im Gegensatz zu so vielen Gestalten der Renaissancekunst, bei keiner von ihnen den Eindruck persönlicher Bekanntschaft. Poussin war ein gelehrter Maler, ein genauer Kenner des Altertums; er hat das große Verdienst, die Landschaft ins Bild gebracht zu haben, aber er tat es als Archäologe: was er malt, ist immer eine antike Gegend. Während auf der Bühne die toten Römer in Reifrock und Perücke auftreten, trägt auf der

Malerei und Dekoration

519

Leinwand die lebende Natur Toga und Kothurn: beides Äußerungen eines modischen Klassizismus, nur mit entgegengesetzten Vorzeichen.

Alles ist bei Poussin mathematisch gesehen: die Bäume mit ihren wunderbar feinen, aber geometrischen Silhouetten, die Felsen mit ihren prachtvoll klaren und harmonischen, aber wie nach Kristallsystemen gebildeten Kanten und Flächen, die kreisrunden Seen, die scharf gewinkelten Bergzüge, die ebenmäßigen Wolken und die Linien des menschlichen Körpers, die in ihrer systematischen Anordnung ein kunstvolles Ornament bilden. Aber bei alledem war er merkwürdigerweise doch ein gewaltiger Meister der Stimmung: ein echter Barockmaler und der stärkste Wegbereiter der subtilen Kunst Claude Lorrains, des Virtuosen der Lichtbehandlung und des Vordergrunds. Bei diesem ist die Natur wirkliche Natur, aber er malt sie nur in ihren domestizierten, wohlerzogenen, salonfähigen Momenten. Sie ist niemals wild und ungebärdig, vergißt sich nie so weit, überlebensgroß zu werden, zu kochen oder zu brüllen. Es ist jener Grad von „Natur", der mit der Raison und der Hofsitte noch vereinbar ist. Rigaud hinwiederum ist gleichsam der Hofmeister und Obergarderobier des Zeitalters. Er malt die Menschen in der „richtigen" Art des Gesichtsausdrucks und der Körperhaltung, der Haartracht und Bekleidung. So haben sie zu stehen, zu lehnen, zu sitzen, die Hand auszustrecken, den Degen zu halten, den Mantel zu raffen: effektvoll und maßvoll, mit Majestät und Selbstzucht, Selbstherrscher im doppelten Sinne des Wortes, jeder ein kleiner Louis Quatorze.

Die Palastbauten tragen eine ganz ähnliche Physiognomie. Sie wirken nach außen nur imposant und distanzierend, die Königspose markierend und machen in ihrer hochmütigen Einfachheit einen fast dürftigen Eindruck. Die Fassade ist schmucklos gehalten, weil sie sich dem gemeinen Volke zeigt; die Innenräume aber waren von verschwenderischer Pracht. Die Fußböden waren kunstvoll parkettiert, die Plafonds mit erlesenen Malereien bedeckt, von den Wänden strahlte kostbarer farbiger Marmor, reichster Stuck, Samt und Brokat, Silber und Bronze und vor allem Gold, das Symbol der Sonne. Mächtige Spiegel vervielfachten den Glanz.

André Charles Boulle, *ébéniste du roi*, füllte die Säle mit Konsoltischen, *guéridons* für Armleuchter und Ebenholzmöbeln, die mit „Marketeriearbeiten": Einlagen aus Metall, Schildpatt, Perlmutter und Elfenbein geschmückt waren. Die „Manufacture royale des meubles de la couronne" in Paris entwickelte sich unter der Leitung des Hofmalers Lebrun zu einer Musterfabrik für Kunsttischlerwaren. 1680 erfand Jacquin ein Verfahren zur Erzeugung künstlicher Perlen, die nun weiteste Verwendung fanden. Den ausgedehnten Parkanlagen wurde durch marmorne Hermen, Tritonen, Najaden, Atlanten, Weltkugeln ein stolzes Aussehen verliehen, brausende Kaskaden stürzten über breite Steintreppen, die Bäume und Hecken erhielten die Form von Vasen, Prismen, Pyramiden, Tiersilhouetten und bildeten manchmal förmliche Zimmer. Es ist übrigens nicht uninteressant, daß schon damals die *ascenseurs* erfunden waren, die ungefähr unseren heutigen Lifts entsprachen, aber nur in den großen Palais benutzt wurden. Hier zeigt sich ein einschneidender Unterschied zwischen der damaligen und der heutigen Kultur: sie war im innersten unsozial, niemand wäre auf den Gedanken gekommen, daß eine neue praktische Erfindung zu etwas anderem dienen könne als zur Bequemlichkeit einer höchsten Oberschicht.

Die Musik stellte sich vorwiegend in den Dienst des Theaters. Jean Baptiste Lully, ein Florentiner, der eigentlich Lulli hieß, ist der Schöpfer der *tragédie lyrique*, der Großen Oper; sein Textdichter war Philippe Quinault, der in seiner Verskunst über die großen Tragiker gestellt wurde. Lully verstand es, die Oper förmlich für sich zu monopolisieren, indem er einen königlichen Erlaß erwirkte, der allen Theatern außer dem seinigen verbot, mehr als zwei Sänger und sechs Streichinstrumente zu halten, und war nicht bloß Komponist, sondern auch Intendant, Dirigent, Vortragsmeister und Regisseur und überhaupt ein von seiner Kunst Besessener, der sogar an seiner Theaterleidenschaft starb, indem er bei einer Aufführung mit dem Rohrstock so wütend den Takt stampfte, daß er sich eine tödliche Verletzung am Fuß zuzog. Er brachte den Chor, der zu einer bloßen Staffage herabgesunken war, wieder zu voller Geltung und verlieh dem rhythmischen

Lully

Element den Primat vor dem melodischen; die Musik will bei ihm nur die Wirkung des Worts verstärken und gefühlsmäßig bereichern und vertiefen. Seine Kunst ist Deklamation und Rhetorik in schönster und korrektester Form, das vollkommenste Gegenstück zu Corneille und Racine, mit denen sie in bewußte und erfolgreiche Konkurrenz tritt, und arbeitet im Grund rein rezitatorisch, ohne Koloraturen, ohne eigentliche Arien, dagegen mit großartiger Ausstattung durch Szenerie, Ballette, Aufzüge, vielstimmige Frauen- und Männerchöre, auch hinter der Szene, musikalische Schilderung von Seestürmen, Schlachten, Gewittern, Erdbeben, Vulkanausbrüchen, Höllenschrecken. Ist schon die *tragédie classique* eine Art Musik, ganz vom Rhythmus durchströmt, getragen und geknechtet, so zeigt sich hier der Stilwille des Zeitalters auf seinem Gipfelpunkt: alles ist erfüllt von strenger Ordnung und Klarheit, Klangfülle und Klangreinheit, lichtvoller, angenehm fallender Kadenz. Der Musik mußte es naturgemäß am vollkommensten gelingen, sich ganz zu mathematisieren, mit dem cartesianischen Geiste der Symmetrie zu erfüllen.

La Roche-
foucauld

Wenn man das Zeitalter Ludwigs des Vierzehnten nur nach seinen Opern und Trauerspielen, Bauten und Gemälden, Abhandlungen und Predigten beurteilen wollte, so müßte man zu der Ansicht gelangen, daß damals eine Menschheit von grandiosen, aber langweiligen, überlebensgroßen, aber seelenlosen Heroen über die Erde geschritten sei. Wie sie wirklich waren, erfährt man nur aus der Kunst und Literatur zweiter Garnitur: aus Karikaturen, Flugschriften und Satiren, Memoiren, Anekdoten und Aphorismen. Dies war nur eine natürliche Folge der damals herrschenden Weltanschauung. Da die ausschließliche Tätigkeit der menschlichen Seele nach Descartes im Denken besteht, ihr wahres Leben sich aber gerade in jenen Regungen zeigt, die entweder mit der reinen Verstandestätigkeit gar nichts zu tun haben oder zu ihr im Widerspruch stehen, so vermochte dieses Zeitalter in seinen großen repräsentativen Schöpfungen keine Psychologie zu entwickeln: sie war sozusagen offiziell verboten und konnte höchstens als Konterbande eingeschmuggelt werden, unter der harmlosen Emballage der losen Gelegenheitsbetrachtung und unverbindlichen Privat-

liebhaberei. Sie wurde zum Wirkungsfeld einiger bewundernswerter Dilettanten, deren Werke bis zum heutigen Tage lebendig
geblieben sind: jedermann kennt die Portäts La Bruyères, die Erinnerungen des Herzogs von Saint-Simon, die Briefe der Madame
de Sévigné. Wir wollen aus der Fülle dieser Äußerungen echten
Lebens nur eine einzige herausgreifen, die für alle spricht: die
„Maximen" des Herzogs von La Rochefoucauld.

La Rochefoucauld ist der erste wirkliche Aphoristiker der Neuzeit. Seine kurzen Sätze sind komprimierte moralische und psychologische Abhandlungen. Der *ésprit géometrique* lebt auch in ihnen:
in ihren messerscharfen Antithesen, ihrer kristallographischen
Schreibweise. Daneben aber ist er Weltmann, Salonmensch schon
in seinem Stil; seine Aperçus sind nicht bloß geistreich, sondern
auch angenehm, anmutig, elegant wie wohlriechende Tropfen
eines erlesenen Parfüms: sie sind der starke Extrakt aus dem Duft,
den viele tausend kleine Lebenserfahrungen hinterlassen haben.
Sein philosophisches System ist sehr einfach. Wie die Psychoanalyse alles sexuell erklärt, so führt er alle menschlichen Handlungen auf einen einzigen Grundtrieb zurück: die Eitelkeit oder
Eigenliebe, *l'orgueil, la vanité, l'amour-propre*: „so viele Entdeckungen man auch im Reich der Eigenliebe gemacht hat, es bleiben
darin noch viele unbekannte Länder"; „die Selbstsucht spricht
alle Sprachen und spielt alle Rollen, selbst die der Selbstlosigkeit";
„auch die Tugend käme nicht so weit, wenn ihr nicht die Eitelkeit Gesellschaft leistete". Indem er nun überall nach dem geheimen Bodensatz von Eitelkeit forscht, gelingt es ihm, sie in ihren
letzten Schlupfwinkeln aufzustöbern und in ihren zartesten Nüancen festzuhalten: „man redet immer noch lieber Böses von sich
als gar nichts"; „Lob ablehnen heißt: zweimal gelobt werden
wollen"; „wir verzeihen oft denen, die uns langweilen, aber niemals denen, die wir langweilen"; „ob die Philosophen dem Leben
mit Liebe oder mit Gleichgültigkeit gegenüberstanden: es war
beides nichts als eine Geschmacksrichtung ihrer Eitelkeit". Auch
die Tugend ist nur eine Form des Lasters: „die Tugenden verlieren
sich in der Selbstsucht wie die Flüsse im Meer"; „wir werden oft
nur deshalb verhindert, uns einem einzelnen Laster hinzugeben,

weil wir deren mehrere haben"; „wenn die Laster uns verlassen, so schmeicheln wir uns mit dem Glauben, daß wir sie verlassen"; „alte Leute geben gute Lehren, um sich darüber zu trösten, daß sie nicht mehr imstande sind, schlechte Beispiele zu geben"; „die Laster sind eine Ingredienz der Tugenden wie die Gifte eine Ingredienz der Heilmittel, die Klugheit mischt und mildert sie und verwendet sie mit Nutzen gegen die Übel des Lebens." „Beurteilt man die Liebe nach der Mehrzahl ihrer Wirkungen, so ähnelt sie mehr dem Haß als der Freundschaft", denn „mit der wahren Liebe ist es wie mit den Geistererscheinungen: alle Welt spricht von ihnen, aber die wenigsten haben sie gesehen". Gleichwohl ist La Rochefoucauld kein Zyniker, sondern ein Skeptiker voll geheimer Herzensregungen, der überzeugt ist, daß der Esprit nicht lange die Rolle des Gemüts spielen kann und die wahre *politesse de l'esprit* darauf beruht, „Nobles und Zartes zu denken", daß List und Verrat nur aus Mangel an Gewandtheit entspringen und das sicherste Mittel, betrogen zu werden, darin besteht, sich für gerissener zu halten als die anderen. Eine große Anzahl seiner Bonmots atmet die höchste Delikatesse, zum Beispiel: „es ist eine größere Schande, seinen Freunden zu mißtrauen als von ihnen betrogen zu werden"; „zu große Hast, eine Schuld abzutragen, ist eine Art Undankbarkeit"; „wir trösten uns leicht über das Unglück unserer Freunde, wenn es uns Gelegenheit gibt, ihnen unsere Liebe zu zeigen". In dieser Mischung aus Frivolität und Edelmut, schroffstem Materialismus und empfindlichstem Takt ist er die feinste Blüte der gesamten Geistesflora, die um Ludwig den Vierzehnten aufschoß; in dem Ausspruch „Lächerlichkeit schändet mehr als Schande" spiegelt sich die ganze Welt von Versailles mit ihren Lichtern und Schatten, und einmal hat er die Summe dieser Kultur gezogen, als er sagte: „In jedem Stande nimmt jeder eine bestimmte Miene und Haltung an, um das zu scheinen, wofür er angesehen werden will. Also kann man sagen, daß die Welt aus lauter Mienen besteht." In der Tat: in dieser Menschheit suchen wir vergeblich nach Gesichtern und Gebärden; überall stoßen wir nur auf Mienen und Gesten.

Die Allonge

Das Kostüm des Zeitalters bringt dies deutlich zum Ausdruck. Es ist eine ausschließliche Salontracht, auf dauernde Repräsentation,

Parade und Pose berechnet. Das Wams verschwindet unter dem *justaucorps*, einem reichgestickten Galarock mit weiten Ärmeln, langen Aufschlägen und riesigen Knöpfen, der bis zum Knie reicht; das Damenkleid ist die große Robe mit der Schnürbrust, der Schleppe, deren Länge, je nach dem Range, zwei bis dreizehn Meter betrug, und dem *cul de Paris*, der durch Auspolsterung eine abnorme Entwicklung des Gesäßes vortäuscht; der Stiefel weicht dem Schnallenschuh, der Handschuh aus feinem weißen Leder wird für beide Geschlechter unerläßlich. Das Hauptstück der äußeren Erscheinung aber bildete die Allonge oder große Staatsperücke, die um 1625 aufkam und um 1655 bereits allgemein war; sie machte, wie der Kanzler Herr von Ludwig sagte, „den Menschen dem Löwen gleich", und ihre bevorzugte Farbe war daher hellbraun oder blond. Ungefähr um dieselbe Zeit verschwand auch die letzte Andeutung des Bartes, die „Fliege", und alle Welt ging rasiert. Das weibliche Gegenstück zur Allonge ist die Fontange, ein aus Spitzen, Bändern, Krausen und falschen Haaren getürmter Kopfschmuck, der sich nicht selten bis zu einer Höhe von anderthalb Metern erhob.

Die landläufige Ansicht geht dahin, daß die *perruque* durch die Kahlköpfigkeit Ludwigs des Dreizehnten entstanden sei, die Damen, die auch nicht zurückstehen wollten, zur Fontange griffen und ganz Europa dies dann aus „Lakaienhaftigkeit" nachgeahmt habe. Es gibt nun wohl kaum etwas Platteres und Falscheres als diese Auffassung. Zunächst hat, wie wir gehört haben, zu jener Zeit noch nicht die französische Mode Europa beherrscht, sondern die holländische, und zumal eine Nullität wie Ludwig der Dreizehnte wäre zuallerletzt imstande gewesen, seinem Zeitalter eine Tracht zu diktieren. Die kulturelle Hegemonie Frankreichs beginnt erst mit Ludwig dem Vierzehnten, und gerade dieser hat sich gegen die Perücke jahrzehntelang gesträubt, da er selbst sehr schönes langes Haar besaß, und sie erst im Jahr 1673 aufgesetzt. Überhaupt ist kein Monarch imstande, eine Mode zu schaffen; er kann es nur versuchen und sich damit lächerlich machen. Die Barttracht „es ist erreicht" und der österreichische „Kaiserbart" haben ihre Träger nur stigmatisiert: als Weinreisende und Mitglieder von

Veteranenvereinen. Der um nichts schönere „Kaiser-Friedrich-Bart" hingegen hat nicht degradiert, weil er damals wirklich die vom Zeitgeist geforderte Mode war. Ferner muß man im Auge behalten, daß die Perücke keinen Augenblick den Zweck hatte, den Mangel eigenen Haares zu verdecken, wie die heutigen „Toupets", sondern von allem Anfang an als Kleidungsstück gedacht war, als Zierde und Vervollkommnung der äußeren Erscheinung wie Federhut oder Schärpe. Und schließlich und vor allem ist es eine Albernheit, ein Weltereignis wie die Perücke von der Glatze eines einzelnen Zeitgenossen herleiten zu wollen.

Die Perücke ist das tiefste Symbol der Menschheit des siebzehnten Jahrhunderts. Sie steigert und isoliert: wir werden später sehen, daß dies die beiden Grundtendenzen des Zeitalters waren. Und sie stilisiert: gerade durch ihre Unnatürlichkeit. Sie war übrigens keine Novität in der Geschichte. Schon die vorderasiatischen Völker kannten sie und vor allem die Ägypter, deren Kultur ebenfalls von höchstem Stilgefühl getragen war; sie bedienten sich sogar künstlicher Bärte. Derselbe Geist der Abstraktion, der ihre Pyramiden und Sphinxe schuf, hat ihnen die ornamental geflochtenen Haargebäude und die viereckig geschnittenen Umhängebärte aufgezwungen. Das flache neunzehnte Jahrhundert hielt die ägyptische Kunst für „primitiv"; jetzt beginnen wir langsam einzusehen, daß neben der unfaßbaren Größe und Tiefe dieser Schöpfungen die gesamte abendländische Kunst primitiv erscheinen muß. Und auf demselben Wege müssen wir zu der Erkenntnis gelangen, daß auch die Sitten dieses Volkes nichts weniger als „barbarisch" und „kindisch" waren, sondern der Niederschlag eines Weltgefühls, das dem unsrigen zwar fremd ist, aber gleichwohl überlegen gewesen sein könnte. Zweifellos ist sowohl die ägyptische wie die cartesianische Perücke „paradox"; aber jedes Kostüm ist paradox, weil es der bis zur Karikatur gesteigerte Ausdruck des Idealbilds ist, das sich die Menschheit in jedem einzelnen Zeitalter von ihrer physischen Erscheinung macht. Und paradox ist überhaupt jede Kultur, denn sie ist der Gegensatz der „Natur", auch wenn sie, wie dies sehr oft, ja zumeist geschieht, mit ihr übereinzustimmen glaubt. Alle Kulturschöpfungen, von den Visionen des Künstlers und den Hirngespinsten des Philosophen bis zu den alltäglichen Formen des menschlichen Verkehrs, sind paradox oder, mit einem anderen Worte, „unpraktisch". Eine Lebensordnung, in der alles Überflüssige und Zwecklose, alles Widernatürliche und Unlogische ausgeschaltet wäre, wäre nicht mehr Kultur, sondern „reine Zivilisation". Aber eine solche reine Zivilisation ist eine fast unvorstellbare Monstrosität, sie ist in der ganzen uns bekannten Geschichte der Menschheit niemals erblickt worden und es besteht die bestimmte Hoffnung, daß sie auch in der Zukunft niemals in die Welt treten wird.

Das „Charaktergetränk" der Hochbarocke ist der Kaffee, der von den Arabern und Türken, die ihn schon lange kannten, um die Mitte des Jahrhunderts eingebürgert wurde. Das erste europäische Kaffeehaus war das Virginia Coffee-House, das 1652 in London eröffnet wurde und allmählich überall Nachahmung fand. In London entstand auch zuerst die Sitte, daß alle Parteien, Klassen und Berufe ihre bestimmten Kaffeehäuser hatten: es gab papistische, puritanische, whiggistische, royalistische Kaffeehäuser, Kaffeehäuser für Stutzer, für Ärzte, für Dirnen, für Handwerker. Wills berühmtes Kaffeehaus war das Literatencafé, in dem Dryden Cercle zu halten pflegte: ein Dichter, dessen Verse er dort gelobt hatte, war für die nächste Saison gemacht. Erst zwei Jahrzehnte später entstanden die ersten Kaffeehäuser in Frankreich, die ersten deutschen sogar erst zu Anfang der Achtzigerjahre, aber sie fanden dann überall sofort den größten Zulauf; besonders renommiert war zum Beispiel das erste Wiener Kaffeehaus, das der serbische Kundschafter Kolschitzky gleich nach der Belagerung mit den erbeuteten türkischen Kaffeeschätzen gegründet hatte. Um 1720 gab es in Paris bereits dreihundert Kaffeehäuser. Schon damals wurde in besonderen Zimmern gespielt: am beliebtesten waren Billard und l'Hombre; hingegen war das Rauchen nur in den ordinären Lokalen gestattet. Man kann sogar sagen, daß der Kaffee damals als allgemeines Tonikum eine noch größere Rolle gespielt hat als heutzutage. Er ist für jene rationalistische Zeit sehr bezeichnend, denn er stellt ein Anregungsmittel dar, das sozusagen nüchterne Räusche bewirkt. Voltaire zum Beispiel war ein leidenschaftlicher Kaffeetrinker. Wenn er auch nicht gerade fünfzig Tassen im Tage oder vielmehr in der Nacht zu sich nahm, wie man behauptete, so konnte er doch ohne dieses Getränk nicht leben und arbeiten, und dies spiegelt sich in seiner nervösen und durchsichtigen, überreizten und gleichsam überbelichteten Schreibweise sehr deutlich wider. Neben den Kaffee traten noch einige andere neue Genußmittel: das Fruchteis, der Schaumwein, erst ein Jahrhundert später „Champagner" genannt, dessen Herstellung durch die Erfindung des Korkverschlusses ermöglicht wurde, und die Schokolade, das Lieblingsgetränk der Mexikaner, an das man sich aber in Europa erst gewöhnte, als man auf den Gedanken kam, es mit Zucker zu versetzen: es wurde besonders in dem verarmten Spanien zu einem Volksnahrungsmittel, das nicht selten die ganze Mahlzeit bestreiten mußte. Der Alkohol wurde aber durch Tee, Kaffee und Schokolade durchaus nicht verdrängt, zumal die Deutschen waren als wüste Säufer noch immer bewundert und berüchtigt, aber auch die Franzosen und Engländer standen nicht erheblich hinter ihnen zurück, während die Südländer von jeher relativ mäßiger waren. Endlich wird auch die Gabel, der wir schon einige Male begegnet oder vielmehr nicht begegnet sind, als nützliches Eßgerät anerkannt; ihr Gebrauch, der noch in der ersten Hälfte des Jahrhunderts von den Satirikern als affektiert verspottet wurde, setzt sich um 1650 am französischen Hofe durch, um daraufhin allgemein akzeptiert zu werden. Bis dahin hatte man das Fleisch entweder mit der Hand oder, was für das Feinere galt, mit dem Messer zum Munde geführt. Eine neue Sitte ist auch das Hutabnehmen: vorher hatte man beim Gruß die Kopfbedeckung entweder gar nicht berührt oder bloß in den Nacken zurückgestoßen. Die Reinlichkeit ließ auch in den höchsten Kreisen sehr viel zu wünschen übrig: hier ist ein entschiedener Rückschritt zu verzeichnen. Die öffentlichen Bäder, die im ausgehenden Mittelalter und auch noch in der Reformationszeit allgemein verbreitet waren, verschwinden vollständig; aber auch an privaten Badegelegenheiten herrschte fast gänzlicher Mangel. Die Toilette bestand gewöhnlich darin, daß man die Hände in Wasser tauchte und sich das Gesicht mit ein wenig Eau de Cologne betupfte; die Unterwäsche wurde erschreckend selten gewechselt, und selbst im Bett des Sonnenkönigs gab es Wanzen. Der verschwenderische Gebrauch aller Arten von Parfüms, Haarsalben und wohlriechenden Schminken ist unter diesen Umständen nur allzu begreiflich.

Die Beförderungsmittel sind noch recht primitiv. Erst gegen Ende des Jahrhunderts tritt der Wagen ebenbürtig neben das Reitpferd, nicht ohne heftigen Widerstand, da viele fanden, er wirke verweichlichend und schädige die Pferdezucht. Immerhin gab es in den großen Städten schon Droschken, in Paris *fiacres* genannt, aber der Mittelstand bediente sich hauptsächlich der Portechaise oder Sänfte, obgleich auch diese anfangs aus dem Gefühl heraus, daß es unwürdig sei, Menschen als Tragtiere zu benutzen, vielfach mißbilligt wurde; die höheren Stände hielten sich prachtvolle Karossen, die von Läufern begleitet und mit mindestens vier Pferden bespannt waren, was nicht nur in der allgemeinen Großtuerei und Prunksucht, sondern auch in dem schlechten Zustand der Straßen begründet war. In jenem Zeitraum kommt es auch allmählich zur Ausbildung der „Fahrpost", der regelmäßigen Stellwagenverbindung, die entweder von Staats wegen oder durch Großunternehmer wie die Taxis in der Form hergestellt wird, daß an bestimmten Orten, den Relais, frische Pferde bereitstehen. Diese Stationen boten zumeist auch ermüdeten Reisenden Unterkunft, und so entstand das „Gasthaus zur Post", die Keimzelle des Hotels. Der erste bequeme Reisewagen, die leichte zweisitzige „Berline", wurde 1660 in Berlin gebaut und in ganz Europa nachgeahmt. Die Beförderungsgeschwindigkeit war sehr gering: die Fahrt von London nach Oxford, die heute mit der Eisenbahn in einer Stunde zurückgelegt wird, dauerte zwei Tage, und als eine neu eingerichtete Linie dazu nur noch dreizehn Stunden brauchte, erhielt sie wegen ihrer exorbitanten Schnelligkeit den Namen „*flying-coach*". Daß die Wagen umwarfen oder überfallen wurden, war etwas ganz Gewöhnliches. Noch beschwerlicher und unsicherer war der Verkehr zu Wasser. Eine größere Seefahrt galt für ein Abenteuer, Schiffbrüche und Kämpfe mit Piraten wurden fast als eine Selbstverständlichkeit angesehen und bildeten den Hauptinhalt aller damaligen Reiseromane. Die Unterbringung in den

engen finsteren Räumen war sehr unhygienisch; auch die Ver-
pflegung, die ausschließlich in Pökelfleisch, Mehl und getrockne-
tem Gemüse bestand, führte zu häufigen Erkrankungen. Ob man
überhaupt eine Verbindung bekam, war Sache des glücklichen
Zufalls. Erst zu Anfang des achtzehnten Jahrhunderts wurden die
packet-boats eingerichtet, regelmäßig zwischen England und dem
Festland verkehrende Schiffe, die zuerst Pakete und Briefe, später
auch Personen beförderten.

Die
ZeitungAn die Einrichtung der Post knüpfte sich auch die Entstehung
der Zeitungen. Sie waren zuerst nur handschriftliche Mitteilungen,
die einzelne hochgestellte Personen von besonderen Korrespondenten bezogen und dann als „Gazetten" in den Handel brachten. Die
ersten gedruckten Zeitungen wurden von den Postmeistern verbreitet, bei denen alle Neuigkeiten zusammenliefen, erschienen
meist wöchentlich und enthielten bloß Tatsachenmaterial, ohne
jede Reflexion oder Kritik, da sie unter sehr strenger Zensur standen. Eine um so freiere Sprache herrschte in der Flugschriftenlitera-
tur, die bis in die Zeit der Reformation zurückgeht und, heimlich
verbreitet, eine politische Macht darstellte: besonders die holländischen Pasquillanten waren bei allen europäischen Regierungen gefürchtet. Das erste Wochenblatt erschien 1605 in Straßburg, die
erste Tageszeitung, der „Daily Courant", erst nahezu ein Jahrhundert später in London. Von großer Bedeutung waren auch die
gelehrten Zeitschriften: das Pariser „Journal des Savants", die Londoner „Philosophical transactions", das römische „Giornale dei
Letterati" und die Leipziger „Acta eruditorum".

BayleDas wissenschaftliche Leben des Zeitalters nahm überhaupt eine
staunenswerte Entwicklung. Von den außerordentlichen Leistungen Pascals haben wir schon gehört. Die bibelkritischen Forschungen Spinozas fanden in dem Pariser Oratorianer Richard Simon
ihren Fortsetzer, der sich zwar äußerlich durchaus auf den Boden
der Tradition stellte, aber in der historischen Erklärung der einzelnen Texte die größte Kühnheit zeigte und deshalb nicht nur
von den katholischen, sondern fast noch mehr von den protestantischen Theologen aufs heftigste angefeindet wurde. Eine eben-
solche Unabhängigkeit und kritische Überlegenheit entwickelte

Mézeray in seiner „Histoire de France"; sein Programm ist die Boileausche Vereinigung des Wahren mit dem Schönen. Jean Mabillon wurde der Begründer der „Diplomatik", der wissenschaftlichen Erforschung historischer Urkunden. Pierre Bayle verfaßte seinen gelehrten und scharfsinnigen „Dictionnaire historique et critique", wohl das amüsanteste und geistreichste Wörterbuch, das jemals geschrieben worden ist. Alle Phänomene des Staats, der Kirche, der Sitte, der Kunst, der Wissenschaft werden darin, wie Bayle es mit Vorliebe bezeichnet, „anatomiert": also auch in diesem verwegenen Skeptiker, auf den fast die ganze französische Aufklärung zurückgeht, waltet die cartesianische Methode der Analyse. Zugleich wird in diesem Werk noch einmal und für längere Zeit zum letztenmal der Versuch gemacht, zum „credo quia absurdum" zurückzufinden. Zunächst deckt Bayle allenthalben die Widersprüche auf, die zwischen Philosophie und Religion, Vernunft und Offenbarung bestehen: die Gestalten der Bibel, besonders des Alten Testaments, waren nicht immer heilige Personen, während sich andrerseits unter den Heiden und selbst unter den Gottesleugnern Männer von fleckenloser Größe befanden; die Tatsache des Sündenfalls ist eine für den Verstand unauflösbare Paradoxie, denn entweder ist der Mensch nicht frei, dann ist sein Handeln nicht Sünde, oder er ist frei, dann wollte Gott die Sünde, was mit seiner Güte im Widerspruch steht; hat er sie aber nicht gewollt, sondern bloß nicht verhindern können, so ist er nicht allmächtig, was ebenfalls seinem Begriff widerstreitet. Aber aus allen diesen Bedenken schließt Bayle nicht auf die Nichtigkeit des Glaubens, sondern auf die Nichtigkeit der Vernunft. Die Vernunft hat sich der Religion zu unterwerfen, sie hat kritiklos zu glauben und gerade aus der Erkenntnis ihrer Unvereinbarkeit mit der Offenbarung zur Einsicht ihrer Ohnmacht zu gelangen. Bayle ist also in der Tat Skeptiker, aber nicht in Ansehung der Religion, sondern der Philosophie. Er hatte jedoch ein so ungeheures Material von vernünftigen Einwänden gegen das positive Christentum zusammengetragen, um den blinden Glauben zu stützen, daß eine gegenteilige Wirkung nicht ausbleiben konnte. Das reiche und scharfe Rüstzeug blieb, auch wenn man die Folgerungen umkehrte. Und diesen Frontwechsel hat denn auch in der Tat das achtzehnte Jahrhundert vollzogen. Voltaire sagt von Bayle sehr treffend, es finde sich bei ihm zwar keine Zeile, die einen Angriff gegen das Christentum enthalte, aber auch keine, die nicht zum Zweifel führe; er selbst sei nicht ungläubig, aber er mache ungläubig.

Das Mikroskop
Den eigentlichen Ruhm des siebzehnten Jahrhunderts bildet aber der Ausbau der exakten Disziplinen: es ist das Heldenzeitalter der Naturwissenschaften, weniger auf dem Gebiete der Praxis als in der Konzeption genialer und umfassender Theorien. Die Medizin war verhältnismäßig am wenigsten entwickelt. Die Pariser Schule, von Molière verspottet, kannte im wesentlichen nur zwei Universalmittel: Aderlaß und Irrigation, deren häufige Anwendung jedoch nicht ganz unberechtigt war, da die höheren Stände infolge des Mangels an Bewegung und des reichlichen Essens und Trinkens fast durchwegs an Hyperämie litten. Die holländische Schule huldigte der „Polypharmazie", dem Gebrauch großer Mengen verschiedenartigster Medikamente, die oft von der entgegengesetzten Wirkung, im übrigen aber fast lauter harmlose Kräuter waren. Es zeigt sich selbst in diesen Dingen der Schwulst der Barocke, ihre Neigung zur Überladung, zum Schnörkel, zur erdrückenden Quantitätswirkung. Weiter gelangten schon die beschreibenden Naturwissenschaften: John Ray wurde der Schöpfer einer umfassenden zoologischen Systematik; er teilte die Tiere in Wirbeltiere und Wirbellose, die ersteren in lebendig gebärende Lungenatmer, eierlegende Lungenatmer und Kiemenatmer und die letzteren in Weichtiere, Krustentiere, Schaltiere und Insekten. Von großer Bedeutung war die Vervollkommnung des Mikroskops, das, obgleich früher erfunden als das Fernrohr, erst jetzt ausgedehnte Verwendung fand: mit ihm entdeckte Nehemia Grew die Spaltöffnungen in der Blattoberhaut, Leeuwenhoek die Infusorien, die Stäbchenschicht in der Netzhaut, das Facettenauge der Insekten, die Querstreifung der willkürlichen Muskeln und Malpighi die roten Blutkörperchen sowie eine ganze Reihe anatomischer Einzelheiten, die noch heute nach ihm genannt sind: das malpighische Netz, eine Schleimschicht unter der Oberhaut, die malpighischen Knäuel, eigentümliche Verzweigungen der Blut-

gefäße in der Niere der Säugetiere, die malpighischen Körper, kleine Lymphbläschen in der Milz, und die malpighischen Gefäße, als Nieren funktionierende Darmanhänge der Insekten. Nikolaus Stenonis erkannte, daß das Herz das Zentrum des Blutkreislaufs sei, wofür man bisher die Leber gehalten hatte, und fand den *ductus Stenionanus*, den Ausführungsgang der Ohrspeicheldrüse. Eine Art Zeitmikroskopie unternahm Olaf Römer, indem er als erster die Lichtgeschwindigkeit maß. Christian Huygens erklärte die Doppelbrechung des Lichts im isländischen Kalkspat, entdeckte den Saturnring, dessen Beobachtung schon Galilei begonnen, aber wegen widersprechender Wahrnehmungen wieder aufgegeben hatte, erfand die Pulvermaschine und die Pendeluhr und machte abschließende Untersuchungen über die Zentrifugalkraft, als deren Formel sich ihm $\frac{m \, v^2}{r}$ ergab, wobei m die Masse eines im Kreise sich bewegenden Körpers bezeichnet, v dessen Geschwindigkeit und r den Halbmesser des Kreises; vor allem aber ist er der Schöpfer der Undulationstheorie, die erst zu Anfang des neunzehnten Jahrhunderts den Sieg über die Newtonsche Emissionstheorie davongetragen hat. Er nahm nämlich an, daß das Licht durch die Schwingungen einer besonderen Materie fortgepflanzt werde, nicht derselben, die zur Ausbreitung des Schalles diene. Denn diese sei nichts anderes als die Luft; es zeige sich aber, daß im luftleeren Raum zwar keine Schallbewegung stattfinde, das Licht aber ungehindert weitergeleitet werde; dieser von der Luft verschiedene Stoff, der „Äther", erfülle das ganze Weltall, sowohl den unendlichen Himmelsraum wie die Spatien zwischen den wägbaren Teilchen der Körper; er verhalte sich vollkommen elastisch, besitze keine Schwere und sei somit dem Gravitationsgesetz nicht unterworfen. Newton hingegen betrachtete das Licht als eine feine Materie, die von den leuchtenden Körpern ausgesendet werde. Huygens erklärte sich auch gegen die Newtonschen Fernkräfte, die er durch Druck- und Stoßwirkungen ersetzt wissen wollte.

In Newton selbst schenkte das Zeitalter der Menschheit eines der größten spekulativen Genies, die jemals ans Licht getreten sind. Er bedeutete sowohl als Mathematiker wie als Physiker und Astronom eine Revolution. Er zeigte in seiner „Optik", daß durch die

Newton

Vereinigung sämtlicher Spektralfarben das weiße Sonnenlicht entsteht und daß die Eigentümlichkeiten der Farben auf der Verschiedenheit der Lichtstrahlen beruhen, machte mit seinem eigenhändig erbauten Spiegelteleskop eine Reihe folgenschwerer astronomischer Entdeckungen und wurde durch die von ihm geschaffene Methode der Fluxionen der Erfinder des Infinitesimalkalküls: die unendlich kleinen Größen und deren unmerkliche Veränderungen wurden damit zu einem Gegenstand exakter Berechnung gemacht. Die Summe seiner Forschungen zog er in seiner allumfassenden Gravitationstheorie. Durch einen fallenden Apfel wurde er auf die allgemeine Anziehungskraft des Erdmittelpunkts aufmerksam gemacht; und die Vermutung, daß dieselbe Kraft auch die Ursache der Mondbewegung, des Kreislaufs der Erde um die Sonne, ja sämtlicher mechanischen Vorgänge im Weltall sei, wurde ihm im Laufe langjähriger Studien allmählich zur Gewißheit. Das von ihm in seinem Hauptwerk „Philosophiae naturalis principia mathematica" aufgestellte Gravitationsgesetz lautet: die anziehende Kraft ist den Massen direkt, dem Quadrat der Entfernung umgekehrt proportional. Da alle Monde gegen ihre Planeten und alle Planeten gegen ihre Sonnen gravitieren, so gilt dieses Gesetz für den ganzen Weltraum. Mit Hilfe dieser neuen Theorie erklärte sich auch eine Reihe kosmischer Erscheinungen, die bisher rätselhaft gewesen waren: die Störungen der elliptischen Planetenbahnen, die Ungleichheiten der Mondbewegung, die Ebbe und Flut. Newton war jedoch ein viel zu großer Denker, als daß er aus seinen Forschungsergebnissen materialistische Schlüsse gezogen hätte. Gerade die bewundernswerte Gesetzmäßigkeit des Weltalls befestigte ihn in seinem Glauben an einen göttlichen Urheber und Lenker. Er versuchte sich sogar als Theologe und schrieb eine Abhandlung über den Propheten Daniel und die Apokalypse; in seinen letzten Lebensjahren beschäftigte er sich fast ausschließlich mit religiösen Problemen. Die fast übermenschlichen Leistungen seiner spekulativen Schöpferkraft und die außerordentlichen Ehrungen, die ihm dafür im Laufe seines langen Lebens zuteil wurden, vermochten ihm nicht seine Bescheidenheit zu rauben: die vom Evangelium geforderte Einfalt, heißt es in seiner Grabschrift in der Westminsterabtei, bewies er durch seinen Wandel.

England befand sich damals an der Spitze der wissenschaftli- Karl der Zweite chen Entwicklung. Das System Cromwells war mit dessen Tode zusammengebrochen. Der Sohn Karls des Ersten kehrte aus der Verbannung zurück und bestieg als Karl der Zweite unter allgemeinem Jubel den Thron. Er zeigte großes Interesse für die Wissenschaften, war Mitglied der *Royal Society*, der die hervorragendsten Naturforscher des Zeitalters angehörten, beschäftigte sich viel mit Astronomie und gründete die berühmte Sternwarte in Greenwich. Er war taktvoll, gutmütig, leutselig, hochintelligent; seine Artigkeit ging so weit, daß er noch am Morgen nach der Nacht seines Todeskampfes zu den Umstehenden äußerte, er liege eine ungebührlich lange Zeit im Sterben, aber er hoffe, sie würden es entschuldigen. Er war ein brillanter Tänzer, Ballspieler und Anekdotenerzähler und ein großer Freund der Künste, besonders des Theaters. Aber er war bei allen seinen liebenswürdigen und zum Teil blendenden Eigenschaften im innersten ein kalter und seelenloser, träger und frivoler Mensch ohne alle Grundsätze, auf nichts bedacht als auf die Befriedigung seiner stets wachen Genußsucht. Er ging sogar ins Parlament nur zum Vergnügen und pflegte zu sagen, eine politische Debatte sei so unterhaltend wie eine Komödie. Die Ausschweifungen seines Hofs bildeten das Londoner Tagesgespräch und die Engländer nannten ihn, nicht ohne einen verächtlichen Unterton, *„the merry monarch"*. Als er vom Grafen Shaftesbury eines Tages besucht wurde, sagte er lachend: „Ah, da kommt der liederlichste unter allen meinen Untertanen." Shaftesbury verneigte sich tief und erwiderte: „Jawohl, Majestät; unter den Untertanen."

Er war nichts weniger als ein rachsüchtiger Fanatiker, aber auch nichts weniger als ein Mann edler leidenschaftlicher Überzeugungen. Er hatte nichts von dem sinnlosen Machtdünkel der Stuarts, aber auch nichts von ihrem lebhaften Ehrgeiz. Er fühlte sich nicht als absoluter Gottesgnadenkönig, aber auch nicht als verantwortlicher Lenker der Volksgeschicke. Er war im Grunde nichts. Er war friedfertig, aber aus Indolenz; er war duldsam, aber aus Oberflächlichkeit. Er hatte nur eine Passion: die harmloseste, aber zugleich die niedrigste von allen: die Geldgier. Für Geld war alles von ihm zu haben: Allianzen, Glaubensänderungen, Zugeständnisse an die Freiheit des Volkes, Zugeständnisse an den Despotismus einer Partei, Toleranzedikte, Terrorakte, Kriegserklärungen, Friedensschlüsse. Er verkaufte Dünkirchen, seine Neutralität, seine Bundesgenossen, seine königlichen Privilegien: was man von ihm wollte. Er war verschwenderisch nur für seine platten und zügellosen Lustbarkeiten, hingegen knauserig, wenn es sich um vernünftige Ausgaben für den Staatshaushalt handelte; seine Beamten ahmten ihm nach und waren von einer Bestechlichkeit, wie sie bis dahin in England unbekannt gewesen war: besonders die Minister erwarben sich in ihrer Amtsführung ungeheure Vermögen. Auch sonst war seine Regierung unglücklich: unter ihr geschah das Unerhörte, daß eine feindliche Flotte, die holländische unter Admiral Ruyter, die Themse hinaufsegelte und England mit einer Invasion bedrohte; ein neuer furchtbarer Ausbruch der Pest verseuchte das Land und eine ungeheure Feuersbrunst legte die ganze City von London in Asche. Gerade damals setzte sich die schon früher von Filmer vertretene Lehre vom „passiven Gehorsam" allgemein durch: der König habe die Macht des Vaters über seine Kinder, er sei nur Gott, nicht seinen Untertanen verantwortlich, und diese seien durch keine wie immer geartete Handlung ihres Monarchen zum Widerstand berechtigt. Aber niemals ist eine so absolute Unterwerfung einem Fürsten entgegengebracht worden, der sie weniger verdient hätte, weniger begehrt hätte und weniger mit ihr anzufangen wußte.

Die „glorious revolution" Auf Karl den Zweiten folgte sein Bruder Jakob der Zweite. Er war ein zelotischer Anhänger des Papismus, zu dem jener sich erst auf dem Sterbebette bekannt hatte, und der Autokratie, zu der jener niemals geneigt hatte. Er besaß alle schlechten Eigenschaften seines Vorgängers, aber keine von seinen guten, denn er war außergewöhnlich bösartig, dumm und eigensinnig. Gegen Andersgläubige und politische Gegner verfuhr er mit grausamer Strenge, worin ihn der Oberrichter Jeffreys unterstützte, ein groteskes Untier von rohem blutgierigem Trunkenbold, das wegen seiner Untaten noch heute, nach mehr als zweihundert Jahren, in England berüchtigt ist: er rühmte sich, daß er allein mehr Verräter habe hinrichten lassen als seine sämtlichen Vorgänger seit Wilhelm dem Eroberer. Jakob der Zweite war allem Anschein nach ein Sadist wie Heinrich der Achte, übrigens auch sonst sexuell pervers: er hatte nur Mätressen von ausgesuchter Häßlichkeit, eine von ihnen, Catharine Sedley, die daneben sehr geistreich war, sagte einmal von ihm: „Ich weiß nicht, was ihn an mir reizt. Von meiner Schönheit kann er nichts bemerken, weil ich keine besitze, und von meinem Verstand kann er nichts bemerken, weil er keinen besitzt." Seine Polemik bestand darin, daß er, wenn man ihm Einwendungen machte, dieselbe Behauptung noch einmal mit den gleichen Worten wiederholte und nun glaubte, in der Debatte gesiegt zu haben. Ebenso machte es seine Tochter, die spätere Königin Anna, und Marlborough sagte, sie habe es von ihrem Vater. Doch braucht man, da sie eine Frau war, hier wohl nicht gerade hereditäre Belastung zur Erklärung heranzuziehen.

Nachdem er drei Jahre lang alles getan hatte, um auch die ergebensten und geduldigsten seiner Untertanen zu erbittern, kam es zur „*glorious revolution*", und sein Schwiegersohn Wilhelm von Oranien, von Wighs und Tories einmütig ins Land gerufen, bestieg den Thron. Dem englischen cant machte es keine Mühe, das Recht auf Revolution und die Pflicht des passiven Gehorsams miteinander in Einklang zu bringen. Die Theologen erklärten, die Religion verbiete allerdings jeden Widerstand gegen den König, aber die Gebote der Bibel seien nicht ausnahmslos gültig; es sei erlaubt, sie in gewissen Fällen zu übertreten. Es sei untersagt, zu töten, aber dieses allgemeine Gesetz erleide eine Ausnahme im Kriege; ebenso sei es untersagt, zu schwören, aber vor Gericht sei der Zeuge verpflichtet, zur Bekräftigung der Wahrheit einen Eid abzulegen. Und ebenso sei es in gewissen Fällen gestattet, sich gottlosen Fürsten zu widersetzen: das Alte Testament habe selber dafür Beispiele. Andere wieder bewiesen, daß nicht das Volk sich gegen Jakob empört habe, sondern dieser sich gegen Gott, indem er seine Gesetze verletzte; er sei es gewesen, der dem Kaiser nicht geben wollte, was des Kaisers ist. Wilhelm von Oranien wäre jedoch gleichwohl nie zum Ziel gelangt, wenn ihn nicht Jakob selber durch seine unglaubliche Borniertheit und Ungeschicklichkeit aufs wirksamste unterstützt hätte. Der neue König war übrigens bei den Engländern als Fremder und auch wegen seines nüchternen und verschlossenen Wesens nicht viel beliebter als sein Vorgänger; indes der Umstand, daß seine Gattin, als Tochter Jakobs in den Augen des Volkes die eigentliche legitime Herrscherin Englands, ihm völlig ergeben war, erleichterte ihm seine heikle Stellung, und zudem war er einer der größten Diplomaten und Feldherren seiner Zeit. Er erblickte als Holländer, der er sein ganzes Leben lang blieb, in Ludwig dem Vierzehnten den Erbfeind, bewirkte einen völligen Wechsel in der englischen Politik, die bisher infolge der steten Geldbedürftigkeit Karls und der absolutistischen und katholisierenden Tendenzen Jakobs unter französischem Einfluß gestanden hatte, und brachte jene große Koalition gegen Frankreich zustande, von der wir bereits gesprochen haben.

In Dingen der äußeren Zivilisation war England damals noch nicht viel weiter als die übrigen Länder Europas. Von den schlechten Reiseverhältnissen haben wir schon gehört. Die Wagenfahrten waren wegen des Morastes langsam und beschwerlich und infolge der notwendigen starken Bespannung kostspielig; rasch kam man nur beritten vorwärts. In den Städten waren die Straßen so eng, daß Kutschen kaum passieren konnten, weshalb der Warentransport zumeist durch Rollwagen besorgt werden mußte, die von Hunden gezogen wurden. Die Wirtshäuser dagegen waren ausgezeichnet und in der ganzen Welt berühmt, auch die Briefbeförderung funktionierte für damalige Verhältnisse auffallend pünktlich, schnell und zuverlässig. Der Adel lebte noch zum größten Teil als *gentry* auf dem Lande in ganz bäurischen Verhältnissen. Wie die Beleuchtung außerhalb der Hauptstadt beschaffen war, kann man daraus entnehmen, daß erst im Jahre 1685 ein Privatunternehmer namens Edward Heming sich gegen eine jährliche Vergütung verpflichtete, in London vor jedes zehnte Haus bis Mitternacht ein Licht zu stellen. Die meisten Landhäuser waren noch Holzbauten, die Zimmer ohne Tapeten und Teppiche, mit einer Mischung von Kienruß und Bier gestrichen. In starkem Bier bestand auch das gewöhnliche Getränk des Landgentleman. Wie viel er davon zu sich zu nehmen pflegte, erhellt aus einer damaligen Bestimmung, nach der Kriegsgerichte nur von sechs Uhr morgens bis ein Uhr mittags berechtigt waren, auf Todesstrafe zu erkennen: man nahm offenbar an, daß die Herren sich nach dem Mittagessen nicht mehr in der Verfassung befänden, so verantwortungsvolle Urteile fällen zu können. Die Männer hatten wenig geistige Interessen und beschäftigten sich vorwiegend mit Jagd, Spiel und Politik; die Bildung der Frauen stand noch niedriger und war im Vergleich zur elisabethinischen Zeit sehr zurückgegangen: während sie damals vielfach in Musik, Mathematik und alten Sprachen Bescheid wußten, konnten sie jetzt kaum orthographisch schreiben und befaßten sich bestenfalls mit Handarbeiten und Romanen.

London hingegen war damals bereits eine vollkommene Groß- London stadt, die eine halbe Million Menschen beherbergte, den zehnten Teil der Bevölkerung ganz Englands, während die beiden nächstgrößten Städte Bristol und Norwich nicht ganz dreißigtausend Einwohner zählten. Nach dem großen Brand wurde die City unter der Leitung Christopher Wrens in einem weichen und originellen Renaissancestil viel prächtiger und komfortabler wieder aufgebaut. Im übrigen war England damals nicht bloß politisch, sondern auch künstlerisch eine Art französischer Vasallenstaat. William Davenant, Dramatiker und Theaterunternehmer, reformierte die Bühne zum pompösen illusionistischen Barocktheater im klassischen Geschmacke Ludwigs des Vierzehnten unter starker Heranziehung der Musik, indem er auch die Stücke Shakespeares zu *dramatic operas*, Dramen mit zahlreichen Musikeinlagen, umarbeitete. John Dryden, der poeta laureatus des Zeitalters, ahmte mit virtuoser und kalter Wortkunst, die immer sehr geschickt den jeweiligen Wünschen des Publikums entgegenzukommen wußte, Boileau, Corneille und Racine nach. Noch Samuel Johnson sagte von ihm, er habe gleich Augustus eine Ziegelstadt vorgefunden und eine Marmorstadt hinterlassen. Aber im Laufe der Zeit haben die rohen Ziegel Shakespeares doch eine größere Schönheit und Haltbarkeit erwiesen als der leere unsolide Marmorprunk Drydens. Damals jedoch erklärte Rymer, der Historiograph Wilhelms: „Ein Affe versteht sich besser auf die Natur und ein Pavian besitzt mehr Geschmack als Shakespeare. Im Wiehern eines Pferdes, im Knurren eines Hundes ist mehr lebendiger Ausdruck als in Shakespeares tragischem Pathos."

Die Puritaner hatten das Theater immer beargwöhnt und schließlich überhaupt verboten. Als nun die Stuarts zurückkehrten, trat eine sehr natürliche Reaktion ein. Man drängte sich nicht nur zu allen Belustigungen, die bisher verpönt waren, sondern verlangte auch, daß sie so ausgelassen und zügellos wie möglich seien. Man verließ nicht nur die bisherige Prüderie und Bigotterie, sondern hielt Ehrbarkeit und Frömmigkeit geradezu für eine Schande und das sicherste Merkmal der Heuchelei. Infolgedessen nahm die englische Komödie sehr sonderbare Formen an. Die Frauen, die sogar in der lustigen elisabethinischen Zeit nicht als Schauspielerinnen auftreten durften, übernahmen nun die weiblichen Rollen und es wurde ein besonderer Reiz, gerade ihnen die derbsten Zoten in den Mund zu legen. Eine ganze Generation von Lustspieldichtern überschwemmte die Bühne mit den gewagtesten Cochonnerien. Der Held fast aller dieser Stücke ist der Wüstling, der von einer Verführung zur andern jagt. In Wycherleys „Countrywife" zum Beispiel ist die Hauptfigur ein Mann, der sich für einen Kastraten ausgibt, um dadurch das Vertrauen der Ehemänner zu erwerben, und es wird nun in zahlreichen Variationen gezeigt, wie ihm von allen Seiten junge Frauen zugeführt werden, die natürlich sehr entzückt sind, als sie bemerken, daß er durchaus nicht an den physischen Mängeln leidet, die er vorgetäuscht hat. Die Literaturgeschichte, die bekanntlich ausnahmslos von Philistern geschrieben wird, hat jedoch das Lustspiel der Restaurationszeit wegen seiner Obszönitäten sehr ungerecht beurteilt: es ist voll echter Laune, geistreicher Intrige und brillanter Konversation; von ihm stammt die englische Gesellschaftskomödie ab, die in ihrer ganzen Entwicklung, über Sheridan und Goldsmith bis zu Wilde und Shaw, einen der größten internationalen Ruhmestitel Englands bildet.

Locke Der Philosoph der „glorious revolution" war John Locke, der in der Theologie den Standpunkt der liberalen „Latitudinarier", in der Politik die Sache des parlamentarischen Konstitutionalismus vertrat. In seinen „Letters for toleration" erklärte er die Religion für eine Privatangelegenheit; in seinen „Treatises of civil government" forderte er die Teilung der Staatsgewalt zwischen Volk und König, wie sie tatsächlich in der von Wilhelm dem Dritten erlassenen „Bill of rights" zum Ausdruck gelangt war; in seinen „Thoughts concerning education" plädierte er für eine naturgemäße Erziehung als praktische Vorbereitung auf das Leben im Dienste der Gesellschaft. In seinem berühmten „Essay concerning human understanding" hat er ein bis in die letzten Konsequenzen durchgeführtes System des Empirismus entworfen: „Woher der gesamte Stoff der Vernunft und Erkenntnis stammt? Darauf antworte ich mit einem Worte: aus der Erfahrung." Es gibt keine angeborenen Ideen, das sieht man an der Entwicklung beim Kinde, das erst langsam durch Einzelerfahrungen abstrahieren lernt. Die menschliche Seele ist nichts als die Fähigkeit, Eindrücke zu empfangen, ein Stück Wachs, eine unbeschriebene Tafel, ein dunkler Raum, der durch einige Öffnungen Bilder von außen aufnimmt und die Kraft besitzt, sie in sich festzuhalten. Die Wahrnehmung ist entweder eine äußere oder eine innere, je nachdem sie sich auf unsere Gegenstände oder auf unsere Zustände bezieht: die erstere nennt Locke *sensation* oder Empfindung, die letztere *reflexion* oder Selbstwahrnehmung. Alle Wahrnehmungen, innere und äußere, sind bloße Vorstellungen, daher vermögen wir nur die Eigenschaften, nicht die Substanz der Dinge zu erkennen, ihre Erscheinungen, aber nicht ihr Wesen. Indes genügt auch dieses relative Wissen für die Bedürfnisse des Lebens und die Regelung unseres Handelns. Das Dasein Gottes wird unmittelbar aus der Existenz und Beschaffenheit der Welt erschlossen; die Sätze der Sittenlehre sind einer ebenso exakten Beweisführung zugänglich wie die Sätze der Zahlenlehre. Locke hat zum erstenmal eine echt englische Philosophie geschaffen, in der alle entscheidenden Nationalzüge versammelt sind; sie ist deistisch und moralistisch, demokratisch und praktisch, ein Sieg des „gesunden Menschenverstandes", der „goldenen Mitte" und der „Wahrheit der Tatsachen"; wir werden ihr in ihren verschiedenen Abwandlungen noch oft wiederbegegnen.

England war der einzige europäische Großstaat, der sich vom zeitgenössischen Absolutismus emanzipierte; hingegen wurde dieser in Deutschland fast kritiklos hingenommen. Die Devotion der Deutschen auch vor ihren kleinsten Potentaten war grenzenlos. Ein Publizist schrieb an den Duodezfürsten Ernst Ludwig von Hessen: „Wenn Gott nicht Gott wäre, wer sollte billiger Gott sein als Eure hochfürstliche Durchlaucht?"; auch vor den Beamten, von denen Christian Wolff lehrte, daß sie als Gehilfen des Monarchen „Fürsten im Kleinen seien", erstarb man in Demut. Infolge der Theorie von der Omnipotenz des Staates hielt der Herrscher sich für berechtigt, ja verpflichtet, sich in alles einzumischen, das ganze Privatleben des Bürgers wie ein tyrannischer Hausvater oder Klassenlehrer zu beaufsichtigen und zu korrigieren. Selbst die „Acta eruditorum", die einzige wissenschaftliche Zeitschrift des damaligen Deutschland, kündigten an, daß sie nichts ihrer Kritik unterziehen würden, was die Rechte und Handlungen der Fürsten betreffe. Man begrüßte den Monarchen durch Kniefall und kniete sogar vor seinem leeren Wagen nieder, wenn man ihm auf der Straße begegnete. Damals kamen auch die zahlreichen Hofchargen auf: Kämmerer, Kaplan, Medikus, Stallmeister, Jägermeister, Zeremonienmeister; auch die Gewerbetreibenden schätzten es sich zur höchsten Ehre, zum Hofbäcker, Hofschneider, Hofschuster oder Hofgärtner ernannt zu werden. Alle Nichtadeligen, Bürgertum und Volk, wurden als „Roture" verachtet, die nur dazu gut schien, dem Hof Geld, Soldaten und Handlanger zu liefern. Man war nicht eigentlich „grausam" gegen sie: man hielt sie bloß für Geschöpfe von einer anderen Gattung, die dementsprechend auch andere Pflichten und andere oder vielmehr gar keine Rechte hätten. Macaulay sagt sehr zutreffend, daß Ludwig der Vierzehnte sich keine Skrupel daraus machte, seine Untertanen aufzuopfern, weil er sie höchstens mit den Empfindungen betrachtete, die man einem abgetriebenen Postpferd oder einem hungrigen Rotkehlchen entgegenbringt. Daß diese Anschauungen auch in Deutschland durchdrangen, war eine der Folgen der Französierung, über die Christian Thomasius bemerkte: „Französische Kleider, französische Speisen, französischer Hausrat, französische Sprache, französische Sitten, französische Sünden, ja gar französische Krankheiten sind durchgehends im Schwange." Dieser Thomasius bedeutete einen der wenigen Aktivposten des damaligen deutschen Geisteslebens. Er war einer der frühesten und leidenschaftlichsten Gegner der Folter und der Hexenprozesse, der erste Gelehrte von Rang, der deutsch schrieb und deutsche Vorlesungen hielt, und der Herausgeber der ersten populären deutschen Zeitschrift, der „Freimütigen, lustigen und ernsthaften, jedoch vernunft- und gesetzmäßigen Gedanken oder Monatsgespräche über alles, fürnehmlich über neue Bücher", in denen er in einer zwar immer noch schwülstigen, ungelenken und mit zahllosen französischen Brokken vermengten Sprache, aber mit viel Witz und Anschaulichkeit und staunenswerter Kühnheit fast ein halbes Jahrhundert lang alle Mißstände seines Volkes und Zeitalters bekämpfte: die Pedanterie und Aufgeblasenheit der Professoren, die Intoleranz der Geistlichen, die Charlatanerie der Ärzte, die Rabulisterei der Juristen, die Sittenroheit der Studenten, die Unredlichkeit der Kaufleute, die Trägheit der Handwerker, die Liederlichkeit des Adels und noch vieles andere. Seine Hauptforderung ist, „daß man sich auf *honnêteté*, Gelehrsamkeit, *beauté d'esprit*, *un bon goût* und Galanterie befleißige"; sein ausschließlicher Wertmesser ist „Nützlichkeit und Brauchbarkeit fürs Leben". Er ist damit der Vater der deutschen Aufklärung geworden, zu einer Zeit, wo noch Mut und Originalität dazu gehörte, solche Prinzipien zu verfechten, und zugleich der Vater des deutschen Journalismus, indem er es zum erstenmal unternahm, geistige Fragen in einer Form zu behandeln, die für jedermann verständlich und anregend war. Neben ihm ist kaum etwas anderes erwähnenswert als die Bestrebungen der Pietisten, die mit Erfolg bemüht waren, den Theologengeist des Zelotismus und der Wortspalterei zu bekämpfen und ein praktisches Christentum der Brüderlichkeit und Einfalt ins Volk zu tragen, und die prachtvollen Predigten Abraham a Sancta Claras, dieses Kabarettiers auf der Kanzel. In ihm lebt noch der ganze Dreißigjährige Krieg mit seinem Plündern, Totschlagen und Weiberschänden und seinem primitiven Mutterwitz brutaler Augenblicksmenschen; er hielt es mit der Sitte der Zeit und hat die deutsche Sprache in seinen Bildern gebrandschatzt, in seinen Gleichnissen genotzüchtigt und in seinen Strafreden zum Totschläger gemacht.

Der Große
Kurfürst In jenen Zeitraum fällt auch der erste Aufstieg des brandenburgisch-preußischen Staats, den der Große Kurfürst zu einer europäischen Macht erhob. Er befreite durch kluge und perfide Politik das Herzogtum Preußen von der polnischen Lehenshoheit und begründete in seinen Ländern durch Niederwerfung der Stände die unumschränkte Monarchie, wobei er vor großen Brutalitäten und Rechtsbrüchen nicht zurückscheute; zur Befestigung seiner Herrschaft im Innern und zum Schutz vor der stets drohenden schwedischen Großmacht schuf er das stehende Heer, den *miles perpetuus*. Er erbaute den Friedrich-Wilhelm-Kanal, der die Elbe mit der Oder verband, richtete eine eigene Post ein, die viel schneller fuhr als die Taxissche, reformierte das Steuerwesen und den Unterricht, auch den höheren durch Stiftung der Universität Duisburg, förderte den Ackerbau, die Viehzucht und die Moorkultur, vergrößerte und verschönerte seine Hauptstadt, unter anderem durch die Schloßbibliothek und die Baumanlagen vor der Schloßbrücke, die den Namen „Unter den Linden" erhielten, unterhielt eine kleine Kriegsmarine, die jedoch schon unter seinem Nachfolger wieder verfiel, und gründete sogar eine Handelskolonie mit einem Fort an der Goldküste von Guinea. In seiner Religionspolitik war er von der größten Toleranz geleitet: obgleich selber reformiert, gewährte er nicht bloß Lutheranern und Katholiken, sondern selbst Sozinianern und Menoniten völlige Freiheit, und sein „Potsdamer Edikt" lud alle Verfolgten ein, unter seinen Schutz zu kommen, wodurch vor allem viele Hugenotten ins Land gezogen wurden, die sich als Ingenieure und Architekten, Fabrikanten und Finanziers sehr nützlich betätigten.

Der Prinz
Eugen Er war zweifellos eine der stärksten politischen Persönlichkeiten seines Zeitalters. Aber das damalige Staatsleben war überhaupt reich an markanten Erscheinungen. Eine solche war vor allem der Prinz Eugen, der, ursprünglich wegen seiner unansehnlichen Gestalt und seines schüchternen Wesens zum Geistlichen bestimmt, einer der glänzendsten Feldherren seines Jahrhunderts wurde. Seine Siege bei Zenta und Peterwardein, Höchstädt und Turin, Oudenarde und Malplaquet erregten das Staunen Europas und erwarben der habsburgischen Monarchie Italien und die Niederlande, Ungarn und Siebenbürgen, Serbien und die Walachei. Zugleich war er einer der gewandtesten und weitblickendsten Diplomaten: hätte man seinen maßvollen Vorschlägen gefolgt, so wäre es im Spanischen Erbfolgekrieg vor dem großen politischen Umschwung zu einem Friedensschluß mit Ludwig dem Vierzehnten gekommen, der für den Kaiser noch viel vorteilhafter gewesen wäre als der spätere; er war auch der einzige österreichische Staatsmann, der erkannte, daß das Habsburgerreich sich nur dauernd als Großmacht behaupten könne, wenn es Kolonien und Seegeltung besitze, und wünschte daher den Bau einer großen Flotte mit Ostende und Triest als Haupthäfen. Daneben war er ein wirklicher Freund der Künste und Wissenschaften, nicht aus leerer Prunksucht wie die meisten anderen Machthaber seiner Zeit, sondern aus echtem Bedürfnis und tiefem Verständnis. Seine Sammlungen wertvoller Münzen und Gemmen, Gemälde und Kupferstiche zeugten von reifster Sachkenntnis und erlesenem Geschmack; das Hauptwerk Leibnizens, die „Monadologie", ist ihm nicht nur gewidmet, sondern überhaupt erst auf seine Anregung entstanden; die beiden genialsten Architekten der österreichischen Barocke haben für ihn gebaut: Fischer von Erlach das noble und heitere Stadtpalais und Lukas von Hildebrand das kokette und geistreiche, wundervoll in Park und Teich komponierte Sommerschloß Belvedere. Er war ein echter Barockmensch: von jener sublimen Nüchternheit, die stets das Merkmal großer Schicksalslenker ist, und voll heimlicher Sehnsucht nach jenen bunten, verwirrenden und narkotischen Dingen, die das Leben erst begehrenswert und interessant machen; ein starker, wissender und steuerkundiger Geist und doch umwittert von dem Aroma der problematischen Natur.

Eine sehr originelle Erscheinung war auch die Königin Christine von Schweden; sie gehörte zu jenen Persönlichkeiten, von denen im siebzehnten Jahrhundert am meisten gesprochen wurde. Ihr Äußeres war nicht schön, aber interessant; ihre forciert männlichen Manieren und Neigungen erregten überall Aufsehen und gaben sogar zu der Vermutung Anlaß, daß sie ein Zwitter sei: infolge-

Christine von Schweden

dessen warf sie einmal beim Kutschieren absichtlich um, blieb mit aufgehobenen Röcken liegen und rief den herbeieilenden Dienern zu: „Geniert euch nicht, kommt nur näher und überzeugt euch, daß ich kein Hermaphrodit bin." Sie war eine leidenschaftliche Reiterin, Fechterin und Jägerin, trug das Haar stets kurzgeschoren und verglich sich gern mit der Königin von Saba. Für die Wissenschaften, besonders für Mathematik und Astronomie, hatte sie das größte Interesse: sie beherrschte acht Sprachen, stand in Korrespondenz mit Pascal, berief Descartes an ihren Hof, um mit seiner Hilfe eine Akademie zu gründen, und schrieb selber zahlreiche Pensées. Sie war die erste Herrscherin, die die Hexenprozesse abschaffte, verzichtete aber bald auf ihren Thron, um nach Rom zu gehen, wo sie zum Katholizismus übertrat. Das Gefühl ihrer Stellung nahm bei ihr so größenwahnsinnige Formen an, daß selbst ihre Zeitgenossen davon überrascht waren. Ihr Buch „Histoire de la Reine Christine" ist Gott gewidmet, da auf Erden niemand dieser Ehre würdig sei; in ihren Briefen erklärte sie wiederholt, daß sie größer sei als irgend ein Sterblicher und alle irdischen Wesen als tief unter sich stehend empfinde; eine der Medaillen, die sie prägen ließ, zeigte auf der Vorderseite ihren Kopf, auf der Rückseite eine Sonne mit der Inschrift: „*Non sit tamen inde minor*", was bedeuten sollte, daß sie durch die Entfernung von ihrem Königreich so wenig etwas von ihrer Größe einbüße wie die Sonne durch ihre Entfernung von der Erde. Dieses ans Pathologische streifende Selbstgefühl hat sich in Karl dem Zwölften wiederholt und zum Schaden Schwedens die phantastischsten Folgen getragen.

Peter der Große

Eines der bedeutendsten Ereignisse der Zeit ist der Eintritt Rußlands in die Weltgeschichte, und auch dieses geht auf eine einzelne Persönlichkeit zurück. Bis auf Peter den Großen ist Rußland ein christlich-orientalischer Staat; beim Übergang zum Monotheismus soll übrigens hauptsächlich das mohammedanische Alkoholverbot für das Christentum entschieden haben. Nach der Eroberung Konstantinopels durch die Türken verlegt die griechische Kirche ihr Zentrum nach Moskau, und Rußland tritt das Erbe Ostroms an; aber schon vorher war es in seiner Vergöttlichung des Herrschers, seiner rigorosen und absurden Hofetikette, seinen ständigen

Palastrevolutionen und tumultuarischen Thronwechseln, seiner Popenherrschaft und seiner bizarren und großartigen Baukunst ein im wesentlichen byzantinisches Reich. Zugleich hatte die Mongolenherrschaft, die ein Vierteljahrtausend währte, im Volke jenen Geist der Unterwürfigkeit und Sklaverei gezüchtet, der durch alle späteren Phasen bis zum heutigen Tage seine Geschichte bestimmt hat. Denn auch die Sowjetherrschaft ist nichts als ein linker Zarismus. Die Richtung auf den Bolschewismus war übrigens im russischen Bauern von jeher vorbereitet, da das Ackerland jahrhundertelang Gemeindeflur war; auch in der Einförmigkeit und Einheitlichkeit des russischen Flachlandes findet sowohl die duldende Passivität wie die kommunistische Veranlagung des Russen ihr Symbol und ihre Begründung. Gegen Ende des fünfzehnten Jahrhunderts setzt die große politische Expansion ein. Im Jahre 1480 gelingt es Iwan dem Großen, das Tatarenjoch abzuschütteln; etwa zwei Menschenalter später besetzt Iwan der Schreckliche Kasan und Astrachan; in demselben Jahrhundert beginnt die Eroberung Sibiriens; um 1650 ist bereits der Große Ozean erreicht; 1667 gelangt der größte Teil der Ukraine von Polen an Rußland.

Diesem Volk, das dazu geschaffen schien, sich langsam, aber unaufhaltsam nach Süden und Osten auszubreiten und allmählich die Türkei, Persien, Indien, ja vielleicht selbst China zu verschlucken, hat nun Peter der Große gewaltsam das Antlitz nach Westen gedreht. Sein Lebensziel war ein „Fenster nach Europa". Es gelang ihm, in dem langen und wechselreichen Nordischen Krieg, in dem Schweden, Dänemark, Sachsen-Polen und er selbst um das dominium Balticum rangen, Livland, Estland, Ingermanland und Karelien zu erwerben, womit er die Ostsee erreichte und Schweden zu einer Seemacht zweiten Ranges herabdrückte. Noch während des Krieges gründete er Sankt Petersburg, das er zu seiner Hauptstadt bestimmte und mit Fabriken, Spitälern, Kasernen, Bibliotheken, Theatern und anderen westlichen Erfindungen ausstattete. Indem er die Aufstände der Strelitzen, die sich unter seinen Vorgängern zu einer allmächtigen Prätorianergarde emporgeschwungen hatten, und die Konspirationen seiner Familie und des unzufriedenen Adels blutig unterdrückte, wurde er der Begründer des eigentlichen

Zarismus. Mit ebensolcher Gewaltsamkeit suchte er im ganzen Lande europäische Kultur durchzusetzen. Er berief fremde Offiziere und Kaufleute, Gelehrte und Künstler, verbot die Bärte und die orientalische Kleidung, führte den julianischen Kalender ein, während man bisher von der Erschaffung der Welt gerechnet hatte, erbaute den Ladogakanal, beschränkte die Zahl der Klöster, zog die Frauen aus ihrem bisherigen Haremsdasein, kommandierte den Adel zu Studienreisen ins Ausland und zwang das Volk zum Besuch der neueingerichteten Schulen. Bei all seiner Größe, Weitsichtigkeit und Schrecklichkeit hatte er doch mit seinen steten Tobsuchtsanfällen und epileptischen Krämpfen, seiner nicht ganz stilreinen europäischen Kleidung, die er immer nur wie ein Kostüm trug, und seinen drei ständigen Begleitern: dem Affen auf seiner Schulter, dem grimassenschneidenden Hofnarren und der Flasche mit selbstdestilliertem Schnaps viel von einer grotesken Genrefigur.

Die russische Psychose   Die überstürzte Reform Peters ist, im großen gesehen, für die Russen kein Glück gewesen: sie waren ein Volk, das eben erst sein Mittelalter erreicht hatte, und wurden nun gewaltsam und unvorbereitet in die Lebensbedingungen einer hochentwickelten Barockwelt geschleudert. Es war im Grunde wiederum ein Sieg des cartesianischen Geistes, den der Petrinismus errang, indem er nach einer vorgefaßten Formel in einem Menschenalter eine europäische Großstadt aus der Erde stampfte, einen theokratischen Bauernstaat in einen bürokratischen Seestaat verwandelte und ein Volk von barbarischen Orientalen zivilisierte und verwestlichte. Katharina die Große und die meisten späteren russischen Selbstherrscher haben dieses verkehrte Programm der unorganischen Europäisierung fortgeführt: seine letzte Vollendung aber ist der Bolschewismus. Lenin hat das selber sehr wohl erkannt, indem er Peter den Großen als seinen politischen Ahnherrn bezeichnete und von ihm sagte, er sei der erste Revolutionär auf dem Throne gewesen; aus diesem Grunde widersetzte er sich auch der Umbenennung der Stadt Petrograd. Petrinismus und Leninismus bezeichnen den Auftakt und das Finale eines einzigen großen Vergewaltigungsaktes, der an der russischen Seele verübt worden ist. Hiedurch ist in die Entwicklung dieses Volkes ein tiefer und wahrscheinlich unheilbarer Bruch gekommen. Man überspringt nicht ungestraft ein Jahrtausend. Noch heute ist der Russe innerhalb der europäischen Völkerfamilie der mittelalterliche Mensch. Deshalb gibt es nur in Rußland echten Expressionismus, nur in Rußland echten Kollektivismus und nur in Rußland noch Propheten wie Tolstoj und Heilige wie Dostojewski. Aber da es außerdem in Rußland von Peter dem Großen an auch alle „Modernitäten" der Neuzeit gab, so ist das Leben der russischen Seele seitdem eine einzige große Psychose. In der dumpfen Erkenntnis dieser erschütternden Tatsache haben die Bolschewisten zu dem sonderbaren Mittel gegriffen, daß sie die Seele einfach abschafften: was wiederum echt russisch ist, aber natürlich nur den Anfang einer neuen noch furchtbareren Tragödie bedeutet.

Blicken wir noch einmal zurück, so ergibt sich in großen Zügen folgendes Bild: etwa ein halbes Jahrhundert lang liegt Europa im Schatten des Sonnenkönigs; aber an den Rändern: in Rußland, Preußen, England erstarken insgeheim neue Kräfte, und als Ludwig der Große sein Tagewerk vollendet hat, ist die Welt völlig verändert. _{Cartesianische und berninische Barocke}

Man muß jedoch auch während der Zeit der absoluten französischen Kulturhegemonie zwischen der Barocke Frankreichs und der des übrigen Europa einen Unterschied machen. Wir haben schon im ersten Buch hervorgehoben, daß Frankreich das einzige europäische Land ist, das die Stilprinzipien der italienischen Hochrenaissance, die man auch die lateinischen oder die klassizistischen nennen kann, voll übernommen und dauernd bewahrt hat. Im Cartesianismus, der dazu bestimmt war, fortan unter gewissen zeitgemäßen Abwandlungen die legitime französische Geistesform zu bleiben, erreichte diese auf Maß, Klarheit und Proportion eingeschworene Lebensrichtung ihren vollendetsten Ausdruck. Indes, die Barocke ist, wie wir im vorigen Kapitel gehört haben, nichts weniger als ein ungebrochener Rationalismus: in ihr lebt ein anonymer Wille zum Rausch und Nebel, zum Zwielicht und Dunkel, eine heimliche Sehnsucht nach den unterirdischen Welten der Seele, in die die Sonne der Raison nie hinableuchtet. Infolgedessen

ist die französische Barocke keine reine Barocke und der außer-
französische Cartesianismus kein reiner Cartesianismus. Frankreich
ist und bleibt von der Hochrenaissance an vier Jahrhunderte lang
in seiner Grundfaserung klassizistisch: im Calvinismus und im Jesuitismus, in Barock und Rokoko, in Revolution und Romantik;
allemal siegt die *clarté*. Daher ist im Zeitalter Ludwigs des Vierzehnten der Cartesianismus auf französischem Boden die echte
Lokalfarbe des Geisteslebens, in den anderen Ländern aber nur eine
feine durchsichtige Lasur. Oder, anders ausgedrückt: in Frankreich
bildet durch den Wandel der Zeiten hindurch und daher auch in
der Barocke der Cartesianismus den Generalnenner und die Zeit-
richtung den variierenden Zähler, im übrigen Europa aber repräsentierte umgekehrt der Barockgeist den Generalnenner, dem der
herrschende Cartesianismus nur als modischer Zähler aufgesetzt
war. Das Weltgefühl ist in Frankreich ein barock gefärbter Klassizismus, in den anderen Ländern ein cartesianisch imprägnierter Irrationalismus, wir könnten auch sagen: Berninismus. Der Fall
war aber noch viel komplizierter, als ihn diese Formel ausdrückt,
denn einerseits waren auch die damaligen Franzosen in einem Winkel ihrer Seele echte Barockmenschen und andererseits war allen
Zeitgenossen der Rationalismus nicht bloß durch die französische
Kulturherrschaft aufgeprägt, sondern von vornherein eingeboren
als eine der stärksten Seelenkomponenten des Menschen der Neuzeit.

Die Welt-
fiktionen

Es lassen sich einzelne Völker und Zeitalter geradezu nach dem
Gesichtspunkt unterscheiden, inwieweit sie die Welt als Realität
oder als Schein konzipieren. Das erstere tun alle Naturvölker: für
sie ist die Welt etwas, das man teils überwältigt, teils erleidet; und
ebenso reagierten die Römer, die aber vielleicht das einzige vollkommen realistische Kulturvolk waren. Bei der zweiten Gruppe
gibt es natürlich vielerlei Abarten. Man kann die Welt als Kunstwerk, als schönen Schein konzipieren: als verklärte, enthäßlichte,
entschwerte Welt; dies taten die Griechen. Oder als logischen
Schein: als vereinfachte, schematisierte, linierte Welt; dies taten
möglicherweise die Ägypter. Oder als bloße Halluzination, als
pathologischen Schein; dies war der Fall der Inder. Oder als

magischen Schein: als Schauplatz übernatürlicher und transzendenter Kräfte; dies war, wie wir im vorigen Buche gesehen haben, die Weltanschauung des Mittelalters.

Alle diese Varianten finden sich in der Barocke bis zu einem gewissen Grade vereinigt. Sie hat, wie wir bereits hervorgehoben haben, das ganze Dasein ästhetisiert, indem sie es als ein Spiel lebte, sie hat den Versuch gemacht, die Realität der Herrschaft der reinen Logik zu unterwerfen, sie hat die Welt in einen Traum aufgelöst und sie hat sie als theatrum Dei empfunden. Und so völlig heterogen diese einzelnen Aspekte erscheinen mögen, so hat sie doch aus ihnen eine Kultur komponiert, die einheitlich war wie wenige.

Eine der stärksten Klammern, die diese Kultur in allen ihren Lebensäußerungen streng zusammenhielt, war zunächst ihr extremer Kultus der Form, in dem sowohl ihr geometrischer Geist wie ihr Wille zur Illusion zum Ausdruck gelangt. Hier ist der Punkt, wo cartesianischer Rationalismus und berninischer Irrationalismus sich schneiden: in beiden lebt der leidenschaftliche Wille, die Form über die Materie triumphieren zu lassen, ja die Materie auf bloße Form zu reduzieren. Die Barocke ist nicht nur eines der formfreudigsten und formgewaltigsten, sondern auch eines der formhörigsten und förmlichsten Zeitalter der Weltgeschichte. Schon in der äußeren Erscheinung zeigt sich das Streben nach steifer Distanz, dessen stärkstes Symbol die Perücke ist; rasche Bewegungen, impulsive Handlungen sind in diesem Kostüm einfach unmöglich: alles, Schritt und Gebärde, Gefühlsausdruck und Körperhaltung, ist in ein geheimes Quadratnetz gebannt. Ebensowenig gibt es ein improvisiertes Reden und Schreiben: die einzelnen möglichen Anlässe sind gegeben und für diese Anlässe sind bestimmte Worte gegeben; andere zu gebrauchen, hätte man nicht für Originalität, sondern für einen Mangel an Geschmack und künstlerischem Takt angesehen. Im Gegenteil: wer am vollkommensten die vorgeschriebenen Regeln erfüllt, gilt als der Geistreichste; denn Geist haben heißt: der Form zum Siege verhelfen. Der Stöckelschuh, die lange Weste, die riesigen Ärmel und Knöpfe: alle diese und ähnliche Details der Kleidung sind dazu da, den äußeren Eindruck der

Das Ideal der Fettleibigkeit

Würde und Gravität zu steigern; aus diesem Grunde kommt damals sogar die Fettleibigkeit in Mode. Betrachten wir die typische Erscheinung des Fettleibigen: den mächtigen geröteten Kopf mit den Backentaschen und dem Doppelkinn, den faßförmigen Unterleib, die langsamen Armbewegungen, den bedächtigen Gang mit hochgehobenem Kopf und nach hinten geworfenem Oberkörper, den ermüdeten und leidenschaftslosen Gesichtsausdruck, so haben wir genau den körperlichen Habitus, der dem Barockmenschen als Ideal vorschwebte. Das Benehmen dicker Menschen wirkt oft, ohne daß sie es beabsichtigen, affektiert; diese Menschen aber wollten affektiert wirken oder vielmehr: wo bei uns die Manieriertheit anfängt, begann in ihren Augen erst die Manierlichkeit. Eine ähnliche Rolle wie Perücke, Staatsrock und gespreizte Körperhaltung spielte der von einem mächtigen Knopf gekrönte Stock, der kein Utensil, sondern ein Ausstattungsstück war und auch im Salon nicht abgelegt wurde.

Das isolierte Individuum   Da die Form in einem gewissen Grade erlernbar ist, so setzte sich damals die Ansicht fest, daß alles durch Fleiß und Studium erworben werden könne oder doch zumindest zum Gegenstand einer höchst bewußten, streng wissenschaftlich fundierten Virtuosität gemacht werden müsse. Es ist die Blütezeit der Poetiken und der „korrekten" Kunstwerke, der Gemälde, Gärten, Dramen, Abhandlungen, die wie mit Zirkel und Lineal entworfen sind. Die stärkste und wesentlichste Funktion des Verstandes besteht aber darin, daß er analysiert, und das heißt: auflöst, trennt, scheidet, isoliert. Und in der Tat kann man bemerken, daß es in jener Zeit eigentlich nur einzelne Individuen gibt. Die Menschen bilden untereinander bloße Aggregate, keine wirklichen Verbindungen. Die Zünfte sind aufs äußerste detailliert und aufs strengste voneinander gesondert: der Brotbäcker darf keine Kuchen backen, der Schmied keine Nägel fabrizieren, der Schneider keine Pelze verkaufen; Sattler und Riemer, Schuster und Pantoffelmacher, Hutmacher und Federnschmücker sind getrennte Gewerbe. Die Hierarchie der Stände wird aufs peinlichste betont. Der Hof ist von den übrigen Menschen vollständig abgeschlossen. Und über diesem steht, wiederum gänzlich losgelöst, absolut der Herrscher.

Diese Verhältnisse bringt auch die Gesellschaftstheorie zum Ausdruck, die den Staat durch freiwilligen Zusammenschluß vollkommen selbständiger Einzelpersonen entstehen läßt. Ferner gelangt die atomistische Naturerklärung zur allgemeinen Anerkennung, die das gesamte physische Geschehen in eine Bewegung isolierter kleinster Massenteilchen auflöst. Und auch die gewaltigste Leistung des Zeitalters, die Gravitationstheorie, ist im höchsten Maße repräsentativ für das damalige Lebensgefühl: die Newtonschen Weltkörper berühren sich nicht, sondern ziehen, durch geheimnisvolle Fernkräfte gelenkt, einsam durch den leeren Weltraum; denn wenn Newton auch die *actio in distans* nicht ausdrücklich gelehrt hat, so hat doch der Glaube an sie seine ganze Schule beherrscht, die diesen Begriff aus seinem System ganz folgerichtig ableitete, ja es ist nicht einmal ausgeschlossen, daß Newton sich auch die Atome durch unendlich kleine, aber unüberbrückbare Zwischenräume getrennt dachte.

Von der Malerei könnte man glauben, daß sie ein entgegengesetztes Weltgefühl zum Ausdruck bringt; aber es scheint nur so. Wir sagten im vorigen Kapitel: die Barocke verwischt die Kontur. Sie macht sie unbestimmt und undeutlich; aber sie löst sie noch nicht auf. Man kann die Figuren nicht mehr mit dem Messer aus dem Bild herausschneiden, aber die Lichtaura, in der der Umriß verschwimmt, isoliert noch immer: als Grenzzone, wenn auch nicht mehr als Grenzlinie. Das Licht der Barockmaler ist noch immer an die Objekte gebunden, die es umspielt, es ist noch kein völlig gelöstes, selbständiges, freies Licht, noch kein Freilicht. Jedes Objekt lebt als Monade in seinem geheimnisvollen Strahlenkegel, unbestimmt, unendlich, „infinitesimal", ein kleines All, aber für sich. Seine Harmonie mit den anderen Objekten ist noch ganz so wie in der Renaissance von außen prästabiliert durch den Künstler, nur schwankender, schwebender, problematischer, mystischer: „religiöser".

Eine Disziplin ist überhaupt erst damals zum Range einer Wissenschaft emporgestiegen: die Mechanik. Das ist sehr bezeichnend, denn eine Sache vollkommen verstandesmäßig erklären, heißt, sie mechanisch erklären. Das Ideal, das der Zeit vorschwebte, bestand nun darin, das mechanische Prinzip auf das Leben und den gesamten Weltlauf auszudehnen, um auch diesen ganz wie eine Maschine auseinanderzunehmen, in allen seinen Teilen erklären und in allen seinen Bewegungen ausrechnen zu können. Hiemit hängt es zusammen, daß für jene Menschen das Benehmen und Aussehen einer mechanischen Drahtpuppe zum Vorbild diente. Dies ist zunächst ganz wörtlich zu nehmen: die Reifröcke, Schöße, Westen, Ärmelaufschläge, Perücken waren mit Draht ausgesteift. Und damit stoßen wir auf eine Tatsache, die vielleicht den Schlüssel zur Barockseele enthält: ihre platonische Idee ist die Marionette. Die starren Gewänder, die den Eindruck des dreidimensionalen Menschenkörpers auf die Linienwirkung zu reduzieren suchen, die tiefen abgezirkelten Verbeugungen, die gewollt eckigen Bewegungen, die geometrische Haltung beim Stehen und Sitzen, die stets nach der Winkelform tendiert, die ungeheure tote Perücke, die dem Kopf etwas Grimassenhaftes verleiht: dies alles führt uns unwillkürlich zur Vorstellung einer Gliederpuppe. Descartes hatte die Behauptung aufgestellt, daß der menschliche Körper eine Maschine sei. Und Molière hat diese mechanistische Psychologie dramatisiert: seine Figuren sind gespenstische Automaten, die er von außen in Bewegung setzt. Dies geht bis zur Behandlung des Dialogs, der sich mit Vorliebe in kurzen Sätzen und Gegensätzen, in einem unerbittlichen Staccato, einer scharfen gehackten Klöppelmanier bewegt; diese überaus wirksamen Rededuelle erinnern an die allbekannten zwei Blechwurstel, die an einer Pumpe ziehen: drückt man den einen hinunter, geht der andere in die Höhe und umgekehrt. Und auch die Handlung gehorcht einer vollkommen mechanischen Kausalität, die phantastisch und grotesk wirkt, gerade weil sie so prompt und exakt funktioniert, wie es die des Lebens nie tut: es ist eine arithmetische, eine abgekartete, eine Schachkausalität.

Es wäre nun, wie man schon an dem Beispiel Molières sieht, höchst verkehrt, mit dem Begriff der Marionette ohne weiteres den der Geistlosigkeit und Seelenlosigkeit zu verbinden. Kleist hat das Problem des Marionettentheaters in einer ungemein geistreichen kleinen Abhandlung vom Jahre 1810 „Über das Marionettentheater" in sehr aufschlußreicher Weise behandelt. Er sagt darin, die Marionette besitze mehr Ebenmaß, Beweglichkeit, Leichtigkeit als die meisten Menschen, weil sich bei ihr die Seele immer im Schwerpunkt der Bewegung befinde: „da der Maschinist vermittelst des Drahtes keinen anderen Punkt in der Gewalt hat als diesen, so sind alle übrigen Glieder, was sie sein sollten, tot, reine Pendel und folgen dem bloßen Gesetz der Schwere"; in einem mechanischen Gliedermann könne mehr Anmut enthalten sein als in dem Bau des menschlichen Körpers, ja es sei dem Menschen schlechthin unmöglich, den Gliedermann darin auch nur zu erreichen; und er schließt mit den Worten: „Wir sehen, daß in dem Maße, als in der organischen Welt die Reflexion dunkler und schwächer wird, die Grazie darin immer strahlender und herrschender hervortritt. Doch so, wie . . . das Bild des Hohlspiegels, nachdem es sich in das Unendliche entfernt hat, plötzlich wieder dicht vor uns tritt, so findet sich auch, wenn die Erkenntnis gleichsam durch ein Unendliches gegangen ist, die Grazie wieder ein; so daß sie zu gleicher Zeit in demjenigen menschlichen Körperbau am reinsten scheint, der entweder gar keins oder ein unendliches Bewußtsein hat, das heißt, in dem Gliedermann oder auch in dem Gott." Solche Götter begehrten die Barockmenschen zu sein; aus ihrem „unendlichen Bewußtsein", aus einer fast schmerzhaften Schärfe und Überhelle des Denkens schufen sie sich das Ideal der Marionette, in der, wie Worringer einmal hervorhebt, „Abstraktion einerseits und stärkster Ausdruck andrerseits" vereinigt sind. Die Marionette ist zugleich das abstrakteste und das pathetischste Gebilde: in dieser Paradoxie sammelt und löst sich das Rätsel des Barockmenschen.

Aber weil nun jeder Mensch damals vollkommen solitär lebte, Der Infinitesimalmensch bildete er auch sein Eigenleben zu einer bis dahin unerhörten Feinheit und Kompliziertheit aus. Jeder war zwar nur eine Welt für sich, aber eben eine Welt, ein Mikrokosmus. Es ist nichts weniger als ein Zufall, daß gerade damals das Mikroskop zu einer solchen Bedeutung gelangte. Ein neues Reich des unendlich Kleinen tat sich auf, eine Fülle der erstaunlichsten Perspektiven, alle gewonnen durch die liebevolle Versenkung ins unendliche Detail.

In denselben Zusammenhang gehört die Infinitesimalrechnung. Und was noch wichtiger war: auch auf dem Gebiet der Psychologie erwarb man sich das Witterungsvermögen für Differentiale. Wie die Kugel begriffen wird aus der Summe unzähliger Kegel, so begann man damals die menschliche Seele zu begreifen als den Inbegriff zahlloser kleiner Vorstellungen: eine Art Seelenmikroskopie entstand, die freilich nicht selten auch in geistige Myopie ausartete. Etwas Tüfteliges und Mikrophiles, eine übertriebene Vorliebe für die Miniatur und Niaiserie liegt dem Barockmenschen im Blute. Mit einer beispiellosen Beseelung gerade der starrsten und monumentalsten Kunst: der Plastik, die zum Ausdrucksmittel für leidenschaftlichste Verzückungen, zärtlichste und subtilste Erregungen wird, verbindet sich ein fast pathologischer Hang zur Kleinkrämerei: wohin man blickt, ein Gewirr von Säulen, Knöpfen, Kartuschen, Girlanden, Muscheln, Fruchtschnüren. Auch die Natur wird verkräuselt und verzierlicht: die Gärten sind angefüllt mit Kaskaden, Terrassen, Grotten, Urnen, Glaskugeln, „Vexierwässern"; das Kostüm strotzt von Passamenterien, Spitzen, Tressen, Brokat; die Umgangssprache bewegt sich in künstlich gefeilten Wortspielen und spitzfindigen Antithesen. Sogar im Gesicht findet sich ein Ornament: das unentbehrliche Schönheitspflästerchen. Das ganze Weltbild der Zeit ist ein Mosaik aus *„perceptions petites"*, aus unendlich kleinen Vorstellungen, und jeder Mensch ist eine Monade, in sich abgeschlossen, ohne Fenster, allein auf seinem Sonderplatz in einem sorgfältig abgestuften Kosmos, der, in allem prästabiliert, vorherbestimmt, seinen mechanischen Lauf nimmt wie ein Uhrwerk und darum für die beste aller Welten gilt. Denn man war tief innerlich überzeugt: das Bewundernswerteste und Prächtigste, das Kunstvollste und Geistreichste sei eben doch eine gutgehende Uhr.

Leibniz   Wie man bereits bemerkt haben wird, haben wir uns einiger Ausdrücke bedient, die der Philosophie Leibnizens entnommen sind. Und in der Tat: niemand hat den Sinn der Barocke tiefer und vollständiger zum Ausdruck gebracht als Leibniz in seiner Monadenlehre. Hier steht der Mensch der Zeit vor uns, losgelöst von äußeren Zufälligkeiten, in seinem innersten Wesenskern erfaßt. Leibniz war der vollkommenste Barockmensch schon in seiner schriftstellerischen Form, ein philosophischer Pointillist, der eine Art Spitzengeklöppel des Geistes betrieb, und in seinem Charakter, der bizarr, schrullenhaft, genrehaft, „barock" im heutigen Wortsinn war, ja sogar in seiner äußeren Gestalt, die von einem riesigen Kahlkopf mit einem Gewächs in der Größe eines Taubeneis gekrönt war. Auch seine in einer einzigartigen Vielseitigkeit begründete Vielgeschäftigkeit, die ihn niemals dazukommen ließ, seine Kräfte in einem großen Hauptwerk zu sammeln, ist echt barock. Diderot sagte von ihm: dieser Mann bedeutet für Deutschland so viel Ruhm wie Platon, Aristoteles und Archimedes zusammengenommen für Griechenland, und Friedrich der Große erklärte, er sei für sich allein eine ganze Akademie gewesen, hierin, wie in so vielem, anderer Meinung als sein Vater, der äußerte, Leibniz sei ein Kerl, der zu gar nichts tauge, nicht einmal zum Schildwachestehen.

Er erfand, unabhängig von Newton, die Differentialrechnung zum zweitenmal, verbesserte sie erheblich in ihrer Anwendung und gelangte mit ihrer Hilfe zu der Formel $\frac{m}{2} v^2$ für die Bewegungsenergie, von welcher er bereits erkannte, daß ihre Quantität im Weltall immer dieselbe bleibe, beschäftigte sich mit Bergbau und Geognosie und schrieb eine Urgeschichte der Erde, beteiligte sich an der Darstellung des Phosphors, arbeitete an der Verbesserung der Taschenuhren und der Erfindung von Schiffen, die gegen den Wind und unter Wasser fahren können, begann eine kritische Geschichte des Welfenhauses und edierte große Sammlungen mittelalterlicher Geschichtsquellen und völkerrechtlicher Urkunden. Außerdem verfaßte er eine Reihe hervorragender politischer Denkschriften, darunter eine an Ludwig den Vierzehnten, worin er ihm mit bewundernswertem historischen Weitblick den Plan zur Eroberung Ägyptens unterbreitete, der erst fünf Vierteljahrhunderte später von Napoleon zur Ausführung gebracht worden ist, und bemühte sich in umfangreichen Briefen und Programmen um die Vereinigung der lateinischen und der griechischen, der katholischen und der protestantischen, der lutherischen und der reformierten Kirche und um die Stiftung gelehrter Sozietäten in Berlin, Dresden, Wien und Petersburg, womit er seinen höchsten Traum, die Begründung einer europäischen Gelehrtenrepublik, zur Verwirklichung zu bringen hoffte. Man kann sagen, daß es schlechterdings nichts gab, dem er nicht sein belebendes Interesse zugewendet hätte. Er sagte selbst einmal von sich: „Es klingt wunderbar, aber ich billige alles, was ich lese, denn ich weiß wohl, wie verschieden die Dinge gefaßt werden können." In dieser weitherzigen, humanen und im Grunde künstlerischen Billigung alles Seienden wurzelte seine unvergleichliche Universalität und seine ganze Philosophie. Er stand in Korrespondenz mit zahlreichen hervorragenden Zeitgenossen, unter anderen mit Arnauld, Bossuet, Malebranche, Bayle, Guericke, Hobbes, und in diesen Briefen, die er mit der größten Sorgfalt, oft dreimal ausarbeitete, sowie in Aufsätzen, die er in die führenden gelehrten Zeitschriften, besonders in die „Acta eruditorum" und in das „Journal des Savants", schrieb, ist seine Philosophie niedergelegt. Zu seinen Lebzeiten ist nur ein einziges Buch von ihm erschienen, die „Essais de théodicée sur la bonté de Dieu, la liberté de l'homme et l'origine du mal".

Friedrich der Große hat in geistreicher Übertreibung Leibnizens System einen philosophischen Roman genannt. Es ist ein vielteiliges, umfangreiches und völlig durchkomponiertes Gebäude, aber übersät mit Schnörkeln und Ornamenten; ein tiefsinniger Irrationalismus, aber ein aus dem Verstand geborner. An die Spitze der Leibnizischen Philosophie könnte man das faustische Wort stellen: „Im Anfang war die Kraft." Kraft ist das Grundwesen aller Geister und Körper. Es liegt aber in der Natur der Kraft, daß sie tätig und immer tätig ist und daß sie durch diese Tätigkeit sich selbst, ihre Eigenart ausdrückt: also ist Kraft Individualität; daß sie Leben ist: also gibt es in der Welt nichts Unfruchtbares und Totes. Jedes Stück Materie kann als „ein Garten voller Pflanzen oder ein Teich voller Fische" angesehen werden, und „jeder Zweig der Pflanze, jedes Glied des Tieres, jeder Tropfen Feuchtigkeit ist immer wieder ein solcher Garten und ein solcher Teich". Jede solche Welteinheit, von Leibniz „Monade" genannt, ist „*un petit monde*", „*un miroir vivant de l'univers*", „*un univers concentré*": sie hat keine Fenster, durch die etwas in sie hineinscheinen könnte, vielmehr ist sie ein Spiegel, der das Bild des Universums aus eigener Kraft, „*actif*" hervorbringt. Diese Monaden bilden ein Stufenreich. Es gibt so viele Monaden, als es Unterschiede des klaren und deutlichen Vorstellens, Grade der Bewußtheit gibt. In dieser durch unendlich kleine Differenzen ansteigenden Reihe gibt es keinen Sprung und keine Wiederholung. „Wie eine und dieselbe Stadt, von verschiedenen Seiten betrachtet, immer ganz anders und gleichsam perspektivisch vervielfältigt erscheint, so kann durch die zahllose Menge der Monaden der Schein entstehen, als gäbe es ebenso viele verschiedene Welten, die doch nur Perspektiven einer einzigen Welt sind, nach den verschiedenen Gesichtspunkten der Monaden." Diese leibnizischen „*points de vue*" hat die Barockmalerei mit ihrer neuen Technik des Abschattierens, der Perspektivik und des Helldunkels zum erstenmal auf die Leinwand gebracht.

Die großartigste und fruchtbarste Konzeption Leibnizens ist aber seine Theorie von den bewußtlosen Vorstellungen. Er unterscheidet zwischen bloßer und bewußter Vorstellung, zwischen „*perception*" und „*apperception*", und erläutert diesen Unterschied am Wellengeräusch. Das Brausen des Meeres setzt sich aus den einzelnen Wellenschlägen zusammen. Jedes dieser Einzelgeräusche ist für sich zu klein, um gehört zu werden, es wird von uns zwar empfunden, aber nicht bemerkt, perzipiert, aber nicht apperzipiert. Die Empfindung, die von der Bewegung der einzelnen Welle hervorgerufen wird, ist eine schwache, undeutliche, unmerklich kleine Vorstellung, „*une perception petite, insensible, imperceptible*". Ebenso gibt es in unserem Seelenleben zahllose verhüllte, dunkle, gleichsam schlafende Vorstellungen, die zu klein sind, um in den Lichtkreis des wachen Bewußtseins treten zu können, sie spielen dieselbe Rolle wie die winzigen Elementarkörper, aus denen die sichtbare Natur aufgebaut ist, sie sind gewissermaßen die Atome unseres Seelenlebens. Gerade diese „*perceptions petites*" sind es aber, die jedem Individuum das Gepräge seiner Eigentümlichkeit verleihen, sie sind es, wodurch sich ein Mensch von allen anderen unterscheidet. Eine jede von ihnen läßt in unserer Seele eine leise Spur zurück, und so reiht sich in geräuschloser Stille, von uns unbemerkt, Wirkung an Wirkung, bis der einmalige Charakter da ist. Der Schritt, den die leibnizische Psychologie hier über die cartesianische hinaus tut, ist ungeheuer.

Die Welt
als Uhr

In einer Welt, die sich derart schrittweise vom Kleinsten zum Größten, vom Niedersten zum Höchsten entwickelt, kann es nichts Überflüssiges, nichts Schädliches, nichts Unberechtigtes geben: darum leben wir in der „besten der Welten". Gott, dessen Wesen Wahrheit und Güte ist, hat sie eben darum unter allen möglichen gewählt. Da die Welt aus Monaden, und das heißt: aus Individuen zusammengesetzt ist, das Wesen des Individuums aber in der Beschränktheit besteht, so folgt daraus nicht nur die Existenz, sondern sogar die Notwendigkeit des Übels, das nichts anderes ist als eine Beschränktheit oder Unvollkommenheit, entweder eine physische oder eine moralische. Ohne Unvollkommenheit wäre die Welt nicht vollkommen, sondern sie wäre überhaupt nicht. Die Übel in der Welt lassen sich den Schatten in einem Gemälde, den Dissonanzen in einem Musikstück vergleichen. Was als Einzelheit verworren und mißtönend erscheint, wirkt als Teil des Ganzen schön und wohlklingend: eine Argumentation, die sich, wie wir uns aus dem ersten Buche erinnern, schon bei Augustinus findet. Da Gott vollkommene Wesen nicht schaffen konnte, so schuf er Wesen, die von Stufe zu Stufe vollkommener werden: nicht perfekte, sondern perfektible. Auch der größte Künstler ist an sein Material gebunden: statt einer absolut guten Welt, die schlechterdings unmöglich ist, schuf Gott die beste Welt, das heißt: die bestmögliche. In dieser Welt ist alles durch die göttliche Weisheit vorherbestimmt und durch die göttliche Schöpferkraft in Harmonie gesetzt: durch diese alles durchwaltende prästabilierte Harmonie enthüllt sich die Welt als Kunstwerk. Aber Leibniz gibt diesem Gedankengang eine echt barocke Wendung, indem er das Kunstwerk einem Uhrwerk gleichsetzt. So versucht er auch eines der Hauptprobleme der zeitgenössischen Philosophie, die Korrespondenz zwischen Leib und Seele zu erklären: sie verhalten sich wie zwei Uhren, die so vorzüglich gearbeitet sind, daß sie immer genau die gleiche Zeit angeben.

Auf den ersten Blick könnte es scheinen, als ob die Barocke, die in Leibniz kulminiert, einfach die Tendenzen der Renaissance fortsetzen würde, indem sie bemüht ist, das Dasein immer mehr zu logisieren. Und in der Tat: sie geht sogar noch einen beträchtlichen Schritt weiter, indem sie mechanisiert. Aber die Barocke ist ein viel verschränkteres, zwiespältigeres, änigmatischeres Problem als die Renaissance: ihr Seelenleben ist ungleich labyrinthischer, versteckter, mehrbodiger, hintergründiger, man möchte fast sagen: hinterhältiger. Sie flieht ruhelos und unbefriedigt zwischen zwei Polen hin und her: dem Mechanischen und dem Unendlichen, das sie sich als Korrelat erfindet zu einer rein mechanischen Welt, in der sie es nicht aushielte. Sie, und sie zuerst, empfindet infinitesimal.

„Es ist", sagt Wölfflin in seinen entscheidenden Untersuchungen über „kunstgeschichtliche Grundbegriffe", „als hätte der Barock sich gescheut, jemals ein letztes Wort auszusprechen." Er getraut es sich nicht, er fürchtet, sich damit irgendwie zu binden, seine Scheu vor endgültigen Zusammenfassungen ist ein Produkt sowohl seines Freiheitsdranges wie seiner Frömmigkeit, denn wie der Jude den Namen Gottes nicht auszusprechen wagt, so schreckt auch der Barockmensch davor zurück, die letzten Rätsel der Natur, des Lebens, der Kunst in eine eindeutige Formel zu bannen. Hinter seinen scheinbar so klaren und scharf umrissenen Formulierungen steht immer noch ein Unausgedeutetes, Nieauszudeutendes. Das Weltall ist ein Mechanismus, nach streng mathematischen Gesetzen bewegt; aber durch mysteriöse Fernkräfte. Die menschliche Seele ist ein Uhrwerk; aber aufgebaut aus den irrationalen *perceptions petites*, die sich unserer wachen Beobachtung entziehen. Die menschliche Gestalt erscheint auf der Leinwand so lebenswahr erfaßt wie noch nie vorher; aber umspült von einem Astralschimmer, der sie wieder unfaßbar und tausenddeutig macht. Das äußere Gehaben des Menschen erlangt die Präzision eines Puppentheaters; aber zugleich dessen magische Unwirklichkeit. So zieht die Barockmenschheit an uns vorüber wie ein wohlgeordneter hellerleuchteter Maskenzug, der aber sein wahres Gesicht verbirgt, vor uns und vor sich selbst. Hierauf beruht der hohe ästhetische Reiz, der die Barocke umwittert und über die früheren und späteren Entwicklungsperioden der Neuzeit hinaushebt. Sie weiß trotz ihrer hochgespannten Intellektualität, daß das Leben ein Geheimnis ist.

DRITTES KAPITEL

DIE AGONIE DER BAROCKE

Le présent est chargé du passé et gros de
l'avenir.   Leibniz

Antoine Watteau, der 1684 geboren wurde und schon 1721 an Watteau der Schwindsucht starb, hat in fast achthundert Bildern das Parfüm jener wissenden und infantilen, heitern und müden Welt, die man Rokoko nennt, mit einer solchen Kraft und Delikatesse, Unschuld und Virtuosität festgehalten, daß man an diese Zeit nicht denken kann, ohne sich zugleich an ihn zu erinnern, und Rokoko und Watteau fast austauschbare Begriffe geworden sind. Vielleicht keinem zweiten Künstler ist es so restlos gelungen, das flüchtige Leben seiner Umwelt in all seinem sprühenden Glanz in tote Zeichen zu übertragen: diese Menschen, deren seelische Entfernung von uns noch weit mehr beträgt als die zeitliche, hier schlafen sie, in Farbe gebannt, einen unsterblichen Zauberschlaf als unsere Zeitgenossen und Vertrauten.

In der Bemühung, diese seltsame Tatsache psychologisch zu erklären, hat man bisweilen darauf hingewiesen, daß Watteau ein Ausländer und ein Proletarier war. In der Tat läßt sich bisweilen beobachten, daß „Zugereiste" in ihrer Kunst das Wesen ihrer zweiten Heimat eindringlicher und leuchtender verkörpern als der Eingeborene. Um nur ein Beispiel zu nennen: es dürfte schwer fallen, zwei echtere Repräsentanten des Wienertums zu finden als Nestroy und Girardi, und doch weisen beide Namen auf fremden Ursprung. Daß Watteau ein armer Dachdeckerssohn vom Lande war, hat sicher ebenfalls seinen Blick für den flimmernden Reiz und die narkotische Schönheit des damaligen Paris geschärft. Es pflegen ja auch die saftigsten und innigsten Naturschilderungen nicht von Bauern und Gutsbesitzern zu stammen, sondern von

Großstädtern und Kaffeehausmenschen, und die Dichter der leidenschaftlichsten und empfundensten Liebeslyrik sind selten Don Juans gewesen. Auch Watteau war verliebt, und zwar unglücklich, also doppelt verliebt in die Welt der schwerelosen Anmut und des selbstverständlichen Genusses, die kühle und zarte, aromatische und durchsonnte Gipfelluft, in der diese privilegierten Wesen ihre göttliche Komödie spielten: er wußte, daß er kein legitimer Teilhaber dieser Feste sein könne, nur ihr Zuschauer und Chroniqueur, und so ist er der unvergleichliche *peintre des fêtes galantes* geworden.

Dazu kam noch ein Drittes: Watteau war auch physisch und seelisch ein „Enterbter“: kränklich und häßlich, schwächlich und unansehnlich, linkisch und melancholisch. Wir haben schon am Anfang des ersten Buches an einer Reihe von Beispielen darzulegen versucht, daß körperliche und geistige Defekte bisweilen die Quelle außerordentlicher Leistungen zu bilden vermögen: daß Kriegshelden wie Attila und Karl der Große, Napoleon und Friedrich der Große eine kleine Figur besaßen, daß Byron hinkte, Demosthenes stotterte, Kant verwachsen, Homer blind und Beethoven taub war. Aus einer solchen „physiologischen Minderwertigkeit“ heraus hat auch Watteau seine Farbenwunder geschaffen. Er konnte die Grazien nicht besitzen, und so blieb ihm nichts übrig als sie zu gestalten. In seinen Kunstwerken hat er seine Naturmängel kompensiert und überkompensiert. Er hat als ein hoffnungslos Dahinschwindender lachenden Frohsinn, als ein zum Grabe Taumelnder tanzende Lebensbejahung, als ein von Krankheit Ausgesogener trunkenen Daseinsgenuß gepredigt. Es ist die Kunst eines Phthisikers, der mitten im grauesten Siechtum den rosenfarbigsten Optimismus aufrichtet.

Und damit gelangen wir zur eigentlichen Lösung des Problems. Watteau war ein so vollkommener Spiegel seiner Zeit, weil er in seinem Schicksal und seiner Persönlichkeit ihr sprechendstes Symbol war. Er war ein Sterbender und sein ganzes Leben und Schaffen die Euphorie des Schwindsüchtigen. Und auch das Rokoko war eine sterbende Zeit und ihre Lebensfreude nichts als eine Art Tuberkulosensinnlichkeit und letzte Sehnsucht, sich über den Tod hinwegzulügen: das heitere Rot auf ihren Wangen ist aufgelegtes Rouge oder hektischer Fleck. Das Rokoko ist die Agonie und Euphorie der Barocke, ihr Sonnenuntergang, jene Tagesstunde, die auch Watteau am liebsten gemalt hat. Liebend und sterbend: das ist die Formel für Watteau und das gesamte Rokoko.

Das Rokoko ist, im Gegensatz zum Barock, ein zersetzender Stil, der, rein malerisch und dekorativ, spielerisch und ornamental, alles mit einem Rankenwerk von Flechten, Muscheln, Schlinggewächsen überwuchert: es sind Sumpfmotive, die hier zur Herrschaft gelangen; die bisherigen großen Formen beginnen sich in aparte Fäulnis aufzulösen. Alles ist von weicher Abendkühle durchweht, in ein sterbendes Blau und zartglühendes Rosa getaucht, das das Ende des Tages ankündigt. Eine fahle Herbststimmung breitet sich über die Menschheit, die auch ganz äußerlich die Farben des Verwelkens bevorzugt: honiggelb und teegrün, dunkelgrau und blaßrot, violett und braun. Dieser Décadencestil par excellence ist müde, gedämpft und anämisch und vor allem prononciert feminin: raffiniert kindlich und naiv obszön, wie die Frau es ist; verschleiert und boudoirhaft; parfümiert und geschminkt; satiniert und konditorhaft; ohne männliche Tiefe und Gediegenheit, aber auch ohne virile Schwere und Pedanterie; schwebend und tänzerisch, wodurch ihm das Wunder gelungen ist, eine fast von den Gravitationsgesetzen befreite Architektur hervorzubringen; immer vielsagend lächelnd, aber selten eindeutig lachend; amüsant, pikant, kapriziös; feinschmeckerisch, witzig, kokett; anekdotisch, novellistisch, pointiert; plaudernd und degagiert, skeptisch und populär, komödiantisch und genrehaft: selbst die Karyatiden des Zeitalters, wie Friedrich der Große, Bach und Voltaire, sind gewissermaßen überlebensgroße Genrefiguren.

Diese Spätbarocke ist nämlich intim, was die Hochbarocke nie war: sie ist, im edelsten Sinne, ein Tapeziererstil, der bloß gefallen, ausschmücken, verfeinern will und große Worte ebenso skurril wie unbequem findet. Das Charaktergebäude, dem alle Erfindungskraft und Sorgfalt gewidmet wird, ist nicht mehr das pompöse Palais, sondern *la petite maison*, das mit allen Reizen eines weniger repräsentativen als privaten Luxus ausgestattete Lusthäuschen, das, mit den früheren Bauten verglichen, etwas Reserviertes, Ver-

La petite maison

schwiegenes, Persönliches hat. Unter Ludwig dem Vierzehnten lebte der Mensch nur in der Öffentlichkeit, nämlich für und durch den Hof: man zählte nur mit, wenn man beim König erschien und solange man beim König erschien; daher war jede Lebensäußerung, vom tiefsten Gedanken bis zur leichtesten Verbeugung, für die Parade zugeschnitten, auf den Effekt in Versailles berechnet. Jetzt beginnt man, ermüdet von dieser fünfzigjährigen Galavorstellung, die Freuden der Zurückgezogenheit, des Sichgehenlassens und Sichselbstgehörens, des *petit comité* zu schätzen. Schon die Namen dieser Schlößchen, wie *„Eremitage"*, *„monrepos"*, *„solitude"*, *„sanssouci"*, deuten auf die veränderte Geschmacksrichtung. Ihr Antlitz ist nicht mehr jupiterhaft, distanzierend und in schwere Falten gelegt, sondern einladend, liebenswürdig und entspannt. In den Innenräumen stehen nicht mehr steife Prunksessel mit hohen harten Lehnen und würdevolle Dekorationsstücke aus wuchtigem Material, sondern bequeme Polsterstühle, mit Seidenkissen bedeckte Kanapees und weiß lackierte Miniaturtische mit zarten Goldleisten. Und auch diese ruhigen Wirkungen sucht man noch abzuschwächen, indem man das Gold entweder durch das diskretere Silber ersetzt oder durch Tönung matter erscheinen läßt, wie man überhaupt jedem Geradezu möglichst aus dem Wege geht und überall den gebrochenen, abgewandelten, gemischten Farben, den zärtlichen und delikaten Materialien, wie Rosen-, Veilchen-, Tulpenholz, den Vorzug gibt. Die Inventarstücke beginnen das subjektive Gepräge ihrer Besitzer zu tragen und deren persönlichen Zwecken zu dienen: eine Reihe neuer Möbel, die damals aufkamen, bringen dies zum Ausdruck, zum Beispiel die *„boîtes à surprises"*, Sekretäre mit witzig konstruierten Geheimfächern und überraschenden Mechanismen, und die Damenschreibtische, die den hübschen Namen *„bonheur du jour"* führten. Alle Gebrauchsgegenstände waren mit wohlriechenden Essenzen imprägniert und emaillierte Räucherpfannen durchdufteten die Räume mit exquisiten Parfüms. Die führenden Künstler kümmerten sich um jedes dieser Details, durch deren Zusammenklang sie eine aufs feinste abgestimmte Gesamtatmosphäre des künstlerischen Genusses und Behagens zu schaffen wußten: Watteau hat

Modeskizzen und Firmenschilder gemalt und Boucher zeichnete Entwürfe für Briefbillets, Tischkarten und Geschäftspapiere.

Eine besondere Note erhielten die Rokokointerieurs durch das Pastell und Porzellan Dominieren der Pastell- und der Porzellankunst. In der Tat konnte keine Art der Malerei die Seelenhaltung des ganzen Zeitalters, seinen zarten und zerfließenden, blassen und verhauchenden, auf einen weichen Samtton gestimmten Charakter besser ausdrücken als das Pastell; dazu kam noch die besondere Eignung dieser Technik für das intime Porträt. Das europäische Porzellan wurde zum erstenmal im Jahr 1709 von dem Sachsen Johann Friedrich Böttcher hergestellt, den August der Starke als Alchimist bei sich in Haft hielt; und diese Erfindung wurde tatsächlich zu einer Art Goldmacherei, denn der neue Stoff eroberte den ganzen Erdteil. Die bald darauf gegründete Meißener Porzellanmanufaktur versorgte alle Welt mit wohlfeilem, schönem und praktischem Eßgeschirr und verdrängte nicht nur das Steingut und Zinn, sondern auch das Silber von den Tafeln. Der Klassiker der deutschen Porzellankunst ist Joachim Kändler, dessen verliebte Schäfer und Schäferinnen und lebensgroße Vögel, Affen und Hunde das Entzücken der vornehmen Welt bildeten. August der Starke war von seiner Liebhaberei für die neue Kunst so besessen, daß er ihr sein halbes Vermögen opferte und ein ganzes Schloß mit Porzellanarbeiten füllte. Auch in Wien entstand schon 1718 eine staatliche Porzellanfabrik. Eine mächtige Konkurrentin der deutschen Manufakturen wurde später die auf Anregung der Pompadour ins Leben gerufene Fabrik in Sèvres. In England wurde Josiah Wedgwood der Erfinder des nach ihm benannten Materials, das er vornehmlich zu meisterhaften Nachahmungen antiker Vasen verarbeitete. Schließlich wurde Europa von einer wahren Porzellanmanie ergriffen. Man verfertigte nicht nur Leuchter und Lüster, Uhren und Kamine, Blumensträuße und Möbeleinlagen aus Porzellan, sondern es wurden auch ganze Zimmer und Kutschen damit ausgeschlagen und überlebensgroße Denkmäler daraus hergestellt. Hiedurch entfernte sich diese subtile Kunst von der Bestimmung, die ihr durch ihr Material vorgeschrieben war und sie zugleich zu einem so lebendigen und prägnanten Ausdruck ihrer Zeit gemacht hatte: denn gerade ihre außergewöhnliche und ausschließliche Eignung für die polierte und elegante, kokette und aparte, fragile und spröde Miniatur sprach zur Rokokoseele.

Chinoiserie Man hatte vor der Entdeckung Böttchers das Porzellan aus China bezogen und auch nachher wurden noch lange die Meißener Waren für chinesisch ausgegeben. Dies war kein bloßer Geschäftstrick, sondern wiederum im Zeitgeist begründet. Denn China galt dem Rokokomenschen als das Musterland der Weisheit und Kunst. Zu Anfang des Jahrhunderts kamen die „Chinoiserien" in Mode: ostasiatische Bilder, Vasen und Skulpturen, Papiertapeten, Lackwaren und Seidenarbeiten; zahlreiche Romane entführten den Leser in jenes Märchenreich, wo ein glückliches heiteres Volk unter gelehrten Führern ein paradiesisches Dasein genoß; Historiker, an der Spitze Voltaire, verherrlichten China als das Dorado vortrefflicher Sitte, Religion und Verwaltung; in den Gärten errichtete man Pagoden und Teehäuschen, Glockenpavillons und schwebende Bambusbrücken; selbst der Zopf wird auf chinesischen Einfluß zurückgeführt. Auch der Pfau, der sich damals besonderer Beliebtheit erfreute, hat etwas Chinesisches und zugleich ist er ein echtes Rokokotier: dekorativ und bizarr, selbstgenießerisch und theatralisch, endimanchiert und genrehaft.

Le siècle Vom ganzen Rokoko gilt, was Diderot 1765, als bereits ein
des
petitesses neuer Geist zu herrschen begann, von Boucher gesagt hat: es hatte „zu viel kleinliches Mienenspiel". Schon Voltaire hatte sein Zeitalter „le siècle des petitesses" genannt. Es hat auf allen Gebieten eigentlich nur charmante Nippes hervorgebracht. Der Barock schreit und plakatiert, das Rokoko flüstert und dämpft. Schnörkelhaft sind beide; aber der Schnörkel, im Barock eine leidenschaftliche Exklamation, wird im Rokoko zum diskreten zierlichen Fragezeichen.

In der französischen Hochbarocke herrschte tyrannisch die Regel, Normwidrigkeit galt als eine Versündigung am Geist: jetzt gehen umgekehrt die Begriffe bizarr und geistreich eine Verbindung miteinander ein. Im cartesianischen Zeitalter war der souveräne Maßstab aller Werte die Korrektheit und Symmetrie: für das „genre rocaille" ist eine bis zur Kaprice getriebene Vorliebe für das Unerwartete, Willkürliche, Paradoxe richtunggebend und formbildend. Diese Menschen waren in ihrer Philosophie vielleicht erst halbe, in ihrer Kunst aber schon ganze Atheisten. Was sie reizt, ist immer nur die Abweichung, der Sprung, die Diversion. Als eine vornehme italienische Dame einmal ein köstliches Frucht-eis verzehrte, sagte sie: „Wie schade, daß es keine Sünde ist." Diese Passion für das Illegitime und Abnorme steigerte sich nicht selten bis zur Perversität. Vielleicht in keinem Zeitalter war der aktive und passive Flagellantismus so verbreitet wie damals; er war geradezu zur Massenpsychose ausgeartet. Man muß sich jedoch bei dieser und ähnlichen Erscheinungen daran erinnern, daß sämt-liche hohen und späten Kulturen zur Perversität neigen, ja daß in aller Kultur ein Element des Perversen verborgen liegt. Kultur ist und bleibt nun einmal das Gegenteil von Natur: wir haben auf diese Tatsache schon im vorigen Kapitel, beim Problem der Perücke, hinzuweisen versucht. Bei alternden Kulturen zeigt sich dies natürlich in verstärktem Maße: der Kreis der „normalen" Möglichkeiten ist erfüllt, die Phantasie strebt über ihn hinaus. Weder die Ägypter des Neuen Reiches noch die Griechen der Alexandrinerzeit und die Römer der Kaiserzeit erfreuten sich „gesunder" Verhältnisse. Besonders die „Sittenlosigkeit" des alten Rom erinnert an die Rokokozeit. „Ich frage schon lange in der ganzen Stadt herum", sagt Martial, „ob keine Frau nein sagt: keine sagt nein. Also ist keine keusch? Tausende sind es. Was tun denn nun die Keuschen? Sie sagen nicht ja, aber sie sagen auch nicht nein"; und Juvenal meint, manche Frauen ließen sich schon wieder scheiden, ehe die grünen Zweige abgewelkt seien, die beim Einzuge der Neuvermählten die Haustüre schmückten. Analog schrieb Voltaire unter dem Artikel „*Divorce*": „Die Scheidung stammt wahrscheinlich aus derselben Zeit wie die Ehe. Ich glaube trotzdem, daß die Ehe einige Wochen älter ist." Selbst zu den sadi-stischen Zirkusvergnügungen der Römer findet sich ein Pendant in der Sitte, daß in Paris Angehörige der höchsten Kreise den Hin-richtungen wie einem sensationellen Gesellschaftsereignis beizu-wohnen liebten, wobei, wie Zeugen versichern, zahlreiche Damen in Orgasmus gerieten.

Man wollte sich vor allem um keinen Preis langweilen. Hiedurch kommt ein ganz neuer Elan in die französische Kultur; erst im achtzehnten Jahrhundert wird der wahre *esprit* geboren, der Champagnergeist, der Schaum und Wein zugleich ist. Aber mit dieser fast krankhaften Sucht, unter allen Umständen „anregend", brillant, aromatisch, moussierend zu sein, verliert sich auch die Monumentalität und Würde, der Ernst und die Tiefe: ganz große Gebiete der Seele verdorren, werden hochmütig gemieden oder leichtfertig ignoriert. Der Glanz, der von der scheidenden Barocke ausströmt, ist die Phosphoreszenz der Verwesung.

Man denkt nicht mehr in mühsam getürmten und gegliederten Systemen und schweren schleppenden Schlußketten, sondern in gedrängter pikanter Polemik, in facettierten Bonmots, kurzweiligen Satiren, gepfefferten Pamphleten und messerscharfen Aphorismen, oder auch in *„poésies fugitives"*: lyrisch-epigrammatischen Niaiserien, die nur den schimmernden Dünnschliff irgendeines Ideengangs geben; man macht den Dialog, den Roman, die Novelle zum Gefäß der Philosophie: selbst der gewissenhafte und tiefgründige Montesquieu zieht durch seine „Lettres Persanes" das buntfarbige Band einer lüsternen Haremsgeschichte. Man will von jedermann verstanden werden, auch vom Halbgebildeten, vom Salonmenschen, vom „Publikum" und vor allem von den Damen.

Dies spricht auch aus den Porträts. Die Gelehrten lassen sich nicht mehr mit Buch, Feder und Brille abbilden, sondern als lächelnde nonchalante Weltleute: nichts soll an die desillusionierenden technischen Behelfe ihrer Produktion erinnern, wie diese selbst nicht mehr nach Öl, Tinte und Stube riechen darf und nichts anderes sein will als ein leichter, geschmackvoller und komfortabler Galanterieartikel, eine der vielen unentbehrlichen Überflüssigkeiten des luxuriösen und genießerischen Lebens der großen Gesellschaft. Die Gärten der Wissenschaft, im Mittelalter als geheiligter Bezirk den Blicken der Profanen entzogen, in der Renaissance durch das Stachelgitter lateinischer Gelehrsamkeit abgezäunt, werden im achtzehnten Jahrhundert der allgemeinen Benutzung übergeben und zur öffentlichen Einrichtung gemacht, wo jedermann

Erheiterung, Erholung und Belehrung suchen kann: Adel und Bürgerschaft, Mann und Frau, Geistlichkeit und Laienwelt. Das Volk hat noch keinen Zutritt; nicht weil man es verachtet, sondern aus einem noch sonderbareren Grunde: man hat nämlich seine Existenz überhaupt noch nicht bemerkt. Es wird aber ein Tag kommen, wo auch diese Gesellschaftsschichte von den Gärten ihren Gebrauch machen wird, und einen sehr seltsamen: es wird sie weder zur höheren Ehre Gottes kultivieren wie die Kirche noch erweitern, bereichern und sorgfältig parzellieren wie die strenge Wissenschaft noch in einen allgemeinen Belustigungsort verwandeln wie die Philosophen für die Welt, sondern berauben und demolieren. Es wird das dort angesammelte Material zuerst als hölzerne Waffe benutzen, um seine Widersacher zu bedrohen, und schließlich als riesigen Brennstoff, um die Welt in Flammen zu setzen.

Wenn diese Zeit es verstanden hat, sogar die Wissenschaft und Philosophie zu einem erlesenen Reizmittel zu machen, das man einschlürft wie ein gaumenkitzelndes Apéritif, so versteht es sich von selbst, daß sie auch auf allen übrigen Gebieten nicht anders verfuhr. Man hat nur den einen Wunsch, das Leben zu einem ununterbrochenen Genuß zu machen; „der Sicherheit halber", sagte Madame de la Verrue, „bereitet man sich bereits auf Erden das Paradies". Und man will sich delektieren, ohne die Kosten zu bezahlen. Man will die Früchte des Reichtums genießen ohne die Strapazen der Arbeit, das Glanzlicht der sozialen Machtstellung ohne ihre Pflichten und die Freuden der Liebe ohne ihre Schmerzen. Man flieht daher die große Passion, die als nicht chic gebrandmarkt wird, und schöpft von der Liebe nur die süße luftige Creme ab. Man ist immer amourös, aber niemals ernstlich verliebt: „man nimmt einander", heißt es bei Crébillon fils, „ohne sich zu lieben; man verläßt einander, ohne sich zu hassen." Liebe und Haß sind Leidenschaften, und Leidenschaften sind unbequem und außerdem ein Zeichen von Mangel an Esprit. Man will die Liebe ohne viele Umstände genießen wie ein pikantes Bonbon, das rasch auf der Zunge zergeht, nur dazu bestimmt, durch ein zweites von anderem Geschmack ersetzt zu werden.

Die Liebe als Liebhabertheater

Die Erotik wird ein graziöses Gesellschaftsspiel, das die Liebe amüsant nachahmt und bestimmten Regeln unterworfen ist. Die Liebe wird zum Liebhabertheater, zu einer abgekarteten Komödie, in der alles vorhergesehen und vorausbestimmt ist: die Verteilung der Fächer, die der Dame immer die Partie der kapriziösen Gebieterin, dem Herrn die Rolle des ritterlichen Anbeters zuweist; die Reden und Gebärden, mit denen man die einzelnen Stationen: Werbung, Zögern, Erhörung, Glück, Überdruß, Trennung zu markieren hat. Es ist ein komplettes, durch lange Tradition und Kunst geschaffenes Szenarium, worin alles seinen konventionellen Platz hat und alles erlaubt ist, nur keine „Szenen"; denn seinem Partner ernstliche Erschütterungen bereiten zu wollen, hätte einen bedauerlichen Mangel an Takt und Erziehung bewiesen. Auch die Eifersucht durfte nur einen spielerischen Charakter tragen: *„la gelosia è passione ordinaria e troppo antica"* sagt Goldoni.

Aber selbst diese Treibhausliebe gedeiht nur in der schwülen Atmosphäre der Illegitimität. Alles, was an „Familienleben" erinnert, rangiert als mauvais genre. Schwangerschaft macht unfehlbar lächerlich, wird daher möglichst vermieden und, wenn eingetreten, möglichst lange verheimlicht. Liebe in der Ehe gilt für altfränkisch und absurd, noch schlimmer: für geschmacklos. In der guten Gesellschaft titulieren sich die Ehepaare auch zu Hause mit „Monsieur" und „Madame". Eheliche Treue sowohl des Mannes wie der Frau wird geradezu als unpassend angesehen; allenfalls toleriert man noch viereckige Ehen, bei denen die Paare changieren. Eine Frau, die keine Liebhaber hat, gilt nicht für tugendhaft, sondern für reizlos, und ein Ehemann, der sich keine Mätressen hält, für impotent oder ruiniert. Es gehört so vollständig zum guten Ton für eine Dame von Welt, unerlaubtes Glück genossen zu haben, daß sie gezwungen ist, die Spuren ihrer Liebesnächte von Zeit zu Zeit öffentlich zur Schau zu tragen, sich schwarze Ringe um die Augen zu schminken, einen abgespannten Gesichtsausdruck anzunehmen, den ganzen Tag zu Bett zu bleiben, während es andrerseits für jeden Menschen von Lebensart de rigueur ist, diesen angegriffenen Zustand mit ironischem Erstaunen zu konstatieren. Dem Gatten ist hiebei die Aufgabe zugewiesen, mit Verstand und Anstand über der Situation zu stehen, und je mehr Witz, Liebenswürdigkeit und Anmut er an diese Rolle wendet, desto sicherer sind ihm alle Sympathien. Voltaire lebte bekanntlich ein halbes Menschenalter lang mit der Marquise du Châtelet auf deren Schloß Cirey in Lothringen, aber niemals hören wir etwas von irgendeiner Verstimmung des Marquis. Seine Toleranz ging aber noch viel weiter. Eines Tages wurde auch Voltaire von Emilie betrogen, die zu dem jungen Schriftsteller Saint-Lambert eine leidenschaftliche Neigung gefaßt hatte, was aber Voltaire nicht hinderte, an ihrer Seite zu bleiben und sogar der väterliche Freund seines Nebenbuhlers zu werden. Das Verhältnis blieb jedoch nicht ohne Folgen, und nun entwickelte sich eine charmante Rokokofarce, die das Sujet einer der besten Novellen Maupassants bilden könnte. Voltaire erklärte: „*Pater est, quem nuptiae declarant.* Wir werden das Kind in Madame du Châtelets gemischte Werke einreihen." Man lud sogleich Herrn du Châtelet nach Cirey, der auch alsbald eintraf und dort eine Reihe sehr angenehmer Tage verbrachte. Madame du Châtelet war gegen ihn ungemein liebenswürdig und er zog daraus seine Konsequenzen. Kurz nach seiner Abreise konnte er seinen Gästen mitteilen, daß er ein Kind erwarte. Die Hauptpikanterie der ganzen Geschichte besteht darin, daß höchstwahrscheinlich alle Beteiligten sich gegenseitig eine Komödie vorgespielt haben. Solche Vaudevilles des Lebens ereigneten sich damals täglich. So dürfte es zum Beispiel kaum einen brillanteren Lustspielaktschluß geben als die Bemerkung, die ein französischer Kavalier machte, als er seine Gattin in flagranti betrat: „Aber wie unvorsichtig, Madame! Bedenken Sie, wenn es ein anderer gewesen wäre als ich!"

Jede Frau muß mindestens einen Liebhaber haben, sonst ist sie gewissermaßen gesellschaftlich kompromittiert. In Italien pflegten viele Damen sich im Ehekontrakt einen bestimmten Cicisbeo auszubedingen, bisweilen auch zwei. Der Bräutigam, der selbst schon längst in einem anderen Kontrakt als Cicisbeo figurierte, hatte nichts dagegen einzuwenden. Lady Montague berichtet in ihren bekannten Briefen aus Wien, daß man es dort für eine schwere Beleidigung angesehen hätte, wenn jemand eine Dame zum Diner

Der Cicisbeo

gebeten hätte, ohne ihre beiden Männer, den Gatten und den offiziellen Liebhaber, mit einzuladen. Ihr Erstaunen hierüber zeigt, daß diese Sitte offenbar nicht über den Kontinent hinausgedrungen war. Die viel frühere Vorherrschaft des bürgerlichen Elements in England, auf die wir noch zu sprechen kommen, gestattet es überhaupt nicht, von einem englischen Rokoko im eigentlichen Sinne zu reden.

Der erklärte Liebhaber, der in Frankreich „*petit maître*", in Italien „*cavaliere servente*" hieß und nicht selten ein Abbé war, begleitete seine Herrin wie ein Schatten: auf Visiten und Promenaden, ins Theater und in die Kirche, zum Ball und zum Spieltisch, er saß bei ihr im Wagen und schritt neben ihrer Sänfte, hielt ihr den Sonnenschirm und betreute ihr Hündchen, seinen gefährlichsten Nebenbuhler im Herzen der Dame. Des Morgens weckte er sie, zog die Jalousien in die Höhe und brachte die Schokolade, später assistierte er ihr sachkundig bei der Toilette und geleitete die Besuche an ihr Bett. Auch Fernerstehende wurden nämlich von den Damen mit Vorliebe beim Lever empfangen, später sogar bisweilen beim Morgenbad. Diese Sitte erscheint um so sonderbarer, als man in der Rokokozeit von der Wanne sonst fast gar keinen Gebrauch gemacht hat. In Versailles gab es keine einzige Badegelegenheit und noch in Goethes Jugend hielt man das Schwimmen für eine Verrücktheit. Die zahlreichen Bilder badender Frauen und Mädchen, die aus jener Zeit stammen, sind kein Gegenbeweis, da sie lediglich dem Zweck dienten, die erotische Phantasie anzuregen. Wenn man bedenkt, welche lächerlich kleinen Dimensionen die damaligen Waschbecken hatten, die etwa so groß und so tief waren wie Suppenteller, so möchte man fast auf die Vermutung kommen, daß sich in jenen pikanten Deckelwannen, die alles Mögliche ahnen ließen, kein Wasser befand.

Erotische
Décadence

Noch viel öfter als die Wanne findet sich auf den lasziven Bildern jener Zeit, die man mit der größten Unbefangenheit überall aufstellte, ein anderes Requisit: nämlich die Schaukel. Sie kam erst damals allgemein in Mode und bringt in der Tat eine Reihe typischer Rokokoelemente zum Ausdruck: das Spielerische, die vorgetäuschte Infantilität, den erwachenden Sinn für „Freiluft",

574

die Galanterie des Mannes und die Koketterie der Frau, und sie wirkt durch den kitzelnden Schwindel, den sie erzeugt, als eine Art Aphrodisiakum. Übrigens machte man damals auch ganz unbedenklich von viel weniger harmlosen Stimulantien einen oft ausschweifenden Gebrauch: alle Welt nahm „Liebespillen", „spanische Fliegen" und ähnliche Anregungsmittel. Es ist unbegreiflich, wie man aus diesen und verwandten Erscheinungen schließen konnte, das Rokoko sei ein besonders stark erotisches Zeitalter gewesen; es war vielmehr eher unerotisch und wollte nur um keinen Preis auf die Genüsse der Liebe verzichten. Gerade aus der Tatsache, daß alles Sinnen und Trachten des Rokokomenschen dem Problem der Liebe und der Bereicherung, Verfeinerung und Intensivierung ihrer Technik gewidmet war, erhellt unzweideutig, daß ihm auch auf diesem Gebiete die schöpferische Kraft abhanden gekommen war. Der Augenblick, wo nicht mehr der Inhalt, sondern die Form, nicht mehr die Sache, sondern die Methode zum Hauptproblem erhoben wird, bezeichnet immer und überall den Anfang der Décadence. Erst als das Mittelalter die ganze Fülle seiner Gottesanschauung ausgelebt hatte, entwickelte die Scholastik ihre höchste Subtilität und Schärfe; erst als die griechische Philosophie alle ihre großen Würfe getan hatte, erschienen die klassischen Systematiker. Aischylos und Shakespeare waren keine Dramaturgen; dies blieb erst den Alexandrinern und den Romantikern vorbehalten. Aber andrerseits muß man gerechterweise auch anerkennen, daß gerade die Niedergangszeiten in Kunst, Wissenschaft, Lebensordnung eine Feinheit, Kompliziertheit und psychologische Witterung zu entwickeln pflegen, die nur ihnen eigen ist. Und so hat es denn auch im Rokoko zwar keine erotischen Genies gegeben, wohl aber große Amouröse, unvergleichliche Artisten der Liebeskunst, die damals zu einer ungemein geistreichen und gründlichen Wissenschaft ausgebildet wurde. An der Spitze dieser Virtuosen beiderlei Geschlechts stehen die Pompadour, deren Leben zur Legende, und Casanova, dessen Namen zum Gattungsbegriff erhöht worden ist, während eine Gestalt wie die des Herzogs von Richelieu als Repräsentant einer ganzen Spezies gelten kann: er erhielt, obgleich er ein Alter von zweiundneunzig Jahren erreichte, bis zu seinem Tode täglich ein dickes Paket Liebesbriefe, das er oft gar nicht öffnete, und erlitt die erste und wahrscheinlich einzige Niederlage seines Lebens mit sechsundsechzig Jahren, als er auf Schloß Tournay vergeblich um die schöne Madame Cramer warb, was ihn aber als Kuriosität so amüsierte, daß er es selbst aller Welt erzählte; und einmal war er sogar Gegenstand eines Pistolenduells, das zwei Damen der höchsten Aristokratie um ihn ausfochten.

Das Häß-
lichkeits-
pflästerchen Auch die Tatsache, daß das Rokoko ein Zeitalter der Gynokratie war, ist nicht aus besonders stark entwickelter Erotik herzuleiten. Dies ist vielmehr in zwei anderen Momenten begründet. Zunächst in der Feminisierung des Mannes, die sich von Jahrzehnt zu Jahrzehnt steigerte. „Die Männer", sagt Archenholz, „sind jetzt mehr als in irgendeinem Zeitraum den Weibern ähnlich." Sodann aber hatte in den romanischen Ländern das Gesellschaftsleben allmählich die grandiosesten Formen angenommen, und wo eine höchstentwickelte Kultur der Geselligkeit herrscht, dort herrscht auch immer die Frau. Aus derselben Ursache stammt auch in der Renaissance der soziale Primat des weiblichen Geschlechts. Nur war die Renaissance eine ausgesprochen virile Zeit und ihr Frauenideal daher die Virago. Ganz umgekehrt kann im Rokoko die Frau gar nicht weiblich und kindlich genug aussehen: es herrscht das Fragilitätsideal, das sich mit voller Bewußtheit an der Porzellanpuppe orientiert. Gesundheit gilt für uninteressant, Kraft für plebejisch. Das aristokratische Ideal, dem noch zur Zeit Corneilles und Condés eine Art Kalokagathie entsprach, wandelt sich zum Ideal der „Feinheit", der Hypersensibilität und vornehmen Schwäche, der betonten Lebensunfähigkeit und Morbidität. Das Schönheitspflästerchen, das schon unter Ludwig dem Vierzehnten aufgetaucht war, aber erst jetzt zum dominierenden Bestandteil der mondänen Physiognomie wird und eigentlich Häßlichkeitspflästerchen heißen sollte, verfolgt den Zweck, die Regelmäßigkeit des Antlitzes pikant zu unterbrechen, und dient damit dem Hang zur Asymmetrie, der dem Rokoko eingeboren ist, hat aber zugleich die Aufgabe, einen Schönheitsfehler, nämlich eine Warze vorzutäuschen, jede Frau zur belle-vilaine zu machen und ihr damit einen neuen perversen Reiz zu verleihen: also auch hier ein Zug zum Krankhaften. Später hat man darin sogar bis zur Geschmacklosigkeit exzediert, indem man der Mouche die Gestalt von allerlei Sternen, Kreuzen und Tierfiguren gab und die Ränder mit Brillanten besetzte. Die majestätische Fontange kommt schon 1714 aus der Mode; um 1730 verdrängt der Haarbeutel, *le crapaud*, die Perücke, die seit Beginn des Jahrhunderts immer kleiner geworden war: die männlichen Locken stecken jetzt nur noch in einem zierlichen Säckchen, das von einer koketten Seidenschleife zusammengehalten wird; der Zopf, *la queue*, wird um die Mitte des Jahrhunderts allgemein, beim Militär schon früher. Das Pudern, das zur vornehmen Toilette unerläßlich war, ob es sich um eigenes oder um falsches Haar handelte, war eine äußerst schwierige Prozedur: man schleuderte gewöhnlich den Puder zuerst gegen die Zimmerdecke und ließ ihn von da auf den Kopf herabrieseln, das Gesicht schützte man dabei durch ein Tuch. Kaunitz pflegte des Morgens durch ein Spalier von Lakaien zu schreiten, die ihn möglichst gleichmäßig bestäuben mußten. Graf Brühl besaß fünfzehnhundert Perücken, die dauernd unter Puder gehalten wurden: „viel für einen Mann ohne Kopf" sagte Friedrich der Große. Auch das Antlitz mußte stets von einer starken Puderschicht bedeckt sein.

Der Puder des Rokokos war so wenig wie die Allonge der Barocke eine „Modetorheit", sondern dessen beredtestes Symbol. Im Rokoko galt der Mann, wenn er das vierzigste Jahr überschritten hatte, für ausgelebt, die Frau noch viel früher; man heiratete auch viel zeitiger als heutzutage: die Mädchen oft mit vierzehn oder fünfzehn Jahren, die Jünglinge mit zwanzig. Voltaire nennt sich von seinem fünfundvierzigsten Lebensjahr an in seinen Briefen einen Greis; seine Freundin Frau von Châtelet empfand sich als unmögliche Figur, als sie noch mit vierzig Jahren ein Kind erwartete. Es sind dies Maßstäbe, die großen Wandlungen unterworfen, aber stets im Zeitgeist tief begründet sind. Noch zu Ende des vorigen Jahrhunderts war eine Frau von dreißig Jahren Ballmutter, heute geht sie mit fünfzig in die Tanzschule; in den französischen Sittenstücken der Achtzigerjahre war der Raisonneur, der das

Die tragische Maske des Rokokos

Leben und die Liebe mit den Augen des resignierten Zuschauers betrachtet, selten älter als vierzig, in den heutigen Filmen wird der gewissenlose Verführer mit Vorliebe als Fünfziger dargestellt. Das Rokoko fühlte sich alt; und zugleich war es von der verzweifelten Sehnsucht des Alters erfüllt, die entschwindende Jugend dennoch festzuhalten: darum verwischte es die Altersunterschiede durch das gleichmäßig graue Haar. Das Rokoko fühlte sich krank und anämisch: darum mußte der Puder die Blässe und Bleichsucht gleichsam zur Uniform machen. Das junge oder jung geschminkte Gesicht mit dem weißen Kopf ist ein erschütterndes Sinnbild der Rokokoseele, die tragische Maske jener Zeit, denn jede Zeit trägt eine bestimmte Charaktermaske, in der sie alle ihre Velleitäten sammelt, ob sie es weiß oder nicht.

Die männliche Kleidung ist das Kostüm eines verwöhnten Knaben: mit ihren zarten Seidenröcken, Kniehosen und gebänderten Schuhen, reichen Jabots und Spitzenmanschetten, glitzernden Goldpailletten und Silberstickereien und dem Galanteriedegen, der ein bloßes Spielzeug ist. Die Tönung der Gewänder ist delikat, diskret, weiblich: man wählt die Farbe der Pistazie, der Reseda, der Aprikose, des Seewassers, des Flieders, des Reisstrohs und gelangt bisweilen zu ganz abenteuerlichen Nüancen: ein neues Gelbgrün hieß Gänsedreck, *merde d'oie*, ein Braungelb dem neugeborenen Thronfolger zu Ehren „*caca Dauphin*" und in *puce*, flohfarbig, gab es eine Menge Abstufungen: Flohkopf, Flohschenkel, Flohbauch, sogar Floh im Milchfieber. Der Bart war während des ganzen achtzehnten Jahrhunderts so vollständig verschwunden, daß man die Schauspieler nicht an der Bartlosigkeit erkannte, wie das in unserer Zeit bis vor kurzem der Fall war, sondern in gewissen Fällen gerade am Schnurrbart, wenn es nämlich ihre Spezialität war, Räuber darzustellen.

Im Exterieur der Frau ist das Wichtigste die dünne mädchenhafte Taille. Sie wurde durch das Fischbeinmieder erzwungen, das als „Schnebbe" in einen langen spitzen Winkel auslief, wodurch der Eindruck der zerbrechlichen Schlankheit noch erhöht wurde. Schon am frühen Morgen begannen die unglücklichen Damen mit dem Schnüren, das sie von Viertelstunde zu Viertelstunde ver stärkten, bis sie die ersehnte Wespenfigur hatten. Auch der wuchtige Reifrock, wegen seiner mächtigen Dimensionen *panier*, Hühnerkorb, genannt, hatte nur den Zweck, durch Kontrast den Oberkörper noch zarter wirken zu lassen. Er war ebenfalls mit Fischbein ausgesteift, und der enorme Bedarf an diesem Material war für die Holländer, die Walfischfänger Europas, ein neues gutes Geschäft. Wir sind ihm bereits in Spanien als „Tugendwächter" begegnet, aber diesmal ist er fußfrei und dient, als kokette Verhüllung, die aber nicht selten wie unabsichtlich den nackten Unterkörper sehen läßt (denn Damenhosen waren im Rokoko verpönt), durchaus nicht der Tugend. Über dem Reifrock befand sich die seidene Robe, die mit einem reichen Besatz von Girlanden, Passamenterien, Spitzen, Bändern, echten oder künstlichen Blumen und bisweilen auch mit Malereien geschmückt war: so erblickte man zum Beispiel auf dem Kleid der Königin von Portugal den ganzen Sündenfall mit Adam, Eva, Apfelbaum und Schlange. Der Reifrock, der um 1720 Europa eroberte und von aller Welt, auch von Bäuerinnen und Dienstmädchen, getragen wurde, nahm allmählich so kolossale Formen an, daß seine Trägerinnen nur seitwärts zur Tür hereinkommen konnten. Ebenso unbequem war der abenteuerlich hohe Stöckelschuh, der das Gehen fast unmöglich machte. Zu Hause und im kleinen Kreis trug man statt des Reifrocks die Adrienne, ein loses bauschiges Gewand, zu dem aber ebenfalls die Schnürbrust gehörte. Zu Anfang des Jahrhunderts wird es bei den Damen Sitte, graziös bebänderte Spazierstöcke zu tragen; ein unentbehrliches Requisit der Koketterie ist auch der Fächer, der erst jetzt als Faltfächer sein volles Spiel entwickelt. Eine neue Erfindung war auch der zusammenklappbare Regenschirm, das *parapluie*, während der offene Sonnenschirm, das *parasol*, etwas älter ist. Das ganze Kostüm wurde in der Kleidung der Kinder genau nachgeahmt, die nicht nur Haarbeutel und Panier, Mouche und Galanteriedegen, Fächer und Dreispitz trugen, sondern auch geschminkt und gepudert waren, als Dame dem Herrn den Hofknix machten und als Herr der Dame die Hand küßten.

Man liebt auf Denkmälern die komische Sitte, dem Verewigten einen Gegenstand in die Hand zu drücken, der seine Tätigkeit Spiegelleidenschaft charakterisieren soll: dem Dichter eine Papierrolle, dem Erfinder ein Rad, dem Seehelden ein Fernrohr. In analoger Weise könnte man auch für jede Kulturperiode ein bestimmtes Utensil als besonders repräsentativ ansehen: so müßte man sich zum Beispiel den Menschen der anbrechenden Neuzeit mit einem Kompaß vorstellen, den Barockmenschen mit einem Mikroskop, den Menschen des neunzehnten Jahrhunderts mit einer Zeitung, den heutigen Menschen mit einer Telephonmuschel; den Rokokomenschen aber mit einem S p i e g e l. Er begleitete die damalige Gesellschaft durchs ganze Leben. Die Repräsentationsräume füllten sich mit mannshohen venezianischen Tafeln, die dem Besucher sein volles Porträt entgegenwarfen; an einer Menge täglicher Gebrauchsgegenstände waren kleine Taschenspiegel angebracht; von allen Wänden glitzerten, durch reiche Kronleuchter und eine Fülle kleinerer Lüster unsterstützt, Spiegelgläser in allen Größen und Formen; sogar ganze Zimmer waren mit ihnen austapeziert, die ungemein beliebten Spiegelkabinette, die das Bild des Beschauers ins Unendliche vervielfachten. Aus dieser Spiegelleidenschaft spricht mancherlei. Nicht bloß, was am nächsten liegt, Eitelkeit, Eigenliebe, Narzißmus, sondern auch Freude an Selbstbeschau, Autoanalyse und Versenkung ins Ichproblem, die sich in der Tat oft bis zu einer wahren Introspektions m a n i e steigerte. Das Rokoko ist das anbrechende Zeitalter der klassischen Brief- und Memoirenliteratur, der Selbstdarstellungen und großen Konfessionen, der Psychologie. Diese neue Wissenschaft ist eine Errungenschaft des achtzehnten Jahrhunderts, und wir werden sehen, wie der Trieb zur Selbstzerfaserung und Seelenergründung sich im Laufe der Generationen immer mehr steigerte, bis er gegen Ende des Jahrhunderts eine schon fast moderne Höhe erreichte. Und noch ein zweites symbolisiert der Spiegel des Rokokomenschen: die Liebe zum Schein, zur Illusion, zur bunten Außenhülle der Dinge, was aber nicht so sehr „Oberflächlichkeit" als vielmehr extremes Künstlertum, raffinierte Artistik bedeutet. „Am farbigen Abglanz haben wir das Leben" lautet die Devise Fausts, die, wenn wir Nietzsche glauben dürfen, auch das Leitmotiv der griechischen Kultur war: „Oh, diese Griechen! Sie verstanden sich darauf, zu leben: dazu tut not, tapfer bei der Oberfläche, der Falte, der Haut stehen zu bleiben, den Schein anzubeten ... diese Griechen waren oberflächlich – aus Tiefe!"

Es gibt eine Berufsklasse, für die der Spiegel ein ebenso unentbehrliches Instrument bedeutet wie die Retorte für den Chemiker oder die Tafel für den Schullehrer: es sind die Schauspieler. Und damit kommen wir zum innersten Kern des Rokokos: es war eine Welt des Theaters. Niemals vorher oder nachher hat es eine solche Passion für geistreiche Maskerade, schöne Täuschung, schillernde Komödie gegeben wie im Rokoko. Nicht nur war das Dasein selber ein immerwährender Karneval mit Verlarvung, Intrige und tausend flimmernden Scherzen und Heimlichkeiten, sondern die Bühne war der dominierende Faktor im täglichen Leben, wie etwa im klassischen Altertum die Rednertribüne oder heutzutage der Sportplatz. Überall gab es Amateurtheater: bei Hofe und im Dorfe, auf den Schlössern und in den Bürgerhäusern, an den Universitäten und in der Kinderstube. Und fast alle spielten ausgezeichnet. In dieser Theaterleidenschaft zeigt sich am stärksten und deutlichsten, was der tiefste Wille des Zeitalters war: die Sehnsucht nach letzter Decouvrierung der eigenen Seele. Man hat die Schauspielkunst nicht selten als eine Art „Prostitution" bezeichnet, und mit Recht. Hierin liegt aber der Hauptgrund, warum das Theater auf so viele Menschen eine unwiderstehliche Anziehungskraft ausübt. Die „Prostitution" ist nämlich ein ungeheurer Reiz. Der Mensch hat einen tiefen eingeborenen Hang, sich zu prostituieren, aufzudecken, nackt zu zeigen: nur kann er ihn fast nirgends befriedigen. Dies war schon die Wurzel der uralten Dionysoskulte, bei denen die Männer und Frauen sich im Rausche die Kleider vom Leibe rissen, was aber die Griechen nicht als schamlose Orgie, sondern als „heilige Raserei" bezeichneten. Übertragen wir dies ins Psychologische, so stoßen wir auf den merkwürdig suggestiven Hautgout, den aller Zynismus an sich hat. Im täglichen Leben wird dem Menschen von Staat und Gesellschaft die Aufgabe gestellt, möglichst geschickt nicht er selber zu sein, sondern immer Hüllen, Draperien, Schleier zu tragen. Immer ist der Vorhang unten, nur einmal ist er oben: eben im Theater. Gerade dort also, wo sich nach der falschen Ansicht des Laien der Herrschaftsbereich der Maske, Verkleidung und Verstellung befindet, springt der Mensch unvermummter, echter, ungeschminkter hervor als sonst irgendwo. Dies ist der wahre Sinn jener „Prostitution", die das Wesen der Schauspielkunst ausmacht: das Seelenvisier fällt, das innerste Wesen wird manifest, es muß heraus, ob der Träger des Geheimnisses will oder nicht. Das Theater ist eben mehr, als die meisten glauben: keine bunte Oberfläche, kein bloßes Theater, sondern etwas Entsiegelndes und Erlösendes, etwas schlechthin Magisches in unserem Dasein.

Die Régence Gynokratie und Theatrokratie bestimmen das Rokoko während seiner ganzen Lebensdauer. Über die Periodisierung des Zeitalters herrscht aber nicht vollkommene Klarheit und Einigkeit. Man pflegt für die Zeit der Regentschaft, die von 1715 bis 1723 währte, von *Style Régence* zu sprechen, dann bis zur Mitte des Jahrhunderts und noch weiter darüber hinaus von einem *Style Louis Quinze* und schließlich vom *Style Louis Seize*, der im wesentlichen mit dem Zopfstil identisch ist. In seinem ersten Abschnitt trägt das Rokoko einen zügellosen, kühn auflösenden Charakter, der in seiner Heftigkeit noch etwas von der siegreichen Barockvitalität hat, dann werden seine Lebensäußerungen immer müder, blutleerer, filigraner, bis sie im antikisierenden „Zopf" zu völliger Gliedersteife und Altersschwäche erstarren. Früher hat man die Begriffe Zopf und Rokoko einfach gleichgesetzt, was völlig unberechtigt ist; viel eher läßt sich fragen, ob der Zopf überhaupt noch zum Rokoko gehört.

Wir haben gehört, mit welcher unverhohlenen Freude der Tod Ludwigs des Vierzehnten begrüßt wurde. Alle Welt, der Hof und der Adel so gut wie die Roture und die Canaille, atmete auf, als der doppelte Druck des Despotismus und der Bigotterie vom Lande genommen war. „Gott allein ist groß, meine Brüder", begann Massillon seine Leichenrede auf Louis le Grand, „und groß besonders in diesen letzten Augenblicken, wo er den Tod verhängt über die Könige der Erde." Wie nach dem Sturz der Puritanerherrschaft in England wollte man nun auch in Frankreich sich für die langen Entbehrungen und Bevormundungen des alten Régimes schadlos halten, indem man den Genuß zum Alleinherrscher des Lebens erhob und alle Tugend für Heuchelei, alle gute Sitte für Prüderie erklärte. Ludwig der Vierzehnte hatte während seiner letzten Jahre auch in seiner Familie viel Unglück gehabt: nacheinander starben ihm alle direkten Thronerben bis auf seinen unmündigen Urenkel, und zur Regentschaft gelangte sein Neffe, der Herzog Philipp von Orléans, der Sohn der „Liselotte", die am Theater von Versailles die Rolle der „Ingénue" spielte und sich durch ihre urwüchsigen Briefe einen noch heute lebendigen Nachruhm verschafft hat. Der Volkswitz empfahl nicht ohne Berechtigung für sie die Grab-schrift: „Hier ruht die Mutter aller Laster", denn der Herzog war der Typus des „Wüstlings", wie er noch heute in Kolportagero-manen vorkommt, glänzend begabt, bestechend liebenswürdig, aber von einer rasanten Skepsis und Frivolität, die im eigenen Ver-gnügen die einzige Richtschnur alles Handelns erblickte. Ludwig der Vierzehnte pflegte ihn sehr bezeichnend *„fanfaron de vice"* zu nennen, und er trieb in der Tat mit dem Laster eine Art bizarren Kultus, was nicht nur echter Rokokostil, sondern auch echt franzö-sisch war, denn der Franzose liebt es, sowohl seine Vorzüge wie seine Untugenden zu unterstreichen und sozusagen überchargiert zu spielen; und eben deshalb hat das Volk dem Regenten alles ver-ziehen und ihm nicht einmal ein schlechtes Andenken bewahrt. Auf ihn geht der Ausdruck *„roué"* zurück: er bezeichnete damit die Genossen seiner Orgien als „Galgenvögel" und „von allen Lastern Geräderte". Das Raffinement, mit dem diese Kompagnie stets neue Ausschweifungen ersann, bildete das bewundernde Stadtgespräch von Paris, und zu den *„fêtes d'Adam"*, die in Saint-Cloud veranstaltet wurden, Zutritt zu erhalten, war der Ehrgeiz aller Damen. Mit seiner Tochter, der schönen und temperament-vollen Herzogin von Berry, verband den Regenten ein leidenschaft-liches Liebesverhältnis, aber auch daran fand man nichts besonders Anstößiges, wie denn überhaupt der Inzest damals gerade in den höchsten Kreisen nichts Seltenes war: so hatte zum Beispiel auch der Herzog von Choiseul, der im Siebenjährigen Krieg als Pre-mierminister eine große Rolle spielte, eine allgemein bekannte Beziehung zu seiner Schwester, der Herzogin von Gramont. Auch

in anderer Hinsicht wurden die üblichen Grenzen des Geschlechts-
verkehrs wenig beachtet, und es entspricht dem greisenhaften
Charakter des Zeitalters, daß vielleicht niemals die Kinderschändung so verbreitet war wie im Rokoko.

Bei einer dieser Orgien wurde dem Regenten ein Schriftstück
zur Unterschrift gebracht. Er war aber schon so betrunken, daß
er nicht mehr signieren konnte. Er gab daher das Papier Frau von
Parabère mit den Worten: „Unterschreib, Hure." Diese erwiderte,
das käme ihr nicht zu, worauf er zum Erzbischof von Cambrai
sagte: „Unterschreib, Zuhälter." Als auch dieser sich weigerte,
wandte er sich an Law mit der Aufforderung: „Unterschreib,
Gauner." Aber auch dieser wollte nicht unterzeichnen. Da sagte
der Regent: „Ein herrlich administriertes Reich: regiert von einer
Hure, einem Zuhälter, einem Gauner und einem Besoffenen."
Aber es scheint, daß er auch hier ein wenig den Fanfaron gespielt
hat, denn seine Regierung war in mancher Beziehung besser als
die seines Vorgängers und seines Nachfolgers. Er verdrängte die
Jesuiten vom Hofe und begünstigte die Jansenisten, tilgte ein
Fünftel von den zweitausend Millionen Livres Staatsschulden, die
Ludwig der Vierzehnte hinterlassen hatte, näherte sich den See-
mächten und verfolgte mit Hilfe seines Lehrers, des lasziven und
klugen Kardinals Dubois, eine friedliebende Politik. Die Zensur-
bedrückungen und die willkürlichen Verhaftungen hörten unter
ihm fast ganz auf, zumal da er wie alle wirklich vornehmen und
die meisten geistreichen Menschen gegen persönliche Angriffe un-
empfindlich war. Als Voltaire in seinem ersten Drama „Oedipe"
die unglaubliche Kühnheit hatte, bei der Schilderung der blut-
schänderischen Beziehung zwischen dem König und Jokaste
auf den Herzog und seine Tochter anzuspielen, saß dieser, obgleich
er natürlich alles verstand, unbewegt in seiner Loge, klatschte
Beifall und bewilligte dem jungen Autor ein bedeutendes Jahr-
geld.

Der
Lawsche
Krach
Die Affäre des soeben erwähnten Law war allerdings eine der
größten öffentlichen Katastrophen, die Frankreich vor der
Revolution erlebt hat. John Law, ein reicher Schotte, schön, gewandt,
elegant und zweifellos ein finanzielles Genie, hatte den produktiven

und an sich richtigen Gedanken gefaßt, daß das Kapital der staatlichen und der großen privaten Banken sich nicht lediglich in ihrem Vorrat an Edelmetall ausdrücke, sondern auch in den Naturwerten und Arbeitskräften, die ihnen bei ihren Transaktionen zur Verfügung ständen; infolgedessen seien sie berechtigt, an den Kredit des Publikums zu appellieren und Bankbillets auszustellen, für die nicht die volle Deckung durch Bargeld vorhanden sei. Seine im Jahr 1716 auf diese Prinzipien gegründete Privatnotenbank, die später in eine königliche umgewandelt wurde, verteilte schon im dritten Jahr ihres Bestandes vierzig Prozent Dividende. Die von ihm ins Leben gerufene „Compagnie des Indes", die zur Exploitierung Kanadas und Louisianas bestimmt war, zog die Ersparnisse ganz Frankreichs an sich, und als ihre „Mississippiaktien" auf das Zwanzigfache und Vierzigfache ihres Nennwertes stiegen, überschritt die Spekulationswut alle Grenzen. Damals wurde der Typ des *„chevalier d'industrie"* geboren, des abenteuernden Industrieritters, dessen Vermögen in lauter Papier besteht. 1719 erbot sich Law, den Staat mit einem Schlage zu sanieren, indem er sämtliche Steuern in Pacht nahm, 1720 wurde er zum Finanzminister ernannt. Schließlich setzte er so viele Scheine in Umlauf, daß sie das Achtzigfache alles in Frankreich befindlichen Geldes repräsentierten. Aber die Kolonien brachten nichts ein, das Publikum wurde mißtrauisch, es erfolgte ein allgemeiner Run auf die Staatsbank, ihre Billets sanken auf den zehnten, die indischen Aktien auf den fünfundzwanzigsten Teil ihres Ausgabekurses. 1721 blieb nichts übrig, als den Bankerott zu erklären, Law mußte nach Venedig fliehen, wo er acht Jahre später in größter Armut starb, eine ungeheure Teuerung brach aus, ganz Frankreich war ruiniert. Der Lawsche Krach hat bekanntlich im zweiten Teil des „Faust" Verwendung gefunden: dort wird er als mephistophelischer Handel geschildert, denn nicht Faust, sondern Mephisto ist der Urheber des Zettelschwindels, durch den der Kaiser sich rangiert; und die leichtgläubige Menge, die sich Papier für gutes Geld anhängen läßt, ist im Narren personifiziert: „Zu wissen sei es jedem, der's begehrt: der Zettel hier ist tausend Kronen wert. Ihm liegt gesichert als gewisses Pfand Unzahl vergrabnen Guts im Kaiserland.

Nun ist gesorgt, damit der reiche Schatz, sogleich gehoben, diene zum Ersatz." Indes waren die Pläne Laws nichts weniger als schwindelhaft und teuflisch, denn die Deckung für seine Scheine bestand nicht in erlogenen Märchenschätzen, sondern in sehr reellen Boden- und Sachwerten, nur wurden diese von unfähigen Kräften nicht entsprechend fruktifiziert und die an sich gesunden Kreditprinzipien von einer gedankenlosen und habgierigen Staatsregierung in maßloser Weise überspannt, und zudem überstieg das ganze System die wirtschaftliche Fassungskraft des damaligen Publikums, das dafür noch nicht reif war und sich in der Tat kopflos und närrisch benommen hat.

Louis Quinze

In seiner Art war auch Ludwig der Fünfzehnte ein echter Rokokofürst: übersättigt und lebenshungrig, leichtfertig und schwermütig, von Jugend an senil. Seine Selbstregierung währte fast ebenso lange wie die Ludwigs des Vierzehnten, nur überließ er die Leitung fast gänzlich seinen Staatsräten und Mätressen, in den beiden ersten Jahrzehnten dem Kardinal Fleury, dem dritten Kirchenfürsten, der in Frankreich allmächtig war. In Louis Quinze wandelt sich die kraftvolle Orgiastik der Régence in eine welke Verruchtheit. Er war intelligent, aber lange nicht so geistvoll wie der Herzog, zudem waren in seiner Seele Libertinage und Bigotterie seltsam gemischt: obgleich völlig gewissenlos, litt er doch an fortwährender Angst vor der Hölle, was die Jesuiten zur Wiedererlangung ihrer Hofstellung ausnutzten. Zuerst errangen die fünf Schwestern Mailly nacheinander das Glück, von ihm zu ersten Favoritinnen erhoben zu werden; 1745 lernte er die Pompadour kennen, die damals in der vollen Blüte ihrer Jugend und Schönheit stand. Obgleich sie, der bürgerlichen Hochfinanz entstammt, von der Hofkamarilla aufs heftigste angefeindet wurde, gelang es ihr doch, den blasierten König zwei Jahrzehnte lang zu fesseln. Sie ritt und tanzte, zeichnete und radierte, sang und deklamierte mit der größten Vollendung, las und beurteilte alle bedeutenden Neuerscheinungen: Dramen, Philosophien, Romane, Staatstheorien mit dem feinsten Verständnis, und vor allem verstand sie die Kunst, täglich neu zu sein und den Vergnügungen, mit denen sie ihren Lebensgefährten umgab, immer wieder eine überraschende und faszinierende Pointe abzutrotzen. Mit der Königin, die selber sanft und liebenswürdig, aber etwas langweilig war, stand sie auf dem besten Fuß, ja sie gab ihr sogar Liebesunterricht; später führte sie dem König in dem berühmten *Parc aux Cerfs* junge Schönheiten zu. Ihre Nachfolgerin war Jeanne Dubarry, eine dumme und gewöhnliche Person, die aber, vielleicht gerade durch den Hautgout ihrer Ordinärheit, einen unbeschreiblichen sexuellen Reiz besessen haben muß: besonders ihre Art, lüstern mit den Augen zu blinzeln, soll unwiderstehlich gewesen sein.

Während der Hof sich auf diese Art amüsierte und der Bürger Die noblesse de la robe sich von Jahr zu Jahr mehr bildete und bereicherte, lebte das Landvolk in Lumpen und Lehmhütten und befand sich, wie ein englischer Ökonom feststellte, auf dem Standpunkt der Agrikultur des zehnten Jahrhunderts. Von der Höhe der Steuern und der Härte, mit der sie eingetrieben wurden, kann man sich heutzutage nur schwer eine Vorstellung machen: sie waren so sinnlos, daß der Bauer es oft vorzog, den Boden unbebaut zu lassen oder seine Ernte zu vernichten. Der Adel lebte noch immer wie eine höhere Rasse mit eigenen Rechten und Lebensgewohnheiten mitten unter der übrigen Bevölkerung Frankreichs, untätig, unbesteuert, keinen Pflichten unterworfen als dem Dienst der Repräsentation und keinem Gesetz gehorchend als der Laune des Königs. Ihm gehörten alle Güter, alle Ehren, alle Frauen des Landes. Als der Marschall Moritz von Sachsen, der Sohn Augusts des Starken und der schönen Aurora von Königsmark, erfolglos um die Schauspielerin Chantilly warb, die es vorzog, den Operndichter Favart zu heiraten, erwirkte er eine königliche Kabinettsordre, die ihr befahl, seine Mätresse zu werden. Dieser glänzende Kavalier, der sonst nicht über Mißerfolge bei Frauen zu klagen hatte, war übrigens noch in eine zweite für die damaligen Zustände ebenso charakteristische Skandalaffäre verwickelt, deren Mittelpunkt wiederum eine Schauspielerin war, die große Adrienne Lecouvreur. Sie hatte ein langjähriges Liebesverhältnis mit ihm und wurde von der Herzogin von Bouillon, die ebenfalls in den späteren berühmten Feldherrn verliebt war, allem Anschein nach vergiftet: der Polizeidirektor, der den Befehl erhalten hatte, jede Untersuchung über die

Todesart der Künstlerin unmöglich zu machen, ließ die Leiche ohne Sarg in eine Grube werfen und mit Kalk bedecken. Indes zeigten sich doch schon damals auch einige Zeichen der beginnenden Auflösung des allmächtigen Absolutismus. Seit Franz dem Ersten hatte Paris als Residenz der Könige eine immer zentralere Stellung erlangt: schließlich waren „la cour et la ville" identisch mit ganz Frankreich. Dies blieb auch während der Regierung der beiden letzten Ludwige unverändert; aber die beiden Machtfaktoren, Hof und Stadt, beginnen zu Anfang des Jahrhunderts sich voneinander zu lösen und in eine immer feindlichere Rivalität zu treten. Unter Ludwig dem Vierzehnten dient die Stadt mit allen ihren geistigen Ressourcen: ihrer Kunst und Beredsamkeit, ihrer Dramatik und Philosophie, ihren Staatslehren und Wirtschaftstheorien dem Hof: Racine und Molière, Boileau und Bossuet sind eine Art von Kronbeamten; unter Ludwig dem Fünfzehnten wird sie zum Herd der Emanzipation, des Freigeistes und der Auflehnung. Sie hat ihren oppositionellen Kern im Pariser Parlament, der Vereinigung der Richter, deren Posten infolge der steten Geldbedürftigkeit der französischen Könige käuflich und erblich und damit vom Hof völlig unabhängig geworden waren: diese bildeten als „noblesse de la robe" eine gegen die Krone und die Jesuiten gerichtete mächtige Clique und zugleich, infolge ihrer zahlreichen Heiraten mit reichen Kaufmannstöchtern, eine bürgerlich gefärbte Plutokratie. Nach dem Tode Fleurys verlor der Hof vollends alles Ansehen sowohl in der inneren wie in der äußeren Politik. Friedrich er Große charakterisierte das französische Regierungssystem ebenso treffend wie geistreich, als einmal in der Oper der Vorhang nicht ganz herunterging und die Füße der Tänzerinnen sichtbar blieben: „Ganz das Pariser Ministerium: Beine ohne Kopf!" Es ist für den langmütigen Royalismus der Franzosen bezeichnend, daß dieser liebloseste und wertloseste König, den sie jemals besessen haben, gleichwohl volle dreißig Jahre lang, seit seiner Genesung von einer lebensgefährlichen Krankheit im Jahre 1744, den Beinamen le Bien-Aimé, der Vielgeliebte, geführt hat.

Das Konzert der Mächte
In der europäischen Geschichte spielt Frankreich während jenes Zeitraums nur noch die Rolle eines lüsternen und impotenten In-

triganten. Nach dem Spanischen Erbfolgekrieg beginnen in der Diplomatie die Begriffe „europäisches Gleichgewicht" und „Konzert der Mächte" in Mode zu kommen: man gibt sich den Anschein, als betrachte man das bestehende Staatensystem als ein wohlbesetztes Orchester, in dem es keine dominierende Hauptstimme geben dürfe. Da diese Schlagworte aber selbstverständlich nicht von wahrer Friedensfreundschaft und Gerechtigkeitsliebe diktiert waren, sondern von bloßer Mißgunst und Eifersucht, die den andern nicht zu groß werden lassen will, verhinderten sie die Kriege nicht, sondern erweiterten bloß die Kriegsschauplätze, indem der Koalitionskrieg nun noch mehr als früher die typische Form wurde: es kämpften selten Einzelstaaten gegeneinander, sondern fast nur noch Allianzen, die sich aber sofort auflösten, wenn einer der Teilhaber entscheidende Erfolge errang. Der große Gegensatz Frankreich-Habsburg blieb bestehen, Spanien und Schweden schieden aus der Reihe der Großmächte, an ihre Stelle traten Rußland und Preußen, England war schon damals infolge seiner längeren diplomatischen Schulung und höheren politischen Reife der Schiedsrichter Europas.

Die territorialen Veränderungen während der beiden ersten Drittel des Jahrhunderts sind, wenn wir von dem Besitzwechsel Schlesiens absehen, durchwegs zufällig und uninteressant, ein geistloses und willkürliches Changieren von Ländern und Länderfetzen. Österreich gewann im Frieden von Passarowitz Neuserbien mit Belgrad und die Kleine Walachei, mußte aber zwanzig Jahre später alles wieder zurückgeben, überließ damals Neapel und Sizilien, das es vom Herzog von Savoyen gegen Sardinien eingetauscht hatte, einer selbständigen Linie des Hauses Bourbon und erhielt dafür Parma und Piacenza, verlor aber auch diese Gebiete bald darauf an eine neugegründete dritte bourbonische Dynastie. Der Herzog Franz von Lothringen, der Gatte der österreichischen Thronfolgerin Maria Theresia, wurde Großherzog von Toscana, während sein eigenes Reich dem polnischen Thronprätendenten Stanislaus Lesczinski und nach dessen Tode Frankreich zufiel. Ein Versuch Philipps des Fünften von Spanien, die im Utrechter Frieden verlorenen Nebenländer wiederzugewinnen, scheiterte an der Quadrupelallianz Englands, Frankreichs, Österreichs und Hollands.

Kaiser Karl der Sechste hatte den größten Teil seiner Regierungstätigkeit darauf verwendet, die Pragmatische Sanktion zur Anerkennung zu bringen, durch die er die unangefochtene Nachfolge seiner Tochter als Beherrscherin aller Erbländer zu sichern hoffte. Er verhandelte mit allen europäischen Mächten und erhielt überall Zusagen, die sofort nach seinem Tode gebrochen wurden. So entstand der achtjährige sogenannte Österreichische Erbfolgekrieg, der den habsburgischen Staat in eine der gefährlichsten Krisen versetzte, die er jemals durchzumachen gehabt hat. Es ging um nichts weniger als die fast vollständige Aufteilung des Reiches. In dem geheimen „Partagetraktat", den die Gegner miteinander schlossen, sollte Bayern Böhmen und Oberösterreich, Sachsen die Markgrafschaft Mähren und Niederösterreich, Frankreich Belgien, Spanien die italienischen Gebiete erhalten und der habsburgische Besitz im wesentlichen auf die östliche Reichshälfte mit der Residenz Ofen zusammengedrängt werden. Nur Preußen aber, an das man am wenigsten gedacht hatte, bekam beim Friedensschluß etwas heraus. Anfangs verlief der Krieg für Österreich katastrophal: die Verbündeten besetzten Linz und Prag, der Kurfürst von Bayern empfing die Huldigung der böhmischen Stände und wurde als Karl der Siebente zum deutschen Kaiser gewählt. Aber alsbald trat eine Wendung ein: er wurde von den Österreichern und Ungarn nicht nur aus den eroberten Gebieten, sondern auch aus seinem eigenen Lande vertrieben und man sagte jetzt von ihm: „*et Caesar et nihil*." Nach seinem Tode entsagte sein Sohn allen Erbansprüchen auf Österreich und ein Habsburger, der Gemahl Maria Theresias, erhielt wieder die deutsche Kaiserkrone.

Der Duodezabsolutismus

Bei allen diesen politischen Vorgängen spielen die Gefühle und Wünsche der Völker nicht die geringste Rolle: es handelt sich sozusagen nur um Privatauseinandersetzungen der einzelnen Potentaten untereinander, um ihre Heiratsbeziehungen, Arrondierungsgelüste, Verträge und Vertragsbrüche, persönlichen Ambitionen und Velleitäten. Wir haben bereits erwähnt, daß der fran-

590

zösische Absolutismus auf dem ganzen Kontinent von Fürsten und Untertanen nachgeahmt wurde. Besonders in Deutschland entwickelte sich eine hemmungslose Servilität, die um so grotesker war, als es sich fast durchwegs um Kleinstaaten handelte. Ein württembergischer Pfarrer meldete seinem Herzog: „Dero allerhöchste Säue haben meine allerunteränigsten Kartoffeln aufgefressen." Jeder Duodezfürst hatte den lächerlichen Ehrgeiz, Versailles zu kopieren, und mußte seine italienische Oper, sein französisches Lustschlößchen, seine Fasanerie, seine Paradetruppen haben. Ebenso unerläßlich war der Besitz anspruchsvoller Favoritinnen: er war ein so striktes Erfordernis der Sitte, daß manche, wie zum Beispiel Friedrich der Erste von Preußen, es für notwendig hielten, sich eine Scheinkonkubine zu halten. „Nun fehlt unserem Fürsten nichts mehr als eine schöne Mätresse" sagte gerührt ein Bürger einer kleinen Residenzstadt, als er den Landesherren mit seiner eben getrauten jungen Gemahlin vorüberfahren sah. August der Starke, der seinen Beinamen nicht bloßer Hofschmeichelei verdankte, hatte über dreihundert uneheliche Kinder; eines davon, die Gräfin Orselska, war seine Geliebte. Der Herzog Leopold Eberhard von Württemberg war noch vorurteilsloser, indem er die dreizehn Kinder, die er von seinen fünf Mätressen hatte, untereinander verheiratete. Niemand wagte an derartigen Vorgängen Kritik zu üben, sondern man fand alles in Ordnung, was an den Höfen dieser kleinen Gottkönige geschah, feierte den Namenstag der jeweiligen illegitimen Landesmutter wie ein Volksfest und empfand es als hohe Ehre, wenn der Fürst sich zu einer Bürgerstochter herabließ. Auch die übrigen Eingriffe ins Leben des Untertanen wurden willenlos hingenommen. Die zahlreichen Jagden richteten unermeßlichen Feldschaden an und verwüsteten oft ganze Ernten, die Vorbereitungen zu den höfischen Lustbarkeiten zogen bisweilen die halbe Bevölkerung in ihren Dienst und die Kosten für all diesen Aufwand wurden nicht selten durch Rekrutierung und Verkauf der Landeskinder bestritten. Für eine wirkliche Hebung der Arbeitskraft geschah aber nichts. Man rechnete im achtzehnten Jahrhundert in Deutschland auf zwanzig Menschen einen Geistlichen und fünf Bettler.

Die geistige Hauptstadt Deutschlands war damals Leipzig, das
sich als Sitz der großen Messen und der vornehmsten deutschen
Universität, als Metropole der kunstsinnigen polnisch-sächsischen
Könige und des Buchhandels und als modische und mondäne
„galante Stadt" zum vielgerühmten „Pleiß-Athen" emporgeschwungen hatte. Gleichwohl ist alles, was damals aus Sachsen
hervorgegangen ist, pure Korrepetitorenliteratur, unterrichtet und methodisch, verkniffen und verprügelt, pedantisch und
korrekturwütig und unermüdlich im ermüdenden Wiederholen
derselben wohlfeilen Primitivitäten. Eine liebenswürdige Erscheinung ist Christian Fürchtegott Gellert, Pfarrerssohn und Professor,
von schwächlicher Körperkonstitution und Gestaltungskraft, aber
fleckenlos reinem Stil und Charakter, wirksam nicht nur durch
seine Romane und Lustspiele, Lieder und Erbauungsschriften,
sondern auch durch seine vielbesuchten „moralischen Vorlesungen" und seine ausgedehnte Korrespondenz, in der er alle Welt
als ein lehrhafter und gefühlvoller Beichtvater betreute. Friedrich
der Große sagte von ihm: „das ist ein ganz anderer Mann als Gottsched" und: „er hat so was Coulantes in seinen Versen." Damit ist
er vorzüglich charakterisiert: seine außerordentliche Popularität
verdankte er der weichen, einschmeichelnden, eingängigen Form,
in der er seine harmlosen Weisheiten vortrug; die spinöse Zärtlichkeit, mit der er dem Leser entgegenkam, machte ihn zum
idealen Frauenschriftsteller. Sein Humor wirkt ein wenig frostig:
es ist die Art, wie ein Großpapa in der Kinderstube scherzt, und
seine Fabeln, das einzige, was von ihm übrig geblieben ist, machen
den Eindruck, als seien sie von vornherein fürs Lesebuch geschrieben worden, als ausgesprochene „Stücke für die Unterstufe". Der
Grundzug seines Wesens war eine rührende, aber etwas ermüdende
Altjüngferlichkeit, so wie Gleim mit all seinen Liebesliedern den
Typus des alten Junggesellen verkörperte. Die um „Vater Gleim"
gescharten „Anakreontiker" waren alles eher als amourös, dazu
waren sie viel zu linkisch und sittsam, und nicht einmal richtig
verliebt, sondern bloß verliebt in eine ganz nebelhafte und schülerhafte Idee von Verliebtheit, die von ihren Kinderseelen Besitz
ergriffen hatte; sie waren auch nie richtig betrunken, sondern

ebenfalls nur berauscht von der bloßen Idee und Möglichkeit des Rausches, die schon der Anblick rosenbekränzter Weinflaschen in ihnen zu erzeugen vermochte. Weshalb Kant nicht so unrecht gehabt haben dürfte, wenn er äußerte, anakreontische Gedichte seien gemeiniglich sehr nahe dem Läppischen.

Seit etwa 1730 bekleidete Gottsched die Stellung eines absoluten Literaturdiktators, nachdem sein theoretisches Hauptwerk „Versuch einer critischen Dichtkunst vor die Deutschen" erschienen war, worin er die aristotelische Doktrin von der Nachahmung der Natur und die horazische Forderung des *„delectare et prodesse"* lehrte, beides so platt und eng wie nur möglich gefaßt. Aber schon nach einem Jahrzehnt wurde er von den Schweizern Bodmer und Breitinger gestürzt, die den Hauptgegenstand der Poesie im Außerordentlichen und Wunderbaren erblickten, „das aber immer wahrscheinlich bleiben müsse"; dieses Ideal fanden sie am vollkommensten verkörpert in der äsopischen Fabel. Im Grunde waren die Standpunkte beider Parteien nicht so verschieden, als es nach ihrer erbitterten Polemik den Anschein hatte, sie waren vielmehr feindliche Brüder, uneinig in ihren Einzelurteilen und näheren Ausführungen, völlig verwechselbar jedoch in ihrer Kunstfremdheit, Besserwisserei und sterilen Philistrosität. Ein unbestrittenes Verdienst der Schweizer war es jedoch, den selbstgefälligen, borniertem und intriganten Kunsttyrannen Gottsched gestürzt zu haben: 1765 konnte der junge Goethe über ihn berichten: „ganz Leipzig verachtet ihn".

Eine Zeitlang war Gottsched auch das literarische Gewissen der Neuberin, die in der deutschen Theatergeschichte eine nicht unwichtige Rolle gespielt hat; später überwarf sie sich mit ihm und brachte ihn sogar in einer Parodie aufs Theater, mit einer Sonne aus Goldpapier auf dem Kopf und einer Blendlaterne in der Hand, womit er Fehler suchte. Die Neuberin war hübsch, gescheit, temperamentvoll, nicht ungebildet, aber wie alle Stars, wenn sie noch dazu Direktorinnen sind, ungemein herrschsüchtig und rechthaberisch; sie spielte nicht nur auf der Bühne am liebsten Hosenrollen. Als Gründerin der sogenannten Leipziger Schule hielt sie auf fleißiges und pünktliches Probieren, „Ehrbarkeit" ihrer Mitglieder, sorgfältige Versdeklamation und runde, gepflegte, „anmutige" Posen. Berühmt ist ihre symbolische Verbrennung des Harlekins auf offener Bühne. Sie brachte außer Gottscheds zahlreichen Kopien und Bearbeitungen französischer Stücke auch Gellert, Holberg und die Erstlingsdramen Lessings zur Aufführung. Ihre Truppe hatte aber mit der Zeit immer weniger Zulauf, sie zerschlug sich mit ihren zugkräftigsten Mitgliedern, ihr Spiel wurde unmodern und sie beschloß ihr Leben nur durch die Sorge ihrer Freunde ohne äußerste Notdurft. Währenddessen gelangte durch die Hanswurstdynastie Stranitzky, Prehauser und Kurz die barocke Stegreifposse in Wien zur höchsten Blüte. Diese große Tradition, künstlerischer, menschlicher und sogar ehrwürdiger als die leere aufgeblasene Gottsched-Neuberische, hat sich in der Wiener Theaterkunst im Grunde bis zum heutigen Tage erhalten und alles überlebt, indem sie alles absorbierte: Klassizismus, Romantik, Naturalismus; sie fand ihre Fortsetzung in Erscheinungen wie Raimund und Nestroy, Girardi und Pallenberg.

Klopstock   Jene Zeit sah auch noch den ersten Ruhm Klopstocks, dessen Gesänge die gefühlvollen „Seraphiker" zur Raserei entflammten. Schon beginnt man dem schwärmerischen Kult der Liebe und Freundschaft zu huldigen und unter Küssen und Tränen „heilige" Seelenbündnisse zu schließen, in denen sich die ersten Regungen der Empfindsamkeit ankündigen. Und in der Tat war kein Poet berufener, dem noch halb unterbewußten Drängen der sich langsam wandelnden Zeit Ausdruck zu verleihen. Seine Dichtungen sind heroische Landschaften, vor die ein Wolkenvorhang gespannt ist. Die Umrisse sind nur undeutlich sichtbar, bisweilen zuckt in der schwefelgeladenen Luft ein greller Blitz auf, zumeist liegt alles in einem unwirtlichen Nebelregen. Das war verwirrend und irritierend, ja auf die Dauer lähmend, aber es war völlig neu. Denn zum erstenmal seit langer Zeit trat ein Dichter auf, dessen Atmosphäre das Unwirkliche und Unartikulierte, Unbestimmte und Irrationale war. Die Späteren empfanden nicht mehr das Neue, nicht mehr die geheimnisvolle Suggestion, sondern nur noch die graue Monotonie und Unschärfe dieser Gesichte, die sehr oft in Unverständlichkeit und noch öfter in Langeweile zerrinnt. „Ich bekenne unverhohlen", sagt Schiller in seiner Abhandlung über naive und sentimentalische Dichtung, „daß mir für den Kopf desjenigen etwas bange ist, der wirklich und ohne Affektation diesen Dichter zu seinem Lieblingsbuch machen kann ... Nur in gewissen exaltierten Stimmungen des Gemütes kann er gesucht und empfunden werden." Man kann sich die allgemeine Klopstockmanie, von der auch der junge Schiller noch ergriffen war, nur aus einer Kontrastwirkung erklären, aus der Reaktion gegen die unerträglich kahle und doktrinäre Literaturanschauung Deutschlands in der ersten Hälfte des achtzehnten Jahrhunderts.

Was Gottsched für die Poesie und Poetik unternommen hatte, leistete Christian Wolff für alle Teile der Gelehrsamkeit und Philosophie. Er machte die Gedanken Leibnizens, mit Ausschluß der tiefsten und originellsten, dem großen Publikum mundgerecht, indem er sie in breiter und flüssiger, dünner und salzloser Breiform vortrug, zugleich aber auch in ein wohlgegliedertes geschlossenes System brachte, wofür Leibniz sowohl zu unruhig wie zu genial gewesen war. Keines von beiden konnte man Wolff zum Vorwurf machen. Sein selbstsicheres Phlegma, seine Unbedenklichkeit, alles zu sagen und alles zu erklären, sein ordnungsliebender Schachtelgeist, seine spießbürgerliche Vorliebe für die goldenen Mittelwahrheiten machten ihn zum gefeierten und gefürchteten Klassenvorstand ganz Deutschlands. Ein Menschenalter lang, etwa von 1715 bis 1745, gab es auf den Kathedern fast nur Wolffianer; aber auch die Ärzte und Juristen, die Prediger und Diplomaten, die Damen und die Weltleute hielten es für zeitgemäß, zu „wolffisieren", es entstanden Gesellschaften „zur Ausbreitung der Wahrheit" nach wolffischen Grundsätzen und eine zeitgenössische Satire auf die wolffische Modephilosophie führte den Titel: „Der nach mathematischer Methode, als der allerbesten, neuesten und natürlichsten, getreulich unterrichtete Schustergeselle." Wolff verfaßte zahlreiche dicke Bände, im ganzen mehr als dreißig, über Logik und Metaphysik, Teleologie und Moral, Physik und Physiologie, Naturrecht und Völkerrecht, empirische und rationelle Psychologie: die erstere schildert die Seele, wie sie der äußeren Erfahrung erscheint, die letztere erkennt sie,

Christian
Wolff

wie sie wirklich ist. Er schrieb seine Lehrbücher zuerst deutsch, später auch lateinisch, um ihnen als *„praeceptor universi generis humani"* internationale Verbreitung zu sichern. Um die Reinigung der deutschen Sprache und die Ausbildung einer philosophischen Terminologie hat er sich nicht unerhebliche Verdienste erworben: Ausdrücke wie Verhältnis, Vorstellung, Bewußtsein sind erst von ihm geprägt worden. Es gibt in England und zum Teil auch auf dem Kontinent sogenannte „outfitter", die ihre Kundschaft vom Kopf bis zum Fuß tadellos modern equipieren; etwas ähnliches hat Wolff auf geistigem Gebiet für den deutschen Bürger seines Zeitalters geleistet, nur daß dieser von ihm nicht sehr elegant ausstaffiert wurde: zwar komplett, aber recht bescheiden, langweilig und unvorteilhaft und auch nicht eigentlich modern, etwa in der Art gewisser Vorstadtgeschäfte, die den Besucher, ohne daß er viel aufzuwenden braucht, doch so herausputzen, daß er sich auf der Straße sehen lassen kann.

Die leitenden Grundgedanken der wolffischen Philosophie sind von einer stupenden Plattheit. Der letzte Zweck aller Dinge liegt nach ihr im Menschen: durch ihn erreicht Gott die Hauptabsicht, die ihn bei der Erschaffung der Welt geleitet hat, nämlich als Gott erkannt und verehrt zu werden. Dementsprechend werden alle Erscheinungen auf geradezu groteske Weise nur von dem Gesichtspunkt aus gewertet, daß und inwieweit sie für den Menschen nützlich sind. An der Sonne zum Beispiel wird gerühmt, daß man mit ihrer Hilfe Mittagslinien finden, Sonnenuhren verfertigen, die Breite eines Ortes bestimmen kann; das Tageslicht bietet den Vorteil, „daß wir bei demselben unsere Verrichtungen bequem vornehmen können, die sich des Abends teils gar nicht, oder doch wenigstens nicht so bequem, und mit einigen Kosten vornehmen lassen". Die Sterne gewähren uns den Nutzen, daß wir des Nachts auf der Straße noch etwas sehen können; „die Abwechslung des Tages und der Nacht hat den Nutzen, daß sich Menschen und Tiere des Nachts durch den Schlaf erquicken können, auch dient die Nacht zu einigen Verrichtungen, die sich bei Tage nicht wohl vornehmen lassen, wie Vogelfang und Fischfang." Und der ganze Gedankengang wird in dem tiefsinnigen Satz zusammengefaßt:

„Die Sonne ist da, damit die Veränderungen auf der Erde stattfinden können; die Erde ist da, damit das Dasein der Sonne nicht zwecklos sei." Gleichwohl gelang es den Gegnern Wolffs, diese kindische Philosophie bei dem noch viel naiveren Preußenkönig als staatsgefährlich zu verleumden: sie redeten ihm ein, sie lehre das Fatum und infolgedessen dürften die „langen Kerle" straflos desertieren, wenn es das Fatum so wolle. Daraufhin erhielt Wolff, der damals Professor in Halle war, von Friedrich Wilhelm den Befehl, „die sämtlichen königlichen Lande binnen achtundvierzig Stunden bei Strafe des Stranges zu räumen". Sogleich nach der Thronbesteigung Friedrichs des Großen kehrte er im Triumph zurück, aber schließlich wurde, wie Steinhausen sich treffend ausdrückt, „alles so wolffianisch, daß er selbst vor leeren Bänken las".

An Wolffs Vertreibung war der Pietismus nicht unbeteiligt, der ebenfalls in Halle den Schwerpunkt seiner Wirksamkeit gefunden hatte. Er bildete während des ganzen Zeitalters eine halb irrationalistische Neben- und Unterströmung, die in der zweiten Hälfte des Jahrhunderts mächtig anschwellen sollte. Er nahm innerhalb des herrschsüchtigen und verknöcherten Protestantismus eine analoge Oppositionsstellung ein wie die Mystik innerhalb des verrotteten und verrosteten Kirchenglaubens des fünfzehnten Jahrhunderts, ihr auch darin ähnlich, daß er zu einem guten Teil eine Frauenbewegung war und eine religiöse Literatur der Tagebücher und „Erweckungen", Seelenbekenntnisse und „erbaulichen *correspondancen*" hervorbrachte. Doch läßt er sich an Tiefe nicht mit ihr vergleichen. Seine stärkste Ausprägung verlieh ihm auf deutschem Boden die Sekte der Herrnhuter, so genannt nach einer frommen Vereinigung vertriebener Hussiten, der „mährischen Brüder", die sich auf dem Hutberge, einer Besitzung des Grafen Zinzendorf in der Lausitz, angesiedelt hatten. In der von diesem geschaffenen „Kreuz- und Bluttheologie" wird der blutige Kreuztod des Erlösers zum ausschließlichen Inhalt des religiösen Erlebnisses gemacht und in Gefühlen von einer exaltierten und verwaschenen Sentimentalität gefeiert, die sich nicht selten bis zur äußersten Geschmacklosigkeit steigert und sogar vor Bildern, die vom ehe-

Der
Pietismus

lichen Beischlaf hergenommen sind, nicht zurückschreckt. Die englische Sektion des Pietismus wurde durch die Methodisten gebildet, die die Frömmigkeit methodisch zu üben und zu lehren suchten und sich unter den Brüdern John und Charles Wesley von Oxford aus in Amerika verbreiteten, wo sie durch die phantasie- volle und energische, ja wilde Art ihrer Predigt vor allem auf die unteren Massen sehr eindrucksvoll gewirkt haben.

Der bel canto Von allen diesen geistigen Bewegungen blieben die österreichi- schen Länder fast unberührt. Karl der Sechste war friedfertig und gutmütig, aber von stumpfem, kaltem und schwerfälligem Geist und Temperament; in der Politik zögernd, unzuverlässig, immer auf zwei Seiten; als Verwalter fleißig, aber denkfaul: auf unbe- queme Fragen pflegte er mit einem unverständlichen Gemurmel zu antworten. In Sitte, Religion und Verfassung hielt er an den alten Überlieferungen mit großer Zähigkeit fest: an seinem Hofe herrschte noch immer die schwarze spanische Tracht und das devote spanische Zeremoniell, auch die höchsten Würdenträger begrüßten ihn auf den Knien und bedienten ihn kniend bei Tisch. Der „Pragmatischen Sanktion", der fixen Idee seines Lebens, widmete er alle Kräfte, während er die Finanzen und das Heer- wesen in den desolatesten Zustand verfallen ließ; vergeblich hatte ihn der alte Prinz Eugen ermahnt, lieber hunderttausend Mann auf die Beine zu stellen als mit aller Welt zu verhandeln. Er war ein großer Theaterliebhaber, ließ die prachtvollsten Ausstattungs- stücke aufführen, die Europa vielleicht jemals gesehen hat, war selber Musiker und Komponist und wirkte bei seinen Hauskonzer- ten und Opernvorstellungen häufig mit. Natürlich dominierte am Wiener Hofe, wo das Italienische sogar als Umgangssprache herrschte, die damals allmächtige italienische Musik, und dort lebten lange Jahre der größte Musiktheoretiker und der größte Operndichter des Zeitalters: Johann Josef Fux, der in seinem be- rühmten „Gradus ad Parnassum" eine streng kontrapunktische und fugierte Schreibweise lehrte, und Pietro Metastasio, der drei Generationen von Komponisten die Texte geliefert hat. Metastasio war ein Librettist von einer eminenten Musikalität, dessen Dich- tungen bereits selber Melodramen waren und das begleitende

Orchester souverän kommandierten: Text und Ton sind daher bei ihm nicht im Kampfe um die Vorherrschaft, auch nicht parallel koordiniert, sondern zwei Seiten derselben Sache, eine ideale Einheit. Hierauf beruhte seine einzigartige Stellung, zumal in einer Zeit, die alle Kunst musikalisch empfand und das ganze Leben als eine Art Spieloper konzipierte. Alles ist bei ihm mit einem uniformen schillernden Salonlack überzogen, glatt und rund, abgeschliffen und sanft geglänzt, süß und absichtlich verschwommen. In seinen Opern erscheint zum erstenmal die Dreigliederung in das deklamierende, nur von einzelnen Cembaloakkorden begleitete *recitativo secco*, das gesungene und vom Orchester verstärkte *recitativo accompagnato*, zu dem sich die Musik an den dramatischen Stellen erhebt, und die abschließende lyrische Arie, die im Geschmack der Zeit oft auch „philosophisch" wird. Diese ist ihm weitaus die Hauptsache, Ensemblesätze spielen eine auffallend geringe Rolle. Die Handlung, meist Liebesintrigen und Staatsaktionen, ist in ihrer künstlichen Zersplitterung und Verästelung höchst kompliziert und zugleich in der Gewaltsamkeit ihrer Führung und Lösung höchst primitiv.

Die italienische Mode war so stark, daß viele Musiker es für opportun hielten, ihre Namen zu italienisieren: so hieß zum Beispiel Rosetti eigentlich Rösler und stammte ganz schlicht aus Leitmeritz, während der gefeierte Virtuose Venturini ursprünglich auf den Namen Mislivecek hörte. Überall herrschte, vornehmlich auf *titillazione degli orecchi*, Ohrenkitzel ausgehend, der *bel canto*, die aus Italien importierte Kunst der Bravourarie, mit seinen italienischen Konzertmeistern, Primadonnen und Kastraten, und die Namen Amati, Guarneri und Stradivari bezeichneten eine seither nicht wieder erreichte Meisterschaft des Geigenbaus. 1711 erfand der Florentiner Bartolomeo Cristofori das *piano e forte* oder Hammerklavier, das allmählich alle anderen Saiteninstrumente in den Hintergrund drängte. Neben die *opera seria* trat die *opera buffa*, deren berühmtestes Exemplar Pergolesis „Serva padrona" ist. Unter dem Einfluß der „Buffonisten" schrieb Rousseau die erste komische Oper: „Le devin du village", die ihm einen glänzenden Erfolg brachte. Er und der Neapolitaner Duni, der ebenfalls in Paris lebte, sind die Begründer dieses neuen Genres, in dem das gefrorene Pathos des *dramma per musica* in spielerische Grazie aufgelöst und die steife großsprecherische Arie durch das kokette beschwingte Chanson ersetzt wird. Auch auf dem Gebiet der ernsten Oper kam Jean Philippe Rameau als Orchesterkolorist der Vorliebe des Rokokomenschen für das Bunte und Schillernde mehr entgegen, wenn auch sehr gemäßigt durch die in Frankreich unüberwindliche Lullysche Tradition, deren Richtung auf die Programmusik er übernahm und mit viel Phantasie und Anmut bereicherte.

Bach und Händel; Friedrich der Große

Selbst Händel hat sich bekanntlich erst im reifsten Alter vom italienischen Einfluß emanzipiert. Er hat die Kunstform der Fuge auf vokalem Gebiet auf ihren höchsten Gipfel geführt, wie Bach dies auf dem instrumentalen Gebiet vollbrachte; und in seinen reichen Chören, besonders im „Israel", der fast nur aus ihnen besteht, wird zum erstenmal ein Objekt künstlerisch gestaltet, das die Dichtung noch lange übersah: die Masse, das Volk; erst im „Tell", ja genau genommen erst in den „Webern" wird von einem Dramatiker der Versuch gemacht, die Kollektivseele als Helden auf die Bühne zu bringen. Bach hingegen hat die erwachende Kraft des deutschen Bürgertums, die tiefe Innigkeit und herzhafte Gottesliebe des Pietismus tönend und unsterblich gemacht; in seiner monumentalen Kammerkunst vermählen sich Schwung und Schwere der Barocke mit der Intimität und Introspektion des Rokokos. Von den beiden ist Händel der unproblematischere, aber kantablere, der Psycholog, Bach der Metaphysiker. Sie ließen sich daher vielleicht mit Leibniz und Kant in Parallele stellen, auch darin, daß Händel als gesuchter und gefeierter Großmeister den Makrokosmos seiner Schöpfung für alle errichtete, während Bach, in kleinbürgerlicher Enge lebend, sein noch gewaltigeres Universalreich in seinem Innern aufbaute: Leibniz und Händel zwangen der ganzen Welt die ihre auf, Kant und Bach umspannten in ihrer Welt die ganze. Gemeinsam aber war Bach und Händel das tiefe germanische Ethos, das alle ihre Werke erfüllte. Diese riesige Doppelsonne bildet den einen der beiden unvergänglichen Ruhmestitel, die sich Deutschland damals im Reiche des Geistes errungen hat. Der andere ist Friedrich der Große.

„Finde in einem Lande den fähigsten Mann, den es gibt", sagt Der König
Carlyle, „setze ihn an die erste Stelle und schenke ihm Gehorsam
und Verehrung, und du hast in diesem Lande die ideale Regierung." Ein ebenso vortreffliches wie einfaches Rezept, aber wie
fast alle guten und einfachen Rezepte höchst selten befolgt! Zweifellos wäre es das Natürlichste, wenn allemal der Beste an der
Spitze stünde, der Klügste und Wissendste, der Stärkste und Ge-
wappnetste, das Auge, das am weitesten voraus und zurück zu
blicken vermag, der leuchtende Fokus, in dem sich alle Strahlen
der Welt versammeln: wenn mit einem Wort das Hirn kommandierte, wie wir das bei jedem einfachsten menschlichen Individuum sehen können! Aber dieser selbstverständliche Normalfall
ist vielleicht ein dutzendmal in den uns genauer bekannten Ab-
schnitten der Menschheitsgeschichte in die Erscheinung getreten.
Ein dutzendmal in drei Jahrtausenden! Einer dieser wenigen Fälle
war Friedrich der Große.

Das Jahr 1740 war das Jahr des Regierungswechsels nicht nur Der Vater
für Preußen und Österreich, sondern auch für Rußland und Rom:
auf die Zarin Anna folgte ihr unmündiger Großneffe Iwan der
Sechste, auf Clemens den Zwölften Benedikt der Vierzehnte,
„il papa Lambertini", der populärste Papst des achtzehnten Jahrhunderts, grundehrlich und grundgelehrt, heiter, bescheiden, an
der zeitgenössischen Literatur leidenschaftlich interessiert und so
vorurteilslos, daß Voltaire es wagen durfte, ihm seinen „Mahomet" zu widmen. Man hat bisweilen behauptet, daß Friedrich den
größten Teil seiner Erfolge dem sonderbaren Manne verdankte,
den er damals in der Herrschaft ablöste, und die beiden in dieser
Rücksicht mit Philipp und Alexander verglichen. Diese groteske
Ansicht wird von zwei Richtungen vertreten, die einander im
übrigen völlig entgegengesetzt sind: von der offiziellen preußischen Historiographie, die alle Hohenzollern zu Genies machen
möchte, und von der ebenso beschränkten sozialistischen Geschichtschreibung, die unter den Königen überhaupt kein Genie
dulden will. In Wirklichkeit aber hat Friedrich Wilhelm der Erste
seinem Sohne nur das Instrument der Politik an die Hand gegeben, nämlich die Armee, aber nicht einen einzigen politischen

oder gar philosophischen Gedanken, während Philipp, der höchstwahrscheinlich sogar der Größere war, dem großen Alexander
das ganze Konzept seiner Taten entworfen hat: er war gewissermaßen der Dichter des Alexanderzuges und der „König von
Asien" nur dessen großartiger Heldendarsteller.

Aber auch von denen, die Friedrich Wilhelm seinen angemesse-
nen Platz in der preußischen Geschichte zuweisen, sind zu allen
Zeiten die widersprechendsten Urteile über ihn gefällt worden:
dieselben Menschen haben ihn durcheinander als fürsorglich und
brutal, klarsichtig und borniert, boshaft und aufopfernd bezeichnet. Man wird ihm vielleicht am ehesten gerecht werden, wenn
man in ihm eine schrullenhafte und paradoxe Genrefigur erblickt.
Es ist sicherlich für ihn charakteristisch, daß er den Zopf bereits
ein Menschenalter, bevor ganz Europa ihn annahm, bei seinem
Heere eingeführt hat. Die Idee des patriarchalischen Absolutismus
hat er zweifellos bis zur Karikatur gesteigert. Er kümmerte sich
nicht bloß um Steuerleistung und Kriegsdienst, Volkswirtschaft
und Hygiene seiner Untertanen, sondern auch um ihre Kleidung
und Wohnung, Lektüre und Unterhaltung, Brautwahl und Be-
rufswahl, Kücheneinteilung und Kirchenfrequenz, er war der
wohlmeinende und strenge, pflichttreue und lästige Vater seines
Landes und machte von dem Recht des Vaters, seine Kinder miß-
zuverstehen und zu mißhandeln, einen sehr ausgiebigen Gebrauch.
Kein Wunder, daß sich in diesen ein starker „Vaterhaß" entwickelte.

Er besaß weder viele böse noch viele gute Eigenschaften und
diese wenigen in mittelmäßigem Grade. Aber seine geringen Fehler, nämlich seine Roheit, sein Geiz und sein Haß gegen alle geistigen und künstlerischen Bestrebungen gehörten zu denjenigen,
die die Menschheit weniger zu verzeihen pflegt als große Sünden;
und seine bescheidenen Tugenden, seine Ordnungsliebe, sein
Fleiß, seine persönliche Bedürfnislosigkeit taten niemand wohl.
Auch daß er das Heerwesen auf eine imposante Höhe erhob, hat
ihm niemand gedankt. Denn auch hier handelte er nur aus einer
Marotte. Die Armee war ihm nicht Mittel, sondern Selbstzweck.
Er betrachtete sie als sein ganz persönliches Privateigentum, als
eine Art Riesenspielzeug und sammelte lange Kerle wie August

der Starke Porzellansachen und der Papst Lambertini schöne Drucke. Die preußischen Werbemethoden waren wegen ihrer besonderen Niederträchtigkeit berüchtigt. Hier kannte der sonst so redliche Fürst keine Hemmungen; mit allen erdenklichen Lockmitteln mußten immer neue Grenadiere herbeigeschafft werden: durch Weiber, Spiel, Alkohol, falsche Vorspiegelungen und, wenn das alles nicht half, durch brutale Gewalt. Die Truppenbewegungen waren von vorbildlicher Exaktheit, der preußische Gleichschritt hatte die Präzision eines Uhrwerks. Die Einführung des eisernen Ladestocks, verbunden mit dieser eisernen Disziplin, ermöglichte schließlich die Abgabe von zehn Schüssen in der Minute. Ohne diese Leistungen des „Gamaschendienstes" hätte Friedrich der Große seine virtuose Strategie und seine großzügige Politik in der Tat niemals entfalten können.

Dieser war in nahezu allem das Gegenteil seines Vaters, sogar in seinem Verhältnis zum „Militarismus". Zahlreiche intime und daher zweifellos ehrliche Bekenntnisse zeigen, daß er den Krieg verabscheute, was ihn aber nicht hinderte, ihn zu führen, wenn er ihn für notwendig hielt, und in diesem Falle sogar energischer und aggressiver als alle anderen. Er nennt ihn eine „Geißel des Himmels" und bedauert, die Zeit nicht mehr erleben zu können, wo die Menschheit von ihm befreit sein werde. Ja er war nicht einmal ein Monarchist. Das mag von einem König des achtzehnten Jahrhunderts, und noch dazu dem stärksten und siegreichsten, sehr sonderbar und fast unglaublich klingen; aber es kann nicht der geringste Zweifel darüber herrschen. Er hat sein ganzes Leben lang auf seine sämtlichen gekrönten Kollegen mit einer geradezu ausschweifenden Verachtung herabgeblickt, alles, was mit höfischen Sitten und Einrichtungen zusammenhing, aufs beißendste verspottet und seine eigene Krone ohne das geringste Gefühl der höheren Erwählung, ja auch nur der juristischen Berechtigung getragen. Er wußte natürlich, daß er mehr sei als die meisten anderen Sterblichen; aber gerade darum wollte er nicht als König verehrt werden.

Friedrich Wilhelm war zeitlebens ein frommer Mann im Sinne des orthodoxen Kirchenglaubens, ein Verächter aller Finessen der

Diplomatie und aller Feinheiten der Literatur, knorrig, robust, primitiv gesund und primitiv ehrlich, extrem einfach in seinen Lebensansprüchen, eindeutig bis zur Einfältigkeit; Friedrich verachtete alle positiven Religionen mit einer souveränen Skepsis, die vom Atheismus nur noch durch eine schmale Grenze getrennt war, stellte die Werke der Kunst und Philosophie hoch über alle Taten des praktischen Lebens und war ein unerreichter Meister der diplomatischen Falschmünzerei und raffinierter Feinschmecker aller höheren Lebensgenüsse, dabei nichts weniger als „gesund" im Sinne des Normalmenschen, vielmehr eine außerordentlich reizbare, komplizierte, widerspruchsvolle Natur von sehr labilem inneren Gleichgewicht, auch körperlich zart und sensibel. Wie alle Genies war er „physiologisch minderwertig" und psychopathisch und wie alle Genies ist er seiner Psychose Herr geworden durch die hypertrophisch entwickelte Kraft seiner moralischen und intellektuellen Fähigkeiten. Man hat oft gesagt, er habe von seinem Vater die Arbeitsfreude und das Pflichtgefühl geerbt; aber der Fleiß des Genies ist ein ganz anderer als der des Durchschnittsmenschen: dieser erwächst aus einem mechanischen Ordnungssinn und Tätigkeitstrieb, einem primitiven bienenhaften Lebensinstinkt, jener aus einer fast manischen Hingabe an eine erlauchte Mission, einem sublimen Verantwortungsgefühl gegenüber dem eigenen magischen Schicksal.

Der Philosoph Daß Friedrich der Große sein ganzes Leben lang von einem großen Leitgedanken getragen war, machte ihn zum unüberwindlichen Helden des Zeitalters und bewirkte zugleich, daß auch alle seine Einzelhandlungen, im Gegensatz zu denen seiner gekrönten Rivalen, ideenreich, geistvoll und sinnerfüllt waren. Dieser Grundgedanke bestand in nichts anderem als in der platonischen Forderung, daß die Könige Philosophen und die Philosophen Könige sein sollen. Walter Pater sagt in seinem Buche über Plato: „Gerade weil sein ganzes Wesen von philosophischen Gesichten erfüllt war, hat der Kaiser Marc Aurel, der leidenschaftlich Philosophie und zwar die Philosophie Platos betrieb, dem römischen Volke im Frieden und im Kriege so vortrefflich gedient." Ein solcher Herrscher war auch Friedrich der Große. Das allein war auch der wahre Sinn des „aufgeklärten Absolutismus", des Modeschlagworts jener Zeit, das nur er in seiner tieferen Bedeutung verstanden und nur er zu einer lebendigen Wirklichkeit verdichtet hat. Absolutismus bedeutet unumschränkte Herrschaft, Aufklärung bedeutet Ausbreitung des Lichts, also will diese Formel nichts anderes besagen, als daß das Licht herrschen, der stärkste Geist gebieten, der hellste Kopf anordnen soll. Über die äußeren Formen, unter denen ein solches Ideal in die Realität übersetzt wird, wollen wir nicht streiten: sie sind völlig gleichgültig und bloße Kostümfragen. Ob sich ein solcher Regent Caesar oder Oberpriester, Reichspräsident oder Volkskommissär nennt, immer wird er der legitime König sein, weil er der philosophische König ist.

Als echter Philosoph zeigte sich Friedrich der Große schon allein Das Genie durch seine Toleranz. Wir verstehen darunter weder Freidenkertum noch Liberalismus. Man kann ein Freigeist sein und dabei einen sehr unfreien Geist haben, in dem, wie dies bei den meisten Freidenkern der Fall ist, das Verständnis für andersgeartete Weltanschauungen keinen Platz hat. Diese Art Aufklärer sind ebenso Gefangene ihrer engen und einseitigen Doktrin wie die von ihnen verachteten Reaktionäre. Dasselbe gilt vom landläufigen Liberalismus. Er ist liberal nur gegen die Liberalen, alle anderen Menschen sind in seinen Augen verstockte Ketzer und verblendete Toren, denen gegen ihren Willen die bessere Weltansicht aufgedrängt werden muß. Dies war denn auch die typische Art, wie im Zeitalter Friedrichs des Großen Aufklärung betrieben wurde. Das achtzehnte Jahrhundert sah allenthalben an den führenden Stellen derartige Diktatoren des Fortschritts, die es für ihre Mission hielten, die rückständige Menschheit zu ihrem Glück zu zwingen. Peter der Große und Karl der Zwölfte, Katharina die Zweite und Josef der Zweite, Kardinal Fleury und Robespierre und noch viele andere waren von dieser fixen Idee geleitet, die bis nach Portugal drang, wo der Marquis von Pombal ein wahres Schreckensregiment der Aufklärung errichtete. Diese Machthaber waren also nichts anderes als gewendete Finsterlinge und erhärteten nur von neuem die psychologische Tatsache, daß Toleranz dem Durchschnitt der Menschheit ganz wesensfeindlich ist. Friedrich der

605

Große jedoch war tolerant nicht in seiner Eigenschaft als Freidenker, sondern als Genie. Das Genie toleriert alles, weil es alle erdenklichen Menschenexemplare und Seelenregungen latent in sich trägt, weiß sich allem anzupassen, weil es schöpferische Phantasie besitzt. Friedrich der Große übte die echte Toleranz, die ganz einfach darin besteht, daß man jede fremde Individualität und ihre Gesetze anerkennt. Daher tolerierte er auch die Reaktion. Er war, als Oberhaupt der protestantischen Vormacht Deutschlands, gegen die Jesuiten viel duldsamer als der römische Kaiser. Während dieser Klöster aufhob, ließ er abgebrannte katholische Kirchen wieder aufbauen. Er war dabei durchaus nicht etwa ohne persönliche Voreingenommenheiten, aber trotz diesen sehr hart ausgeprägten, sehr subjektiven, sehr einseitigen Überzeugungen, die seiner Persönlichkeit eben ihr scharfumrissenes, weithin leuchtendes Profil gaben, hatte er doch genügend Verständnis für alle anderen Ansichten und ließ sie auch in der Praxis tatsächlich gelten. Er war sicher eine Art Spiritualist und Ideologe, indem er immer von gewissen abstrakten Prinzipien, unmittelbaren seelischen Grunderlebnissen ausging; aber das Gegengewicht dazu bildete seine hochentwickelte geistige Elastizität, seine Fähigkeit, sich den „Versuchsbedingungen", die ihm die Wirklichkeit bei seinen Experimenten auferlegte, jederzeit zu akkommodieren. Er war ungemein zäh und konservativ in Dingen der Theorie und ebenso beweglich und fortschrittsfähig in der Anwendung seiner Theorien auf das Leben; und diese Doppeleigenschaft ist in der Tat die Grundvoraussetzung alles fruchtbaren Denkens und Handelns.

Ein eminent genialer Wesenszug war auch seine hemmungslose Aufrichtigkeit, eine Eigenschaft, die, beim Menschen schon an sich etwas Seltenes, auf einem Thron fast wie eine Unmöglichkeit erscheint. Auch in seinem Verhältnis zur Wahrheit zeigte sich das Widerspruchsvolle und doch in einem höheren Sinne sehr Einheitliche seines Wesens. Er schreckte als Politiker nicht davor zurück, die ganze Welt hinters Licht zu führen, und setzte sogar einen Ehrgeiz darein, an Taschenspielerei und Doppelzüngigkeit alle seine Gegner zu übertreffen. Und doch war er inmitten eines Zeitalters der hohlen Lügen und leeren Masken einer der unverlogensten Menschen, die je gelebt haben. Denn die Unwahrheit war für ihn nur eine Art Fachsprache, die er bei der Ausübung seiner Berufstätigkeit meisterhaft handhabe; in allen Dingen jedoch, die ihm wirklich ernst und wichtig waren, war er von der unbestechlichsten Wahrheitsliebe und unbarmherzigsten Selbstkritik geleitet. Daher rührt es, daß er, obgleich durch Geburt und Stellung, Gaben und Taten so hoch über die übrige Menschheit hinausgehoben, dennoch in der Erinnerung der Nachwelt fast als eine Privatgestalt fortlebt, frei von jedem historischen Nimbus. Dazu kommen noch eine Reihe liebenswürdiger kleiner Züge, die ihn uns naherücken. Es hat zum Beispiel etwas Skurriles und zugleich Rührendes, daß dieser große Souverän und Schlachtenlenker erklärte, der einzige Ruhm, der diesen Namen verdiene, sei der des Schriftstellers, daß er mitten in seinen Feldzügen eifrig an seinen Versen feilte und sich gegenüber allen Literaten von Rang als Schüler empfand, der von ihrer Kunst zu profitieren sucht. Alles, was er tat und unterließ, sichert ihm unser persönliches Attachement: wie anziehend unköniglich wirkt es zum Beispiel, daß er die Jagd verabscheute! Ganz „privat" wirkt auch das betont und sogar ambitiös Geistreiche seines Wesens, das wie eine feine Essenz alle seine Lebensäußerungen, von den großen Regierungshandlungen bis zu den alltäglichsten Unterhaltungen, imprägnierte. Selbst seine Erlässe waren glitzernde Bonmots, eines Swift oder Voltaire würdig, so zum Beispiel, als er einmal unter das Urteil über einen Kirchenräuber, dessen Verantwortung, die Muttergottes habe ihm das Silber selbst gegeben, von katholischen Autoritäten als nicht unglaubwürdig bezeichnet wurde, einen Freispruch schrieb, jedoch mit dem Zusatz, er verbiete ihm für die Zukunft bei harter Strafe, von der heiligen Jungfrau irgendwelche Geschenke anzunehmen, und ein andermal den Untersuchungsakt über einen Soldaten, der mit seinem Pferd Sodomie getrieben hatte, mit den Worten erledigte: das Schwein ist zur Infanterie zu versetzen. Ungemein anheimelnd wirkt auch der lebhafte Sinn für Bübereien aller Art, der ihn bis ins reife Mannesalter begleitete. Macaulay erzählt von ihm, nicht ohne ihm dafür eine schlechte Sittennote zu erteilen: „Wenn ein Höfling eitel auf seine Kleider war, wurde ihm Öl über seinen reichsten Anzug geschüttet. Hing er am Gelde, so wurde ein Trick ersonnen, durch den er gezwungen war, mehr zu zahlen, als er zurückbekam. Wenn er hypochondrisch veranlagt war, wurde ihm eingeredet, er habe die Wassersucht. Hatte er sich fest vorgenommen, nach einem bestimmten Ort zu fahren, so wurde ein Brief fingiert, der ihn von der Reise abschreckte." Mit diesen Dingen befaßte sich Friedrich der Einzige, während er im Begriffe stand, sein Heer zum schlagkräftigsten, seine Verwaltung zur leistungsfähigsten und seinen Staat zum gefürchtetsten im damaligen Europa zu machen. Der respektable Macaulay schließt daraus auf eine böse Gemütsart. Wir möchten aber eher finden, daß durch solche Züge menschliche Größe erst menschlich und erträglich wird, wie sie denn auch fast niemals bei wahrhaft genialen Naturen zu fehlen pflegen, und daß sich in ihnen nichts weniger als Bösartigkeit äußert, sondern eine unverwüstliche Kindlichkeit und ein souveräner, künstlerischer Spieltrieb, der alles und nichts ernst nimmt. Hierin wie in so vielem war Friedrich der Große Voltaire ähnlich. Die sonderbare Freundschaft dieser beiden Männer, dokumentiert in ihrem Briefwechsel, ist eines der geistreichsten Kapitel der Geschichte des achtzehnten Jahrhunderts: hier gingen französischer Pfeffer und preußisches Salz, aufeinander angewiesen und sich gegenseitig hebend, eine innige Mischung ein, die aber so scharf und beißend geriet, daß seither jeder Philister von ihr zu bitteren Tränen gereizt wird.

Der Held aus Neugierde An dem so verwickelten und paradoxen und doch so klaren und durchsichtigen Charakter dieses Königs bleibt dem demokratischen Historiker nichts zu „entlarven" übrig. Er ist in seiner Selbstkritik so weit gegangen, daß er sich bisweilen sogar schlechter machte, als er war. Er gibt ganz offen zu, daß das treibende Motiv seiner Politik Ehrgeiz war. Er erzählt, daß ihm, wenn er als Kronprinz vom Türkenkrieg hörte, das Herz gepocht habe wie dem Schauspieler, der darauf zittert, daß die Reihe an ihn kommt. Und alsbald trat er aus der Kulisse, und es zeigte sich schon in den ersten Szenen, daß er entschlossen war, nicht die kleine Episodenrolle zu spielen, die das europäische Regiekollegium ihm zugewiesen hatte, sondern als Protagonist und Titelheld des Zeitalters einen ganz neuen Text zu improvisieren. „Meine Jugend", schrieb er 1740 an seinen Freund Jordan, „das Feuer der Leidenschaften, das Verlangen nach Ruhm, ja, um dir nichts zu verbergen, selbst die Neugierde, mit einem Wort, ein geheimer Instinkt hat mich der Süßigkeit der Ruhe, die ich kostete, entrissen, und die Genugtuung, meinen Namen in den Zeitungen und dereinst in der Geschichte zu lesen, hat mich verführt"; und lange nachher, in seinen historischen Denkwürdigkeiten, wiederholt er, bei seinen Entschlüssen von 1740 sei „das Verlangen, sich einen Namen zu machen" mitbestimmend gewesen. Das sind wiederum ganz die Gedankengänge eines Schauspielers. Ein König, der in den Krieg zieht aus psychologischer Neugierde, aus einer Art Theaterleidenschaft und aus dem brennenden Wunsch, in die Zeitung zu kommen, und dies offen eingesteht: dieser degagierte Freimut, diese bizarre Koketterie, diese raffinierte und naive Glanzsucht ist echtestes Rokoko.

So sonderbar es klingen mag: Friedrich der Große war kein ernster Mensch. Unter einem „ernsten" Menschen haben wir nämlich nichts anderes zu verstehen als den Menschen, der in der Realität befangen ist, den „praktischen" Menschen, den Materialisten; und unter einem unernsten Menschen den geistigen Menschen, der imstande ist, das Leben von oben herab zu betrachten, indem er es bald humoristisch, bald tragisch nimmt, aber niemals ernst. Beide, der humoristische und der tragische Aspekt, haben nämlich einunddieselbe Wurzel und sind zwei polare und eben darum komplementäre Äußerungen desselben Weltgefühls. Zur tragischen Optik gehört ganz ebenso das Nichternstnehmen des Daseins wie zur humoristischen: beide fußen auf der tiefen Überzeugung von der Nichtigkeit und Vanität der Welt. Und daher kommt es, daß die Gestalt Friedrichs des Großen zu den wenigen wahrhaft tragischen seines Zeitalters gehört und zugleich von einer sublimen Ironie umwittert ist.

Am Schlusse seines Lebens aber, als Alter Fritz, wird er, wie alle ganz Großen: Goethe und Kant, Ibsen und Tolstoj, Michelangelo und Rembrandt, völlig unwirklich und gespenstisch, transzendent

Der tragische Ironiker

und transparent, zur Hälfte bereits Bürger einer anderen Welt. Eine ungeheure Einsamkeit breitet sich um ihn aus, er ist es müde, „über Sklaven zu herrschen", und will neben seinen Windspielen begraben sein.

Zweifellos hatte er große Fehler; aber die Lieblinge der Menschheit sind nun einmal nicht die Korrekten. Das ganze Zeitalter jubelte ihm zu, weil er der Stärkste und Menschlichste, Weiseste und Närrischste von allen war, Caesar und Don Quixote, Hamlet und Fortinbras in einer Person. In der Schweiz gab es Leute, die vor Ärger krank wurden, wenn er eine Schlacht verlor; in England, das zwar mit ihm verbündet war, aber kontinentale Machtentfaltung nie gern gesehen hat, wurden seine Siege als Nationalfeste gefeiert; in Paris machte man sich gesellschaftlich unmöglich, wenn man gegen ihn Partei ergiff; in Rußland war unter der Führung des Thronfolgers Peter eine große Hofpartei für ihn begeistert; selbst in Neapel und Spanien wurden seine Bilder feilgeboten.

^{Der} Der dänische Minister Bernsdorff nannte das vorfriderizianische
^{Politiker} Preußen einen jungen mageren Körper mit der ganzen Eßlust dieser physischen Entwicklungsstufe, und Voltaire hatte es als ein „Grenzenreich" verspottet. In der Tat lehrt ein Blick auf die historische Karte, daß der Staat, der im wesentlichen aus zwei getrennten Küstengebieten und einigen kleineren Länderfetzen im Westen bestand, in dieser Form nicht lebensfähig war. Nur wenn man einem politischen Organismus überhaupt das Recht abspricht, sich gewaltsam auszudehnen, wird man es Friedrich dem Großen verübeln dürfen, daß er nach Schlesien griff. Durch diesen Zuwachs, der den Landesumfang um ein Drittel, die Volkszahl um die Hälfte vergrößerte, erhielt Preußen erst jene Stabilität und Solidität der territorialen Basis, ohne die eine Großmacht undenkbar ist. Es ist nur zu begreiflich, daß Friedrich dieser Versuchung nicht widerstand. Aber von dem Augenblick an, als er Schlesien dem hungrigen Körper Preußens einverleibt hatte, betrachtete er diesen als gesättigt. Er äußerte 1745 in Dresden, er werde fortan keine Katze mehr angreifen, es sei denn, daß man ihn dazu zwinge, er betrachte seine militärische Laufbahn als abgeschlossen; und das

war sicher ehrlich gemeint. Daß er den Siebenjährigen Krieg, einen Krieg gegen drei Großmächte, anders als gezwungen geführt hat, kann nur ein Schwachsinniger behaupten; da er selbst aber nichts weniger als schwachsinnig war, so hat er ihn natürlich in dem Augenblick begonnen, der ihm als der verhältnismäßig günstigste erschien.

Unendliches Gerede ist geschrieben und gedruckt worden über den „brutalen Überfall" und „perfiden Vertragsbruch" von 1740. Daß Friedrich durch die Pragmatische Sanktion gebunden war, ist eine österreichische Lüge. Der Kaiser hatte Friedrich Wilhelm als Lohn für seine Zustimmung die Erbfolge im rheinischen Herzogtum Berg garantiert. Aber zehn Jahre später unternahm er gegen ihn mit Frankreich, England und Holland einen diplomatischen Kollektivschritt, der den Zweck hatte, ihn zum Verzicht auf diese Ansprüche zu zwingen. Daß Friedrich nicht wartete, bis Österreich vollständig gerüstet war, sondern Schlesien mitten im Winter besetzte, was nach den Prinzipien der damaligen Kriegführung etwas Unerhörtes war, ist nur ein Beweis für seine Courage und Originalität, die nicht in den hergebrachten Geleisen dachte, und die österreichische Schwerfälligkeit und Geistesträgheit. Seine einfache und darum schlagende Logik war: sich erst in den Besitz des Landes zu setzen und dann über seine Abtretung zu unterhandeln. „Ich gebe Ihnen ein Problem zu lösen", schrieb er an seinen Minister Podewils, „wenn man im Vorteil ist, soll man ihn für sich geltend machen oder nicht? Ich bin bereit, mit meinen Truppen und mit allem; mache ich mir das nicht zunutze, so halte ich ein Gut in meinen Händen, dessen Bestimmung ich verkenne; nütze ich es aus, so wird man sagen, daß ich die Geschicklichkeit besitze, mich der Überlegenheit, die ich über meine Nachbarn habe, zu bedienen." Und 1743 sagt er rückblickend im Vorwort zum ersten Entwurf seiner Memoiren: „Ich beanspruche nicht, die Verteidigung der Politik zu führen, die der feststehende Brauch der Nationen bis auf unsere Tage legitimiert hat. Ich lege nur in einfacher Weise die Gründe dar, die, wie mir scheint, jeden Fürsten verpflichten, der Praxis zu folgen, die den Trug und den Mißbrauch der Gewalt autorisiert, und ich sage freimütig, daß seine Nachbarn seine

Rechtschaffenheit übervorteilen und daß ein falsches Vorurteil und ein Fehlschuß das der Schwäche zuschreiben würden, was doch nur Tugendhaftigkeit bei ihm wäre. Solche Betrachtungen und viele andere haben, wohl erwogen, mich bestimmt, mich der Gewohnheit der Fürsten anzupassen... Man sieht sich am Ende gezwungen, zwischen der schrecklichen Notwendigkeit zu wählen, seine Untertanen oder sein Wort preiszugeben ... Darin opfert sich der Souverän für das Wohl seiner Untertanen." Welcher zweite Fürst hätte es vermocht, über dieses ungeheure moralische Dilemma, das aber leider eine unleugbare Realität ist, mit einer so tiefen und klaren, edeln und phrasenlosen Objektivität zu sprechen, welcher hatte diesen tragischen Konflikt auch nur bemerkt? Aus solchen und zahlreichen ähnlichen Bekenntnissen seiner verschiedensten Lebensperioden weht uns der Atem einer erschütternden Lebenstragödie entgegen: ein Genius, durch seine Geistesform für die Welt der reinen Anschauung vorbestimmt, als Märtyrer in die trübe Sphäre des Handelns geschleudert, der er sich, demütig vor dem Schicksal, zum Opfer bringt. So sah die Seele dieses treulosen Ränkeschmieds und skrupellosen Realpolitikers in Wirklichkeit aus. Aber die Menschen sind sehr sonderbar: wenn unter ihnen einer aufsteht, der zwar ihre Schuld teilt, aber um sie weiß und unter ihr leidet, so sagen sie nicht, daß er größer und besser sei als sie, sondern erwidern ihm mit dem Vorwurf, daß er kein Heiliger ist.

Man hat übrigens nicht bloß das innere Wesen Friedrichs des Großen, sondern auch das System seiner äußeren Politik sehr oft ganz falsch beurteilt. Er war gar nicht der „Erbfeind" Österreichs. Wir haben gehört, in welche furchtbare Krise die habsburgische Monarchie zu Beginn des Österreichischen Erbfolgekriegs geraten war; damals war er es, der sie durch seinen Separatfriedensschluß rettete. Durch das Abkommen von Klein-Schnellendorf wurde die einzige starke Armee, die Österreich ins Feld zu stellen hatte, gegen die Bayern und Franzosen disponibel. Er konnte die völlige Zertrümmerung Österreichs, durch die Frankreich ein unerträgliches Übergewicht erhalten hätte, auch gar nicht ernstlich wollen. Er wollte immer bloß Schlesien, auf dessen Besitz aber Maria Theresia eigensinnig bestand. Daß er mit dieser Annexion im Recht war – vielleicht nicht vor dem Phantom eines zweideutigen „Völkerrechts", das übrigens immer nur von den Besiegten angerufen zu werden pflegt, wohl aber vor dem höheren Tribunal der Kulturgeschichte – wird völlig klar, wenn man den späteren geistigen und moralischen Zustand Preußisch-Schlesiens mit dem der österreichisch gebliebenen Teile vergleicht. Eine der größten Taten seiner äußeren Politik, ebenbürtig der in drei Kriegen behaupteten Erwerbung Schlesiens und zumeist nicht genügend gewürdigt, war auch die unblutige Eingliederung Westpreußens, durch die er sein Königreich erst zu einer wirklichen nordischen Großmacht erhob. Es war dies eine der bedeutsamsten „Arrondierungen" der neueren europäischen Geschichte.

Diese Länder hat er auf mustergültige Weise verwaltet. Auf alle Gebiete erstreckte sich seine energische und maßvolle Reformtätigkeit. Er wurde der Schöpfer des Allgemeinen Preußischen Landrechts und förderte den Unterricht durch die Durchführung des General-Landschul-Reglements, die Bodenkultur durch Trockenlegung großer Sumpf- und Moorstrecken und den Handelsverkehr durch bedeutende Kanalbauten. Hingegen ließ er keine neuen Chausseen anlegen, um die Fuhrleute dadurch zu zwingen, sich länger im Lande aufzuhalten und mehr zu verzehren. Hierin opferte er dem Zeitgeist. Wir haben schon im vorigen Kapitel gehört, welche Übertreibungen sich der Merkantilismus in Preußen und anderwärts zuschulden kommen ließ. Friedrich Wilhelm der Erste verbot das lange Trauern, damit nicht dadurch der Absatz bunter Wollstoffe geschädigt werde, und bedrohte die Trägerinnen der bedruckten englischen Kattunstoffe, die damals sehr in Mode waren, mit dem Halseisen. Auch Friedrich der Große sagt in seinem „Politischen Testament" vom Jahre 1752: „Beim Handel und bei Manufakturen muß grundsätzlich verhindert werden, daß das Geld außer Landes geht, indem man alles im Lande herstellt, was man früher von auswärts bezog." Infolgedessen verbot er seinen Beamten, fremde Heilbäder aufzusuchen, und gestattete seinen Untertanen bei Auslandsfahrten nur eine bestimmte Geldsumme als Reisekasse. Jeder Haushalt hatte die sorgfältig kon-

Der Administrator

trollierte Verpflichtung, eine gewisse Mindestmenge an Salz zu verbrauchen, und Heiratskonzessionen wurden nur gegen Entnahme von Waren aus der königlichen Porzellanmanufaktur erteilt. Doch hatte diese Tyrannei auch ihre wohltätigen Seiten: zur Erzeugung inländischer Seide wurden riesige Maulbeerplantagen angelegt und die Hopfen- und Kartoffelkultur nahm unter staatlicher Fürsorge eine ausgezeichnete Entwicklung.

Napoleon hat gesagt: „Genie ist Fleiß." Auch diese Definition des Genies paßt auf Friedrich den Großen in hervorragendem Maße. Es klingt unglaublich, ist aber trotzdem wahr, daß in diesem Lande das Hirn und die Arbeitskraft dieses einen Menschen buchstäblich alles vollbrachte, vom Größten und Gröbsten bis zum Kleinsten und Diffizilsten. Es muß ein lehrreiches und paradoxes, bestrickendes und beängstigendes Schauspiel für die Zeitgenossen gewesen sein, das ganze Staatswesen von diesem tausendäugigen Intendanten bis in seine letzten Fäden geleitet zu sehen. Hierin erwies der König nicht nur den Fleiß, sondern auch die Allseitigkeit des Genies. Es ist nicht zu viel gesagt, wenn man ihn in dieser Hinsicht mit Julius Caesar vergleicht. Der geniale Mensch vermag alles, weiß alles, versteht alles. Er ist niemals Spezialist. Er ist vorhanden und kann, was die gegebenen Umstände gerade von ihm fordern. Er hat sich auf nichts Bestimmtes „eingestellt", er ist ein Polyhistor des Lebens. Was er ergreift, durchdringt er mit seiner Kraft, die, immer dieselbe eine und unteilbare, nichts braucht als ein beliebiges Anwendungsgebiet, um sich sogleich siegreich zu entfalten.

Der Stratege

Deshalb sind auch die strategischen Leistungen Friedrichs des Großen, die selbst seine gehässigsten Gegner als außerordentlich anerkennen, von seiner Gesamtpersönlichkeit nicht zu trennen. Man hat sich daran gewöhnt, die Tätigkeit des Feldherrn als den Ausdruck eines bestimmten Fachwissens und begrenzten Fachtalents anzusehen, für das es genüge, einige Kriegsschulen absolviert zu haben. Aber so wenig es etwa für den bedeutenden Arzt genügt, Medizin studiert zu haben, oder für den großen Maler, in der Anwendung der Farben Bescheid zu wissen, so wenig ist ein großer Feldherr denkbar ohne tiefere Kenntnis der menschlichen

Seele, des Laufs der Welt und überhaupt aller wissenswerten Dinge. Er muß eine Art Künstler sein, vor allem ein Philosoph. Wir haben im vorigen Kapitel gehört, daß Prinz Eugen ein solcher war: für ihn hat der größte Denker des Zeitalters sein Hauptwerk geschrieben; er hat es ihm nicht etwa „dediziert", was noch gar nichts bedeuten würde, sondern es buchstäblich nur seinetwegen verfaßt. Julius Caesar war nicht nur der Freund Ciceros (obgleich dieser sein politischer Gegner war), sondern übertraf ihn an schriftstellerischer und philosophischer Begabung. Was Moltke anlangt, so brauchen wir nur seinen Schädel anzusehen, um zu erkennen, daß wir es mit einem eminenten Denker zu tun haben. Und wer vermag zu sagen, wie viel Alexander der grandiosen Tatsache verdankte, daß sein Vater ihm Aristoteles, den geräumigsten und gefülltesten Kopf ganz Griechenlands, zum Lehrer bestimmte? Es hat keinen Sinn, zwischen der Tätigkeit eines Napoleon und eines Shakespeare einen prinzipiellen Unterschied zu machen.

Aber freilich: wer wird nicht lieber eine Art Shakespeare sein wollen als eine Art Napoleon? Wer wird es vorziehen, über stumpfe langweilige Armeen von Grenadieren zu befehlen, wenn er die ganze Weltgeschichte in all ihrer Farbigkeit und Fülle zu seinem Operationsheer machen kann? Wer wird versuchen, seine innere Bewegung auf häßliche, obstinate und in jedem Falle enttäuschende Realitäten zu übertragen, wenn seinem Kommando leuchtende Idealitäten gehorchen, die niemals enttäuschen? Wer wird die Leiber der Menschen lenken wollen, wenn er ihre Seelen leiten kann, wenn er statt Fußmärschen Gedankenmärsche zu dirigieren vermag?

Die Tragödie der großen Handelnden ist die Tragödie der im Leben steckengebliebenen Dichter. So müssen wir uns den großartigen Lebensekel erklären, der Julius Caesar in seinen letzten Lebensjahren erfüllte und bewirkte, daß er fast wissend in den Tod ging. So ist die sonderbare Eifersucht des großen Alexander auf den kleinen Achill zu begreifen, denn in Wahrheit galt sein Neid ja gar nicht Achill, sondern Homer! Und Friedrich der Große hätte auf seinen Thron und sein Heer und alle seine Eroberungen und

Siege mit Freuden verzichtet, wenn er dafür nicht etwa ein Voltaire, sondern bloß ein bescheidener Maupertuis hätte sein dürfen.

Er billigte den Krieg nicht. Er ertrug ihn mit Wehmut als das ihm vom Schicksal bestimmte Feld seiner schöpferischen Tätigkeit. Und im Grunde seines Herzens billigt ihn ja niemand. Aber die bisherige Geschichte, die allerdings nur als eine Art Prähistorie wahren Menschentums anzusehen ist, lehrt, daß er offenbar zu den biologischen Funktionen unserer Spezies gehört. Und da er nun einmal unter allen Umständen geführt werden muß, so ist es schon am besten, wenn er von Genies geführt wird.

Die Strategie jener Zeit war allmählich, ganz ähnlich wie die Theologie, die Arzneikunst, die Poesie, zu geistloser Schablone und steifer Routine erstarrt. Noch im Jahre 1753 lehrte das kursächsische Dienstreglement, man solle die Bataille vermeiden und den Kriegszweck durch „scharfsinniges Manövrieren" erreichen. Natürlich kam es schließlich doch zu Schlachten, aber gewissermaßen durch Zufall und auf mechanischem Wege, wie ein genügend lang angehäufter Zündstoff eines Tages fast durch sich selbst explodiert. Auch Friedrich der Große betrachtete die Schlacht nur als ein „Brechmittel", das lediglich in den äußersten Notfällen anzuwenden sei; aber er machte die Anwendung dieses Mittels zum Gegenstand tiefer und kühner Spekulation. Ebenso hat er im Prinzip an der damals üblichen Lineartaktik festgehalten, die das gesamte Fußvolk in eng geschlossenen Kolonnen und gleichmäßigem Taktschritt wie auf dem Exerzierplatz vorrücken ließ und dem einzelnen Kämpfer keinerlei persönliche Initiative ermöglichte. Die Schlacht bestand ganz einfach darin, daß die beiden feindlichen Truppenkörper aufeinanderstießen. Der Begriff der Reserve im Sinne der modernen Kriegführung war noch unbekannt. Friedrich der Große kam nun auf den Gedanken, eine Art Reserve dadurch zu bilden, daß er einen Flügel zunächst zurückhielt, „refüsierte", um mit ihm im geeigneten Momente die Entscheidung herbeizuführen. Diese Methode war für die Zeit Friedrichs höchst originell, gleichwohl aber in der Geschichte kein völliges Novum: sie knüpfte, zwei Jahrtausende überspringend, an Epaminondas an. Vor diesem hatte die griechische Taktik, in der die Spartaner unerreichte Meister waren, darauf beruht, daß der Kampf auf der ganzen Linie gleichzeitig eröffnet wurde, Epaminondas aber stellte seine Truppen nicht in gleicher Tiefe auf, sondern verstärkte sie in der Art eines Keils auf der rechten oder linken Seite. Hierdurch gewann er gegen die Lakedämonier bei Leuktra eine der größten und folgenreichsten Schlachten, die je zwischen Hellenen geschla- gen worden sind. Diese „schiefe Schlachtordnung" sichert dem Feldherrn die Initiative, indem sie ihm gestattet, den Punkt des Angriffs zu wählen, hat aber ihre volle Wirksamkeit nur, wenn sie durch das Moment der Überraschung unterstützt wird, weshalb sie nur von einem so geistesmächtigen und charakterstarken Schnelldenker wie Friedrich dem Großen und auch von diesem nicht immer mit Erfolg gehandhabt werden konnte. Zur Unter- stützung dieser Methode diente ihm auch die Kavallerieattacke, die er aufs meisterhafteste zu entwickeln verstand, und die Konzen- trierung des Artilleriefeuers an den entscheidenden Punkten. Das Wesentliche, ja geradezu Revolutionäre an allen diesen Reformen aber war der rasante Offensivgeist, der in ihnen zum Ausdruck gelangte: es wurde nicht mehr Krieg geführt, um allerlei schwer- fällige und verzwickte Operationen auszuführen, sondern um zu siegen: dieser einfache und selbstverständliche Gedankengang war dem Zeitalter abhanden gekommen und man kann mit geringer Übertreibung sagen, daß es überhaupt erst seit Friedrich dem Gro- ßen in der neueren Geschichte Angriffsschlachten gibt. Und dazu kam noch die verblüffende Schnelligkeit seiner Truppenbewe- gungen, die ihn zum Mirakel seines Jahrhunderts und an dessen Schlusse zum bewunderten Vorbild Napoleons machte. „Das sind meine drei Artikel: nachdrücklich, schnell und von allen Seiten zugleich" sagte er zum Marquis Valory; in diesen Worten ist eigentlich seine ganze Strategie enthalten. Durch diesen mit kalter Überlegung und souveräner Beherrschung der Umstände gepaar- ten Elan besiegte er seine Gegner, die alle mehr oder weniger dem ewig zögernden Daun glichen. Diesen Schwung vermochte er auch auf seine Regimenter zu übertragen, die nicht eigentlich patriotisch, höchstens „fritzisch" gesinnt waren, aber von Anfang an einen zwingenden Rhythmus besaßen; mit ihnen hat er bei

Roßbach und Leuthen einen weit mehr als doppelt so starken Gegner besiegt, was in der modernen Kriegsgeschichte fast ein Unikum ist. Schon im fünften Jahre seiner Regierung, seit Hohenfriedberg hieß er der Große.

In Friedrich dem Großen erscheinen Barocke und Aufklärung seltsam gemischt, und diese Signatur trägt das ganze Zeitalter: es ist dies eben jener Seelenzustand, den man als Rokoko bezeichnet. Auch auf dem Gebiet der exakten Wissenschaften herrschte noch im wesentlichen die große Barocktradition einer halb spielerischen Freude an vorwiegend theoretisch orientierten Experimenten und Entdeckungen. Wir wollen nur einige der wichtigsten Leistungen, lediglich in ihrer Eigenschaft als charakteristische Beispiele, hervorheben. 1709 ließ Pater Lorenz Gusman in Lissabon den ersten Luftballon steigen, der aber gegen eine Ecke des Königspalastes anfuhr und verunglückte. 1716 edierte Johann Baptist Homann seinen berühmten „Großen Atlas", der Europa, Asien, Afrika und Südamerika bereits vollständig, von Australien und Nordamerika etwa die Hälfte enthielt. Um dieselbe Zeit konstruierte Fahrenheit das Quecksilberthermometer, dem etwa zehn Jahre später Réaumur das Weingeistthermometer folgen ließ. 1727 publizierte Stephan Hales seine „Statik der Gewächse", ein für die Pflanzenphysiologie grundlegendes Werk, worin die Phänomene des Wurzeldrucks und der Saftbewegung bereits klar erkannt sind und auf Grund genauer Messungen die Flüssigkeitsmenge bestimmt wird, die die Pflanze vom Boden aufnimmt und wieder an die Luft abgibt. 1744 erregte Trembley durch seine Experimente an Süßwasserpolypen großes Aufsehen, indem er nachwies, daß diese Geschöpfe, die man bisher für Pflanzen gehalten hatte, nicht nur als Tiere anzusehen seien, sondern auch die merkwürdige Fähigkeit der Reproduktion in einem fast unglaublichen Maße besitzen: er zerschnitt sie in drei bis vier Stücke, halbierte sie der Länge nach, ja kehrte sie wie einen Handschuh um, und alle diese Prozeduren verhinderten sie nicht, sich wieder zu kompletten und lebensfähigen Exemplaren zu regenerieren. Ein Jahr später beschrieb Lieberkühn den Bau und die Funktion der Darmzotten. 1752 erfand der Drucker und Zeitungsherausgeber Benjamin

Franklin auf Grund seiner Untersuchungen über elektrische Spitzenwirkung den Blitzableiter, so daß d'Alembert später von ihm sagen konnte: *„eripuit coelo fulmen sceptrumque tyrannis;* dem Himmel entwand er den Blitz und das Zepter den Tyrannen." Auf seiner Forschungsreise in die arktischen Länder hatte Maupertuis die polare Abplattung der Erde entdeckt. Lambert begründete die Photometrie, bestimmte die Kometenbahnen und reformierte die Kartographie. Der Kupferstecher Rösel von Rosenhof entdeckte und beschrieb die sonderbaren Bewegungen der Amöben, die er „Wasserinsekten" nannte, und veranschaulichte sie in prachtvollen farbigen Kupfertafeln. Borelli bezeichnete die Knochen als Hebel, an denen die Muskeln befestigt sind, Baglioni verglich die Blutzirkulation mit der Tätigkeit einer hydraulischen Maschine, die Respirationsorgane mit Blasebälgen, die Eingeweide mit Sieben. Auch Friedrich Hoffmann, der Begründer vorzüglicher Diätkuren und noch heute berühmt durch die nach ihm genannten Magentropfen, betrachtete den menschlichen Körper als eine Maschine, während Georg Ernst Stahl den entgegengesetzten Standpunkt des „Animismus" einnahm. Dieser ist auch der Schöpfer der „Phlogistontheorie", die auf der Annahme fußte, daß bei der Verbrennung und auch bei der Fäulnis und der Gärung ein „brennbares Prinzip", das Phlogiston, aus den Körpern entweiche und sie leichter mache, obgleich schon Boyle, wie wir uns erinnern, den Nachweis erbracht hatte, daß bei dem Vorgang, den man später Oxydation nannte, eine Gewichtszunahme stattfinde, ohne jedoch die Ursache dieses Phänomens erkannt zu haben, da der Sauerstoff erst 1771 von Priestley und Scheele entdeckt wurde. Infolgedessen fand er keine Anerkennung und die Grundsätze der „Pyrochemie" herrschten unangefochten fast das ganze Jahrhundert hindurch. Der führende Physiologe des Zeitalters, Albrecht von Haller, gründete die gesamte Medizin auf die Theorie von der Irritabilität, indem er lehrte, daß sämtliche Krankheiten aus der Steigerung oder Herabsetzung der normalen Reizfähigkeit zu erklären und dementsprechend mit schwächenden oder erregenden Mitteln zu behandeln seien. Die Physik blieb auch weiterhin unter dem Einfluß Newtons. Ein Newtonianer war auch der junge

Privatdozent der Philosophie Doktor Immanuel Kant, der 1755 seine nachmals als „Kant-Laplacesche Theorie" allgemein akzeptierte Erklärung der Entstehung des Sonnensystems publizierte. Nach ihr bestand die Welt ursprünglich nur aus einem kosmischen Nebel; allmählich bildeten sich infolge der Dichtigkeitsunterschiede gewisse Klumpen, die vermöge ihrer größeren Masse auf die leichteren Elemente eine Anziehungskraft ausübten und sich dadurch fortwährend vergrößerten. Durch die Reibung wurde andauernd Feuer erzeugt, und so entstand die Sonne. Die Körper, die sich im Wirkungskreis der Sonne befanden, vermehrten diese entweder durch ihren Fall oder, wenn ihre eigene Schwungkraft der Anziehungskraft die Waage hielt, umkreisten sie sie. Ganz analog verhalten sich die Monde zu den Planeten, indem sie durch ihre Schwungkraft die Bewegung des Falles ebenfalls in die des Umlaufs verwandeln. Der Anfangszustand aller Weltkörper ist der feuerflüssige, der durch fortgesetzte Wärmeausstrahlung in den tropfbarflüssigen und schließlich in den festen übergeht. Auch unser Zentralkörper ist nur das Glied einer höheren Sternenwelt, die auf dieselbe Weise entstanden ist. Die Weltentwicklung ist von ewiger Dauer, die Lebenszeit der einzelnen Weltkörper aber begrenzt. Eines Tages werden die Wandelsterne in die Sonne stürzen, und auch diese wird einmal erlöschen. Diese mechanische Kosmogonie begründet für Kant aber keineswegs den Atheismus, vielmehr ist sie dessen schlagendste Widerlegung: gerade durch ihre strenge Gesetzmäßigkeit wird das Dasein Gottes aufs einleuchtendste bewiesen.

Unsittliche Pflanzen

Der fruchtbarste Naturforscher dieses Zeitraums ist der Schwede Karl von Linné, der ein komplettes „Systema naturae" entwarf. Sein Hauptverdienst besteht darin, daß er die „binäre Nomenklatur" streng durchführte, indem er sämtliche Pflanzen und Tiere mit je zwei lateinischen Namen bezeichnete, von denen der erste die Gattung, der zweite die Art angab: so heißen zum Beispiel Hund, Wolf und Fuchs *canis familiaris*, *canis lupus* und *canis vulpes*, Gurke und Melone *cucumis sativus* und *cucumis melo*; den Namen fügte er vorzüglich klare und knappe Diagnosen bei. Auch die Minerale beschrieb er nach ihrer äußeren Gestalt und inneren

Struktur, ihrem Härtegrad und optischen Verhalten. Die Flora (auch der Ausdruck stammt von ihm) gliederte er in zwitterblütige Pflanzen, an denen er die Zahl, Länge und Anordnung der Staubfäden zur weiteren Klassifizierung benützte, in getrenntgeschlechtige, bei denen er unterschied, ob sich die männlichen und weiblichen Blüten auf derselben Pflanze, auf verschiedenen Pflanzen oder mit Zwitterblüten gemischt vorfanden, und in *Cryptogamia* oder verborgenblütige, worunter er solche verstand, deren Blüten und Früchte ihrer Kleinheit wegen nicht deutlich wahrgenommen werden können. Diese Einteilungsmethode hat ihm wegen ihres schlüpfrigen Charakters viele Angriffe zugezogen. Man fand es höchst anstößig, daß hier von Pflanzen geredet wurde, auf denen mehrere Staubgefäße mit einem gemeinsamen Fruchtknoten im Konkubinat lebten und erklärte die Annahme so skandalöser Zustände für eine Verleumdung nicht nur der Blumen, sondern auch Gottes, der nie eine solche abscheuliche Unzucht zulassen würde. Ein so unkeusches System, schrieb ein Petersburger Botaniker, dürfe der studierenden Jugend nicht mitgeteilt werden. Großes Befremden erregte Linné auch, als er den Menschen zusammen mit den Affen in die Gruppe der Primaten versetzte. Im übrigen aber war er durchaus nicht darwinistisch orientiert, sondern bekannte sich zum Standpunkt der biblischen Schöpfungsgeschichte mit dem Satz: „*Tot numeramus species, quot creavit ab initio infinitum ens.*"

Der Hauptsitz des „aufgeklärten" und „praktischen", naturwissenschaftlich fundierten und liberal gerichteten Denkens war schon damals England. Von dort nahm die hochbedeutsame Institution der Freimaurerorden ihren Ausgang. 1717 gründeten die *freemasons* ihre erste Großloge; ihr Name knüpft an die Tatsache an, daß sie aus gewerkschaftlichen Verbindungen hervorgegangen waren. Ihr ideales Ziel war die Aufrichtung des salomonischen Tempels der allgemeinen Duldung und tätigen Menschenliebe. Ferner ist England, was noch viel wichtiger ist, das Geburtsland des modernen Naturgefühls. Im Jahre 1728 entwarf Langley in seinen „Neuen Grundsätzen der Gartenkunst" das erste Programm des „englischen Gartens". Er wendet sich darin aufs entschiedenste gegen die geometrische Parktradition von Versailles, die die Natur verkrüppelt und entseelt hatte, und will überhaupt keine geraden Baumreihen mehr dulden, sondern nur irreguläre Anlagen: wild wachsende Sträucher, kleine Waldpartien, Hopfenanpflanzungen, Viehweiden, Felsen und Abgründe. Alles dieses soll aber – und hierin spricht sich noch immer echtes Rokokogefühl aus – künstlich erzeugt werden: Hirsche und Rehe in Einhegungen sollen freies Naturleben, eingebaute Ruinen, ja sogar auf Leinwand gemalte Berge sollen Wildromantik vortäuschen; es herrscht noch immer, wenn auch mit verändertem Vorzeichen, das Barockprinzip, aus der Natur eine Theaterdekoration zu machen. Diese Ideen wurden zum Teil von William Kent in seinen *„fermes ornées"* verwirklicht. Montesquieu, der erste große Anglomane in Frankreich, verwandelte zu Anfang der Dreißigerjahre nach seiner Rückkehr aus England den Park seines Stammschlosses in einen englischen Garten. Für den erwachenden Natursinn zeugen auch die damals beliebten *„bals champêtres"* und die sogenannten „Wirtschaften", bei denen vornehme Damen und Herren sich als Weinschenker, Bauern, Jäger und Fischer kostümierten und „einfaches Landleben" spielten. Man findet Freude am Schlittenfahren und Klopstock besingt den „Eislauf". Im Sommer gewöhnen sich die eleganten Damen an den breiten strohernen Schäferhut. Es handelt sich vorläufig erst um ein Kokettieren mit der Natur, und im wesentlichen ist es, trotz Bergprospekten und Ruinenkultus, noch nicht die romantische Natur, die man meint, sondern die idyllische, gastliche, rührende, die Lämmer-, Bächlein- und Wiesennatur, die sich sanft zu den Füßen des Menschen schmiegt; das höchste Lob, das jene Zeit einer Naturszenerie zu spenden weiß, ist die Bezeichnung „angenehm". Zudem ist die Auffassung noch stark vom wolffischen Rationalismus und Utilitarismus durchsetzt. Man liebt die ländliche Natur vor allem als Spenderin schmackhafter Gemüse, nahrhafter Milch und frischer Eier. Das Hochgebirge ist verhaßt. Samuel Johnson nennt noch 1755 in seinem „Dictionary", den die Engländer als ein Weltwunder anstaunten, die Berge „krankhafte Auswüchse und unnatürliche Geschwülste der Erdoberfläche" und schrieb nach seiner Reise in die schottischen Hochlande: „Ein an blühende Triften und wogende Kornfelder gewöhntes Auge wird durch diesen weiten Bereich hoffnungsloser Unfruchtbarkeit zurückgeschreckt": mit Behagen vermag eben der Blick nur auf Gegenden zu ruhen, die Brot und Butter liefern; die Hochlande sind unfruchtbar, also können sie nicht schön sein. Auch Hallers Gedicht „Die Alpen", das ungeheure Sensation machte, bringt mit Anschaulichkeit nur die menschliche Staffage der schweizerischen Landschaft, dazu noch moralisierend und politisierend.

Um jene Zeit ist der moderne Engländer bereits fix und fertig: in seiner Mischung aus *spleen*, *cant* und *business*, seiner Weltklugheit und Nüchternheit, die, hie und da gepfeffert durch fixe Ideen, Tiefe durch Gründlichkeit und Bedeutung durch Klarheit ersetzt; didaktisch, idiosynkratisch und pharisäisch und ebenso fromm wie geschäftstüchtig. Er glaubt an den Feiertagen an Gott und die Ewigkeit und während der Woche an die Physik und den Börsenbericht, und beidemale mit der gleichen Inbrunst. Am Sonntag ist die Bibel sein Hauptbuch, und am Wochentag ist das Hauptbuch seine Bibel.

Bibel und Hauptbuch

Nach dem Tode der Königin Anna war die Krone an den Kurfürsten von Hannover gefallen, wodurch abermals eine Personalunion zwischen England und einer Kontinentalmacht entstand. Georg der Erste, geistig ebenso unbedeutend wie seine drei Namensvettern, die ihm folgten, beherrschte nicht einmal die Landessprache und verständigte sich mit seinen Beamten im Küchenlatein, so daß er nicht imstande war, einem Ministerrat beizuwohnen. Sein Premierminister war Robert Walpole, der schon vorher für die hannoverische Sukzession sehr wirksam tätig gewesen war und ihm die Mehrheit im Unterhause durch ein kunstgerechtes Bestechungssystem dauernd sicherte. Das Korruptionswesen jener Zeit ist in John Gays „Beggar's opera" satirisch verewigt worden, die zugleich eine Parodie auf die damalige italienische Modeoper darstellte. Aber als bei der Premiere ein Couplet über Bestechungen nach demonstrativem Applaus wiederholt wurde, hatte Walpole Geist genug, eine zweite Repetition zu verlangen, was ihm selber den Beifall des ganzen Hauses eintrug. Im Parlament, in dessen Händen die Leitung der gesamten auswärtigen Politik übergegangen war, stützte er sich auf die Whigs. Er behauptete seine Stellung auch unter Georg dem Zweiten.

Während dessen Regierung fand ein außerordentliches Ereignis statt, vielleicht das folgenschwerste der ganzen englischen Geschichte: Robert Clive begründete die britische Herrschaft in Ostindien. Ein unerschöpflicher Strom von Reis und Zucker, Spezereien und Pflanzenölen ergoß sich über England. „Bis zu Clives Auftreten", sagt Macaulay, „waren die Engländer bloße Hausierer gewesen." Die Jagd nach dem Geld begann, das kleine, genügsame, exklusive Inselvolk wurde mit einem Schlage ein Volk von Welthändlern, Kauffahrern und Riesenspekulanten. Aus Indien kamen die „Nabobs", die ihre dort errafften Reichtümer parvenühaft zur Schau trugen und eine neue Gesellschaftsklasse von ebenso verachteten wie beneideten selfmademen bildeten. Die Merkantilisierung des ganzen öffentlichen Lebens machte reißende Fortschritte. Es beginnt der Handel auf Grund von Warenproben und es entwickelt sich das Verlagswesen, organisiert von Geldmännern, die die Arbeitsprodukte des Handwerks bloß vertreiben, indem sie sich sie durch Vorschüsse zu niedrigen Preisen sichern: und dies sind in der Tat die beiden typisch modernen Wirtschaftsformen. Zugleich erzeugt der üppige Zufluß des Bargeldes den Komfort, der ebenfalls ein der bisherigen Neuzeit unbekannter Begriff ist. Die Entstehungsgeschichte dieses Wortes ist charakteristisch. Es heißt ursprünglich im Englischen so viel wie „Trost", „Ermutigung" und gewinnt erst jetzt die Bedeutung von „Behagen", „Wohlbefinden", Bequemlichkeit", in der es ins Deutsche übergegangen ist. Für den Engländer liegt eben tatsächlich die höchste Tröstung und Ermutigung, die letzte Legitimation seiner Existenz darin, daß es ihm wohlergeht. Der kalvinistische Geistliche Richard Baxter, der zur Zeit der Restauration und der wilhelminischen Revolution in England lebte, sagt in seinem „Christlichen Leitfaden": „Für Gott dürft ihr arbeiten, um reich zu sein!" Geschäftserfolg gilt als Beweis der Erwählung: dies ist seine und die allgemein englische Auffassung von der Prädestination. An die Stelle der christlichen Rechtfertigung tritt die bürgerliche, praktische, eudämonistische: wem es wohlergeht auf Erden,

624

der ist gerecht, die Unseligen und Verdammten sind die Armen; eine Umkehrung der evangelischen Lehre von beispielloser Kühnheit und Flachheit.

Taine sagt in seiner unvergleichlich plastischen Art über das damalige England: „Ein Prediger ist hier nur ein Nationalökonom im Priesterkleide, der das Gewissen wie Mehl traktiert und die Laster wie Einfuhrverbote bekämpft." Dieser Typus erscheint im Leben am konzentriertesten verkörpert in dem Lesebuchhelden Benjamin Franklin, dem Schöpfer des Wortes: „*Time ist money*", in der Literatur am komplettesten ausgestaltet in Daniel Defoes „Life and strange surprising adventures of Robinson Crusoe of York". Robinson ist der tüchtige Mensch, der sich in allen Situationen zu helfen weiß: praktischer Nationalökonom, Politiker und Techniker; und Deist, der an Gott glaubt, weil er dies ebenfalls als ziemlich praktisch erkannt hat. Es ist bezeichnend, was Defoe außer seinen mehr als zweihundert Büchern noch geschaffen hat: er gründete die ersten Hagel- und Feuerversicherungsgesellschaften und Sparbanken. Der Extrakt seiner Philosophie findet sich in den Worten, mit denen der Vater Crusoe seinen Sohn auf die Reise entläßt: „Der Mittelstand ist die Quelle aller Tugenden und Freuden, Friede und Überfluß sind in seinem Gefolge, jedes anständige und wünschenswerte Vergnügen sehen wir an seine Lebensweise geknüpft; auf diesem Wege fließt unser Dasein angenehm dahin, ohne Ermattung durch körperliche oder geistige Anstrengungen."

Neben Defoe und Franklin trat Richardson, der Schöpfer des englischen Familienromans, der ebenfalls im Hauptberuf Ladenbesitzer war. Sein erfolgreichstes Werk, das über viertausend Seiten umfaßt, führt den schönen Titel: „Clarissa, oder die Geschichte eines jungen Mädchens, die wichtigsten Beziehungen des Familienlebens umfassend und insbesondere die Mißfälle enthüllend, die daraus entstehen, wenn Eltern und Kinder in Heiratsangelegenheiten nicht vorsichtig sind." Ein anderer ebenso berühmter Roman gibt in der Überschrift eine Selbstcharakteristik, der nichts mehr hinzuzufügen ist: „Pamela, oder die belohnte Tugend, eine Reihe von Familienbriefen, geschrieben von einer schönen jungen

Person an ihre Angehörigen und zu Druck gebracht, um die Grundsätze der Tugend und der Religion in den Geistern der Jugend beider Geschlechter zu fördern, ein Werk mit wahrem Hintergrund und zugleich voll angenehmer Unterhaltung des Geistes durch vielfältige, merkwürdige und ergreifende Zwischenfälle und durchaus gereinigt von allen Bildern, die in allzu vielen nur zur Ergötzung verfaßten Schriften das Herz entflammen, statt es zu bilden." Der Vater des „bürgerlichen Trauerspiels", des noch süßlicheren und verlogeneren dramatischen Pendants zum Familienroman, George Lillo, war Juwelier. Diese Gattung verbreitete sich rasch nach Frankreich als *comédie larmoyante*, was die Anhänger mit „rührend", die Gegner mit „weinerlich" übersetzten; ihr erster Vertreter war Nivelle de la Chaussée, den die Schauspielerin Quinault darauf hingewiesen hatte, daß mit sentimentalen Szenen beim Publikum mehr Glück zu machen sei als mit echt tragischen. Auch Voltaire, stets wachsam auf fremde Erfolge, betätigte sich alsbald in diesem Genre. Das erste deutsche Werk dieser Art waren Gellerts „Zärtliche Schwestern". Nur Holberg, dem „dänischen Molière", wie man ihn etwas überschwänglich genannt hat, gelang es, seinen Landsleuten ein Nationallustspiel, ein Nationaltheater und, was noch mehr ist, einen Nationalspiegel zu schenken, in dem sie sich, nicht übermäßig geschmeichelt, aber doch liebenswürdig karikiert, erkennen und betrachten konnten. Er war Schnelldichter wie alle echten Komödientemperamente, daneben ein sehr fleißiger Journalist, Historiker und Popularphilosoph. Er begann als Wandergeiger und Bettelstudent, hatte jahrzehntelang die aufreibendsten Kämpfe mit zelotischen Pfaffen, unwissenden Philistern und gelehrten Eseln zu bestehen und endete als Grundbesitzer und Baron, zur damaligen Zeit für einen verachteten Schauspielschreiber und armseligen Hungerprofessor eine unerhörte Karriere. Aber seine verdiente Karriere hat er erst nach seinem Tode gemacht, als man zu erkennen begann, was man an seinen bis zur Ordinärheit kraftvollen und bis zur Banalität lebensvollen Stücken besaß: bis zu den Tagen Andersens und Ibsens hat Skandinavien keinen so scharfen und reichen Wirklichkeitsbeobachter von so freier Souveränität und machtvoller Ironie mehr hervorgebracht.

Das bedeutsamste literarische Ereignis für das erwachende Bür- Die Wochen-schriften gertum war aber das Entstehen der englischen Wochenschriften. 1709 begründete Steele mit seinem Hauptmitarbeiter Addison den „Tatler", dem 1711 der „Spectator" und 1713 der „Guardian" folgte. Das Programm dieser Revuen hat Addison mit den Worten ausgesprochen: „Man hat von Sokrates gesagt, daß er die Philosophie vom Himmel herabgeholt habe, damit sie unter den Menschen wohne; ich habe den Ehrgeiz, daß man von mir sage: er hat die Philosophie aus den Akademien und Schulen geholt, damit sie in den Klubs und Gesellschaften, am Teetisch und im Kaffeehaus, im Heim, im Kontor und in der Werkstatt Platz nehme." Sehr bald fand er überall Nachahmer. Der große Samuel Johnson edierte den „Idler" und den „Rambler", der graziöse Lustspieldichter Marivaux den „Spectateur français", und der Abbé Prévost, der Verfasser der „Aventures du chevalier des Grieux et de Manon Lescaut", in denen der englische Sittenroman ohne lästiges Moralisieren und mit echter Leidenschaft fortgebildet wird, war sieben Jahre lang Herausgeber der Zeitschrift „Le Pour et le Contre". In Italien begründete der ältere Gozzi den „Osservatore". Die erste deutsche Publikation dieser Art, die „Discourse der Mahlern", herausgegeben von Bodmer und Breitinger, erschien in der Schweiz, ihr folgte drei Jahre später der „Patriot" in Hamburg, Gottsched schrieb die „Vernünftigen Tadlerinnen" und den „Biedermann" und eine dieser zahllosen Zeitschriften führte sogar den leicht mißzuverstehenden Titel: „Die Braut, wöchentlich an das Licht gestellt". Über Addison, der der unerreichte Klassiker dieses Genres geblieben ist, sagt Steele: „Leben und Sitten werden von ihm nie idealisiert, er bleibt immer streng bei der Natur und der Wirklichkeit, ja er kopiert so getreu, daß man kaum sagen kann, er erfinde." Er war in der Tat nicht mehr und nicht weniger als der geschickte und beflissene, banale und kunstreiche Salonphotograph seines Zeitalters, dem er ein stattliches wohlassortiertes Porträtalbum schuf, ein ebenso wertvolles und ebenso wertloses, wie es alle derartigen Arbeiten zu allen Zeiten gewesen sind.

Der Maler William Hogarth erzählte in Bilderserien satirisch, Hogarth aber ohne eigentlichen Humor den Lebenslauf einer Buhlerin, das

Schicksal einer Modeehe, die Geschichte eines Wüstlings, das Los des Fleißes und der Faulheit. Seine Schilderungen waren in zahlreichen Kupferstichen verbreitet und somit nicht nur im Inhalt, sondern auch in der Form eine Art malerischer Journalismus; sie bilden daher scheinbar eine Art Gegenstück zu den Wochenschriften und moralischen Romanen. Aber in Wirklichkeit kann man diese beiden Erscheinungen gar nicht miteinander vergleichen. Denn Hogarth ist Moralist und Didakt nur im Nebenamt, in erster Linie aber Künstler: ein wirklichkeitstrunkener Schilderer voll Wucht und Schärfe, ein Farbendichter von höchstem Geschmack und Geist. Er opferte in seinen Predigten nur der Zeit, und er wäre größer ohne seine Philosophie; Richardson und Addison aber besaßen in ihrem bürgerlichen Moralpathos ihre stärkste Lebensquelle, von der ihr ganzes Schaffen gespeist wurde: ohne dieses wären sie nicht größer, auch nicht kleiner, sondern überhaupt nicht. Sie wollten Maler sein und gelangten kaum bis zum Literaten, Hogarth wollte, in sonderbarer Verkennung seiner Mission, Literat sein und blieb trotzdem ein großer Maler.

Die Dichter des Spleen Indes hat in all dieser Nüchternheit doch auch der Einschlag von Spleen nicht gefehlt, der eine stete Ingredienz der englischen Seele bildet. Er ist verkörpert in der Gruft- und Gespensterpoesie. 1743 ließ Robert Blair das Gedicht „The Grave" erscheinen, das in suggestiven Blankversen Variationen über das Thema: Tod, Sarg, Mitternacht, Grabesgrauen, Geisterschauer anschlug. Aus derselben Zeit stammen Edward Youngs „Night Thoughts on Life, Death and Immortality" und Thomas Grays „Elegy, written in a Country Churchyard", voll finsterer Beklemmungen und Gesichte und zugleich durchhaucht von dem ersten sanften Säuseln der Empfindsamkeit. Das Genie des Spleen aber ist, einsam in pathologischer Dämonie und grimassenhafter Überlebensgröße, Jonathan Swift, der Dechant von Sankt Patrick.

Die freethinkers Jedes Zeitalter hat ein Schlagwort, von dem es bis zu einem gewissen Grade lebt: das damalige hieß „Freidenkertum". Die Vorläufer der Freidenker waren die „Latitudinarier" des siebzehnten Jahrhunderts, die alle konfessionellen Unterschiede der christlichen Sekten für unwesentlich erklärten und nur die in der Heiligen

Schrift niedergelegten „Grundwahrheiten" als bindend erachteten. John Toland, der in seinem 1696 erschienenen Werk „Christianity not mysterious" nachzuweisen suchte, daß in den Evangelien nichts Widernatürliches, aber auch nichts Übervernünftiges enthalten sei, sprach zuerst von *freethinkers*, worüber Anthony Collins dann in seiner Schrift „A discourse of freethinking" vom Jahre 1713 ausführlicher handelte. Woolston erklärte die Wunder des Neuen Testaments allegorisch. Matthew Tindal vertrat in der Abhandlung „Christianity as old as the creation" den Standpunkt, daß Christus die natürliche Religion, die von jeher bestanden habe und von Anfang an vollkommen gewesen sei, nur wiederhergestellt habe. Seit 1735 verfaßte auch in Deutschland Johann Christian Edelmann antiklerikale Schriften, worin er die positiven Religionen als „Pfaffenfund" bezeichnete, erregte aber mit ihnen nicht so viel Aufsehen wie mit seinem langen Bart. Hutcheson versuchte als erster eine wissenschaftliche Analyse des Schönen und verteidigte die Kunst gegen die Theologie. Nach ihm wird sowohl das Gute wie das Schöne durch die Aussprüche eines untrüglichen inneren Sinnes erkannt. Von ähnlichen Gesichtspunkten war schon zu Anfang des Jahrhunderts der Graf von Shaftesbury ausgegangen, indem er eine Art Ästhetik der Moral schuf. Für ihn ist das Schöne mit dem Guten identisch; der gemeinsame Maßstab ist das Wohlgefallen: „Trachtet zuerst nach dem Schönen, und das Gute wird euch von selbst zufallen." Auch die Sittlichkeit beruht auf einer Art feinerem Sinn, einem moralischen Takt, der ebenso ausbildungsfähig und ausbildungsbedürftig ist wie der Geschmack. Es ist die Aufgabe des Menschen, eine Art sittliche Virtuosität zu erlangen, und der „Böse" ist in diesem Sinne nur eine Art Stümper und Dilettant. Das Wesen sowohl der Kunst wie der Ethik besteht in der Harmonie, der Versöhnung der egoistischen und der sozialen Empfindungen. In demselben Sinne verglich der Dichter Pope in seinem berühmten „Essay on man" das Verhältnis zwischen den selbstsüchtigen und den altruistischen Seelenbewegungen sehr anschaulich mit der Rotation unseres Planeten um seine eigene Achse und um die Sonne. Was Shaftesbury lehrt, ist die Philosophie eines feinnervigen Aristokraten und Lebensartisten:

er ist einer der ersten „Ästheten" der neueren Geschichte und von ihm geht eine gerade Linie zu Oskar Wilde, der gesagt hat: „Laster und Tugend sind für den Künstler nur Materialien." Eine fast groteske Logisierung der Ethik findet sich hingegen bei Wollaston, der in jeder unmoralischen Handlung nichts als ein falsches Urteil erblickt: zum Beispiel im Mord die verkehrte Meinung, daß man dem Getöteten das Leben wiedergeben könne, in der Tierquälerei die Fehlansicht, daß das Tier keinen Schmerz empfinde, im Ungehorsam gegen Gott den irrigen Glauben, daß man mächtiger sei als er, während sich Mandeville in seiner Schrift „The fable of the bees, or private vices made public benefits" auf den bereits im Titel angedeuteten Standpunkt des modernen Staatszynismus stellte, daß der egoistische und skrupellose Wettbewerb der Einzelnen die Triebkraft für das Gedeihen des Ganzen bilde.

Hume   Die charakteristischste Erscheinung der damaligen englischen Philosophie ist aber David Hume. Seine epochemachende Tat ist die Auflösung des Kausalitätsbegriffs, den er aus der Gewohnheit, aus der häufigen Wiederholung derselben Erfahrung erklärt. Unsere Empirie berechtigt uns nur zu dem Urteil: erst A, dann B; dem *post hoc*. Unser Geist begnügt sich aber nicht hiermit, sondern sagt auf Grund dieser immer wieder beobachteten Sukzession: erst A, da rum B; er macht aus dem post hoc ein *propter hoc*. Auch die Idee der Substanz stammt nur aus unserer Gepflogenheit, mit denselben Gruppen von Merkmalen immer die gleichen Vorstellungen zu verbinden. Ebenso ist das Ichbewußtsein zu erklären: indem wir unsere Eindrücke regelmäßig auf dasselbe Subjekt beziehen, bildet sich der Begriff eines unveränderlichen Trägers dieser Eindrücke, der aber in Wirklichkeit nichts ist als ein „Bündel von Vorstellungen". Ganz im Sinne dieser Anschauungen erklärt sich Hume auch gegen die Vertragstheorie: ehe die Menschen einen Staatskontrakt schließen konnten, hatte sie schon die Not vereinigt, und der durch die Not zur Gewohnheit gewordene Gehorsam bewirkte ohne Vertrag, daß Regierungen und Untertanen entstanden. Dies alles ist echt englisch: die ebenso vorsichtige wie kurzsichtige Betonung der Alleinherrschaft der Empirie, das Mißtrauen gegen alle Metaphysik und Ideenlehre, der tiefgewurzelte

Konservativismus, der alles aus Gewohnheit erklärt, und die unerbittliche Flachheit, die in ihrer bewunderungswürdigen Schärfe und Energie fast zum Tiefsinn wird.

Weininger macht in „Geschlecht und Charakter" die sehr feine Bemerkung: „Die Entscheidung zwischen Hume und Kant ist auch charakterologisch möglich, insoferne etwa, als ich zwischen zwei Menschen entscheiden kann, von denen dem einen die Werke des Makart und Gounod, dem anderen die Rembrandts und Beethovens das Höchste sind", und an einer anderen Stelle sagt er, daß Hume allgemein überschätzt werde; es gehöre zwar nicht viel dazu, der größte englische Philosoph zu sein, aber Hume habe nicht einmal auf diese Bezeichnung Anspruch. Was uns anlangt, so möchten wir diesen Ruhm Humes „Vorläufer", dem Bischof Berkeley, zuerkennen, der, aus englischem Geschlecht stammend, aber in Irland geboren und erzogen, als einer der glänzendsten Vertreter des vom englischen so sehr verschiedenen irischen Geistes anzusehen ist: er hat eine Philosophie geschaffen, die wahrhaft frei, höchst originell und schöpferisch paradox ist. Nach seinem Ausgangspunkt könnte man ihn für einen typisch englischen Erfahrungsphilosophen halten, denn er lehrt den strengsten Nominalismus; die abstrakten Ideen sind für ihn nichts als Erfindungen der Scholastiker, Staubwolken, die, von den Schulen aufgewirbelt, die Dinge verdunkeln; sie sind nicht einmal in der bloßen Vorstellung vorhanden und daher nicht nur unwirklich, sondern unmöglich. Dinge wie Farbe oder Dreieck gibt es nicht, sondern nur rote und blaue Farben, rechtwinklige und stumpfwinklige Dreiecke von ganz bestimmtem Aussehen; wenn von „Baum" im allgemeinen gesprochen wird, so denkt jeder doch heimlich an irgendein konkretes Baumindividuum. Es gibt nur die Einzelvorstellungen, die sich aus den verschiedenen Sinnesempfindungen zusammensetzen. „Ich sehe diese Kirsche da, ich fühle und schmecke sie, ich bin überzeugt, daß sich ein Nichts weder sehen noch schmecken noch fühlen läßt, sie ist also wirklich. Nach Abzug der Empfindungen der Weichheit, Feuchtigkeit, Röte, Süßsäure gibt es keine Kirsche mehr, denn sie ist kein von diesen Empfindungen verschiedenes Wesen." Farbe ist Gesehenwerden, Ton ist Gehörtwerden, Objekt ist Wahrgenommenwerden, *esse est percipi*. Was wir Undurchdringlichkeit nennen, ist nichts weiter als das Gefühl des Widerstandes; Ausdehnung, Größe, Bewegung sind nicht einmal Empfindungen, sondern Verhältnisse, die wir zu unseren Eindrücken hinzudenken; die körperlichen Substanzen sind nicht nur unbekannt, sondern sie existieren gar nicht. Das Einzigartige und höchst Geistreiche dieser Philosophie besteht aber nun darin, daß sie durch diese Feststellungen nicht wie alle anderen Nominalismen zum Sensualismus und Materialismus geführt wird, sondern zu einem exklusiven Spiritualismus und Idealismus. Alle Erscheinungen sind nach Berkeley nichts als Vorstellungen Gottes, die er in sich erzeugt und den einzelnen Geistern als Perzeptionen mitteilt; das zusammenhängende Ganze aller von Gott produzierten Ideen nennen wir Natur; die Kausalität ist die von Gott hervorgerufene Reihenfolge dieser Vorstellungen. Da die Gottheit absolut und allmächtig ist, so ist sie auch jederzeit imstande, diese Anordnung zu verändern und das Naturgesetz zu durchbrechen; in diesem Falle sprechen wir von Wundern. Es gibt demnach nichts Wirkliches auf der Welt als Gott, die Geister und die Ideen.

Montesquieu und Vauvenargues

Aber nicht das System Berkeleys, sondern der Empirismus eroberte England und von da aus Europa. Der erste große Vertreter der englischen Philosophie auf dem Kontinent war Montesquieu, der 1721 in seinen „Lettres Persanes" zunächst vorwiegend Kritik übte, indem er die öffentlichen Einrichtungen und Zustände des damaligen Frankreich: Papstkirche und Klosterwesen, Beichte und Zölibat, Ketzergerichte und Sektenstreitigkeiten, Verschwendung und Steuerunwesen, Geldkorruption und Adelsprivilegien, den Verfall der Akademie, den Lawschen Bankschwindel und überhaupt das ganze Régime des Absolutismus, auch des aufgeklärten, sehr witzig, aber mit verborgenem tiefen Ernst bloßstellte. Sieben Jahre später folgten die „Considérations sur les causes de la grandeur des Romains et de leur décadence", ein überaus geistvolles und gründliches Geschichtswerk, worin mit deutlichem Hinblick auf das demokratische England und das absolutistische Frankreich gezeigt wurde, wie das römische Reich zuerst der Freiheit seine Größe und später dem Despotismus seinen Niedergang zu verdanken hatte. Auch sein drittes Werk „De l'esprit des lois", in dem Recht und Staat als Produkt von Boden, Klima, Sitte, Bildung und Religion dargestellt sind und die konstitutionelle Monarchie als die beste Staatsform gepriesen wird, ist ganz von englischem Geist erfüllt. Neben ihm wirkte, von den Zeitgenossen nicht genügend gewürdigt, der Marquis Vauvenargues, der trotz seiner zarten Konstitution Offizier wurde und schon zweiunddreißigjährig starb. Voltaire war einer der wenigen, die seinen hohen Geist sofort erkannten, und schrieb an den um zwanzig Jahre jüngeren obskuren Kollegen: „Wären Sie um einige Jahre früher auf die Welt gekommen, so wären meine Werke besser geworden." Die höchsten Eigenschaften des Schriftstellers sind für Vauvenargues *clarté* und *simplicité:* die Klarheit ist der „Schmuck des Tiefsinns", der „Kreditbrief der Philosophen", das „Galagewand der Meister", die Dunkelheit das Reich des Irrtums; ein Gedanke, der zu schwach ist, einen einfachen Ausdruck zu tragen, zeigt damit an, daß man ihn wegwerfen soll. In seiner unbestechlichen Kunst der Seelenprüfung erinnert er bisweilen an Larochefoucauld: er sagt, daß die Liebe nicht so zartfühlend sei wie die Eigenliebe, daß wir viele Dinge nur verachten, um uns nicht selbst verachten zu müssen, daß die meisten Menschen den Ruhm ohne Tugend lieben, aber die wenigsten die Tugend ohne Ruhm, er erklärt die Kunst zu gefallen für die Kunst zu täuschen und findet es sonderbar, daß man den Frauen die Schamhaftigkeit zum Gesetz gemacht hat, während sie an den Männern nichts höher schätzen als die Schamlosigkeit. Aber daneben lebt in ihm noch der soldatische Geist des siebzehnten Jahrhunderts, eine heroische Begeisterung für den Ruhm, die Tapferkeit und die nobeln Leidenschaften der Seele, sein Lieblingswort ist „*l'action*". Und zugleich weist er in die Zukunft, ins Reich der Empfindsamkeit: er erklärt, daß niemand zahlreichern Fehlern ausgesetzt sei als der Mensch, der nur mit dem Verstand handelt, und von ihm stammt das unsterbliche Wort: „*Les grandes pensées viennent du cœur.*" Er ist der früheste Prophet des Herzens; aber noch in einer männlichen, unsentimentalen Form, die einem stärkeren und zugleich weniger komplizierten Geschlecht angehört.

Alle diese Lichter verblassen aber neben dem Stern Voltaires, der, allerdings in einem prononcierten dix-huitième-Sinn, der Heros des Jahrhunderts gewesen ist.

Der Generalrepräsentant des Jahrhunderts

Goethe hat in seinen Anmerkungen zu Diderot den oft zitierten Ausspruch gemacht: „Wenn Familien sich lange erhalten, so kann man bemerken, daß die Natur endlich ein Individuum hervorbringt, das die Eigenschaften seiner sämtlichen Ahnherrn in sich begreift und alle bisher vereinzelten und angedeuteten Anlagen in sich vereinigt und vollkommen ausspricht. Ebenso geht es mit Nationen, deren sämtliche Verdienste sich wohl einmal, wenn es glückt, in einem Individuum aussprechen. So entstand in Ludwig dem Vierzehnten ein französischer König im höchsten Sinne, und ebenso in Voltaire der höchste unter den Franzosen denkbare, der Nation gemäßeste Schriftsteller." Wir haben schon in der Einleitung dieses Werkes hervorgehoben, daß der Genius nichts anderes ist als der Extrakt aus den zahllosen kleinen Wünschen und Werken der großen Masse. Man kann für jedes Volk, für jedes Zeitalter einen solchen Generalrepräsentanten finden, aber auch für kleinere Segmente: für jeden Stamm, jede Stadt, jede Saison. Der Kreis, den Voltaire vertrat, hatte den denkbar größten Radius: Voltaire ist die Essenz ganz Frankreichs und des ganzen achtzehnten Jahrhunderts. Und infolgedessen war er auch ein Kompendium aller Mängel und Irrtümer, Untugenden und Widersprüche seines Volkes und Zeitalters. Wenn er, wie Goethe in seinem schönen Gleichnis andeutet, wirklich alle verstreuten Familienmerkmale in seiner Physiognomie zusammengefaßt hat, so ist es vollkommen unsinnig, ihm einen Vorwurf daraus zu machen, daß sich darunter auch Schönheitsfehler befanden.

Goethe sagt an einer anderen Stelle, in „Dichtung und Wahrheit": „Voltaire wird immer betrachtet werden als der größte Name der Literatur der neueren Zeit und vielleicht aller Jahrhunderte; wie die erstaunenswerteste Schöpfung der Natur." Dies empfanden, ein seltener Fall in der Geistesgeschichte, seine Zeitgenossen in fast noch höherem Maße als die Nachwelt, was eben daher kam, daß sie in ihm ihren unvergleichlichen Dolmetsch erblicken mußten. Er war eine Sehenswürdigkeit ersten Ranges;

man reiste von weither nach seinem Landsitz Ferney wie zum Anblick eines Bergriesen oder einer Sphinx. Als er einmal einen Engländer, der sich durchaus nicht abweisen lassen wollte, mit einem
Scherz loszuwerden suchte, indem er ihm sagen ließ, die Besichti-
gung koste sechs Pfund, erwiderte dieser augenblicklich: „Hier
sind zwölf Pfund und ich komme morgen wieder." Wenn er auf
Reisen war, verkleideten sich junge Verehrer als Hotelkellner, um
in seine Nähe gelangen zu können. Als er kurz vor seinem Tode
von der Pariser Aufführung seiner „Irène" nach Hause fuhr,
küßte man seine Pferde.

Und obgleich seitdem schon fünf Generationen vorübergegan- Der Märtyrer des
Lebens
gen sind, sind uns noch heute wenige Gestalten der Literaturgeschichte so nah vertraut und intim bekannt wie er. Seine Biographie ist eine Geschichte aus unseren Tagen; aus allen Tagen. Nirgends spürt man eine Distanz, weil er, in Größe und Schwäche,
immer ein warmer lebensprühender Mensch war. Er war eine
sonderbare Mischung aus einem Epikuräer und einem Asketen der
Arbeit. Schon als Knabe hatte er eine große Vorliebe für elegante
Kleider und gutes Essen und sein ganzes Leben lang war er bestrebt, sich mit einem grandseigneuralen Luxus zu umgeben, zu
dem er sich aber mehr durch seine Leidenschaft für schöne Form
und großartige Verhältnisse als durch wirkliche Genußsucht hingezogen fühlte. Als er auftrat, war ein *homme de lettres* ein gesellschaftlich unmöglicher Mensch, ein Desperado, Taugenichts und
outlaw, Schmarotzer, Hungerleider und Trunkenbold. Voltaire
war der erste Berufsschriftsteller, der mit dieser festgewurzelten
Tradition brach. Er führte von allem Anfang an ein Leben im vornehmen Stil und brachte es zumal in der zweiten Hälfte seines
Daseins zu fürstlichem Reichtum. Er besaß zwanzig Herrschaften
mit zwölfhundert Untertanen und einem Jahresertrag von 160 000
Francs, herrliche Villen und Schlösser mit Äckern und Weinber-
gen, Gemäldegalerien und Bibliotheken, kostbaren Nippes und
seltenen Pflanzen, einen Stab von Lakaien, Postillonen, Sekretären,
einen Wagenpark, einen französischen Koch, einen Feuerwerker,
ein Haustheater, auf dem berühmte Pariser Künstler gastierten,
und sogar eine eigene Kirche mit der Inschrift: *„Deo erexit*

Voltaire." Diesen Wohlstand verdankte er zum Teil Pensionen und Büchererträgnissen (die Henriade zum Beispiel hatte ihm allein 150000 Francs eingebracht, während er die Honorare für seine Theateraufführungen regelmäßig an die Schauspieler verschenkte), zur größeren Hälfte allerlei dubiosen Geldgeschäften, die er mit großem Geschick betrieb: Börsenspekulationen, Kaufvermittlungen, Korntransaktionen, Grundstückschiebungen, Armeelieferungen, hoch verzinsten Darlehen. In Berlin erregte er durch einen derartigen zweideutigen Handel, der ihn in einen skandalösen Konflikt mit dem jüdischen Bankier Abraham Hirschel verwickelte, das Mißfallen Friedrichs des Großen. Lessing fällte sein Urteil über diese Affäre in dem Epigramm: „Und kurz und gut den Grund zu fassen, warum die List dem Juden nicht gelungen ist; so fällt die Antwort ohngefähr: Herr Voltaire war ein größrer Schelm als er." Es kann als nachgewiesen gelten, daß er damals einige Worte in den Verträgen mit Hirschel nachträglich geändert hat. Auch sonst nahm er es im Privatleben mit der Wahrheit nicht sehr genau. Um an die Stelle des Kardinals Fleury in die Akademie gewählt zu werden, schrieb er an verschiedene Personen Briefe, in denen er versicherte, er sei ein guter Katholik und wisse nicht, was das für „Lettres philosophiques" seien, die man ihm zuschreibe; er habe sie nie in der Hand gehabt. Als er sich später ein zweites Mal, und diesmal erfolgreich, um diese Ehre bewarb, die seinem Ruhme nicht das geringste hinzugefügt hat, verglich er Ludwig den Fünfzehnten mit Trajan. Beim Erscheinen des „Candide" schrieb er an einen Genfer Pastor: „Ich habe jetzt endlich den Candide zu lesen bekommen, und ganz wie bei der Jeanne d'Arc erkläre ich Ihnen, daß man von Vernunft und Sinnen sein muß, um mir eine derartige Schweinerei anzudichten." In die „Pucelle" mischte er absichtlich Unsinn, damit man sie ihm nicht zutraue. Über seine „Histoire du Parlement de Paris" schrieb er in einem offenen Brief im „Mercure de France": „Um ein solches Werk herausgeben zu können, muß man mindestens ein Jahr lang die Archive durchwühlt haben, und wenn man in diesen Abgrund hinabgestiegen ist, ist es noch immer sehr schwierig, aus ihm ein lesbares Buch herauszuholen. Eine solche Arbeit wird eher ein dickes Protokoll werden als eine Geschichte. Sollte ein Buchhändler mich für den Verfasser ausgeben, so erkläre ich ihm, daß er nichts dabei gewinnt. Weit davon entfernt, dadurch ein Exemplar mehr zu verkaufen, würde er umgekehrt dem Ansehen des Buches schaden. Die Behauptung, daß ich, der ich länger als zwanzig Jahre von Frankreich abwesend war, mich derartig in das französische Rechtswesen hätte hineinarbeiten können, wäre vollkommen absurd." Über das Wörterbuch schrieb er an d'Alembert: „Sowie es die geringste Gefahr damit hat, bitte ich Sie sehr, mir davon Nachricht zu geben, damit ich das Werk in allen öffentlichen Blättern mit meiner gewohnten Ehrlichkeit und Unschuld desavouieren kann." Und in einem Brief an den Jesuitenpater de la Tour erklärte er sogar, wenn man je unter seinem Namen eine Seite gedruckt habe, die auch nur einem Dorfküster Ärgernis geben könnte, so sei er bereit, sie zu zerreißen; er wolle ruhig leben und sterben, ohne jemand anzugreifen, ohne jemand zu beschädigen, ohne eine Ansicht zu vertreten, die jemand anstößig sein könnte. Man wird wohl sagen dürfen, daß er die Absicht, nirgends anzustoßen, nur sehr unvollkommen erreicht hat.

Man muß allerdings bedenken, daß es zu jener Zeit für einen Schriftsteller äußerst gefährlich war, sich zu Werken zu bekennen, die bei der Kirche oder der Regierung Mißfallen erregen konnten, und daß nahezu alle Kollegen Voltaires in solchen Fällen dieselbe Taktik des Ableugnens und der Anonymität beobachteten. „Ich bin", sagte er zu d'Alembert, „ein warmer Freund der Wahrheit, aber gar kein Freund des Märtyrertums." Wir müssen in Voltaire gleichwohl eine neue Form des Heldentums erblicken: an die Stelle der Märtyrer des Todes waren die Märtyrer des Lebens getreten und die Läuterung durch Askese wird nicht mehr in den Klostermauern, sondern mitten im Drängen der Welt gesucht; der Tod erscheint nicht mehr als Glorifikation des Lebens und als Held gilt nicht mehr, wer dem Leben entsagt, sondern wer im Leben entsagungsvoll weiterkämpft.

Aus Voltaires überreiztem und hyperaktivem Kämpfertum erklären sich auch seine vielen kleinen Bosheiten, für die sein Verhältnis zu Friedrich dem Großen, der ihm hierin ähnlich war, be- | Voltaires Charakter sonders charakteristisch ist. Durch unvermeidliche Reibung haben diese beiden Genies einander ununterbrochen Funken des Hasses, der Liebe und des Geistes entlockt. Schon die Art, wie sie sich zusammenfanden, war sehr sonderbar. Um Voltaire in Frankreich zu kompromittieren und ihn dadurch an seinen Hof zu bekommen, ließ Friedrich der Große einen sehr ausfälligen Brief des Dichters bei den zahlreichen einflußreichen Personen verbreiten, die darin angegriffen waren; Voltaire wiederum suchte aus der Schwäche, die der König für ihn hatte, möglichst viel Geld herauszuschlagen. Friedrich der Große, der nachträglich fand, daß er Voltaire überzahlt habe, beschränkte ihn im Verbrauch von Licht und Zucker; Voltaire steckte im Salon Kerzen ein. Lamettrie teilte Voltaire mit, der König habe über ihn gesagt: „man preßt die Orange aus und wirft sie fort"; Maupertuis teilte dem König mit, Voltaire habe über ihn gesagt: „ich muß seine Verse durchsehen, er schickt mir seine schmutzige Wäsche zum Waschen." Voltaire richtete gegen Maupertuis einen anonymen und verletzenden Angriff; Friedrich verfaßte eine ebenso anonyme und ebenso verletzende Antwort. Friedrich ließ Voltaire bei seiner Rückreise nach Frankreich in Frankfurt verhaften und auf kompromittierende Schriftstücke untersuchen; Voltaire schrieb, enthaftet, gleichwohl in Frankreich kompromittierende Enthüllungen.

Wir haben absichtlich gerade die bedenklichsten Punkte in der Lebensgeschichte Voltaires hervorgehoben, weil man lange Zeit, und bisweilen noch heute, aus diesen und ähnlichen kleinen Zügen das Bild eines zweideutigen, tückischen, ja schmutzigen Charakters zu kombinieren versucht hat. Von den schlechten Eigenschaften, die man Voltaire vorzuwerfen pflegt, kann ihm nur die Eitelkeit in vollem Maße zugesprochen werden; hierin unterschied er sich sehr unvorteilhaft von Friedrich dem Großen. Aber diese teilte er mit den allermeisten Künstlern und überhaupt mit den allermeisten Menschen, und zudem hatte sie bei ihm eine liebenswürdige, kindliche, ja oft geradezu kindische Note, die versöhnend wirkt. Daß er boshaft und verlogen war, ist schon eine Behauptung, die nur zur Hälfte wahr ist; denn das erstere war er nur im Verteidigungszustand, das letztere nur in kleinen Dingen, wenn seine Eitelkeit oder seine Ängstlichkeit, beide begründet in seiner fast pathologischen Reizbarkeit, mitredeten; in allen großen Fragen war er von der lautersten Aufrichtigkeit. Und daß er maßlos egoistisch gewesen sein soll, ist vollkommen und ohne jede Einschränkung falsch: er war habgierig nur während der Zeit, wo er seine Reichtümer sammelte, von dem Augenblick an, wo er sie besaß, verwendete er sie in der uneigennützigsten und großartigsten Weise für andere, und was die inkorrekte Art angeht, auf die er sie erwarb, so dürfen wir nicht vergessen, daß wir uns im Rokoko befinden, dessen Decadencecharakter sich unter anderem auch darin äußerte, daß es alle moralischen Maßstäbe verloren hatte: wenn man so oft die Frage aufgeworfen hat, wie es kam, daß dieser große Geist nicht integer war, so lautet die Antwort: weil der Geist des Rokoko nicht integer war. Zu jenen überlebensgroßen Heroen der Sittlichkeit, die, als Gegenspieler der großen Verbrecher, außerhalb der Moralgesetze ihrer Zeit stehen, indem sie sich aus den zeitlosen Tiefen ihrer Seele eine eigene Ethik aufbauen, hat aber Voltaire nicht gehört und niemals gehören wollen.

Für junge aufstrebende Schriftsteller hatte er immer Rat und Geld übrig, trotz fast regelmäßig empfangenem Undank; vermutlich aus einer Art zärtlicher und wehmütiger Pietät gegen seine eigene Jugend. Er ließ die Nichte Corneilles auf seine Kosten erziehen, verschaffte ihr durch die von ihm besorgte und kommentierte Neuausgabe Corneilles eine reiche Mitgift und schenkte ihr bei der Geburt ihres ersten Kindes zwölftausend Livres: „es gehört sich", sagte er, „für einen alten Soldaten, der Tochter seines Generals nützlich zu sein." Als Grundherr übte er die großzügigste Wohltätigkeit; er kämpfte gegen die Leibeigenschaft, trocknete Sümpfe aus, ließ weite Heidestrecken bebauen und rief eine blühende Seiden- und Uhrenindustrie ins Leben, indem er den Arbeitern aus eigenem Besitz Häuser und Betriebskapital zur Verfügung stellte. In den durch ihn berühmt gewordenen religiösen Tendenzprozessen gegen die Hugenotten Jean Calas und Peter Paul Sirven, die beide fälschlich beschuldigt worden waren, eines ihrer Kinder ermordet zu haben, weil es zum Katholizismus übertreten wollte, entwickelte er eine fieberhafte Agitation durch Flugschriften, Essais, Veröffentlichung von Dokumenten und Zeugenaussagen, Verwendung bei allen ihm erreichbaren Machthabern, um der Gerechtigkeit zum Sieg zu verhelfen. Das Grundpathos seines ganzen Lebens war überhaupt ein flammendes Rechtsgefühl, ein heißer, verzehrender, fast trunkener Haß gegen jede Art öffentlicher Willkür, Dummheit, Bosheit, Parteilichkeit. Wenn die Welt heute nur noch zu zwei Fünfteln aus Schurken und zu drei Achteln aus Idioten besteht, so ist das zu einem guten Teil Voltaire zu verdanken.

Er sagt einmal, der Mensch sei ebenso zur Arbeit geschaffen, wie es in der Natur des Feuers liege, emporzusteigen. Als eine solche Feuersäule der Arbeit und des Geistes erhob er sich über der staunenden Welt, immer höher emporschwelend und alles Finstere und Lichtscheue mit seinem unheimlichen Rotlicht erhellend. Er arbeitete oft achtzehn bis zwanzig Stunden im Tage, diktierte so schnell, daß der Sekretär kaum nachkommen konnte, sagte noch in seinem vierundsechzigsten Lebensjahr von sich: „ich bin schmiegsam wie ein Aal, lebendig wie eine Eidechse und unermüdlich wie ein Eichhörnchen" und ist es noch zwanzig Jahre geblieben. Friedrich der Große schrieb an ihn: „Ich zweifle daran, daß es einen Voltaire gibt, und ich bin im Besitz eines Systems, mit dessen Hilfe ich seine Existenz zu bestreiten vermag. Es ist unmöglich, daß ein einzelner Mensch die ungeheure Arbeit vollbringen kann, die Herrn von Voltaire zugeschrieben wird. Offenbar gibt es in Cirey eine Akademie, aus der Elite der Erde zusammengesetzt: Philosophen, die Newton übersetzen und bearbeiten, Dichter heroischer Epopöen, Corneilles, Catulls, Thukydidesse, und die Arbeiten dieser Akademie werden unter dem Namen Voltaire herausgegeben, wie man die Taten eines Heeres auf den Feldherrn zurückführt." Kurz vor seinem Tode machte ihm ein Schriftsteller seine Huldigungsvisite und sagte: „heute bin ich nur gekommen, um Homer zu begrüßen, das nächstemal will ich Sophokles und Euripides begrüßen, dann Tacitus, dann Lucian"; „mein lieber Herr", erwiderte Voltaire, „ich bin, wie Sie sehen, ein ziemlich alter Mann, könnten Sie nicht alle diese Besuche auf einmal abmachen?" Er war nicht allenthalben schöpferisch wie Leibniz, aber er durchdrang alles und gab vielem durch seine künstlerisch runde und scharfe, lichte und leichte Darstellung erst die klassische Form, was man auch als eine Art Schöpfertätigkeit ansehen muß. Nicht, wie so oft behauptet wird, sein Witz war seine schriftstellerische Kardinaleigenschaft, sondern seine Klarheit und Formvollendung, seine sprudelnde Farbigkeit und federnde Aktivität. Er war, gleich einem Zitterrochen, der bei der geringsten Berührung einen Hagel lähmender Schläge austeilt, voll aufgespeicherter Elektrizität, die nur der Auslösung harrte, um in einem Strom von gefährlichen Kraftentladungen ihre siegreiche Wirkung zu erproben. Sein literarisches Werk ist mit seinen Büchern, die allein eine Bibliothek bilden, noch nicht erschöpft; es umfaßt auch seine zahllosen Briefe, die infolge der damaligen Sitte, interessante Mitteilungen kursieren zu lassen, zu einem großen Teil Öffentlichkeitscharakter hatten. Er zeigte Casanova 1760 in Ferney eine Sammlung von etwa fünfzigtausend an ihn gerichteten Briefen; da er die Gepflogenheit hatte, alle irgendwie bemerkenswerten Zuschriften zu beantworten, läßt sich daraus schließen, welchen Umfang seine Korrespondenz gehabt haben muß. Und dazu kam noch seine Konversation, die nach dem Zeugnis aller, die jemals in seiner Nähe weilen durften, von der bezauberndsten Wirkung gewesen sein muß: „er ist und bleibt selbst die beste Ausgabe seiner Bücher", sagte der Chevalier von Boufflers.

Seinen ersten großen Erfolg hatte Voltaire mit dem Epos „La Ligue ou Henri le Grand", das er zur Hälfte in der Bastille verfaßt hatte, indem er den Text mit Bleistift zwischen die Zeilen eines Buches schrieb, und das fünf Jahre später in einer erweiterten Umarbeitung als „Henriade" die Welt eroberte. Gewohnt, bei allen seinen künstlerischen Plänen von verstandesmäßigen Erwägungen auszugehen, hatte er sich gesagt, daß den Franzosen ein großes Epos fehle und er daher verpflichtet sei, ihnen ein solches zu schenken; und seine Landsleute nahmen das Geschenk an. Die Wirkung des Werkes läßt sich nur aus der damaligen geistigen Situation Frankreichs und Europas erklären. Es ist das kühle und

Voltaire als Dichter

blasse Produkt eines virtuosen Kunsthandwerkers und geistreichen Kulturphilosophen, das mit den leeren Attrappen allegorischer Personifikationen wie Liebe, Friede, Zwietracht, Fanatismus arbeitet und sich nicht etwa an Homer, Dante oder Milton orientiert, sondern an Virgil, was aber zu jener Zeit, wo man gelacht hätte, wenn jemand Homer über Virgil gestellt hätte, nur als Vorteil angesehen wurde. Friedrich der Große erklärte, jeder Mann von Geschmack müsse die Henriade der Iliade vorziehen.

Sein zweites Epos „La Pucelle d'Orléans", eine Parodie auf Jeanne d'Arc, ist eine private Lausbüberei, die er gar nicht für die Veröffentlichung bestimmt hatte; aber der Gedanke, ein Werk Voltaires nicht zu kennen, wäre der damaligen gebildeten Welt unerträglich gewesen und man wußte sich durch seine Sekretäre heimliche Abschriften zu verschaffen. Das Gedicht besaß übrigens alle Eigenschaften, die es für ein Rokokopublikum zu einer Ideallektüre machen mußten: es war witzig, schlüpfrig und antiklerikal.

Als Dramatiker hat Voltaire vor allem das Verdienst, daß er mit der pseudoantiken Tradition gebrochen hat: er brachte amerikanische, afrikanische, asiatische Stoffe auf die Bühne. Von Shakespeare war er nicht ganz so unbeeinflußt, wie man nach Lessings überstrenger Kritik glauben sollte; von ihm hat er das Geistreiche, Bunte, in einem höheren Sinne Aktuelle; in seinen „Briefen über England" rühmt er ihn denn auch als kräftiges, fruchtbares, natürliches und erhabenes Genie von seltsamen und gigantischen Ideen, als alter Mann nannte er ihn allerdings einen Dorfhanswurst, gotischen Koloß und trunkenen Wilden. Als Charakterzeichner und Kompositeur steht er so tief unter Shakespeare, daß er nicht einmal als dessen Schüler angesprochen werden kann. Seine Stärke lag auch bei seinen Dramen in der vollendeten Form. Der Alexandriner, in seiner Eigenschaft als zweigabelig antithetisches und auf den Reim zugespitztes Versmaß, bewirkt, daß alles, was durch ihn gesagt wird, sich unwillkürlich in eine Pointe, ein Epigramm, ein dialektisches Kreuzfeuer, ein melodisches Plaidoyer verwandelt. Hier war nun Voltaire in seinem ureigensten Element, und es ist kein Wunder, daß der souveräne Beherrscher dieser Tiradenpoesie der

Lieblingsdramatiker eines Volkes von Rhetorikern und eines Jahrhunderts der Philosophie geworden ist.

Zweck und Hauptthema ist in der Henriade der Kampf gegen Fanatismus und Intoleranz, in der Pucelle die Verhöhnung der Wundersucht und des Aberglaubens, und ebenso dominiert in Voltaires Dramen überall die Tendenz. „Alzire" schildert die Grausamkeit und Unduldsamkeit der Christen, die Peru erobern, „Le Fanatisme ou Mahomet, le prophète" zeigt schon im Titel die polemische Absicht an und in der Tat ist der Held, wie Voltaire selbst sagt, ein bloßer „Tartuffe mit dem Schwert in der Hand" und sein offen eingestandenes Ziel *„tromper l'univers"*. Selbst in der „Zaïre", einem der wenigen Stücke Voltaires, in deren Mittelpunkt die Liebe steht, handelt es sich in der Hauptsache doch wiederum um den Fluch der religiösen Vorurteile. Voltaire bezeichnet selber einmal die Bühne als Rivalin der Kanzel. Sie ist für ihn immer nur das Megaphon seiner Ideen: Rostra, Tribunal, Katheder, philosophischer Debattierklub oder pädagogisches Hanswursttheater; aber niemals schafft er Menschen und Schicksale bloß aus dem elementaren Trieb, zu gestalten. Darum ist diesem stärksten satirischen Genie des Jahrhunderts auch kein Lustspiel gelungen. Jener geheimnisvolle Vorgang, durch den dem dozierenden Dichter seine Abstraktionen sich unter der Hand mit Blut füllen, seine Zweckgeschöpfe sich plötzlich vom Draht der Tendenz lösen und selbständig machen, trat bei ihm nie ein. Dieser Kaffeetrinker war zu wach, zu luzid, zu beherrscht, um sich von seinen Kreaturen unterkriegen zu lassen.

„Ich möchte etwas behaupten, was Ihnen wunderlich erscheinen wird", schrieb Voltaire 1740 an d'Argenson, „nur wer eine Tragödie schreiben kann, wird unserer trockenen und barbarischen Geschichte Interesse verleihen. Es bedarf, wie auf dem Theater, der Exposition, Verwicklung und Auflösung." Sein Doppeltalent des Betrachtens und Gestaltens, das ihn auf der Bühne nur zu zeitgebundenen Schöpfungen gelangen ließ, hat ihn als Historiker zu Leistungen befähigt, die der Zeit weit vorauseilten. Während seine Tragödien in Geschichtsphilosophie zerrinnen, verdichten sich seine historischen Darstellungen zu wahren Dramen. Sein

Voltaire als Historiker

„Siècle de Louis Quatorze" und sein „Essai sur les moeurs et l'esprit des nations" sind die ersten modernen Geschichtswerke. Statt der bisher beschriebenen langwierigen und langweiligen Feldzüge, Staatsverhandlungen und Hofintrigen schilderte er zum erstenmal die Kultur und die Sitten, statt der Geschichte der Könige die Schicksale der Völker. Die stupende Beweglichkeit und Energie seines Geistes, die sich für alles interessierte und alles interessant zu machen wußte, kam ihm auf diesem Gebiete besonders zu Hilfe. Allerdings dient auch hier die Darstellung der Polemik gegen den Erbfeind, die Kirche; aber diese tendenziösen Absichten wirken in seinen historischen Gemälden der Natur der Sache nach viel weniger störend als in seinen dramatischen und epischen und sie treten in ihnen merkwürdigerweise auch viel weniger aufdringlich hervor.

Diesem ruhmvollsten Zweig seiner literarischen Tätigkeit hat er sich erst in der zweiten Hälfte seines Lebens mit voller Intensität gewidmet. In seinen jüngeren Jahren gehörte sein wissenschaftliches Hauptinteresse den exakten Disziplinen. Er schrieb eine klassische Darstellung der Philosophie Newtons, die diesen auf dem Kontinent erst populär machte, und hatte in Cirey ein großes Laboratorium, wo er mit Madame du Châtelet, die ein außergewöhnliches Talent für die mathematischen und physikalischen Fächer besaß, fleißig experimentierte. Lord Brougham sagte von ihm: „Voltaire würde auf der Liste der großen Erfinder stehen, wenn er sich länger mit Experimentalphysik befaßt hätte."

_{Voltaire als Philosoph} Im Bewußtsein des achtzehnten Jahrhunderts figurierte er auch als großer Philosoph, obgleich er selbständige Gedanken nicht produziert hat, sondern auch hier wiederum nur das Verdienst der glänzenden Formulierung für sich in Anspruch nehmen kann. Wenn man versucht, seine vielfältigen philosophischen Äußerungen auf ein größtes gemeinschaftliches Maß zu bringen, so dürfte sich die Forderung nach möglichster Freiheit aller Lebensbetätigungen als generelle Grundstimmung ergeben. Er kämpfte gegen den Despotismus, wo immer er ihn fand oder zu finden glaubte, und verteidigte die unbeschränkte Selbstbestimmung des

Individuums in allen geistigen und physischen Dingen, sogar das Recht auf Homosexualität und Selbstmord. Die Revolutionsmänner haben ihn daher für sich reklamiert und ließen 1791 an seinem Geburtstag seinen Leichnam unter ungeheuerm Gepränge ins Pantheon überführen. Aber wenn er die Jakobiner noch erlebt hätte, so wäre er vermutlich zur Feier seines hundertsten Geburtstags guillotiniert worden. Er dachte nämlich, wenn er von Freiheit redete, immer nur an die oberen Zehntausend; vom Volke aber sagte er: „Es wird immer dumm und barbarisch sein; es sind Ochsen, die ein Joch, einen Stachel und Heu brauchen." Er erwartete die Reform von oben, durch eine aufgeklärte Regierung. 1764 schrieb er: „Alles, was ich rings um mich geschehen sehe, legt den Keim zu einer Revolution, die unfehlbar eintreten wird, von der ich aber schwerlich mehr Zeuge sein werde. Die Franzosen erreichen ihr Ziel fast immer zu spät, endlich aber erreichen sie es doch. Wer jung ist, ist glücklich; er wird noch schöne Dinge erleben." Gibt man den letzten Worten eine falsche Betonung, so können sie in der Tat als Prophezeiung der Revolution gelten.

Da er in allem, was er sprach und schrieb, die Essenz seiner Zeit war, so hat er auch als Religionsphilosoph deren Platitüden geteilt. Er erblickt in Jesus einen „ländlichen Sokrates", an dem er vor allem den Kampf gegen die Hierarchie schätzt, und in den Wundern, die ihm zugeschrieben werden, teils spätere Erfindungen, teils Täuschungen, die er sich erlaubte, um das abergläubische Volk für seine Lehre zu gewinnen: „Je genauer wir sein Benehmen betrachten, desto mehr überzeugen wir uns, daß er ein ehrlicher Schwärmer und guter Mensch war, der nur die Schwachheit hatte, von sich reden machen zu wollen." Die Evangelienkritik gehört zu den wenigen Gebieten, wo Voltaire tatsächlich der Banalität seines biederen Biographen David Friedrich Strauß nahegekommen ist, der im übrigen von ihm so viel Ahnung hat wie ein Oberlehrer von einer Satansmesse. Im kürzesten Auszug hat Voltaire seine Weltanschauung in seiner „Profession de Foi des Théistes" mitgeteilt: „Wir verdammen den Atheismus, wir verabscheuen den Aberglauben, wir lieben Gott und das Menschengeschlecht." Anfänglich neigte er auch dem leibnizischen

Optimismus zu; aber nach dem Erdbeben von Lissabon, das zwei Drittel der Stadt zerstörte und dreißigtausend Menschen tötete, änderte er seine Meinung: in dem Gedicht „Le désastre de Lisbonne" polemisierte er gegen Popes Satz: *„whatever is, is right"* und sprach die bloße Hoffnung aus, daß eines Tages alles gut sein werde; wer aber glaube, daß schon heute alles gut sei, befinde sich in einer Illusion. Die Willensfreiheit hat er ebenfalls anfangs bejaht, später geleugnet; über die Unsterblichkeit hat er sich oft, aber schwankend und widersprechend geäußert. Die Existenz Gottes hat er an keiner einzigen Stelle seiner Schriften in Abrede gestellt, wohl aber seine Erkennbarkeit: „Die Philosophie zeigt uns wohl, daß es einen Gott gibt", sagt er in seinem „Newton" und ähnlich an vielen anderen Orten, „aber sie ist außerstande, zu sagen, was er ist, warum er handelt, ob er in der Zeit und im Raum ist. Man müßte Gott selbst sein, um es zu wissen." Sein berühmter Ausspruch „wenn Gott nicht existierte, so müßte man ihn erfinden" scheint eine skeptische Pointe zu enthalten, weil er fast immer falsch, nämlich halb zitiert wird; aber die zweite Hälfte des Satzes lautet: *„mais toute la nature nous crie qu'il existe"*.

Le jardin   Indes ist es bei einem so sensibeln und desultorischen Geist, der so sehr der künstlerischen Stimmung und dem persönlichen Eindruck jedes Augenblicks unterworfen war, sehr schwer zu sagen, was seine wahre Meinung über diese Dinge war. Und zudem ist alles, was er öffentlich geäußert hat, nur exoterische Lehre; in den Geheimkammern seines Hirns befanden sich möglicherweise ganz andere und viel radikalere Gedanken. Vielleicht ist sein wahres Glaubensbekenntnis in den Worten an die Marquise du Deffand enthalten, die er sechs Jahre vor seinem Tode schrieb: „Ich habe einen Mann gekannt, der fest überzeugt war, daß das Summen einer Biene nach ihrem Tode nicht fortdaure. Er meinte mit Epikur und Lukrez, daß es lächerlich sei, ein unausgedehntes Wesen vorauszusetzen, das ein ausgedehntes Wesen regiere, und noch dazu so schlecht. . . . Er sagte, die Natur habe es so eingerichtet, daß wir mit dem Kopfe denken, wie wir mit den Füßen gehen. Er verglich uns mit einem musikalischen Instrument, das keinen Ton mehr gibt, wenn es zerbrochen ist. Er behauptete, es sei augenscheinlich, daß der Mensch, wie alle anderen Tiere, alle Pflanzen und vielleicht alle Wesen der Welt überhaupt, gemacht sei, um zu sein und nicht mehr zu sein. . . . Auch pflegte dieser Mann, nachdem er so alt geworden war wie Demokrit, es ebenso zu machen wie Demokrit und über alles zu lachen." Und schon neun Jahre früher, an der Schwelle seines achten Jahrzehnts, gab er seiner tiefen Resignation in einem Briefe an d'Argenson Ausdruck: „*J'en reviens toujours à Candide: il faut finir par cultiver son jardin; tout le reste, exepté l'amitié, est bien peu de chose; et encore cultiver son jardin n'est pas grande chose.*"

Cultiver son jardin: diesen Garten, den Voltaire gepflanzt hatte, immer dichter und üppiger zu bebauen, war das Pensum, das die sogenannte „Aufklärung" sich stellte und löste. Voltaire hielt es für eine kleine Sache, sie aber hielt es für eine große.

DRITTES BUCH

AUFKLÄRUNG UND REVOLUTION

VOM SIEBENJÄHRIGEN KRIEG
BIS ZUM WIENER KONGRESS

ERSTES KAPITEL

GESUNDER MENSCHENVERSTAND
UND RÜCKKEHR ZUR NATUR

*Vergeblich beklagt sich die Vernunft, daß
das Vorurteil die Welt regiert; denn wenn
sie selbst die Welt regieren will, muß sie
sich ebenfalls in ein Vorurteil verwandeln.*

Taine

In unserer bisherigen Darstellung haben wir uns des Hilfsmittels bedient, den Gang der kulturhistorischen Entwicklung in einzelne größere Abschnitte zu zerlegen, die gleich Bühnenbildern oder Romankapiteln aufeinander folgten: erst kam die Spätscholastik, dann die Renaissance, dann die Reformation, dann die Barocke, schließlich das Rokoko. Bei dieser Gliederung waren freilich gewisse Ungenauigkeiten, Willkürlichkeiten und Entstellungen nicht zu vermeiden; aber in einer solchen fälschenden Vereinfachung und Adaptierung der Wirklichkeit besteht nun einmal das Wesen aller Wissenschaft, aller Kunst und überhaupt aller menschlichen Geistestätigkeit. So notwendig es nun ist, derlei eigenmächtige Gruppierungen immer wieder vorzunehmen, so unerläßlich ist es andrerseits, sich über ihren illegitimen Charakter keinen Illusionen hinzugeben und das Gefühl ihrer tatsächlichen Unrichtigkeit niemals aus dem Bewußtsein oder wenigstens dem Unterbewußtsein zu verlieren. Daß zum Beispiel die Reformation die Renaissance einfach ablöste, wäre eine gänzlich schiefe Vorstellung, denn in beiden war der Humanismus eine der treibenden Hauptkräfte und die italienische Hochrenaissance fällt in die Jahrzehnte der stärksten Wirksamkeit Luthers. Am günstigsten lag es beim Barockzeitalter: hier konnten wir ohne allzu große Gewaltsamkeit eine Periodisierung in Vorbarocke oder Gegenreformation,

Kulturzeitalter und Erdzeitalter

Vollbarocke oder Grand Siècle und Spätbarocke oder Rokoko vornehmen und sogar wagen, bestimmte Jahreszahlen als Schnittpunkte anzusetzen. Wollten wir versuchen, die wahren Beziehungen, in denen die einzelnen Kulturzeitalter zueinander stehen, an einem Gleichnis zu verdeutlichen, so könnten wir vielleicht sagen, es verhalte sich mit ihnen ähnlich wie mit den Erdzeitaltern, die die Geologie annimmt, indem sie drei große Perioden konstatiert, die primäre oder paläozoische, die sekundäre oder mesozoische und die tertiäre oder känozoische: in der ersten gab es nur Fische und noch niedrigere Lebewesen, in der zweiten tauchten die Reptilien auf, in der dritten die Vögel und Säugetiere. Es existierten natürlich auch in der zweiten Periode noch Fische und in der dritten noch Fische und Reptilien, wie sie bis zum heutigen Tage existieren; diese Formen gaben aber sozusagen nicht mehr den Ton an, vielmehr ist in jedem der drei Zeitalter ein anderer Tierstamm durch Zahl und Artenreichtum der führende: im „Altertum" die Fische, im „Mittelalter" die Kriechtiere, in der „Neuzeit" die Säugetiere. In analoger Weise sind auch die einzelnen Kulturzeitalter immer durch eine bestimmte Menschenspezies charakterisiert, die dominiert, obschon die früheren neben ihr weiterleben: so gibt es zum Beispiel noch heute auf dem flachen Lande zahlreiche Individuen, die sich auf der Stufe der Karolingerzeit befinden, das Bürgertum der deutschen Kleinstädte repräsentiert ungefähr den Kulturzustand der Reformationszeit und viele Angehörige unseres Lehrstands wären nach Umfang und Inhalt ihres Gesichtskreises ins Zeitalter der Aufklärung einzureihen. Manche Arten allerdings sind vollkommen verschwunden: der antike Mensch zum Beispiel ist ebenso ausgestorben wie der Sauriertypus und gibt gleich diesem nur noch in allerlei Abdrucken und Versteinerungen einige Kunde von seinem Wesen.

Die dreierlei Vorstellungsmassen

Bei dem Abschnitt, den wir jetzt zu betrachten haben, der Zeit vom Siebenjährigen Krieg bis zum Wiener Kongreß, wäre aber auch diese einschränkende Vergleichung mit den Erdzeitaltern nicht mehr zutreffend. Es sind drei Hauptströmungen, die diesen Zeitraum erfüllen: wir bezeichnen sie mit den Stichworten Aufklärung, Revolution und Klassizismus. Unter „Aufklärung" verstehen wir in Übereinstimmung mit der allgemein üblichen Terminologie jene extrem rationalistische Richtung, die wir in ihren Vorstufen bereits kennen gelernt haben: der einflußreichste Repräsentant dieser ersten Aufklärungsetappe war in England Locke, in Frankreich Voltaire, in Deutschland Wolff. Auch die Bezeichnung „Klassizismus" dürfte kaum Mißverständnissen ausgesetzt sein. Der Ausdruck „Revolution" bedarf jedoch einer Erklärung. Wir fassen nämlich unter diesem Generalnenner alle jene Bewegungen zusammen, die sich gegen das Herrschende, Eingelebte, Bisherige richten, einerlei ob sie sich auf das Gebiet der Politik, der Kunst oder der Weltanschauung erstrecken; ihre Ziele sind: Neuordnung des Staats und der Gesellschaft; Verbannung jeglicher ästhetischen Regel; Entthronung des Verstandes durch das Gefühl, und dies alles im Namen der Rückkehr zur Natur; wären nicht Zweideutigkeiten zu befürchten, so könnte man diese ganze Strömung auch die naturalistische oder die aktivistische nennen.

Um nun das Verhältnis zwischen diesen drei Grundrichtungen klarzustellen, müssen wir zu einer anderen geologischen Parallele greifen. Man unterscheidet bekanntlich „geschichtete" und „massige" Formationen: die ersteren zeigen verschiedene Gesteine wie in Stockwerken übereinandergelagert, die letzteren bilden einen Block, in dem allerlei Felsarten durcheinander gemischt sind. Es verhielt sich nun in unserem Falle keineswegs so, daß die dreierlei Vorstellungsmassen sedimentär angeordnet waren, so daß erst die Aufklärungsschicht gekommen wäre, dann die revolutionäre Schicht, schließlich die klassizistische, wie etwa bei einem Berge Sandstein, Schiefer und Kalkstein aufeinander folgen; vielmehr trat das ein, was der Petrograph als „durchgreifende Lagerung" bezeichnet: der ganze Zeitraum war von aufklärerischen, revolutionären, klassizistischen Tendenzen durchsetzt. Nur höchstens so viel ließe sich behaupten, daß für die Aufklärung die Jahre von der Mitte des Jahrhunderts bis ungefähr 1770 das stärkste und weiteste Machtgebiet bedeutet haben, daß sie in dem darauffolgenden Vierteljahrhundert (etwa zwischen 1770 und 1795) von der revolutionären Strömung in der Vorherrschaft abgelöst wurde und daß in den beiden letzten Jahrzehnten des Zeitraums (von 1795 bis 1815) der Klassizismus zum vollen Sieg gelangte; oder, um in unserem Bild zu bleiben: in jeder Gebirgspartie überwiegt eine andere der drei Gesteinsarten, aber alle drei gehen durch den ganzen Stock. Schon am Anfang der Periode tritt jede der drei Bewegungen mit einer entscheidenden und richtunggebenden Tat hervor: die „Encyclopédie", der Mauerbrecher der französischen Aufklärung, beginnt kurz nach der Mitte des Jahrhunderts zu erscheinen, Rousseaus „Contrat social", der Code der französischen Revolution, tritt ein Jahr vor der Beendigung des Siebenjährigen Krieges an die Öffentlichkeit, Winckelmanns Kunstgeschichte, die Bibel des Klassizismus, wird ein Jahr nach dem Friedensschluß publiziert; und andrerseits kulminieren alle drei Bewegungen erst am Ende des Zeitraums: die Aufklärung in Kant, die Revolution in Napoleon, der Klassizismus in Goethe.

Auf dem Gebiet der politischen Geschichte macht das Weltereignis der Französischen Revolution eine deutliche Zäsur, die die Periode in zwei ziemlich verschiedene Hälften teilt. Wir werden den Gang unserer Erzählung zunächst nicht über diesen Grenzstein hinausführen und nur auf dem Gebiet der Naturforschung zur Vermeidung späterer Wiederholungen unsere Betrachtung bis zum Ende des Jahrhunderts erstrecken.

Der Siebenjährige Krieg bedeutete für Europa ein Doppeltes: erstens bot er, indem er Friedrich dem Großen Gelegenheit gab, seine Genialität aufs glänzendste zu entfalten, den Völkern ein Schauspiel, wie sie es seit Jahrhunderten nicht erlebt hatten; sodann war er aber auch der erste Weltkrieg im modernen Sinne, denn er wurde gleichzeitig in vier Weltteilen geführt und das eigentliche Kampfobjekt waren die Kolonien: während man um einige preußische Länderfetzen zu streiten glaubte, ging es in Wahrheit um unermeßlich reiche und ausgedehnte Gebiete in Ostindien und Nordamerika. Kanada wurde bei Roßbach erobert: ein Zusammenhang, den jedoch nur die englischen Staatsmänner voll begriffen.

Der Erfinder des Siebenjährigen Krieges ist der österreichische Minister Graf Kaunitz, der gegen Preußen eine ähnliche Einkreisungspolitik betrieb wie anderthalb Jahrhunderte später Eduard der Siebente gegen Deutschland. Ursprünglich Befürworter des endgültigen Verzichts auf Schlesien, erblickte er später seinen Lebensinhalt im „*abaissement*" Preußens und dessen diplomatischer Vorbereitung: sein Plan, den er die „große Idee" nannte und mit unerschütterlicher Zähigkeit verfolgte, war die Vereinigung Österreichs, Rußlands und Frankreichs gegen Friedrich den Großen. Er war mehrere Jahre als Gesandter am Hof von Versailles tätig gewesen und dort ein solcher Gallomane geworden, daß er so tat, als ob er deutsch nur radebrechen könne. Gegen die drohende Umfassung durch die Großmächte schloß Friedrich 1756 mit England die „Westminsterkonvention", in der beide Mächte sich verpflichteten, den Einmarsch fremder Truppen in deutsches Gebiet mit vereinigten Streitkräften zu verhindern. Dieser reine Defensivvertrag führte zum Abschluß des französisch-österreichischen Bündnisses, das von seiten Frankreichs, das dabei nur verlieren konnte, ein beispielloser, nur durch die chaotischen Regierungsverhältnisse erklärlicher Nonsens war.

Auf den außereuropäischen Kriegsschauplätzen standen sich als Hauptgegner England und Frankreich gegenüber, dem auf Grund des „bourbonischen Familienpakts" Spanien an die Seite trat. Die englischen Streitkräfte waren fast überall siegreich. Im Frieden von Paris zedierte Frankreich an England Kanada und die östliche Hälfte von Louisiana, während die westliche an Spanien fiel, und wurde somit vollständig aus Amerika verdrängt; ferner das Gebiet am Senegal, das es aber zwanzig Jahre später im Frieden von Versailles wieder zurückerhielt; in Ostindien wurde der alte Besitzstand wiederhergestellt, aber Frankreich verzichtete auf militärische Niederlassungen, was soviel wie die britische Alleinherrschaft bedeutete. Im übrigen war England ein sehr egoistischer und unzuverlässiger und sogar perfider Bundesgenosse Preußens: sowohl Georg der Zweite wie Georg der Dritte waren Friedrich dem Großen persönlich abgeneigt. Nur William Pitt, der große imperialistische Staatsmann, dem England alle Erfolge in diesem Kriege verdankte, unterstützte Preußen im wohlverstandenen englischen Interesse, wurde aber später von dem preußenfeindlichen Lord Bute gestürzt. Die Haltung Rußlands wurde in allen Phasen des

Kampfes nur durch die subjektiven Gefühle seiner Herrscher bestimmt: Elisabeth haßte Friedrich, der sie eine gekrönte Hure genannt hatte, und griff daher sogleich in den Krieg ein; Peter der Dritte war ein glühender Bewunderer des Königs und verbündete sich mit ihm; Katharina die Zweite hatte für ihn weder Abscheu noch Verehrung und blieb daher neutral. Auch Schweden war, durch die Hoffnung auf Rückgewinn gelockt, der Koalition beigetreten, blieb aber untätig; das Reich erklärte sich ebenfalls gegen Friedrich, brachte jedoch nur eine elende Armee zusammen, die dem Bund mehr schadete als nützte; Sachsen lauerte unter heuchlerischen Neutralitätsversicherungen auf den Moment des Eingreifens, wurde aber von Friedrich sogleich beim Ausbruch der Feindseligkeiten besetzt und während des ganzen Krieges als preußisches Gebiet behandelt. Was Maria Theresia anlangt, so hat sie in diesem Kampfe nur antideutsche Ziele verfochten: hätten die „Einkreisungsmächte" gesiegt, so wäre Ostpreußen russisch, Pommern schwedisch und Belgien, das die Kaiserin bereitwillig ausgetauscht hätte, französisch geworden, nur damit Schlesien wieder österreichisch, das heißt: halb slawisch werde.

Die drei Krisen des Siebenjährigen Kriegs

Friedrichs ebenso einfacher wie genialer Plan war der „Stoß ins Herz" Österreichs, ehe Rußland und Frankreich fertig oder auch nur entschlossen wären. Zu diesem Zweck rückte er in Sachsen ein und schlug die zum Entsatz herbeigeeilte österreichische Armee bei Lobositz, wodurch das Land verloren ging und als sehr wertvolle Operationsbasis in seinen dauernden Besitz gelangte. Im Frühling des nächsten Jahres zog er den Österreichern bis in die Nähe von Prag entgegen, wo sie, nachdem seine Infanterie schon zu weichen begonnen hatte, durch die Verve der Kavallerie und den Opfertod Schwerins eine entscheidende Niederlage erlitten. Der Sommer aber brachte drei Mißerfolge: Friedrich war so unvorsichtig, Daun in fast uneinnehmbarer Stellung bei Kolin anzugreifen, und mußte, unter fürchterlichen Verlusten zurückgehend, Böhmen aufgeben, wodurch sein ganzes ursprüngliches Konzept in sehr ungünstiger Weise verschoben wurde; die Engländer wurden bei Hastenbeck von den Franzosen geschlagen, die Hannover besetzten und sich mit dem Reichsheer vereinigten;

die Russen siegten bei Großjägersdorf. Damit war die konzentrische Erdrückung, auf die es die Koalition abgesehen hatte, fast zur Wirklichkeit geworden und der Krieg in seine erste Krise getreten. Aber Friedrich gab die Partie noch nicht auf und warf sich mit unglaublicher Tatkraft, Umsicht und Schnelligkeit jedem einzelnen seiner Feinde vernichtend entgegen: den Franzosen bei Roßbach, den Österreichern bei Leuthen und den Russen bei Zorndorf; diesen drei glänzenden Siegen folgte allerdings die Niederlage bei Hochkirch durch Laudon und Daun, von der er sich aber sehr rasch erholte. Das vierte Kriegsjahr hingegen brachte die zweite große Krise durch drohende gänzliche Erschöpfung: die Schlacht von Kunersdorf gegen die Russen und Österreicher, in ihrer ersten Hälfte bereits gewonnen, ging vollständig verloren, und bei Maxen kapitulierte General Finck mit dreizehntausend Mann. Wiederum aber gelang es Friedrich, sich durch überraschende Erfolge zu restaurieren, indem er Laudon bei Liegnitz und Daun bei Torgau schlug. Im Jahr 1761 versetzte ihn jedoch der Rücktritt Pitts in die dritte und gefährlichste Krise, aus der ihn nur der Tod der Zarin Elisabeth befreite. Eine neuerliche Niederlage der Österreicher bei Burkersdorf, der Friedensschluß zwischen England und Frankreich und die drohende Haltung der Türkei zwangen endlich Maria Theresia zum Frieden von Hubertusburg, aus dem sie als einzigen Gewinn die Zusage der preußischen Kurstimme für die Kaiserwahl ihres Sohnes davontrug.

Die Tatsache, daß Friedrich sich in diesem Verteidigungskampfe behauptete, findet in seinen außerordentlichen strategischen und organisatorischen Fähigkeiten keine zureichende Begründung; sie läßt sich nur mystisch erklären: aus der tiefen Angst aller Mediokritäten vor dem Genius, die sich scheut, zum letzten Schlag auszuholen, und aus der Kraft des Genius, die Realität seinem Willen zu unterwerfen und nach seinem Bilde zu formen. Was wir „Ereignisse" nennen, sind im Grunde, und zumal beim schöpferischen Menschen, nichts als Verlängerungslinien der Persönlichkeit, in die Außenwelt projizierte, zu Tatsachen geronnene Charaktereigenschaften. Das Genie schreitet durch die Welt als rätselhaftes

Fatum und Ausstrahlung einer überweltlichen anonymen Kraft, die ihm selbst nicht selten Schauder einflößt: so haben Goethe und Nietzsche, Michelangelo und Beethoven sich auf gewissen Höhepunkten ihres Lebens empfunden; so hat das Volk stets seine großen Helden angeschaut; die letzte dieser Legendengestalten, die Europa erlebt hat, war Bismarck. Was man Macht nennt, Macht über Menschen und Dinge, Völker und Erdteile, fließt aus dieser Quelle: es hat in jenem achtzehnten Jahrhundert niemals eine preußische Großmacht gegeben, sondern immer nur eine friderizianische, und um die Wende des Jahrhunderts keine französische Übermacht, sondern bloß eine napoleonische, wie ja auch ein richtiger Instinkt der Geschichte das römische Weltreich das cäsarische und die griechische Weltkultur die alexandrinische genannt hat.

Wie fast alle großen geschichtlichen Persönlichkeiten steht Friedrich an der Wegscheide zweier Zeitalter, indem er das eine abschließt, das andere eröffnet: in ihm vereinigt sich der Absolutismus und die Artistik des Rokoko mit dem Liberalismus und der Naturalistik der Aufklärung. Doch hat er nur auf die französische Aufklärung direkt eingewirkt, auf die deutsche, deren Hauptquartier Berlin wurde, nur indirekt durch den allgemeinen geistigen Auftrieb, der von seiner Persönlichkeit ausging. Was ihn an der französischen Kultur am stärksten anzog, waren gerade ihre undeutschen Elemente: ihr spielerischer Witz, dem die Tiefe, aber auch die Schwere fehlt, ihr kühler und heller Skeptizismus, der an nichts glaubt als an sich selbst, ihr alles penetrierender Esprit, den sie mit dem Mangel an naiver Schöpferkraft bezahlt. Es ist begreiflich, daß ihm die Wahl zwischen Voltaire und Nicolai, Diderot und Ramler nicht schwerfiel und daß er für so durchaus neue Phänomene wie den „Götz“ und die „Räuber“ oder gar die Vernunftkritik in seinem Alter kein Verständnis mehr aufbrachte; aber es ist sonderbar, daß er auch zu Lessing niemals eine Beziehung fand, mit dem er so vieles gemeinsam hatte. Denn im Grunde hat dieser auf seinem Gebiet ähnliches vollbracht wie der König: er hat, nach mehreren Fronten zäh und erfindungsreich kämpfend, sich siegreich behauptet und das Reich, in dem er herrschte, zu einer europäischen Großmacht erhoben.

Es wäre ein großer Irrtum, wenn man glauben wollte, daß es während der französischen Aufklärung bereits einen zielbewußten Kampf gegen die Aristokratie und das Königtum gegeben habe; das Angriffsobjekt war vielmehr zunächst fast ausschließlich die Kirche. Ein politisch erfahrener und geschulter Kopf hätte allerdings bereits in dieser Form der Opposition die Anzeichen einer allgemeinen Revolution erblicken können; aber die damaligen französischen Adeligen hatten keinen Begriff vom Leben der Nation und den bewegenden Kräften der Geschichte. Und vor allem hatten sie keinen Begriff vom Geld: die stärkste Macht der modernen Zivilisation war ihnen unbekannt. In einem Zeitalter, das im Begriff stand, die religiösen und politischen Kämpfe durch ökonomische abzulösen, waren sie auf wirtschaftlichem Gebiet nicht nur unfähig, sondern geradezu ungebildet. Sie wußten nur, daß Geld nötig sei, um es wieder auszugeben. Geld war nötig, das Nötige aber für sie das Selbstverständliche; Geld war für sie wie Luft, ebenso unerläßlich zum Leben, aber offenbar ebenso leicht zu beschaffen und daher ebenso wertlos.

Bis in die letzten Jahrzehnte vor der Revolution herrschte zwischen Regierung und Volk äußerlich das schönste Einvernehmen. Bei der Thronbesteigung Ludwigs des Sechzehnten währten die ununterbrochenen Hochrufe auf den König von sechs Uhr morgens bis Sonnenuntergang; als der Dauphin geboren wurde, umarmten sich fremde Menschen auf offener Straße. Wenn auf der Bühne von Fürstentugenden die Rede war, applaudierte das Volk; wenn von Volkstugenden die Rede war, applaudierte der Adel. Es war eine große Komödie der sentimentalen Verbrüderung, der warmen Worte und verschwommenen Gefühle, ohne daß jemand daran gedacht hatte, aus seinen edeln Gesinnungen die geringsten praktischen Konsequenzen zu ziehen: es war mit einem Wort Philanthropie.

Auch die Aufklärungsbewegung wurde von der französischen Aristokratie nur als eine Art Amateurtheater angesehen, das ihrer Geselligkeit einen neuen pikanten Inhalt verleihen sollte; die Gefährlichkeit dieses Spiels bemerkte niemand. Die Bizarrerie hat für den Franzosen immer einen großen Reiz besessen, und was konnte paradoxer und origineller sein als ein Kleriker, der an Gott zweifelte, oder ein Edelmann, der sich als Demokrat kostümierte? Die Keimzellen der großen revolutionären Literatur, die man die enzyklopädistische zu nennen pflegt, sind in jenen geistreichen Assembleen zu suchen, die man anfangs ironisch, später mit Anerkennung als *bureaux d'esprit* bezeichnete. Den ersten dieser Salons hatte Madame de Tencin, eine Dame von sehr bewegter Jugend, die sie zur Mutter mehrerer illegitimer Kinder gemacht hatte; unter diesen befand sich auch d'Alembert, den sie gleich nach seiner Geburt aussetzte; erst als er berühmt geworden war, suchte sie sich ihm wieder zu nähern, er wies sie aber mit Verachtung zurück und lebte weiter mit seiner Pflegemutter, einer einfachen Frau aus dem Volke, die seine Kindheit in rührender Weise betreut hatte. Einer ihrer Geliebten war Law, der ihr zu einem großen Vermögen verhalf, da sie die Mississippiaktien noch rechtzeitig vor dem Krach verkaufte. Als sie ihren Salon eröffnete, war sie bereits fünfundvierzig Jahre alt und ziemlich dick. Sie vertrat jedoch noch nicht die freigeistige Richtung, sondern unterhielt lebhafte Beziehungen mit den Jesuiten und dem Papst Lambertini, von dem wir schon gehört haben. Ihre Nachfolgerinnen waren Madame Geoffrin, eine Dame von liebenswürdigsten und anregendsten gesellligen Talenten, und Madame du Deffand, die einen außerordentlichen Verstand mit großem Egoismus vereinigte. Ihre Gesellschafterin war ein armes Fräulein de l'Espinasse, die, ohne schön zu sein, einen großen geistigen Reiz auf die Gäste auszuüben verstand. Dies erweckte die Eifersucht ihrer Herrin, die sie eines Tages entließ; aber nun eröffnete sie in einer bescheidenen Wohnung einen eigenen Jour, und es gelang ihr mit Hilfe d'Alemberts, der zeitlebens für sie eine zärtliche Freundschaft hegte, fast alle Stars zu sich herüberzuziehen. Großes Ansehen genossen auch die Salons der Gönnerin Rousseaus, Madame d'Epinay, der Ministersgattin Madame Necker und der berühmten Schauspielerin Quinault.

Die Encyclopédie
     Das Monumentalwerk, das den Titel „Encyclopédie ou Dictionnaire raisonné des Sciences, des Arts et des Métiers" führte, begann im Jahre 1751 zu erscheinen; 1772 belief es sich auf achtundzwanzig Bände, in denen alle Fragen der Philosophie und Religion,

Literatur und Ästhetik, Politik und Ökonomie, Naturwissenschaft und Technik in alphabetischer Anordnung und an der Hand prachtvoller Kupfer aufs gründlichste und anziehendste erörtert waren. Ein Wörterbuch, von Natur die trockenste und toteste aller geistigen Unternehmungen, nicht bloß belehrend und aufklärend, sondern auch unterhaltend, überzeugend und spannend zu gestalten: diese Kunst haben nur die Franzosen besessen. Der Hauptzweck des Werks war aber noch ein ganz anderer: es war nichts Geringeres als ein riesiges Arsenal aller subversiven Ideen, die im Laufe der letzten Generationen ans Licht getreten waren. Hierbei befolgten die Verfasser eine sehr geschickte und listige Taktik. In Artikeln, hinter denen man Anstößiges wittern konnte, wie „Seele", „Willensfreiheit", „Unsterblichkeit", „Christentum", trugen sie die rechtgläubigen Lehren vor, während sie an ganz anderen Stellen, wo niemand solche Auseinandersetzungen vermutete, die entgegengesetzten Prinzipien mit einer Fülle von Argumenten entwickelten und zugleich durch versteckte Hinweise, die aber der eingeweihte Leser sehr bald verstehen lernte, die Verbindung herstellten.

Die Seele des ganzen Unternehmens war Denis Diderot, der als Gelehrter Solidität mit Eleganz zu vereinigen wußte und als Schriftsteller eine stupende farbensprühende Vielseitigkeit entwickelte. Er war ein unübertrefflicher Meister im philosophischen Dialog, daneben Dramatiker, Erzähler, Kunstkritiker, Mathematiker, Nationalökonom, Technolog und vor allem ein edler und aufopferungsvoller, seiner Mission begeistert ergebener Charakter. Seine Weltanschauung, die erhebliche Entwicklungsschwankungen durchmachte, war im wesentlichen eine Art „Monismus", der sich alles aus Materie zusammengesetzt, diese aber beseelt dachte: *„la pierre sent"*. Mit seinen beiden Dramen „Le fils naturel ou les épreuves de la vertu" und „Le père de famille" wurde er für Frankreich einer der Hauptvertreter des bürgerlichen Rührstücks, das, wie wir bereits erwähnt haben, aus England stammte und später in Deutschland durch Iffland, Schröder und Kotzebue sein stärkstes Verbreitungsgebiet fand. Es ist unverkennbar, daß der Kultus dieses neuen Genres, für das

Diderot

Diderot auch in programmatischen Schriften eintrat, mehr politischen als ästhetischen Antrieben seine Entstehung verdankte. Man entdeckte oder glaubte zu entdecken, daß im „Volk" und im Bürgertum mehr Tugend und Tüchtigkeit, Edelmut und Menschlichkeit zu finden sei als bei den Privilegierten; allein man vergaß, daß dies für den Bühnendichter eine völlig gleichgültige Entdeckung ist. Menschen, die auf den sozialen Höhen wandeln, sind fast immer dramatisch ergiebiger und theatralisch interessanter als Bürger oder gar Bauern, aus dem sehr einfachen Grunde, weil sie mehr erleben. Tatsächlich brachte es ja auch die poetische Revolution jener Zeit, die sich von den Königen und großen Herren abwandte, nur zum kalten und künstlichen Melodram. Es kann doch wohl kein Zufall sein, daß die Theaterdichtung sich auf den Gipfelpunkten ihrer Entwicklung allemal jenseits der bürgerlichen Sphäre etabliert hat. Die antike Tragödie spielt zwischen Heroen, Königen und Göttern, niemals im Volk, das sie in den Chor verweist. Die shakespearische Tragödie bewegt sich unter Fürsten und Adeligen, und dasselbe gilt vom Drama der deutschen Klassiker, selbst von „bürgerlichen Trauerspielen" wie „Kabale und Liebe" und „Emilia Galotti", die in Wirklichkeit Hofdramen sind. Die Domäne des Bürgerlichen ist der Roman und die Komödie. Aristophanes, Molière und der Komiker Shakespeare haben dieses Milieu mit derselben wohlerwogenen Absichtlichkeit aufgesucht, mit der Sophokles, Racine und der Tragiker Shakespeare es flohen. Ibsen, vielleicht das stärkste Komödientalent aller Zeiten, ist zugleich der Schöpfer des großen bürgerlichen Dramas, zu dem sich alle früheren Versuche nur wie unvollkommene Vorstufen verhalten; seine wenigen Tragödien jedoch: die „Kronprätendenten", „Kaiser und Galiläer", „Frau Inger auf Östrot" handeln von der „Königsmaterie" (wie der richtige Titel seiner „Kronprätendenten" lautet). Neben ihm sind die zwei leuchtkräftigsten Theatersterne des neunzehnten Jahrhunderts Richard Wagner und Heinrich von Kleist: sowohl der eine wie der andere hat nur ein einziges Stück geschrieben, das in bürgerlichen Kreisen spielt und das zugleich sein einziges Lustspiel ist: Kleist den „zerbrochenen Krug", Wagner die „Meistersinger".

Diese Zusammenhänge mußten Batteux, Diderot und ihren Schülern um so leichter entgehen, als sie den Standpunkt des extremen Naturalismus einnahmen, vor dem allerdings Unterschiede der Höhe und Tiefe des Kunstinhalts fast völlig verschwinden. Ihre Theorien waren ein Rückschlag gegen die überspitzte Künstlichkeit des Rokokos. Die Kunst soll jetzt auf einmal wieder pure Nachahmung sein, trockene, leere, sterile Wiederholung der Natur, womit sie, wenn es ihr jemals gelänge, offenbar aufhören würde, Kunst zu sein. Im übrigen aber pflegen solche Programme für den Wert der Produktion, ja sogar der Kritik, die aus ihnen hervorgeht, nicht bestimmend zu sein. Man kann über das Wesen der Kunst die schönsten und treffendsten Ansichten haben und sich in dem Augenblick, wo man in die Lage kommt, sie auf einen konkreten Fall anzuwenden, als amusischer Philister entpuppen; und man kann höchst banausischen Prinzipien huldigen und dabei doch ein Mensch voll Phantasie, Geschmack und feinstem Einfühlungsvermögen sein, wie es Diderot war. Seine pedantische und kunstfeindliche Natürlichkeitsforderung hat ihn nicht im geringsten gehindert, in der Beurteilung und Schilderung der Einzelheiten eines Kunstwerks die glänzendste Begabung zu entfalten: seine Bemerkungen über Bilder, über Schauspielkunst, über Technik des Dramas sind lauter Volltreffer, Höchstleistungen einer schöpferischen Kunstkritik.

Als zweiter Herausgeber der Enzyklopädie zeichnete d'Alembert, der die mathematischen Artikel und eine ausgezeichnete Vorrede schrieb, sich aber später von dem Unternehmen zurückzog, weil der radikale Materialismus Diderots und der meisten übrigen Mitarbeiter weder seiner konzilianten und ein wenig furchtsamen Gemütsart noch seiner streng wissenschaftlichen Denkweise zusagte. Er selbst bekannte sich zu einem Phänomenalismus, der fast wie eine Vorausahnung Kants anmutet und zweifellos höher stand als der naive Dogmatismus der Enzyklopädisten, indem er erklärte, er fühle sich zu der Annahme gedrängt, „daß alles, was wir sehen, nur Sinneserscheinung ist; daß es nichts außer uns gibt, das dem, was wir zu sehen glauben, entspricht".

Das grundlegende Werk des französischen Materialismus, der berüchtigte „Homme machine" von Lamettrie, war schon drei Die Materialisten

Jahre vor der Enzyklopädie erschienen: es nimmt seinen Ausgang von der cartesianischen Lehre, daß die Tiere Automaten seien, die, wie es behauptet, allein schon hingereicht hätte, Descartes zum großen Philosophen zu machen, und versucht nun in mehr rhetorischer als wissenschaftlicher Form nachzuweisen, daß auch der Mensch nichts anderes sei als ein höchst komplizierter Mechanismus: er verhalte sich zu den Tieren wie eine Planetenuhr von Huygens zu einem gemeinen Uhrwerk. Das Buch hatte eine enorme Wirkung, obgleich niemand wagte, seinen Thesen offen zuzustimmen, und setzte Lamettrie der allgemeinen Verfolgung aus. Nur Friedrich der Große gewährte ihm Schutz, indem er ihn als Arzt und Vorleser nach Berlin berief: dort starb er einige Jahre später an dem Genuß einer ganzen Trüffelpastete, zur großen Genugtuung der Reaktionäre, die sich beeilten, die Art seines Todes als warnendes Argument gegen seine Weltanschauung auszuspielen, als ob das Verzehren zu großer Pasteten eine charakteristische und natürliche Folge des Materialismus sei.

Einen extremen Sensualismus vertrat Condillac in seinem 1754 erschienenen „Traité des sensations". Nach ihm sind unsere Gefühle, Urteile und Handlungen, überhaupt alle seelischen Produkte bis hinauf zu den höchsten Ideen nichts als Nachwirkungen unserer Sinneseindrücke; alle psychischen Tätigkeiten sind umgeformte Empfindungen, alles Geistesleben ist Sinnesleben; alle Neigungen, auch die sittlichsten, stammen aus der Selbstliebe. Vier Jahre darauf bemühte sich Helvetius, ein mittelmäßiger und eitler Mensch, im übrigen aber ein untadeliger und sogar altruistischer Charakter, in seiner Abhandlung „De l'esprit" diese Gedanken, besonders soweit sie das Gebiet der Moral berührten, überzeugender auszuspinnen: wie in der physischen Welt die Bewegung, so bilde in der moralischen Welt das Interesse das gesetzgebende Element. Das Buch machte ungeheures Aufsehen, denn es traf den geheimen Nerv der Zeit: „C'est un homme", sagte Madame du Deffand von Helvetius, „qui a dit le secret de tout le monde." Von Condillac leitet sich der gesamte naturwissenschaftliche Materialismus des neunzehnten Jahrhunderts her; das Bindeglied bildet Cabanis, ein Schüler Condillacs, dessen Lehre in dem Satz gipfelt:

„*Les nerfs, voilà tout l'homme.*" Seine Bemerkung: „Das Gehirn dient zum Denken wie der Magen zur Verdauung und die Leber zur Gallenabsonderung: die Nahrungsmittel setzen den Magen in Tätigkeit und die Eindrücke das Gehirn", ein zweifellos geistreicher Witz, hat in Deutschland einige Jahrzehnte später eine ganze Literatur von Traktaten hervorgerufen, die ebenso oberflächlich, aber nichts weniger als witzig und geistreich sind. Nicht ganz so weit links wie Condillac stand Robinet, der im Anschluß an Diderot die allgemeine Beseeltheit der Materie: der Pflanzen, der Minerale, der Atome, der Planeten lehrte.

Einen langjährigen Sammelpunkt fanden die Enzyklopädisten in den berühmten Diners des reichen pfälzischen Barons Holbach, die zweimal wöchentlich um zwei Uhr stattfanden und fast alles vereinigten, was an einheimischen und ausländischen Zelebritäten sich in Paris aufhielt: man nannte ihn nach einem Wort des Abbé Galiani den „*maître d'hôtel de la philosophie*". Von ihm stammte der Katechismus der materialistischen Weltanschauung: „Système de la nature ou des lois du monde physique et du monde moral", worin er mit deutscher Gründlichkeit alle Thesen und Argumente seines Kreises darlegte und zusammenfaßte. Das Buch erschien 1770 anonym und galt lange Zeit für ein Kollektivwerk. Nichts, heißt es darin, ist vorhanden als die ewige durch sich selbst existierende Materie, aus der alles stammt und in die alles zurückkehrt. Auf einer gewissen Stufe ihrer Entwicklung angelangt, nimmt sie Leben und Bewußtsein an: der Mensch ist zum Empfinden und Denken organisierte Materie. Nur aus Unkenntnis der Natur und Mangel an Erfahrung hat der Mensch sich Götter gemacht, die seine Furcht und Hoffnung erregen. Die Natur, nach unverbrüchlichen Gesetzen erzeugend und vernichtend, Gutes und Übles austeilend, kennt weder Liebe noch Haß, sondern nur die unendliche und ununterbrochene Kette von Ursachen und Wirkungen. Ordnung und Unordnung sind nicht in der Natur, sondern reinmenschliche Begriffe, die wir in sie hineingetragen haben: das All hat zum Zweck nur sich selbst. Gleichwohl soll der Mensch tugendhaft sein, und zwar aus Klugheit, denn die anderen begünstigen mein Glück nur, wenn ich das ihrige nicht beeinträchtige, und selbst die verkannte Tugend macht ihren Träger noch immer glücklich durch das Bewußtsein, der Gerechtigkeit gedient zu haben. Wie man sieht, fordert Holbach, obgleich er dem Weltgeschehen moralische Absichten und Endzwecke abspricht, für die menschliche Lebensführung eine zwar platte und bloß vom Verstand diktierte, aber durchaus lautere Moralität; und dasselbe gilt von fast allen anderen Enzyklopädisten.

Es lag nahe, die bestehenden Staats- und Gesellschaftsformen sowohl vom moralischen wie vom naturwissenschaftlichen Standpunkt einer ebenso radikalen Kritik zu unterziehen wie die herrschenden theologischen und philosophischen Lehren; aber hierzu wurden vorläufig nur vereinzelte Ansätze gemacht. 1755 versuchte der Abbé Morelly in seinem „Code de la nature" den Nachweis, daß das Privateigentum, das der Eigennutz erzeugt habe, die Quelle alles Streits und Unglücks sei, und entwarf auf dieser Grundlage ein vollständiges kommunistisches Programm: die Nation soll in Provinzen, Städte, Stämme, Familien gegliedert werden; Grund und Boden und sämtliche Arbeitswerkzeuge sollen gemeinsames Eigentum aller sein; der Staat überweist den einzelnen Bürgern die Arbeit nach Maßgabe ihrer Arbeitskraft, den Ertrag nach Maßgabe ihrer Bedürfnisse. Und 1772 schrieb Mirabeau seinen „Essai sur le despotisme", worin er ausführt, daß der König nicht mehr sei als der erste Beamte, *„le premier salarié"*, das Haupt, nicht der Herrscher des Volkes, das für bestimmte Arbeiten angestellt und bezahlt werde und, wenn es sie nicht leiste oder gar seine Stellung mißbrauche, jederzeit abgesetzt werden könne.

Epigenesis und Neptunismus   In engem Zusammenhang mit der Ausbreitung der materialistischen Ideen stand die Entwicklung der Naturwissenschaften, so daß es schwer zu sagen ist, welche dieser beiden Erscheinungen die Ursache und welche die Wirkung war. Daß eine Blüte der exakten Forschung nicht notwendig zur Abwendung vom Spiritualismus führen muß, zeigt das siebzehnte Jahrhundert, das von Descartes und Leibniz beherrscht war. Aber es bestand ein entscheidender Unterschied: damals standen Mathematik und theoretische Physik im Vordergrund, die in ihrem Grundwesen idealistische Wissenschaften sind, während erst jetzt die rein empirischen Disziplinen sich anschickten, das Hauptinteresse für sich in Anspruch zu nehmen.

Was zunächst die Theorien anlangt, so behaupteten sich auch die älteren von ihnen noch sehr lange und machten nur zögernd moderneren Auffassungen Platz. Albrecht von Haller vertrat mit der ganzen Wucht seiner Autorität die von Harvey begründete Präformations- oder Einschachtelungstheorie, nach der sich der ganze Organismus mit allen künftigen Geschlechtern bereits im Ei im „eingewickelten" Zustand befinden soll. Gegen sie setzte Kaspar Friedrich Wolff 1759 in seiner „Theoria generationis" die Lehre von der Epigenesis: diese betrachtet die Entstehung der Organismen als einen Wachstumsprozeß, der teils durch die Stammesgeschichte, teils durch latente erbliche Dispositionen, teils durch äußere mechanische Ursachen bestimmt wird. Durch die experimentellen Untersuchungen, die er zur Erhärtung dieser Hypothese machte, wurde er der Begründer der wissenschaftlichen Embryologie. Obgleich seine Annahme die plausiblere und viel leichter vorstellbare war, fand sie doch zunächst wenig Glauben; sie mußte aber schließlich siegen, weil in ihr eine der leitenden Ideen des Zeitalters lebte, nämlich der Entwicklungsgedanke: aus ihr spricht derselbe Geist, der zwanzig Jahre später Lessing dazu bestimmte, die Geschichte der Religionen als eine stufenweise Evolution zu immer reineren und angemesseneren Gottesvorstellungen aufzufassen, und Kant sein großartiges System konzipieren ließ, wonach die ganze Welt sich aus den Bedingungen unserer Vernunft entwickelt.

Auch der Geologie begann man erhöhte Aufmerksamkeit zuzuwenden. Hier herrschte die „neptunistische" Lehre, vertreten von Abraham Gottlob Werner, der seit 1775 an der Bergakademie in Freiberg als gefeierter Lehrer wirkte: sie erklärte alle oder doch die meisten Veränderungen der Erdrinde aus der Einwirkung des Wassers. Werner versuchte auch als einer der ersten eine Einteilung der Mineralien ausschließlich nach ihrer chemischen Zusammensetzung, ohne darüber die äußeren Merkmale zu vernachlässigen. Novalis, der noch sein Schüler war, sagte über ihn: „In große bunte Bilder drängten sich die Wahrnehmungen seiner

Sinne: er hörte, sah, tastete und dachte zugleich . . . er spielte mit den Kräften und Erscheinungen, er wußte, wo und wie er dies und jenes finden konnte." Auch wider den Neptunismus erhob sich im „Plutonismus", den James Hutton begründete, eine gegensätzliche Theorie, die sich ebenfalls erst viel später durchsetzte: sie erblickte die Hauptursache der geologischen Veränderungen im Feuer, nämlich in den vulkanischen Reaktionen des glutflüssigen Erdinnern gegen die bereits erstarrte Kruste. In einer prachtvoll gegliederten Sprache voll Glanz und Energie brachte Buffon die bisherigen Ergebnisse zumal der beschreibenden Naturwissenschaften zur Darstellung; er hat besonders als Schriftsteller auf seine Zeitgenossen die größte Wirkung geübt.

Neue Chemie

Die entscheidendsten Veränderungen aber vollzogen sich in der Chemie und in der Elektrizitätskunde. Bisher hatte auf beiden Gebieten die Lehre von den Imponderabilien als unumstößliches Dogma gegolten. Man hielt, wie wir uns erinnern, sowohl das Licht wie die Wärme für einen Stoff, und eine ganz analoge Anschauung hatte man auch von der Elektrizität und dem Magnetismus. Daß bei allen diesen Vorgängen keine Gewichtszunahme stattfindet, erklärte man mit der „Unwägbarkeit" dieser Materien. Nun machte Lavoisier fast gleichzeitig mit dem Engländer Priestley und dem Schweden Scheele die Entdeckung, daß die Luft aus zwei Gasen zusammengesetzt sei, von denen das eine die Ursache der Verbrennung bildet: diesem gab er, weil es außerdem säurebildend wirkt, den Namen Sauerstoff. Im weiteren Verlauf seiner Untersuchungen gelang es ihm, auch die Atmung und die Gärung auf ähnliche Weise zu erklären. Ferner gelangte er gleichzeitig mit Cavendish, dem Entdecker des Wasserstoffs, zur Erkenntnis der Zusammensetzung des Wassers: die ungeheure Rolle, die der Sauerstoff im irdischen Haushalt spielt, war damit in ihren Hauptzügen enthüllt. Die Krönung seiner Forschungen bildete der Kardinalsatz, daß bei allen chemischen Prozessen die Summe der Stoffe eine unveränderliche Größe darstellt. Aber obgleich er den Begriff des Elements theoretisch sehr klar formuliert und durch exakte Messungen auch in der Praxis einwandfrei festgestellt hatte, hielt er trotzdem an der Annahme „unwägbarer Elemente" weiterhin fest und führte in seiner Tabelle der chemischen Elemente den Wärmestoff und den Lichtstoff. Hierin zeigt sich, wie auch die Macht des stärksten Geists der noch stärkeren Macht des Zeitgeists unterworfen ist. Im Begriff des Imponderabeln steckt der Rest von Supranaturalismus, der noch in der Naturanschauung des ganzen achtzehnten Jahrhunderts lebendig war. Der letzte Schritt zum völlig konsequenten Naturalismus, der in den Beobachtungswissenschaften nichts anerkennt, was nicht von den Sinnen konstatiert und kontrolliert werden kann, wurde auch auf der äußersten Linken nur von einigen wirkungslosen Outsidern getan. Nur jene dilettantische Vermengung von philosophischer Spekulation und exakter Forschung hat es ermöglicht, daß der Materialismus in so vielen und selbst in einigen sehr erleuchteten Köpfen des Zeitalters die herrschende Weltanschauung werden konnte. Die Auflösung des Dilemmas brachte erst Kant, indem er nachwies, daß es sich hier um zwei gänzlich verschiedene Wirkungssphären der menschlichen Vernunft handelt, die beide nur dann im richtigen Geiste erfaßt werden können, wenn sie gänzlich getrennt behandelt werden. Wer freilich nach Kant noch immer versucht, diese von ihm so klar gezogenen Grenzen zu verwischen oder zu verrükken, und als Naturforscher Metaphysiker, als Metaphysiker Naturforscher sein will, ist nicht mehr ein zeitgebundener Geist wie jene materialistischen Denker der französischen Aufklärung, sondern nur noch ein vorsündflutlicher Schwachkopf.

Eine wichtige Erweiterung erfuhr die Elementenlehre Lavoisiers durch Daltons Gesetz der multipeln Proportionen, das dieser ebenfalls der Beobachtung des Sauerstoffs verdankte. Dieses Element besitzt nämlich die Eigenschaft, daß es sich mit fast allen übrigen zu vereinigen vermag, und zwar mit einigen auch in mehreren Atomverhältnissen. Das Gesetz besagt nun, daß in diesen Fällen die verschieden großen Mengen des Elements, die mit demselben Quantum Sauerstoff zusammentreten können, untereinander in einfachen rationalen Zahlenverhältnissen stehen, wie $1:2$, $2:3$, $1:4$. Ähnliche Verbindungseigenschaften wie der Sauerstoff besitzen noch einige andere Elemente, zum Beispiel der Kohlenstoff und der Wasserstoff. Es war die natürliche Folge dieser Entdeckungen, daß Dalton einer der konsequentesten Vertreter der atomistischen Hypothese wurde, die er auf eine exakte Basis stellte. Sämtliche chemischen Vorgänge sind für ihn nichts als Scheidung und Vereinigung von Atomen. „Wir könnten", sagt er, „ebensogut versuchen, dem Sonnensystem einen neuen Planeten einzuverleiben oder einen vorhandenen zu entziehen als ein Atom Wasserstoff zu erschaffen oder zu vernichten. Alle Veränderungen, die wir hervorbringen können, bestehen in der Trennung von Atomen, die vorher verbunden waren, und in der Verbindung von Atomen, die bisher getrennt waren." Alle diese Prozesse beruhen auf dem geheimnisvollen Problem der Wahlverwandtschaft, das von Berthollet zum Gegenstand aufschlußreicher Untersuchungen gemacht wurde und Goethe zu seinem berühmten Roman inspirierte: „In diesem Fahrenlassen und Ergreifen", heißt es dort, „in diesem Fliehen und Suchen glaubt man wirklich eine höhere Bestimmung zu sehen; man traut solchen Wesen eine Art Wollen und Wählen zu und hält das Kunstwort Wahlverwandtschaften für vollkommen gerechtfertigt . . . Man muß diese tot scheinenden und doch zur Tätigkeit innerlich immer bereiten Wesen wirkend vor seinen Augen sehen, mit Teilnahme schauen, wie sie einander suchen, sich anziehen, ergreifen, zerstören, verschlingen, aufzehren und sodann aus der innigsten Verbindung wieder in erneuter, neuer, unerwarteter Gestalt hervortreten: dann traut man ihnen erst ein ewiges Leben, ja wohl Sinn und Verstand zu."

Galvanische Elektrizität   Was die Elektrizität anlangt, so war sie geradezu die Modewissenschaft des Zeitalters. Man betrachtete die neuen elektrischen Apparate als ein originelles und amüsantes Spielzeug, alle Welt machte mit ihnen Experimente, sie fanden sich sogar zwischen den Schminkdosen und Perückenständern der Damenboudoirs. Das bedeutsamste Ereignis auf diesem Gebiet war die Entdeckung der galvanischen oder Berührungselektrizität. Im Jahre 1780 bemerkte Galvani, daß ein frisch präparierter Froschschenkel, den er an seinem Balkon aufgehängt hatte, in Zuckungen geriet, wenn man in seiner Umgebung dem Konduktor Funken entlockte; dasselbe geschah, wenn in der Nähe ein Blitz niederging. Das große

Aufsehen, das diese Beobachtung erregte, wurde in erster Linie durch die mysteriöse Erscheinung des zuckenden toten Tierkörpers hervorgerufen, in der die „Animisten" die Äußerung einer geheimen über den Tod hinauswährenden Lebenskraft erblickten; denn die Sehnsucht nach Wundern war, wie wir später hören werden, in diesem rationalistischen Zeitalter durchaus nicht ausgestorben. Schon Galvani aber gelangte im weiteren Verlauf seiner Untersuchungen zu der Feststellung, daß der Froschschenkel nur dann zuckte, wenn der kupferne Haken, der ihn trug, mit dem eisernen Balkongitter in Kontakt trat: dies war anfangs zufällig durch den Wind geschehen und wurde in den späteren Experimenten absichtlich bewirkt. Er schloß daraus auf das Vorhandensein einer „tierischen Elektrizität". Die richtige Deutung des Vorgangs fand aber erst Volta im Jahre 1794, indem er zeigte, daß dem Froschmuskel nur die Rolle eines Leiters zukomme und der eigentliche elektrische Vorgang zwischen den beiden Metallen stattfinde. Er wies ferner nach, daß hierzu zwei beliebige Metallstücke geeignet seien, aber nur zwei verschiedene, daß diese und der Froschschenkel einen geschlossenen Kreis bilden müssen und daß der Froschschenkel, da das für den Vorgang Wesentliche sein Feuchtigkeitsgehalt sei, durch jede andere Flüssigkeit ersetzt werden könne. Auf Grund dieser Entdeckungen konstruierte er die Voltasche Säule, die aus der Aneinanderreihung zahlreicher solcher Metallpaare gebildet ist, zum Beispiel aus Kupfer und Zinn oder Silber und Zink: verbindet man die Enden oder „Pole" der Säule durch einen Schließungsdraht, so entsteht ein dauernder elektrischer Strom. „Daß das elektrische Fluidum ununterbrochen kreist", sagt er in seiner Beschreibung der Säule, die er ein „künstliches elektrisches Organ" nannte, „mag paradox und unerklärlich erscheinen. Nichtsdestoweniger verhält es sich tatsächlich so; es läßt sich sozusagen mit Händen greifen."

Auf dem Gebiet der Astronomie war das Größte bereits geleistet, und es konnte sich nur noch darum handeln, dem Bild von der Zusammensetzung und Einrichtung des Weltalls einige bedeutsame Einzelzüge hinzuzufügen. 1781 entdeckte Herschel mit seinem Riesenteleskop den Planeten Uranus. Außerdem eruierte er,

Astronomie und Mathematik

671

daß die sogenannten Doppelsterne nicht zufällig benachbart sind, sondern ein „binäres System" bilden, dessen Bewegungen den Gravitationsgesetzen unterliegen, und daß nicht nur die Milchstraße aus zahllosen Sonnen zusammengesetzt ist, sondern auch die „Nebelflecke" nichts anderes sind als ungeheure Sternhaufen, manche von ihnen aber nur aus leuchtenden Gasmassen bestehen und werdende Welten darstellen: eine Bestätigung der kantischen Weltentstehungshypothese. Diese wurde von Laplace weiter ausgebaut, der auch eine Theorie der „Störungen" gab, das heißt: der Abweichungen von der reinen elliptischen Bewegung, die die Himmelskörper durch ihre gegenseitige Anziehung erleiden. 1794 bewies Chladni den kosmischen Ursprung der Meteoriten.

Der bedeutendste Mathematiker des Zeitalters ist Leonhard Euler, der, am Hofe Friedrichs des Großen und Katharinas lebhaft gefördert, die Algebra zu einer internationalen mathematischen Zeichensprache erhob, die Variationsrechnung schuf und, allerdings zunächst erfolglos, für die Wellentheorie eintrat: in seinen „Lettres à une princesse d'Allemagne sur quelques sujets de physique et de philosophie" bekämpfte er die Newtonsche Emanationstheorie, indem er darauf hinwies, daß man im Laufe der Jahrhunderte eine Abnahme des Sonnenkörpers bemerken müßte, wenn die Ansicht richtig wäre, daß das Licht ein feiner Stoff sei, der von der Sonne und den übrigen leuchtenden Körpern ausfließe; vielmehr komme das Licht auf analoge Weise zustande wie der Schall: wie dieser durch die Schwingungen der Luft entsteht, die wir, wenn sie in gleichen Intervallen aufeinander folgen, Musik nennen, bei unregelmäßiger Anordnung als bloßes Geräusch empfinden, so beruht auch das Licht auf Erzitterungen des Äthers, einer flüssigen, der Luft ziemlich ähnlichen Substanz, die nur unvergleichlich feiner und elastischer ist als diese. „In Wirklichkeit kommt also von der Sonne ebensowenig etwas zu uns wie von einer Glocke, deren Geläut unser Ohr trifft." Der Nachfolger Eulers war Lagrange, epochemachend durch seine „Mécanique analytique" und seine klassischen Arbeiten über das Dreikörperproblem und den Differentialkalkül.

Schließlich wollen wir noch drei wissenschaftliche Ereignisse nicht unerwähnt lassen, die zu ihrer Zeit nicht genügend gewürdigt wurden, weil sie ihr vorauseilten. 1787 bestieg Saussure zu geognostischen Zwecken zum erstenmal den Montblanc. 1793 ließ Christian Konrad Sprengel sein Buch über „das entdeckte Geheimnis der Natur im Bau und in der Befruchtung der Blumen" erscheinen. Diese geschieht, wie die Abhandlung ausführlich darlegt, dadurch, „daß die Insekten, indem sie dem Saft der Blumen nachgehen und deswegen sich entweder auf den Blumen aufhalten oder in sie hineinkriechen, notwendig mit ihrem meist haarigen Körper den Staub der Staubbeutel abstreifen und ihn auf die Narbe bringen. Letztere ist zu diesem Zweck entweder mit feinen Haaren oder mit einer klebrigen Feuchtigkeit überzogen." Ferner hat die Natur, „welche nichts halb tut", dafür gesorgt, „daß die Insekten die Blumen schon von weitem gewahr werden, entweder durch das Gesicht oder durch den Geruch oder durch beide Sinne zugleich. Alle Saftblumen sind deswegen mit einer Krone verziert und sehr viele verbreiten einen Geruch, welcher den Menschen meist angenehm, oft unangenehm, zuweilen unausstehlich, den Insekten aber, für die ihr Saft bestimmt ist, jederzeit angenehm ist. . . . Wenn nun ein Insekt, durch die Schönheit der Krone oder durch den angenehmen Geruch einer Blume gelockt, sich auf dieselbe begeben hat, so wird es entweder den Saft sogleich gewahr oder nicht, weil dieser sich an einem verborgenen Orte befindet. In letzterem Falle kommt ihm die Natur durch das Saftmal zu Hilfe. Dieses besteht aus einem oder mehreren Flecken, Linien, Tüpfeln oder Figuren von einer anderen Farbe als die Krone; das Saftmal sticht folglich gegen letztere mehr oder weniger ab. Es befindet sich jederzeit da, wo die Insekten hineinkriechen müssen, wenn sie zum Saft gelangen wollen. . . . Alle Blumen, die keine eigentliche Krone noch an ihrer Stelle einen ansehnlichen und gefärbten Kelch haben noch riechen, sind saftleer und werden nicht von den Insekten, sondern auf eine mechanische Art, nämlich durch den Wind befruchtet. Dieser weht den Staub von den Beuteln an die Narben." Das Werk fand aber nur wenig Beachtung und noch weniger Beifall, und nicht viel besser erging es an-

fangs dem Engländer Edward Jenner und seiner Pockenschutz-
impfung, in der selbst Kant nur „Einimpfung der Bestialität" zu
erblicken vermochte. Die Pocken waren damals eine der verbreitetsten Krankheiten, die den größten Teil der Menschheit durch
Pockennarben entstellte und in manchen Ländern ein Zehntel der
Todesfälle bewirkte. Im Grunde verdankte Jenner seine Therapie
derselben Methode, die Sprengel empfohlen hatte, als er lehrte,
man müsse die Natur auf der Tat zu ertappen suchen. Jenner hatte
beobachtet, daß Kuhmägde fast niemals von den Pocken befallen
wurden, weil sie sich vorher mit den Blattern vom Euter der Tiere
infiziert hatten. Was hier ein Zufall war, machte er zum System,
indem er seine Patienten mit Kuhlymphe impfte und dadurch gegen Menschenblattern immunisierte. Die erste öffentliche Impf-
anstalt wurde 1799 in London errichtet; auf dem Kontinent hatte
die neue Behandlungsweise noch länger gegen allerlei Vorurteile
zu kämpfen.

Die
Urpflanze Zu den verkannten großen Naturforschern des achtzehnten
Jahrhunderts muß auch Goethe gerechnet werden; denn das Publikum ist nun einmal so beschaffen, daß es sich weigert, seinen Führern die Herrschaft über mehrere Geistesgebiete zuzugestehen, indem es von seiner eigenen Beschränktheit und Einseitigkeit auf das
Genie schließt, dessen Wesen doch gerade darin besteht, daß es
auf jedem Felde, das es ergreift, schöpferisch und umbildend zu
wirken vermag. Seinen Übergang zur Naturwissenschaft hat
Goethe selber in einer unvollendeten Abhandlung über den Gra-
nit, an der er im Jahre 1784 arbeitete, mit den unvergleichlich
schönen Worten geschildert: „Ich fürchte den Vorwurf nicht, daß
es ein Geist des Widerspruchs sein müsse, der mich von der Betrachtung und Schilderung des menschlichen Herzens, des innigsten, mannigfachsten, beweglichsten, veränderlichsten, erschütter-
lichsten Teils der Schöpfung zu der Beobachtung des ältesten,
festesten, tiefsten, unerschütterlichsten Sohnes der Natur geführt
hat. Denn man wird mir gern zugeben, daß alle natürlichen Dinge
in einem genauen Zusammenhang stehen, daß der forschende
Geist sich nicht gern von etwas Erreichbarem ausschließen läßt.
Ja, man gönne mir, der ich durch die Abwechslungen der mensch-

lichen Gesinnungen, durch die schnellen Bewegungen derselben in mir selbst und in anderen manches gelitten habe und leide, die erhabene Ruhe, die jene einsame, stumme Nähe der großen, leise-sprechenden Natur gewährt; und wer davon eine Ahnung hat, folge mir." 1790 erschien seine „Metamorphose der Pflanzen", deren Grundgedanke darin besteht, daß sämtliche Pflanzenbestand-teile als umgewandelte Blätter anzusehen seien; und zwar voll-ziehe sich die Entwicklung unter abwechselnder „Ausdehnung" und „Zusammenziehung" in sechs Stufen von fortschreitender Vervollkommnung: erstens Samenlappen oder Kotyledonen, meist unter der Erde, weißlich, dicklich, ungeteilt; zweitens Laubblätter, länger und breiter, gekerbt, grün; drittens Kelch-blätter, zusammengedrängt, wenig mannigfaltig; viertens Krone, wieder umfangreicher, zart, farbenprangend; fünftens Staub-gefäße, fast fadenförmig, einen „höchst feinen Saft" enthaltend; sechstens Fruchtblätter, wieder erweitert, die Samen umhüllend. Diese Abstraktion, die in der Wirklichkeit nie erscheint, sondern bloß allen ihren Bildungen als Bauplan, Schema oder Idee zu-grundliegt (was aber Goethe anfangs nicht zugeben wollte, son-dern erst später, unter dem Einfluß Schillers einsehen lernte), ist die goethische „Urpflanze". Einen ganz ähnlichen Gesichtspunkt vertrat die Abhandlung über den Zwischenkiefer vom Jahre 1784, in der Goethe die verschiedenen Ausbildungen dieses von ihm ent-deckten Knochens durch die ganze Reihe der Wirbeltiere verfolgte. In den darauffolgenden Jahren gelangte er durch sorgfältige osteo-logische Beobachtungen zu der Anschauung, daß der menschliche Schädel aus metamorphosierten Wirbeln bestehe: der Wirbel spielt also in seinen anatomischen Untersuchungen fast dieselbe Rolle wie das Blatt in seinen botanischen, und auch für das Säugetierskelett schwebt ihm als Pendant zur Urpflanze eine Art ideales Modell vor, das er den „Typus" nennt. Und bei seinen physikalischen Studien ging er ebenfalls von der Überzeugung aus, daß man überall nach dem „Urphänomen" zu suchen habe, auf das die gesamte Mannig-faltigkeit der Erscheinungen sich zurückführen lassen müsse.

Wie man sieht, befinden wir uns im „*siècle philosophique*". Man suchte allenthalben nach der Idee der Dinge, aber nach der Idee, die erscheint. Es besteht eine sehr bedeutsame Verwandtschaft und Differenz zwischen Goethes Urpflanze und dem Urmenschen, den die Französische Revolution für ihre staatlichen und gesellschaftlichen Umbildungen als Paradigma aufstellte. Beide sind Abstraktionen, aber nicht Abstraktionen, die der Wirklichkeit entgegengesetzt werden, entweder als zielweisende, aber unerreichbare Ideale oder als wegbahnende, aber bloß fingierte Hilfskonstruktionen, sondern Abstraktionen, die aus der Wirklichkeit als deren eigentlicher Lebenskern herausgeschält werden wollen und daher als sinnlich existent angesehen werden. Gleichwohl besteht ein tiefgreifender Unterschied. Goethe konzipiert die Idee der Urpflanze, um die ihm wohlvertraute Realität, die er geduldig immer aufs neue beobachtet, übersichtlicher, klarer, einheitlicher, anschaulicher und damit gewissermaßen noch realer zu machen; die Revolution konstruiert blind, gewalttätig und wirklichkeitsfremd das Phantom des Urmenschen, um die Realität zu verbiegen, zu verzerren, zu verkrüppeln und damit noch unhandlicher, unfaßbarer, chaotischer und irrealer zu machen. Die Urpflanze ist dem Leben abgelauscht, der Urmensch ist dem Leben aufgedrungen; die goethische Theorie ist vereinfachte Natur, die revolutionäre ist widernatürliche Einfachheit.

Nicolai — Die Aufklärung, aus der später die revolutionäre Dogmatik hervorging, ist eine englische Erfindung: sie geht auf Locke, ja genau genommen bis auf Bacon zurück, hat bereits in der ersten Hälfte des Jahrhunderts in England eine Reihe markanter Vertreter und erreicht ihre Spitze in der sogenannten schottischen Schule, deren Führer Thomas Reid in seinem 1764 erschienenen Werk „Inquiry into the human mind on the principles of common sense" die Philosophie des „gesunden Menschenverstandes" begründete; sie lehrt, daß es in der Seele gewisse ursprüngliche Urteile, natürliche Denkinstinkte, „*self-evident truths*" gibt: diese bilden die Grundtatsachen unseres Bewußtseins, den legitimen Inhalt unserer Erkenntnis; was an den bisherigen Systemen dem gemeinen Verstand ohne weiters einleuchtet und konform erscheint, ist richtig, was ihm widerspricht oder dunkel vorkommt, ist falsch. An diese Richtung schloß sich die deutsche sogenannte „Popularphilosophie": ihr Ideal war der „Philosoph für die Welt", wie einer ihrer namhaftesten Repräsentanten, Johann Jakob Engel, seine Aufsatzsammlungen zu betiteln pflegte. Neben ihm wirkte eine ganze buchmachende Zunft solcher erbaulicher, belehrender, verständiger und verständlicher Volksschriftsteller; ihr Zentrum aber hatte die deutsche Aufklärung in einer Anzahl einflußreicher Berliner Zeitschriften. Die erste von ihnen war die 1757 begründete „Bibliothek der schönen Wissenschaften und der freien Künste", die fast ganz von Nicolai und Mendelssohn geschrieben war und hauptsächlich allerlei steifleinene Kunstkritik enthielt. 1759 erschienen die „Briefe, die neueste Literatur betreffend", die auf einem viel höheren Niveau standen, denn ihr Verfasser war anfangs der junge Lessing, der hier in seiner scharfen Polemik gegen Wieland, Gottsched und die Franzosen und seiner warmen Parteinahme für Shakespeare die Grundlinien seiner ästhetischen Weltanschauung bereits ziemlich deutlich enthüllte. Das Jahr 1765 ist das Geburtsjahr der „Allgemeinen deutschen Bibliothek", die volle vierzig Jahre bestand und während dieses Zeitraums das literarische Urteil des gebildeten deutschen Mittelstands in sehr nachhaltiger und vorwiegend nachteiliger Weise bestimmt hat. Ihr Herausgeber war wiederum Nicolai, ein braver und kenntnisreicher, kluger und schreibgewandter Mann, der, als Abkömmling einer angesehenen Buchhändlersfamilie eine Art Mischung aus Kaufmann und Literat, eine bemerkenswerte Begabung im Exponieren und Exploitieren geistiger Strömungen zu entwickeln wußte, aber andrerseits durch seine Plattheit und Rechthaberei, die sich auch in der eigenmächtigen Redaktion der eingesandten Beiträge sehr widrig bemerkbar machte, und durch den engstirnigen Rationalismus, mit dem er alles verfolgte und verhöhnte, was er nicht kapierte (und das war ziemlich viel), zu einem weltberühmten Schulbeispiel der hochmütigen und geistfremden Beckmesserei geworden ist: schon zu seinen Lebzeiten war „Nicolait" ein empfindliches Schimpfwort. Gleichwohl möchten wir, bei der anhaltenden großen Nachfrage nach Themen für literarhistorische Doktorarbeiten und dem relativ geringen Angebot an noch nicht völlig ausgeweideten toten Skribenten, der Aufmerksamkeit ehrgeiziger junger Seminaristen eine Ehrenrettung Nicolais anempfehlen. Nicolai ist der echte Berliner, logisch, sachlich, zumindest stets voll gutem Willen zur Sachlichkeit, sehr mißtrauisch gegen alle Phrase, Phantastik und Charlatanerie, sehr solid, sehr fleißig, für alles interessiert und von stets wacher Spottlust, die aber von der berlinischen Art ist und daher fast immer einen vernünftigen Kern hat. Freilich vereinigte er mit diesen löblichen Eigenschaften seiner Landsleute auch in hohem Grade deren Schattenseiten; aber diese sind so oft und eingehend zum Gegenstand schärfster Kritik gemacht worden, daß sie selbst für eine Promotionsschrift kein genügend originelles Thema mehr abgeben dürften.

Mendelssohn Was Moses Mendelssohn anlangt, so würde man sich irren, wenn man glauben wollte, daß sein Judentum für ihn eine wesentliche Hemmung bedeutet habe. Es gehörte damals in der gebildeten Gesellschaft zum guten Ton, fremde Völker und Glaubensbekenntnisse als ebenbürtig anzusehen; zudem empfand man es als willkommene Bestätigung der Aufklärungsideen, daß sich zu ihnen der Angehörige einer Rasse bekannte, die zu jener Zeit in viel höherem Maße als heute eine von der übrigen Kultur abgeschlossene Welt repräsentierte, und war überhaupt geneigt, die Tatsache, daß ein Jude zu den deutschen Schriftstellern zählte, zu überschätzen, indem man den Seltenheitswert mit dem Realwert verwechselte. Im übrigen aber muß bemerkt werden, daß Mendelssohn, als Charakter eine durchaus honorige und fast rührende Erscheinung, in seinen Schriften nicht nur die seichteste Aufklärungsphilosophie betrieben hat, sondern auch das Judentum niemals abgestreift hat. „Die Religion meiner Väter", sagt er, „weiß, was die Hauptgrundsätze betrifft, nichts von Geheimnissen, die wir glauben und nicht begreifen müßten. Unsere Vernunft kann ganz gemächlich von den ersten sicheren Grundbegriffen der menschlichen Erkenntnis ausgehen und versichert sein, am Ende die Religion auf eben dem Wege anzutreffen. Hier ist kein Kampf zwischen Religion und Vernunft, kein Aufruhr unserer natürlichen Erkenntnis wider die unterdrückende Gewalt des Glaubens." Es läßt an dieser und zahlreichen ähnlichen Stellen keinen Zweifel darüber, daß er das Judentum für die wahre Vernunftreligion hält, die er versteckt gegen das Christentum ausspielt; und während er auf die christlichen Zeremonien mit lächelnder Überlegenheit herabblickte, hielt er die absurdesten rituellen Vorschriften seiner eigenen Konfession mit peinlichster Genauigkeit. In ihm erscheint in einer letzten modernsten Maskierung das Ressentiment des Juden gegen den Heiland, verbunden mit der fanatischen Anbetung des $2 \times 2 = 4$ und der Rentenrechnung, der jüdische Haß gegen die Idealität, gegen das Geheimnis, gegen Gott. Denn der autochthone Geist des Judentums behält selbst dort, wo er sich in die allerspiritualistischsten Höhen verliert (und Mendelssohn gehörte wahrhaftig nicht zu jenen Höhenwanderern), noch immer den Charakter des Materialismus, der sich v e r s t i e g e n hat; und immer bleibt er rationalistisch. Die Annahme, daß die Wirklichkeit aus jenen Dingen bestehe, die man beweisen, womöglich abtasten kann: dieser himmelschreiende Nonsens ist eine jüdische Erfindung. Das jüdische Volk hat in zahllosen Kriegen den äußersten Heroismus und die blindeste Todesverachtung bewiesen, aber immer aus sehr realistischen Gründen. Alle großen jüdischen Reformatoren waren Realpolitiker, das jüdische Ritual besteht im wesentlichen aus sanitätspolizeilichen Vorschriften und die höchste Idee des Judentums, der Messiasgedanke, ist verstiegen, aber keineswegs weltfremd, sie ist ein konkretes Hirngespinst. D a h e r kam es, daß Jesus vom gesamten zeitgenössischen Judentum mit einer so ungeheuern Erbitterung aufgenommen wurde, die sich n i c h t gegen den Neuerer richtete (denn solche waren dem beweglichen Volksgeist durchaus gemäß), n i c h t gegen den Bekämpfer der Hierarchie (denn diese wurde von einem großen Teil der Nation mißbilligt), n i c h t gegen den Anwalt der unteren Schichten (denn auch hierfür war die Stimmung überaus günstig), sondern gegen den gefährlichen Frondeur, der zu verkünden wagte: „Mein Reich ist nicht von dieser Welt." Dies mußte das Grundpathos, den tiefsten Lebensinstinkt, den innersten Wesenskern des Judentums tödlich verletzen, denn es war in Wahrheit die vollständige Aufhebung und Umkehrung des spezifisch jüdischen Weltgefühls. Daß Jesus das T r a n s z e n d e n t e in die Religion und

Ethik einführte, daß er der Menschheit zum Bewußtsein brachte, dieses sei das allein Wirkliche: darin bestand die ungeheure Revolution, die vom Judentum auch sogleich richtig gewertet wurde.

Unter diesem Gesichtspunkt wird es vollkommen begreiflich, daß der Jude Mendelssohn einer der Hauptwortführer der durch Aufklärung gereinigten Religion werden konnte, denn wenn man vom christlichen Credo das Absurdum abzieht, wie es der damalige „vernünftige" Glaube tat, so bleibt in der Tat nichts als ein Mosaismus, der um einen Propheten mehr hat als das Alte Testament. Auch die Philosophie hat für Mendelssohn nur die Aufgabe, „das, was der gewöhnliche Menschenverstand als richtig erkannt hat, durch die Vernunft klar und sicher zu machen". Mit diesen primitiven Mitteln suchte er in seinem „Phädon" die Unsterblichkeit der Seele, in seinen „Morgenstunden" das Dasein Gottes zu beweisen. Was er mit der ersteren Schrift bezweckte, sagt er deutlich in der Vorrede: „Es galt nicht, die Gründe anzuzeigen, die der griechische Weltweise zu seiner Zeit gehabt, die Unsterblichkeit der Seele zu glauben, sondern was ein Mann wie Sokrates, der seinen Glauben gern auf Vernunft gründet, in unseren Tagen nach den Bemühungen so vieler großer Köpfe für Gründe finden würde, seine Seele für unsterblich zu halten." Also: Plato, revidiert an Mendelssohn und addiert mit „großen Köpfen" wie Garve, Engel und Nicolai. Aber wenn man das Vorhaben billigt, so muß man zugeben, daß es gelungen ist: Sokrates redet über die letzten Dinge wirklich genau wie der honette Handelsprokurist und beliebte Popularschriftsteller Mendelssohn, der in ihm nichts erblickt als den „Begründer einer volkstümlichen Sittenlehre" und an ihm nichts versteht als die rationalistische Gleichung Vernunft = Tugend, hingegen von seiner großartigen Ironie, die in einem freiwilligen Tod gipfelt, nicht das geringste bemerkt.

Nützliche Auslegung der Bibel   In den „Morgenstunden" lehrte er den landläufigen Deismus, der damals die laut oder stillschweigend bekannte Religion der Gebildeten war und vom Gottesbegriff nicht viel mehr übrig ließ als die Vorstellung eines weisen Wesens, das die von den Philosophen dekretierten Naturgesetze zur Ausführung bringt. Im Hinblick auf die Offenbarung behalfen sich die Deisten vorläufig mit allerlei Kompromissen, die teils einer Inkonsequenz, häufiger einer gewissen Unehrlichkeit ihres Denkens entsprangen. So brachte zum Beispiel der hervorragende Theologe Johann Salomo Semler, der an die Heilige Schrift bereits mit einem sehr leistungsfähigen textkritischen Apparat heranging, die Lehre von der Akkomodation vor, wonach der Gottessohn, die Apostel und die Heiligen sich in ihren Worten dem jeweiligen menschlichen Bedürfnis angepaßt hätten und heute, wo unsere Bedürfnisse sich geändert haben, anders verstanden werden dürften. Auf der anderen Seite führte der Rationalismus, indem er nach wolffischem Rezept überall der Weisheit in der Naturordnung nachspürte, zu einer grotesken Banalisierung der Theologie. Man begnügte sich nicht mehr mit der „Physikotheologie", die aus der allgemeinen Gesetzmäßigkeit und Zweckmäßigkeit des Weltgeschehens auf einen weisen Schöpfer schloß, sondern erging sich in einer Litho-, Phytho-, Melitto-, Akrido-, Ichthyo-, Testaceo-, Insektotheologie, die an allen Spezialerscheinungen des Daseins: den Steinen, Pflanzen, Bienen, Heuschrecken, Fischen, Schnecken, Insekten den Gottesbeweis zu führen suchte; es gab sogar eine Bronto- und Seismotheologie: „Erkenntnis Gottes aus der vernünftigen Betrachtung der Gewitter und Erdbeben." Besonders im evangelischen Gottesdienst war die „nützliche Auslegung" der Heiligen Schrift sehr beliebt: man predigte anläßlich der Krippe über den Nutzen der Stallfütterung, beim Ostergang der Frauen zum Grabe über die Vorteile des Frühaufstehens, beim Einzug Jesu in Jerusalem über die Bedenklichkeit der Holzvergeudung durch Abschneiden frischer Zweige.

Repräsentativ für die gesamte damalige Auffassung der Religionsgeschichte ist das vielumstrittene Werk von Hermann Samuel Reimarus, das zu dessen Lebzeiten nur als anonymes Manuskript kursierte und später von Lessing, der sich den Anschein gab, als hätte er es in der Wolfenbüttler Bibliothek gefunden, in Bruchstücken herausgegeben wurde. Der Name des Autors wurde erst 1814 bekannt. Von der These ausgehend, daß „eine einzige Unwahrheit, die wider die klare Erfahrung, wider die Geschichte, *Der Auferstehungsbetrug* wider die gesunde Vernunft, wider die unleugbaren Grundsätze, wider die Regeln guter Sitten verstößt, genug ist, um ein Buch als eine göttliche Offenbarung zu verwerfen", gelangt Reimarus mit einem Gedankensprung, dessen Kühnheit an Schwachsinn grenzt, zu der Behauptung, daß die Apostel die Auferstehungsgeschichte zu ihrem Vorteil erlogen hätten: sie hatten durch das ewige Umherziehen mit dem Messias das Arbeiten verlernt und zugleich gesehen, daß das Predigen des Gottesreiches seinen Mann wohl nähre, denn die Weiber hatten es sich angelegen sein lassen, „den Messias und seine zukünftigen Minister" gut zu beköstigen. Infolgedessen stahlen sie den Leichnam Jesu, verbargen ihn und verkündigten aller Welt, der Heiland sei auferstanden und werde demnächst wiederkommen. Jesus hatte in Übereinstimmung mit den jüdischen Volksvorstellungen das Gottesreich als ein irdisches mächtiges Reich und sich als dessen zukünftigen König betrachtet; in dieser Hoffnung aber wurden er und seine Jünger schmählich getäuscht. Daher mußten diese ein neues „System" ersinnen, wonach Christus habe leiden und sterben müssen zur Erlösung der Menschheit, dann aber gen Himmel gefahren sei, um bald wieder das Reich aufzurichten.

Daß eine Hypothese, die aus den Aposteln eine gefräßige Betrügerbande macht, damals solches Aufsehen erregte, hat seine Ursache in dem völligen Mangel an historischem und psychologischem Verständnis, der zu den markanten Eigentümlichkeiten des ganzen Aufklärungszeitalters gehörte. Fast noch mehr Unverstand äußert sich aber in der zweiten Annahme, Jesus habe ganz einfach das von den Juden erhoffte messianische Weltreich errichten wollen. Dieser Unsinn ist allerdings selten in so krasser Form vorgebracht worden wie von Reimarus; durch die Verkoppelung der Evangelien mit dem Alten Testament, auf deren Widersinnigkeit wir schon mehrfach hingewiesen haben, wurden und werden aber derlei Mißdeutungen immer wieder nahegelegt. Wer jedoch die Bibel vorurteilslos liest, muß zu dem klaren Resultat gelangen, daß Jesus nicht etwa die Idee der jüdischen Messianität bloß umgedacht hat, indem er sie erweiterte, vergeistigte, mit einem tieferen Gehalt erfüllte und auf eine höhere Stufe hob (wie auch heute noch viele Theologen und Laien annehmen), sondern daß er sie vollkommen widerlegt und aufgehoben hat, kurz: daß er nicht der Messias war. Und in der Tat hat er sich selber auch kein einziges Mal so bezeichnet: die wenigen Evangelienstellen, die hier herangezogen zu werden pflegen, sind höchst zweideutig und beweisen bestenfalls, daß er von anderen so genannt wurde. Wir können hier auf die Details nicht eingehen; Moriz de Jonge, ein wenig bekannter Gelehrter von höchst bizarren, bisweilen hart ans Pathologische grenzenden Anschauungen, aber außerordentlichen Kenntnissen, hat diese Seite der Frage einer genauen textkritischen Untersuchung unterzogen und ist zu sehr überraschenden Resultaten gelangt, und eine Autorität vom Range Wellhausens sagt: „Jesus trat nicht als Messias auf, als Erfüller der Weissagung, ... ist . . . nicht der Messias gewesen und hat es auch nicht sein wollen." Für den Laien aber genügen zwei sehr einfache Erwägungen. Erstens: wenn Jesus der Messias war, warum hat er nichts von dem getan, was man vom Messias erwartete? Und zweitens: wenn Jesus der Messias war, warum haben die Juden ihn nicht anerkannt, warum erkennen sie ihn bis zum heutigen Tage nicht an? Daß die Welt nicht mit dem Schwert erobert werden kann, erobert werden darf, sondern nur mit dem Geist, das war ein schlechthin neuer Gedanke, der vorher in keines Juden und in keines Heiden Kopf gekommen war. Kurz, wenn der Messias der *Christos* sein soll, der Gesalbte, der König (und dies ist zweifellos die korrekte jüdische Auffassung), dann war Jesus nicht mehr und nicht weniger als der leibhaftige Antichrist.

Lessing selbst teilte die Ansichten des „Wolfenbüttler Fragmentisten" nicht. Vielmehr hoffte er durch die Veröffentlichung der Darlegungen „dieses echten Bestreiters der Religion" einen echten Verteidiger zu erwecken. Aber dieser kam nicht: es gab damals nur noch kurzsichtige Buchstabenreligiosität und schwachsichtige Freireligiosität. Gegen diese hatte Lessing fast noch mehr Abscheu als gegen jene: „Mit der Orthodoxie", sagte er 1774, „war man, Gott sei Dank, ziemlich zu Rande; man hatte zwischen ihr und der Philosophie eine Scheidewand gezogen, hinter welcher eine jede ihren Weg fortgehen konnte, ohne die andere zu hindern; aber was tut man nun? Man reißt die Scheidewand nieder und macht uns, unter dem Vorwande, uns zu vernünftigen Christen zu machen, zu höchst unvernünftigen Philosophen. . . . Flickwerk von Stümpern und Halbphilosophen ist das Religionssystem, welches man jetzt an die Stelle des alten setzen will, und mit weit mehr Einfluß auf Vernunft und Philosophie, als sich das alte anmaßt." Daß die Aufklärung nur sehr wenig aufgeklärt hatte, erkannte auch Hamann, der sie ein bloßes Nordlicht und kaltes, unfruchtbares Mondlicht nannte; und Schleiermacher faßte, auf sie zurückblickend, ihre ganze Position in die schneidenden Worte zusammen: „Die Philosophie besteht darin, daß es gar keine Philosophie geben soll, sondern nur eine Aufklärung."

Lessing   Lessing bedeutet ebensowohl die höchste Zusammenfassung wie die siegreiche Auflösung der deutschen Aufklärungsideen. Die Blüte seiner Wirksamkeit umfaßte nur ein halbes Menschenalter: 1766 erschien der Laokoon, 1767 Minna von Barnhelm und die Hamburgische Dramaturgie, 1772 Emilia Galotti, 1779 Nathan der Weise, 1780 die Erziehung des Menschengeschlechts. Als er starb, war eine Epoche zu Ende: in seinem Todesjahr traten die „Räuber" und die „Kritik der reinen Vernunft" an die Öffentlichkeit. Er gehörte zu jenen in Deutschland relativ seltenen Geistern, die, ohne schlechthin Vollendetes zu schaffen und ohne jemals das Letzte zu sagen, dennoch nach allen Windrichtungen fruchtbare Samen ausstreuen und alles, was sie ergreifen, lebendig und dauernd aktuell zu gestalten wissen. Sein „Laokoon", der die Grenzen zwischen Poesie und Malerei mit einer bis dahin ungeahnten Schärfe und Klarheit fixierte, hat nicht bloß die Ästhetiker belehrt, was ein sehr untergeordneter Erfolg gewesen wäre, sondern den Künstlern die Augen geöffnet; und es ist an diesem Werk besonders bemerkenswert, daß es zu einer Zeit, die bereits im Schatten Winckelmanns und des anbrechenden Klassizismus stand, nicht nur die Panoptikumauffassung vom griechischen Stoizismus verwarf, sondern auch die Nachahmung der Griechen dahin definierte, wir sollten es ebenso machen wie sie, indem wir darstellen, was wir sind und erleben. Dem Hamburger Nationaltheater, jener mit großen Aspirationen begonnenen „Entreprise", die alsbald an dem stumpfen Konservativismus des Publikums, dem eiteln Koteriewesen der Schauspieler und dem bevormundungssüchtigen Kleinmut der „Mäzene" scheiterte, verdankt die deutsche Literatur die „Minna" und die „Dramaturgie". In seiner Bühnentechnik, die insbesondere in der „Emilia" eine kaum zu überbietende Höhe erreicht, offenbart sich Lessing als Meister der verdeckten Exposition und aufs exakteste verzahnten Szenenführung, virtuoser Analytiker, sparsamer und eben darum höchst wirksamer Vorbereiter und Verteiler der dramatischen Explosionen und durch all dies als eine Art Vorläufer Ibsens. Er gehört wie dieser zu den wenigen germanischen Dramatikern, die sich die souveräne Artistik der Franzosen vollkommen zu eigen zu machen wußten und sie zugleich auf eine höhere Stufe hoben, indem sie die Lebensfülle und individualisierende Menschengestaltung als Mitgift ihrer Rasse hinzubrachten; aber es fehlt ihm das Geheimnis, der Kulissenschauer, der Ibsens Seelenmalerei so suggestiv macht. Er ist überhaupt kein Maler, vielmehr haben seine Dichtungen mehr den Charakter feiner und überaus scharfer Stiche, er lenkt und gliedert immer ein wenig zu deutlich, und Schiller nannte ihn daher nicht mit Unrecht den „Aufseher seiner Helden". Er selbst hat diesen Mangel mit der großartigen Klarheit, die sein ganzes Leben und Wirken durchwaltete, vollkommen durchschaut: „Ich bin", sagt er in der „Dramaturgie", „weder Schauspieler noch Dichter. Man erweiset mir zwar manchmal die Ehre, mich für den letzteren zu erkennen. Aber nur, weil man mich verkennt... Ich fühle die lebendige Quelle nicht in mir, die durch eigene Kraft sich emporarbeitet, durch eigene Kraft in so reichen, so frischen, so reinen Strahlen aufschießt: ich muß alles durch Druckwerk und Röhren aus mir herauspressen. Ich würde so arm, so kalt, so kurzsichtig sein, wenn ich nicht einigermaßen gelernt hätte, fremde Schätze bescheiden zu borgen, an fremdem Feuer mich zu wärmen und durch die Gläser der Kunst mein Auge zu stärken. Ich bin daher immer beschämt und verdrießlich geworden, wenn ich zum Nachteil der Kritik etwas las oder hörte. Sie soll das Genie ersticken: und ich schmeichelte mir, etwas von ihr zu erhalten, was dem Genie sehr nahe kömmt." Die blutgefüllte Dialektik, galvanische Spannung und pointierte Tragik des Faustfragments zeigt seine dramatische Potenz in ihrer Kraft und Begrenzung vielleicht am deutlichsten. Der Plan war, daß Faust seine Verführung im Traum erleben und dann geläutert und gerettet werden solle: diese prachtvolle Konzeption hat er leider nie ausgeführt. Sie war auch mit den rein rationalistischen Mitteln, die ihm zu Gebote standen, kaum zu lösen, denn dieser helle Verstandesmensch, der im höchsten Maße das besaß, was Nietzsche „intellektuelle Rechtschaffenheit" nennt, war sowohl zu bewußt wie zu ehrlich, um zu träumen. Dies ist ganz buchstäblich zu nehmen: „er hat mich oft versichert", schreibt Leisewitz an Lichtenberg, „daß er nie geträumt hätte." Sein Leben vollzog sich stets nur auf der beleuchteten Hemisphäre unserer Seelenwelt.

Lessings letztes und reifstes Werk ist die „Erziehung des Menschengeschlechts". Er betrachtet darin die Geschichte der Religion als fortschreitende göttliche Offenbarung: die erste Stufe repräsentiert das Judentum, das Kindheitsalter, in dem die Erziehung durch unmittelbare sinnliche Strafen und Belohnungen stattfindet; die zweite Stufe, das Knabenalter der Menschheit, bildet das Christentum, das „nicht mehr durch Hoffnung und Furcht zeitlicher Belohnung und Strafe, sondern durch edlere und würdigere Beweggründe" das „in der Ausübung der Vernunft weitergekommene Geschlecht" leitet. „Und so ward Christus der erste zuverlässige, praktische Lehrer der Unsterblichkeit." Noch aber steht ein drittes Zeitalter bevor, „das Mannesalter der völligen Aufklärung und derjenigen Reinigkeit des Herzens, welche die Tugend um ihrer selbst willen liebt". Die Bibel ist nicht die Grundlage der Religion, sondern die Religion die Grundlage der Bibel, und das Christentum ist älter als das Neue Testament. Indem Lessing in die Geschichtsbetrachtung den Begriff der Entwicklung einführt und jede der großen Religionen auf ihrer historischen Stufe als berechtigt anerkennt, indem er das platte „vernünftige Christentum" verwirft und von ihm aussagt, es sei nur schade, daß man so eigentlich nicht wisse, wo ihm die Vernunft noch wo ihm das Christentum sitze, und indem er auch die eigene Gegenwart, die der selbstgefälligen Zeitphilosophie als Ziel und Gipfel des weltgeschichtlichen Geschehens erschien, nur als eine der vielen Stationen im göttlichen Erziehungsplane ansieht, überwindet er die Aufklärung.

Neben Lessing sollte man immer auch Lichtenberg nennen, der einer der heimlichen Klassiker der deutschen Literatur gewesen ist und zum Austausch gegen Wieland zu empfehlen wäre, der niemals etwas anderes war als ein geschickter Literat. Von Kant hat Goethe gesagt, wenn er ihn lese, so sei ihm zumute, als träte er in ein helles Zimmer. Auf wenige deutsche Schriftsteller könnte dieses Bild mit ebensolcher Berechtigung angewendet werden wie auf Lichtenberg; nur besitzt dieses Zimmer noch allerlei halbdunkle Winkel, Erker und Gänge, die in die absonderlichsten Polterkammern führen.

Es ist von bedeutenden Köpfen immer von vornherein anzunehmen, daß sie eine Art Brennpunkt ihres Zeitalters bilden. Und da alle Strahlen sich in ihnen sammeln, so liegt es nahe, nun die einzelnen Lichtlinien vom Kreuzungspunkt wieder zurückzuverfolgen und so die Zeit aus ihren Menschen und die Menschen aus ihrer Zeit zu erklären. Dieser Versuch mißlingt bei Lichtenberg. Seine Epoche war eine der reichsten und geistig aktivsten, die Deutschland jemals erlebt hat; dennoch war er keineswegs ihr leuchtender Fokus. Welche Stellung hatte aber nun dieser bewegliche, regsame, überall geschäftig anteilnehmende Geist in diesem atemlosen Treiben? Er war ganz einfach das ideale Publikum dieser ganzen Bewegung. Er verhielt sich zu seiner Zeit nicht wie ein Brennglas, sondern bloß wie ein Vergrößerungsspiegel, der ihre Züge mit größter Schärfe und Unerbittlichkeit registrierte.

Fast nirgends finden wir seinen Namen von den Zeitgenossen mit jenem Nachdruck genannt, den er verdient hätte. Im Bewußtsein seiner Mitmenschen lebte er nicht als der, der er war. Er war weder geneigt noch berufen, die Räder der Literaturgeschichte zu bewegen. Er mochte darin ähnlich denken wie der ältere Goethe, der auch lieber über Pflanzen, Steinen und alten Memoiren saß als sich in die literarische Propaganda mischte, bis der temperamentvolle Realismus Schillers ihn wieder in die Aktualität hineinriß. Sein äußeres Leben verfloß zwischen physikalischen und belletristischen Gelegenheitsarbeiten, zwischen Wettermachen und Kalendermachen, ein paar kleinen Mädchen und ein paar guten Freunden. Zwischen diesen Alltagsdingen wuchs sein Lebenswerk. Aber er wußte es nicht.

Es sind seine Tagebücher. „Die Kaufleute", sagt er, „haben ihr *Waste book* (Sudelbuch, glaube ich, im Deutschen); darin tragen sie von Tag zu Tag alles ein, was sie kaufen und verkaufen, alles untereinander, ohne Ordnung.... Dies verdient nachgeahmt zu werden. Erst ein Buch, worin ich alles einschreibe, so wie ich es sehe, oder wie es mir meine Gedanken eingeben." Diese losen Aufzeichnungen, denen er selbst also nur die Bedeutung einer „Kladde" zum eigenen Gebrauch zuerkennen wollte, enthalten die Summe seines Geistes, eines Geistes, der an Strenge und Luzidität, an konzentrierter Denkenergie und empfindlicher Differenziertheit nur wenige seinesgleichen hat. Es liegt in der Natur solcher Arbeiten, daß sie schwer zu Ende kommen; sie tragen den Charakter unendlicher Ausdehnungsfähigkeit schon in sich. Unter vielen anderen Denkern hat auch Emerson sich solcher tagebuchartiger Brouillons bedient, aber er fand die Kraft, sie dann zu kürzeren und längeren Essays zusammenzuschweißen. Indes merkt man die Legierung doch an vielen Stellen, weshalb seine Schriften bisweilen den irrtümlichen Eindruck der Gedankenflucht hervorrufen. Lichtenberg hingegen konnte sich nicht entschließen, seine Gedankenbruchstücke zu amalgamieren, er war für ein solches Geschäft zu kritisch veranlagt. Sein „Waste book" erschien erst nach seinem Tode.

Die Bücherschicksale sind eben nicht weniger unlogisch und irrational als die Menschenschicksale; wenigstens s c h e i n t es uns so. Sie folgen einem dunkeln eingeborenen Gesetz, das niemand kennt. Wie Bücher entstehen, weiß kein Mensch, und ihre Schöpfer am allerwenigsten. Sie führen ein seltsames widerspruchsvolles Leben durch die Jahrhunderte, worauf Gunst und Ungunst ohne Gerechtigkeit verteilt zu sein scheinen. Wir sehen Schriftsteller, die sich jahrelang mit einem Problem oder einem Gedicht abmühen, ohne daß die Welt sie beachtet, sie verzweifeln und halten ihr Lebenswerk für nichtig: da erscheint plötzlich in irgendeinem Winkel ihres Geistes ein Gedanke, dem sie nie besonderen Wert beigelegt hatten, und dieser eine kleine Gedanke wird leuchtend und geht durch die Jahrhunderte.

Solche posthume Unsterblichkeiten, die erst nach dem Tode ihres Schöpfers das Licht der Welt erblicken, sind nicht die schlechtesten. Lichtenberg sah in seiner Unfähigkeit, zu Ende zu kommen, einen Fehler: „Der Procrastinateur: der Aufschieber, ein Thema zu einem Lustspiel, das wäre etwas für mich zu bearbeiten. Aufschieben war mein größter Fehler von jeher." Die Nachwelt wird jedoch eher geneigt sein, das, was ihm als Mangel an Energie erschien, als ein Zeichen höchster geistiger Potenz anzusehen. Gerade die ungeheure Fülle und Lebendigkeit, mit der ihm immer neue Impressionen und Beobachtungen zuflossen, verhinderte ihn am Abschluß. Er mochte ahnen, daß für einen Geist von so grenzenloser Aufnahmefähigkeit, wie er es war, eine willkürliche Abgrenzung des Stoffes eine Art Verrat an sich selbst gewesen wäre. Hier stand ein unendlicher Geist der unendlichen Natur gegenüber und begnügte sich damit, sie in ihrem Reichtum in sich einströmen zu lassen. Es ist kein Zufall, daß so viele Schriftsteller ihr Bestes zuletzt oder auch oft gar nicht erscheinen lassen: sie haben es zu lieb dazu, glauben immer, sie müßten es noch besser können, wollen es vollkommen sehen. „Könnte ich das alles", sagt Lichtenberg, „was ich zusammengedacht habe, so sagen, wie es in mir ist, nicht getrennt, so würde es gewiß den Beifall der Welt erhalten. Wenn ich doch Kanäle in meinem Kopfe ziehen könnte, um den inländischen Handel zwischen meinem Gedankenvorrate zu befördern!" Aber das konnte er nicht, er konnte alles nur so sagen, „wie es in ihm war", und vermochte eben darum nicht, Getrenntes ungetrennt zu empfinden und künstliche Kanäle zwischen Gedanken herzustellen, die nicht von Natur aus verbunden waren; er konnte die Dinge nur so denken, wie sie in seinem Kopfe lagen. Jene Arbeit des Zurechtmachens und Verschleifens, die jeder Systembildung zugrunde liegt, verstand er nicht.

„Über nichts", sagt Lichtenberg, „wünschte ich mehr die geheimen Stimmen der denkenden Köpfe gesammelt zu lesen als über die Materie von der Seele; die lauten, öffentlichen verlange ich nicht, die kenne ich schon. Allein, die gehören nicht sowohl in eine Psychologie als in eine Statutensammlung." Der Mensch in seiner Besonderheit, in dem, worin er anders ist, in seinen tausend Heimlichkeiten und Abstrusitäten, Zacken und Zinken wird in Lichtenbergs Aufzeichnungen lebendig. Sie sind das glänzendste psychologische Aktenmaterial, das sich denken läßt. Die Seelenprüfung wird hier zum erstenmal wissenschaftlich betrieben, als ein Zweig der empirischen Menschenkunde, freilich nicht in Form physikalischer Messungen und logarithmischer Reihen, die nie in die Tiefe führen, sondern wissenschaftlich durch den Geist der Objektivität und Exaktheit. Lichtenberg ist der Meister der kleinen Beobachtungen und seine Spezialität die psychologische Integralrechnung, er ist gleichsam ein praktischer Leibnizianer, der die *perceptions petites*, deren Existenz Leibniz theoretisch entdeckt hatte, nun auch tatsächlich überall in der Wirklichkeit aufzuspüren und zu beschreiben weiß. Er tat sich hierin niemals genug. „Es schmerzt mich unendlich, tausend kleine Gefühle und Gedanken, die wahren Stützen menschlicher Philosophie, nicht mit Worten ausgedrückt zu haben. . . Ein gelernter Kopf schreibt nur zu oft, was alle schreiben können, und läßt das zurück, was nur er schreiben könnte und wodurch er verewigt werden würde."

Lichtenbergs rastloser unbeugsamer Wahrheits- und Selbsterkennungsfanatismus findet seine äußere Form in der vollendeten Natürlichkeit und Reinheit seines Stils, in der ihm nur Lessing und Schopenhauer ebenbürtig sind. Seine Sprache funktioniert mit der Feinheit und Sicherheit einer Präzisionsmaschine; jeder, auch der scheinbar flüchtigste Satz überrascht durch seine klassische Ökonomie, Durchsichtigkeit und Prägnanz. Sein Denken ist von einer, man möchte fast sagen, zerleuchtenden Helle, dabei von jener Art Nüchternheit, die das ausschließliche Privileg genialer Köpfe bildet.

Menschen von einer so außergewöhnlichen Natürlichkeit haben immer etwas Zeitloses. Und daher kommt es, daß die historischen Züge seiner Zeit nicht recht auf Lichtenberg passen wollen. Er gehörte nur insofern zu ihr, als er ihr vollkommenstes Gegenspiel war. Er war die andere Hälfte, das Supplement seiner Zeit, und die Zeitgenossen dieser Gattung sind, sooft sie in der Geschichte auftreten, immer die denkwürdigsten und eigenartigsten. Lichtenberg war der scharfe Schlagschatten, den das Licht der Aufklärung warf, und es ist eine der zahlreichen Paradoxien der Kulturgeschichte, daß dieser Schatten länger und kräftiger sichtbar geblieben ist als jenes Licht.

Er war einer jener Geister, die zu klar und zu souverän sind, um allzu tätig zu sein. Es gibt einen Standpunkt der völligen Besonnenheit, auf dem es nicht mehr möglich ist, zu handeln. Eine Sache gänzlich durchschauen, bis zur absoluten Durchsichtigkeit, heißt mit ihr fertig sein. Die Blindheit und Beschränktheit des menschlichen Geistes ist vielleicht gar kein so großes Übel, wie die Pessimisten behaupten. Vielleicht ist sie eine Schutzeinrichtung der Natur, um uns lebensfähig zu erhalten. Denn die Unsicherheit ist einer der stärksten Antriebe zum Leben. Besitzt aber ein Kopf einmal jenen ungewöhnlichen Grad von Helligkeit, so wird die natürliche Folge sein, daß er jeden heftigeren Aktionsbetrieb einbüßt; auch im Geistigen. Alles um ihn herum: Menschen, Ereignisse, Erkenntnisse, Zeitläufte, wird ihm völlig transparent, so daß er sich in der ruhenden Betrachtung genügen darf. Er hat erkannt und bedarf nichts darüber. „Was wir wissen", sagt Maeterlinck, „geht uns nichts mehr an."

Darum hat Lichtenberg gegen die Gebrechen seiner Zeit nie leidenschaftlich Partei ergriffen, er blieb immer in der Reservestellung eines kühlen Mentors. Dies unterschied ihn von Lessing, mit dem er im übrigen die größte Verwandtschaft besaß. Wenn ihn etwas ärgerte, wurde er schlimmstenfalls sarkastisch. Aber selbst durch seine schneidendsten Satiren geht ein geheimer Zug von Gutmütigkeit und Indulgenz, wie umgekehrt auch seine ernsthaftesten Äußerungen immer eine feine, oft kaum merkliche Linie von Spott und Ironie bemerken lassen. Es ist jener Spott, der den wahren Denker nie verläßt, jene tiefe Überzeugung, daß nichts wert sei, wirklich ernst genommen zu werden, die selbst einem so tragisch ringenden Geist wie Pascal die Bemerkung entlockte: „*le vrai philosophe se moque de la philosophie.*"

Der echte Philosoph ist dem Künstler viel verwandter, als gemeinhin angenommen wird. Das Leben gilt ihm ebenso wie diesem als Spiel und er sucht die Spielregeln zu ergründen; nicht mehr. Auch er erfindet und gestaltet, aber während der Künstler möglichst viele und vielfältige Individuen abzubilden sucht, zeichnet der Denker immer nur einen einzigen Menschen: sich selbst, den aber in seiner ganzen Vielartigkeit. Jede tiefempfundene Philosophie ist nichts anderes als ein autobiographischer Roman.

Was Lichtenberg nicht dazukommen ließ, sich aus diesem Gebiete in die völlig freie Welt der Dichtung, zumal des satirischen Lustspiels, zu begeben, war nicht ein Defekt, sondern ein Überschuß. Am völlig freien Gestalten verhinderte ihn seine stets wache Kritik. Hierin berührte er sich wiederum mit Lessing. Auch dieser hätte niemals ein Drama geschrieben, wenn es zu jener Zeit ein anderer besser gekonnt hätte. Aber da es ihm darum zu tun war, auch praktisch zu zeigen, wie er es meinte, war er genötigt, eine Reihe von Paradigmen zu schaffen, die genau so viel und genau so wenig wert waren wie alle Musterleistungen, nämlich: didaktisch sehr viel und künstlerisch sehr wenig. Er war der geniale Regisseur der deutschen Poesie und wollte niemals ihr genialer Schauspieler sein. Aber auch im Theater bleibt bisweilen dem Regisseur nichts anderes übrig als auf die Bühne zu springen und die Sache einmal selber vorzuspielen, nicht weil er sich für einen großen Menschendarsteller hält, sondern weil er sieht, daß alle theoretischen Erläuterungen kein lebendiges Bild von der Sache geben und daß er es immer noch am besten machen kann, weil er der Gescheiteste ist. Dies war der Vorzug und Mangel aller Lessingschen Theaterstücke. Lessing war zum Stückeschreiben zu gescheit.

Richtete sich Lessings literarische Aktion mehr nach außen, so ging Lichtenbergs Polemik mehr nach innen. Beide haben gekämpft, der eine draußen im Getümmel mit der Welt und ihren Meinungen, der andere in der Stille und Einkehr mit sich selbst und seinen eigenen Gedanken. Darum sollte man beide immer zusammen nennen. Sie bilden vereinigt die wahre geistige Signatur der deutschen „Aufklärung", die in diesen beiden Männern eine wirkliche Aufklärung gewesen ist.

Aber man kann nicht sagen, daß Lessings Name den Ruhm Lichtenbergs verdunkelt hat, denn das deutsche Publikum weiß ja auch von Lessing nichts.

Lessing und Lichtenberg durchbrachen die Schranken der Aufklärung auch darin, daß sie gleich Friedrich dem Großen souverän über den Konfessionen standen und alle gleichzeitig verwarfen und tolerierten, während Nicolai und die übrigen Aufklärer sich als ebenso doktrinär und verfolgungssüchtig erwiesen, als es bisher die Orthodoxie gewesen war. Besonders die „Jesuitenriecherei", die diesen Orden für alle Finsternis, Gewalt und Hinterlist auf Erden verantwortlich machte, führte in fast allen Ländern Europas zu den rücksichtslosesten Zwangsmaßregeln. Das Signal gab Pombal, der Regenerator Portugals, dessen großangelegtes Regierungsprogramm als einen der Hauptpunkte die Vernichtung der Jesuiten enthielt. Ein Attentat auf den König gab den Vorwand: alle Jesuitengüter wurden für den Staat beschlagnahmt, alle Angehörigen des Ordens für Rebellen und Ausländer erklärt und auf ewige Zeiten verbannt. Auch sonst war Pombal energisch bemüht, das Land möglichst rasch auf das Niveau der mitteleuropäischen Staaten zu heben, indem er die Inquisitionsgerichte abschaffte, Gewerbeschulen etablierte, in denen alle herumlungernden Knaben so lange festgehalten wurden, bis sie ein Handwerk erlernt hatten, durch Entlassung zahlreicher müßiger Hofkreaturen die Finanzen regulierte, so daß stets Geld in der Staatskasse war, eine Börse, ein großes Kaufhaus, ein Arsenal, eine Akademie der Wissenschaften errichtete, die Straßenreinigung und den Buchhandel förderte, und dies alles gegen den Willen der Aristokratie, des Volks und sogar des Königs, der nur durch die Angst vor Konspirationen und Mordanschlägen gefügig erhalten wurde: nach dessen Tode stürzte denn auch alles wieder zusammen.

Fünf Jahre nach der Vertreibung aus Portugal verfielen die Jesuiten in Frankreich demselben Schicksal. Der König wollte den Orden retten, indem er dem Papst vorschlug, ihn zu reformieren; aber dieser sprach sein berühmtes: *„Sint, ut sunt, aut non sint."* Bald folgten auch die übrigen bourbonischen Staaten: Spanien, wo man einen Aufstand in Madrid zum Vorwand nahm, Neapel

und Parma. Schließlich blieb Papst Clemens dem Vierzehnten
nichts übrig, als den Orden aufzuheben. Im darauffolgenden Jahre
starb er, und man beeilte sich, auch dies den Jesuiten in die Schuhe
zu schieben. Offiziell geduldet waren sie schließlich nur noch
unter der griechischen Katharina und dem protestantischen Friedrich, der sich auch hier die Gelegenheit zu einem Witz nicht entgehen ließ, indem er nach Rom schrieb, über den König von
Preußen habe das päpstliche Breve keine Gewalt.

Unter diesen Umständen waren die Jesuiten darauf angewiesen,
unter allerlei Deckformen und Falschmeldungen ihr Dasein
weiterzufristen und ihre Macht zu einer völlig unterirdischen zu
machen. Vor allem versuchten sie sich in allerlei andere Gesellschaften einzuschleichen, zum Teil in solche von völlig entgegengesetzter Tendenz. Man traf sie nicht selten unter den Freimaurern,
und Illuminaten, und ihre Fähigkeit, alles sein, sich in alles verwandeln zu können, von der wir im ersten Buch gesprochen haben, zeigte
sich noch einmal aufs glänzendste: jetzt wurden sie sogar Freigeister und „Freunde des Lichts".

Die Illuminaten Der Gründer des Illuminatenordens, der Ingolstädter Professor
Adam Weishaupt, war selber ein Zögling der Jesuiten gewesen,
später aber zu ihrem erbittertsten Verfolger geworden. Die zwei
Grundprinzipien der neuen Vereinigung, die sich binnen kurzem
über ganz Europa ausbreitete: straffe Organisation und strenges
Geheimnis waren den Jesuiten abgelernt, wie überhaupt der ganze
Bund als eine Art Gegenstück und Widerpart des Jesuitentums
gedacht war. Sehr bald aber begannen Rechthaberei, Eitelkeit,
mystischer Formelkram und Wichtigtuerei in ihn einzudringen
und er wurde eines der Hauptbetätigungsfelder des politischen
Strebertums, das sich in Ermangelung des Parlamentarismus damals noch in solche Formen flüchten mußte. 1784 wurde er infolge jesuitischer Umtriebe in Bayern verboten, die Vertriebenen
fanden aber in anderen Ländern bereitwillige Aufnahme. Welche
große Bedeutung man ihm beimaß, zeigt ein merkwürdiges Buch
Karl Friedrich Bahrdts, eines Abenteurers und zweifelhaften Literaten, der aber eine Zeitlang ein ziemlich ausgebreitetes Renommee besaß: „Briefe über die Bibel im Volkston", erschienen

1782: es schildert das Auftreten des Heilands als eine raffiniert inszenierte Komödie der Essener, einer geheimen Gesellschaft, die schon damals überall ihre „Logen" gehabt haben soll und in den Tendenzen und Praktiken, die ihr von Bahrdt zugeschrieben werden, sehr deutlich an die Illuminaten erinnert.

Während vom Illuminatenorden, der binnen weniger Jahr- ^{Knigge} zehnte an geistiger Auszehrung starb, heute kein Mensch mehr spricht, hat eines seiner rührigsten Mitglieder sich bis zur Gegenwart einen wohlbekannten Namen bewahrt: es ist der Freiherr Adolf von Knigge, der 1788 sein Werk „Über den Umgang mit Menschen" erscheinen ließ. Knigge war als ziemlich skrupelloser Vielschreiber einer der frühesten Repräsentanten jener Buchindustrie, die sich lediglich nach Verlegeraufträgen und Publikumswünschen orientiert, und teilte das Los aller Autoren, die bloß schreiben, um zu gefallen, daß er nach einem halben Menschenalter bereits tödlich langweilig war, weil es eben nichts Uninteressanteres und Geistloseres gibt als einen Menschen, der denkt und gestaltet, was ein anderer haben will. Eine Ausnahme machte nur sein „Umgang mit Menschen", von dem er selbst in der Vorrede sagt, er habe ihn nicht so flüchtig hingeschrieben wie wohl andere seiner Arbeiten. „Ich will", fügt er hinzu, „nicht ein Komplimentierbuch schreiben, sondern einige Resultate aus den Erfahrungen ziehen, die ich gesammelt habe, während einer nicht kurzen Reihe von Jahren." In der Tat ist das Werk nicht das, wofür es allgemein gilt: ein Kodex des guten Tons, sondern ein Beitrag zur praktischen Lebensphilosophie. Es handelt, hausbacken und doch nicht ohne ein gewisses Raffinement, schlechterdings über den Umgang mit allem und allen: mit den verschiedenen Temperamenten und Altersklassen, Ständen und Berufen, mit Eltern und Kindern, Verliebten und Verheirateten, Freunden und Frauenzimmern, Gläubigern und Schuldnern, Lehrern und Schülern, Fürsten und Hofleuten, Gelehrten und Künstlern, Gästen und Gastgebern, Feinden und Geschäftsleuten, Dienerschaft und Nachbarschaft, ja sogar vom Umgang mit sich selbst und mit Tieren. Angenehm und flüssig, breit und banal, mit verstecktem Humor und gründlicher Kenntnis der menschlichen Oberflächen geschrieben, enthält es eine große Anzahl brauchbarer Lehren, die oft selbstverständlich, aber immer gescheit, im moralischen Teil allerdings bisweilen rhetorisch und hypokritisch sind, denn es ist ganz unverkennbar, daß der Verfasser, wo er unbedingte Aufrichtigkeit, Streben nach Vollkommenheit, Verachtung des Scheins und dergleichen predigt, nur dem modischen Aufklärungsnebel Rechnung trägt, während er selber zweifellos sehr wohl weiß, daß solche Eigenschaften im Gesellschaftsleben gar nichts zu suchen haben, wo sie nicht als hohe ethische Qualitäten, sondern als Belästigungen wirken. Die meisten seiner Maximen können auch heute noch Gültigkeit beanspruchen, zum Beispiel: Verbirg deinen Kummer; rühme nicht zu laut dein Glück; enthülle nicht die Schwächen deiner Nebenmenschen; gib andern Gelegenheit zu glänzen; interessiere dich für andere, wenn du willst, daß andere sich für dich interessieren; laß jeden seine Handlungen selbst verantworten, wenn du nicht sein Vormund bist; suche nie jemand lächerlich zu machen; denke daran, daß alle Menschen amüsiert sein wollen. Es fehlt sogar nicht an Feinheiten, zum Beispiel, wenn davor gewarnt wird, jemandem zu versichern, daß man ihn für gutmütig oder gesund halte, denn beides werde von vielen als Beleidigung empfunden, oder nichtssagende Redensarten zu gebrauchen, wie: daß die Gesundheit ein schätzbares Gut, das Schlittenfahren ein kaltes Vergnügen und jeder sich selbst der Nächste sei, die Zeit schnell dahingehe und eine Ausnahme die Regel bestätige; oder wenn empfohlen wird, alle fremden Überzeugungen zu respektieren, denn man dürfe nicht vergessen, daß das, war wir Aufklärung nennen, anderen vielleicht als Verfinsterung erscheine. Und so wird man wohl sagen dürfen, daß dieses berühmteste Buch der deutschen Aufklärung vollauf verdient, noch heute von jedermann zitiert zu werden, und durchaus nicht verdient, von nahezu niemandem mehr gelesen zu werden.

Casanova und Cagliostro Neben den Illuminaten und Freimaurern gab es aber noch eine Reihe anderer geheimer Verbindungen, die einen weniger harmlosen Charakter trugen, wie zum Beispiel die „Rosenkreuzer", deren wirkliche oder angebliche Mitglieder sehr einträgliche Schwindeleien betrieben. Das Zeitalter war nämlich in den breiten

Schichten lange nicht so aufgeklärt, als es nach der philosophischen Publizistik den Anschein haben könnte. Die wunderbaren Erscheinungen des Magnetismus und der Elektrizität beförderten bei den Halbgebildeten keineswegs eine „naturwissenschaftliche Weltanschauung", sondern weit mehr den Glauben, daß es in der Hand des glücklichen Experimentators liege, das Unmöglichste möglich zu machen. Alle Welt glaubte an die magnetischen Kuren, die vorgeblich Prophetengabe verliehen, den sogenannten Mesmerismus, mit dem Mesmer in Paris, Wien und anderwärts sehr gute Geschäfte machte. Großen Zulauf hatten auch die Wunderkuren und Teufelsaustreibungen Gassners und die Geisterbeschwörungen des Kaffeewirts Schrepfer, der durch Selbstmord endete. Die beiden prominentesten Vertreter dieses Gewerbes sind jedermann bekannt: Casanova, der als internationaler Hochstapler mindestens ebenso berühmt war wie als Frauenverführer und, als Kabbalist, Astrolog und Nekromant umherziehend, Verjüngungskuren, Goldmacherei und Wahrsagerei betrieb, und Cagliostro, der alle erdenklichen Arten von Zauberkünsten und Spiegelfechtereien zu seinem Lebensunterhalt machte: als sein Diener einmal gefragt wurde, ob der Graf wirklich dreihundert Jahre alt sei, antwortete er, er könne keine Auskunft geben, denn er sei erst hundert Jahre in seinen Diensten. Die Technik, deren sich diese Virtuosen der Gaunerei bedienten, hat in Schillers „Geisterseher" eine überaus packende und sachkundige Darstellung gefunden; „ihr einziges Kapital", sagt Chledowski, „war ihr Glaube an die menschliche Dummheit, und dieses Kapitel trug hohe Zinsen".

Aber diese Zeit, in der nüchternster Rationalismus und krassester Aberglaube, dreisteste Charlatanerie und echtes Prophetentum nebeneinanderliefen, hat auch den Gegenspieler Cagliostros hervorgebracht: den Seher Swedenborg, dessen Gestalt, von Mitwelt und Nachwelt gleich unverstanden und unerkannt, als ein erlauchtes Rätsel durch die Geschichte schreitet. Während der weitaus größeren Hälfte seines Lebens war sein Antlitz der profanen Wirklichkeit zugekehrt: seine ursprünglichen Betätigungsgebiete, auf denen er Bedeutendes leistete, waren Mineralogie und Mathematik, Ingenieurkunst und Hüttentechnik, bis ihm in seinem fünfundfünfzigsten Lebensjahr plötzlich die Erleuchtung kam; und von da an pflegte er nur noch den Verkehr mit den höheren Welten. Daß er außergewöhnliche okkulte Gaben besaß, ist vielfach urkundlich bezeugt: von den Seelen Verstorbener erfuhr er Einzelheiten, die ihm unmöglich vorher bekannt sein konnten, der Königin von Schweden teilte er Dinge mit, die niemand außer ihr wußte, und in Gotenburg sah er den genauen Verlauf einer Feuersbrunst, die um dieselbe Stunde in Stockholm ausgebrochen war: erst zwei Tage später trafen Augenzeugen ein, die seinen Bericht bestätigten. Ob er auch in dauerndem und vertrautem Umgang mit Engeln stand, ist natürlich unkontrollierbar; er selbst hat es jedenfalls geglaubt. Als seine Mission betrachtete er die Vollendung der christlichen Kirche, die allgemeine und siegreiche Begründung der Wahrheit und Liebe unter den Menschen: dies nannte er das neue himmlische und irdische Jerusalem. Trinität, Rechtfertigung und Sündenfall faßte er als bloße Allegorien. Das Jenseits sah er in seinen Visionen als eine Doublette des Diesseits, die alle Erdenverhältnisse wiederholt, nur verklärter und geistiger und unter Aufhebung der rohen Körperlichkeit, aber gleichwohl so ähnlich, daß viele Geister ihren Übergang in die andere Welt gar nicht bemerken; höchstwahrscheinlich aber galt ihm dieses Reich, das wir heute etwa die Astralsphäre nennen würden, nur als eine Übergangszone. Emerson nennt ihn den letzten Kirchenvater; hingegen ist ihm Kant in seiner berühmten Satire „Träume eines Geistersehers", die ihn, noch zu seinen Lebzeiten erschienen, als Schwärmer und Erzphantasten hinstellt, nicht völlig gerecht geworden.

Preußens „Fäulnis vor der Reife"

In dem Nachfolger Friedrichs des Großen, seinem Neffen Friedrich Wilhelm dem Zweiten, bestieg die Mystik, allerdings die falsche, sogar den Thron. Der neue Monarch, nicht unbegabt, aber energielos und genußsüchtig, fand bald in dem gewissenlosen Wöllner seinen Tartuffe und in dem geriebenen Bischoffswerder seinen Cagliostro. Dieser gewann ihn für den Rosenkreuzerorden, während jener ihn zum Obskurantismus bekehrte, unterstützt durch abenteuerliche Totenbeschwörungen, die in seinem Hause stattfanden: bei einer von ihnen erschien, von einem Bauchredner dargestellt, der Schatten Julius Cäsars, um mit dem König persönliche Rücksprache zu nehmen. Unter dem Einfluß Wöllners erließ Friedrich Wilhelm das reaktionäre Religions- und Zensuredikt, dem sogar Kant zum Opfer fiel, indem an ihn das Verbot erging, sich über religiöse Gegenstände öffentlich zu äußern. Die kurzsichtigen und engherzigen Maßnahmen des neuen Regimes waren so wenig zeitgemäß, daß sie nicht einmal von den ausführenden Beamten unterstützt wurden: als der preußische Zensor in einer Schmähschrift den Schlußsatz „Wehe dem Lande, dessen Minister Esel sind!" passieren ließ und darüber von Wöllner zur Rede gestellt wurde, antwortete er: „Hätte ich vielleicht drucken lassen sollen: wohl dem Lande, dessen Minister Esel sind?" Wie das bei oberflächlichen Naturen nicht selten vorkommt, verband sich in Friedrich Wilhelm mit dem Mystizismus eine starke Sinnlichkeit. Er war ein großer stattlicher Mann von überentwickelter Vitalität: das Volk nannte ihn den Dicken, die Zarin Katharina weniger jovial einen Fleischklumpen. Die frühere Frau des Kammerdieners Rietz, zur Gräfin Lichtenau erhoben, spielte an seinem Hofe die Pompadourrolle, indem sie nicht nur als offizielle Mätresse, sondern auch als eine Art Haremsvorsteherin fungierte. Daneben war der König, obgleich mit einer hessischen Prinzessin legitim vermählt, mit zwei anderen Damen, einem Fräulein von Voß und einer Gräfin Dönhoff linkshändig getraut. Mirabeau charakterisierte ihn in seiner „Histoire secrète de la cour de Berlin" ohne jedes Wohlwollen, aber nicht unzutreffend, indem er schrieb, daß sein Wesen aus drei Grundeigenschaften zusammengesetzt sei: Falschheit gegen jedermann, die er für Gewandtheit ansehe, Eigenliebe, die sich beim geringsten Anlaß verletzt glaube, und Verehrung des Goldes, die weniger Geiz sei als die Leidenschaft, es zu besitzen. Einige liebenswürdige Züge sind in diesem Porträt unterschlagen, aber im ganzen hat die Geschichte Mirabeau recht gegeben, der den damaligen Zustand Preußens als „Fäulnis vor der Reife" bezeichnete und dem Staat einen raschen Niedergang prophezeite.

Wir haben bereits darauf hingewiesen, daß das achtzehnte Jahrhundert besonders zahlreiche Persönlichkeiten von Bedeutung und Der Volkskaiser

Eigenart auf dem Thron erblickt hat. Zu diesen muß auch Josef der Zweite gerechnet werden, obwohl sein populäres Bild, wie es nicht nur in Volksstücken, sondern auch in Schulbüchern noch immer zäh festgehalten wird, nichts als ein leeres verlogenes Klischee, nach derselben Technik angefertigt wie die Glaube-Liebe-Hoffnung-Buntdrucke, die unsere Seifenschachteln schmücken.

Im Bewußtsein des Halbgebildeten ist Kaiser Josef vor allem umwoben von der strahlenden Gloriole der Toleranz. Nun hatte aber jene Toleranz des achtzehnten Jahrhunderts, wie wir bereits dargelegt haben, ihre recht eigentümlichen Seiten, die bei Kaiser Josef ganz besonders stark hervortraten. Während sonst das *„fortiter in re, suaviter in modo"* als Grundsatz einer klugen Regierungskunst gilt, kann man sagen, daß Josef der Zweite gerade das umgekehrte Prinzip befolgte: die mildesten, freiheitlichsten und menschenfreundlichsten Tendenzen führte er mit unnachsichtlicher Härte, Einseitigkeit und Unduldsamkeit durch. Ein starrer Doktrinarismus, verschärft durch hereditären habsburgischen Eigensinn, war das Bestimmende in seinen Reformen, so daß er in vielen Punkten als die Verzerrung, ja Karikatur Friedrichs des Großen erscheint. Schlözer, der einflußreichste und urteilsfähigste Publizist des Zeitalters, nannte denn auch rundheraus sein System „Stuartisieren", womit er sagen wollte, daß es in seiner Selbstherrlichkeit und Willkürlichkeit von der Regierungsweise der Stuarts im Prinzip nicht verschieden sei. Er war Demokrat und Despot in einer Person und um so mehr Despot, als er über den Auftrieb des moralischen Berechtigungsgefühls verfügte oder zu verfügen glaubte. Die Eingriffe ins Privatleben, die von der Despotie auszugehen pflegen, sind im Einzelfall oft besonders empörend, aber sie erfolgen nur launenhaft und gelegentlich; die Unterdrückungen, die die Demokratie verübt, sind in der Regel weniger aufreizend, aber viel prinzipieller und allgemeiner. Kommt beides zusammen, so ist die Freiheit bis auf den letzten Rest verschwunden. Während der Liberalismus in England, in Frankreich, in Amerika die Forderung des dritten Standes, der Lebensausdruck des heraufkommenden Bürgertums ist, das sich seiner Macht bewußt wird, geht er in Österreich, wie Hermann Bahr in seiner bereits mehrfach erwähnten Monographie „Wien" mit großem Scharfblick konstatiert, der Entwicklung des Bürgertums vorher: „Er ist kein Bedürfnis, er ist ein Luxus; er wächst nicht im Lande, er wird importiert; er ist ein Versuch, die Grundsätze des politischen Lebens statt aus der eigenen Notwendigkeit aus fremden Büchern zu holen."

Und so kehrt sich denn, wenn man Friedrich den Zweiten und Josef den Zweiten etwas näher miteinander vergleicht, die traditionelle Vorstellung um: der strenge Alte Fritz erscheint als der Idealist und Ästhet, der Liberale und Individualist, während der gute Kaiser Josef bei aller Freigeisterei keineswegs das war, was Nietzsche einen „freien Geist" nennt, und bei allen seinen modernen Menschlichkeitsideen doch weit davon entfernt war, ein wirklich humanes Regime zu führen: er hat das damalige mittelalterliche Kriminalrecht noch verschärft, das österreichische Spitzelsystem noch weiter ausgebaut und die Zensur sehr reaktionär gehandhabt: die schrecklichen „Räuber" zum Beispiel waren während seiner ganzen Regierung verboten. Während der Preußenkönig den bekannten Satz aufstellte: „Gazetten, wenn sie interessant sein sollen, müssen nicht geniert werden", war in Österreich von einer Pressefreiheit keine Rede und das Publikum in seinen publizistischen Bedürfnissen auf die „Wiener Zeitung" angewiesen, die nichts als amtliche Nachrichten und von oben inspirierte Artikel brachte. Nur über den Kaiser selber durfte man reden und schreiben, was man wollte.

In Österreich pflegen sich ja zumeist die ernsten geistigen Zeitströmungen in Form einer seichten outrierten Mode zu äußern. Und so hat denn auch Kaiser Josef die zeitgemäßen Tendenzen, die sich in Friedrich dem Großen am glänzendsten verkörperten: den „Absolutismus zum Besten des Volkes", die Realpolitik, den Zentralismus, die Germanisierung, die uniforme Behandlung aller Staatsbürger entschieden übertrieben. Besonders sein Zentralismus, diese für Österreich so verhängnisvolle Idee, hat viel Unheil gestiftet. Es kann keinem Zweifel unterliegen, daß Zentralisation aller Verwaltungsgebiete in einem aus mehreren Nationen gebildeten Reichskörper ein Unding ist, ja es ist sogar die Frage, ob sie nicht überhaupt für jedes, auch das homogenste Staatswesen große Nachteile bringt: das Beispiel Frankreichs, wo die Zentralisationswut zu allen Zeiten und unter allen Regierungen grenzenlos war, kann jedenfalls als Gegeninstanz gelten.

Als man Friedrich dem Großen den Tod Maria Theresias mitteilte, war sein erstes Wort: *„voilà un nouvel ordre des choses!"* Die neue Ordnung erstreckte sich auf fast alle Gebiete. Die Adeligen wurden vor dem Gesetz den Bürgerlichen gleichgestellt. Das spanische Zeremoniell wurde ebenso abgeschafft wie die spanische Hoftracht; der Kaiser trug auch bei feierlichsten Anlässen niemals etwas anderes als die einfache Felduniform, sogar ohne Ordensstern, auf Reisen mit Vorliebe das Wertherkostüm, das selbst in den konservativeren Bürgerkreisen noch verpönt war. Alle Prozessionen und Wallfahrten wurden verboten, die Feiertage erheblich vermindert, die Brüderschaften aufgehoben, die Klöster und Kirchengüter säkularisiert. Diese katastrophalen Eingriffe veranlaßten den Papst zu dem sensationellen Schritt, persönlich nach Wien zu kommen, wo er vom Kaiser ehrfurchtsvoll empfangen wurde, aber nichts erreichte. Um für die ausgebreitete Fürsorgetätigkeit des Klerus einen Ersatz zu schaffen, wurden aus dem Erlös des veräußerten Kirchenbesitzes staatliche Krankenhäuser, Armenhäuser und Findelhäuser errichtet, die aber keinen sehr guten Ruf genossen. Die Universitäten wurden aller ihrer Sonderrechte beraubt und vollkommen verstaatlicht, sehr zu ihrem Nachteil; denn die neue Unterrichtsordnung machte sie aus wissenschaftlichen Forschungsinstituten zu bloßen Vorbereitungsanstalten für künftige Beamte: es wurden nur jene Fächer gelehrt, die hierfür in Betracht kamen, und von elend bezahlten Professoren. Viel geschah hingegen für die Volksschulen, deren Zahl und Qualität beträchtlich gesteigert wurde; aber auch hier herrschte das mechanische Reglement der josefinischen Zwangsaufklärung: die Einteilung der Lektionen war so genau vorherbestimmt, daß man in Wien in jeder Minute wußte, welche Seite des Lehrbuchs jetzt von den Schulkindern der ganzen Monarchie gelesen werde: „Gerechter Gott", klagt Mirabeau, der hierüber berichtet, „sogar die Seelen wollen sie in Uniformen stecken! Das ist der Gipfel des Despotis-

Die josefinische Zwangsaufklärung

mus!" Es sollte eben von heute auf morgen und ohne daß man sie gefragt hätte, eine klerikale Bevölkerung in eine liberale, eine bäuerliche und kleinbürgerliche Gesellschaft in eine bürokratische verwandelt werden.

Am allerunangebrachtesten aber waren, wie gesagt, die Versuche, diese bunte Erbmasse von deutschen, ungarischen, polnischen, tschechoslowakischen, serbokroatischen, ruthenischen, rumänischen und italienischen Länderfetzen, die, wenn überhaupt, nur als Föderativstaat lebensfähig war, zu einem Einheitsstaat zusammenzuschweißen. „Die deutsche Sprache", dekretierte der Kaiser, „ist die Universalsprache meines Reiches"; sie wurde in allen Schulen und Ämtern der Monarchie zum obligaten Verständigungsmittel erhoben. Diese zwangsweise Germanisierung, die sich auf alle Länder mit Ausnahme Belgiens und der Lombardei erstreckte, verfolgte keineswegs nationalistische, sondern bloß zentralistische Ziele, da der Kaiser, dem Zuge der Zeit folgend, kosmopolitisch orientiert war, erregte aber nichtsdestoweniger überall die größte Erbitterung. Denselben Absichten diente die Aufhebung aller Korporationen und Zünfte, ständischen Privilegien und provinziellen Sonderrechte und überhaupt jeglicher Selbstverwaltung. Auch der Kirche, die er nach anglikanischem oder gallikanischem Muster zu reformieren wünschte, war der Kaiser nur wegen ihrer Autonomie feindlich gesinnt. Er war nicht bigott wie seine Mutter, die von jedem Untertan, sogar von Kaunitz, den Beichtzettel verlangte, aber doch gut katholisch: seine antiklerikalen Maßregeln, die ihn am populärsten und verhaßtesten gemacht haben, entsprangen wiederum nur seiner Zentralisationssucht, seiner Staats- oder vielmehr Selbstvergötterung. Die Geistlichen sollten nur noch Standesbeamte sein, als ob die Seelsorge eine Abart der Forstpflege oder des Postdienstes wäre.

Das Schlimmste aber war, daß alle diese radikalen Projekte nur halb ausgeführt wurden, wodurch sie bloß Unruhe und Mißvergnügen erzeugten, ohne die Vorteile eines völligen Neubaus als Entschädigung zu bieten. Die Hast, mit der sie in Angriff genommen wurden, lähmte ihre Wirkung und ließ sie trotzdem besonders gehässig erscheinen. Dies meinte offenbar Friedrich der

Das Regime der Velleitäten

Große, als er vom Kaiser sagte: „er tut den zweiten Schritt vor dem ersten." Noch heute erinnern Denksteine und Porträts in manchen österreichischen Bauernhäusern daran, daß die Landbevölkerung in ihm ihren großen Wohltäter erblickte; und doch war selbst die Aufhebung der Leibeigenschaft nur eine halbe Befreiung, denn sie beließ die Bauern unter der Patrimonialgerichtsbarkeit, die sie der Willkür der Gutsherren auslieferte. Ebenso unvollkommen blieben die Bemühungen des Kaisers um die Hebung des Handels und Verkehrs: er gab ihn zwar im Innern des Reiches frei, emanzipierte ihn aber doch nicht von der Tyrannei des Merkantilismus, indem er alle ausländischen Waren mit schweren Einfuhrzöllen belegte und Rohstoffe nicht ausführen ließ. Auch seine Bestrebungen, die Steuerlast zu verringern, waren bloße Velleitäten: in Wirklichkeit sah er sich durch das ständige Defizit und den unglücklichen Türkenkrieg genötigt, mehr Abgaben vorzuschreiben als seine Vorgänger. Dieser Krieg war einer seiner größten Fehlgriffe, schon als bloße Absicht, denn wenn er seine so tief einschneidenden Reformen in Ruhe durchführen wollte, mußte er seinem Reiche alle Erschütterungen von außen ersparen. Dazu kam aber noch, daß er militärisch vollkommen talentlos und, als Folge davon, allen Begabungen unter den Führern, zum Beispiel Laudon, abgeneigt war.

Auch die josefinische Diplomatie, die sich für Realpolitik hielt, war nichts weniger als glücklich. Sie fußte auf dem sehr einfachen Prinzip, alles einzustecken und nichts dafür herzugeben. Man wollte Bayern haben, sich am Balkan expandieren, das Elsaß erobern, in Italien Erwerbungen machen. Alles dies wollte man womöglich auf einmal und ohne die geringsten Zugeständnisse an Preußen, Frankreich, Rußland oder irgendeine andere Macht. Der Effekt war, daß man Bayern nicht für Belgien eintauschte, sondern auch dieses verlor, daß man sich mit Preußen nicht verständigte, sondern später auch noch die Hauptlast der französischen Invasion am Rhein zu tragen hatte, daß man am Balkan keinen festen Fuß faßte und bei der zweiten Teilung Polens leer ausging. Schon während der Mitregentschaft Josefs führte diese monströse Art, Politik zu machen, zu einer empfindlichen Blamage. Die älteste Linie der

Wittelsbacher war ausgestorben und Bayern fiel an die Pfalz. Der Kurfürst erklärte sich bereit, gegen eine Geldentschädigung den Ansprüchen, die der Kaiser auf große Teile Bayerns erhob, seine Anerkennung zu geben. Die Österreicher rückten ein, was aber nur zur Folge hatte, daß Friedrich der Große sofort mobilisierte und seinerseits in Böhmen einmarschierte, wo er und Laudon sich so lange untätig gegenüberlagen, bis Maria Theresia hinter dem Rücken ihres Sohnes den Teschener Frieden zustande brachte, der Preußen die Erbfolge in Ansbach und Bayreuth, Österreich nichts als das kleine Innviertel eintrug: die Soldaten nannten diesen Feldzug „Kartoffelkrieg" und „Zwetschgenrummel", weil er nur in Requisitionen von Lebensmitteln bestanden hatte. Nun brachte Josef den Tauschplan aufs Tapet: Österreich sollte Bayern, der pfälzische Kurfürst Belgien als „Königreich Burgund" erhalten. Aber hierdurch brachte er nicht nur Preußen gegen sich auf, sondern auch England, das sich gemäß seinem Prinzip, daß Belgien nie an Frankreich fallen dürfe und sich daher stets im Besitz einer starken Militärmacht befinden müsse, zum Widerstand aufgefordert sah. Friedrich der Große aber stiftete den Deutschen Fürstenbund „nach dem einstigen schmalkaldischen", dem Sachsen, Hannover und zahlreiche Kleinstaaten beitraten. Was weder gegen Richelieu noch gegen Ludwig den Vierzehnten gelungen war, der Zusammenschluß halb Deutschlands zum Schutze des Reichsbestandes, wurde durch die unkluge Taktik jenes Monarchen bewirkt, den das Reich offiziell sein Oberhaupt nannte. So hat Friedrich noch ein Jahr vor seinem Tode, obschon von seinem partikularistischen Interesse geleitet, dem gesamten deutschen Volke eine große Wohltat erwiesen. Die exponierten Niederlande bedrohten zwar das Reich in der Nordflanke, waren aber für Österreich nur ein sehr problematischer Besitz und gingen auch in der Tat bald darauf verloren, während das arrondierte Bayern eine große Lebensfähigkeit besessen hätte. Durch diese Erwerbung hätte der Habsburgerstaat sich mitten ins Reich hineingeschoben und eine fast unüberwindliche süddeutsche Großmacht gebildet. Nicht nur die preußische Hegemonie, sondern jede Lösung der deutschen Frage unter Ausschluß Österreichs wäre dadurch unmöglich geworden und die Fremdherrschaft der habsburgischen Kaiser über Deutschland damit nicht nur verewigt, sondern auch im Laufe der Zeit von einer nominellen zu einer wirklichen erhoben worden.

Am Ende seiner Regierung sah der Kaiser seine Gebiete von allen Seiten her bedroht: Abfall der Niederlande, Aufstände in Galizien, Ungarn und Siebenbürgen, Gärung in den deutschen Erblanden, besonders im klerikalen Tirol, feindselige Haltung der französischen Revolutionsregierung, des gekränkten Papstes und der argwöhnischen italienischen Fürstentümer, dauernde Mißerfolge gegen die Türken und Gefahr einer großen nordischen Koalition England-Holland-Schweden-Polen. Er selbst schrieb kurz vor seinem Tode an Kobenzl: „Nie hat es einen gefährlicheren Augenblick für die Monarchie gegeben." Die Errettung aus diesen Krisen war nur seinem Nachfolger zu danken, seinem Bruder Leopold dem Zweiten, einem stetigen, vorsichtigen, überlegenen Politiker und Meister im klug lavierenden Zuwarten oder, wie man damals sagte, „Temporisieren", zugleich einem der bizarrsten Habsburger, die je auf dem Throne gesessen sind: obgleich klein, schwächlich und häßlich, war er von einer ausschweifenden sexuellen Begehrlichkeit, hielt sich einen internationalen Stab von Mätressen und ein pornographisches Kabinett und starb schon nach zweijähriger Regierung am übermäßigen Gebrauch erotischer Stimulantien.

Die Papierrevolution von oben Im Grunde war Josef der Zweite bloß ein besonders stark profilierter Vertreter des typisch österreichischen Bürokratismus, jener Weltweisheit, die sich bereits zufrieden gibt, wenn sie alles genau schriftlich aufgezeichnet hat, indem sie glaubt, daß es dann schon da ist. Die josefinischen Reformen waren die sehr harmlosen und sehr gefährlichen Spielereien eines Kaisers, bloße Modelle und Attrappen, Dekorationsskizzen und Szenarien, Figurinen einer Reorganisation, die nie wirklich zur Aufführung kam. Die potemkinschen Dörfer, die ihm Katharina in Cherson vorführte, durchschaute er sofort, wie es ihm überhaupt im Leben keineswegs an gesunder Beobachtungsgabe fehlte; aber diese waren doch wenigstens Kulissen, seine Dörfer bloß auf dem Papier. So bestand denn auch seine ganze Regierung aus einer unübersehbaren Kette von Zirkularen, Verordnungen, Erlässen, die einander überstürzten, kreuzten, widersprachen, überspitzten. Daneben überzog ein dichtes Netz von Geheimpolizisten, Spionen und „Vertrauten" das Land, um die Durchführung zu überwachen, die Aufnahme zu beobachten, die Widerstände zu registrieren.

Der Grundzug seines Wesens war nämlich, trotz scheinbarem Idealismus und Drang nach oben, eine extreme Nüchternheit und Trockenheit, Kälte und Prosa. Er war, im Gegensatz zu Friedrich dem Großen, völlig amusisch, die Literatur für ihn nur ein Hebel der Aufklärung, wie er sie verstand, nämlich der Verbreitung nützlicher Kenntnisse und liberaler Ansichten. Das freigeistige Schrifttum, das unter seiner Patronanz blühte, stand auf dem alleruntersten Niveau elenden Traktatgewäsches, und Herder sagte von ihm, er habe im Grunde genommen den ganzen Buchhandel für einen Käsehandel angesehen. Er suchte Voltaire nicht auf, als er die Gegend von Ferney passierte, und konfiszierte die deutsche Ausgabe seiner Werke. Werther kam in Wien als Praterfeuerwerk, in Linz als tragisches Ballett zur Aufführung; das Buch aber war verboten. In den Theatern dominierte die roheste Clownerie, worin ihre Pointen bestanden, zeigt ein Wiener Tarif, der als Honorar für jeden Sprung ins Wasser oder über eine Mauer einen Gulden, für eine Ohrfeige, einen Fußtritt oder Begießen 34 Kreuzer festsetzt. Das vom Kaiser ins Leben gerufene und reich dotierte Wiener Hof- und Nationaltheater „nächst der Burg" blieb vom Geist der Zeit völlig unberührt und suchte seinen Ehrgeiz in der Aufführung leerer Rührstücke und Amüsierstücke im Genre Schröders, Ifflands und Kotzebues.

So hat er es eigentlich niemandem recht gemacht: weder der Reaktion noch der Aufklärung, weder dem dritten Stand noch den Privilegierten. Der Grund lag weder in seinem Willen, der gut, noch in seinen Ideen, die vernünftig waren, sondern in seinem Mangel an echter Menschenkenntnis, wir können auch sagen: an Phantasie. Er besaß nicht die Gabe, sich in die Seelen seiner Untertanen zu versetzen und so ihre wahren Bedürfnisse zu erraten. Man begann sich daher bei all seiner eifrigen Redlichkeit sehr bald die Frage aufzuwerfen, die eine Flugschrift vom Jahre 1787 als Titel führte: „Warum ist der Kaiser Josef bei seinem Volke nicht beliebt?"

Und doch hat die Nachwelt einen gesunden Instinkt bewiesen, als sie gerade ihn aus einer langen Reihe von fruchtbareren Herrschern heraushob und in ihm etwas Besonderes, eine Art Helden- und Märchenfigur sah. Denn er besaß eine Eigenschaft, die unter den Fürsten und Machthabern dieser Erde höchst selten ist: er war modern. Auf einem alten legitimen Herrscherthron war er ein alles umwandelnder und erneuernder Revolutionär. Und daß auch er an sich die Wahrheit erfahren mußte, daß auf dieser Welt nur einer das Recht hat, Revolution zu machen: nämlich das Genie, gerade das macht ihn zu einer tragischen und rührenden Gestalt. Dieses ewig Suchende und schmerzvoll Unerfüllte, diese Stiefkindschaft des Schicksals verleiht ihm ein unzerstörbares Aroma von Romantik und Poesie. Die Menschheit hat, und darin liegt sicher eine Art Gerechtigkeit, allemal den unglücklichen Liebhabern des Lebens ein treueres und liebevolleres Andenken bewahrt als den Erfolgmenschen. Jedes Kind weiß heute noch von Kaiser Max, dem letzten Ritter, zu erzählen, während sein ungleich mächtigerer Nachfolger, Karl der Fünfte, in die Geschichtsbücher verbannt ist. Und noch für lange Zeit wird der weitaus populärste Bayernkönig jener phantastische Ludwig der Zweite bleiben, dessen Regierungstaten darin bestanden, daß er die Staatsgelder für kindischen und geschmacklosen Theaterprunk vergeudete und die Aspirationen Bayerns auf die deutsche Hegemonie endgültig preisgab. In diesen und ähnlichen Dingen erweist die Menschheit ein großes Feingefühl, wie sie denn überhaupt nur in ihren einzelnen Exemplaren unerträglich zu sein pflegt, während sie als Ganzes zweifellos ihre Qualitäten besitzt.

Das Ende Polens   Neben Friedrich dem Zweiten und Josef dem Zweiten steht Katharina die Zweite, die ebenfalls die stärkste monarchische Wirksamkeit entfaltete. Sie war durch einen von ihr inszenierten Staatsstreich zur Regierung gelangt, während sie an der Ermordung ihres Gatten aller Wahrscheinlichkeit nach unschuldig war. Sie regierte vollkommen absolutistisch; die von ihr einberufene gesetzgebende Versammlung war eine bloße Komödie und Konzession an den Zeitgeist. Von Josef dem Zweiten unterschied sie sich durch ihren klaren Weltblick, der nie Unmögliches ins Auge faßte, und ihr lebhaftes Interesse und Verständnis für das geistige Leben der Zeit. Sie stand in dauernder Korrespondenz mit Diderot, d'Alembert, Voltaire und anderen literarischen Koryphäen, die sie alle an ihren Hof zu ziehen suchte und durch reiche Geschenke und Pensionen auszeichnete, und war selbst Schriftstellerin. Gleich Friedrich und Josef besorgte sie mit einer unverwüstlichen Arbeitskraft alle Regierungsgeschäfte persönlich: „Madame", sagte ihr einmal der geistreiche Prince de Ligne, „ich kenne kein Kabinett, das kleiner wäre als das russische: es erstreckt sich von der einen Ihrer Schläfen zur andern." Durch ihr geschicktes Vorgehen und Zurückweichen und ihre mit Biegsamkeit gepaarte Zähigkeit war sie in der Balkanpolitik viel erfolgreicher als Josef. Ihr Ziel war Konstantinopel. Dies erreichte sie nicht, aber es kam unter ihrer Regierung zu den drei polnischen Teilungen.

Die Katastrophe dieses Reiches war seit langem fällig. Es war schon allein dadurch lebensunfähig, daß es bei seiner riesigen Ausdehnung eine unverhältnismäßig kleine und noch dazu wertlose Küste besaß. Dazu kam die unmögliche Verfassung. Der König wurde jedesmal durch tumultuarische Wahl bestimmt und besaß fast gar keine Rechte. Das „*liberum veto*" gestattete jedem Landboten, die Tätigkeit des Reichstags lahmzulegen, ja es bestand sogar die Bestimmung, daß, wenn ein einziges Gesetz durch einen derartigen Einspruch nicht zustande komme, auch alles vorher Beschlossene ungültig sei, und es war natürlich sehr leicht, ein solches einzelnes Veto zu erkaufen. Man sprach daher schon zu Anfang des Jahrhunderts von der „königlichen Republik Polen", die man aber auch ebensogut eine königliche Anarchie hätte nennen können. Das Recht des bewaffneten Widerstandes war dem Adel, der „Schlachta", sogar verfassungsmäßig gewährleistet. Die Bevölkerung bestand aus einigen großen Familien von ungeheurem Reichtum, einem gänzlich verschuldeten Betteladel und zu neun Zehnteln aus völlig entrechteten Leibeigenen, in denen, wie Georg Forster in seinen „Ansichten vom Niederrhein" sagte, die polnischen Edelleute beinahe die letzte Spur von Denkkraft getilgt hatten; dazwischen gab es nur Jesuiten und Juden und fast gar keinen Bürgerstand. Branntwein, Spiel und Syphilis waren die Mächte, die dieses „ritterliche" Volk seit Jahrhunderten beherrschten: selbst im Ausland waren die Polen als die verwegensten Hazardeure allgemein berüchtigt. Auch ihre Bestechlichkeit war sprichwörtlich und hat die Teilungen sehr erleichtert, wenn nicht überhaupt ermöglicht: die Teilungsmächte führten für diesen Zweck eine eigene gemeinsame Kasse. Während die Bauern im tiefsten Elend verkamen, lebten die wenigen Begüterten in einem ausschweifenden Luxus: so gab zum Beispiel 1789 der Fürst Karl Radziwill ein Fest für viertausend Personen, dessen Kosten nach dem heutigen Geldwert etwa vier Millionen Mark betrugen. Es gab keine Post, fast gar keine Apotheken und Schulen und nur herumziehende Handwerker, dagegen noch im ganzen Lande Wölfe.

Bei der ersten Teilung verlor Polen, das ursprünglich fast anderthalbmal so groß war wie Frankreich, etwa ein Drittel seines Besitzes. Rußland bekam territorial am meisten, war aber eigentlich durch den Handel benachteiligt, denn vorher war das ganze Königreich Polen nicht viel mehr als eine russische Provinz gewesen. Preußen erreichte durch seine Erwerbungen die vorteilhafte Verbindung zwischen Ostpreußen und Pommern, erhielt aber noch nicht den Hafen Danzig und die Festung Thorn. Für Westpreußen war der Besitzwechsel ohne Zweifel ein Glück, denn gleich nach 1772 wurde dort die Leibeigenschaft aufgehoben, der Bau des Bromberger Kanals begonnen und alles Erdenkliche für die Hebung der Bildung und des Wohlstandes unternommen. Auch vom nationalen Standpunkt war die Einverleibung nicht völlig ungerecht, denn das Land war früher deutsches Ordensgebiet gewesen und in den Städten befanden sich noch starke deutsche Reste. Das beste Geschäft machte Österreich mit Galizien und dessen wertvollen Salzbergwerken. Maria Theresia hat diesen Gewaltakt immer als einen Flecken auf ihrer Regierung bezeichnet und sich auch wahrscheinlich wirklich Gewissensbisse darüber gemacht; aber Friedrich der Große sah die Sache kühler an und sagte: „Sie weinte, aber sie nahm". An der zweiten Teilung partizipierte Österreich nicht, aber nicht aus Edelmut, sondern wegen der ungünstigen politischen Konstellation, die dritte im Jahre 1795 führte zur völligen Auflösung des Reiches.

Kosmopolitismus

Dieser in der neueren Geschichte vollkommen vereinzelt dastehende Vorgang hat jedoch in der öffentlichen Meinung fast gar keine Entrüstung ausgelöst, weil die damalige Menschheit kosmopolitisch orientiert war und daher die Vergewaltigung einer ganzen Nation gar nicht als solche empfand. Zumal in Deutschland war der heutige Begriff des Patriotismus gänzlich unbekannt. Lessing sagt: „Ich habe von der Liebe des Vaterlandes keinen Begriff und sie scheint mir aufs höchste eine heroische Schwachheit, die ich recht gern entbehre." Herder fragt: „Was ist eine Nation?" und antwortet: „Ein großer ungejäteter Garten voll Unkraut, ein Sammelplatz von Torheiten und Fehlern wie von Vortrefflichkeit und Tugend." Der junge Goethe schreibt: „Wenn wir einen Platz in der Welt finden, da mit unseren Besitztümern zu ruhen, ein Feld, uns zu nähren, ein Haus, uns zu decken, haben wir da nicht ein Vaterland? und haben das nicht tausend und tausende in jedem Staat? und leben sie nicht in dieser Beschränkung glücklich? Wozu nun das vergebene Aufstreben nach einer Empfindung, die wir weder haben können noch mögen, die bei gewissen Völkern, nur zu gewissen Zeitpunkten, das Resultat vieler glücklich zusammentreffender Umstände war und ist? – Römerpatriotismus? Davor bewahre uns Gott wie vor einer Riesengestalt! Wir würden keinen Stuhl finden, darauf zu sitzen, kein Bett, darinnen zu liegen"; aber auch noch als ausgereifter Mann notiert er in sein Tagebuch im Hinblick auf die soeben erfolgte Gründung des Rheinbundes: „Zwiespalt des Bedienten und Kutschers auf dem Bock, welcher uns mehr in Leidenschaft versetzte als die Spaltung des Römischen Reiches." Und der Verfasser eines „Artikels aus Katzenellenbogen" in Schlözers Staatsanzeigen sprach sicher die Ansicht weiter Kreise aus, als er schrieb: „Andere mögen es beklagen, daß unsere Fürsten nichts am Ganges zu befehlen haben; mir ist es ein Glück für unser Vaterland, daß der hanseatische Bund zerstört, der deutsche Admiral auf der See unter Ferdinand dem

Zweiten in der Geburt erstickt und endlich Deutschland durch den Westfälischen Frieden auf einige Jahrhunderte hinaus in so viele kleine Staaten zerstückt wurde, wovon jeder sein eigenes Interesse hat, und bald die Lage, bald die Größe es dem einen oder dem anderen ohnmöglich machen, große Kauffahrteiflotten vom Stapel zu lassen. – Wie seltsam ist es doch, an der Malabarischen Küste nach Pfefferkörnern umherzurennen, wenn man doch noch zu Hause alle Hände voll zu tun hat!" Und Lichtenberg faßt die ganze Frage in seiner pointierten Art zusammen, indem er sagt: „Ich möchte was darum geben, genau zu wissen, für wen eigentlich Taten getan worden sind, von denen man öffentlich sagt, sie wären für das Vaterland getan worden."

Auch Schiller bildet keine Ausnahme, obgleich man ein Jahrhundert lang in Schulbüchern und Leitartikeln versucht hat, ihn als Wiedererwecker des deutschen Patriotismus hinzustellen. Er benützt in seinen Dichtungen die Vaterlandsliebe lediglich als ein hochwertiges dramatisches Material, ohne ihr jedoch jemals eine deutschnationale Färbung zu geben. Er schildert im „Tell" den Heldenkampf eines Volkes um Freiheit und Heimat und in der „Jungfrau" den heroischen Widerstand des Landes gegen fremde Eroberer; aber jenes Volk sind die Schweizer und dieses Land ist Frankreich. Auf deutschem Boden spielen nur zwei seiner Stücke, von denen das eine die verbrecherischen Zustände an einem Duodezhof darstellt und das andere eine Gesellschaft junger Leute schildert, die aus katilinarischer Verzweiflung eine Räuberbande bilden. Und am 13. Oktober 1789 schrieb er an Körner: „Das vaterländische Interesse ist nur für unreife Nationen wichtig, für die Jugend der Welt; es ist ein armseliges, kleinliches Ideal, für eine Nation zu schreiben; einem philosophischen Geiste ist diese Grenze durchaus unerträglich."

Im übrigen wurden patriotische Regungen sogar von den Regierungen nur ungern gesehen, weil man dahinter sogleich Republikanismus witterte; und da man damals die Ansicht hatte, daß es echte Vaterlandsliebe nur in der Antike gegeben habe, sich aber sowohl Römer wie Griechen nur als extreme Republikaner vorstellen konnte, so lag eine solche Ideenverbindung in der Tat nahe.

Im allgemeinen gab es eine politische Publizität überhaupt nur in Form verbotener Flugschriften. Die Zensur war gegen sie ebenso streng wie machtlos, ihre Verbote machten die Bücher nur populär, ja lenkten oft erst die Aufmerksamkeit auf sie, und so konnte es geschehen, daß gegen Ende der Regierungszeit Maria Theresias die Behörde auf ein Auskunftsmittel von echt österreichischem Schwachsinn verfiel, indem sie den Katalog der verbotenen Bücher verbot. Die soeben erwähnten Staatsanzeigen Schlözers, das einzige unabhängige politische Journal in deutscher Sprache, erschienen im freien Göttingen, das infolge der hannoverschen Personalunion fast eine englische Stadt war, und hatten einen großen Einfluß: sie waren immer auf dem Schreibtisch Kaiser Josefs zu finden und Maria Theresia pflegte bei wichtigen Regierungsmaßnahmen zu bemerken: „Was wird Schlözer dazu sagen?"

Im allgemeinen beschäftigte sich das Interesse der gebildeten Kreise mehr mit den Gegenständen der inneren Verwaltung als mit den Fragen der Verfassung und äußeren Politik. Eine außerordentliche Bedeutung erlangten die Schriften des Marchese Beccaria, besonders sein Werk „Dei delitti e delle pene", worin er mit edler Begeisterung gegen die Folter und die Todesstrafe und für eine öffentliche, unparteiische und humane Justiz eintrat: es wurde in fast alle Kultursprachen übersetzt und bewirkte in mehreren europäischen Staaten eine Reform der Rechtspflege. Das Zauberwort, von dem sich die Zeit die Lösung aller sozialen, ethischen und wirtschaftlichen Probleme erhoffte, hieß „Erziehung". Man wollte nicht nur das Kind, sondern auch das „Volk": den Landmann, den Kleinbürger, den Proletarier erziehen und erblickte am Ende dieses moralischen Lehrkurses die Verwirklichung des paradiesischen Reiches der Menschenliebe, Glückseligkeit und Freiheit; in diesem Glauben an die Universalkraft der Pädagogik offenbart sich einer der charakteristischsten Züge dieser neuen Kultur, die im wesentlichen von Lehrern und Pastoren geschaffen worden war. Allenthalben entstanden „Philanthropinen", wie man die Reformschulen damals nannte, und andere Institute zur Volksbildung und Volksaufklärung. Leider geriet die Bewegung vielfach in die Hände reklamesüchtiger Wirrköpfe und Scharlatane; die gesunden Grundprinzipien, vor allem die größere Beachtung der körperlichen Ausbildung und die freiere Methodik des Unterrichts, haben sich aber im Laufe der Zeit fast überall durchgesetzt. An der Spitze aller dieser Bestrebungen stand Pestalozzi, der eigentliche Erfinder der modernen Erziehungstechnik, die auf eine gleichmäßige Ausbildung des Herzens und des Kopfes abzielte und nicht, wie bisher, vom Geiste des Lehrers, sondern von der Seele des Kindes auszugehen suchte. Im einzelnen besaß Pestalozzi keine ganz klaren Anschauungen, sondern huldigte im Sinne des Zeitalters einigen abstrakten und nebulosen Ideen, vor allem der Theorie von der „Naturgemäßheit" des Unterrichts, die so vieldeutig und weitmaschig ist, daß man mit ihr in der Praxis alles und nichts anfangen kann. Diese hatte er aus Rousseau, der der Zeit den größten Teil ihres Schlagwörterfundus lieferte: *„laissez faire en tout la nature"* lehrte er in seinem Buche „Emile oder über die Erziehung".

Die Physiokraten
Und denselben Grundsatz hatte für die Nationalökonomie, die man damals ebenfalls zum Gebiet der Volkserziehung rechnete, schon lange vor Rousseau Boisguillebert aufgestellt: *„qu'on laisse faire la nature!"*, indem er für eine von allen staatlichen Eingriffen befreite Entwicklung des Wirtschaftslebens eintrat. Ein halbes Jahrhundert später gründete d'Argenson auf dieses Postulat sein System des *„laissez faire!"*. Der Klassiker dieser Richtung wurde Quesnay, der Leibarzt Ludwigs des Fünfzehnten, der zunächst in seinem „Tableau économique" die Forderung des *„laissez passer!"* wiederholte und 1768 in seinem Werk „La physiocratie" die Schule der Physiokraten begründete, die das ganze spätere Jahrhundert beherrschte. Das Wort will besagen, daß die Natur frei herrschen soll, weil allein aus den natürlichen Quellen der Wirtschaft Wohlstand und Fortschritt fließen. Daher wird der Merkantilismus verworfen: nicht Handel und Industrie sind produktiv, sondern nur Grund und Boden: *„la terre est l'unique source des richesses."* Die wichtigsten Bevölkerungsklassen sind demnach die Grundbesitzer, denn nur sie verfügen über einen wirklichen Reinertrag, und die Landarbeiter, die die eigentliche *classe productive* darstellen; die Gewerbe- und Handeltreibenden hingegen bilden

die *classe stérile*: der Wert ihrer Produkte ist immer nur gleich den Produktionskosten, die Stoffe selbst können sie nicht vermehren; sie sind daher, wie Turgot weiter ausführte, bloße *salariés*, besoldete Diener der Ackerbauer. Freiheit des Austausches und Wettbewerbes führt von selbst zu natürlichen Preisen: dies ist der *ordre naturel*, dem die wirkliche Ordnung der Dinge, *l'ordre positif*, möglichst angeglichen werden muß. Der Weg hierzu ist die Aufhebung der bisherigen staatlichen Beschränkungen, Eingriffe und Lasten: der Fronden, der meisten Steuern, der Preisüberwachungen, besonders beim Getreide; sie alle sind wider die Natur. Diese neue Lehre ergriff alle geistig interessierten Kreise wie ein Fieber: man begann sich in den Salons gegen die Monopole und Schutzzölle und für die Hebung der Landwirtschaft zu erhitzen, die Nationalökonomie wurde Modewissenschaft. „Gegen 1750", sagt Voltaire, „wird die Nation der Verse, der Tragödien, der Lustspiele, der Romane, der Opern, der romantischen Geschichten, der noch romantischeren moralischen Betrachtungen und der Disputationen über Anmut und Knixe überdrüssig und beginnt über das Getreide zu räsonnieren." Es blieb aber im wesentlichen beim bloßen Räsonnement, und im übrigen ersetzten, wie man bereits bemerkt haben wird, die Physiokraten oder Ökonomisten, wie sie auch vielfach genannt wurden, nur eine Einseitigkeit durch eine andere.

Es ist das Verdienst des Engländers Adam Smith, aus dem Boden dieser Anschauungen eine haltbarere und umfassendere Theorie entwickelt zu haben, die sich in einem gewissen Grade bis zum heutigen Tage behauptet hat. Sein Hauptwerk „Inquiry into the nature and causes of the wealth of nations" konstatiert zunächst zwei Produktionsfaktoren: erstens die Arbeit, zweitens Boden und Klima. Der Wert aller Güter ist durch das Maß der Arbeit bestimmt, das auf sie verwendet wird und ihren natürlichen Preis bildet; dieser ist nicht immer identisch mit dem Marktpreis, der noch von anderen Umständen, hauptsächlich vom Verhältnis zwischen Angebot und Nachfrage abhängt. Ferner unterscheidet Smith Gebrauchswert und Tauschwert; bei demselben Gegenstand kann der eine sehr hoch und der andere gleich Null sein: so haben zum Beispiel

Konzeption des Maschinenmenschen

715

Wasser und Luft einen außerordentlichen Gebrauchswert und fast gar keinen Tauschwert und umgekehrt Diamanten und Straußenfedern einen sehr bedeutenden Tauschwert und einen sehr geringen Gebrauchswert. Die Größe des Volksvermögens ist abhängig von der Menge der Güter, die einen Tauschwert haben, und dieser wiederum von dem Maß der investierten Arbeit: die Arbeit also ist der wahre Preis der Waren, das Geld nur ihr Nominalpreis. Smith ist somit kein reiner Physiokrat, da er jede Arbeit, nicht bloß den Landbau, als wertbildend und produktiv anerkennt und von den Gutsbesitzern sogar sagt, sie seien Menschen, die ernten, wo sie nicht gesät haben; vielmehr erblickt er die wichtigste Gesellschaftsklasse in den Kapitalisten, die, indem sie ihr Geld in der Produktion anlegen und dadurch Arbeitsgelegenheit schaffen, die Wirtschaft am meisten fördern. In seinen praktischen Forderungen und Folgerungen ist er aber mit den Ökonomisten einer Meinung: er verlangt vollkommene Handels- und Verkehrsfreiheit, Aufhebung der bäuerlichen Lasten und der Leibeigenschaft, der Preiskontrolle und des Zunftzwangs. Als das Idealmittel zur Hebung der Produktion erschien ihm die strengste Arbeitsteilung, mit anderen Worten: die Mechanisierung der Arbeit. Dabei dachte er noch nicht an Maschinen, sondern bloß an intensivste Spezialisierung der manuellen Tätigkeit. Ein Arbeiter, sagt er, kann im Tage zehn Stecknadeln erzeugen; in einer Manufaktur vermögen zehn spezialisierte Handfertige, die richtig ineinander arbeiten, in derselben Zeit 48 000 Stecknadeln herzustellen. Wir sehen, daß ihm, obgleich das Zeitalter der Maschinenkultur noch nicht angebrochen war, die neue Idee bereits ganz deutlich vorschwebte, die darin besteht, daß der Mensch nur noch als Wirtschaftssubjekt gewertet wird, ja eigentlich nur als Wirtschaftsobjekt, als Tauschartikel und Rad einer Maschine.

Papin hatte bereits im Jahre 1690 in den „Acta eruditorum" unter dem Titel „Neues Verfahren, bedeutende bewegende Kräfte zu billigen Preisen zu erhalten" seine Experimente mit dem Dampftopf veröffentlicht: also schon bei ihm stand das wirtschaftliche Moment im Vordergrund. Newcomen baute 1712 nach Papins Prinzip einen Apparat zum Heben von Wasser; 1769 erfand

Arkwright die Spinnmaschine; in demselben Jahr nahm James Watt das Patent auf seine Dampfmaschine; 1786 gelang Cartwright die Herstellung des mechanischen Webstuhls; und das „Puddeln", die Gewinnung von Stahl aus Roheisen, das 1784 patentiert wurde, schuf die wichtigste Vorbedingung für den exakten Maschinenbau. Gegen Ende des Jahrhunderts waren die Maschinen in England bereits ziemlich verbreitet; auf dem Kontinent erst erheblich später. Wir stoßen hier wiederum auf die bereits mehrfach hervorgehobene Tatsache, daß in der menschlichen Kulturentwicklung das Primäre stets der Gedanke ist, auf den die entsprechenden Tatsachen ganz von selber folgen: erst konzipierte der Engländer den Maschinenmenschen, und als dies geschehen war, blieb ihm gar nichts anderes mehr übrig, als die dazugehörige Maschine zu erfinden oder vielmehr wiederzuerfinden, denn sie war bereits dem Altertum bekannt, das sie aber, und zwar von seinem Weltbild aus mit Recht, für eine bloße Spielerei hielt.

Das englische Schrifttum erlebte damals einen seiner Höhepunkte. Die Juniusbriefe, vielleicht das wirksamste politische Pamphlet aller Zeiten, hämmerten die Ideen des Liberalismus mit ebensoviel Energie wie Bosheit in alle Gehirne. Goldsmith dichtete seinen „Vicar of Wakefield"; Sterne, eines der merkwürdigsten Genies der Weltliteratur, schrieb den „Tristram Shandy"; Fielding machte in seinen Romanen die Figuren Richardsons lächerlich, indem er das pharisäisch Unanständige und Verlogene, Leere und Platte ihrer Kaufmannstugend zeigte, die bloße Firmenkorrektheit ist, und immer den Taugenichts siegen ließ, der viel menschlicher und wahrhaftiger ist, weil er seine Triebe nicht unterdrückt oder wegheuchelt; und Sheridans Lustspiele konservierten das Leben der damaligen Londoner Gesellschaft in dem reinen und starken Spiritus ihres Witzes. Alle diese Dichter besitzen die kristallklare Heiterkeit von Menschen, die über allen Situationen stehen, und ihr Esprit hat die seltene Eigentümlichkeit, daß er niemals schwitzt: sie müssen ganz einfach geistreich sein. Sie öffnen irgendein Ventil ihres Gehirns und sofort strömt eine lustige Dampfwolke von zahllosen Paradoxien, Sottisen, Bonmots,

Die „Lästerschule"

Bübereien heraus. Sheridans „Lästerschule" zum Beispiel kann tatsächlich noch heute als Unterrichtskursus der graziösen Bosheit gelten.

„Sie können doch nicht leugnen, daß Fräulein Vermilion hübsch ist. Sie hat so reizend frische Farben." „Ja, besonders wenn sie frisch angestrichen ist." „O pfui! Ich möchte schwören, daß ihre Farben natürlich sind. Man kann ja sehen, wie sie kommen und gehen." „Gewiß kann man das sehen. Sie gehen am Abend und kommen am Morgen. Und wenn sie einmal ausbleiben, so kann sie ihr Mädchen um sie schicken." „Aber eines steht fest: ihre Schwester ist – oder war – sehr schön." „Wer? Frau Evergreen? Mein Gott, sie ist heute sechsundfünfzig Jahre." „Nein, da tun Sie ihr ganz gewiß unrecht: zweiundfünfzig oder dreiundfünfzig ist das Höchste; und ich finde, sie sieht nicht älter aus." „Ach, nach ihrem Aussehen kann man nicht urteilen, denn man bekommt ja niemals ihr Gesicht zu sehen." „Nun, wenn Frau Evergreen auch einige Mittelchen anwendet, um die Schäden der Zeit zu verdecken, so muß man ihr doch lassen, daß sie es sehr geschickt macht, jedenfalls besser als die Witwe Ochre, die eine sehr unbegabte Malerin ist." „Nein, nein, Sie sind zu streng gegen die Witwe Ochre, denn, sehen Sie, es liegt nicht daran, daß sie schlecht malt, sondern wenn sie ihren Kopf fertig hat, so fügt sie ihn so ungeschickt an den Hals, daß sie aussieht wie gewisse alte Statuen, bei denen der Kenner sofort bemerkt: der Kopf ist modern, aber der Rumpf ist antik." „Sie sind zu boshaft, Mylady. Ich glaube, echter Witz ist der Gutmütigkeit näher verwandt, als Sie anzunehmen scheinen." „Gewiß, ich glaube sogar: sie sind so nahe verwandt, daß sie nie eine Ehe schließen können."

Man wird zugeben, daß diese Gespräche durchaus keine Alterspatina besitzen, sondern geradesogut gestern geschrieben sein könnten. Und dies ist einer der vielen Genüsse, die die Lektüre dieser Satiriker bietet: man bemerkt mit großer Beruhigung, daß die Menschen schon vor hundertfünfzig Jahren ein ebensolches Gesindel waren wie heutzutage.

Der Abfall Nordamerikas

Während so das englische Leben auf fast allen Gebieten eine Steigerung erfuhr, erhielt das britische Imperium, das schon damals fast ein Weltreich war, einen empfindlichen Schlag durch den Abfall Amerikas. Die erste englische Kolonie im Westen war Virginia gewesen, unter der Königin Elisabeth von Abenteurern gegründet, die dort an mehreren Punkten Plantagenwirtschaften anlegten, hauptsächlich aber nach Gold suchten und dafür den Tabak fanden. 1620 entstand durch die Landung der „Mayflower", in der die „Pilgerväter" vor den religiösen Verfolgungen der Hochkirche Schutz suchten, die Puritanerkolonie von New Plymouth, so genannt nach dem Ort der Abfahrt, und mit ihr wurde die etwas später gegründete, ebenfalls puritanische Niederlassung Massachusetts vereinigt, deren Hauptort Boston war. Die Hauptnahrungsquellen dieser einfachen Ansiedler waren die Fischerei und der Schiffbau, für den der große Holzreichtum des Landes überreiches Material lieferte. Die Vertreibung der Holländer aus Neu-Amsterdam, das von da an New York hieß, und die Gründung Pennsylvaniens durch die Quäker haben wir schon erwähnt: in diesem Lande lag die wichtigste Stadt Philadelphia, gegründet im Jahre 1682. Im Süden wurden die großen Kolonien Carolina und Georgia an Virginia angeschlossen. Schließlich bildeten alle diese Gebiete einen zusammenhängenden breiten Streifen an der Ostküste Nordamerikas.

Die Verwaltung vom Mutterland aus geschah nach extrem merkantilistischen Prinzipien: man verbot den Kolonisten, eigene Industrien zu errichten und ihre Rohstoffe anderswohin als nach England auszuführen, was, da dadurch jede Konkurrenz ausgeschlossen war, empfindlich auf die Preise drückte und große Erbitterung erregte. Dazu kam, daß England gerade durch den Sieg im Siebenjährigen Krieg die wirksamsten Vorbedingungen für den Abfall geschaffen hatte, denn nun waren die Staaten, von der Umklammerung Frankreichs befreit, nicht mehr auf den Schutz der britischen Regierung angewiesen. Die Einführung von Auflagen auf eine große Anzahl englischer Importartikel führte zu dem Beschluß, alle Waren zu boykottieren, für die an England Steuern zu entrichten seien. Daraufhin ließ man in London diese Verordnungen fallen und erklärte, nur den Teezoll aufrechterhalten zu wollen; aber die Gärung war schon zu groß: das Volk verlangte stürmisch nach Selbstvertretung im Parlament und durch das ganze Land ging der Kampfruf: *„No taxation without representation!"* 1773 warfen als Indianer verkleidete Patrioten die ganze Ladung eines Teeschiffes ins Wasser, 1774 beschloß ein Abgeordnetenkongreß in Philadelphia den Abbruch des Handelsverkehrs mit dem Mutterlande. Damit war der Krieg unvermeidlich geworden. Unter der Führung George Washingtons wurde ein Freiwilligenheer gebildet, das gegen die englischen Soldtruppen, die zum Teil aus verkauften deutschen Untertanen bestanden, mit wechselndem Erfolge kämpfte. 1776 kam es zur Unabhängigkeits-erklärung der dreizehn Vereinigten Staaten, die unter anderem den folgenschweren Satz aufstellte, daß alle Menschen frei und gleich geboren seien. Der Krieg dauerte acht Jahre und schloß mit der Anerkennung der Unabhängigkeit sämtlicher Staaten im Frieden von Versailles. Die Amerikaner waren anfangs im Nach-teil, da ihre Miliz bei aller physischen Geschicklichkeit und Ter-rainkenntnis nur den taktischen Wert eines Aufgebots von weißen Indianern hatte; in dem preußischen Oberst Friedrich Wilhelm von Steuben fand das Bundesheer aber einen talentvollen Organi-sator, und der Beitritt Frankreichs, Spaniens und Hollands gab dem Krieg eine für England sehr ungünstige Wendung. Diese diplomatischen Erfolge waren in erster Linie das Verdienst Ben-jamin Franklins, der in Paris als Unterhändler erschien und dort meisterhaft die damals so beliebte Rolle des schlichten Bürgers und geraden Republikaners spielte. Seine schmucklose Kleidung, sein ungepudertes Haar, seine bescheidenen Manieren erregten das Entzücken aller Salons. Man verglich ihn mit Fabius und Brutus, Plato und Cato, sein Bild wurde überall verkauft, so daß sein Gesicht, wie er an seine Tochter schrieb, so bekannt war wie das des Mondes. Er wußte ganz genau, daß es sich nur um eine Mode handelte, und nutzte sie als schlauer Geschäftsmann für seine Zwecke. Die Damen trugen Hüte und Frisuren *à l'Indépendance, à la Bostonienne, à la Philadelphie, à la nouvelle Angleterre*, die Herren gingen in grobem Tuch und dicken Schuhen *à la Franklin* und mit Knotenstock und großem rundem Quäkerhut *à la Penn*. Der Marquis de Lafayette, der am Kriege teilgenommen hatte, hing in seinem Zimmer zwei Tafeln auf: die eine enthielt die ameri-kanischen Menschenrechte, die andere war vollkommen leer und trug die Überschrift: „die Menschenrechte der Franzosen". Die französische Regierung nahm im Frieden von Versailles an Eng-land Revanche; aber diese Revanche kostete sie sechs Jahre später ihre eigene Existenz.

Die Stimmung der Zeit verdichtete sich zu elektrisierender Wirkung in der „Hochzeit des Figaro", die ein Jahr nach der Beendigung des amerikanischen Krieges zur Aufführung gelangte. Daß das Stück, das jahrelang mit den größten Zensurschwierigkeiten zu kämpfen hatte, schließlich doch erlaubt wurde, bedeutete bereits den Sieg der Revolution und die Kapitulation der alten Gesellschaft, die in dieser drohenden Feuererscheinung nur ein amüsantes Raketengeprassel erblickte. Die Privilegierten applaudierten ebenso entzückt wie der dritte Stand, als Figaro seinen berühmten Satz sprach: *„Monsieur le comte ... qu'avez-vous fait pour tant de biens? Vous vous êtes donné la peine de naître, et rien de plus."* Bei der Premiere war ein solcher Andrang, daß drei Personen erstickten, und es folgten über hundert Aufführungen, was damals etwa zehnmal so viel bedeutete wie heutzutage. Der „Figaro" führte den Untertitel: *„la folle journée"*, und sein Erscheinen bezeichnet in der Tat einen der tollsten Tage der französischen Geschichte. Beaumarchais sagte selbst: „es gibt etwas Närrischeres als mein Stück, das ist sein Erfolg", und Napoleon erklärte, im „Figaro" sei bereits die Revolution auf dem Marsche gewesen. Die Frechheit Figaros unterscheidet sich jedoch sehr wesentlich von der Rousseaus, sie gehört noch zum Rokoko, ist graziös, bijouteriehaft, aimabel und voll Selbstironie. Sie ist die Frechheit des Lakaien, der noch im Dienst dessen steht, gegen den er unverschämt ist, und sich daher in denselben Formen ausdrückt und bewegt wie er; sie hat sich daher trotz scheinbarer Zügellosigkeit immer in der Gewalt. Beaumarchais ist noch durch zahlreiche Fäden mit dem ancien régime verknüpft. Seine Götter waren Geld und Genuß. Er entrierte zahlreiche große Handelsgeschäfte, wurde der Erfinder der Theatertantieme, und auch sein Held Figaro ist ein zynischer Geldmacher. Andrerseits berührt er sich mit Rousseau und Chamfort darin, daß seine Attacken nichts waren als eine geistreiche Vorrevolution, ein Gedankenspiel, aus der Freude an Sensation und Widerspruch geboren, ein Marionettentheater ohne bewußte Konsequenzen. Die große Wirklichkeit ging denn auch über ihn hinweg, wie sie über Chamfort hinwegging und über Rousseau hinweggegangen wäre, wenn er sie erlebt hätte. Schon Mirabeau schleuderte

Beaumarchais die Worte entgegen: „Erwarten Sie für die Zukunft nichts als den Vorzug vergessen zu werden." Während der Revolution rettete er mit Mühe sein Leben.

Die Polemik Chamforts, noch immer spielerisch, hat doch schon einen viel aggressiveren Charakter. In seinen „Pensées" sagt er ganz unverhohlen: „Der Adel, heißt es, ist eine Zwischenstufe zwischen König und Volk. Ja, wie der Jagdhund eine Zwischenstufe zwischen dem Jäger und dem Hasen ist!" und: „Ich betrachte den König von Frankreich nur als den König von ungefähr hunderttausend Menschen, unter die er den Schweiß, das Blut und die Haut von über vierundzwanzig Millionen anderer Menschen aufteilt." Eines Morgens bemerkte er zum Grafen von Lauraguais: „Ich habe eine Arbeit vollendet." „Wie? Ein Buch?" „Nein, kein Buch. Ich bin nicht so dumm, so etwas zu machen. Aber den Titel eines Buches, und dieser Titel ist alles. Ich habe ihn bereits dem Puritaner Sieyès zum Geschenk gemacht, der ihn nach Belieben ausführen darf. Mag er dazuschreiben was er will: man wird sich nur an den Titel erinnern." „Nun und wie lautet er?" „Was ist der dritte Stand? Alles. Was besitzt er? Nichts." In der Tat hat Sieyès seiner berühmten Broschüre, die eine so außerordentliche Wirkung übte, diesen Titel gegeben und ihn nur durch den dritten Satz vermehrt: „Was verlangt er? Etwas zu sein", der aber die epigrammatische Schlagkraft eher abschwächt; und in der Tat hat man sich von dieser Broschüre nichts gemerkt als den Titel. Noch eine zweite ebenso lapidare und zündende Devise der Revolution: „Krieg den Palästen, Friede den Hütten" stammte von Chamfort. Im übrigen aber war er durchaus kein Verehrer der Masse und der öffentlichen Meinung. „Ein einzelner", sagt er in den „Pensées", „kann nie so verächtlich sein wie eine Korporation", und an einer anderen Stelle schreibt er: „Das Publikum! Das Publikum! Wieviel Dummköpfe müssen denn zusammenkommen, damit ein Publikum entsteht?" Über die Nationalversammlung von 1789 bemerkt er: „Betrachtet man die Mehrzahl der Abgeordneten, so hat man den Eindruck, als hätten sie nur darum Vorurteile zerstört, um Vorurteile zu haben, etwa wie Leute, die ein Bauwerk niederreißen, um Abbruchmaterial zu bekommen." Eines dieser boshaften Bonmots führte zu seiner Internierung: als er nämlich beim Anblick der überall angebrachten Inschrift: *„Liberté, Egalité, Fraternité ou la mort!"* bemerkte: *„C'est la fraternité de Caïn"*. Er wurde wieder freigelassen, sollte aber später ein zweitesmal verhaftet werden und beging infolgedessen einen Selbstmordversuch. Es ist nicht vollkommen aufgeklärt, ob er an diesem oder an seinem langjährigen Blasenleiden starb.

Was Rousseau anlangt, so ist bereits die Entstehungsgeschichte seines Erstlingswerks für ihn ungemein charakteristisch. Die Akademie in Dijon hatte die Preisaufgabe gestellt: „Hat die Erneuerung der Wissenschaften und Künste dazu beigetragen, die Sitten zu reinigen?" Diderot fragte Rousseau: „Welchen Standpunkt werden Sie einnehmen?" „Natürlich den bejahenden." „Das ist die Eselsbrücke", erwiderte Diderot, „alle Mittelmäßigkeiten werden diesen Weg gehen. Der entgegengesetzte eröffnet dem Denken und der Beredsamkeit neue Gebiete." Rousseau befolgte diesen Tip und machte mit seiner Antwort, die gekrönt wurde, die erhoffte Sensation. Einmal entschlossen, die Gegenansicht zu vertreten, ging er weit über die gestellte Frage hinaus, indem er, sich zu schäumender Wut gegen die gesamte menschliche Kultur aufpeitschend, in glänzender Rhetorik zu beweisen suchte, daß sie die Sitten nicht nur nicht verbessert, sondern korrumpiert habe und überhaupt an allem Unglück der Menschheit schuld sei. Was würden wir mit den Künstlern anfangen ohne den verderblichen Luxus, der sie großzieht? Wären wir ohne die Gelehrten weniger zahlreich, weniger gut regiert, weniger blühend? Im Gegenteil: nur die Wissenschaft und die Kunst haben es bewirkt, daß das Talent über die Tugend gestellt wird. Einige Jahre später stellte die Akademie von Dijon eine zweite Preisfrage: „Welche Ursache hat die Ungleichheit der Menschen und ist sie in der Natur begründet?" Rousseau widmete auch diesem Thema eine Abhandlung und erregte mit ihr noch größeres Aufsehen als mit seiner ersten Schrift: gerade das blinde und gehässige Ressentiment, das aus ihr sprach, machte den Erfolg. Er findet die Ursache der Ungleichheit, die eine empörende Unnatürlichkeit und Ungerechtigkeit ist, wiederum in der Zivilisation, in den staatlichen und gesellschaftlichen Einrichtungen, die der Mensch willkürlich geschaffen hat. Der einzig menschenwürdige Zustand ist der Naturzustand: „Wenn die Natur uns dazu bestimmt hat, gesund zu sein, so wage ich fast zu behaupten, daß der Zustand der Reflexion ein widernatürlicher Zustand ist und daß ein Mensch, der denkt, ein entartetes Tier ist." „Der erste, der ein Stück Land einzäunte und sich vermaß zu sagen: das gehört mir, und Leute fand, die einfältig genug waren, es zu glauben, war der wahre Gründer der bürgerlichen Gesellschaft. Wie viele Verbrechen, wie viele Kriege, wie viele Entbehrungen und Schrecken wären der Menschheit erspart geblieben, wenn einer die Grenzpfähle ausgerissen, die Gräben verschüttet und seinen Mitmenschen zugerufen hätte: hütet euch, diesen Betrüger anzuhören; ihr seid verloren, wenn ihr vergeßt, daß die Frucht allen und das Land niemandem gehört!" Alle Kultur ist Arbeitsteilung, Arbeitsteilung bedeutet Ungleichheit und in der Ungleichheit liegt der Ursprung alles Übels. Nun lautet aber andrerseits die Kardinalforderung Rousseaus: Rückkehr zur Natur; er haßt die Kultur hauptsächlich deshalb, weil sie Veränderung, in seinem Sinne Perversion der ursprünglichen Menschennatur bedeutet. Wir wollen hier nicht auf die Frage eingehen, ob Natur oder Kultur die normale und angemessene Verfassung des historisch gewordenen Individuums ist und ob der „Naturzustand" dem modernen Menschen überhaupt möglich, ja auch nur vorstellbar ist, sondern nur, Rousseaus eigenen Prinzipien folgend, sein ideales Vorbild, die Natur betrachten. Und da finden wir überall Arbeitsteilung und Ungleichheit, und zwar nimmt die Arbeitsteilung mit der geistigen und physischen Entwicklung der Organismen konstant zu. Keine Arbeitsteilung ist, genau genommen, schon nicht mehr bei einzelligen Algen und Infusorien zu finden, sondern nur bei den noch tiefer stehenden membranlosen „Moneren". Der Organismus der höheren Lebewesen aber ist streng arbeitsteilig, aristokratisch und hierarchisch organisiert und das Gehirn beherrscht und leitet monarchisch den ganzen Körperstaat; daß es in den monarchischen Staatskörpern nur selten dieselbe dominierende Rolle spielt, ist nicht Schuld der Staatsform.

Rousseaus Naturbegriff war aber eben gar kein wissenschaftlicher, sondern ein literarischer. Mit dem Wort „*nature*" verband er nicht eine aus strenger und ernster Beobachtung der physischen Welt geschöpfte Generalidee, sondern irgend etwas Romantisch-Sentimentales, aus einer schlechten Spieloper oder verlogenen Reisebeschreibung Hängengebliebenes. Man verstand ihn indes in Frankreich nur zu gut. Und bald sollte das Prinzip der Arbeitsteilung so gründlich geleugnet werden, daß man den Kopf Lavoisiers, weil er sich zu einseitig mit Chemie befaßt hatte, unter die Guillotine brachte.

Das nächste größere Werk Rousseaus war sein Roman „Julie ou la nouvelle Héloïse". Auch hier schlug er einen ganz neuen Ton an: in dieser Seelenschilderung tritt zum erstenmal die Liebe des modernen Empfindungsmenschen als wirkliche Leidenschaft auf, als tragische Katastrophe, übermenschliche Fatalität und elementare Naturkraft. Und doch stört auch hier wieder die Berechnung auf den Effekt, der Wille zur Fassade, das Übermaß an Rhetorik; die Marquise du Deffand, die den Scharfsinn und Geschmack eines Diderot mit einem hellseherischen psychologischen Takt verband, wie ihn nur ihr Geschlecht besitzt, und daher als das kritische Genie ihrer Zeit bezeichnet werden kann, sagte von der „Héloïse": „Es gibt vorzügliche Stellen in dem Buch, aber sie gehen unter in einem Ozean von Geschwätzigkeit." Kurz darauf folgte der „Contrat social". In diesem Werk wird die Lehre von der Volkssouveränität mit einer fanatischen Energie und Intransigenz verkündet, wie sie bisher noch nicht vernommen worden war. Die jeweilige Regierung ist nicht durch einen Vertrag eingesetzt, sondern durch einen Auftrag, den sie vom Volk erhalten hat; daher sind ihre Mitglieder nicht die Herren, sondern die Angestellten des Volkes, deren Mandat nur so lange gilt, als es dem Volk gefällt. Von Zeit zu Zeit soll durch eine allgemeine Volksabstimmung entschieden werden, ob die gegenwärtige Regierungsform beizubehalten ist und ob ihre Exekutivorgane weiter mit der Verwaltung betraut werden sollen oder nicht. Das Christentum ist zur Staatsreligion ungeeignet, denn es predigt Demut und Unterwerfung und begünstigt dadurch die Gewaltherrschaft; das souveräne Volk muß daher eine neue Religion bestimmen. Nur die Zahl entscheidet. Bin ich in der Minderheit, so beweist das nur, daß ich mich geirrt habe, indem ich eine Meinung für den allgemeinen Willen hielt, die es nicht war. Wer sich weigert, diesem Kollektivwillen zu gehorchen, muß durch die gesamte Körperschaft zum Gehorsam gezwungen werden, und das heißt nur: die Körperschaft zwingt ihn, frei zu sein. Da der „Souverän" nichts ist als die Zusammenfassung aller einzelnen, so kann er diesen niemals schaden wollen, denn es ist unmöglich, daß der Körper seinen Gliedern schaden will. Diese hinterlistigen Sophismen sollten einige Jahrzehnte später tatsächlich die Wirklichkeit regieren: der Souverän erhob sein Haupt und zwang, jedoch ohne ihnen schaden zu wollen, alle, die sich geirrt hatten, mittels des Fallbeils zur Freiheit.

Fast gleichzeitig mit dem „Contrat" erschien der lehrhafte Roman „Emile ou de l'éducation", dessen schönste Partie die berühmte „Profession de foi du vicaire savoyard" ist: hier wird, mit deutlicher Polemik gegen Voltaire, die platte Christusauffassung der Aufklärung widerlegt, die im Heiland einen ehrgeizigen Sektierer, bestenfalls einen antiken Weisen von der Art des Sokrates erblickt hatte: „Ist das wohl der Ton, den ein Schwärmer oder ein ruhmbegieriger Sektenstifter anschlägt? Welche Sanftmut! Welche Sittenreinheit! Welche rührende Anmut in seinen Unterweisungen! Welche Erhabenheit in seinen Grundsätzen! Welche tiefe Weisheit in seinen Reden! Welche Geistesgegenwart! Welche Feinheit und Schlagkraft in seinen Antworten! Welche Herrschaft über die Leidenschaften! Wo ist der Mann, wo der Weise, der ohne Schwäche und Ostentation so zu handeln, zu leiden und zu sterben versteht! ... Wenn Sokrates in Leben und Tod ein Weiser war, so erkennen wir bei Christus das Leben und den Tod eines Gottes." Im übrigen wird im „Emile", wie wir bereits erwähnten, als Universalmittel gegen alle Schäden der bisherigen Erziehungsmethoden jene vage und vieldeutige Rückkehr zur Natur gepredigt. Das Kind soll alles auf „natürlichem" Wege erlernen, durch Selbstdenken, eigene Anschauung und glücklichen Zufall: eine bestechende Maxime, sehr geeignet für faszinierende Prunkreden, für die Praxis so gut wie wertlos. Mit großer Emphase ermahnt Rousseau die Mütter, ihre Kinder selbst zu stillen, und die Väter, ihre Kinder selbst zu erziehen: nur wer die Vaterpflichten auf sich nehme, habe das Recht, Vater zu werden. Er hatte damals gerade sein fünftes Kind ins Findelhaus geschickt.

In allen diesen Werken offenbart sich Rousseau weder als Gestalter noch als Denker, sondern nur als genialer Journalist und daneben an gewissen Stellen als suggestiver Lyriker und, was damals in der Literatur vollkommen neu war, als virtuoser Landschafter, wie er denn auch der eigentliche Entdecker der wildromantischen Natur war: „Man weiß schon", sagt er in den „Confessions", „was ich unter einer schönen Gegend verstehe. Niemals eine Landschaft der Ebene, mag sie noch so schön sein. Ich verlange Gießbäche, Felsen, Tannen, dunkle Wälder, Berge, rauhe auf- und abführende Pfade und recht fürchterliche Abgründe neben mir."

Das Grundmotiv seiner ganzen Schriftstellerei ist, Aufsehen zu erregen, um jeden Preis, und alles, was reiner, reicher und gesünder ist, mit allen Mitteln ins Unrecht zu setzen. Dabei ist er zweifellos geistig nicht normal, sondern von drei bis vier fixen Ideen hin- und hergeschleudert, die er aber im Rausch seiner begeisterten Dialektik zu den glänzendsten Truggeweben auszuspinnen vermag. Die verbissene Humorlosigkeit, die allen Geisteskranken eigentümlich ist, verbindet sich in ihm mit dem dumpfen und schwerfälligen Ernst des Plebejers, der alles eindeutig, alles buchstäblich, alles kompakt nimmt, weil er immer nur unter fordernden und bockbeinigen Realitäten gelebt hat. Daß ein Volk und Zeitalter, dem die Dinge überhaupt erst als geistig existenzberechtigt erschienen, wenn sie mit Witz und Ironie, Anmut und Geschmack, Leichtsinn und Doppelsinn gesagt wurden, nun dem entgegengesetzten Extrem zujubelte, bezeichnete die letzte Stufe der Décadence, die dem ancien régime überhaupt erreichbar war.

Was seinen moralischen Charakter betrifft, so war er so abscheulich, daß es schon aus diesem Grunde ganz unmöglich ist, ihn unter die Genies zu rechnen. Von seinem zweimaligen Glaubenswechsel, der beide Male aus eigennützigen Motiven erfolgte, wollen wir nicht reden; ebensowenig von seinen jugendlichen Diebstählen, obgleich der Umstand, daß er sie auch noch unschuldigen Personen in die Schuhe schob, sie besonders häßlich erscheinen läßt. Bei seinem unbegreiflich niederträchtigen Verhalten gegen Voltaire scheint Verfolgungswahnsinn im Spiele gewesen zu sein. Obgleich dieser ihn jederzeit mit Liebenswürdigkeiten überschüttet hatte, schrieb er ganz plötzlich den offenen Brief „sur les spectacles" an d'Alembert, in dem er Voltaire mit vollendeter Tartuffebosheit bei der Genfer Regierung als Sittenverderber denunzierte, bloß weil er sich in Ferney ein Theater hielt: eine Anklage, die einem Verfasser zugkräftiger Singspiele und schlüpfriger Romane besonders übel anstand. Trotzdem schrieb Voltaire an Rousseau, als dieser aus Frankreich und der Schweiz verbannt war und nirgends ein Asyl fand, einen Brief voll zärtlicher Fürsorge, worin er ihn auf eine seiner Besitzungen zum dauernden Aufenthalt einlud. Rousseau fuhr aber zeitlebens fort, Voltaire mit dem Neid des Schlechtweggekommenen aufs gehässigste zu verunglimpfen. Ähnlich benahm er sich gegen Friedrich den Großen. Als dieser ihm durch seinen Gouverneur in Neufchâtel eine bedeutende Geldsumme, Korn, Wein, Holz und eine Villa anbieten ließ, erkärte er mit der aufrechten Verlogenheit des republikanischen Phrasendreschers, es sei ihm unmöglich, in einem Hause zu schlafen, das eines Königs Hand gebaut habe, und an den König schrieb er: „Sie wollen mir Brot geben; gibt es unter Ihren Untertanen keinen, dem es daran fehlt?" Nachdem er diese alberne und taktlose Patzigmacherei unter Dach gebracht hatte, nahm seine Geliebte alle Geschenke hinter seinem Rücken an. Hume brachte ihn nach England, wo er ihm einen angenehmen Zufluchtsort und eine königliche Pension verschaffte. Die Folge waren wiederum eine Reihe nichtswürdiger Attacken von seiten Rousseaus, auf die Hume mit den treffenden Worten antwortete: „Da Sie der schlimmste Feind Ihrer eigenen Ruhe, Ihres Glückes und Ihrer Ehre sind, so kann ich nicht überrascht sein, daß Sie der meinige geworden sind." Als Madame d'Epinay, die ihm jahrelang im Walde von Montmorency ein reizendes Gartenhäuschen zur Verfügung gestellt hatte, nach Genf reiste, verbreitete er das schändliche Gerücht, sie tue dies, um in der Schweiz ein heimliches Kind zur Welt zu bringen. Ebenso peinliche Affären hatte er mit Diderot, d'Alembert, Grimm: allemal zuerst der Verdacht einer geheimen Verschwörung und dann Undankbarkeit und Infamie, so daß selbst der sanfte und philosophisch überlegene d'Alembert sich zu der Bemerkung veranlaßt sah: „Jean Jacques ist eine wilde Bestie, die man nur mit einem Stock und hinter Gitterstäben berühren darf." Das zusammenfassende Urteil hat Voltaire gesprochen: „Ein Arzt müßte an Jean Jacques eine Bluttransfusion vornehmen, sein jetziges Blut ist eine Komposition aus Vitriol und Arsenik. Ich halte ihn für einen der unglücklichsten Menschen, weil er einer der bösesten ist."

Seine widerwärtigste Eigenschaft aber war seine pharisäische Verlogenheit, und wir weigern uns aufs allerentschiedenste, einen Menschen, der sein Leben lang eine so dreiste perfide Komödie gespielt hat, auch nur unter die Künstler zu zählen, es sei denn, daß man sich entschließt, unter dichterischem Talent die Fähigkeit zu besonders geschicktem und unverfrorenem Schwindel zu verstehen. Sein ganzes Dasein war geschmacklose Pose und aufdringliche Heuchelei. Die „Héloïse" beginnt mit der Bemerkung, der Verfasser bedaure es, nicht in einem Jahrhundert zu leben, das ihm gestatte, den Roman ins Feuer zu werfen. Nach dem Lärm, den seine Erstlingsschrift gemacht hatte, erklärte er mit großer Ostentation, die Schriftstellerei zu verachten und fortan als braver, ehrlicher Notenschreiber sein Leben fristen zu wollen: er wird tatsächlich Notenschreiber, aber weder ein braver, denn seine Kopien sind liederlich und unbrauchbar, noch ein ehrlicher, denn das Ganze ist eine Spiegelfechterei: er läßt sich seine Arbeiten von neugierigen Snobs überzahlen und weiß ganz genau, daß das Honorar nicht ihnen, sondern der interessanten Tagesberühmtheit gilt, lebt also in Wirklichkeit nur von seinem schriftstellerischen Ruhm, und zwar in der doppelt unanständigen Form der Schnorrerei, die sich als stolze Unabhängigkeit aufspielt. Geschenke nimmt er natürlich niemals: die empfängt immer nur die gute Therese Levasseur. Er verliebt sich in die Schwägerin seiner Wohltäterin Madame d'Epinay, die Gräfin d'Houdetot, die unglücklich verheiratet ist, aber bereits einen andern liebt, und stellt ihr eindringlich vor, wie unmoralisch dies sei: tugendhaft ist es offenbar nur, den Gatten mit Rousseau zu betrügen. Wir haben schon erwähnt, daß er alle seine Kinder ins Findelhaus brachte, aber auch das geschah natürlich wiederum nur aus Tugend: denn, sagt er, als überzeugter Bürger der platonischen Republik habe er seine Kinder als Gemeingut des Staates betrachtet und sich nicht für berechtigt gehalten, sie diesem zu entziehen. Eines Tages beschließt er, als Verächter der erbärmlichen Zivilisation und des ungerechten Luxus die „schlichte" armenische Tracht anzulegen, die aber in Wirklichkeit mit gestickter Jacke, seidenem Kaftan, gefütterter Mütze und buntem Gürtel ein anspruchsvolles lärmendes Theaterkostüm ist, nichts weniger als einfach, sondern viel prächtiger als die Kleidung der anderen. Als ihm Voltaire schreibt: „Sie müssen Ihre Gesundheit bei mir in der Heimatluft wiederherstellen, die Freiheit genießen, mit mir die Milch unserer Kühe trinken und unser Gemüse verzehren", antwortet er mit einer Affektation, deren abgeschmackter Hochmut bereits ans Läppische grenzt: „Ich würde es vorziehen, statt der Milch Ihrer Kühe das Wasser Ihrer Quelle zu trinken."

Der Einbruch des Plebejers in die Weltliteratur

Sein schauspielerisches Meisterstück aber hat Rousseau in seinen „Selbstbekenntnissen" geleistet. Schon die Einleitungsworte schlagen den Ton an, der, aus Dünkel und falscher Demut, Selbstverherrlichung und wohlberechneter Selbstanklage raffiniert gemischt, durch das ganze Buch geht. „Ich unternehme ein Werk, das seinesgleichen weder gehabt hat noch haben wird. Meinen Mitmenschen will ich einen Menschen zeigen, ganz in seiner wahren Natur; dieser Mensch bin ich, ich ganz allein. Ich kenne mein Herz und ich kenne die Menschen. Ich wage zu glauben, daß ich nicht bin wie irgendeiner von allen, die existieren. Bin ich nicht ein Besserer als sie, so bin ich wenigstens ein anderer ... Ewiger Gott, ein jeglicher enthülle vor deinem Thron mit gleicher Aufrichtigkeit sein Herz, und dann sage ein einziger von ihnen, wenn er es kann: ich war besser als dieser." Das Programm des ganzen Unternehmens findet sich in dem Satz: „Mein ganzes Unglück habe ich nur meinen Tugenden zuzuschreiben ... wer sich nicht für mich begeistert, ist meiner nicht würdig." Selbstverständlich beichtet

Rousseau nur genau so viel, als ihm paßt, und auch dieses nur in der Beleuchtung, die ihm am vorteilhaftesten und zugleich sensationellsten erscheint. Die vielgerühmte Aufrichtigkeit dieser Konfessionen setzt sich aus faustdicken Lügen, heuchlerischen Selbstvorwürfen und einigen irreführenden, aber ehrlichen Autosuggestionen zusammen. Die zahlreichen Stellen, wo er mit frappierender Offenheit auf seine eigenen Verfehlungen hinweist, fließen teils aus Wichtigtuerei, teils aus der Erkenntnis, daß man sich in der Welt, und zumal in einer Welt, die den pikanten Wildgeruch über alles liebt, gerade durch seine Laster am interessantesten macht und doppelt interessant, wenn man dazu noch die stets dankbare Rolle des reuigen Sünders spielt; mit dieser Technik, die sich von der des Kolportageromans nur durch ihr größeres Raffinement unterscheidet, erreicht man alles auf einmal: die Gloriole des Moralhelden, der über sich selbst Gericht hält, und den Faszinationsreiz des verfluchten Kerls, der eine „Vergangenheit" hat.

Das Phänomen Rousseau bezeichnet den Einbruch des durchtriebenen und brutalen Plebejers in die Weltliteratur. Das bisherige Schrifttum des dritten Standes hatte den Ehrgeiz, in die höhere Welt aufzusteigen, die Feinheit, Anmut, Beherrschtheit ihrer Lebensform zu erreichen und womöglich zu überbieten: aber Rousseau verachtet die „Gesellschaft" oder spielt vielmehr virtuos die Rolle dieses Verächters, er bleibt unten; und das ist seine Originalität und seine Stärke. Seine Ordinärheit ist jedoch nicht einfach Natur, das wäre uninteressant, sondern gesteigerte, gestellte, plakatierte Natur: er legt die Schminke fingerdick auf und macht dadurch für seine verkünstelte und verspielte Zeit den Effekt erst voyant, schlagend, bühnenfähig. Er macht dem Salon ein Bauerntheater vor, wozu er prädestiniert ist wie kein zweiter; denn er vereinigt in sich die Eigenschaften eines wirklichen Proleten und eines hervorragend begabten Amateurschauspielers: jene Echtheit, die nötig ist, um Glaubwürdigkeit zu erzeugen, und jene Theatralik, die erforderlich ist, um beim Publikum zu gefallen. Man ist entzückt über die Pikanterie, mitten unter Reifröcken und Seidenfräcken einen unrasierten Kerl in Hemdärmeln zu sehen, der sich in die Hand schneuzt, ins Zimmer spuckt und alle Dinge beim

Namen nennt. Daß dies nur eine neue Nüance der Affektion darstellt, bemerkt in einer Zeit, deren einzige Apperzeptionsform die Affektation ist, natürlich niemand.

Der Rousseauismus Während des Menschenalters zwischen 1760 und 1790 herrscht in der Vorstellung aller gebildeten Kreise der von Rousseau erfundene „bon villageois", eine Mischung aus Lesebuchgestalt und Operettenfigur, rechtlich, knorrig, arglos, dem Herrn ergeben, bändergeschmückt und strohhutbedeckt, einfach, heiter und genügsam. Daß der Bauer das Gegenteil von alledem ist: ein hartes und finsteres, gieriges und mißtrauisches Erdtier, das seinen Bau und die darin angesammelten Vorräte eifersüchtig bewacht und mit Krallen und Zähnen verteidigt, wußte man nicht oder hatte man vergessen. Rousseau hatte mit seinem exaltierten Naturkultus die Bedürfnisse jener blasierten Gesellschaft vollkommen erraten. Man hatte alles genossen und alles weggeworfen, als man eines Tages an der Hand Rousseaus die Reize der „Natürlichkeit" und „Einfachheit" entdeckte, wie ein Gourmet, dessen Zunge bereits alle Delikatessen auswendig weiß und satt hat, plötzlich den Wohlgeschmack derben Landbrots und Specks, frischer Milch- und Obstnahrung zu würdigen beginnt.

Man verlangte von nun an im Gartenbild Hütten, Mühlen, Moosbänke, grasendes Vieh, sogar künstlichen Urwald. Man führte Lämmer an seidenen Bändern durch die sanfte Natur. Diese modische Begeisterung für das Landleben wurde sogar die Todesursache Ludwigs des Fünfzehnten. Auf einem Spaziergang, den er mit der Dubarry in der Gegend von Trianon unternahm, bemerkte er eine kleine Kuhhirtin, die für ihre Tiere Gras pflückte und ihm in ihrer ländlichen Unschuld so gefiel, daß er sie zum Souper mitnahm; tags darauf starb sie an den Pocken und zehn Tage später wurde der König das Opfer derselben Krankheit. Da Rousseau die Mütter ermahnt hatte, ihre Kinder selbst zu säugen, wurde nun das Stillen die große Mode: man tat es ostentativ in großer Gesellschaft, und die fünfzigste Aufführung des „Figaro" fand auf Veranlassung des reklamekundigen Autors zugunsten armer stillender Mütter statt.

Ferner forderte die Rückkehr zur Natur, daß man stets voll hingebender und gehobener Empfindung sei (denn der Naturmensch ist immer warm, aufopfernd und zartfühlend) und dies vor aller Welt deutlich zur Schau trage: Freundinnen mußten stets Arm in Arm gehen und sich so oft wie möglich küssen; wenn ein Autor ein Stück vorlas, mußte man ihn durch Schluchzen und entzückte Ausrufe unterbrechen und hie und da in Ohnmacht fallen; ja es kam sogar vor, daß Ehepaare sich vor aller Welt umarmten und Geschwister einander duzten. Als die berühmte Schauspielerin Clairon Voltaire in Ferney besuchte, kniete sie vor ihm nieder, worauf ihm nichts übrig blieb als ebenfalls niederzuknien; schließlich unterbrach er die feierliche Szene, indem er sagte: „Und nun, Mademoiselle, wie geht es Ihnen?"

Der Maler des Rousseauismus ist Jean Baptiste Greuze, von Diderot überschwenglich gepriesen, der ihn gegen Boucher ausspielte. Ebenso geschwätzig und theatralisch, aufdringlich und falsch sentimental wie Rousseau, aber liebenswürdiger und temperamentloser, schilderte er die Lieblingsobjekte jener über sich selbst gerührten Philanthropie in zahlreichen Genrebildern: das edle Volk, den braven Landmann, die kinderreiche fürsorgliche Mutter und treue Gattin, das Glück der Familie, den Segen der Frömmigkeit, des Fleißes, der Bedürfnislosigkeit, der Pietät. Aber seine ehrbaren Hausfrauen sind Theatermütter und seine unschuldsvoll entblößten Jungfrauen Exhibitionistinnen; es ist die prickelnde Schlüssellocherotik Fragonards noch einmal, verstärkt durch den Hautgoût der Unberührtheit.

Auch die deutsche „Geniezeit", die etwa mit den siebziger Jahren einsetzt, geht in wesentlichen Zügen auf Rousseau zurück. Es herrschte, wie Goethe sich rückblickend ausdrückt, „eine Gärung aller Begriffe". „Die Epoche, in der wir lebten, kann man die fordernde nennen, denn man machte an sich und andere Forderungen auf das, was noch kein Mensch geleistet hatte. Es war nämlich vorzüglichen, denkenden und fühlenden Geistern ein Licht aufgegangen, daß die unmittelbare originelle Ansicht der Natur und ein darauf begründetes Handeln das Beste sei, was der Mensch sich wünschen könne, und nicht schwer zu erlangen.... Wie man nun auch hier zur Ausübung schritt, so sah man, am kürzesten sei zuletzt aus der Sache zu kommen, wenn man das

Genie zu Hilfe riefe, das durch seine magische Gabe den Streit schlichten und die Forderungen leisten würde." Die Parole „Genie" war von Gerstenberg ausgegeben worden, von dem auch das erste bedeutende Drama dieser Schule stammte. Was man darunter verstand, hat Lavater in seiner „Physiognomik" am eindringlichsten ausgedrückt: „Der Charakter des Genies und aller Werke des Genies ist Apparition; wie Engelserscheinung nicht kommt, sondern dasteht, nicht weggeht, sondern weg ist, so Werk und Wirkung des Genies. Das Ungelernte, Unentlehnte, Unlernbare, Unentlehnbare, Innig-Eigentümliche, Unnachahmliche, Göttliche ist Genie, das Inspirationsmäßige ist Genie, heißt bei allen Nationen, zu allen Zeiten Genie und wird es heißen, solange Menschen denken, empfinden und reden. Genie blitzt, Genie schafft, veranstaltet nicht, so wie es selbst nicht veranstaltet werden kann, sondern ist. Unnachahmlichkeit ist der Charakter des Genies, Momentanität, Offenbarung, Erscheinung, Gegebenheit: was gegeben wird, nicht von Menschen, sondern von Gott oder vom Satan." Der höchste Lobestitel, den man damals zu verleihen hatte und auch sehr freigebig verlieh, bestand demnach darin, daß man jemanden ein „Originalgenie" oder eine „Natur" nannte. Man verlangte nicht mehr virtuose Handhabung der Regeln, sondern „Fülle des Herzens" und stellte das Gemüt hoch über den Verstand: aber mit dem Verstand; wie denn überhaupt jene stürmende Jugend, die sich das Programm gesetzt hatte, um jeden Preis zu brodeln, eine merkwürdige Mischung aus Naivität und Reflexion darstellte, etwas Kindlich-Altkluges an sich hatte.

Das Vorspiel dieser hochinteressanten Bewegung, die in das deutsche Geistesleben einen ganz neuen Ton gebracht hat, bildet die Periode der Empfindsamkeit, deren Anfänge etwa zwei Jahrzehnte älter sind. Schon Gellerts Hauptforderung, die er unzählige Male in Briefen und Schriften wiederholte, war ein „gutes empfindliches Herz". Das modische weiche und gefühlvolle Wesen nannte man nun um 1750 „zärtlich" oder „empfindlich". Lessing übersetzte den Titel von Sternes „sentimental journey" mit „empfindsame Reise", und dieser Ausdruck bürgerte sich nicht nur allgemein ein, sondern gewann auch sehr bald den Charakter

einer Lebensdevise. Daneben trat die Vorstellung der Rousseau-
schen *„belle âme"*, der schönen Seele, die allen zarten und zärtlichen
Regungen geöffnet ist. Und dann kam das Wort „Gefühl" auf und
ergriff mit der Macht, die nur die große Mode einer Vokabel verleihen kann, die Herrschaft über alle Lebensgebiete. Man be-
rauschte sich an ihm und rief es sich gegenseitig wie eine nächtliche
Parole anfeuernd, geheimnisvoll zu. „Gefühl" war die unerläßliche,
aber auch völlig ausreichende Legitimation für alles. Worauf beruht Liebe, Freundschaft, Verständnis, aller Zusammenhang unter
den Menschen? Einzig auf dem Gefühl. Was ist der Kern der
Religion, was ist das Vaterland, das Leben, die Natur? Ein Gefühl.
Was macht den Maler, den Denker, den Poeten, was verleiht den
Stempel echter Menschlichkeit? Immer das Gefühl.

Natürlich ist die Folge, daß diese Fähigkeit, alles aus dem inneren
Reichtum des Herzens zu erfühlen, die eine seltene Gabe, ein göttliches Talent ist, von all den Vielzuvielen, die die Mode mitmachen
wollen, bloß äußerlich gespielt und künstlich forciert wird. Man
will stets bewegt, gerührt, ergriffen, hingerissen sein, man zwingt
sich in einen permanenten Zustand seelischer Hochspannung. In
Frankreich erzeugte dieses Spielen mit edeln Sentiments die Revolution. In Deutschland hatte es das harmlosere Ergebnis einer welt-
fremden einseitigen Kultur.

Eine der ersten und wohltätigsten Folgen dieses Gefühlskults bestand darin, daß er die Schranken, die die steife Tradition des siebzehnten und achtzehnten Jahrhunderts zwischen den Menschen
aufgerichtet hatte, zum Teil durchbrach. Noch Lessing, sonst ein
so warmer und siegreicher Vorkämpfer der Natürlichkeit, stand
mit seinen besten Freunden auf Sie, und in der josefinischen Volks-
schule, die ebensowenig wie alle anderen Reformwerke des Kaisers einen wirklichen Durchbruch zur Freiheit bedeutete, war es
den Knaben aufs strengste verboten, einander zu duzen. Goethe
und Lavater hingegen gebrauchten sogleich bei ihrer ersten Begeg-
nung das Du, das überhaupt unter Menschen, die sich geistig miteinander verwandt fühlten (und zu dieser Empfindung kam es
damals sehr leicht), die übliche Anrede wurde; und ebenso rasch
nannte man sich „Bruder" und „Schwester". Die ganze Zeit ist

auf ein schmelzendes Adagio gestimmt; diese Tonart begann auch erst damals in der Musik zu dominieren. Ein unentbehrlicher Bestandteil auch des kleinsten Parks war der „Freundschaftstempel", in dem man sich ewige Treue schwur. Man schwelgte in der Idee einer rein geistigen Vereinigung zwischen Mann und Frau: die „Seelenliebe", die auf der Gemeinsamkeit edler Regungen beruht, wird zur Modeform des Flirts. Häufig findet sich auch, zumal bei Dichtern, die „Gedankengeliebte", ein erhabenes, innig verehrtes Idealwesen, das bloß in der Phantasie existiert. Man weint über jeden Brief, den man erhält, über jedes Buch, das man aufschlägt, über die Natur, über den Freund, über die Braut, über sich selbst; und man weint überhaupt. In Millers „Siegwart", dem erfolgreichsten Roman der Zeit, weint sogar der Mond. Die bisherige bedächtige und wohlartikulierte Schreibweise verändert sich vollkommen: die Sprache wird zum Ausdrucksmittel der Augenblicksstimmungen, bis hart an die Grenze der Gedankenflucht, ist überfüllt mit Gedankenstrichen, Rufzeichen, Fragezeichen, erregten Interjektionen, Sätzen, die in der Mitte abbrechen. Wir haben es hier unzweifelhaft mit einer Art Frühimpressionismus zu tun, dessen Errungenschaften später wieder verlorengingen. Dieser leidenschaftlich suchende, ewig unbefriedigte und gleichwohl vom prometheischen Bewußtsein seiner neuen Funde geschwellte Seelenzustand steht in voller Leibhaftigkeit und Gegenwart vor uns in einem Briefe des jungen Goethe aus dem Jahr 1775, worin er einer seiner Seelenfreundinnen beschreibt, wie er den Tag verbracht hat, und mit den Worten schließt: „Mir war's in alledem wie einer Ratte, die Gift gefressen hat; sie läuft in alle Löcher, schlürft alle Feuchtigkeit, verschlingt alles Eßbare, das ihr in den Weg kommt, und ihr Inneres glüht von unauslöschlich verderblichem Feuer."

Das Zeitalter hatte das Krankhafte aller Epochen, in denen sich Neues bildet, und zugleich das Doppelgesichtige aller Übergangsperioden: daher seine starken Widersprüche. So ist zum Beispiel der nach Deutschland verpflanzte englische Garten, obgleich aus der Begeisterung für die Rückkehr zur Natur geboren, nichts als der gekünstelte Versuch, alles, was man damals unter „Natur" verstand, auf einen Fleck zusammenzupferchen: Wiesen, Bäche,

Grotten, Baumgruppen, sanfte Wegsteigungen, Wäldchen mit obligater Lichtung, und die Staffage bildete ein groteskes Bric-à-brac von allen erdenklichen Reminiszenzen und Velleitäten: griechische Säulen, römische Gräber, türkische Moscheen, gotische Ruinen; dazu gab es noch überall, was als besonders geschmacklos und widernatürlich befremdet, sentimentale Inschriften, die den Text zu den intendierten Wirkungen predigten. Ebenso waren Hypersensibilität und Roheit seltsam gemischt. In derselben Wertherzeit, die in der Geliebten ein überirdisches Wesen erblickte, war in Gießen, wie der Magister Laukhard in seiner Selbstbiographie berichtet, unter den Studenten noch eine sonderbare Form der Ovation üblich, die mehr an Grimmelshausen erinnert: sie zogen, nachdem sie sich vorher entsprechend mit Bier gefüllt hatten, vor ein Haus, worin Frauenzimmer wohnten, und erleichterten sich dort, unter einem Gepfeife, wie es die Fuhrleute beim Pissen der Pferde anzustimmen pflegen.

Die Inthronisierung des Gefühls mußte sich überhaupt ganz naturgemäß ebensosehr in Zügellosigkeit wie in Verfeinerung auswirken. Aus der Überlebtheit und Enge der bisherigen Kunst- und Staatsgesetze zog man den Schluß, daß überhaupt alle Regeln zu verwerfen seien. Im „Werther" heißt es mit deutlicher Ironie: „Man kann zum Vorteile der Regeln viel sagen, ungefähr was man zum Lobe der bürgerlichen Gesellschaft sagen kann." Und in der Tat hatte die damalige Jugend schon dieselbe Geringschätzung für die Bourgeoisie, wie sie später die französischen Romantiker, die Dichter des jungen Deutschland, die Naturalisten, die Expressionisten und überhaupt alle Jugendbewegungen zur Schau trugen. Dies führte zu einer prinzipiellen Verachtung aller Berufe; man wollte bloß Mensch sein. „Gelehrtenstand – Stand? Pfui!", sagt Goethes Schwager Schlosser 1777 im „Deutschen Museum", „Himmel, was für Stände! Der Gelehrtenstand, der Juristenstand, der Predigerstand, der Autorenstand, der Poetenstand – überall Stände und nirgends Menschen! Warum ist Weisheit, Erfahrung, Menschenkenntnis so selten bei euern Männern von Geschäften? Weil sie einen Stand ausmachen." Was der Generation als Ideal vorschwebte, war ein geniales Liebhabertum, das sich für alles interessiert, ohne sich an etwas Bestimmtes zu hängen, und als einziges Spezialfach das Studium des Lebens betreibt.

Sehr charakteristisch für die Geniezeit ist ihre Leidenschaft für die Silhouette, die die Porzellanmanie des Rokokos ablöste: man fand die schwarzen Porträts allenthalben in Büchern und Albums, als Wandbilder und Medaillons, auf Gläsern und Tassen, sie erreichten sogar nicht selten Lebensgröße. Die Kunst des Scherenschneidens wurde eine gesuchte Fertigkeit, die auch von namhaften Zeichnern geübt wurde, und die beliebteste Unterhaltung am Familientisch. Das eigentümlich Schattenhafte, Andeutungsmäßige, Verhängte und zugleich Abstrakte, Schematische, Umrißhafte des Zeitalters, die Synthese aus Gefühlsdunkel und Verstandesaufklärung findet in dieser Liebhaberei ihren Ausdruck, auch das Dilettantische, Amateurhafte: Lavater baute seine an sich schon problematische Wissenschaft der Physiognomik vorwiegend auf Sammlungen von Schattenrissen, die er mit großem Eifer anlegte. Diese neue Form der Seelenerkundung entsprach ungefähr unserer heutigen Graphologie: ihr Begründer behauptete, den Charakter jedes Menschen aus dessen Gesicht ablesen zu können, und fand, wie Lichtenberg bissig bemerkte, mehr auf den Nasen der zeitgenössischen Schriftsteller als die vernünftige Welt in ihren Schriften.

Zu einer förmlichen Manie wurde auch das Briefschreiben, das einen wesentlich anderen Charakter trug als heutzutage, denn es bedeutete durchaus keine intime und private Angelegenheit, vielmehr waren die Mitteilungen und Ergüsse, die man zu Papier brachte, von vornherein für einen größeren Leserkreis bestimmt. Der Mangel an wirklichen Zeitungen, die strenge Zensur, die Freude des Zeitalters an der Zerfaserung des eigenen und fremden Seelenlebens machten den „Zirkelbrief", der oft in Dutzenden von Ortschaften herumging, zu einer dominierenden Verkehrsform. „Denn es war überhaupt eine so allgemeine Offenherzigkeit unter den Menschen", sagt Goethe, „daß man mit keinem einzelnen sprechen oder an ihn schreiben konnte, ohne es zugleich als an mehrere gerichtet zu betrachten. . . . und so ward man, da politische Diskurse wenig Interesse hatten, mit der Breite der morali-

schen Welt ziemlich bekannt." Der Brief hieß „Seelenbesuch",
man verliebte sich brieflich und stand in schwärmerischer Korrespondenz mit Personen, die man niemals persönlich kennenlernte.

Es war eben ein durch und durch literarisches Zeitalter; man
sprach und bewegte sich, man haßte und liebte literarisch. Alle
wichtigen Lebensäußerungen gingen schriftlich vor sich; alles
geschah d u r ch das Papier f ü r das Papier. Alles war ein ausschließlicher Gegenstand der Literatur geworden: der Staat, die Gesellschaft, die Religion. Eine wahre Lesewut erfaßte alle Stände, Leih-
bibliotheken kamen auf und das Buch in der Tasche wurde zum
unentbehrlichen Bestandteil der Toilette. Friedrich der Große
äußerte zu d'Alembert, er wollte lieber die „Athalie" geschrieben
als den Siebenjährigen Krieg gewonnen haben, und dichtete unmittelbar nach der schrecklichen Katastrophe von Kolin zahlreiche
Verse und Epigramme. Madame Roland verlangte am Fuße des
Schafotts Feder und Papier, um einige merkwürdige Gedanken
aufzuzeichnen, die soeben in ihr aufgestiegen seien.

Auch im Kostüm der Zeit mischten sich Extravaganz und Natu- Der Frack
ralismus. Die Frisuren waren eine Zeitlang so hoch, daß die
Damen die Polster aus den Kutschen entfernen mußten. Am französischen Hofe erblickte man eines Tages eine Fregatte mit Segeln
als Coiffure. Die Marquise von Créqui erzählt, daß Marie Antoinette im Jahr 1785 *à la jardinière* frisiert erschien, mit einer Arti-
schocke, einem Kohlkopf, einer Karotte und einem Bund Radies-
chen auf dem Kopf. Eine Hofdame war so begeistert davon, daß
sie ausrief: „Ich werde nur noch Gemüse tragen; das sieht so einfach aus und ist viel natürlicher als Blumen." Dann kamen wiederum kolossale Hauben in Mode, die sogenannten Dormeusen
oder Baigneusen. Gegen den Puder erhob sich im Namen der
Philanthropie eine lebhafte Opposition, die darauf hinwies, daß
der enorme Verbrauch von Weizenmehl dem Volk das Brot ver-
teure, und man begann auch in der Tat das Haar ungepudert zu
tragen, doch wurde diese Sitte nicht allgemein. Bei den Herren
wurde der Zopf von Jahr zu Jahr kürzer und der Leibrock schon
im Rokoko zum leicht kupierten Halbfrack, um sich schließlich
in den echten Frack zu verwandeln, der, dem englischen Reitrock

nachgebildet, um 1770 als „Schwalbenschwanz" in Mode kam. Er war jedoch in seiner Jugend keineswegs das ernste und würdige Festgewand, als das er noch heute fortlebt, sondern begann als lärmendes und provokantes Kleidungsstück, das zunächst bei der revolutionären Jugend am beliebtesten war, in lebhaften Farben wie Scharlachrot, Himmelblau und Violett getragen wurde und mit großen goldenen oder kupfernen Knöpfen besetzt war. Aus dem freien Amerika kam gegen Ende des Zeitraums der Zylinderhut und der große runde Filzhut. Das Wertherkostüm bestand aus hohen Stulpenstiefeln mit Kappe, gelben ledernen Beinkleidern, gelber Weste und blauem Frack; dazu trug man den Hals und das Haar frei, was bei der älteren Generation besonderes Mißfallen erregte. Selbst unter den Damen sah man die „Emanzipierten" mit Wertherhut, Weste und Frack, dem berüchtigten *„caraco"*.

Ossian Die Götter der Zeit waren dieselben, zu denen Werther betete: Homer, Ossian und Shakespeare, den man irrtümlich für einen Buchdramatiker hielt. 1760 hatte der schottische Lyriker James Macpherson „Bruchstücke alter Dichtung, gesammelt in den Hochlanden" herausgegeben; es waren Bardenlieder, angeblich übersetzt aus dem Gälischen der Zeit Caracallas. 1762 ließ er ein zweites Werk folgen: „Fingal, eine alte epische Dichtung, verfaßt von Ossian, Sohn des Fingal." Schon Johnson und Hume äußerten Zweifel an der Echtheit; aber erst 1807, elf Jahre nach dem Tode Macphersons, wurde die Fälschung einwandfrei nachgewiesen. Doch dies ist ziemlich gleichgültig und war nur für Papierseelen wie Johnson und enragierte Skeptiker wie Hume ein wichtiges Problem. Das Geniale dieses Schauspielerstücks bestand ja gerade darin, daß diese Dichtungen keineswegs treue Kopien alter Volkskunst darstellten, sondern nur so waren, wie die Sehnsucht der Zeit Naturpoesie auffaßte und haben wollte: raffiniert primitiv, mit höchster Artistik pittoresk, die Wehmut später Seelen spiegelnd. Das ungeheure Aufsehen, das sie erregten, wäre durch wirkliche Bardenlieder niemals erreicht worden. Sie wurden ins Französische, Italienische, Spanische, Polnische, Holländische und etwa ein halbes dutzendmal ins Deutsche übersetzt, Alwina, Selma und Fingal wurden beliebte Taufnamen, es entstanden ganze Bardenschulen, und noch Napoleon stellte Ossian über Homer. Das Fahle und Melancholische, Wildgewachsene und Chaotische erschien der Zeit poetischer als Klarheit und Formenstrenge. Man entdeckte den Reiz und die Größe der bisher verachteten Gotik, Horace Walpole, der Sohn des bereits erwähnten Robert Walpole, baute sein Schloß Strawberry Hill zur mittelalterlichen Burg um und schrieb den erfolgreichen Schauerroman „The Castle of Otranto", Herder rühmte die einfach schönen Sitten der deutschen Vergangenheit und Goethe begeisterte sich für das Straßburger Münster.

Es ist für die Dichter der Sturm- und Drangbewegung bezeichnend, daß sie ausnahmslos ihre größten Würfe im jugendlichen Alter taten: es gilt dies sogar von den Klassikern Herder, Goethe und Schiller. Den Beginn machte Gerstenbergs „Ugolino" im Jahre 1767, eine prachtvolle dramatische Studie voll Farbe und Spannung, die durch die Kraßheit, mit der sie eine Art Morphologie des Hungers entwarf, größtes Befremden erregte. Gerstenberg war um etwa ein Jahrzehnt älter als die übrigen Originalgenies und starb erst im Jahre 1823 mit sechsundachtzig Jahren, hat aber nach diesem verheißungsvollen Auftakt nichts von Bedeutung mehr produziert. Der Göttinger „Hain", ein Bund exaltierter junger Leute, gegründet 1772, suchte die alte Skaldenpoesie zu erneuern und schwärmte für Freiheit, Vaterland, Tugend und Klopstock. Die Mitglieder der eigentlichen Sturm- und Dranggruppe, die mit dem „Hain" nur äußerlich in Berührung stand, sind alle um die Mitte des Jahrhunderts geboren und wurden vielfach auch „Goethianer" genannt, weil man den Führer der ganzen Bewegung in Goethe erblickte, der sich aber bekanntlich sehr bald von ihr zurückzog. Die Werke erschienen anonym, und es ist ergötzlich zu beobachten, wie selbst Kenner in der Feststellung des Verfassers fehlgriffen. Lessing glaubte, daß Leisewitzens „Julius von Tarent" von Goethe und Wagners „Kindermörderin" von Lenz sei, einige Gedichte Lenzens sind in fast alle Goetheausgaben übergegangen, seine „Soldaten" galten allgemein für ein Werk Klingers, dafür wurde Klingers „leidendes Weib" noch von Tieck in Lenzens gesammelte Werke eingereiht, während bei Klingers „neuer Arria" Gleim und Schubart auf Goethe rieten und Lenzens

„Hofmeister" von Klopstock, Voß und aller Welt ebenfalls
Goethe zugeschrieben, ja sogar von vielen für dessen bedeutendstes
Drama erklärt wurde. In der Tat ist Lenz nächst Goethe der weitaus interessanteste Dichter der Generation. Dieser nannte ihn „das
seltsamste und indefinibelste Individuum" und Lavater sagte, Lenzens Stärke und Schwäche treffend zusammenfassend: „er ver-
spritzt vor Genie". Er erinnert in mancher Beziehung an Wede-
kind. In seinen Dramen herrscht eine wüste und doch kalte Sexualität, eine gehetzte Bilderflucht und Gedankenflucht, die aber gerade eine eminent dramatische Atmosphäre schafft, ein ins Pathologische und Karikaturistische gesteigerter Naturalismus, der den
Figuren eine höchst eigentümliche Grelle und Panoptikumstarr-
heit verleiht, und ein aus Amoralität geborener Moralismus, der
vor den schockantesten Motiven nicht zurückschreckt: in den
„Soldaten" ist die Heldin eine Hure und der „Hofmeister" schließt
damit, daß der Titelheld sich kastriert. Lenzens Stücke, die er selbst
in der Erkenntnis, daß sie ein Mischgenre darstellten, Komödien
nannte, erfüllten vollkommen die Forderung, die er 1774 in seinen
„Anmerkungen über das Theater" an das Drama stellte: ein „Rari-
tätenkasten" zu sein; der vorzügliche Ausdruck stammte eigentlich von Goethe, den er überhaupt in allem zu kopieren suchte.
Er verliebte sich in Friederike Brion und Frau von Stein, stand in
engem Freundschaftsverkehr mit Schlosser und Cornelia, traf in
einigen seiner Gedichte täuschend den Ton des jungen Goethe und
wollte in Weimar ebenfalls die Hofkarriere ergreifen. Karl August
nannte ihn daher den Affen Goethes. Doch unterschied er sich von
diesem, ganz abgesehen von allem andern, allein schon durch einen
abnormen Mangel an menschlichem Fond und psychologischem
Takt, der sein Leben nach kurzem Aufstieg ins Dunkel des Wahn-
sinns und der Vergessenheit schleuderte.

Eine alle Grenzen überspringende und doch im Grunde nur
künstlich erzwungene Maßlosigkeit war auch der Grundzug
Klingers. Wieland nannte ihn „Löwenblutsäufer" und er selbst
schrieb in einem Brief vom Jahre 1775: „Mich zerreißen Leidenschaften, jeden anderen müßte es niederschmeißen ... ich möchte
jeden Augenblick das Menschengeschlecht und alles, was wimmelt

und lebt, dem Chaos zu fressen geben und mich nachstürzen."
Seine Gestalten leben in einer permanenten Siedehitze; seine
Sprache erstickt in einem dicken Nebel von verstiegensten Tropen
und widersinnigsten Wendungen. Später ging er nach Petersburg,
wo er zum General und Liebling des Zaren avancierte, ziemlich
zahme vielgelesene Romane schrieb und in hohem Alter starb.
Von seinen Jugenddichtungen sagte er 1785: „Ich kann heut über
meine früheren Werke so gut lachen als einer; aber so viel ist
wahr, daß jeder junge Mann die Welt mehr oder weniger als Dichter und Träumer ansieht. Man sieht alles höher, edler, vollkommener; freilich verwirrter, wilder und übertriebener."

Heinrich Leopold Wagner war ein roher und krasser, aber sehr
kräftiger Naturalist. Sein Drama „Die Reue nach der Tat" hatte
unter Schröder, der ihm den kitschigen Titel „Familienstolz" gab,
einen großen Erfolg. Er starb schon 1779. Der Maler Friedrich
Müller, in der Literaturgeschichte unter dem Namen „Maler
Müller" bekannt, schrieb ein Faustfragment und ein Schauspiel
„Golo und Genoveva": fein kolorierte, halb realistische, halb lyrische Szenenreihen, geschmackvoller, aber auch blasser als die der anderen. Der schwächste, gemäßigteste und daher erfolgreichste
der Gruppe war Leisewitz.

1773 erschien Bürgers „Lenore", eine der stärksten deutschen
Balladen. Diese Dichtungsgattung erreichte überhaupt damals eine
hohe Blüte: sie kommt von der „Moritat" der Jahrmarktsbuden
her und ist eben darum ein volkstümliches, farbiges und lebens-
kräftiges Genre, ein lyrisch-episches Pendant zum Drama der
Geniezeit. Der erste Musiker, der die geheimnisvoll düsteren Farben der Ballade wirksam zu treffen wußte, war Johann Rudolf
Zumsteeg. Schiller hat an Bürger im Jahr 1791 in der „Allgemeinen Literaturzeitung" eine etwas einseitige Kritik geübt, die
großes Aufsehen machte, von Goethe sehr beifällig aufgenommen
wurde und den Dichter der „Lenore" tief verstimmte, obgleich
sie sich an mehreren Stellen sehr anerkennend, ja bewundernd
äußert und ihm nur die letzte Kunstreife abspricht.

Man nannte diese Generation von hochbegabten, aber ratlosen   Zweidi-
Naturdichtern, die etwa ein Jahrzehnt lang das deutsche Publikum   mensionale
Dichtung

durch die Leidenschaftlichkeit, Neuheit und Buntheit ihrer Visionen faszinierten und erschreckten, seinerzeit „kraftgenialisch" und drückte damit ziemlich präzis aus, daß sie durch ihre dichterische Kraft dem Genie verwandt waren, aber nur durch diese. Das Genie ist aber zugleich immer ein Wissender: es stellt sich der höchst komplexen, verwirrenden und scheinbar unlogischen Erscheinung, die wir „Leben" nennen, als Eingeweihter gegenüber. Es verhält sich daher zu allen übrigen Menschen wie der Kenner zu den Dilettanten. Die Dichter des Sturms und Drangs waren nun lauter in der Anlage steckengebliebene Genies. Ihrer Phantasie und Gestaltungsgabe stand keine genügende Gehirnkraft und Bildung gegenüber: sofern man nämlich einen Künstler nur dann gebildet nennen darf, wenn er seine eigene Persönlichkeit vollkommen überschaut und beherrscht. Ihre Fähigkeiten waren nicht äquilibriert. Daher hatte alles bei ihnen etwas Gewaltsames, Unorganisches, Verzerrtes, und ihre Originalität wirkte nicht befruchtend, sondern befremdend. Sie wollten bestimmte Gedanken verkünden und bestimmte Ideale der Lebensführung lehren; aber die messianische Gebärde wurde bei ihnen unwillkürlich zur herostratischen. Ihre ganze Art hatte etwas Gymnasiastenhaftes; sie haben nie etwas anderes geschaffen als hochwertige Pubertätsdichtung. Trotzdem oder vielmehr gerade deshalb muß man die Geniezeit die Blüteperiode der deutschen Dichtung nennen: das Wort in seiner buchstäblichen Bedeutung genommen. Zur Frucht kam es nie; denn diese Blüte wurde geknickt durch den Klassizismus.

Wir können die Sturm- und Drangbewegung vielleicht unserem Verständnis näher rücken, wenn wir sie mit der naturalistischen und der expressionistischen vergleichen. Die Unterschiede sind nicht so groß, wie es nach den lärmenden Programmen, in denen jede dieser drei Richtungen sich als etwas noch nie Dagewesenes ausrief, den Anschein haben könnte. Der Vorgang war in allen drei Fällen prinzipiell der gleiche. Eine „fordernde" Jugend erhebt ein großes Geschrei gegen alles Bisherige, das bloß abgelehnt wird, weil es das Bisherige ist. Sie sprengt alle Formen oder glaubt es zu tun: in Wirklichkeit schafft sie eine neue Form. Sie kommt allemal „von unten", vertritt die Rechte eines bisher unterdrückten Standes, ist betont polizeiwidrig und so weit als möglich nach links orientiert: 1770 demokratisch, 1890 sozialistisch, 1920 kommunistisch. Für ihr künstlerisches Glaubensbekenntnis wählt sie sich gern einen großen Schutzpatron, den sie in wesentlichen Punkten nachahmt, in anderen wesentlichen Punkten mißversteht: diese Rolle spielte für die Originalgenies Shakespeare, für die Naturalisten Ibsen, für die Expressionisten Strindberg. Sie macht zum Gegenstand der Poesie mit Vorliebe, was den Philister agaciert: Wahnsinn, Mord und Gotteslästerung; Blutschande, Notzucht und Hurerei; Raufen, Saufen und ins Zimmer Spucken, und erhebt die Bühne gern zur sozialen Richterin, deren Entscheidungen sie in einer Mischung aus provokantem Zynismus und verkrampftem Ethos lehrhaft plakatiert.

Hierin erinnerten die Sturm- und Drangpoeten besonders stark an die Expressionisten, mit denen sie auch die Eigentümlichkeit teilten, daß sie Dichter mit zweidimensionaler Phantasie waren: sie sahen alles linear, in der Fläche. Es ist dies vielleicht auch der wahre Grund, warum man ihnen immer vorwarf, ihre Figuren seien konstruiert. Sie waren natürlich konstruiert; aber das wäre an sich noch kein Einwand, denn jeder Dramatiker muß bis zu einem gewissen Grade Konstrukteur sein. Ihre Schwäche bestand darin, daß sie zweidimensional konstruiert oder, um es mit einem gebräuchlicheren, aber unklareren Wort zu sagen, lyrisch konzipiert waren. Daher hatten sie immer etwas Bilderbogenhaftes, ohne daß sie darum falsch oder unfertig gezeichnet gewesen wären: der Eindruck des Schiefen und Steifen entstand nur dadurch, daß sie für die Bühne gedichtet waren, ohne doch bühnenmäßig gesehen zu sein. Man hat stets den Eindruck, daß etwas fehlt: eben die dritte Dimension; es entsteht derselbe Effekt, wie wenn ein ausgezeichneter Rezitator den Versuch macht, als Schauspieler aufzutreten. Eine unscheinbare Äußerlichkeit ist für fast alle linear sehenden Schriftsteller charakteristisch: sie haben eine Leidenschaft für die Linie, die den Text unterbricht, nämlich den Gedankenstrich. Auch die Stürmer und Dränger bedienten sich dieses typographischen Hilfsmittels, das sie durch übermäßigen Gebrauch vollkommen abnützten.

Der Prophet der ganzen Bewegung war Johann Georg Hamann, eine literarhistorische Kuriosität allerersten Ranges. Er schuf sich, in der leidenschaftlichen Überzeugung, daß unsere tiefsten Seelenregungen sich in der Region des clair-obscur vollziehen, eine völlig neue Sprache, die, ganz Ahnung, Geheimnis und Andeutung, von einer bis dahin unerhörten Suggestionskraft, freilich auch an vielen Stellen von einer fast undurchdringlichen Dunkelheit war. Er sprach selbst von seinem „dummen Tiefsinn", seinem „Heuschreckenstil" und „verfluchten Wurststil", erklärte, seine eigenen früheren Schriften nicht zu verstehen, und bezeichnete seine ganze Produktion als bloße „Brocken, Fragmente, Grillen, Einfälle". Im äußersten Gegensatz stand er zu den Aufklärern, den „Lügen-, Schau- und Maulpropheten", wie er sie nannte, die ihrerseits vornehm auf seine wirre Änigmatik herabsahen: aber man frage sich, ob Mendelssohn, Nicolai und ihr Anhang jemals so geniale Sätze hätten niederschreiben, ja auch nur nachempfinden können wie etwa den Hamannischen: „Das Gute tief herein–, das Böse herauszutreiben – schlechter scheinen, als man wirklich ist, besser wirklich sein, als man scheint: dies halte ich für Pflicht und Kunst." In Sokrates verehrte er im Gegensatz zu Mendelssohn nicht den Dialektiker und Moralisten, sondern das geheimnisvolle Sprachrohr des Daimonions, und das sokratische „Nichtwissen" deutete er im Sinne des Geniebegriffs als ein Bekenntnis zum Irrationalismus. Er verlangte vom Dichter und Denker die „Herzwärme der Willkür", denn: „Denken, Empfinden und Verdauen hängt alles vom Herzen ab" und „ein wenig Schwärmerei und Aberglauben würde nicht nur Nachsicht verdienen, sondern etwas von diesem Sauerteige gehört dazu, um die Seele zu einem philosophischen Heroismus in Gärung zu setzen". Poesie ist ihm „Geschichtschreibung des menschlichen Herzens", Philosophie Selbsterkenntnis: „Nichts als die Höllenfahrt der Selbsterkenntnis bahnt uns den Weg zur Vergötterung." Sein Kardinalbegriff war die *coincidentia oppositorum* Brunos, deren Existenz er überall aufsuchte und nachwies: in der rätselhaften Vereinigung von Geist und Körper, Vernunft und Sinnlichkeit; in der Sprache, die nichts ist als verkörperter Geist, versinnlichter Gedanke; in den christlichen Mysterien der Trinität, Inkarnation und Erlösung.

Eine so tiefe und stets gegenwärtige Überzeugung von der Paradoxie, inneren Gegensätzlichkeit und organischen Unlogik alles Geschaffenen muß notwendig zum ironischen Standpunkt führen, und in der Tat war Hamann ein Ironiker höchster Art vom Schlage eines Plato, Pascal oder Shakespeare. Ja er geht sogar so weit, in der Welt das Produkt der göttlichen Ironie und in der Bibel, dem Wort Gottes, das Schulbeispiel eines ironischen Buches zu erblicken. Und auch in der widerspruchsvollen Stellung, die dieser komplizierte und primitive, moderne und altertümliche, universelle und einseitige, angeschwärmte und mißverstandene Denker selber in seiner Zeit einnahm und noch heute in der Geschichte der Philosophie einnimmt, liegt etwas tief Ironisches.

Auf den Satz Hamanns, daß die Poesie die Muttersprache des menschlichen Geschlechts sei, hat Herder seine ganze Poetik und Sprachphilosophie aufgebaut. Wir haben bereits im ersten Bande in der Einleitung die Bedeutung dieses außerordentlichen Kopfes kurz zu würdigen versucht. Er bildete insofern den äußersten Gegenpol zur Aufklärung, als diese alle Phänomene der Vergangenheit ihrem engen und philiströsen Weltbild anzugleichen suchte, während in ihm gerade die Fähigkeit, sich allen Erscheinungen, auch den entlegensten und fremdesten, mit liebevollem Verständnis einzuschmiegen, aufs stärkste entwickelt war. „Da schreiben wir denn nun ewig für Stubengelehrte, machen Oden, Heldengedichte, Kirchen- und Küchenlieder, wie sie niemand versteht, niemand will, niemand fühlt. Unsere klassische Literatur ist Paradiesvogel, so bunt, so artig, ganz Flug, ganz Höhe und – ohne Fuß auf die deutsche Erde." Die Poesie steht für ihn um so höher, je näher sie der Natur steht, daher sind die herrlichsten Poesien von den ältesten Völkern geschaffen worden, von wilden Natursöhnen, denn die Kultur ist der Poesie schädlich. Das Lied des Volkes ist voll Frische, Kraft, Anschaulichkeit, es redet nicht, sondern malt, es begründet nicht, sondern entlädt sich in kühnen Sprüngen und Würfen. Und um diese Meinung an konkreten Beispielen zu erhärten, übersetzte er mit genialem Einfühlungsvermögen die „Stimmen der Völker": französische, italienische und spanische, englische, schottische und dänische Dichtungen, nor-

dische Bardenlieder und deutsche Volksweisen, die selbstgewach-
senen Naturpoesien aller Nationen bis zu den Grönländern und
Lappen, Tataren und Wenden. Er entdeckte die Großartigkeit der
mittelalterlichen Kunst, die erhabene Kraft und Einfalt Albrecht
Dürers, den morgenländischen Zauber des Alten Testaments, in
dem er eine Sammlung von „Nationalmärchen" erblickte, und
dabei sah er alle Erscheinungen nicht isoliert, sondern in ihrer Umwelt, als Produkte ihres Zeitalters, ihrer Nationalität, ihrer Sitte. Die
Aufklärung betrachtete Shakespeare als ein durch Regellosigkeit
verdorbenes Genie, Lessing erklärte ihn für das Genie, das sich
selber die Regeln macht, Herder aber deutete ihn als farbiges Abbild der elisabethinischen Ära und ihres eigentümlichen Lebens,
ihres Staats und Theaters, ihrer Gesellschaft und Weltanschauung.

Die irrationalistische Bewegung, die Hamann inaugurierte und
Herder weiter ausbreitete, fand ihre Fortsetzung und einen gewissen Abschluß in Goethes Jugendfreund Friedrich Heinrich Jacobi.
Er nahm seinen Ausgang von der Bekämpfung Spinozas, indem
er nachwies, daß dieser Atheist und Fatalist gewesen sei und überhaupt jede derartige mathematisch-logische Demonstrationsweise
zum Fatalismus führen müsse: das begriffsmäßige Denken gibt uns
statt des Brotes nur Stein, statt eines lebendigen Gottes Natur-
mechanismus, statt Willensfreiheit starre Naturnotwendigkeit.
Das Organ, womit wir die Welt erkennen, ist nicht die Vernunft,
sondern das Gefühl, das „Vermögen des Übersinnlichen", das in
jedem Menschen lebt. Daß Dinge außer uns existieren, können
wir niemals mit dem Verstand beweisen, vielmehr erlangen wir die
Gewißheit hierüber nur durch einen unmittelbaren ursprünglichen
Glauben. „Wir haben nichts, worauf unser Urteil sich stützen kann,
als die Sache selbst, nichts als das Faktum, daß die Dinge wirklich
vor uns stehen. Können wir uns mit einem schicklicheren Worte
als dem Worte Offenbarung hierüber ausdrücken?" Aber ein
Dasein, das offenbar ist, setzt ein Dasein voraus, das offenbar
macht, eine schöpferische Kraft, die nur Gott sein kann. Aus dem
Begriff Gottes läßt sich das Dasein Gottes niemals folgern. Gott
existiert nicht, weil wir ihn denken, sondern wir sind seiner gewiß,
weil er existiert. Mit unserer Erkenntnis können wir das wirkliche

Dasein nie erfassen: was wir durch sie ergreifen, ist niemals der Gegenstand selbst, sondern immer nur unsere Vorstellung von ihm. Daß wir die Gegenstände gleichwohl wahrnehmen, nämlich im buchstäblichen Sinne des Wortes für wahr nehmen, ist eine unableitbare, unerklärliche und daher wahrhaft wunderbare Tatsache.

Jacobi ist heute nahezu vergessen, und doch gibt es kaum eine tröstlichere, menschlichere, ja man muß sogar sagen: wahrere Philosophie als die seine. Alles ist schließlich, wenn wir es recht betrachten, eine Tatsache des Glaubens, eine göttliche Offenbarung, ein unbegreifliches Gotteswunder: die ganze Welt, mein eigenes Ich, jedes größte und kleinste Ding. Zu allem brauchen wir Glauben, zu jeder einfachsten Betätigung. Von diesem Glauben leben wir. Der Schuster, der nicht an seine Tätigkeit und deren Objekt von Herzen glaubt, wird niemals ein rechtes Paar Stiefel zusammenbringen. In dem Augenblick, wo wir von den Dingen unseren Glauben an sie abziehen, fallen sie in nichts zusammen wie Zunder; in dem Augenblick, wo wir an sie glauben, sind sie da, wirklich, unangreifbar, unzerstörbar, ja bis zu einem gewissen Grade unsterblich.

Inniger Glaube und zerfressende Skepsis, trunkene Gefühlsseligkeit und eisige Logik, wilde Regelverachtung und rigorose Methodik: alle erdenklichen Polaritäten waren in dieser überreichen Zeit vereinigt. Und zu alledem sah sie noch die Anfänge der beiden „Dioskuren", die jedoch in Wirklichkeit ebenfalls Gegensätze, Antipoden waren. Die großen und bleibenden Ereignisse der Epoche heißen Götz, Werther und Urfaust, Räuber, Fiesko und Kabale. „Ein sehr merkwürdiger Mensch"

Vom jungen Goethe gibt Lottens Bräutigam Kestner in einem Brief an einen Freund folgende Charakteristik: „Er hat sehr viele Talente, ist ein wahres Genie und ein Mensch von Charakter. Er besitzt eine außerordentlich lebhafte Einbildungskraft, daher er sich meistens in Bildern und Gleichnissen ausdrückt. Er pflegt auch selbst zu sagen, daß er sich immer uneigentlich ausdrücke, niemals eigentlich ausdrücken könne. . . . Er ist in allen seinen Affekten heftig, hat jedoch viel Gewalt über sich. Seine Denkungsart ist edel. Von Vorurteilen frei, handelt er, wie es ihm einfällt, ohne sich darum zu kümmern, ob es anderen gefällt, ob es Mode ist, ob es die Lebensart erlaubt. Aller Zwang ist ihm verhaßt. . . . Aus den schönen Künsten und Wissenschaften hat er sein Hauptwerk gemacht, oder vielmehr aus allen Wissenschaften, nur nicht den sogenannten Brotwissenschaften. Er ist, mit einem Wort, ein sehr merkwürdiger Mensch." Das Merkwürdige an ihm war, daß er all das konnte, was die andern nur wollten und nicht einmal klar wollten. Im „Götz" triumphiert in einem seither nicht wieder erreichten Grad die Fähigkeit, die wir als die eigentlich dramatische bezeichnen müssen: die Kunst des virtuosen Auslassens und der dichtesten Pressung, der atemlosen und doch beherrschten Bilderjagd, die der Expressionismus wieder zur Norm erhoben, sich aber nur kalt und äußerlich zu eigen gemacht hat. Der „Werther" stellt den in der Weltliteratur vielleicht einzig dastehenden Fall dar, daß ein Werk, das bei den Zeitgenossen einen ungeheuern, aber ausschließlichen Aktualitätserfolg hatte, dennoch unsterblich geworden ist. Der Grund liegt darin, daß Goethe in diesem Roman zwar mit beispielloser Feinheit und Sicherheit der Zeit ihr Echo zurückwarf, zugleich aber mit einer ebenso beispiellosen Aufrichtigkeit und Innerlichkeit sein eigenes Erleben und Menschentum in seinen bewegtesten Tiefen abspiegelte. Und darum wird man, solange es edle, aber entwurzelte Menschengewächse gibt, immer wieder den „Werther" lesen. Und darum liest heute fast niemand mehr die „Heloïse", die fast noch größeres Aufsehen machte. Denn diese ist das Werk eines hochbegabten Journalisten, der auf seinen Höhepunkten einem Dichter zum Verwechseln ähnlich sieht, der „Werther" aber eine reine Dichtung, die, nur zu dem Zweck geschrieben, ihren Schöpfer von einem aufwühlenden Erlebnis zu entlasten, zufällig die Bedingungen eines Saisonromans erfüllte. Rousseau will etwas zeigen; Goethe will gar nichts.

Lessing schrieb an den Shakespeareübersetzer Eschenburg über den „Werther": „Glauben Sie, daß je ein griechischer oder römischer Jüngling sich so und darum das Leben genommen hätte?" Nein, das hätte ein griechischer Jüngling nie getan, geschweige denn ein römischer, schon weil das Schießpulver damals noch nicht erfunden war. Aber das war ja eben das Neue an dem Werk, daß es zum erstenmal und mit unwiderstehlicher Pinselführung die Katastrophe eines „Empfindsamen" malte, der nicht an seiner Liebe, nicht an irgendwelchen Schicksalsschlägen, sondern einfach am Leben stirbt. Die große Tat des „Werther" ist die Entdeckung der prinzipiell unglücklichen Liebe, worin sich auch der feminine Zug des Zeitalters äußert, denn diese ist die spezifisch weibliche Form der Liebe. Goethe selber aber hat sich im „Werther" von seiner Liebe befreit, indem er sie objektivierte, gewissermaßen zu einem selbständigen, von ihm losgelösten Geschöpf machte. Die reinigende und erlösende Funktion, die die Kunst in seinem Leben spielte, steht im Zusammenhang mit seiner sonderbaren Haltung gegen alle geliebten Frauen, die ein psychologisches Problem für sich bildet. Er brach mit Käthchen Schönkopf, er verließ Friederike Brion, er löste sein Verlöbnis mit Lili, allemal ohne ersichtlichen Grund. Auch seine Neigung zu Lotte war keine „unglückliche Liebe" im vulgären Sinne. Er fühlte, daß Lotte von ihrem Verlobten zu ihm hinüberglitt; und genau in diesem Augenblick zog er sich von ihr zurück. 1787 verliebte er sich in Maddalena Riggi, eine schöne blauäugige Mailänderin, die ebenfalls Braut war; eine längere Krankheit führte sie aus seinem Gesichtskreis. Als er sie wiedersah, war die Verlobung gelöst, aber damit war er für sie verloren: es kam nicht zu der von ihr erwarteten Erklärung. Er ließ überhaupt alle sitzen, bis auf zwei: Frau von Stein, weil sie schon einen Mann hatte, und Christiane, weil sie ihm ungefährlich war. Und selbst von der Frau von Stein trennte er sich eines Tages, und wiederum ohne greifbare Ursache.

Man könnte zur Erklärung dieses rätselhaften Verhaltens vielleicht auf Goethes ganze geistige Struktur hinweisen. Er suchte in allem, auch in der Frau, das Urphänomen, und darum konnte ihm keine einzelne auf die Dauer genügen. Sodann hatte er als Künstler, und das heißt: als ewig Wandernder überhaupt vor dem Weib Angst, in dem er das stabilisierende, fixierende Prinzip erblicken mußte. Der tiefste Grund dürfte aber wohl darin zu suchen sein, daß ihm jede Passion in dem Augenblick gegenständlich wurde, zur objektiven „Gestalt" gerann, wo er sich vor den Entschluß gestellt sah, aus ihr reale Konsequenzen zu ziehen, sei es in der Form einer Ehe oder eines dauernden Seelenbundes. Wäre er kein Dichter gewesen, so hätte er sich entweder zu einem „normalen" Verhalten gezwungen oder wäre an diesen Konflikten zugrunde gegangen. Aber er besaß das Ventil seiner Kunst, durch die er, wie man heute vielleicht sagen würde, abreagierte: in ihr finden wir das Feuer seiner Leidenschaft aufbewahrt, aber zur kühlen festen Lavamasse erstarrt.

Das Zeit-
alter
Goethes   Man kann die Jahre von etwa 1770 bis 1780 das „Zeitalter Goethes" nennen. Aber nur diese. Damals galt er wirklich als der Führer der deutschen Jugend, den man auch für alle vorlauten Extravaganzen und schielenden Absurditäten der neuen Bewegung verantwortlich machte. Fast alle seine Novitäten schlugen ein, machten Schule, wurden von Bewunderern und Gegnern als Programmkunst gewertet. Später hat er nie wieder diese breite und laute Wirkung erlangt. Besonders im „Werther" erkannten sich alle wieder. Sogar Napoleon las ihn siebenmal. Ein Platzregen von Kopien, Fortsetzungen, Dramatisierungen, Kommentaren, Gegenschriften, Parodien ging über Deutschland nieder; man übersetzte ihn sogar in einige außereuropäische Sprachen. Man zeigte ihn als Wachspuppe auf den Jahrmärkten und wallfahrtete zum Grabe seines Modells, des jungen Jerusalem. Jeder empfindsame Jüngling spielte mit dem Gedanken, das Ende Werthers nachzuahmen, und einige erschossen sich wirklich; jedes empfindsame Mädchen wollte geliebt werden wie Lotte: „Werther hat mehr Selbstmorde verursacht als die schönste Frau" sagte Madame Staël. Das Werk aber, das die Seele der Zeit am reichsten ausdrückte, gelangte gar nicht zu ihrer Kenntnis: der zwischen 1773 und 1775 geschriebene, erst 1790 in veränderter Fassung veröffentlichte „Urfaust". Und bei all dieser Produktivität von gleich staunenswertem Umfang und Gehalt hat man den Eindruck, daß sie an ihrem Urheber gar nicht das Wesentliche war; daß vielmehr seine Dichtungen Nebenprodukte, organische, aber sekundäre Sekrete waren. Das stärkste und tiefste Kunstwerk, das Goethe geschaffen hat, ist seine Biographie.

Bei Schiller hingegen gewinnt man die Überzeugung, daß seine ganze Genialität in die Feder floß und er sein Leben fast restlos in seinen Gestalten und Gedanken aufgebracht hat. Es soll damit keineswegs eine verschiedene Wertung ausgesprochen werden, sondern bloß die Konstatierung zweier polarer, aber gleichmäßig berechtigter Dichtertypen.

In dem Nachlaß Otto Weiningers findet sich ein kleiner Aufsatz, worin Schiller als das Urbild des modernen Journalisten geschildert wird. An dieser Auffassung ist so viel richtig, daß die journalistische Nachwelt sich tatsächlich nicht selten an Schiller orientiert hat, im übrigen aber beruht sie auf einer Unbilligkeit, die für die Beurteilung Schillers insofern typisch geworden ist, als man sich vielfach daran gewöhnte, von den Schülern auf den Meister zu schließen und ihn nicht nur für sie verantwortlich zu machen, sondern schließlich sogar mit ihnen zu verwechseln. Nun ist aber Schiller ganz ungeeignet, Schule zu machen. Man kann von einer Rembrandtschule, einer Hegelschule, einer Ibsenschule sprechen, von einer Schillerschule nicht. Man kann Schiller nicht nachahmen oder vielmehr: wenn man ihn nachahmt, wird er unerträglich. Wenn ein anderer Dichter Schillers Pathos nachredet, so wird es phrasenhaft und geschraubt, wenn er seine Technik kopiert, so wirkt sie leer und gemacht, und wenn er seine Ideen wiederholt, so werden sie zu schöngeistigen Platitüden. Schiller wäre als Orator nur ein Leitartikler, als Charakteristiker nur ein Feuilletonist, als Kompositeur nur ein Sensationsreporter, wenn er eben nicht Schiller wäre. Es ist hier noch nicht der Ort, auf diese Frage näher einzugehen.

Über die Mannheimer Uraufführung der „Räuber" berichtet ein Zeitgenosse: „Das Theater glich einem Irrenhause, rollende Augen, geballte Fäuste, heisere Aufschreie im Zuschauerraum! Fremde Menschen fielen einander schluchzend in die Arme, Frauen wankten, einer Ohnmacht nahe, zur Türe. Es war eine allgemeine Auflösung wie im Chaos, aus dessen Nebeln eine neue Schöpfung hervorbricht." Die Ausstattung, die der Intendant Freiherr von Dalberg dem Stück gegeben hatte, war für damalige Begriffe glänzend: besonders entzückt war Schiller von einem Mond mit blechernem Spiegel, der bei Karls Schwur „Höret mich, Mond und Gestirne" langsam über den Theaterhorizont lief und „ein natürliches schröckliches Licht in der Gegend verbreitete". Andererseits hatte derselbe Dalberg von Schiller zwei ziemlich törichte Adaptierungen erzwungen: das Stück schloß damit, daß Amalia sich selbst erstach und Franz in den Hungerturm geworfen wurde, und spielte im Kostüm der Zeit Maximilians des Ersten: mit Recht schrieb Schiller über diese feige und fälschende Umdatierung eines Werks, das ganz Gegenwart atmete, sie mache aus seinem Drama eine „Krähe mit Pfauenfedern".

Im übrigen beurteilte Schiller sein Erstlingswerk mit einer Schärfe und Skepsis, die zwar insofern nicht ganz echt wirkt, als sie sich in einer Mischung aus Stolz, Publikumsverachtung, Übertreibungssucht und Mystifikationslust absichtlich übernimmt, aber gleichwohl ein fast einzig dastehendes Beispiel jugendlicher Selbstkritik darbietet. Wenn er den ersten Entwurf der Vorrede zu den „Räubern" mit den Worten beginnt: „Es mag beim ersten in die Hand nehmen auffallen, daß dieses Schauspiel niemals das Bürgerrecht auf dem Schauplatz bekommen wird", so mutet uns das heute sehr sonderbar an, denn von keinem deutschen Drama könnte man mit mehr Grund behaupten, daß es sich das Bürgerrecht auf dem Theater erworben habe; aber vom damaligen Standpunkt war diese Befürchtung gar nicht so absurd. Die Form mußte, gerade weil sie so eminent dramatisch war, so neu, ungewohnt und scheinbar theaterwidrig wirken, daß man sie sehr leicht für undramatisch halten konnte. In einem Aufsatz im „Wirtembergischen Repertorium", worin er unter der Chiffre „K....r" sein eigenes Stück besprach (fünf Jahre später hätte jeder auf „Körner" geraten), erklärt Schiller, daß Franzens Intrigen „abenteuerlich grob und romanhaft" seien und das ganze Schauspiel in der Mitte erlahme; von der Sprache und dem Dialog sagt er, sie „dörften sich gleicher bleiben und im ganzen weniger poetisch sein", hier sei der Ausdruck lyrisch und episch, dort gar metaphysisch, an einem dritten Ort biblisch, an einem vierten platt; von Amalia äußerte er: „Ich habe mehr als die Hälfte des Stücks gelesen und weiß nicht, was das Mädchen will, oder was der Dichter mit dem Mädchen gewollt hat, ahnde auch nicht, was etwa mit ihr geschehen könnte; kein zukünftiges Schicksal ist angekündigt oder vorbereitet, und zudem läßt ihr Geliebter bis zur letzten Zeile des – dritten Akts kein halbes Wörtchen von ihr fallen. Diese ist schlechterdings die tödliche Seite des ganzen Stücks, wobei der Dichter ganz unter dem Mittelmäßigen geblieben ist"; und sein Resümee lautet: „Wenn man es dem Verfasser nicht an den Schönheiten anmerkt, daß er sich in seinen Shakespeare vergafft hat, so merkt man es desto gewisser an den Ausschweifungen." Und in einer zweiten Rezension, die er unter der Maske eines Wormser Korrespondenten schrieb, fügt er noch hinzu: „Wenn ich Ihnen meine Meinung teutsch heraussagen soll – dieses Stück ist dem ohnerachtet kein Theaterstück. Nehme ich das Schießen, Sengen, Brennen, Stechen und dergleichen hinweg, so ist es für die Bühne ermüdend und schwer." In einer Frankfurter Zeitschrift erschien denn auch eine Antikritik, die Schiller gegen seinen überscharfen Beurteiler lebhaft in Schutz nahm.

Diese Mängel der „Räuber", die seither von weniger befugten Beurteilern bis zum Überdruß immer wieder hervorgehoben worden sind, tun jedoch der Durchschlagskraft des Dramas nicht den geringsten Eintrag. Dies erhellt schon daraus, daß selbst die zahlreichen elenden Bearbeitungen, gegen die es damals noch keinen Rechtsschutz gab, die Wirkung nicht abschwächten. In der Einrichtung von Plümicke, die in Berlin mit andauerndem Erfolg in Szene ging, entpuppt sich Franz als Bastard und Schweizer, der den Gedanken nicht ertragen kann, daß sein Hauptmann durch den Henker enden solle, tötet zuerst Karl und dann sich selbst. In Frankreich erschienen die „Räuber" unter dem Titel „Robert, chef des brigands" in einer stark verändernden Übersetzung von La Martellière: dort erscheint am Schluß Kosinsky mit einem Pardon des Kaisers, der die Räuberbande zu einem *corps franc de troupes légères* und Robert zu deren Anführer erhebt. Hierzu schrieb La Martellière sogar noch eine Fortsetzung „Le tribunal redoutable, ou la suite de Robert, chef des brigands". Übrigens plante auch Schiller selbst einen Nachtrag in einem Akt, „Räuber Moors letztes Schicksal", wodurch, wie er 1785 an Körner schrieb, „das

Stück neuerdings in Schwung kommen" sollte. Das Albernste in dieser Richtung dürfte wohl eine Frau von Wallenrodt in ihrem Werk „Karl Moor und seine Genossen nach der Abschiedsszene beim alten Turm, ein Gemälde erhabener Menschennatur als Seitenstück zu Rinaldo Rinaldini" geleistet haben: dort werden Amalia und der alte Moor wieder lebendig, indem dieser nur eine Ohnmacht, jene nur eine leichte Verwundung erlitten hat, und befreien Karl Moor, der sich selbst den Gerichten gestellt hat, durch ihre Fürbitte beim Kaiser aus dem Kerker, worauf Karl und Amalia heiraten und alle Räuber einem ehrlichen bürgerlichen Beruf zugeführt werden.

Auch der „Fiesko" erschien in Mannheim mit einem veränderten Schluß: Verrina führt einen Streich gegen Fiesko, dieser pariert ihn, zerbricht das Zepter und spricht zum Volk, das voll Freude auf den Knien liegt: „Steht auf, Genueser! Den Monarchen hab' ich euch geschenkt – umarmt euren glücklichsten Bürger." Noch edler benahm er sich bei Plümicke, der wiederum für Berlin eine erfolgreiche Raubbearbeitung geliefert hatte: er fängt ebenfalls den Dolch auf, bietet aber Verrina sogleich die nackte Brust dar, worauf dieser erschüttert zurückweicht; am Schlusse erscheint der alte Doria, der seinen Todfeind zum Sohn annehmen und mit dem Herzogshut krönen will; aber Fiesko will als Retter des Vaterlands sterben und stößt sich nun selber den Dolch ins Herz.

Iffland hatte sogar die Taktlosigkeit, eine zweiaktige Posse „Der schwarze Mann", worin Schillers Unschlüssigkeit über den Ausgang seiner Dramen sehr deutlich verspottet war, nicht nur zur Aufführung in Mannheim zu empfehlen, sondern auch den Dichter Flickwort, dessen ständige Redensart lautet: „Nur wegen der Katastrophe bin ich noch zweifelhaft", in der Maske Schillers zu spielen, obgleich er selber an den Konzessionen, die dieser in den „Räubern" und im „Fiesko" gemacht hatte, mitschuldig war. Übrigens offenbarte sich das echte Theatertemperament Schillers ja gerade darin, daß er es mit dem Schicksal seiner Figuren nicht so besonders genau nahm und es ihm weniger auf Psychologie und Logik als auf starke Effekte, Stimmungen und Bilder ankam. Er war eben in allem und jedem zuerst Dramatiker, selbst in seinen philosophischen Dialogen, zum Beispiel im „Spaziergang unter den Linden", der, obgleich eine rein theoretische Erörterung, doch einen starken Aktschluß hat: „Wollmar: Auf jeden Punkt im ewigen Universum hat der Tod sein monarchisches Siegel gedrückt. Auf jeden Atomen les' ich die trostlose Aufschrift: Vergangen! Edwin: Und warum nicht: Gewesen? Mag jeder Laut der Sterbegesang einer Seligkeit sein – er ist auch die Hymne der allgegenwärtigen Liebe. – Wollmar, an dieser Linde küßte mich meine Juliette zum erstenmal. Wollmar (heftig davongehend): Junger Mensch! Unter dieser Linde hab' ich meine Laura verloren!"

Hingegen war er kein Lyriker, worüber er sich ebenso klar war wie über die Gebrechen seiner Dramen (von den Lauraoden zum Beispiel sagte er: „überspannt sind sie alle"), und nur der Kunstfremdheit der deutschen Pädagogen ist es zu verdanken, daß seine Gedichte in alle Lesebücher übergegangen sind. Einige von ihnen erinnern in unfreiwilliger Komik geradezu an Wilhelm Busch, zum Beispiel die Verse aus dem „Gang nach dem Eisenhammer":

> ‚Du bist des Todes, Bube, sprich!'
> Ruft jener streng und fürchterlich.
> ‚Wer hebt das Aug' zu Kunigonden?'
> ‚Nun ja, ich spreche von dem Blonden.'

Er war damals auch noch kein Erzähler: höchst ungeschickt ist zum Beispiel der Auftakt zu der Novelle „Eine großmütige Handlung aus der neuesten Geschichte": „Schauspiele und Romane eröffnen uns die glänzendsten Züge des menschlichen Herzens" und die plötzliche Unterbrechung des Berichts: „Das Fräulein – doch nein! davon wird das Ende reden." In allen epischen Produkten aus dieser Periode ist die Darstellung nirgends zur reinen Gestaltung auskristallisiert, sondern schwankt stets zwischen Lehrdichtung im Gellertstil und Kolportage im Vulpiusstil, wobei der Autor immer persönlich hineinredet, demonstriert, moralisch ermahnt oder abschreckt und störend in die Werkstatt blicken läßt; man denke an Stellen wie etwa die im „Verbrecher aus verlorener Ehre": „Den folgenden Teil der Geschichte übergehe ich ganz; das bloß Abscheuliche hat nichts Unterrichtendes für den Leser." Überhaupt war der künstlerische Blick des jungen Schiller darin noch ganz von der „Aufklärung" getrübt, daß er den Hauptzweck der Poesie in die sittliche Besserung des Publikums verlegte, wie er es unzählige Male ausgesprochen und nur als Dramatiker nicht praktiziert hat, weil hier sein grandioser Gestaltungstrieb stärker war als seine pädagogischen Absichten. Im Prinzip aber wies er auch der Schaubühne die nützliche Aufgabe zu, uns die Schurken kennen zu lehren und uns dadurch vor ihnen zu schützen: „Wir müssen ihnen ausweichen oder begegnen; wir müssen sie untergraben oder ihnen unterliegen. Jetzt aber überraschen sie uns nicht mehr. Wir sind auf ihre Anschläge vorbereitet. Die Schaubühne hat uns das Geheimnis verraten, sie ausfündig und unschädlich zu machen." Aus dieser Wurzel stammte auch seine damalige Vorliebe für die Schwarzweißtechnik, die Kontrastierung fleckenlos reiner Engelsgestalten wie Louise und Amalia und restlos verruchter Bösewichter wie Wurm und Franz Moor, der aber seine Theaterstücke einen großen Teil ihrer Wirkung verdanken.

Gluck und Haydn

Die Didaktik drang damals sogar bisweilen in die Musik, zum Beispiel bei Haydn, der zusammen mit Gluck und Mozart das Triumvirat der großen Tondichter jenes Zeitalters bildet. Sie lebten alle drei in Wien, wo sie, wie es bei Genies in dieser Stadt die Regel ist, nicht gebührend anerkannt wurden. Gluck war Hofkapellmeister unter Maria Theresia und hatte erst als Sechzigjähriger, 1774, seinen ersten großen Erfolg mit der Aufführung seiner „Iphigenie in Aulis" in Paris, obgleich er dort die tiefeingewurzelte Tradition Lullys und Rameaus zu besiegen hatte. Schon während der Proben tobte in den Cercles, Assembléen und Kaffeehäusern der Kampf der „Gluckisten" und der „Piccinnisten", die auf Niccolò Piccinni, den hochbegabten Vertreter der neapolitanischen Richtung, schworen. Lange vor Beginn der Premiere war das Theater belagert und Zwischenhändler erzielten ein Vielfaches der Eintrittspreise; als man nach einer Serie ausverkaufter Häuser Rameaus „Castor und Pollux" einzuschieben versuchte, kam fast niemand. Selbst die Dauphine Marie Antoinette, die für das Geistesleben ihrer Zeit viel weniger Interesse hatte als für den Spieltisch und die

Schneiderin, war entzückt: als sie eines Tages durch den Bois de Boulogne ritt, wandte sie plötzlich mit dem Ausruf „*Mon Dieu, Gluck!*" ihr Pferd, eilte auf den Meister zu und überschüttete ihn mit Komplimenten; das umherstehende Volk war tief gerührt und rief: „Was für eine schöne, liebenswürdige Königin werden wir einmal haben!" Noch in demselben Jahr fand auch der „Orpheus", der in Wien nur mäßigen Beifall erzielt hatte, bei den Parisern eine begeisterte Aufnahme. Aber erst die „Iphigenie auf Tauris" brachte 1779 den vollständigen Sieg: die bisherigen Gegner verstummten und selbst Piccinni wurde Gluckist.

In der Zueignung der „Alceste", die an den Großherzog von Toskana, den späteren Kaiser Leopold den Zweiten, gerichtet war, sagt Gluck: „Es war meine Absicht, alle Mißbräuche zu verbannen, die durch die Eitelkeit der Sänger und die Nachgiebigkeit der Musiker in die italienische Oper eingedrungen sind und aus dem prunkvollsten und schönsten aller Schauspiele das lächerlichste und langweiligste gemacht haben ... ich habe versucht, alle jene Auswüchse zu beseitigen, gegen die der gesunde Menschenverstand und der gute Geschmack schon so lange vergeblich kämpfen ... Ich habe ferner geglaubt, meine Hauptarbeit dem Streben nach einer schönen Einfachheit widmen zu müssen, und habe es vermieden, auf Kosten der Klarheit mit Kunstfertigkeiten zu prunken." In diesen Worten ist in der Tat der Inhalt der Gluckschen Reform umschrieben: er hat die Oper von der anmaßenden und absurden Herrschaft der *aria di bravura* befreit und durch schlichten Wahrheitswillen, lebensvolle Charakteristik und echtes Gefühl vermenschlicht und vertieft, obschon in der Verwirklichung seiner letzten Ziele durch klassizistische Kühle und Bewußtheit gehemmt. Seine Rezitativuntermalungen, seine großen Ensemblefinali und monologischen Arien und seine „Intraden", die „die Zuschauer auf die Handlung vorbereiten und sozusagen deren Inhalt ankündigen" sollten (während in der italienischen Oper zwischen Ouvertüre und Drama keinerlei Beziehung bestand), sind für Generationen vorbildlich geworden. Sein Oeuvre bedeutet gegenüber dem Metastasianismus einen Durchbruch zur Vereinfachung, Vernatürlichung und Beseelung, aber andrerseits gerade durch seine architektonische Klarheit und imposante Linienstrenge eine Reduktion und Entfärbung, einen Sieg jener Kunstanschauung, deren großartige und verhängnisvolle Rolle im europäischen Kulturleben noch eingehender zu erörtern sein wird.

Was für Gluck Paris war, das wurde für Josef Haydn London, wo er für seine Symphonien mit Einnahmen, Gesellschaftshuldigungen und öffentlichen Ehrungen überschüttet wurde. Seine Kirchenmusik, wegen ihres „weltlichen" Charakters vielfach angefeindet, ist gleichwohl tief katholisch und fast noch barock: sie bejaht die Welt, aber auf dem Untergrunde der Transzendenz. Aus seinen weltberühmten Oratorien „die Schöpfung" und „die Jahreszeiten" redet das rousseauische Naturgefühl des Jahrhunderts, aber geläutert durch die milde Heiterkeit einer anima candida von echter Naivität.

Mozarts Lebensgleichung Auch Mozart lebte in Wien in ebenso dürftigen Verhältnissen wie anfangs Gluck und Haydn, refüsierte aber trotzdem die Einladung Friedrich Wilhelms des Zweiten, der ihm einen hochdotierten Kapellmeisterposten in Berlin antrug. Seine Opern brachte er fast alle in Wien zur Uraufführung, obgleich sie dort infolge kleinlichster und gehässigster Intrigen nur wenige Wiederholungen erzielten: bei der ersten Vorstellung des „Figaro" sangen die Italiener absichtlich so schlecht, daß das Werk durchfiel, während es in Prag sogleich einen stürmischen Erfolg hatte. Die Produktion Mozarts ist in ihrer Fülle und Vielseitigkeit vielleicht das erstaunlichste Phänomen der gesamten europäischen Kunstgeschichte. Er war in allem ein Meister; Haydn, mit dem ihn eine rührende Freundschaft verband, sagte von ihm: „Wenn Mozart auch nichts anderes geschrieben hätte als seine Violinquartette und sein Requiem, würde er allein dadurch schon unsterblich geworden sein." Sein Lebenswerk umfaßt Opern und Symphonien, Sonaten und Kantaten, geistliche und Kammermusik, im ganzen über sechshundert Stücke. Und der Extensität seines Schaffens entspricht die berückende Intensität: der Reichtum der einander jagenden und kreuzenden und doch nie störenden und verwirrenden Einfälle, so abundant und bewältigt nur noch bei Shakespeare, mit dem er auch die einzigartige Mischung von Ernst und Humor gemeinsam hat. Und dies alles hat er während eines Lebens von nicht ganz sechsunddreißig Jahren in einem beängstigend atemlosen Prestissimo aus sich herausgeschleudert, das den Eindruck erweckt, als habe er vorausempfunden, daß ihm nur wenig Zeit gegeben sei: er erinnert hierin an Schiller und Nietzsche, die ebenfalls unter einem ungeheuern Hochdruck arbeiteten. Wir müssen nämlich von der Ansicht ausgehen, daß jeder Mensch ein spezifisches inneres Tempo besitzt, das sich für einen Geist, der diese Verhältnisse vollkommen zu überblicken vermöchte, sogar wahrscheinlich in irgendeiner Gleichung ausdrücken ließe. Es gibt offenbar eruptive Naturen, die von einer so vehementen Beschleunigung erfüllt sind, daß sie in der Hälfte der normalen Zeit die ganze Strecke ihres Lebens und Schaffens zurücklegen. Es scheint fast, daß Schiller im Fragment des „Demetrius", Nietzsche im Fragment des „Antichrist" ihre letzten Möglichkeiten erreicht hatten, gleich einer Dampfmaschine, deren Manometer auf hundert steht. Dasselbe gilt von anderen „der Menschheit zu früh Entrissenen": von Kleist, Novalis, Raffael, Alexander dem Großen. Die Uhr ist in psychologischen Dingen ein sehr inkompetenter Zeitmesser; das wahre Maß der Zeit ist hier die Zahl der Eindrücke und Assoziationen. Die Vorstellungsmassen können auf einen Geist in einer solchen Dichte einströmen, daß er in verhältnismäßig kurzer Zeit schon ein volles Menschenschicksal erfüllt. Eine Ahnung hiervon lebte in allen jungverstorbenen Genies: die Dramen Kleists sind wie im Fieber geschrieben, Novalis gab in tragischer Prophetie seinem Lebenswerk den Titel „Fragmente", Raffael malte Tag und Nacht, Alexander hat mit sinnverwirrender Impetuosität in dreizehn Jahren die Kriegs- und Friedensgeschichte einer ganzen Dynastie durchrast.

Auch bei Mozart können wir uns eine Entwicklung über Figaro, Don Juan und Zauberflöte hinaus nicht mehr vorstellen, und die bisherige Musikgeschichte gestattet sogar die Vermutung, daß sie absolute Gipfelpunkte nicht nur seiner, sondern der menschlichen Tonkunst darstellen. In diesen drei Wunderwerken vermählt sich die deutsche Innerlichkeit und Unschuld mit der silbernen Heiterkeit und träumerischen Verspieltheit des Rokoko, während in dem jüngsten von ihnen auch die Aufklärung, unendlich vertieft, ihren tönenden Mund gefunden hat. Und noch in einem zweiten Genius kulminiert die Aufklärung, der im übrigen wenig Ähnlichkeit mit Mozart besitzt; sein erstes epochemachendes Werk trat in demselben Jahre ans Licht wie Mozarts erste Oper von Säkularformat: das Jahr 1781 erblickte die erste Aufführung des „Idomeneo" und die erste Auflage der „Kritik der reinen Vernunft".

Der doppelte Kant

Wir müssen bei Kant allerdings zwei Wesenheiten unterscheiden, die fast völlig voneinander getrennt sind: eine zeitgebundene und eine zeitlose. In seinen Ansichten über Staat und Recht, Gesellschaftsordnung und Kirchenregiment, Erziehung und Lebensführung steht er ganz auf dem Boden der Aufklärung; wo immer er sich ins Gebiet der Empirie begibt, stimmt er mit den führenden Geistern seines Jahrhunderts im wesentlichen überein: in der Physik mit Newton, in der Theologie mit Leibniz, in der Ästhetik mit Schiller, in der Geschichtsbetrachtung mit Lessing. Als Philosoph aber, das heißt: als Erforscher der menschlichen Erkenntnis, war er ein völlig isoliertes Weltwunder, ein Gehirn von einer solchen formidabeln Überlebensgröße, Schärfe des Distinktionsvermögens und Kraft des Zuendedenkens, wie es auf Erden nur einmal erschienen ist. Ja er nimmt nicht nur in seiner Zeit, nicht nur innerhalb der Menschheit, sondern auch unter allen Philosophen eine völlig einzigartige Stellung ein. Konfuzius und Buddha, Heraklit und Plato, Augustinus und Pascal und alle übrigen philosophischen Geister von Unsterblichkeitsrang haben sublime Gedankendichtungen geschaffen; Kant hingegen war nichts weniger als ein Dichter, sondern ein reiner Denker, vermutlich der reinste, der je gelebt hat; was er gibt, ist nicht die individuelle Vision eines Künstlers, der durch die Wucht seiner Phantasie bezwingt, sondern die weltgültige Formulierung eines Forschers, der durch die Schlagkraft seiner Sagazität und Beobachtungsgabe überwältigt. Sein System hätte Friedrich der Große nicht einen Roman nennen können. Er selbst hat sich als den Historiker der menschlichen Vernunft bezeichnet; man könnte ihn auch deren genialen Tiefseeforscher, Vivisektor, Detektiv heißen.

Und doch müssen wir sogleich eine Berichtigung vornehmen. Er war kein Dichter, kein Realisator selbsterschaffener Welten und ein Künstler höchstens in der lichtvollen sauberen Architektonik seines Systems, aber er besaß gleichwohl Phantasie, und zwar eine Form der Phantasie, wie sie, zumindest in dieser extremen, ja absurden Ausprägung, noch nie auf der Welt gewesen war. Er war der erste, der über „physische Geographie" las: dieses Kolleg war sein besuchtestes und ihm selbst das liebste, er hat es fast jedes zweite Semester abgehalten. Er schilderte darin, obgleich er nie über den Umkreis seiner Vaterstadt Königsberg hinausgekommen war, nie das Meer, eine Weltstadt, eine reiche Vegetation, ja auch nur ein Gebirge oder einen großen Strom gesehen hatte, alle Regionen der Erde so lebhaft und anschaulich in ihren sämtlichen Einzelheiten, daß alle Uneingeweihten ihn für einen Weltreisenden hielten. Die Westminsterbrücke beschrieb er einmal mit solcher Genauigkeit und Deutlichkeit, daß ein anwesender Engländer behauptete, er müsse ein Architekt sein, der mehrere Jahre in London gelebt habe. Dies nämlich war die Art seiner Phantasie: er vermochte sich Dinge anschaulich vorzustellen, die er nie gesehen hatte, ja die überhaupt noch nie ein Mensch gesehen hatte. Dieses Gebiet, das nur er leibhaftig, deutlich und genau zu erblicken vermochte, war die menschliche Vernunft, und diese Gabe macht ihn zum Unikum in der gesamten menschlichen Geschichte.

Es könnte scheinen, als gebe es noch in einem anderen Sinne als in dem soeben erörterten einen doppelten Kant.

„Alleszermalmer" und „Allesverschleierer"

Da war ein Kant, der mit einer beispiellosen Scheidekunst alles zerlegte und auflöste, ein radikaler Revolutionär, dämonischer Nihilist und unbarmherziger Zerstörer des bisherigen Weltbilds. Da war aber auch ein Kant, der nichts anderes war als der kleine Bürger einer weltentlegenen Provinzstadt, altpreußisch, protestantisch, pedantisch, verwinkelt, konservativ, vor der Staatsallmacht, dem Kirchendogma und der öffentlichen Meinung kapitulierend, korrekt bis zur Genrehaftigkeit, Tag für Tag nach derselben genauen Einteilung lebend, so pünktlich um dieselbe Stunde das Haus verlassend, vom Kolleg zurückkehrend, zu Mittag essend, spazierengehend, daß die Nachbarn nach ihm ihre Uhren richteten.

Und doch ist die Versöhnung dieser beiden scheinbar feindlichen Seelen Kants der Sinn seiner ganzen Philosophie: inwiefern, das können wir vorläufig nur andeuten. Er enthüllte die Realitäten als theoretische Unbewiesenheiten und Unbeweisbarkeiten, ja Irrlichter und Phantome, aber zugleich als praktische Wünschbarkeiten, Wertsetzungen, Notwendigkeiten, ja Tatsachen und Gewißheiten. Die empirische Welt ist unwirklich, phänomenal, aber der Glaube an sie ein kategorischer Imperativ: in diesem einen Satz ist seine ganze Philosophie enthalten, die theoretische und die praktische. Durch diesen Beweisgang wird, auf einem strapaziösen, aber unvermeidlichen Umweg, die Wirklichkeit, die eben noch negiert wurde, wieder bejaht, und zwar in allen ihren Einzelheiten, auch die Welt des *common sense*. Hat man dies alles durchgedacht, so darf man wieder nach der Uhr leben, man soll sogar nach der Uhr leben, nach jener bloß fiktiven und phänomenalen Weltuhr, an deren Existenz zu glauben ein logischer Widersinn und eine moralische Pflicht ist.

Und dazu lebt noch auf dem Untergrunde von Kants lauterer Seele, ihm selbst halb verborgen, ein tief religiöses pietistisches Element, das diese beiden Widersprüche setzt und vermählt: die tiefste Demut vor dem Schöpfer: wir haben nicht das Recht, sein Dasein und das Dasein seiner Welt als wissenschaftliches Axiom aufzustellen und damit gewissermaßen von unserem Geiste abhängig zu machen. In seiner „Antinomienlehre" hat Kant bekanntlich gezeigt, daß alle rationalen Beweise für das Dasein Gottes hinfällig sind: verneint man die Existenz Gottes, so gelangt man zum Atheismus, bejaht man sie, so gelangt man zum Anthropomorphismus; man kann daher weder sagen: es gibt einen Gott, noch: es gibt keinen Gott. In Wahrheit meint aber seine Frömmigkeit: wer sind wir, daß wir sagen dürften: es ist ein Schöpfer?

Die Legende von den angeblichen „zwei Kants" spukt nicht nur durch die ganze Geschichte des kantischen Nachruhms, sondern wurde auch schon von einzelnen seiner Zeitgenossen verbreitet. Am geistreichsten und lustigsten hat sich Heine in seiner „Geschichte der Religion und Philosophie in Deutschland" über diese Frage geäußert, indem er nachzuweisen suchte, daß Kant die „Kritik der praktischen Vernunft" nur seinem alten Diener Lampe zuliebe geschrieben habe. „Nach der Tragödie kommt die Farce. Immanuel Kant hat bis hier den unerbittlichen Philosophen traciert, er hat den Himmel gestürmt, er hat die ganze Besatzung über die Klinge springen lassen, der Oberherr der Welt schwimmt unbewiesen in seinem Blute ... da erbarmt sich Immanuel Kant und zeigt, daß er nicht bloß ein großer Philosoph, sondern auch ein guter Mensch ist, und er überlegt, und halb gutmütig, halb ironisch spricht er: ‚Der alte Lampe muß einen Gott haben, sonst kann der arme Mensch nicht glücklich sein – der Mensch soll aber auf der Welt glücklich sein – das sagt die praktische Vernunft – meinetwegen – so mag auch die praktische Vernunft die Existenz Gottes verbürgen.' Infolge dieses Argumentes unterscheidet Kant zwischen der theoretischen Vernunft und der praktischen Vernunft, und mit dieser, wie mit einem Zauberstäbchen, belebte er wieder den Leichnam des Deismus, den die theoretische Vernunft getötet." In dieser Auffassung zeigt sich, durch graziösen Witz gemildert, die ganze Seichtigkeit des „jungen Deutschland", die sich von Kant nur so viel anzueignen wußte, als ihr eigener Geist begriff: nämlich die billige und subalterne Polemik gegen den Klerikalismus. Aber auch noch am Anfang unseres Jahrhunderts hat Häckel in seinen vielgelesenen „Lebenswundern" eine Tabelle der „Antinomien von Immanuel Kant" aufgestellt, in der er die Widersprüche, die zwischen seinem ersten und seinem zweiten Hauptwerk bestehen sollen, in acht Punkten übersichtlich gegeneinander setzt und „Kant I" als „Alleszermalmer" und „Atheisten mit reiner Vernunft", „Kant II" als „Allesverschleierer" und „Theisten mit reiner Unvernunft" bezeichnet.

Die Meinung, daß Kant über das Zerstörungswerk seiner Kritik nachträglich selber erschrocken sei und sich bemüht habe, den Schaden wieder gut zu machen, läßt sich schon deshalb nicht aufrechterhalten, weil sich für jeden, der vorurteilslos zu lesen versteht, die „Kritik der praktischen Vernunft" in der „Kritik der reinen Vernunft" bereits deutlich ankündigt, nämlich in dem eben erwähnten Kapitel, das von der rationalen Theologie handelt. Auch hat sich Kant selber hierüber in der Vorrede zur zweiten Auflage der „Kritik der reinen Vernunft", die vor der ersten Auflage der „Kritik der praktischen Vernunft" erschien, ganz unzweideutig ausgesprochen: „Ich mußte das Wissen aufheben, um zum Glauben Platz zu bekommen, und der Dogmatismus der Metaphysik . . . ist die wahre Quelle alles der Moralität widerstreitenden Unglaubens, der jederzeit gar sehr dogmatisch ist." Kant hat den Glauben gegen alle wissenschaftlichen Einwürfe sichergestellt, indem er ihn der theoretischen Vernunft ein für allemal entzog. Urteile wie „richtig" oder „unrichtig" sind, auf die religiösen Bewußtseinsinhalte angewandt, völlig sinnlos: wie der nietzschische Immoralist jenseits von Gut und Böse steht, so steht der kantische Moralist jenseits von Wahr und Falsch.

Die Kritik der Vernunft   Indem wir nunmehr versuchen, die Grundgedanken der kantischen Philosophie in Kürze darzustellen, müssen wir vorausschikken, daß man in ihr nicht, wozu ihr dozierender Ton und didaktischer Aufbau verleiten könnte, eine Lehre zu erblicken hat, die ein neues Wissen vermittelt, sondern einen Ruf zur geistigen und sittlichen Einkehr, der ein neues Sein fordert: sie ist ein Weg und kein Ziel, und um sie im richtigen Geiste aufzunehmen, bedarf es nicht bloß eines gewissen Interesses und Verständnisses für philosophische Probleme, sondern einer bestimmten Naturanlage, einer eingeborenen Richtung des Willens auf Wahrheit und Reinheit. Deshalb haben viele kluge und unterrichtete Menschen erklärt, Kant nicht begreifen zu können, und viele einfache und „unphilosophische" Köpfe in seinen Gedanken, die durch geheimnisvolle Kanäle zu ihnen drangen, den höchsten Trost und die tiefste Erleuchtung gefunden. „Philosophie", sagt Kant, „kann überhaupt nicht gelernt werden. Mathematik, Physik, Geschichte kann gelernt werden, Philosophie nicht, es kann nur Philosophieren gelernt werden." Eine „gelernte" Philosophie würde in seinen Augen aufhören, Philosophie zu sein; sie wäre bloß „historisches", nicht philosophisches Wissen.

Im übrigen muß ich den Leser bitten, nicht ungeduldig zu werden, wenn er einiges nicht sogleich versteht; manches wird erst durch das Nachfolgende klar, und es wird sich daher diesmal ausnahmsweise empfehlen, den Text zweimal zu lesen.

Philosophie ist Erkenntnis: dies ist vielleicht der einzige Satz, über den die Philosophen immer einig gewesen sind. Diese Erkenntnis geschieht durch unser Erkenntnisvermögen; und zwar hatten sich in der neueren Zeit zwei philosophische Hauptrichtungen herausgebildet: die Sensualisten hatten das Schwergewicht auf die Sinnesfunktionen gelegt, die Rationalisten auf die Verstandesfunktionen. Die gemeinsame Tätigkeit der Sinne und des Verstandes macht das aus, was wir „Erfahrung" nennen. Nun hatten die bisherigen Philosophen zwar die Meldungen der Sinnesorgane und die Schlüsse des Verstandes auf ihren Charakter und ihre Zuverlässigkeit zu prüfen versucht, die Tatsache der Erfahrung selbst aber als etwas schlechthin Gegebenes hingenommen. Man pflegt einen Gedankengang, der sich auf die Annahme unaufgeklärter Fakten gründet, auch im gewöhnlichen Leben kritiklos zu nennen. Die ganze bisherige Philosophie war in diesem Sinne naiv und leichtgläubig, unkritisch und dogmatisch, die kantische Philosophie ist kritisch, sie will in dem großen Streit der Rationalisten und Sensualisten die unparteiische Schiedsrichterin sein und sich zu der alten Schulmetaphysik verhalten wie die Chemie zur Alchimie, die Astronomie zur Astrologie. Kant verlegt das Problem viel weiter zurück, indem er fragt: woher kommt die Erfahrung überhaupt? wie wird sie möglich? wie wird die Erkenntnis selbst erkannt? Eine Sache kann man nur erkennen, wenn man alle Bedingungen kennt, aus denen sie entstanden ist. Weil die kantische Philosophie erforscht, was dem Zustandekommen unserer Erkenntnis vorhergeht, nennt sie sich „transzendental", was nicht mit „transzendent" verwechselt werden darf, vielmehr das Gegenteil davon bedeutet: transzendental ist, was diesseits aller Erfahrung liegt, ihr vorausgeht; transzendent ist, was jenseits aller Erfahrung liegt, über sie hinausgeht. Das Untersuchungsobjekt der kritischen Philosophie ist die von aller Erfahrung unabhängige Vernunft, die Vernunft, wie sie vor aller Erfahrung da ist, als bloßes Vermögen der Erfahrung: sie heißt daher „reine" Vernunft. Die drei Grundvermögen der reinen Vernunft sind die Sinnlichkeit oder das Vermögen der Anschauungen, der Verstand oder das Vermögen der Begriffe und die Vernunft (im engeren Sinne) oder das Vermögen der Ideen. Durch die Tätigkeit unserer Vernunft kommt das zustande, was Kant die „Erscheinung" nennt, nämlich die Welt, wie sie unserem Bewußtsein erscheint, während das, was diesen Erscheinungen zugrunde liegt, das „Ding an sich", das Ding, wie es, abgesehen von unserer Art, es aufzufassen, an sich selbst ist, von uns niemals erkannt werden kann. Diese Ausdrücke sind im ganzen nicht glücklich gewählt, künstlich, scholastisch, unscharf und schwerverständlich, auch mißverständlich und hätten leicht durch populärere, handlichere und eindeutigere ersetzt werden können; auch hat Kant selber ihren Gebrauch nicht vollständig beherrscht: so nennt er zum Beispiel bisweilen das Ding an sich das „transzendentale Objekt", während er es doch, da es sich jenseits aller Erfahrung befindet, das „transzendente Objekt" nennen müßte (falls es überhaupt erlaubt sein sollte, eine solche Bezeichnung zu gebrauchen, die eigentlich eine contradictio in adiecto enthält; denn etwas, das unserem Bewußtsein transzendent ist, kann niemals unser Objekt sein).

Diese eigensinnige Terminologie in Verbindung mit der altväterischen, verschnörkelten und schleppenden Darstellungsweise, die Kant für seine Hauptwerke wählte, hat viele von dem Studium seiner Philosophie abgeschreckt. Heine spricht von „grauem, trokkenem Packpapierstil", Schopenhauer von „glänzender Trockenheit" und nennt die Sprache der Vernunftkritik „undeutlich, unbestimmt, ungenügend und bisweilen dunkel". Im ganzen aber muß man sagen, daß diese Bücher nicht eigentlich schlecht geschrieben sind, sondern bloß umständlich und ohne jede künstlerische Ambition. Die Sätze sind wohl geschachtelt, aber auch wohlgeschachtelt, langatmig, aber auch starkatmig. Kant war kein klassischer Prosaist vom Range Schopenhauers, aber ein ausgezeichneter Schriftsteller, der sehr wohl imstande war, sich flüssig, faßlich, anziehend und sogar amüsant auszudrücken. Von seinen Vorlesungen rühmte Herder, der zwei Jahre lang sein Schüler war: „Scherz, Witz und Laune standen ihm zu Gebot, und sein lehrender Vortrag war der angenehmste Umgang." Seine Lieblingsautoren waren Cervantes und Swift, Montaigne und Lichtenberg; der Stil seiner vorkritischen Schriften ist bei allem Gedankenreichtum klar, gewandt und nicht selten anmutig und humorvoll. Mit seiner „Kritik der reinen Vernunft" nimmt er aber eine völlig neue Schreibweise an, die, stets streng und kalt bei der Sache bleibend und nirgends die geringsten Bequemlichkeiten gewährend, jede Rücksicht auf den Leser verschmäht. Es kann hier nur eine bestimmte Absicht im Spiele gewesen sein: teils empfand Kant seinen Gegenstand als zu erhaben, um ihm eine gefällige Darstellung zu widmen, teils wollte er schon durch die Form eine Mauer zwischen sich und den Popularphilosophen aufrichten.

Der Ausgangspunkt der kantischen Philosophie ist in Hume zu suchen, der, wie wir uns erinnern, behauptet hatte, daß die Idee der Kausalität, der Verknüpfung nach Ursache und Wirkung nicht aus der Erfahrung stamme, sondern von uns zu den Vorgängen hinzugedacht werde: aus einem bloßen *post hoc* machen wir eigenmächtig ein *propter hoc*. Diesen Gedankengang nahm Kant auf, aber nur, um sogleich viel tiefer zu graben: er stellte fest, daß der Begriff der Kausalität zwar nicht in den Dingen selbst enthalten ist, aber nicht weil er n a c h aller Erfahrung, *a posteriori* in sie hineingetragen wurde, sondern weil er v o r aller Erfahrung, *a priori* in uns entsteht, weil durch ihn Erfahrung überhaupt erst möglich wird, weil er unsere Erfahrung m a c h t. Ebenso verhält es sich mit dem Begriff der Substantialität, von dem Hume gleichfalls behauptet hatte, daß er von uns aus der bloßen Beobachtung der konstanten Verbindung gewisser Eigenschaften willkürlich erschlossen worden sei, und den übrigen Kategorien oder „reinen" Verstandesbegriffen, die Kant so nennt, weil sie unabhängig von der Erfahrung existieren, die erst durch sie existiert. Der Grundirrtum Humes hatte darin bestanden, daß er die Kategorien mit den Gattungsbegriffen verwechselte, die allerdings erst aus der Erfahrung hervorgehen, weil sie von den Einzelgegenständen abgezogen, abstrahiert sind.

Die ganze „Kritik der reinen Vernuft" besteht nun eigentlich in nichts anderem als in der Anwendung dieses Grundgedankens auf sämtliche Gebiete der Erkenntnis. Als „apriorische" Erkennt-

Die reine
Vernunft

nisformen sind anzusehen: erstens unsere Anschauungsformen, nämlich Raum und Zeit; auf ihnen beruht die absolute Gültigkeit unserer geometrischen und arithmetischen Urteile und von ihnen handelt die „transzendentale Ästhetik", die die Frage beantwortet: wie ist reine Mathematik möglich?; zweitens unsere Denkformen, nämlich die zwölf Kategorien oder Stammbegriffe des Verstandes; auf ihnen beruht die Gültigkeit der allgemeinen Verstandesgrundsätze und von ihnen handelt die „transzendentale Analytik", die die Frage beantwortet: wie ist reine Naturwissenschaft möglich? Strenge Notwendigkeit und Allgemeinheit kommt nur diesen reinen Anschauungen und reinen Begriffen zu, die vor aller Erfahrung da sind, indem sie der menschlichen Seele und ihren Grundkräften entspringen, während Urteile, die aus der Erfahrung geschöpft sind, immer nur „angenommene", „komparative" oder „induktive" Allgemeinheit besitzen; man kann mit ihnen nur sagen: „So viel wir bisher wahrgenommen, findet sich von dieser oder jener Regel keine Ausnahme." Es ist ersichtlich, daß Kant mit dieser Auffassung die ganze bisherige Philosophie auf den Kopf stellt. Während diese annahm, Wahrheit könne nur aus der Erfahrung gewonnen werden, erklärt Kant: alle Erfahrung enthält nur bedingte und approximative Wahrheit, und absolute Wahrheit kann nur vor der Erfahrung, außerhalb der Erfahrung und ohne die Erfahrung gefunden werden.

Raum und Zeit sind keine Eigenschaften der Dinge, auch nicht aus unserer Beobachtung der Außenwelt geschöpft, vielmehr verhält es sich gerade umgekehrt: was wir Außenwelt nennen, hat den Raum und die Zeit zur Vorbedingung. Die Tatsache, daß Dinge gleichzeitig sind oder aufeinander folgen, setzt bereits die Zeit voraus; daß Dinge nebeneinander oder voneinander entfernt sind, setzt bereits den Raum voraus. Zeit und Raum sind die Form, in der die Dinge erscheinen, in der sie erscheinen müssen, ohne die sie gar nicht erscheinen können. Zeit und Raum lassen sich von den Erscheinungen nicht wegdenken; hingegen kann man sich sehr wohl die Zeit und den Raum denken ohne alle Erscheinungen. Alle wirklichen oder auch nur möglichen Gegenstände unserer Erfahrung stehen unter der Herrschaft dieser beiden Anschauungsformen, woraus aber andrerseits folgt, daß diese Herrschaft sich nur genau so weit erstreckt wie unsere Erfahrung: sie ist von absoluter Gültigkeit lediglich innerhalb der menschlichen Empirie. Was wir Wirklichkeit nennen, jene anschauliche Welt, wie sie von unserer „Sinnlichkeit", dem transzendentalen, apriorischen, aller Erfahrung vorhergehenden Vermögen der reinen Anschauungen hervorgebracht wird, ist in Wahrheit nur Erscheinung, eine ideale Welt, in der die Dinge bloß als Phänomene unseres Bewußtseins existieren, nicht, wie sie an sich sind, und die daher, wie Kant sagt, gleichzeitig „empirische Realität" und „transzendentale Idealität" besitzt.

Gegeben sind uns zunächst nur gestaltlose Empfindungen, diese ordnet unsere „anschauende Vernunft" in Raum und Zeit, dadurch werden sie zu Erscheinungen. Aber diese Erscheinungen wollen wiederum geordnet, in eine gesetzmäßige Verknüpfung gebracht werden. Diese Aufgabe löst die „denkende Vernunft" oder der Verstand mit Hilfe der „reinen Begriffe": durch sie wird aus den Erscheinungen Erfahrung. Durch Anschauungen werden uns die Gegenstände nur gegeben, durch Begriffe werden sie gedacht. Anschauungen ohne Begriffe sind blind, Begriffe ohne Anschauungen sind leer. Da der Verstand das Vermögen des Urteilens ist, so ergeben sich die Kategorien, mit denen er die Welt begreift, aus den verschiedenen Formen des Urteils: es gibt deren zwölf. Kant hat diese „Kategorientafel", die ihm sehr am Herzen lag, mit großer Sorgfalt ausgearbeitet; wir wollen aber nicht näher auf sie eingehen, da sie nicht viel mehr bedeutet als eine geistreiche scholastische Spielerei, die Kardinalgedanken seines Systems nicht berührt und auch durchaus nicht unanfechtbar ist: denn nicht alle Begriffe, zu denen sie gelangt, sind „reine" Begriffe im kantischen Sinne. Auf sie paßt in besonderem Maße die feine Bemerkung, die Paulsen über das kantische Lehrgebäude im allgemeinen gemacht hat: „Manche stattlich und vornehm auftretenden Teile des Systems gleichen einigermaßen den künstlich eingesetzten Zweigen der Tannenbäume auf dem Weihnachtsmarkt."

Viel wichtiger, ja das Zentrum der kantischen Philosophie ist die unmittelbar anschließende schwierige Lehre von der „transzenden- Wie ist Natur möglich?

talen Apperzeption". Wir haben gehört: die Dinge erscheinen uns nicht nur im Nebeneinander des Raums und im Nacheinander der Zeit, sondern auch in einer gesetzmäßigen und notwendigen Verknüpfung; diese Verknüpfung geschieht durch die Begriffe unseres Verstandes und ihr Resultat ist das, was wir „Erfahrung" nennen. Aber in der Erfahrung sind uns die Dinge immer nur in einer tatsächlichen, nicht in einer notwendigen Verknüpfung gegeben. Gleichwohl treten die Verknüpfungen, die unser Verstand vollzieht, mit dem Anspruch und Charakter strenger Allgemeinheit und Notwendigkeit auf. Woher kommt das? Einfach daher, daß wir selbst durch unsere einheitliche Auffassung, durch die transzendentale, aller Erfahrung vorhergehende Einheit unserer Apperzeption diese Synthesis vollziehen. Die Welt, die unseren Empfindungen zunächst nur als dunkle verworrene Mannigfaltigkeit gegeben ist, wird durch die Einheit unseres Selbstbewußtseins von vornherein als Einheit apperzipiert, folglich ist sie eine Einheit und eine notwendige Einheit. Daß uns die Welt, die wir vorstellen, stets als dieselbe erscheint, ist nur zu erklären aus der Einheit und Unwandelbarkeit unseres „reinen" Bewußtseins, das vor aller Welt da ist und daher den „obersten Grundsatz", das „Radikalvermögen" der menschlichen Erkenntnis bildet. Die Einheit unseres Ichs ist der wahre Grund der Einheit der Welt; die „Natur" wird uns Objekt, Erfahrungsgegenstand, Bewußtseinsinhalt, anschaulich und gesetzmäßig geordneter Zusammenhang, weil wir sie vorher durch die in unserer Seele bereitliegenden Erkenntnisvermögen der Anschauung und des Verstandes als diesen „Gegenstand" gesetzt haben. „Verbindung", sagt Kant, „liegt nicht in den Gegenständen und kann von ihnen nicht durch Wahrnehmung entlehnt werden, sondern ist allein eine Verrichtung des Verstandes", der selbst nichts andres ist als das Vermögen, a priori zu verbinden. Unser Verstand erzeugt selbsttätig, spontan vermöge einer Fähigkeit, die Kant „produktive Einbildungskraft" nennt, bestimmte Verknüpfungen, bestimmte Gesetze: die sogenannten „Naturgesetze". „Der Verstand schöpft seine Gesetze nicht aus der Natur, sondern schreibt sie dieser vor." Das ist die Antwort auf die Frage: wie ist Natur möglich?

Mit dieser Feststellung hat die Kritik der reinen Vernunft ihren Höhepunkt erklommen. Es folgt nun die „transzendentale Dialektik", deren Thema wir bereits kurz berührt haben: die Widerlegung der bisherigen Theologie, Kosmologie und Psychologie, jener Disziplinen, die die Existenz Gottes und der Seele, der menschlichen Willensfreiheit und des jenseitigen Lebens mit den Hilfsmitteln der Logik zu beweisen suchten. Sie stellt die Frage: wie ist Metaphysik möglich?, und die Antwort lautet: da die Metaphysik von transzendenten Dingen handelt, die niemals Gegenstand unserer Erkenntnis werden können, so ist sie als Wissenschaft unmöglich, hingegen möglich, ja wirklich als eine unendliche Aufgabe, die dem Menschen gestellt wird. Gott, Seele, Freiheit, Unsterblichkeit sind „Ideen", die weder bewiesen noch widerlegt werden können: sie sind Sache des Glaubens. Als Erscheinung, als empirisches Wesen ist der Mensch dem Kausalgesetz unterworfen; als Ding an sich, als „intelligibles" Wesen ist er frei und keinem Gesetz, sondern nur der moralischen „Beurteilung" unterworfen: als solches vermag er sich freilich nur zu denken. Unsere Vernunft ist nicht imstande, zu beweisen, daß der Mensch frei ist, daß er eine immaterielle und unsterbliche Seele besitzt, daß ein Wesen von höchster Weisheit und Güte die Welt regiert, aber sie darf und soll, ja muß vermöge ihrer metaphysischen Anlage die Welt und den Menschen so ansehen, als ob es sich so verhielte. Die Ideen geben uns keine Gesetze wie die Kategorien, sondern nur Maximen, Richtlinien, sie sind nicht „konstitutive", sondern bloß „regulative" Prinzipien, nicht ein realer Gegenstand unseres Verstandes, sondern ein ideales Ziel unserer Vernunft, der Vernunft im engeren und höheren Sinne, die nichts anderes ist als das Vermögen, Ideen zu bilden. Auch die Wissenschaft als Erkenntnis der Totalität der Welt ist nur ein solches unerreichtes, unerreichbares, gleichwohl unermüdlich anzustrebendes Ziel unseres Geistes. Der Wert der „Ideen" besteht also nicht in ihrer Realisierbarkeit, sondern darin, daß sie unser gesamtes Denken und Handeln orientieren. Gott, Freiheit, Unsterblichkeit, das vollendete Reich der Wissenschaft sind Aufgaben, die unser intelligibles Ich unserem empirischen Ich zur Lösung stellt.

Tiefste
Niederlage
und höch-
ster
Triumph
der mensch-
lichen
Vernunft
Die Kritik der reinen Vernunft hat drei Fragen gestellt und
beantwortet. Die erste Frage heißt: wie ist reine Mathematik
möglich?, und die Antwort lautet: durch unsere Sinnlichkeit, das
Vermögen der reinen Anschauungen, das unsere Eindrücke oder
Empfindungen (das einzige, was uns gegeben ist) durch Einordnung in Raum und Zeit zu Erscheinungen macht. Die zweite
Frage heißt: wie ist reine Naturwissenschaft möglich?, und die
Antwort lautet: durch unseren Verstand, das Vermögen der reinen
Begriffe, das aus den Erscheinungen durch Einordnung in die
Kategorien Erfahrung macht. Die dritte Frage heißt: wie ist Metaphysik möglich?, und die Antwort lautet: durch unsere Vernunft, das Vermögen der Ideen, dem die unendliche Aufgabe gestellt ist, aus der Erfahrung Wissenschaft zu machen. Und die Ge-
samtfrage, in die alle drei sich zusammenfassen lassen, heißt: wie
entsteht Realität? Die Antwort lautet: durch die reine Vernunft.

Fragen:	Vermögen:		Formen:	Produkte:	
Wie ist reine Mathe-matik möglich?	Sinnlichkeit		Anschau-ungen	Erschei-nungen	
Wie ist reine Natur-wissenschaft möglich?	Verstand	reine Ver-nunft	Begriffe	Erfah-rung	empi-rische Realität
Wie ist Metaphysik möglich?	Vernunft i. e. S.		Ideen	...Wis-senschaft	

Die menschliche Vernunft ist in der Ausübung aller ihrer Vermögen eine bloß formgebende Kraft: Raum und Zeit, die Kategorien, die Ideen sind sämtlich Formen, die zu dem Inhalt, den sie
vorfinden, hinzugebracht werden: der „Stoff" unserer Vernunft
sind die Empfindungen, von denen wir nur aussagen können, daß
sie uns „affizieren". Da die Vernunft der gesamten Realität die
Gesetze vorschreibt, so folgt daraus, daß diese Gesetze für uns un-
verbrüchlich gelten und daß sie nur für uns gelten; was die
Welt wirklich ist, abgesehen von unserer Art, sie aufzufassen,
können wir nicht einmal vermuten, da ja alles, was in unser Bewußtsein tritt, bereits Erscheinung ist, transzendentale Idealität

besitzt. Wir können nur sagen, daß den Erscheinungen etwas „zugrunde liegt", daß sich hinter den Dingen, jenseits unserer Erfahrungsmöglichkeit noch irgend etwas befindet: das Ding an sich. Dieses Ding an sich, das weder unter die Anschauungsformen des Raums und der Zeit noch unter die Denkformen der Substantialität und der Kausalität fällt, ist ein bloßer Grenzbegriff. Es bezeichnet die Grenze, wo unsere Erkenntnis aufhört.

Kant hat sich selbst mit Kopernikus verglichen, und seine Vernunftkritik bedeutet in der Tat eine völlige Umkehrung des bisherigen Weltbilds. Nur war eigentlich seine Umkehrung das Gegenteil der kopernikanischen. Kopernikus sagte: der Mensch hat bisher geglaubt, die Erde sei der Mittelpunkt des Weltalls und dieses richte sich in allen seinen Bewegungen nach ihr; in Wirklichkeit aber ist die Erde nur ein kleiner Trabant der Sonne und des großen Weltkörpersystems und hat sich nach diesem zu richten. Kant hingegen sagte umgekehrt: der Mensch hat bisher geglaubt, seine Erkenntnis habe sich nach den Gegenständen der Außenwelt zu richten; in Wirklichkeit aber hat sich die ganze Welt nach ihm und seiner Erkenntnis zu richten, durch die sie überhaupt erst zustande kommt. Gleichwohl haben beide Systeme sozusagen die gleiche Pointe. Wir haben im ersten Buch darauf hingewiesen, daß die neue Astronomie, die am Anfang der Neuzeit steht, zwar die Erde zum winzigen Lichtfleck zusammendrückte und das Weltall zu schauerlichen Riesendimensionen auseinanderreckte, zugleich aber den Menschen zum Durchschauer und Entschleierer des Kosmos emporhob: an die Stelle eines begrenzten, aber unerforschlichen und magischen Weltraums trat ein unendlicher, aber mathematischer und berechenbarer. In derselben Weise stürzt Kant den Menschen einerseits in tiefste Ohnmacht und Finsternis, indem er ihm unwiderleglich dartut, daß er von der Erkenntnis der „wahren Welt", der „Welt an sich" durch unübersteigliche Schranken getrennt ist, zugleich aber macht er ihn zum Schöpfer und absoluten Gesetzgeber der „empirischen Welt", deren ungeheure Ausmaße ihn nun nicht mehr in Schrecken zu versetzen vermögen. Die Vernunftkritik bezeichnet die tiefste Niederlage und den höchsten Triumph der menschlichen Vernunft:

der Mensch ist ein verschwindendes Pünktchen im Weltall; aber dieses Nichts gibt dem Weltall seine Gesetze.

Das Schlußkapitel der „Kritik der reinen Vernunft" bildet den Übergang zu Kants zweitem Hauptwerk, der „Kritik der praktischen Vernunft", das sieben Jahre später erschien. Zu den Ideen der Freiheit, Unsterblichkeit und Gottheit können wir nicht auf theoretischem Wege gelangen, da sie über unsere Erfahrung hinausgehen, wohl aber auf praktischem Wege, indem wir sie vermöge unseres sittlichen Willens (zwar nicht zu objektiven, wohl aber) zu subjektiven und persönlichen Gewißheiten, zu Gegenständen unseres Glaubens machen. Die Kritik der reinen Vernunft handelt von den Gesetzen unseres Erkennens, die Kritik der praktischen Vernunft von den Gesetzen unseres Handelns. Wie nun die Gesetze unserer theoretischen Vernunft nur darum strenge Notwendigkeit und Allgemeinheit besitzen, weil sie nicht aus der Erfahrung geschöpft sind, vielmehr vor aller Erfahrung da waren, so können auch die Gesetze unserer praktischen Vernunft nur dann auf unbedingte Gültigkeit Anspruch machen, wenn sie nicht aus der Empirie abgeleitet sind, wenn sie (da der Inhalt unseres Handelns stets aus der Erfahrung stammt) rein formalen Charakter tragen.

Wie die theoretische Vernunft der Erscheinungswelt die Gesetze diktiert, so gibt die praktische Vernunft sich selbst das Sittengesetz, und dieses lautet: „Handle so, daß die Maxime deines Willens jederzeit zugleich als Prinzip einer allgemeinen Gesetzgebung gelten könnte." Praktische Grundsätze enthalten entweder Vorschriften, die nur gelten, wenn gewisse Bedingungen gegeben sind, zum Beispiel: wenn du ein Meister werden willst, so mußt du dich beizeiten üben, in diesem Falle sind sie hypothetische Imperative; oder sie haben eine unbedingte, von allen Voraussetzungen unabhängige Geltung, zum Beispiel: du darfst nicht lügen, in diesem Falle sind sie kategorische Imperative. Das Sittengesetz ist ein kategorischer Imperativ, es gilt absolut und unbedingt, unabhängig von jeder Voraussetzung, es gilt überall und immer, vor aller Erfahrung, ohne jede empirische Bestätigung, es gilt, auch wenn es nie und nirgends erfüllt wird. „Die Moral ist nicht eigentlich die Lehre, wie wir uns glücklich machen, sondern wie wir der Glückseligkeit würdig werden sollen." Wir haben das Sittengesetz aus Pflichtgefühl zu beobachten, nicht aus Neigung, denn wenn wir es aus Neigung befolgen, so geschähe dies um unser selbst willen. Hier befinden wir uns auf dem höchsten Grat der kantischen Moralphilosophie, in der rauhen und reinen Eishöhe der absoluten Ethik.

Das Sittengesetz in uns gebietet: du sollst, und aus diesem Sollen folgt das Können, sonst wäre die Forderung des Sollens widersinnig. Als sinnliche Wesen sind wir der Naturnotwendigkeit unterworfen, als moralische Wesen sind wir frei. In diesem Zusammenhang gewinnen die metaphysischen Ideen eine neue Realität. Wir müssen die absolute sittliche Vollkommenheit wollen; da sich diese in keinem Zeitpunkt unseres irdischen Daseins erreichen läßt, so muß unser moralisches Bewußtsein die Unsterblichkeit fordern. Und aus ähnlichen Gründen muß unsere praktische Vernunft die Existenz Gottes, der Freiheit, der Seele postulieren. Diese Ideen sind nicht Axiome der theoretischen, sondern Postulate der praktischen Vernunft.

Die Wirksamkeit des Sittengesetzes in uns ist der Beweis für die Möglichkeit, ja Wirklichkeit der menschlichen Freiheit. Unser moralisches Vermögen verhält sich zu unserem Erkenntnisvermögen wie die intelligible Welt zur sinnlichen: diese ist von jener abhängig, darum sagt Kant: die praktische Vernunft hat den Primat vor der theoretischen Vernunft. Die Sinnenwelt ist durchaus phänomenal, Erscheinung einer ihr zugrunde liegenden intelligibeln Welt; ebenso ist unsere eigene sinnliche Existenz, unser empirischer Charakter bloße Erscheinung unserer intelligibeln, unserer moralischen Existenz. Was ist also unser moralisches Ich? Nichts anderes als das „Ding an sich".

Die Kritik der reinen Vernunft hatte erklärt: die intelligibeln Wesenheiten, die Ideen, die Dinge an sich können nie erkannt und gewußt, nur „gedacht" und geglaubt werden. Die Kritik der praktischen Vernunft aber erklärt: sie sollen und müssen gedacht, geglaubt, zu Regulativen unseres Seins und Handelns gemacht werden. Für unsere spekulative Vernunft sind sie bloße Möglichkeiten, Wünschbarkeiten, Ideale, Hypothesen; für unsere moralische Vernunft sind sie Wirklichkeiten, Notwendigkeiten, kategorische Gebote.

Die „Kritik der praktischen Vernunft" ist die Vollendung und Krönung der „Kritik der reinen Vernunft": ohne jene wäre diese nur ein Torso und Fragezeichen, und nur Mißgunst oder Unverstand vermag zwischen diesen beiden Werken, die ebenso organisch und notwendig zueinander gehören wie etwa die beiden Teile des „Faust" oder Dantes Inferno und Paradiso, einen Widerspruch zu entdecken. Es ist im Grunde auch beide Male dieselbe Betrachtungsweise und Methode, von der die Gedankenführung beherrscht wird. Auch vom kategorischen Imperativ erklärt Kant, daß er „im Gemüt bereitliege": das Sittengesetz ist ebenso a priori wie die Naturgesetze. Unsere Begriffe von Gut und Böse stammen so wenig aus der Erfahrung wie unsere Anschauungen von Raum und Zeit. Als erkennendes Wesen ist der Mensch der Gesetzgeber der Außenwelt, als moralisches Wesen ist er sein eigener Gesetzgeber: Legislator und Untertan in einer Person. Er ist es, der sich sowohl seine sinnliche wie seine sittliche Welt macht. Unsere theoretische Vernunft denkt die Welt als eine anschaulich geordnete und gesetzmäßig verknüpfte Einheit; folglich ist sie anschaulich und gesetzmäßig. Unsere praktische Vernunft will den Menschen als ein freies und sittliches Wesen, und folglich ist er sittlich und frei.

Das Gesamtresultat der kantischen Philosophie Wir müssen es uns versagen, auf die übrigen Schriften Kants einzugehen, und beschränken uns darauf, zu erwähnen, daß er in seinem dritten Hauptwerk, der „Kritik der Urteilskraft", als erster das Wesen des Schönen erschöpfend und zwingend definiert hat: erst seitdem gibt es eine Ästhetik als Wissenschaft. Auch hier stellte er wiederum fest, daß Schönheit kein Begriff ist, den wir aus der Erfahrung schöpfen, sondern ein Urteil oder Prädikat, das wir zu ihr hinzubringen: nicht die Dinge sind ästhetisch, sondern unsere Vorstellungen von ihnen.

Damit war der Bau des Systems in seinen drei Haupttrakten vollendet. Die Philosophie Kants enthält, wie er selbst es bezeichnet hat, ein „Inventarium", und zwar ein Inventarium dessen, was jederzeit und von jedermann, also mit Allgemeinheit und Notwendigkeit theoretisch erkannt, praktisch gewollt und ästhetisch empfunden wird. Und sie gelangt zu dem Resultat, daß Wahrheit ein Produkt unseres Verstandes, Sittlichkeit ein Produkt unseres Willens und Schönheit ein Produkt unseres Geschmacks ist. Die Antworten, die sie jedesmal gibt, sind ebenso überraschend wie selbstverständlich: sie erinnern, wenn dieser Vergleich erlaubt ist, an die Lösungen in den guten Kriminalromanen, die der Leser nie selber entdeckt hätte, aber, sobald sie einmal gegeben sind, als überzeugende Notwendigkeiten empfindet: der Weg zu ihnen ist äußerst kompliziert, aber sie selbst sind bezwingend einfach.

Das Gesamtresultat der Vernunftkritik hat der Abbé Galiani, einer der geistreichsten Menschen des achtzehnten Jahrhunderts, in die Worte zusammengefaßt: „die Würfel der Natur sind gefälscht." Dieses Ergebnis ist in der Tat erschütternd. Und dennoch: es ist schwer begreiflich zu machen, wenn man es nicht fühlt; aber von allen vorbildlichen Figuren jener Zeit, die sich selbst so zwiespältig, zerrissen und problematisch vorkam: von Werther, von Rousseau und auch von dem Menschen, wie ihn Kant konzipiert hat, geht der Eindruck einer wohltuenden, wahrhaft klassischen Gradlinigkeit aus; sie sind so vollständig symmetrisch und geometrisch gebaut und in ein so tadelloses, mit einem Blick zu erfassendes Schema eingezeichnet wie der „Kanon der menschlichen Gestalt" in den Hilfsblättern der Zeichenschulen. Alles schien damals zu wanken, die kantische Entdeckung schien die ganze äußere Welt in einen bloßen Schattenwurf des Geistes aufzulösen; aber wie wohlgeordnet und beruhigend erscheint uns heute seine Einregistrierung des Weltbilds in Zeit, Raum und Kausalität! Er mutet uns an wie ein gütiger Onkel, der den Kindern drei große Schachteln mitgebracht hat, worein alle Gegenstände ihrer kleinen Welt sauber und liebevoll verpackt sind. Und auch der unglückselige Werther erscheint uns heute als ein sehr beneidenswerter Seelenlogiker, denn er hatte noch eine so klare Richtung, ein so absolutes Ziel: die Erotik selbst war ihm noch kein Problem. Aber dies scheint ein geschichtspsychologisches Gesetz zu sein: jedesmal wenn der Mensch aufs neue festen Fuß faßt, glaubt er zu wanken. Und wenn es einen Beweis dafür gibt, daß ein menschlicher Fortschritt tatsächlich stattfindet, so ist er hier: in der Primitivität, die das hochkomplizierte achtzehnte Jahrhundert in unseren Augen besitzt.

Die Kritik der kantischen Philosophie

Was nun zum Schluß noch die Kritik der kantischen Philosophie anlangt, so umfaßt sie bekanntlich ganze Bibliotheken und ist Gegenstand eigener Spezialinstitute, ja es gibt sogar eine „Kantphilologie", eine sehr prekäre und fast aussichtslose Wissenschaft, da, wie wir bereits hervorgehoben haben, Kant im Gebrauch seiner Ausdrücke nichts weniger als konsequent und eindeutig verfuhr: schon die Grundvokabel seiner ganzen Untersuchung, das Wort „Vernunft", ist, da es abwechselnd für das Ganze unserer Erkenntnis und für das Vermögen der Ideen gebraucht wird, ein verwirrender und zwiespältiger Begriff.

Unter den bedeutenden Zeitgenossen war Hamann der leidenschaftlichste Gegner Kants, der in seinen Augen nichts war als ein extremer Rationalist, Räsonneur und Spekulant, „in der Schlafmütze hinter dem Ofen sitzend". Die ersten stichhaltigen Einwände gegen die Vernunftkritik brachte Jacobi zur Sprache, der die widerspruchsvolle Rolle des kantischen Dings an sich mit großem Scharfsinn analysierte: es soll unserer Erscheinungswelt als deren Ursache zugrunde liegen, also selber unter die Kategorie der Kausalität fallen, die aber andrerseits doch nur für Erscheinungen gelten darf, niemals für Dinge, die jenseits unserer Erfahrung liegen. Somit kann man, sagt Jacobi, ohne die Voraussetzung erkennbarer, also realer Dinge an sich nicht ins kantische System hineinkommen und mit dieser Voraussetzung nicht darin bleiben: „mit dieser Voraussetzung darin zu bleiben, ist platterdings unmöglich".

Die übrigen Versuche, den kantischen Phänomenalismus zu widerlegen, beruhen zumeist auf Mißverständnissen. So hat man zum Beispiel immer wieder das, was die Fachphilosophie den „objektiven Geist" nennt, als Instanz gegen den Idealismus angeführt, nämlich den Niederschlag der menschlichen Gattungstätigkeit in überindividuellen Schöpfungen von bleibender Bedeutung und Wirkung wie Recht, Sitte, Technik, Sprache, Wissenschaft, Kunst: diesen komme offenbar eine von unserem Subjekt unabhängige Realität zu. Aber hier werden die Begriffe „Objektivität" und „Realität" verwechselt. Es kann sehr wohl einer unübersehbaren Menge von Vorstellungen die einwandfreieste und unwiderleglichste Objektivität innerhalb des Bewußtseins der gesamten Menschheit zukommen, ohne daß uns darum die Möglichkeit gegeben wäre, etwas über ihre Realität auszusagen, sofern man darunter etwas versteht, was noch jenseits unserer Vorstellungen Gültigkeit besitzt. Der philosophische Idealismus behauptet ja nicht, daß die Außenwelt von der Willkür des einzelnen Subjekts abhänge, daß sie eine rein individuelle Vorstellung sei, sondern lediglich, daß sie uns in einer Apperzeptionsform gegeben ist, die sich ausschließlich im menschlichen Bewußtsein vorfindet und nachweisen läßt. Diese Apperzeptionsform: die irdische, die anthropomorphe, die zeiträumliche oder wie man sie nennen will, ist subjektiv; aber in diesem Falle ist als das aufnehmende Subjekt nicht etwa der einzelne Mensch mit seinen wechselnden persönlichen Wahrnehmungen gemeint, sondern das Vorstellungsleben der ganzen Menschheit, ihr Gattungsbewußtsein von ihren ersten Ursprüngen an und, wie wir wohl ohne Bedenken hinzufügen können, bis in ihre fernsten Tage. Diese unsere Anschauungsform ist, so paradox es im ersten Moment klingen mag, gerade weil sie so subjektiv ist, von der höchsten Objektivität. Denn sie ist, obgleich nur für geistige Organisationen von unserer Art und Anlage gültig, eben darum für alle so gearteten Wesen absolut bindend. Gerade die Tatsache, daß die Menschheit, so weit wir ihre Geschichte verfolgen können, in allen ihren Schöpfungen und sogar in jenen, die sich nur aus der Kollaboration zahlloser Individuen erklären lassen, immer denselben ewig wiederkehrenden Apperzeptionsformen unterworfen war, zeigt uns aufs deutlichste an, daß das, was wir die Welt und ihre Geschichte nennen, lediglich den Charakter eines Phänomens besitzt.

Man hat aber die Transzendentalphilosophie auch vom entgegengesetzten Ende angegriffen, indem man nachzuweisen oder doch wenigstens sehr wahrscheinlich zu machen suchte, daß unseren Anschauungsformen des Raums und der Zeit durchaus nicht jene allgemeine Gültigkeit zukomme, die Kant von ihnen behauptet. Es ist in der Tat nicht ohne weiters sicher, daß der Raum, wie wir ihn konzipieren, die einzig mögliche Raumform vorstellt, daß er allen kosmischen Wesen gemeinsam ist und sozusagen eine intermundane Bedeutung besitzt. Diese unsere Raumvorstellung, die sogenannte euklidische, basiert auf dem Axiom, daß die kürzeste Verbindung zwischen zwei Punkten die Gerade ist und dementsprechend durch je drei Punkte des Raumes immer eine Ebene gelegt werden kann. Diese Annahme ist jedoch sozusagen ein menschliches Vorurteil. Denn es wäre sehr wohl denkbar, daß es Wesen gäbe, die so eigensinnig wären, zu glauben, die Grundlage ihrer Geometrie sei die Kurve. Diese Geschöpfe würden in einer Kugelwelt leben und sich dort vermutlich ebenso wohl fühlen und ebenso leicht zurechtfinden wie wir in unserer Welt der Ebene. Auch wäre es theoretisch vorstellbar, daß es Flächenwesen gibt, die nur zwei Dimensionen kennen und mit diesem Bruchteil unseres apriorischen Inventars sehr gut ihr Auskommen finden. Andrerseits gründet sich der Spiritismus bekanntlich auf die Annahme einer vierten Dimension. Zumal von den bewunderungswürdigen Untersuchungen, die Gauß und Riemann über die „nichteuklidische" Geometrie gemacht haben, glaubte man, daß durch sie der kritischen Philosophie der Todesstoß versetzt worden sei. Sie enthalten aber so wenig deren Widerlegung, daß sie vielmehr deren Bestätigung bilden. Kant hatte ja eben behauptet, daß der euklidische Raum unsere Vorstellung sei, nur die unsere, aber für uns die einzig mögliche und daher die notwendige. Andere Räume sind für uns denkbar; aber nicht vorstellbar. Erst wenn ein Mensch erschiene, der sich eine nichteuklidische Geometrie, ein Leben in der Fläche, eine vierdimensionale Welt anschaulich vorzustellen vermöchte, wäre Kants Lehre von der Apriorität des Raums widerlegt. Ganz analog verhält es sich mit den außerordentlichen Entdeckungen, die Einstein gemacht hat. Aus ihnen geht unzweideutig hervor, daß mehrere Zeiten möglich sind, daß die Vorstellung einer absoluten Zeit, die für alle Orte des Raumes gilt, eine menschliche Fiktion ist. Hieraus zogen viele Forscher den Schluß, daß die Transzendentalphilosophie unhaltbar geworden sei. So sagt zum Beispiel Franz Exner in seinen ausgezeichneten „Vorlesungen über die physikalischen Grundlagen der Naturwissenschaften": „Fragen wir uns, was bleibt von dem absoluten Raum- und Zeitbegriff, wie ihn Kant gefordert und aufgestellt hat, übrig, so müssen wir sagen: so gut wie nichts." Aber die epochemachende Tat Kants bestand ja gerade darin, daß er den absoluten Raum- und Zeitbegriff zerstörte. Sein ganzes System ist vorweggenommene Relativitätstheorie und diese nichts als die exakte wissenschaftliche Fundierung des kantischen Lehrgebäudes mit Mitteln, die ihm noch nicht zur Verfügung standen. Die Zeitvorstellung ist für Kant nicht nur etwas Relatives, sondern etwas, das überhaupt außerhalb unseres Auffassungsvermögens gar keinen greifbaren Sinn hat. Eine „absolute Zeit" können wir uns nicht einmal denken, geschweige denn vorstellen; und ein absoluter Raum, das heißt: ein Raum, der unbedingt und überall, also auch unabhängig von unserer Apperzeption existiert, wäre im kantischen Verstande ein erscheinendes Ding an sich, also ein Nonsens.

Es dürfte demnach in der Tat nicht zu viel gesagt sein, wenn man behauptet, daß die kantische Kritik in ihren Hauptstellungen unangreifbar ist. Im einzelnen jedoch war sie, wie wir bereits gelegentlich betont haben, nicht frei von Widersprüchen und Zweideutigkeiten, und zwar gerade im Hinblick auf ihre beiden Kardinalbegriffe: die Erscheinung und das Ding an sich. Das unmögliche Ding an sich

Kant hat seine theoretische Philosophie zweimal dargestellt: zuerst in der „Kritik der reinen Vernunft" und zwei Jahre später in seinen „Prolegomena zu einer jeden künftigen Metaphysik, die als Wissenschaft wird auftreten können", in denen er den Lehrgang in wesentlich knapperer Form, sozusagen im Klavierauszug, vortrug. Verfolgen wir die Entstehungsgeschichte unserer empirischen Welt auf dem induktiven Wege, wie ihn Kant in der „Kritik der reinen Vernunft" eingeschlagen hat, so sehen wir, wie aus dem Stoff unserer Eindrücke oder Empfindungen Anschauung, aus unserer Anschauung Erfahrung, aus unserer Erfahrung (in unendlicher Annäherung) Wissenschaft entsteht. Unsere Eindrücke müssen uns also als unentbehrliche Vorbedingung aller Erkenntnis gegeben sein. Es ist kein Zweifel, daß wir mit Hilfe der Vorstellungen unsere Erscheinungswelt, mit Hilfe der Begriffe unsere Erfahrungswelt, mit Hilfe der Ideen unsere moralische Welt machen; aber unsere Empfindungen machen wir nicht. Alles, was wir produzieren, ist Form; der Stoff, den diese Formen bearbeiten, ist nicht unser Produkt. Er ist das schlechthin Primäre; denn der Stoff muß vor der Form da sein. Es liegt also unserer Erkenntnistätigkeit dennoch etwas Objektives zugrunde, das uns zwingt, ihr den Charakter völliger Subjektivität abzusprechen. Mit einem Wort: Kant lehrt eine Idealität der Erscheinungswelt, die im Grunde genommen keine ist.

Gehen wir den Weg der Vernunftkritik in der umgekehrten, deduktiven Richtung, wie es Kant in den „Prolegomena" getan hat, so bleibt, wenn wir von unserer Erkenntnis die Ideen, die Begriffe, die Anschauungen abziehen, ein letzter Rest: das Ding an sich, dessen Unerkennbarkeit und Unvorstellbarkeit Kant immer betont, dessen Realität und Existenz er aber nie bestritten hat. Aber welche Realität kann einem Ding noch zukommen, das für uns vollkommen unvorstellbar ist? Wenn ein Gegenstand so völlig außerhalb aller Erfahrungsmöglichkeit liegt, so kann man von ihm natürlich nicht sagen, was er ist; aber auch nicht einmal, daß er ist. Wir können niemals etwas von seiner Existenz wissen, nur an seine Existenz glauben: mit Hilfe unserer praktischen Vernunft. Mit einem Wort: Kant lehrt eine Realität des Dings an sich, die im Grunde genommen keine ist.

So hängt das kantische System zwischen Idealismus und Realismus, Subjektivismus und Empirismus: es ist „zweiendig", wie Jacobi diesen Doppelcharakter treffend bezeichnet hat, und ermöglicht zwei entgegengesetzte Fehldeutungen. Wenn man sich sozusagen auf die äußerste Linke stellt und es vom realen Ende mißversteht, so wird man in ihm einen revidierten Sensualismus à la Locke erblicken; wenn man sich auf die äußerste Rechte schlägt und es vom idealen Ende mißversteht, so wird man es mit dem radikalen Spiritualismus Berkeleys verwechseln.

Der Brennpunkt, in dem alle Schwierigkeiten zusammenlaufen, ist das Ding an sich. Es ist, wie Salomon Maimon, einer der

scharfsinnigsten und tiefdringendsten Kantianer, schon ein Jahrzehnt nach der Veröffentlichung der „Kritik der reinen Vernunft"
darlegte, weder erkennbar noch unerkennbar: sagen wir, es sei
unvorstellbar, so können wir unmöglich davon reden, sagen wir,
es sei vorstellbar, so hört es auf, Ding an sich zu sein; es ist ein unmöglicher Begriff, ein Unding, ein Nichts; es ist nicht gleich x,
wie Kant gelehrt hatte, sondern gleich $\sqrt{-a}$.

Es gibt nur einen Weg, die Transzendentalphilosophie zu vollenden: das Ding an sich muß aufgelöst werden. Diese Aufgabe forderte und erfüllte die romantische Philosophie. Ehe wir uns
jedoch dieser zuwenden, müssen wir die dritte der drei Hauptströmungen betrachten, von denen wir am Anfang dieses Kapitels
gesprochen haben: den Klassizismus.

ZWEITES KAPITEL

DIE ERFINDUNG DER ANTIKE

Nichts Modernes ist mit etwas Antikem vergleichbar; mit Göttern soll sich nicht messen irgendein Mensch. (Wilhelm von Humboldt) – Der Griechen Weisheit ist gar viehisch. (Luther)

Griechenland ward die Wiege der Menschlichkeit, der Völkerliebe. (Herder) – Humanität ist etwas so sehr Ungriechisches, daß die Sprache nicht einmal ein Wort dafür hat. (Wilamowitz)

Griechheit, was war sie? Verstand und Maß und Klarheit! (Schiller) – In den Griechen „schöne Seelen", „goldene Mitten" und andere Vollkommenheiten auszuwittern, vor dieser niaiserie allemande war ich durch den Psychologen behütet, den ich in mir trug. (Nietzsche)

An Seel' und Leib gesund sind durchaus nur die Griechen. Dagegen unsre Welt ein großes Haus der Siechen. (Rückert) – Die ganze Kultur der Griechen war rings von Hysterie beschlichen und umstellt. Die Griechen sind toll gewesen. (Bahr)

Die Stiftung der Wissenschaft wird für immer der Ruhm der Griechen bleiben. (Lotze) – Ihrem Geist fehlt die geduldige Besonnenheit, um von besonderen, fest umschriebenen Tatsachen zu allgemeinen Wahrheiten den einzig sicheren Pfad emporzusteigen. (Dubois-Reymond)

Die Alten lebten für das Diesseits, den Griechen ist die irdische Wirksamkeit alles. (Curtius) – Seltsames Gerede: die Griechen mit ihren Gedanken nur aufs Diesseits gerichtet! Im Gegenteil: wohl kein Volk, das an das Jenseits so viel, so bang gedacht hätte! (Rohde)

Ihre Geistesveranlagung führte die Griechen dazu, das Leben als einen Lustwandel aufzufassen. (Taine) – Man hat es vor allem zu tun mit einem Volk, welches in höchstem Grade seine Leiden empfinden und derselben bewußt werden mußte. (Burckhardt)

Jeder hat noch in den Alten gefunden, was er brauchte oder wünschte, vorzüglich sich selbst. (Friedrich Schlegel)

Der Herr in der Extrapost Mittwoch, den 24. September 1755, bestieg ein hochgewachsener, schon ein wenig ältlich aussehender Herr von olivenfarbigem Teint, hastigen und schwerfälligen Bewegungen und gelehrtem Gesichtsausdruck in Dresden die Extrapost, um sich über Bayern und Tirol nach Italien zu begeben. Am 18. November fuhr er durch die *porta del popolo* in Rom ein und nahm damit gewissermaßen die ewige Stadt in Besitz. Dieser Herr war der preußische Literator Johann Joachim Winckelmann, Verfasser einer in Fachkreisen sehr beifällig aufgenommenen kleinen Kunstabhandlung über die Nachahmung der griechischen Werke, und dieser Alpenübergang und Einzug in Rom war eine der denkwürdigsten Tatsachen der neueren Kulturhistorie, ebenso bedeutsam für die Geschichte der deutschen Kunst und Literatur, wie es die Romfahrten der Staufer für die Geschichte der deutschen Politik und Religion gewesen waren, und zugleich der Ausgangspunkt einer der verhängnisvollsten Verirrungen des deutschen Geistes, die diesen viele Jahrzehnte lang beherrscht und in höchst eigentümlicher Weise von seiner normalen Entwicklungsbahn abgelenkt hat.

Winckelmann war von Beruf Archäolog, Historiker und Philolog, Ästhetiker, Kritiker und Philosoph, Museumsdirektor, Archivar und Bibliothekar, Dragoman, Cicerone und Connoisseur, in Wirklichkeit aber nie etwas anderes als das, womit er seine wissenschaftliche Laufbahn begonnen hatte: nämlich Rektor und Pädagog. Er ist einer der gewaltigsten Schulmeister gewesen, die das deutsche Volk und die Welt gehabt hat, und einer der verschrobensten: wie alle geborenen Magister sehr nützlich durch die Fülle und Eindringlichkeit seiner Belehrung und sehr schädlich durch ihre verfälschende Einseitigkeit und eigensinnige Dogmatik.

Kein Volk hat eine so breite und wechselvolle Geschichte gehabt wie die Griechen. Der Grund hierfür liegt in ihrer einzigartigen Genialität, die es ermöglicht hat, daß man aus ihnen buchstäblich alles machen konnte. Einer der Hauptunterschiede zwischen dem Genie und dem Talent besteht darin, daß dieses eindeutig, jenes aber vieldeutig ist: vieldeutig wie die Welt, die es komplett in sich abspiegelt. Wie es Dutzende von Hamletauffassungen gibt, so sind auch vom wandelbaren Bewußtsein der genießenden Nachwelt die verschiedenartigsten Auslegungen und Wertungen an das Griechentum herangetragen worden: alle sind falsch und alle sind richtig. Die unschätzbare Bedeutung der hellenischen Kultur für die Menschheit besteht darin, daß sie stets die bereitwillige Form,

Das Genie unter den Völkern

das schöne Gefäß zu bilden vermochte, worein jedes Zeitalter und jeder Mensch sein eigenes Ideal gießen konnte.

Was ist nun ein „Ideal"? Das, was man gleichzeitig ist und nicht ist. Niemand wird etwas, das er nicht latent in sich trägt, zu seinem Ideal erheben. Aber ebensowenig etwas, das er bereits verwirklicht hat, ja auch nur verwirklichen kann. Das Ideal ist unser Ich und zugleich unser Nicht-Ich, unser ergänzender Gegenpol, die platonische andere Hälfte, die wir auf unserem ganzen Erdenweg ebenso vergeblich wie unermüdlich suchen. Diese beiden entgegengesetzten Tendenzen, im Ideal ebensowohl sich selbst als auch sein zweites und höheres Selbst, sein komplementäres Gegen-Ich wiederzufinden, vermischen sich ununterbrochen miteinander und machen die Psychologie aller „Idealismen" zu einem fast unentwirrbaren Problem, umsomehr als diese Zwiespältigkeit meist nur dem Betrachter zum Bewußtsein kommt. Die Aufklärung zum Beispiel erblickte in den Alten zwar einerseits lauter rationalistische Popularphilosophen des achtzehnten Jahrhunderts, aber rühmte doch auch andrerseits an ihnen ihre Natürlichkeit und Kraft, Einheit und Einfachheit als Widerspiel der verstandesmäßigen Verkünstelung und Zerstückelung der Gegenwart; die Burckhardtschule, die in Nietzsche gipfelt, sah die Griechen als tragisches und romantisches Volk, aber zugleich als Meister des Lebens, als Virtuosen des Willens zur Macht und ihre gesamte Kultur als den gelungenen Versuch einer Selbstheilung von der Romantik.

Die erste große „Wiederbelebung der Antike" fand noch innerhalb der Antike statt: im „goldenen Zeitalter" des Kaisers Augustus. Damals wurde zum erstenmal an die Kunst die seither oft wiederholte Forderung erhoben, durch Nachahmung anerkannter griechischer Meisterschöpfungen selber zur Meisterschaft zu gelangen. Infolgedessen kopierte Virgil Homer, Horaz Archilochos und Anakreon, Ovid Theokrit und Livius Thukydides; und gerade dadurch, daß in diesen Werken alles aus zweiter Hand, artistisch angequält und errechnet war, erlangten sie jene wachsfigurenhafte Modellkorrektheit, die ihre Schöpfer schon bei Lebzeiten zu Schulautoren gemacht hat. Obgleich nun die Römer die griechische Literatur aller Epochen ziemlich wahllos ausschrieben und persönlich in ihrer Kulturstufe den Alexandrinern weitaus am nächsten standen, gewöhnten sie sich doch schon bald daran, das perikleische Schrifttum als das ausschließlich maßgebende anzusehen. Gleichzeitig wurde von ihnen in Baukunst und Plastik ein bis zur Leere gereinigter Stil als der allein klassische dekretiert, was wiederum nur dadurch ermöglicht wurde, daß er bloß rezipiert war; denn ein lebendiger, aus der Zeit geborener Stil ist niemals klassisch.

Diese Traditionen haben, unter gewissen Abwandlungen, die gesamte römische Kaiserzeit beherrscht. Dann kam das Chaos, und als es sich einigermaßen zu klären begann, erfolgte gegen Ende des achten Jahrhunderts als zweite große Renaissance die karolingische, in der Karl der Große mit dem römischen Kaisertum auch die alte römische Kultur zu erneuern suchte. Sein Wunsch war, aus Aachen ein „christliches Athen" zu machen; aber man las an seinem Hofe fast ausschließlich Römer: Ovid und Virgil, Sallust und Sueton, Terenz und Martial, Caesar und Cicero. Für die Söhne der Adeligen war der Besuch der Lateinschule obligatorisch, ja der Kaiser dachte sogar eine Zeitlang daran, das Lateinische zur Volkssprache zu machen. Einen etwas abweichenden Charakter trug die ottonische Renaissance, die in die zweite Hälfte des zehnten Jahrhunderts fällt. Der Sohn Ottos des Großen, Otto der Zweite, vermählte sich mit der griechischen Prinzessin Theophano, und diesem Bunde zwischen Germanien und Hellas entsproß Otto der Dritte, der von einer römischen Welttheokratie der deutschen Kaiser träumte und, schon mit zweiundzwanzig Jahren verstorben, in seiner Abstammung und ikarischen Laufbahn in der Tat an Euphorion erinnert. Er konnte perfekt Griechisch, bevorzugte die byzantinische Tracht und Etikette und war, wie sein Lehrer Gerbert, die gelehrte Leuchte des Jahrhunderts, von ihm rühmte, mehr ein Grieche und Römer als ein Deutscher. Indes hat die ottonische Renaissance ebensowenig wie die karolingische die griechische Literatur und Kunst in den mitteleuropäischen Gesichtskreis gebracht; die namhaften Autoren befinden sich in beiden Zeitaltern gänzlich unter lateinischem Einfluß: Ekkehards Waltharilied steht im Schatten Virgils, die Dramen der Nonne Roswitha haben die terenzischen Komödien zum Vorbild und Einhards „Vita Caroli Magni" schließt sich bis in die Einzelheiten an Sueton an. Die Griechen las man bestenfalls in lateinischen Übersetzungen; nur die irischen Gelehrten verstanden ein wenig ·Griechisch und im Kloster von Sankt Gallen gab es eine Zeitlang als Kuriosität „*Ellinici fratres*"; das hellenische Schrifttum ist fast ausschließlich durch die Byzantiner in die Neuzeit herüberge-rettet worden.

Die Re-
naissancen
der Neuzeit Was die italienische Rinascita anlangt, so haben wir bereits im ersten Buch darauf hingewiesen, daß sie ebenfalls vorwiegend eine Wiedererweckung der altrömischen Kultur war, der Versuch einer Rückkehr zur Kunst und Weltanschauung der heimischen Vorfahren; daß der erste große Propagandist der Antike, Petrarca, kein Griechisch verstand und dieses auch später nur auf der plato-nischen Akademie in Florenz getrieben wurde und daß man über-haupt aus dem ganzen antiken Erbe nur einen Fundus von äußer-lichen und noch dazu mißverstandenen Dekorationselementen übernahm: allerlei untergeordnete und aufgesetzte Bauteile, me-chanisch angeeignete Redefloskeln und pompöse, aber billige Alle-gorien. Man erklärte häufig und mit Nachdruck, daß Italien immer höher gestanden habe als Griechenland, und hatte gegen griechische Studien einen betonten Widerwillen. Das Ideal der Humanisten war der „gebildete" Römer der späten Republik, dessen Kultur sich auf staatsmännischer, militärischer und land-wirtschaftlicher Tüchtigkeit und einer affektierten Epigonenlei-denschaft für gelehrte Poetasterei, Rhetorik und Philosophasterei aufbaute: ein bereits abgeschwächtes, zersetztes, verschobenes Römertum, das mit seiner eigenen Vergangenheit schauspielerte. Das Griechentum aber, das die Renaissance konzipierte, war, ganz ebenso wie im Mittelalter, ein durch die Römer und dann noch einmal durch die eigene Zeit hindurchgegangenes, also ein Grie-chentum dritten Grades.

Ganz ähnlich verhält es sich mit der Repristination der Antike unter Ludwig dem Vierzehnten. Sie ist rein lateinisch, und die Hellenen Racines, Pugets und Poussins sind Römer mit griechi-schen Spitznamen.

Auch die „*scavi*", die Ausgrabungen der verschütteten Ruinen von Herculaneum, seit 1737, und Pompeji, seit 1748, und die ungefähr um dieselbe Zeit entdeckten Baureste von Paestum und Agrigent, die, in schützender Wildnis durch Jahrtausende erhalten, dem modernen Auge zum erstenmal die vollkommene Form eines altgriechischen Tempels enthüllten, sah man zunächst noch, unter dem Einfluß des italienischen Fundorts, mit römischen Augen an. In Deutschland war noch in der ersten Hälfte des achtzehnten Jahrhunderts die Hellenistik eine theologische Disziplin: das Griechische, soweit man es überhaupt betrieb, wurde nur erlernt, damit man das Neue Testament lesen könne, und es wurde denn auch unter die orientalischen Sprachen gerechnet. Homer und Herodot, Aischylos und Sophokles las man hie und da, aber nie im Urtext, und viele Gelehrte kannten sie kaum dem Namen nach. Die griechische Literatur, sagte Winckelmann, ist aus Deutschland fast ausgestoßen.

Durch den Genius dieses einen Mannes taucht nun das Phänomen Hellas wie eine verzauberte Insel aus dem Meer der Vergangenheit, freilich nur als täuschende Luftspiegelung, aber gleichwohl in einem reinen und scharfen Glanz, der die Zeitgenossen beglückte.

Gegen Winckelmanns berühmten Programmsatz, der einzige Weg für uns, groß, ja, wenn möglich, unnachahmlich zu werden, sei die Nachahmung der Griechen, richtete Klopstock die Verse: „Nachahmen soll ich nicht und dennoch nennet dein ewig Lob nur immer Griechenland. Wem Genius in seinem Busen brennet, der ahm' den Griechen nach! Der Griech' – erfand!" In der Tat: womit könnte ein Denker oder Künstler sich und seiner Zeit ein größeres Armutszeugnis ausstellen als durch den Rat, irgend etwas, wie groß es auch sei, nachzuahmen? Und doch war Winckelmann nichts weniger als ein ideenloser und phantasiearmer Kopf, vielmehr ein Genie der Invention so gut wie der Grieche; denn auch er hat etwas erfunden: nämlich den Griechen.

Wir wissen heute, daß das Altertum nicht antik war. Wer die griechischen Schriften naiv und unphilologisch liest, der wird finden, daß in Plato und Demosthenes weniger Altertümliches

war als in Mendelssohn und Professor Unrat und daß die Gebärde
der euripideischen Medea weniger klassisch gewesen sein muß als
die Geste der Charlotte Wolter. Was den sogenannten humanistisch Gebildeten vom Altertum zurückgeblieben ist, sind einige
tote Kostümstücke: Leier, Peplos, Lorbeer, Myrthe, Olivenkranz.
Es geht ihnen wie Faust, der von der griechischen Helena nur ein
leeres Kleid in der Hand behält: der Rest ist Wolke. Wir wissen
heute, daß es den Griechen mit dem Sonnenauge und den Römer
mit der Erzstirn niemals gegeben hat, aus dem sehr einfachen
Grunde, weil es ganz unmöglich ist, daß es solche Menschen zu
irgendeiner Zeit und an irgendeinem Ort gegeben haben kann.
Wir wissen heute auch, woher die Ästhetik und Geschichtsauffassung der deutschen Klassiker ihren Ursprung genommen hat:
aus Lehre und Vorbild der Generation, die ihnen vorherging,
einer Generation von physisch und seelisch unterernährten Magistern, verkümmerten Bücherwürmern und schiefgewachsenen
Kunstpedanten, aus der staubigen Enge der Bibliotheken und
Schreibstuben, der lichtarmen Stickluft der kleinen Provinzgassen,
der Lebensschwere der verwinkelten und verkräuselten Miniaturwelt der deutschen Barocke. Wir empfinden heute nicht die Antike, sondern diese Welt als eine historische: in ihrer Alterswurmstichigkeit, ihrem Geruch von Holzpflaster und Tranlampe, ihrer
Anämie aus eiweißarmer Kost und ihrem rührend-skurrilen Bemühen, sich durch steifen Wissensprunk, prätentiös aufgehäufte
Eigennamen und Büchertitel Tiefgang und Gravität zu geben.
Überall kommt, trotz dem Willen zur Schmucklosigkeit und dem
Lob der klassischen Simplizität, das Ornament, die Passementerie
hervor. Und was verstand man denn überhaupt unter der vielgerühmten und als leuchtendes Vorbild promulgierten „Einfachheit der Alten"? Nichts anderes als die notgedrungene geistige
und körperliche Bedürfnislosigkeit des deutschen Hauslehrers,
Prorektors und Reisebegleiters! Sie waren glücklicherweise nicht
„einfach", diese Griechen und Römer, sondern sehr verwickelt,
sehr unberechenbar, sehr anspruchsvoll und vor allem späte Menschen. Dagegen verwechseln diese Männer einer eben erst wieder
zu geistigem Leben erwachten Anfangszeit einige schlechte Gips-

abgüsse und verdorbene Scholientexte mit den Griechen und dann verwechseln sie die Karikatur und Marionette von Hellenentum, die sie sich daraus konstruiert haben, mit sich selbst! Ein Volk, dessen hervorstechendste Eigenschaft in der reizbarsten, beweglichsten Fähigkeit des Aufnehmens, in einer hypertrophisch entwickelten Gabe des Sehens bestand: – neu entdeckt und „verstanden" von einer Menschengruppe, die überhaupt noch nicht gewöhnt war, von ihren Augen Gebrauch zu machen, die ihr ganzes Weltbild aus Beschreibungen, Buchexzerpten und Urteilen über Urteile anderer hatte!

Das Groteskeste aber war die Wirkung. Sie war etwa so, wie wenn ein monomanischer, aber ungemein tüchtiger Gymnasiallehrer in eine Klasse tritt, die aus lauter sehr lebhaften, begabten und wißbegierigen Schülern besteht, und nun durch seinen Unterricht deren Geist ein für allemal in eine schiefe und rückläufige Bewegungsrichtung zwingt. Die ganze klassische Dichtung wurde zur Atelierdichtung: die Dramen, Romane, Gedichte, Abhandlungen der Klassiker haben kleine Fenster, Zimmeratmosphäre, künstliche oder höchstens Interieurbeleuchtung, starke Linien, aber blasse Farben. Alles ist eng, notdürftig ventiliert, verhängt, halbdunkel, alkovenhaft. Und dies alles als Nachahmung der Griechen, die ihre Schaustücke, Bildsäulen und Gemälde im Freien sowohl herstellten wie aufstellten, ihren künstlerischen Sport, ihre Philosophie, ihre Rhetorik auf der Straße betrieben, ihre politischen Versammlungen und Gerichtsverhandlungen, Götterkulte und Theatervorstellungen niemals in geschlossenen Räumen abhielten und überhaupt die Pleinairmenschen par excellence waren!

Schiller, eines der stärksten deutschen Temperamente, Goethe, dessen ganzes Leben, Denken und Gestalten im organisierten Schauen bestand, ganze Generationen der deutschen Bildnerei und Malerei, die ihrer innersten Anlage nach von jeher zum Naturalismus bestimmt war, ja sogar die Führer der angeblich antiklassizistischen romantischen Schule: sie alle übernahmen das klassizistische Pensum; und Napoleon, der wilde tausendäugige Sohn der Tatsachen, hatte als Empereur nichts Eiligeres zu tun als den leeren lackierten Empirestil über Europa zu verbreiten.

Wenn wir dieser Auffassung des Altertums glauben wollten, so hätte die Hauptbeschäftigung der Griechen und Römer offenbar darin bestanden, fleißig Winckelmann zu lesen, wie ja auch die Naturkinder Rousseaus zweifellos den „Contrat social" auswendig kannten. Diese sonderbare „Rückkehr zur Antike" ist nur zu verstehen aus einem tiefen Bedürfnis und letzten Versuch, in einer Welt der reinen Maße und Proportionen, der lichten Ordnung und leichten Überschaubarkeit, Selbstbegrenzung und Unkompliziertheit Erholung und Ausruhen von der eigenen Problematik, schweifenden Formlosigkeit und verwirrenden Vielfältigkeit der Bestrebungen, Beziehungen, Aspekte zu finden. Der Klassizismus ist aus der Angst des modernen Menschen geboren.

Dabei ist es aber andrerseits höchst merkwürdig und eine Art unfreiwillige Selbstironie, daß man das Ideal der Antike im Alexandrinismus fand, der süßlich, schwülstig und literarisch gewordenen Bildnerkunst der griechischen Barocke: man suchte sich eben doch instinktiv das heraus, womit man noch am ehesten verwandt war. Die griechische Décadence als das antike Ideal, ein Griechentum, das schon keines mehr war, als stärkste Zusammenfassung hellenischen Wesens: das eigentlich ist der unbewußte Kern der klassizistischen Theorie. Als die „Blüte" der griechischen Kunst erschienen Winckelmann Werke wie der Apoll von Belvedere, der Herkules von Belvedere, die Niobiden, die in Wahrheit überreife, welke und sogar schon ein wenig angefaulte Früchte des hellenischen Schaffens waren. Und vor allem dachte damals jedermann, wenn das Wort „griechische Kunst" ausgesprochen wurde, sofort fast zwangsläufig an den Laokoon, dieses ebenso prachtvolle wie herzlose Virtuosenstück einer schauspielernden Verstandeskunst, wie sie in dieser Mischung aus Brutalität und Sensitivität, ernüchternder Berechnung und überwältigendem Raffinement nur in glänzenden Niedergangszeiten hervorzutreten pflegt.

Gleichwohl abstrahierte man von diesen Werken in glückseliger Ahnungslosigkeit das Ideal der „edeln Einfalt und stillen Größe", für das übrigens im griechischen Leben auch sonst nirgends Platz ist. Denn bis zum Anfang des fünften Jahrhunderts hat die griechische Kultur noch etwas durchaus Steifes, Gebundenes, Hieratisches, ja, wenn das Wort erlaubt ist, Gotisches: die Kunst und Dichtung ist fromm, eckig, archaisch, die Männer tragen steife golddurchwirkte Gewänder und barbarischen Schmuck, Zöpfe und geflochtene Bärte, die Frauen Chignons und Korkzieherlocken; am Ende des Jahrhunderts aber, so schnell ist das Tempo der griechischen Entwicklung, herrscht bereits der vollste Naturalismus in Staat, Gesellschaft, Tracht, Philosophie, Theater, und im nächsten Säkulum setzt bereits der Alexandrinismus ein; wo ist da Raum für den „klassischen Griechen"? Die Gründe, aus denen dieses Phantom überhaupt zustande kommen konnte, werden wir noch näher zu erörtern haben: sie bestehen für die Architektur und Skulptur in der irrigen Annahme der Achromie, der toten Farblosigkeit der Gebäude und Bildwerke, für die Dichtung in dem Verlust der begleitenden Musik, die hier eine ähnliche Rolle gespielt haben muß wie die Bemalung bei der Plastik, selbst für die Prosa in dem Untergang des charakteristischen Tonfalls, des Tempos, des „Jargons"; und, allgemein gesprochen, war diese Fiktion erstens ein Phänomen der verklärenden, steigernden, konzentrierenden und perspektivisch verkürzenden Distanz, zweitens ein Resultat der Eintragung eigener Züge in eine fremde Wesenheit und drittens eine Folge der Verwechslung des Lebens mit dem Kunstwerk, dessen Funktion gerade auf seiner höchsten Stufe Widerlegung, Kompensation, Umkehrung des Lebens ist. Trotzdem bleibt es immer noch ein Rätsel, wie diese Vorstellung vom Griechen entstehen konnte, dessen so ganz anders geartetes Wesen jedem Unbefangenen aus tausend Zügen in die Augen springen mußte: man denke bloß an die platonischen Dialoge, an die Philosophenbiographien, an die Redner, an die „Charaktere" des Theophrast, an die gesamte alte, mittlere und neuere Komödie und an die ganze griechische Geschichte, die die turbulenteste, chaotischste und skandalöseste der Welt gewesen ist.

Man wird natürlich niemals genau angeben können, wie das alte Hellas in Wirklichkeit ausgesehen hat, aber man kann ziemlich genau sagen, wie es n i c h t war: nämlich nicht so, wie das achtzehnte Jahrhundert es sich vorstellte. Sondern: bunt und ge- Der „romantische" Grieche brochen, nervös und irisierend, unbeherrscht und tumultuös und ganz und gar nicht abgeklärt; sein Zentrum Athen ein Farbenkasten, mitten in eine grell pittoreske Natur gesetzt, mit der deutlichen Absicht, sie noch zu überschreien, eine charmante Spielzeugschachtel von Stadt, wie man sie in nachantiken Zeiten niemals wieder gesehen und leider nicht einmal nachzuahmen versucht hat, angefüllt mit geschmackvoll und amüsant kolorierten lebensgroßen Stein- und Tonpuppen, prachtvoll und lärmend vergoldeten Kolossalfiguren, schillernden Fayencen, koketten Nippes und zierlichen Terrakotten; und dazwischen Menschen, die mit allem und jeglichem spielten: nicht nur mit ihren Leibes- und Redeübungen, ihrer Kunst und Erotik, sondern auch mit ihrer Wissenschaft und Philosophie, ihrer Justiz und Volkswirtschaft, ihren Staaten und Kriegen und sogar mit ihren Göttern, immer in Motion und Emotion, ungeheuer viel und schnell sprechend, was allein schon die Vorstellung der Klassizität aufhebt, jedoch trotzdem in Betonung und Aussprache, Wortstellung und Satzgefüge die letzten Feinheiten beobachtend; ihr Theater eine Mischung aus Ballett, Marionettenspiel und Volkskonzert, ihr eigentliches Theater aber ihr tägliches Parlament, ihre Frauen Schmuckattrappen für die Zimmerdekoration, ihre Philosophen originelle Tagediebe und Buffoni und ihre Religion ein organisierter Karneval und Vorwand für Ringkämpfe und Wettläufe, Aufzüge und Gelage.

Durch seine große Phantasie, seine Kardinaleigenschaft, war der Hellene in besonders hervorragendem Maße zum Lügen und zum Leiden prädestiniert. Man darf geradezu von einer endemischen Verlogenheit des griechischen Volkes sprechen, gegen die ein paar Ausnahmsmenschen immer vergeblich und übrigens ziemlich schüchtern angekämpft haben. Überhaupt war eine individuelle und soziale Ethik nur bei einigen weltabgewandten Philosophen, bei allen übrigen aber nicht einmal im Ansatz vorhanden, und wenn man nicht ganz bestimmt wüßte, daß die Gymnasiasten von den griechischen Schriftstellern nicht ein Wort verstehen, so müßte man ihre Lektüre nicht nur aus dem Schulunterricht streichen, sondern auch privatim als höchst unmoralisch verbieten. Auf den Erwachsenen aber wirken die Griechen wie schöne Raubtiere, die man rein ästhetisch wertet, oder wie gewisse Theaterfiguren, deren geniale Charakteristik man bewundert, ohne mit den Charakteren selbst einverstanden zu sein. Und im übrigen bestand die versunkene griechische Kultur auch zur Zeit des Perikles im Gehirn eines Durchschnittsatheners aus demagogischem Geschwätz, strategischen Kannegießereien, sportlicher Fachsimpelei und Zwiebelpreisen.

Von Goethe stammt der bekannte Ausspruch, das Romantische sei das Kranke, das Klassische das Gesunde. Ohne auf die Richtigkeit dieser These einzugehen, könnte man vielleicht sagen: die Griechen waren romantisch und krank in ihrem Leben und allen seinen Äußerungen und Institutionen, klassisch und gesund aber bloß in ihrem Dichten und Denken. Sie waren dazu geradezu gezwungen: sie hätten sich den Luxus einer romantischen Kunst und Philosophie, die ihren sofortigen Untergang bedeutet hätte, gar nicht leisten können. Überhaupt verhält sich ja, wie wir bereits vorhin angedeutet haben, die Produktion zum Leben zumeist wie das Positiv zum Negativ. Es ist kein Zufall, daß der stets kränkliche, extrem sensible und weichherzige Nietzsche das Ideal des Übermenschen aufstellte und umgekehrt der gesunde, glückliche und sehr egoistische Schopenhauer eine Philosophie des Pessimismus und der Willensverneinung lehrte, daß ein starker Sinnenmensch wie Richard Wagner den Spiritualismus predigte und Rousseau fürs Primitive, Idyllische, „Gute" schwärmte. Und wer etwa das Fin de siècle nur nach seiner Kunst beurteilen wollte, würde aus Ibsen und Maeterlinck, Altenberg und George, Khnopff und Klimt wohl kaum auf ein Zeitalter der Technokratie und Börsenherrschaft, des Imperialismus und Militarismus schließen. Ebenso verhält es sich mit dem griechischen Ideal der *Sophrosyne:* der maßvollen Weisheit, klaren Besonnenheit und beherrschten Leidenschaft. Sie sprachen so viel von ihr, weil sie sie nicht hatten. Von ihrem Geschmack hingegen, wovon sie so viel besaßen wie alle alten und neuen Völker zusammengenommen, haben sie nie geredet.

Im Mittelpunkt der griechischen Geschichte, chronologisch und geistig, steht die geheimnisvolle Gestalt des Sokrates, der seinen

Der Sokratismus

Landsleuten über diese Angelegenheit einiges zu sagen hatte. Nietzsche hat bekanntlich in ihm den typischen Decadent, ja Verbrecher und in seiner Dialektik den Sieg des Pöbelressentiments erblickt; und schon vor neunzig Jahren hat Carlyle ohne genauere Sachkenntnisse, lediglich von seinem genialen Instinkt geleitet, die Ansicht ausgesprochen, in dem ewig logisierenden Sokrates verkündige sich der Verfall des echten Griechentums. Und Alexander Moszkowski hat ihn in einer sehr amüsanten kleinen Studie „Sokrates der Idiot" sogar als „braven Trottel" hingestellt, als albernen Sprachpedanten und Wortakrobaten, der an einer Art logischer Echolalie litt. Das achtzehnte Jahrhundert hinwiederum hat aus ihm einen perorierenden Quäker gemacht, der ununterbrochen Weisheit und Edelmut ausdampfte, und sogar gewagt, ihn mit Christus zu vergleichen. Andere haben ihn mit Kant in Parallele gestellt, was ebenso unsinnig ist, denn während die Vernunftkritik die umwälzende Tat eines übermächtigen Geistes ist, der alles Bisherige verwirft, weil er alles Bisherige unter sich erblickt, bedeutet der Sokratismus gegenüber den grandiosen kosmischen Phantasien der ionischen Naturphilosophie bloß den Triumph der praktischen Alltagsverständlichkeit über den unklaren Tiefsinn. Gleichwohl lassen sich alle diese so heterogenen Auffassungen auf einen gemeinsamen Nenner bringen, den Nietzsche bereits andeutete, als er sagte: „Man hatte nur eine Wahl: entweder zugrunde zu gehen oder – absurd-vernünftig zu sein." Was Sokrates versuchte, war nicht mehr und nicht weniger als die Rettung Griechenlands durch die Predigt der Vernunft und der Tugend, zweier ganz ungriechischer Eigenschaften, wobei er aber immer noch soweit Grieche blieb, als er den guten Geschmack hatte, seine Moraltraktate in die Form einer exquisiten Ironie zu kleiden. Dies ist der Sinn des sokratischen „erkenne dich selbst!": erkenne, was dir fehlt, nämlich: Maß und Bescheidung, Selbstzügelung und Selbstkritik, und strebe danach als deinem rettenden Gegenpol! Aber Sokrates war Athen, Athen war Griechenland und Griechenland die Welt. Daher bedeutet der Sokratismus die Selbsterkenntnis der antiken Kultur. In ihm blickt diese sich ins Auge. Und sie erschauert. Und es ist nur zu begreiflich, daß die

Griechen diesen Spiegel zerbrachen, weil sie ihn nicht ertrugen.

Gleich dem Sokratismus war auch die griechische Kunst, der in besonderem Maße nachgerühmt wird, daß sie ein Bild der ruhevollen Klarheit und edeln Selbstläuterung darstelle, ein Kontrastphänomen, obschon lange nicht in dem Grade, wie wir es uns vorzustellen lieben. Das ganze Dunstbild von der griechischen Klassizität wäre vermutlich niemals entstanden, wenn man von allem Anfang an von der Polychromie gewußt hätte; als man sie aber endlich entdeckte, hatten die vermeintlich farblosen Tempel und Statuen, die man jahrhundertelang begeistert kopiert hatte, sich schon so im modernen Vorstellungsleben eingenistet, daß wir, obgleich wir jetzt von der Bemalung wissen, doch nicht von ihr wissen, weil noch heute in jeder größeren Stadt Dutzende von Monumenten und öffentlichen Gebäuden, die der irrigen Annahme der antiken Achromie ihr Dasein verdanken, die neue Erkenntnis durch den täglichen Augenschein widerlegen. Diese Befangenheit in ebenso unrichtigen wie unnatürlichen Anschauungen geht sogar so weit, daß man die weiße Plastik, die sich doch nur von einer mangelhaften Kenntnis der griechischen Kunst herleitet, gegen die wirkliche Plastik der Griechen ausspielte und diese wegen ihrer Polychromie entschuldigen zu müssen glaubte. So sagt zum Beispiel Friedrich Theodor Vischer in seiner „Ästhetik", einem bis heute unübertroffenen Fundamentalwerk von gigantischen Ausmaßen und unerschöpflichem Inhalt: „Jede Zutat von Farbe zu der Nachbildung der festen Form, welche sich nicht mit gewissen Andeutungen begnügt, ist durch den reinen Begriff der Bildnerkunst an sich ausgeschlossen. . . . Hat nun eine Kunst, die im übrigen hoch stand, vollständig, das heißt: mit Durchführung aller Farbenverhältnisse, wie sie der lebendige Körper zeigt . . . ihre Bildwerke bemalt, so muß dies seine Erklärung in besonderen kunstgeschichtlichen Verhältnissen finden"; bei den Griechen habe die polychromische Behandlung den Spielraum überschritten, der durch die Zulassung „gewisser Andeutungen" offengelassen sei. „Wir können selbst angesichts der einzig reinen Begabung des griechischen Auges für die Erfassung der festen Form als solcher und der herrlichen Vollendung der Kunst, die auf dieses Auge sich gründete, dieses Urteil nicht opfern. . . . Wir suchen einen andern Ausweg, die Vergleichung mit dem griechischen Drama. Die Dichtung und die reine Mimik war hier mit Musik, Gesang, Tanz in einer Weise vermählt, welche uns unmöglich als Muster dienen kann. . . . Die großen Tragiker bleiben uns gleich groß, obwohl wir sie darin, daß sie im Sinne dieser Kunstverbindung dichteten, nimmermehr nachahmen können, und wie wir von Aischylos und Sophokles das Bleibende, rein dichterisch Schöne ohne das Rezitativ und Gesang und marschartigen Tanz des Chors genießen und unserer Poesie aneignen, so streifen wir den Werken der großen Bildhauer die Farbe ab, die ihnen als vergänglichen, nur in einem besonderen Moment der Kunstgeschichte begründeten Anflug ohnedies die Luft und der Regen ebenso abgestreift hat wie dem griechischen Tempel." Ganz abgesehen von der sonderbaren Deduktion, daß die Farbe ein vergänglicher Bestandteil der griechischen Plastik gewesen sei, weil Luft und Regen imstande waren, sie ihr abzustreifen, enthält diese Darlegung auch sonst eine sehr instruktive Selbstcharakteristik der verhängnisvollen Verunstaltung und Verfälschung, Blutabzapfung und Verlangweilung, die der Klassizismus an der griechischen Kunst vorgenommen hat: er hat ihr in der Tat die Farbe abgestreift, und zwar auch der Dichtung, von der man, da man den allein übriggebliebenen Gesangstext unzulässigerweise als etwas Selbständiges auffaßte und behandelte, ebenfalls nur einen blassen leblosen Marmorrest in der Hand behielt.

Die Griechen waren aber eben weit entfernt von der m o d e r n e n B a r b a r e i, Holz und Stein unbemalt zu lassen; sie haben, aus einer sehr natürlichen und sehr künstlerischen Empfindung heraus, alles bunt angetüncht, was ihnen unter die Hände kam, und unsere weiße Plastik und Architektur wäre ihnen wie eine Kunst für Farbenblinde vorgekommen. Selbstverständlich haben sie auch die Augen sorgfältig aufgepinselt oder noch lieber durch eingesetzte Edelsteine, Kristalle und dergleichen wiedergegeben; und wie weit man in der völlig kritiklosen Nachahmung der griechischen Denkmäler ging, zeigt die groteske Tatsache, daß man, weil auch hiervon die Spuren sich nicht sogleich fanden, die bizarre Sitte annahm, das Organ des höchsten seelischen Ausdrucks überhaupt wegzulassen! Der „griechische Kopf" mit der bleichen Gipswange, ohne Augenstern, ohne Blick in die Welt ist das sprechendste Symbol des neudeutschen Humanismus.

Eine solche antike Statue muß einen ganz prachtvollen Eindruck gemacht haben. Der Marmor wurde zunächst mit einer rosigen oder braunen Beize aus Öl und Wachs eingerieben, wodurch er einen warmen lebendigen Fleischton erhielt. Der Vorwurf der Kunsthistoriker, daß man dadurch das herrliche Material verdorben habe, verdient wenig Beachtung; die Griechen wußten, was sie an ihrem Marmor hatten, und haben ihn durch diese Behandlung sicher nur gehoben: in diesen Fragen wird man sich wohl auf sie verlassen dürfen. Die Lippen wurden rot, die Haare schwarz, gelb oder auch durch Metallzusatz goldblond gefärbt; das Gewand wurde entweder weiß gelassen, wobei aber mindestens die Säume farbig waren, oder ebenfalls koloriert, die Innenseite und die Außenseite in verschiedenen Tinten. Die Helme und Helmklappen, Waffen und Schilde, Schmuckstücke und Sandalen waren aus Metall, mit Vorliebe vergoldet. Der Maler war nicht immer dieselbe Person wie der Bildhauer: für die Statuen des Praxiteles zum Beispiel wird Nikias genannt, der eine fast ebenso große Berühmtheit war wie jener. Auch die Werke der Goldelfenbeintechnik, wie der untergegangene Zeus des Phidias, eine Kolossalstatue im Tempel von Olympia, waren ungeheuer bunt: der Kern bestand aus Holz, die Elfenbeinmasse wurde durch virtuose Behandlung so dünn und elastisch gemacht, daß sie, fast wie ein Lacküberzug wirkend, sich der Unterlage eng anschmiegte: sie näherte sich schon durch ihre natürliche Farbe dem Inkarnat und wurde vielleicht ebenfalls noch leicht imprägniert; die Gewänder und Insignien waren aus reich bemaltem Goldblech, Haar und Bart aus verschieden getöntem Gold, die Augen aus glänzenden Juwelen. An den Tempeln waren die Figuren der Friese und der Giebelfelder reizend koloriert wie Zinnsoldaten, auf einem Grund von leuchtendem Blau oder Rot, die „Tropfen" und ähnliches Beiwerk vergoldet, die „Wülste" der Säulen und die Traufrinnen der Dächer mehrfarbig ornamentiert, etwa in der Art unserer heutigen Emailmalerei. Auf dem Hekatompedon, dem alten, aus porösem Kalkstein erbauten Athenatempel der Akropolis, der 480 von den Persern zerstört wurde und erst in den achtziger Jahren als sogenannter „Perserschutt" wieder ans Licht kam, hatten die Männer sogar noch grellblaue Haare und Bärte, grasgrüne Augen und rote Körper. Das stets bemalte Relief aber galt im Altertum zu allen Zeiten überhaupt nur für eine Abart des Gemäldes.

Im Angesicht einer grellen Sonne, eines knallblauen Himmels, zinnoberroter Berge, schwefelgelber Felsen, giftgrüner Bäume und eines in hundert wechselnden Nüancen funkelnden Meers waren die Griechen ja schon von vornherein darauf angelegt, eines der farbenfreudigsten, ja farbentrunkensten Völker zu werden. Auch ihre poetische und philosophische Phantasie lebte stets in einer Atmosphäre des reichen und starken Kolorits und in ihrem Kostüm liebten sie ebenfalls voyante, laut kontrastierende Farben: purpurviolett und himmelblau, safrangelb und scharlachrot; selbst das glänzende Weiß hatte bei ihnen den Charakter einer Farbe.

Die
griechische
Malerei
Ihre Malerei, über die wir nur sehr ungenau unterrichtet sind – man kann sagen: glücklicherweise, denn es ist nicht abzusehen, was ihr Vorbild in der Kunst des neueren Europa angerichtet hätte –, scheint bis tief ins fünfte Jahrhundert hinein einen streng stilisierenden Charakter getragen zu haben und, wenn das Relief eine Art Gemälde in erhabener Arbeit war, umgekehrt eine Art zweidimensionale farbige Plastik gewesen zu sein. Ganz wie beim Drama lagen die Hauptgründe für diese Gebundenheit teils in der Unentwickeltheit und Konservativität der Technik, teils in der Orientierung auf den religiösen Kult. Die Fresken Polygnots, dessen Blütezeit etwa das zweite Viertel des fünften Jahrhunderts umfaßte, kannten noch keine Schlagschatten, kein Helldunkel, keine Modellierung und boten nichts als kolorierte Umrißzeichnungen; er wußte auch noch nichts von Perspektive und gab das Hintereinander als ein Übereinander. Erst in der zweiten Hälfte des Jahrhunderts, zu Anfang des Peloponnesischen Krieges, er-

fand Agatharchos die „Skenographie", die perspektivische Kulissenmalerei, die durch Alkibiades, der sein Haus mit solchen Bildern schmücken ließ, zur großen Mode erhoben wurde. Ungefähr um dieselbe Zeit wirkte Apollodoros, genannt der „Schattenmaler", weil er als erster die Lichtverhältnisse richtig beobachtete und auf seinen Gemälden zur Darstellung brachte. Und Zeuxis und Parrhasios, die jüngeren Zeitgenossen Apollodors, waren offenbar schon Illusionsmaler, denn auch wenn die bekannte Erzählung, daß Zeuxis mit seinen gemalten Früchten die Vögel, Parrhasios aber mit einem gemalten Vorhang den Zeuxis getäuscht habe, erfunden sein sollte, so zeigt sie doch deutlich, was man diesen beiden Künstlern zutraute. Bei Zeuxis erscheint auch zum erstenmal das nackte Weib, das erst ein Menschenalter später in der Plastik auftaucht. Wir stoßen hier wiederum auf das schon mehrfach hervorgehobene Gesetz, daß die Malerei der Skulptur in der Entwicklung voranzugehen pflegt; die griechische Plastik ist daher auf der Höhe ihrer Ausdrucksfähigkeit das posthume Kind der perikleischen Zeit, und der Sophistik und Euripides entsprechen nicht Phidias, Myron und Polyklet, sondern Skopas, Praxiteles und Lysipp. Zu Anfang des vierten Jahrhunderts ging man von der Temperamalerei zur „Enkaustik" über, die durch Anwendung von Wachsfarben eine größere Brillanz und Feinheit erzielte und in der antiken Kunstentwicklung ungefähr dieselbe Rolle gespielt hat wie die Ölmalerei in der neueren. Und am Ende des Jahrhunderts gelangen bereits ganz moderne Richtungen zur Geltung: in Alexandrien gibt es die Schulen der Rhopographen und der Rhyparographen, der Kleinkrammaler und der Schmutzmaler.

Der Alexandrinismus ist überhaupt im höchsten Grade geeignet, das gesamte traditionelle Bild vom Hellenentum umzukehren. Da man immerzu wie hypnotisiert auf das perikleische Zeitalter starrte, ist man zwei Jahrtausende lang an dieser Entwicklungsstufe der griechischen Kultur vorübergegangen, indem man sie entweder als „Verfall" oder als überhaupt nicht existent behandelte. Man gewöhnte sich sogar daran, das Wort „Alexandrinertum" zum beschimpfenden Gattungsbegriff zu depossedieren: wenn ein

Der Alexandrinismus

Professor oder Literat diese Vokabel in den Mund nahm, so wollte er damit sagen, daß es sich um eine geistige oder künstlerische Richtung handle, die blutleer und anempfunden, mechanisch und künstlich, professoral und unschöpferisch, kurz, so wie er selber sei. Nun verhält es sich aber mit diesem Begriff wie mit so vielen anderen: ein Merkmal, und nicht einmal das wesentlichste, hat alle übrigen überwuchert.

Eigentlich gelangt in der alexandrinischen Periode, die die drei letzten Jahrhunderte (genauer: das dritte Jahrhundert) vor Christus umfaßt, die hellenische Volksbegabung erst zu ihrer feinsten und reichsten Entfaltung. Die griechische Kultur wird zur Weltkultur: sie verbreitet sich über das gesamte antike Zivilisationsgebiet und sie entwickelt erst in diesem Zeitraum jenen behenden und scharfen, freien und allseitigen Geist, den wir als spezifisch hellenisch zu betrachten pflegen, in seiner ganzen Fülle. Wenn erst seit wenigen Jahrzehnten ein stärkeres Interesse für die Alexandrinerzeit erwacht ist, so hat das einen sehr naheliegenden, man möchte fast sagen, egoistischen Grund: sie hat nämlich eine große Ähnlichkeit mit der unserigen.

Heraufkunft des Berufsmenschen und des kosmopolitischen Untertans Die ursprüngliche griechische Anschauung kannte überhaupt keine Berufe, sondern nur eine ideale Einheit aller und die Forderung der „Kalokagathie", alle zu verkörpern. Das Spezialistentum galt als banausisch; der Grieche haßte es schon deshalb, weil es häßlich macht, Leib und Seele verkrüppelt, indem es einen Zug unkünstlerisch heraushebt. Um die Wende des vierten Jahrhunderts beginnen aber plötzlich innerhalb des antiken Kulturkreises eine Reihe neuer, im bisherigen Sinne ungriechischer Typen zu dominieren: der Virtuose, der ein Berufskünstler, der Athlet, der ein Berufsgymnast, der Offizier, der ein Berufssoldat, der Bürokrat, der ein Berufsbeamter, der Diplomat, der ein Berufspolitiker, der Professor, der ein Berufsgelehrter, und der Literat, der ein Berufsschriftsteller ist, indem er, im Gegensatz zur früheren Objektivität, ja Anonymität, als „Autor" sein Ich zeigt. Während die Darstellung der tragischen und komischen Dichtungen bisher, wie bei den mittelalterlichen Passionsspielen, Sache der gesamten Bürgerschaft war, entstehen jetzt allenthalben

Theaterfachschulen, die sogenannten „Vereine der dionysischen Künstler". Auf politischem Gebiet gelangt man zum Imperialismus und zu dessen Komplement: dem Kosmopolitismus. Die bevorzugte Regierungsform ist der Absolutismus, aber der aufgeklärte: Antigonos Gonatas bezeichnete das Königtum als ἔνδοξος δουλεία, ruhmreichen Knechtsdienst, was ganz friderizianisch klingt, und die Diadochenfürsten gaben sich gern den Beinamen *Euergetes*, Wohltäter, oder *Soter*, Retter, Heiland, mit dem man übrigens auch die Häupter der Philosophenschulen, zum Beispiel Epikur, zu ehren liebte. Die äußere Herrschaftsform umfaßt den typischen Apparat großdynastischer Regierungsweise: Staatsrat, Hofetikette, Audienzen, Dekrete, Edikte, stehendes Heer, Heiligkeit der Majestät, Schwur bei der Tyche des Königs. Es entstehen die neuen Begriffe des „Untertans" und des „Privatmenschen", der aber, wie dies fast immer der Fall zu sein pflegt, unter der unbeschränkten Monarchie mehr persönliche Freiheit und Sekurität genießt als unter der unberechenbaren Demokratie. Vollkommen neu ist auch das Heraufdämmern eines gewissen Humanitätsgefühls. Man beginnt in der Kriegführung eine Art primitives Völkerrecht anzuerkennen, ja nicht selten eine fast romantische Ritterlichkeit zu beobachten und über das Los der Sklaverei und sogar über deren Berechtigung nachzudenken, wozu die Entwicklung eines arbeitenden f r e i e n Massenproletariats das Gegenstück bildet. In der Polis hatte sich der Einzelne nur als Teil, Glied und Organ seines engen Sondergemeinwesens empfunden, das ihm alles war; jetzt erklärt man im Sinne der Stoa, der wahre Staat sei der Kosmos, und beginnt die Pflichten des Bürgers und Familienvaters mit den Augen des kynischen Philosophen anzusehen, dessen Bild Epiktet einige Jahrhunderte später am eindringlichsten gezeichnet hat: „Das Königtum des Kynikers ist es wert, daß man seinetwegen auf Weib und Kinder verzichtet. Alle Menschen sieht er als seine Kinder an. Ist es wirklich die größte Wohltat für die Menschheit, ein paar rotzige Kinder in die Welt zu setzen? Wer hat mehr für die Gesamtheit geleistet: Priamos, der fünfzig Taugenichtse erzeugte, oder Homer? Du fragst mich, ob der Kyniker sich am politischen Leben beteiligen wird? Du Narr, kann es eine größere politische Aufgabe geben als die seinige? Soll einer vielleicht vor den Athenern Reden über Steuern und Einkünfte halten, wenn er verpflichtet ist, sich mit allen Menschen zu unterreden, gleichviel ob sie Athener, Korinther oder Römer sind, und nicht über Steuern und Einkünfte, über Krieg und Frieden, sondern über Seligkeit und Unseligkeit, Glück und Unglück, Knechtschaft und Freiheit?"

Hellenistische Großstadtkultur   Zugleich Ursache und Folge des Kosmopolitismus ist die gefräßige Ausbreitung einer Weltwirtschaft, wie sie die alte Welt bis dahin noch nicht gesehen hatte. Die Eroberungen Alexanders des Großen hatten den Orienthandel eröffnet; aus Indien, Persien, China kam eine Fülle bisher unbekannter Luxusartikel. Man begann sich aufs offene Meer hinauszuwagen, statt wie bisher ängstlich an der Küste zu kleben. Nach persischem Vorbild wurden Reichsstraßen gebaut, die den Landverkehr für die ungeheuern Karawanenzüge vermittelten. Das Hotelwesen, dem bisherigen Altertum unbekannt, begann zu florieren. Zahlreiche Banken, an der Spitze die allmächtige Zentralbank von Alexandria, ausgedehnte Kartelle von Großkaufleuten, Schiffsreedern, Spediteuren wurden gegründet; es gab sogar schon Weltausstellungen. Ein raffiniertes Steuersystem, für das Ägypten seine jahrtausendelangen Erfahrungen herlieh, zog sein Netz über die bestürzte Menschheit; es gab Stempel und Gebühren und Taxen für alles. Ein außerordentlich spezialisiertes Zunftwesen entwickelt sich: es gibt Bäcker für grobes und für feines Gebäck, Schweineschlächter und Rindermetzger, Korbflechter und Mattenflechter. Der Ingenieur beginnt im Kriege eine bedeutende Rolle zu spielen: man verwendet allenthalben Ballisten, Katapulten, wandelnde Batterien, und König Demetrios, genannt *Poliorketes*, der Städtebestürmer, baut seine berühmte „Stadteroberin", eine fünfzig Meter hohe Maschine von neun Stockwerken, die, auf Rädern laufend, tankartig gepanzert und mit vielen hundert Mann und zahllosen Steinblöcken, Balken, Bleigeschossen und Brandpfeilen armiert, genau auf jedes Ziel eingestellt werden konnte. Enorme Schiffe für Krieg und Handel wurden gebaut und es entwickelte sich derselbe Wetteifer im Steigern der Tonnage wie heutzutage.

Das Riesenpassagierschiff „Syrakosia" des Königs Hieron enthielt dreihundert Seesoldaten und sechshundert Matrosen und eine dementsprechende Anzahl von Salons und Badezimmern, Türmen und Geschützen. Eine Art Artillerie bildeten auch die Elefanten, von denen zum Beispiel Seleukos der Erste auf Apamea ein Depot von fünfhundert Stück besaß. Die neuen Residenzen und Metropolen, alle von der gleichen Physiognomie, rationell in gradlinigen, rechtwinklig sich schneidenden Straßen angelegt, entwickelten sich rasch zu den Ausmaßen unserer modernen Großstädte, auch in der Mammuthaftigkeit ihrer öffentlichen Bauten: der Koloß von Rhodos war 32, das Grabmal des Königs Mausolos zu Halikarnass 44, der achtstöckige Leuchtturm auf der Insel Pharos 160 Meter hoch, während sein modernes Analogon, die New Yorker Freiheitsstatue, mit dem Sockel nur 93 Meter mißt.

Auch in der Literatur kommt es zur Massenproduktion, aber bei den einzelnen Werken bevorzugt man in fast übertriebener Weise die geringen Dimensionen: „ein großes Buch, ein großes Übel" sagte Kallimachos, einer der namhaftesten alexandrinischen Dichter. Eine ausgesprochene l'art pour l'art-Kunst entsteht, die das Sensationelle und Raffinierte, das Esoterische und Komplizierte, das „Kuriöse" und künstlich Archaische bevorzugt und eine Art Rokoko des Gefühls zu Wort kommen läßt: die lyrische Dichtung schwärmt rousseauartig für Bukolik, die Malerei entdeckt die Landschaft, doch bleiben beide darin noch völlig antik, daß sie durchaus des modernen Subjektivismus entbehren, der die eigene Stimmung in die tote Natur einträgt, und daher noch nicht imstande sind, „Atmosphäre" zu schaffen. Hingegen herrscht bereits der ausgesprochenste Naturalismus. Auf dem Theater triumphiert Menander, der, in seinem Dialog ebenso elegant wie in seiner Toilette, den Typus des Sittenstücks geschaffen hat, jenes Gemisch aus Pikanterie und Sentimentalität, worin im vorigen Jahrhundert die Franzosen brillierten. Auch bei ihm steht zumeist die edle Hetäre im Mittelpunkt, und ein Goldregen von glitzernden Bonmots verhüllt die Leere der kalt konstruierten Handlung. Eine gewisse rhetorische Manier, die vor allem blenden will, bemächtigt sich nicht nur der Bühne, sondern auch der Geschichtschreibung und der bildenden Kunst und dringt sogar ins tägliche Leben. Die Architektur will in erster Linie repräsentieren, die Plastik ist genrehaft und höchst wirklichkeitstreu und glänzt durch virtuose Technik. Der sogenannte neuere attische Dithyrambus betritt schon den Weg der Programmusik, ebenso angefeindet wie in unseren Tagen. Es gibt bereits Varietékünstler und Herondas aus Kos schreibt seine „Mimiamben", parodistische und realistische Kabarettszenen aus dem jonischen Volksleben. Die beliebteste literarische Form aber war die Diatribe, die ungefähr unserem Feuilleton entspricht.

Den höchsten Ruhm des hellenistischen Zeitalters bildet seine Wissenschaft. Die Konzeption des „szientifischen Menschen" stammt von Aristoteles, den sein Lehrer Plato, nicht ohne eine gewisse Geringschätzung, den „Leser" genannt hat. Wie in der Kunst der „Artist" und der „Kenner", so taucht in der Literatur der „Gebildete" auf, der mit seinesgleichen eine Art Sekte bildet und eine Art Geheimsprache und Geheimwissen gemeinsam hat. Eine ganze Reihe von Disziplinen wurde in jener Zeit überhaupt erst geschaffen: Aristarch von Samothrake begründete die kritische Philologie, Dikaiarch aus Messene in seinem „βίος Ἑλλάδος" die Kulturgeschichte, Duris aus Samos die Kunstgeschichte, Polybios die pragmatische Geschichte, Theophrast die Physiologie der Pflanzen, Apollonios von Perge die Trigonometrie und die Lehre von den irrationalen Größen. Euklid schuf nicht nur in seinen „Elementen" das klassische Lehrbuch der Geometrie, sondern lieferte auch die erste systematische Darstellung der Optik als der Lehre von der Fortpflanzung des Lichts und der Katoptrik als der Lehre von der Zurückwerfung des Lichts, während Archimedes die Formeln für den Kreisumfang und den Kugelinhalt aufstellte, eine Theorie der Hebelwirkung gab, auf Grund deren er Flaschenzüge konstruierte, und das fundamentale archimedische Prinzip fand, das ihm die Berechnung des spezifischen Gewichts ermöglichte. Auch die Chirurgie, die Pharmakologie und die Anatomie, unterstützt durch Vivisektionen an Verbrechern, erhielten damals ihre wissenschaftliche Gestalt, zoologische Gärten, Antiquitäten-

sammlungen, Enzyklopädien, riesige Bibliotheken wurden angelegt, kurz, damals hat jenes geheimnisvolle Etwas, das wir Bildung
nennen, den Charakter von Elephantiasis bekommen, den es bis
zum heutigen Tage besitzt. Es gab auch bereits ziemlich genaue
Sternkarten und Berechnungen von Sonnen- und Mondfinster-
nissen, und um 250 lehrte Aristarch von Samos, die Erde drehe sich
um ihre eigene Achse und um die Sonne, die sich unbeweglich
im Mittelpunkt des Weltalls befinde. Ungefähr um dieselbe Zeit
erklärte der Geograph Eratosthenes, dem die Kugelgestalt der
Erde sehr wohl bekannt war, es sei möglich, von Iberien (Spanien)
aus Indien zu erreichen. Die Entdeckung des Luftdrucks brachte
Ktesibios auf den Gedanken, aus kleinen Geschützen durch komprimierte Luft Wurfgeschosse zu entsenden. Heron von Alexandrien erfand nicht nur einen Weihwasserautomaten, einen mechanischen Türöffner und einen Taxameterwagen, sondern auch
Schraubenpressen, Schöpfwerke und Seilbahnen, bei denen der
Dampfdruck die treibende Kraft bildete. Die antike Menschheit
stand also damals dicht vor der Annahme des heliozentrischen
Systems, der Entdeckung Amerikas und der Erfindung der Dampfmaschine.

Und noch etwas kam damals zur Welt: die Frauenemanzipa-
tion. Königinnen machten Geschichte, Philosophinnen und Ro-
manschriftstellerinnen Literatur, und umgekehrt beginnen die
Dichter für die Frauen zu schreiben. Die Frauenseele wurde entdeckt und mit ihr die sentimentale Liebe. Damals ist die „Dame"
erfunden worden: sie beginnt sich frei zu bewegen, an allem Anteil zu nehmen, Sport zu treiben. Was „Koketterie", „Galanterie"
und „Mode" ist, hat erst jene Zeit erfahren; man küßt den Damen
die Hand und denkt allen Ernstes daran, sich aus unglücklicher
Liebe umzubringen. Und noch eine zweite Großmacht kam damals empor: das Papier. Man gewöhnt sich daran, alles schriftlich
und möglichst umständlich schriftlich zu sagen. Ein gewisser femi-
niner überzivilisierter Zug zeigt sich auch in der Bartlosigkeit, die
damals allgemein wird. Einer der Seleukiden, der diese Mode
nicht mitmachte, fiel dadurch bereits so auf, daß er den Beinamen
Πώγων, der Mann mit dem Bart, erhielt.

Man bezog die ausgesuchtesten kulinarischen und geistigen Leckerbissen aus allen Weltgegenden und verfiel durch die Überfülle und Überschmackhaftigkeit dieser Genüsse in Blasiertheit, Lebensmüdigkeit und Übersättigung. Über dieser feinnervigen, betriebsamen und allwissenden Menschheit brütete ein ungeheurer bleierner Nihilismus. „Wenn der Mensch keinen Schmerz und keine Freude mehr empfindet, wird der Winter der Seele gelöst": in diesen Worten Epikurs war die Formel für die Stimmung der Zeit gefunden. Und die drei herrschenden philosophischen Systeme, so sehr sie sich untereinander bekämpften, mündeten alle in dieselbe, nur verschieden eingekleidete Pointe: die epikureische Anpreisung der Ataraxie, der Unerschütterlichkeit, das stoische Ideal der Apathie, der Fühllosigkeit, und die skeptische Forderung der ἐποχή, der Enthaltung vom Urteil, intendieren im Grunde das gleiche. Und so kam es zu dem grandiosen Schauspiel eines allgemeinen Weltekels, der die antike Kulturmenschheit wie eine Epidemie ergriff, bis eines Tages in einer fernen verachteten Provinz ein neuartiger Heros geboren wurde, nicht der Sohn Jupiters und nicht Jehovahs, sondern des wahren Gottes; der verstand von der Philosophie mehr als Plato und vom Erobern mehr als Alexander und erlöste diese Menschheit.

Die griechische Musikalität   Nur weil die Alexandrinerzeit in ihrer ungeheuern Erwartung des neuen Gottes bereits eine Art Vorhalle des Christentums bildet, steht sie unserem Verständnis etwas näher; aber – darüber dürfen wir uns keiner Täuschung hingeben – die vorchristlichen Völker sind für uns in ihren letzten Seelengründen unverständlich. Herman Grimm sagt in seiner prachtvollen Goethebiographie: „Das Fremde im griechischen Wesen überwinden wir niemals. Es wird erzählt, daß als letztes Kennzeichen der übrigens völlig weiß gewordenen Negerabkömmlinge in Amerika, der Quarterons, der Mond am Fingernagel dunkel bleibt. So: wenn uns Homer und Plato, selbst Aristoteles und Thukydides noch so verwandt erscheinen: ein kleiner Mond im Nagel erinnert uns an etwas wie Ichor, das Blut der Götter, von dem ein letzter Tropfen in die Adern der Griechen mit hineingeflossen war." Die Griechen sind für uns das exotische Volk par excellence. Daß wir auch heute noch über diese Tatsache nicht genügend im klaren sind, liegt an der gutmütig-linkischen Selbstgefälligkeit und Leichtgläubigkeit unseres Schulbetriebs, der seit Jahrhunderten in den Händen trostlos undifferenzierter und psychologisch extrem unbegabter Silbenzähler ruht. Immerhin muß ein grundstürzendes Werk wie Spenglers „Untergang des Abendlandes" über die hoffnungslose Kluft, die uns vom Altertum trennt, vielen die Augen geöffnet haben.

Wenn man versuchen will, sich von dieser prinzipiellen Verschiedenartigkeit der griechischen Kultur ein flüchtiges Bild zu machen, wird man, glauben wir, zunächst von ihrer eminenten Musikalität ausgehen müssen. Nicht die bildende Kunst stand im Mittelpunkt des hellenischen Lebens, sondern die Musik. Der Sänger galt als unmittelbar von Gott inspiriert, wie umgekehrt jedes Gebet ein Gesang war; sogar das Kriegswesen ruhte auf der Musik, die als das stärkste Mittel des taktischen Zusammenhalts angesehen wurde: der Pfeifer war die wichtigste Person sowohl beim Infanterieangriff wie auf der Galeere. Die Hermen, die dem Wanderer den Weg angaben, trugen ihre Orientierungsdaten in Hexametern: wir würden in der Erneuerung dieser Sitte mit gutem Grund einen lästigen und lächerlichen Snobismus erblicken; aber der Grieche empfand eben selbst in Dingen der banalen Lebenspraxis metrisch. Die Musik besaß eine solche Macht über die griechische Seele, daß man sie zu therapeutischen Zwecken verwendete: Pythagoras heilte Kranke durch Gesang und Plutarch erzählt von einem leidenden Mädchen aus Argos, das vom Orakel ein Mittel zur Genesung erfragte und den Bescheid erhielt, sie möge sich dem Dienst der Musen weihen: sie folgte dem Rat und kam so zu Kräften, daß sie eine Art peloponnesische Jeanne d'Arc wurde, die an der Spitze eines weiblichen Korps einen Einfall der Spartaner zurückschlug. Man glaubte, daß die Töne selbst über die Verstorbenen noch Gewalt hätten: auf den Salbgefäßen, die ins Grab mitgegeben wurden, suchten die Hinterbliebenen den Schatten des Toten durch Flötenspiel zu erfreuen. Im Leben aber hatte die Musik für die Psyche dieselbe pädagogische Bedeutung wie die Gymnastik für den Körper, die im Grunde ja auch nur eine Art rhythmische Schulung des Leibes ist; der Grieche war aufs tiefste überzeugt, nur eine musikalische Seele könne gesund, stark, weise und schön sein. Plato sagt in seiner Schrift über den Staat, daß Häßlichkeit und schlechte Sitte mit Mangel an Rhythmus und Harmonie verwandt seien. Der körperlich und sittlich schöne Mensch, in dem das Ideal der Kalokagathie verwirklicht ist, der wohlgeordnete Staat, der ganze Kosmos wurde unter dem Bilde der Symphonie vorgestellt. *Nomos* heißt sowohl Gesetz wie Melodie; jede Polis war zumindest g e d a c h t als ein Stück Kammermusik. Musikalische Neuerer wurden als p o l i t i - s c h e Revolutionäre angesehen. Die Gliederung des Tempels und aller seiner Teile: der Säule, des Architravs, des Dachs ist streng rhythmisch, die Giebelfelder sind metrisch-symmetrisch gebaut wie Verse, die sich heben und senken, dieselbe musikalische Geometrie herrscht im Bau der Tragödie, in ihrer gleichmäßig emporstrebenden und herabfallenden Handlung und ihren genau korrespondierenden Wechselreden, und auch die Gemälde waren aller Wahrscheinlichkeit nach auf- und absteigend um einen Mittelpunkt komponiert. Man darf auch nicht vergessen, daß alle Dichter in erster Linie Komponisten waren. Lied war wirklich Lied. Tyrtäos und Pindar, Alkäos und Sappho haben g e s u n g e n. Ein neuer Lyriker war vor allem der Erfinder eines neuen T o n f a l l s, das Wort im buchstäblichen Sinne genommen. Auch die Epen wurden ursprünglich gesungen, später zumindest melodramatisch rezitiert. Selbst die Rhetoren haben in einer Weise, die uns aufs höchste befremdet hätte, psalmodiert, etwa in der Art des Sekkorezitativs, und zwar noch zur Römerzeit. Die drei großen Tragiker waren vor allem als T o n d i c h t e r berühmt und Euripides hat, als kühner Umgestalter des Musikdramas ebenso leidenschaftlich angefeindet wie begeistert gepriesen und kopiert, eine ähnliche Rolle gespielt wie Richard Wagner. Die Tragödie war eine Art „Gesamtkunstwerk" aus Bühnenbild, Text, Mimik, Gesang und Tanz, zusammengehalten durch die Musik, wobei wir jedoch nicht wie bei der modernen Oper an ein übermächtiges Riesenorchester zu denken haben, sondern an eine Art i n n e r e n Rhythmus, da die Instrumentation für unsere Begriffe sehr einfach und fast dürftig war. Die griechische Tonkunst kannte keine Streichinstrumente, die Trompete nur für Signalzwecke und war überhaupt im wesentlichen bloße Vokalmusik, indem sie die Instrumente fast nur zur Begleitung und nur selten und in sehr bescheidenem Ausmaß zum Solospiel verwendete: das ganze Tragödienorchester bestand aus einem Kitharisten und einem oder zwei Flötenspielern. Vor allem aber verwarf sie die Mehrstimmigkeit: der Chor sang immer nur unisono. Der Vortrag der Solisten bewegte sich zwischen Rhapsodien, Wechselgesängen mit dem Chor, Duetten und monologischen Arien. Erst in der hellenistischen Zeit, in der auf allen Gebieten ein neuer, ungriechischer Geist zur Herrschaft gelangt, singen die Schauspieler nicht mehr und der Chor wird in den Zwischenakt verwiesen, wohin er in diesem Falle gehört; ihn als „Sprechchor" unisono reden zu lassen, wie es von Schiller in der „Braut von Messina" und bis zum heutigen Tage immer wieder gelegentlich versucht wurde, ist ein künstlerischer und psychologischer Nonsens. Die Musik läßt sich eben, wie gesagt, von den poetischen Werken der Griechen ebensowenig ablösen wie die Farbe von ihren architektonischen und plastischen Werken; tut man es dennoch, so gelangt man zu der Monstrosität, das gesprochene Libretto zum dramatischen Ideal zu erheben.

Eine eminente, ja einzigartige Musikalität äußert sich auch in der griechischen Sprache: in ihrer Lebendigkeit und Feinheit, Modulationskraft und Melodik, Farbigkeit und Fülle, Wucht und Biegsamkeit und nicht zuletzt (was man in gewissem Sinne auch als ein musikalisches Element ansehen kann, da die Welt der Töne jedermann unmittelbar verständlich ist) in ihrer edlen Popularität. Das Griechische, obgleich es zuerst die höchsten wissenschaftlichen und philosophischen Probleme erörtert hat, besitzt fast gar keine Fremdwörter, und zugleich verfügt es über die unbegreifliche Fähigkeit, das Abstrakteste noch immer plastisch, die reinsten Begriffe in sinnlicher Faßbarkeit auszudrücken, sich im vollsten platonischen Sinne des Wortes in geschauten Ideen zu bewegen. Dazu kommt sein ungeheurer Reichtum an Formen, von denen nicht wenige nur ihm eigentümlich sind, wie der Optativ, der Aorist, das doppelte Verbaladjektiv, das Medium, der Dual: besonders die beiden letzteren sind von bewundernswerter Subtilität; denn was man für sich tut, ist sowohl von dem, was man für andere tut, wie von dem, was andere mit einem tun, sehr wesentlich verschieden, und was man zu zweit tut, trägt einen entschieden anderen Charakter als das, was man mit mehreren oder allein tut: für diese Bildung, die durch alle Tempora und Modi hindurchgeht, dürfte vielleicht die große Rolle bestimmend gewesen sein, die die Erotik im griechischen Leben gespielt hat. Ferner wird der Rede durch die ebenfalls nirgends so zahlreichen Partikeln gleichzeitig Zusammenhang und Nüancierung, Bestimmtheit und Stimmung und außerdem ein undefinierbares Element von spielerischer schwebender Ironie verliehen. Freilich sind diese zarten Tinktionen des Ausdrucks meist gar nicht oder doch nur durch schärfstes Nachdenken und empfindlichstes Sprachgefühl zu übersetzen, und die landläufigen Philologenverdeutschungen, die sich damit begnügen, alle Satzteile einfach wörtlich und noch dazu möglichst plump und altfränkisch wiederzugeben, in Satzungetümen wie etwa: „Fürwahr, du zwar magst füglich hierin jetzt ja wohl in etwas recht haben", treffen nicht ganz das Richtige.

Daß die Griechen überhaupt die Sprache als ein musikalisches Phänomen ansahen, zeigte sich in ihrer ungeheuern Empfindlichkeit gegen falsche Aussprache, Betonung oder Wortstellung, die in zahlreichen Anekdoten überliefert ist und nur in der Feinhörigkeit des italienischen Publikums für Gesangsfehler ihr Analogon findet. Und dies war überhaupt das Geheimnis des griechischen „Stils": sie waren ganz einfach durch jahrhundertelanges organisiertes Hören und Sehen zur höchsten Empfänglichkeit und Unterscheidungsfähigkeit geschult.

Die griechische Erotik Wir erwähnten soeben die zentrale Rolle, die die Erotik im griechischen Dasein gespielt hat. Wir dürfen aber dabei keineswegs an die Formen der modernen oder der mittelalterlichen Liebesempfindung denken. Denn es bestanden zwei kardinale Unterschiede. Der erste war der Mangel an Sentimentalität; ob freilich dieses Unsentimentale dem Naiven gleichzusetzen sei, läßt sich bezweifeln. Freud sagt in seiner Abhandlung über die „sexuellen Abirrungen": „Der eingreifendste Unterschied zwischen dem Liebesleben der alten Welt und dem unserigen liegt wohl darin, daß die Antike den Akzent auf den Trieb selbst, wir aber auf dessen Objekt legen. Die Alten feierten den Trieb und waren bereit, auch ein minderwertiges Objekt durch ihn zu adeln, während wir die Triebbetätigung an sich geringschätzen und sie nur durch die Vorzüge des Objekts entschuldigen lassen." Dies ist auch der Grund, warum es im Altertum „unglückliche Liebe" nur als pathologisches Phänomen geben konnte (die Griechen betrachteten die seltenen Fälle, in denen sie vorkam, so wie wir eine Infektionskrankheit), da diese sich notwendig auf ein bestimmtes Objekt beziehen muß, während der „Trieb" sich nie versagt und nie enttäuscht, so daß die beiden Hauptquellen, aus denen der Komplex „unglückliche Liebe" gespeist wird, nicht vorhanden waren.

Noch viel wichtiger aber ist die Tatsache, daß die Erotik der Griechen sich fast ausschließlich auf dem Gebiet der Homosexualität bewegt hat. Hierfür hat man mit Vorliebe ihre sehr edle, aber zweifellos bis zur Manie getriebene Pflege des Leibes durch stete Turnübungen, Ritte, Ringkämpfe, Wettläufe, Wurfspiele verantwortlich gemacht. Auch ihre starke Beeinflussung durch den Orient dürfte ins Gewicht fallen. Jedenfalls hat die Päderastie bei ihnen eine beispiellose Extensität und Intensität erreicht. Bei den Dorern: in Sparta und Kreta bildete sie geradezu einen Bestandteil der öffentlichen Erziehung; in Athen wurde sie mit der Strafe der Atimie, der Entziehung der bürgerlichen Ehrenrechte, nur dann belegt, wenn es sich um Notzucht oder Kinderschändung handelte, also in jenen Fällen, wo auch die normale Geschlechtsbetätigung verpönt ist; auch gab es dort öffentliche, und zwar besteuerte männliche Prostituierte. Seit der Ermordung des athenischen Tyrannen Hipparch durch die beiden Jünglinge Harmodios und Aristogeiton, die in einem Liebesverhältnis standen, bekam sie einen geradezu heroischen Glanz; poesieumflossen sah man auch das Verhältnis Alexanders zu seinem früh dahingerafften Liebling Hephästion. An den Diadochenhöfen wurde sie nicht gern gesehen, aber nicht aus moralischen Gründen, sondern weil man hinter Männerbünden immer Verschwörungen argwöhnte. In den Schlachten hatten die Liebespaare den höchsten Gefechtswert: sie bildeten sozusagen die kleinste taktische Einheit; die berühmte „heilige Schar" von Theben, die für die beste griechische Truppe galt, bestand aus lauter Homosexuellen. Nicht nur fast alle prominenten Griechen von Solon bis Alkibiades waren Päderasten, sondern auch viele Götter und Heroen, wie Apollon und Poseidon, Herakles und Ganymed, wurden dafür angesehen. Am entscheidendsten aber ist die Tatsache, daß die hellenische Kunst und Philosophie ihre wunderbaren Kreise so oft um dieses Phänomen ziehen läßt. „Man muß zur rechten Zeit von der Liebe pflücken", singt Pindar als resignierender Alter, „in der Jugend! Aber wer des Theoxenos strahlende Augen gesehen und nicht aufwogt in Sehnsucht, dem ist an kalter Flamme aus Stahl und Eisen geschmiedet sein schwarzes Herz, Aphrodite aber verachtet ihn! Oder er müht sich mit aller Macht um Geld oder, der Gier nach dem Weibe sein Herz opfernd, schwankt er haltlos umher (ἢ γυναικείῳ θράσει ψυχὰν φορεῖται πᾶσαν ὁδὸν θεραπεύων). Ich aber schmelze um der Göttin willen (θεᾶς ἕκατι) dahin wie Wachs der heiligen Bienen unter dem Biß der Hitze, wenn ich auf des Knaben jugendschöne Glieder blicke." Man beachte, daß hier die Weiberliebe mit der (für den Griechen und zumal den aristokratischen Altthebaner besonders verächtlichen) Geldgier auf eine Stufe gestellt wird und Aphrodite als die Göttin der Knabenliebe gilt! Das weibliche Gegenstück aber zu Pindar ist Sappho. Auch sie betet zu Aphrodite um Beistand im Gram ihrer uneingestandenen Liebe zum Mädchen und schildert der Geliebten die kühle Leidenschaftslosigkeit des Mannes, wenn er die süße Stimme und das liebliche Lachen der Braut hört, im Kontrast zu ihrer eigenen Ergriffenheit: „Das Herz schlägt, die Stimme versagt, Feuer läuft unter der Haut hin, die Augen sehen nicht, die Ohren sausen, Schweiß rinnt herab, Zittern befällt mich und fahl wie welkes Gras gleiche ich einer Toten." Auch die berühmte „platonische Liebe" ist zwar eine übersinnliche, sublimierte, wie der Sprachgebrauch richtig annimmt, aber eine ausschließlich homosexuelle. „Es gibt zwei Göttinnen der Liebe", sagt Pausanias im „Symposion", „und darum auch zwei Formen des Eros. Der Eros der irdischen Aphrodite ist irdisch und überall und gemein und zufällig. Und alles Gemeine bekennt sich zu ihm ... An der Zeugung und Geburt der irdischen Aphrodite hatten beide Geschlechter, der Mann und das Weib, Anteil. Die hohe Liebe stammt von der himmlischen Aphrodite, und die himmlische Aphrodite ist eine freie Schöpfung des Mannes. Und darum streben alle Jünglinge und Männer, die diese Liebe begeistert, voll Sehnsucht zum Männlichen, zum eigenen Geschlechte hin: sie lieben die stärkere Natur und den höheren Sinn." Die Stoiker zählten unter die zahlreichen *Adiaphora*, die Gleichgültigkeiten des Daseins, auch den Unterschied des Geschlechts. Dies war aber eigentlich noch zu wenig gesagt: er war kein Adiaphoron, vielmehr für den Griechen das eigene Geschlecht viel bedeutsamer als das weibliche. Die Erotik mit allen ihren Begleiterscheinungen: der Ekstase, der Eifersucht, der Hörigkeit, der Verklärung des geliebten Gegenstandes hat er nur unter der Form der Knabenliebe gekannt. Die Gattin hingegen ist nichts als Gebärerin oder Mitgiftbringerin, die Hetäre bloßer Sexualgegenstand. Erst Euripides entdeckt die Frau als psychologisches Problem, aber auch er schildert sie fast immer nur als das Subjekt, nicht das Objekt der Liebesleidenschaft. Wer sich aber in ein Weib unter ähnlichen Symptomen verliebte wie in einen Geschlechtsgenossen, galt selbst noch in der alexandrinischen Zeit, die, wie wir hörten, das Geschlechtsleben bereits mit ganz anderen Augen ansah, für einen δύσερως, einen von der Gottheit zu seinem Unheil verblendeten Liebhaber.

Wird nun schon diese im griechischen Wesen tief verwurzelte Perversion von den meisten modernen Kritikern als „Laster" angesehen, so kann es vollends keinem Zweifel unterliegen, daß der hellenische Volkscharakter auch sonst eine wahre Musterkarte fast aller übeln und in unserem Sinne unmoralischen Eigenschaften darstellte. Am korrektesten wäre es vielleicht, von einer konstitutionellen Amoralität der Griechen zu reden. „Die Frömmigkeit", sagt Oedipus bei Sophokles zu Theseus, „habe ich auf der Welt nirgends wie bei euch gefunden und die milde Denkart und das Meiden der Lüge"; ob damit nur alte Zustände gemeint

Die griechische Amoralität

sein sollen oder die Gegenwart: jedenfalls enthalten diese Worte eine vollendete Anticharakteristik der Athener und der Griechen überhaupt und zugleich eine unfreiwillige Selbstcharakteristik, indem sie zeigen, wie sehr es ihnen an Erkenntnis des eigenen Wesens und Unwesens gefehlt hat. Im ganzen Altertum, das in diesen Dingen nicht sehr rigoros war, war ihre Streitsucht und Schmähsucht, Habgier und Bestechlichkeit, Eitelkeit und Ruhmredigkeit, Faulheit und Leichtfertigkeit, Rachsucht und Perfidie, Scheelsucht und Schadenfreude berüchtigt und sprichwörtlich. Besonders stark entwickelt aber war ihre Lügenhaftigkeit und ihre Grausamkeit. „Ich fürchte mich nicht vor Menschen", sagte schon Cyrus der Ältere über die Griechen der guten alten Zeit, „die in der Mitte ihrer Städte einen Platz haben, wo sie zusammenkommen, um einander mit falschen Eiden zu betrügen." Plato klagt, daß bei jedem Prozeß mindestens ein Meineid geleistet werde, da beide Parteien bereit seien zu schwören, und selbst Zeus, der erhabenste der Götter, schwört zahlreiche Meineide. Eine griechische Humanität hat es niemals gegeben: ihre ersten schwachen Regungen bezeichnen die Auflösung des Hellenentums, und es ist eine pikante Ironie der Kulturgeschichte, daß die ersten Modernen, die wieder bewußt auf die Antike zurückgriffen, sich Humanisten nannten und man noch bis zum heutigen Tage die Studien, die sich mit dem Altertum befassen, *humaniora*, die menschlicheren nennt. In Wahrheit aber herrschten in Griechenland Sitten von so teuflischer Unmenschlichkeit, daß sie sogar nicht selten den Abscheu der Barbarenvölker erregten: man denke bloß an das Schicksal eroberter Städte, und zwar auch rein griechischer, das in der Regel darin bestand, daß die ganzen Ländereien in der bestialischsten Weise verwüstet, alle Häuser niedergebrannt, die Männer getötet, die Frauen und Kinder in die Sklaverei verkauft oder auch der gesamten Einwohnerschaft die Hände abgehauen wurden; an die Behandlung der Sklaven, die oft lebenslänglich angekettet in Steinbrüchen und Bergwerken arbeiten mußten und als Zeugen vor Gericht gefoltert wurden, wozu jeder Besitzer sie anbieten konnte; an die spartanischen Bartholomäusnächte, die berüchtigte *Krypteia*, die in einer regelmäßig wiederkehrenden Ausmordung eines Teils der unterworfenen Urbevölkerung bestand. Für die moral insanity des Hellenen ist es bezeichnend, daß er kein besonderes Wort für das sittlich Verwerfliche besitzt, denn τὸ κακόν bedeutet sowohl das Böse wie das Übel, ὁ κακός sowohl *pravus* wie *miser* und ὁ πονηρός sowohl den Lasterhaften wie den Unglücklichen. Er unterschied nicht zwischen einem, der schlecht ist, und einem, dem es schlecht geht, sondern rechnete ethische Verfehlungen ganz einfach unter die übrigen zahlreichen Kalamitäten des Lebens. Auch der Frevel ist bloße Schickung, *Heimarmene:* der Götter in ihrer launischen Parteilichkeit und neidischen Ranküne; der ehernen *Ananke*, die blind waltet; der teilnahmslosen *Moira*, die längst alles vorherbestimmt hat; des *Alastor*, des Sühnegeistes, der die Taten der Ahnen rächt, oder irgendeines unbekannten *Agos*, einer Schuld, die Fluch im Gefolge hat; in der höchsten Auffassung Wirkung des gegebenen Charakters, der so sein muß, oder der übermächtigen Leidenschaft, die ein Unglück ist wie jede andere Krankheit. Die Göttin des hellenistischen Menschen aber ist *Tyche*, die wahllos die Chancen verteilt, die *fortune* des Spielers, der Zufall.

Nietzsche hat die Griechen „die Staatsnarren der alten Geschichte" genannt. Und in der Tat ist fast jede mögliche Form der menschlichen Gemeinschaft, bis zur äußersten „Folgerichtigkeit" karikiert, von diesen Staatsnarren durchlebt und damit widerlegt worden. Zuerst die Aristokratie: bei Homer gibt es nur „Edle", das Volk ist nichts als stumme Staffage und leerer Hintergrund; dann die Tyrannis, ein *l'état c'est moi*-Absolutismus, der nicht wie der bourbonische als letzte Schranken der Omnipotenz eine allgegenwärtige Etikette und einen unüberwindlichen Klerus zu respektieren hatte; in Sparta der militaristische Kommunismus mit streng uniformer Lebensweise, rationierten Mahlzeiten, exklusiver Verstaatlichung der Erziehung, völliger Gleichstellung der Frau, Verbot des Alkohols und der Ausreise, eisernem „Notgeld" und Bedrohung des Silberbesitzes mit Todesstrafe; und schließlich die extreme Demokratie, die keinen Parlamentarismus, kein noch so gleiches und noch so allgemeines Wahlrecht kennt, sondern nur lärmende Massenabstimmungen der ganzen Bevölkerung, nicht bloß über die Gesetze, sondern auch über deren jeweilige Ausführung, die das Geschworenengericht, zumindest in der Theorie, aus der gesamten Volksversammlung bestehen läßt, die Beamten durchs Los bestimmt und die Kriegführung zehn jährlich gewählten, täglich im Oberkommando abwechselnden Strategen überläßt! Man kann sich denken, wie es in diesem irrsinnig gewordenen Bienenstock von Polis zugegangen sein muß, der von allem Anfang an und in steigendem Maße ein bloßer Vorwand für alle Arten von Klassenjustiz, Minoritätenvergewaltigung, Parteischiebungen und „patriotischen" Erpressungen war. Der Denkfehler aller Demokratien, den schon Herodot klar erkannte, als er sagte, in ihnen werde die Mehrheit für das Ganze gehalten, hatte sich in Griechenland zu einer alles zerfressenden nationalen Wahnidee gesteigert. Die Entwicklung ist in dem Bedeutungswandel des Wortes Demagog charakterisiert, der im Sprachbewußtsein aus einem Volksführer den mit allen Mitteln niedrigster Pöbelbeeinflussung arbeitenden Volksverführer gemacht hat. Da dem Griechen die Wahrheitsliebe, die wir doch wenigstens als ideales Postulat anerkennen, ebenso fehlte wie das moderne Ehrgefühl und es daher Begriffe wie „Ehrenbeleidigung" und „Wahrheitsbeweis" überhaupt nicht gab, war ein Mensch, der die Unvorsichtigkeit beging, öffentlich aufzutreten oder sich sonstwie bemerkbar zu machen, schon einfach durch diese Tatsache, einerlei ob er Gutes oder Zweifelhaftes wirkte, das natürliche und selbstverständliche Opfer der infamsten Beschimpfungen, Indiskretionen, Verleumdungen, zudem jeglicher Art privater und offizieller Schikane ausgesetzt und vor allem der raffinierten Beschmutzungstechnik der Komödie wehrlos preisgegeben, neben der unsere heutigen Pamphletschreiber, Revolverjournalisten und Schlüsseldichter völlig harmlos erscheinen. Der *Ostrakismos*, der jeden beliebigen Bürger durch Plebiszit verbannen konnte, war ausdrücklich nicht bloß gegen Staatsverbrecher und Gottesleugner (an sich schon zwei sehr dehnbare Begriffe), sondern ganz allgemein gegen „Hervorragende" gerichtet. Er hat denn auch eine sehr große Anzahl prominenter Griechen getroffen oder zur präventiven Flucht gezwungen, ob es nun siegreiche Lebensmenschen waren wie Alkibiades oder fruchtreiche Buchmenschen wie Aristoteles, glänzende Modedenker wie Protagoras oder stille Forschergrößen wie Anaxagoras. Goethe sagt einmal: „Nichts hat die Menschheit nötiger als Tüchtigkeit, und nichts vermag sie weniger zu ertragen." Die Griechen, die in ihrer Kunst ein für allemal den Kanon des menschlichen Körpers aufgestellt haben, sind auch in dieser Frage des Kanons der menschlichen Seele vorbildlich gewesen. Sie haben auch diese Elementartatsache der menschlichen Natur klassisch ausgedrückt, die Stellung, die die Menschen zu jeder geistigen Überlegenheit einnehmen: „Wir brauchen dich, Genie, aber du bist uns lästig. Wir möchten deine Bildsäulen um keinen Preis entbehren, Phidias, aber eigentlich ist es eine Frechheit von dir, ein so großer Künstler zu sein, und von dir, Themistokles, ein so großer Feldherr zu sein, und von dir, Aristides, so gerecht zu sein, und von dir, Sokrates, so weise zu sein, denn das alles sind wir nicht, und wir, das Volk, die Masse, der Durchschnitt, die Gewöhnlichen sind doch eigentlich diejenigen, auf die es ankommt. Jede eurer Taten ist für uns eine Beleidigung, denn jede beweist uns aufs neue, daß in euch mehr Schönheit, Edelmut und Verstand ist als in uns allen zusammengenommen. Wir wissen recht wohl, daß wir ohne euch nicht auskommen könnten, aber das hindert uns nicht, daß wir in euch nichts anderes erblicken als ein notwendiges Übel, das wir nur genau so lange ertragen werden, als wir es ertragen müssen." So dachten die Griechen, und so haben, wenn auch weniger klar und plastisch, alle Zeiten und alle Völker gedacht, insonderheit aber alle Demokratien.

Das Leben im griechischen Staat muß für moderne Begriffe schlechtweg unerträglich gewesen sein; der Terror unter den Jakobinern oder im heutigen Rußland kann nur eine sehr abgeschwächte Vorstellung davon geben. Zunächst muß man bedenken, daß die Möglichkeit, durch Raub, Kriegsunglück oder Verschuldung Sklave zu werden, für jedermann bestand, wie es ja auch zwei so exzeptionellen Menschen wie Plato und Diogenes tatsächlich passiert ist. Aber auch der Freie war nichts weniger als frei, sondern befand sich unter der latenten Bedrohung eines launischen Pöbels und eines gierigen Sykophantentums sozusagen in einem andauernden Zustand der „Bewährungsfrist". Was das Geistesleben anlangt, so gab es zwar keine staatliche Zensur, was vor allem den Niederträchtigkeiten der Komödie zugute kam, wohl aber eine unterirdische, die viel drückender und lähmender war: die Tradition, die sowohl dem Dichter wie dem bildenden Künstler in der Wahl der Formen und Stoffe die lästigsten Hemmungen auferlegte. Über dem Philosophen und Forscher aber schwebte die stete Gefahr der Anklage wegen Gottlosigkeit. Die drei bedeutendsten Denker des perikleischen Zeitalters, Sokrates, Protagoras und Anaxagoras, sind solchen Asebieprozessen zum Opfer gefallen, letzterer, weil er gelehrt hatte, die Sonne sei ein glühender Stein. Ein Berufspriestertum, das die Verfolgung derartiger Ketzereien zu seiner Lebensaufgabe gemacht hätte, bestand allerdings nicht, war aber auch nicht notwendig, weil ja der Staat, als eine durch und durch religiöse Institution, diese Funktion ausübte. Weshalb das Gerühme liberaler Historiker, daß die glücklichen Griechen keine Staatskirche gehabt hätten, sehr deplaciert ist: ihre Kirche, und zwar eine der abergläubischsten, unduldsamsten und herrschsüchtigsten, war ja der Staat; und übrigens besaßen sie im delphischen Orakel eine Einrichtung, die der Kirche sehr nahe kam.

Die griechische Religiosität

Ja sie haben sogar, freilich nur als anonyme Neben- und Unterströmung, eine Theologie besessen: die orphische, dionysische oder chthonische Religion, die lange Zeit nicht genügend beachtet worden ist, weil sie eben nicht orthodox war; sie muß, obschon ganz anders geartet, als eine der tiefsten Lebensäußerungen der griechischen Seele eine ähnliche Rolle gespielt haben wie die Mystik im Katholizismus, der Pietismus im Luthertum, die Prophetenreligion im israelitischen Glauben. Um 600 kam der thrakische Bakchos als „fremder Gott", θεὸς ξενικός, zu den Griechen, die ihn Dionysos nannten; um 550 entstanden die orphischen Sekten, die sich von dem thrakischen Sänger Orpheus herleiteten; um 500 verkündete Pythagoras die orphische Weisheit, die über Heraklit und Empedokles bis zu Platon und Plotin das gesamte griechische Denken wie ein dunkler Schatten begleitet hat. Allen diesen Lehren ist ein asketischer und spiritualistischer Zug gemeinsam: der Gedanke, daß der Körper das Grab der Seele, die Erde nur die Vorbereitung auf ein höheres Leben sei und der Mensch durch „Vergottung", die mystische Vereinigung mit der Gottheit, erlöst werden könne. Nur entfernt verwandt mit diesen Richtungen waren die eleusinischen Mysterien, die ihren Adepten bedeutend kompaktere Vorteile in Aussicht stellten: nämlich im Leben Reichtum und im Tode Befreiung vom Hades, der den Griechen, die an ihn glaubten und nicht glaubten wie an alles, was ihre Religion lehrte, besonders unangenehm war wegen seiner Finsternis und Stille und ja auch in der Tat zu ihrem irdischen Dasein in prallem Sonnenlicht und exzessivem Skandal einen sehr betrüblichen Kontrast bildete.

In der orphischen Bewegung zeigen sich gewisse Ansätze zu einer echten Religiosität, obgleich ihre esoterische Lehre sicher nur auf eine kleine Elite beschränkt war. Was aber die olympische Religion anlangt, so war sie nichts als oberflächliches Fabulieren, leeres kultisches Zeremoniell, kindische Dämonen- und Gespensterfurcht und überhaupt au fond atheistisch. Es ist unbegreiflich, wie man den Griechen so oft und emphatisch eine besondere „Frömmigkeit" nachrühmen konnte. Allerdings ruhte das ganze Leben auf einer religiösen Basis, aber einer sehr dünnen und schwankenden. Die Verwaltung, die Justiz, der Krieg, der Handel, sogar die Erotik und die Geselligkeit, der Sport und das Theater: alles stand unter der Patronanz der Götter und hatte die Form einer Art permanenten Liturgie. Aber eben dies machte den Glauben bereits zu etwas Unernstem, Weltlichen und Irreligiösen. Und dazu kam, daß man an die eigenen Karikaturen von Göttern, die alle schon von Anfang an von Offenbach waren, gar nicht recht glaubte. Man hatte sehr deutlich das Gefühl, daß man sie selber erfunden hatte. Der berühmte Ausspruch Herodots, daß Homer und Hesiod den Griechen „erst gestern oder vorgestern" ihre Theogonie geschaffen und den Göttern „ihre Namen, Ämter und Würden so gut wie ihre Gestalt" verliehen hätten, ist in unserem Sinne atheistisch. Die Pythagoräer hingegen lehrten, Homer müsse in der Unterwelt büßen für die leichtfertigen Fabeln, die er verbreitet habe. Heraklit sagte von seinen Landsleuten:

„sie beten zu Bildern, als ob jemand mit Häusern reden könnte." Der Philosoph Xenophanes dichtete die Verse: „Wenn die Rinder und Löwen wie Menschen Hände besäßen – malen könnten und Statuen bilden, so würden die Tiere – Götter nach ihrem Bilde schaffen, die Götter der Pferde – wären wie Pferde, die Götter der Ochsen wie Ochsen." Dies sind drei Stimmen aus dem griechischen „Mittelalter"; seit Perikles aber wurde der Hohn auf die Götter oder der Zweifel an ihrem Dasein geradezu zur geistigen Mode. Protagoras stellte an die Spitze seiner Schrift „Περὶ θεῶν" den Satz: „Von den Göttern vermag ich nicht zu erforschen, ob sie sind oder ob sie nicht sind." Als man Diogenes fragte, was im Himmel vorgehe, antwortete er: „ich war nicht oben." Epikur tat über die Götter den vielkolportierten Ausspruch: „sie kümmern sich nicht um die Menschen, sonst wären sie nicht selig"; er leugnete jedoch, wie man schon aus dieser Bemerkung ersieht, ihre Existenz nicht und opferte ihnen sogar in den hergebrachten Formen, was um so merkwürdiger ist, als er einer der markantesten Vertreter des antiken Materialismus war. Eine ähnliche Auffassung vertrat die platonische Schule der sogenannten „neueren Akademie": es sei ebensogut möglich, daß Götter seien als daß sie nicht seien, man solle daher beim Herkommen verharren und sie weiter verehren. Und dies war denn auch der spezifisch griechische Standpunkt der Gebildeten und eigentlich auch des Volks: weder ihr Dasein noch ihre Wirksamkeit ist erwiesen, aber „man kann nicht wissen"; es war ungefähr dieselbe Position, die heutzutage vielfach gegenüber den spiritistischen Phänomenen eingenommen wird. In der hellenistischen Zeit jedoch nahm der theologische Rationalismus zum Teil bereits Formen an, wie sie erst das neunzehnte Jahrhundert wieder zutage gefördert hat. Der David Friedrich Strauß des Altertums war Euhemeros, der lehrte, die Olympier seien verdiente Menschen der Urzeit gewesen, die man später vergöttlicht habe; und die Stoiker erklärten die gesamten Vorstellungen der Mythologie als Allegorisierungen von Naturkräften. Nur die Kehrseite des Euhemerismus war es, daß die Diadochen damit begannen, sich selber als Götter zu proklamieren; bereits Demetrios dem Städtebezwinger sangen die Athener ein

Festlied, bei dem man nicht recht weiß, ob es ein Produkt des raffinierten Byzantinismus oder des naiven Zynismus ist: „Wie schön, daß die größten und liebsten Götter in der Stadt weilen! Jetzt bringt uns das Fest zugleich die Demeter und den Demetrios: sie kommt, um zu begehen die erhabenen Mysterien der Kore, und er ist da, fröhlich und schön und lachend, wie es dem Gotte geziemt! Heil dir, Sohn des gewaltigen Poseidon und der Aphrodite! Denn die übrigen Götter sind entweder weit fort oder haben keine Ohren oder sind nicht vorhanden oder kümmern sich keinen Pfifferling um uns, dich aber sehen wir, nicht von Holz oder Stein, sondern wirklich und bringen dir Verehrung!"

Die Kritik der Dichter beschränkte sich zumeist auf den Vorwurf an die Götter, daß sie den ungerechten Weltlauf untätig mitansähen. Schon um die Mitte des sechsten Jahrhunderts fragt Theognis: „Wer wird noch Achtung vor den Göttern haben, wenn er sieht, wie der Frevler sich im Reichtum mästet, indes der Gerechte darbt und verdirbt?" Auch bei Aischylos, der noch von echtem Glauben erfüllt war, sagt Prometheus dem allmächtigen Zeus, der ihm ein ungerechter Tyrann ist, die furchtbarsten Dinge. Und warum muß der Titane so schrecklich leiden? Nur weil er „die Menschen allzusehr geliebt". Was in dieser Tragödie zur erschütterndsten Darstellung gelangt, ist, bei aller konservativen Grundgesinnung, doch der Neid der Götter, der die Menschen gar nicht glücklich haben will. Noch deutlicher wird Sophokles, wenn er im „Ödipus" den Chor singen läßt: „Wie soll der Mensch in solcher Zeit die eigne Brust vor Frevelmut bewahren? Wenn solches Handeln Ehre bringt, was tanzen wir noch vor den Göttern?" Euripides aber ist bereits Sophist. Für ihn ist das Schicksal weder der Zorn noch die Liebe der Götter, weder Moira noch Familiendämon, sondern der Mensch selbst. Wollte man seine Weltanschauung in einen einzigen Satz zusammenfassen, so könnte man dafür den lapidaren Ausspruch wählen, der seinem Zeitgenossen Hippokrates, dem größten Arzt des Altertums, zugeschrieben wird: „Alles ist göttlich und alles ist menschlich." Und im übrigen ist seine Ansicht: „Wenn Götter Sünde tun, so sind die Götter nicht." Indem er aber auf die vom Menschen geschaf-

fene und beherrschte Welt blickt, erfaßt ihn eine tiefe Resignation:
„Wie es kommt, gleichen Sinns, nehm' ich die Gaben des Heute,
nehm' ich die Gaben des Morgen hin. Glauben und Hoffen ist tot
und verdüstert ist mir die Seele."

Der griechische Pessimismus

Dies führt uns zur Frage des griechischen „Pessimismus". Es
finden sich im hellenischen Volkscharakter zwei scheinbar ganz
disparate Elemente: das eine ist eine „Heiterkeit", spielerische
Leichtfertigkeit und sinnentrunkene Diesseitigkeit, die bereits den
Völkern des Altertums auffiel (sie findet schon in der Grußform
„*chaire*", freue dich, ihren Ausdruck, während dem Römer, der
„*vale*" und „*salve*" sagte, offenbar Stärke und Gesundheit das
Wichtigste waren); das andere ist eine herbe Melancholie und
Skepsis, die sich nicht bloß dialektisch und poetisch äußerte, sondern von ihnen ge l e b t wurde, indem sie ihr ganzes Dasein wie
eine zarte Farbe oder Essenz imprägnierte. Beides hatte seine
Wurzel in ihrem resoluten Wirklichkeitssinn. Sie lebten fast ganz
in d i e s e r Welt (das Jenseits ist für sie ein verschwommenes und
im Grunde unwirkliches Schattenreich, und die orphische Predigt
von der Fleischabtötung und Seelenwanderung wirkt innerhalb
der griechischen Gesamtkultur mehr wie eine artfremde Pikanterie) und daher genossen sie mit vollen Zügen die gegebene
Realität; aber als scharfe praktische Beobachter durchschauten sie
auch die Leiden und Unvollkommenheiten des Daseins mit völlig
illusionslosen Blicken. Sie waren Empiriker und daher Pessimisten.
Sie wußten, was das Leben ist: eine sehr strapaziöse, unberechen-
bare, wenig dankbare Angelegenheit. Außerdem aber waren sie
gänzlich unernste, nämlich künstlerische Menschen, und daher
hatte weder ihr weltbejahender Realismus jene brutale Kompakt-
heit, langweilige Gegenständlichkeit und bleierne Banalität, die
er später bei den Römern erhielt, noch ihr weltanklagender Pessimismus jene metaphysische, die Seele in ihrem Letzten und
Tiefsten ergreifende Gewalt, die er bei den Indern besaß.

Die traurige Weisheit, daß das „μὴ φῦναι", das Niemalsgebo-
renwerden das beste sei, geht in zahlreichen geistvollen Variationen
durch das ganze griechische Denken. Schon in der Ilias wird gesagt, daß es unter allem, was atmet und sich bewegt, nichts Elende-

res gebe als den Menschen; Heraklit sagt tiefsinnig von der Zeit, sie sei ein spielendes, sich im Brettspiel übendes Kind; „und dieses Kind hat die Königsgewalt"; Thales erklärte, er bleibe unverehelicht „aus Kinderliebe". Selbst dem überlegen lächelnden Sokrates entringt sich im „Gorgias" der Ausruf: „δεινὸς ὁ βίος, das Leben ist schrecklich!" Mehr naturwissenschaftlich drückt sich Aristoteles aus: „Was ist der Mensch? Ein Denkmal der Schwäche, eine Beute des Augenblicks, ein Spiel des Zufalls; der Rest ist Schleim und Galle." Menander sagt: „Am glücklichsten ist, wer früh den Jahrmarkt des Lebens verläßt", und ein andermal: „Wenn ein Gott dir nach dem Tode ein neues Leben verspräche, so solltest du dir wünschen, lieber alles andere, selbst ein Esel zu werden, nur nicht wieder ein Mensch." Sein Zeitgenosse war der Philosoph Hegesias, der durch seine Vorträge zahlreiche Menschen zum Selbstmord überredet haben soll, weshalb er den Beinamen πεισιϑάνατος erhielt. Es gab von ihm über diesen Gegenstand auch eine Schrift, die den Titel „ὁ ἀποκαρτερῶν" führte; und es ist sehr bezeichnend, daß dieses Wort ein allgemein geläufiger griechischer Fachausdruck war, der sich im Deutschen nur durch einen ganzen Satz wiedergeben läßt: „der das Leben nicht mehr aushält und sich daher durch Hunger tötet".

Aber schon bei Homer findet sich auch das Gegengewicht genannt, das der Grieche in die Schicksalswaage zu werfen hatte. Zu Odysseus sagt Alkinoos: „Sag uns doch, warum du so weinst und im Herzen so trauerst, wenn du vernimmst, welch Los die Argeier in Troja betroffen. Denn es war ja das Werk der Götter; sie spannen den Menschen dieses Verderben, damit es lebe im Liede der Nachwelt." Und Anaxagoras sagt, das Geborenwerden sei dem Nichtgeborenwerden vorzuziehen, schon damit man den Himmel erblicke und die ganze Ordnung des Weltgebäudes. Die Lust des Gestaltens und Betrachtens, des Singens und Erkennens, die die Griechen besser kannten als irgendein anderes Volk, wiegt alle Leiden des Daseins auf. Ein Verderben, das zum Lied werden kann, ist keines mehr; und eine Welt, die sich schauen läßt, kann nicht schlecht sein.

Ja, die Griechen waren „Idealisten", aber in einem ganz besonderen, vom modernen sehr verschiedenen Sinne, den vielleicht

827

nur Goethe verstand und doch auch wieder mißverstand, indem er diesen Zug zum alleinherrschenden machte. Wir haben in einem der früheren Kapitel darzulegen versucht, daß jeder Franzose ein geborener Cartesianer ist; in demselben Sinne könnte man sagen, daß jeder Grieche ein geborener Platoniker war. In der platonischen Anschauung sind die Ideen die unsterblichen παραδείγματα, die Urbilder und Musterbilder, nach denen die irdischen Erscheinungen als μιμήματα, als Nachahmungen und Abbilder geformt sind. Was uns als die „Schönheit" eines Gegenstandes so sehr ergreift, ist die ἀνάμνησις, die dunkle Erinnerung unserer Seele an sein ewiges Urbild, das sie vor ihrer Geburt erschaut hat. Die Ideen sind also etwas ganz anderes als die Begriffe: zu ihrer Erkenntnis oder vielmehr Ahnung gelangen wir nicht durch Abstraktion, sondern durch Intuition. Etwas abweichend, aber im Wesen doch ähnlich faßt der zweiteinflußreichste griechische Denker, Aristoteles, den Sachverhalt auf. Für ihn ist die Form, μορφή, im wesentlichen identisch mit dem *Eidos*, der Idee, und die *Hyle* oder Materie die δύναμις, die Möglichkeit der Form, die Form die ἐνέργεια, die Verwirklichung der Materie. Hyle heißt eigentlich Bauholz, Rohstoff, und an der Tätigkeit des Zimmermanns erläutert auch Aristoteles die Bedeutung des Eidos: dieses ist der Begriff des Hauses. Die Form ist also früher da; sie erzeugt das Haus. Aristoteles erklärt ganz ausdrücklich, die Idee, das Allgemeine sei πρότερον φύσει, in Wirklichkeit das Erste, das Einzelne nur πρότερον πρὸς ἡμᾶς, für uns das Erste. Gemeinsam ist Plato und Aristoteles die Überzeugung von der Priorität der Idee. Sie ist das klassische Modell jedes Dings, das, was die Natur eigentlich will, aber nie vollkommen erreicht; sie ist, zumal bei Plato, etwas vollkommen Konkretes. Wir erinnern uns aus dem vorigen Kapitel, daß Goethe bei der „Urpflanze" eine ähnliche Konzeption vorschwebte. Der Kanon des schönen Menschen, wie ihn die Griechen in ihrer Skulptur gestalteten, entsprach gewissermaßen der Urpflanze. Ganz ebenso empfanden sie in ihrer tragischen Kunst. Nietzsche sagt in der „Geburt der Tragödie": „es hat ich weiß nicht wer behauptet, daß alle Individuen als Individuen komisch und damit untragisch seien: woraus zu entnehmen wäre, daß die Griechen überhaupt Individuen auf der tragischen Bühne nicht ertragen konnten". Eine Theaterkunst, die individualisiert, die mehr gestaltet als die Idee, die Maske in jederlei Sinn, wäre ihnen nicht als eine höhere, sondern als eine lächerliche, unwürdige und blasphemische erschienen. Denn hierzu kam noch die religiöse Grundlage, auf der die Bühne ruhte. Alfred Baeumler sagt in seiner außerordentlich tief dringenden, vielfach ganz neuartige Aspekte eröffnenden Einleitung zur Auswahl aus Bachofen: „Jeder Gedanke an die Erscheinungen des täglichen Lebens muß versunken sein, wenn man Agamemnon, Orest, Oedipus, Ajas, Antigone wirklich verstehen will. Es sind in der Tat Schatten, die auf der tragischen Bühne vor uns aufsteigen. Diese Helden sind nicht von der Gasse geholt, sondern aus dem Grabe beschworen. .... Alle Empirie, jeder Gedanke an Realismus liegt unendlich fern. Die Darstellungsform der griechischen Tragödie ist nicht allein durch die gewiß vorhandene Vorstellung einer wirklichen Überlebensgröße der Helden der Vorzeit zu erklären, sondern in noch höherem Maße durch die heilige Scheu vor den Toten bestimmt." Wir verstehen nun: da die tragischen Helden aus dem Grabe kamen, konnten sie nicht nach moderner Art „lebendig geschildert" sein, da sie den Inhalt einer religiösen Zeremonie bildeten, konnten sie nur als allgemeine Symbole gefaßt sein. Und in diesem Zusammenhang erklärt sich auch die Abkehr von der alten Typenkunst zur „Psychologie" und Charakterzeichnung, wie sie in Euripides zutage tritt, als Phänomen der Irreligiosität und dramatisches Gegenstück zur zersetzenden Dialektik des Protagoras und zur Mysterienverhöhnung des Alkibiades.

Die Griechen besaßen, was sowohl mit ihrem Platonismus wie mit ihrer Musikalität zusammenhängt, einen angeborenen Blick für die Geometrie der Dinge, ihre Einteilung, Gliederung, Proportion, eine außergewöhnliche Gabe, in allem sogleich den geheimen Aufriß, Grundplan und Baustil, das innere Skelett, Schema und Diagramm zu erkennen. Sie waren eminent zeichnerisch veranlagt und, bei aller ihrer Nervosität, das Gegenteil von Impressionisten. *Graphein* heißt sowohl schreiben wie malen. Für Halbtöne, gedeckte Beleuchtung, allmähliche Farbenübergänge, feinere

Schattenwirkungen hatten sie gar kein Auge und die Luftperspektive war ihnen vollkommen unbekannt, wie sich aus den erhaltenen Gemäldebeschreibungen und den poetischen Naturschilderungen mit Sicherheit schließen läßt. Sie waren schon durch die ganze Natur ihres Landes: die kristallene Helle und Klarheit seiner Luft, die scharfe Profilierung seiner Gebirge, die reiche und kräftige Gliederung seiner Küsten auf diesen ausgeprägten Konturismus hingewiesen. In Athen ist die Sonne nur an durchschnittlich 25 Tagen im Jahre umwölkt. Bei Homer vollzieht sich alles im hellsten Tagesglanz. Die Nacht aber war dem Griechen das Verhaßteste, was er kannte. Für die Poesie des Nebeltags, der Herbststimmung, der Abenddämmerung, des Mondscheins, die im modernen Gefühlsleben eine so große Rolle spielt, hatte er kein Organ. Und zudem verlebte er den ganzen Tag im Freien. Die griechische Landschaft muß man zu allem, was er tat und schuf, stillschweigend hinzuaddieren: zu seinen Dramen und Tempeln, Gefäßen und Bildwerken, Reden und Liedern, Symposien und Agonen, wie auch er sie stets dazunahm, instinktiv oder bewußt, und alles stilvoll in sie hineinkomponierte.

Das Volk der Mitte

Dazu kam nun noch, daß bei den Griechen alle Verhältnisse und Dimensionen etwas Einfaches, Übersichtliches und Faßbares und darum Begrenztes, Klares und Gefaßtes hatten. Die vorhandene Kultur ließ sich noch als Ganzes überschauen, zusammenschauen. Die künstlerische und wissenschaftliche Tradition war nicht alt und nicht umfangreich. Der Kreis der Erfahrung umspannte kaum ein Dutzend Generationen; zwei Gegenküsten und ein dazwischenliegendes Meer, das, von Inselbrücken durchsetzt und im Süden durch Kreta abgeriegelt, fast den Charakter eines großen Binnensees besaß; einen einheitlichen Vegetations- und Tierkreis. Auf der heimatlichen Halbinsel hatten die Landengen und starken Bergzüge noch kleinere Zentren geschaffen; und überhaupt bedingte die Langsamkeit, Schwierigkeit und Gefährlichkeit des Reisens und die mißtrauische Abgeschlossenheit der antiken Völker von vornherein eine gewisse Beschränktheit des Horizonts. Es war bei ihnen alles k o n k r e t im eigentlichen Sinne des Wortes: zusammengewachsen, auf den geringsten Raum konzentriert, in die kleinstmögliche Form gepreßt; und dies ermöglichte ihnen, in allen ihren Lebensäußerungen plastisch, anschaulich, künstlerisch zu sein. Umgekehrt ist es heute fast unmöglich, Künstler zu sein. Es ist kein Zufall, daß die stärksten poetischen Emanationen der letzten fünfzig Jahre aus der physischen Enge Skandinaviens und der geistigen Enge Rußlands hervorgegangen sind. Auch der griechische Staatsbegriff war weder eine vage philosophische Idee, wie sie dem achtzehnten Jahrhundert vorschwebte, noch ein mit Riesenvölkern und ganzen Erdteilen operierender Pannationalismus und Imperialismus, wie ihn unsere Zeit propagiert, überhaupt kein Gegenstand komplizierter juristischer Raisonnements, wie sie die ganze Neuzeit und schon das Mittelalter und die römische Kaiserzeit liebte, sondern bedeutete ganz einfach die jeweilige Polis, ein sehr greifbares, handliches, gegenständliches Gebilde, nämlich eine kleine Stadt; eine fest umzirkte menschliche Niederlassung mit einem militärischen, einem religiösen, einem politischen und einem wirtschaftlichen Zentrum: einer Festung, einem Heiligtum, einer Agora, einem Hafen. An modernen Dimensionen gemessen, war Athen ein mäßig bedeutender Handelsplatz, Sparta ein Gebirgsdorf, Theben ein größerer Flecken und Olympia ein kleines Oberammergau. Diese Orte waren noch gerade ausgedehnt genug, um alle sozialen und geistigen Differenzierungen hervorbringen zu können, und klein genug, um die intimste Reibung und Wechselwirkung unter allen ihren Insassen entstehen zu lassen. Die Halbinsel, soweit sie griechisch war, hatte ungefähr den Flächenumfang des österreichischen Bundesstaats und die Einwohnerzahl Berlins. Die Entfernung des nördlichsten Punkts, des Olymp, vom südlichsten, dem Vorgebirge Tänaron, entsprach in der Luftlinie etwa der zwischen Berlin und Wien und kann heute mit dem Flugzeug in drei bis vier Stunden zurückgelegt werden. Auch die Griechen haben einen „Weltkrieg" gehabt: den Peloponnesischen, der aber, obgleich er fast ebenso lang gedauert hat wie der dreißigjährige, in Gang und Ziel sehr einfach und durchsichtig ist: Athen und Sparta in wechselvollem Kampf um die Halbinsel, während dieser, wie wir gesehen haben, einen unentwirrbaren Knäuel von überspitzter Diplomatie, verzwickten Truppenoperationen und hoffnungslos unverständlicher Territorialpolitik bildet: er ist keine religiöse, keine soziale, keine politische Bewegung, er ist ganz einfach das Chaos. Die Griechen waren auch in ihrer äußeren Erscheinung, an den nordischen Völkern gemessen, eher klein, dafür aber äußerst proportioniert, und zwar infolge einer langen, mit größter Zähigkeit und Bewußtheit geübten Tradition der Körperkultur: auch ihre Leiber waren gewissermaßen Produkte einer höchstentwickelten kunstgewerblichen Technik, es war eben alles bei ihnen gut gebaut. Ihre Lebensweise war einfach, fast dürftig. Ein paar geschmackvolle Tongefäße und feingeschnitzte Holztruhen genügten ihrem Luxusbedürfnis; einige Fische und Salzkuchen, Feigen und Oliven bildeten ihre normale Mahlzeit; auf drei Teile Wasser zwei Teile Wein zu mischen, galt schon als Exzeß. Es waltete in diesen Dingen dieselbe, nicht aus moralischen, sondern aus ästhetischen Motiven fließende Sparsamkeit, die sich auch in der Verwendung ihrer Architekturformen und poetischen Motive, ihres Begriffsschatzes und Bildervorrats offenbart. Es findet sich bei ihnen nirgends die moderne Undeutlichkeit und Überdeutlichkeit, die aus dem Zuviel stammt. Auch ihre panhellenischen Feste und Spiele, die keine Monstreproduktionen und zudem selten waren, hatten nicht den unkünstlerischen und plebejischen Plakatstil, den heutzutage jede öffentliche Veranstaltung mit Notwendigkeit trägt. Diese eigentümliche Sobrietät ist vielleicht das Zentralphänomen der griechischen Kultur, und ein seither nie wieder erschienenes. Die griechische Einfachheit, im achtzehnten Jahrhundert als „Einfalt", Würde, Seelenreinheit mißverstanden, in Wirklichkeit nichts andres als geringere Differenziertheit des Lebensgefühls und sichere Umgrenztheit des Gesichtskreises, erzeugte die starken, klaren, ungebrochenen Linien der griechischen Lebensform. Sie waren recht eigentlich das Volk der Mitte. Und so reduziert sich ihre vielgerühmte Besonnenheit, Selbstzucht und Maßliebe einfach darauf, daß sie in allem von wohltuend mittlerem Format, angemessener und natürlicher Lebensgröße waren.

Daß aber Winckelmann mit seiner Erfindung des harmonischen Griechen einen so ungeheuern Erfolg hatte, kam daher, daß, wie dies für große historische Wirkungen immer die notwendige Voraussetzung ist, eine starke Persönlichkeit und ein starkes Zeitbedürfnis zusammentrafen. Im übrigen haben wir schon im ersten Buch, im Kapitel über die Reformation, kurz darauf hingewiesen, daß er, weit entfernt, der Initiator einer neuen Zeit zu sein, vielmehr der abschließende Typus einer dahinsinkenden war: nämlich der letzte große Humanist, wie Luther der letzte große Mönch und Bismarck der letzte große Junker gewesen ist.

Winckelmann ist schon allein dadurch merkwürdig, daß er einer der fertigsten Menschen war, die jemals produktiv geworden sind, während man doch für gewöhnlich unter einer schöpferischen Persönlichkeit eine in steter Entwicklung begriffene, nie zum Abschluß gelangende, immer nur auf Widerruf sprechende zu verstehen pflegt. Er steht von Anfang an da wie eine seiner geliebten weißen Marmorstatuen: in kalten, reinen, eindeutigen Linien. Man kann sagen: er wußte alles, was er schließlich als letzte volle Frucht eines tiefdringenden, weitgespannten und wohlgeordneten Denkerlebens hervorbrachte, schon von vornherein, sozusagen ehe er es wirklich wußte, zu wissen ein wissenschaftliches Recht hatte. Man könnte vielleicht die These aufstellen, daß jede prononcierte Individualität immer nur eine einzige Altersstufe verkörpert, die sie ihr ganzes Leben hindurch festhält. Das große Publikum folgt einem ganz richtigen Instinkt, wenn es sich Schiller als ewigen Jüngling, Ludwig den Vierzehnten immer als Mann auf der Sonnenhöhe, Schopenhauer nur als alten Herrn vorzustellen pflegt. Der junge Schopenhauer, der alternde Schiller, der greise Louis Quatorze existieren eigentlich nicht in unserem Bewußtsein. Was nun Winckelmann anlangt, so war er sein ganzes Leben lang etwa fünfzig Jahre alt.

Der letzte Humanist

Die Art, wie Winckelmann an die Kunst und ihre Geschichte herantrat, ist uns heute so vertraut (auch wenn wir nie eine Zeile von ihm gelesen haben), daß wir zumeist ganz vergessen, wie originell sie zu ihrer Zeit war. Winckelmann war, um es mit einem Wort zu sagen, der erste Archäolog in der legitimen Bedeutung des Begriffes: ein liebevoller Erforscher und Kenner des Altertums, dem sein ungeheures Wissen nicht Selbstzweck war, sondern ein

Organ, in die Vergangenheit einzudringen. Kein Detail entging seinem Blick, wenn er es auch nicht immer richtig deutete, und er hielt sich auch nicht für zu gut, den Fragen der Handwerkstradition und Technik, die in der Kunst eine so große Rolle spielen, sein Interesse zuzuwenden. Wie er einerseits einer der ersten war, die in den alten Autoren den Schlüssel zum Verständnis der alten Bildwerke suchten, so war er andrerseits der überhaupt erste, der sich daran gewöhnte, ein antikes Kunstdenkmal zu lesen wie einen antiken Text: mit den Augen des mikroskopisch genauen, umsichtig prüfenden, vorsichtig kombinierenden Philologen. Darüber vergaß er aber niemals die großen Zusammenhänge: er betrachtet die Kunst als ein Gewächs, dessen Charakter von Boden, Klima, Pflege, Umgebung bestimmt wird, fast schon im Sinne der Taineschen Milieutheorie, und faßt ihre Geschichte als Ablauf einer typischen Entwicklungsreihe, die sich vom „älteren" Stil, der noch hart und eckig ist, über den „großen", den eigentlich idealen und den „schönen", fließenden und graziösen zum Stil des „Verfalls", der Nachahmung und Künstelei bewegt. Dies alles brachte er in einer gesalzenen körnigen Sprache vor, die in ihrer edeln Schmucklosigkeit und markigen Bedeutungsschwere in der Tat an attische Prosa erinnerte und gegenüber der federnden Impulsivität und reizbaren Sprunghaftigkeit des nur um etwa ein Jahrzehnt jüngeren Lessing klassisch, nämlich völlig unimpressionistisch wirkt.

Sein Hauptwerk, die „Geschichte der Kunst des Altertums", ist ihrer äußeren Gestalt nach ein historisches Werk, in Wirklichkeit aber eine Ästhetik, die an der Hand der alten Bildwerke die moderne Kunst verwirft und die bedingungslose Rückkehr zur Antike fordert. Es gibt für Winckelmann eigentlich nur eine einzige Kunst: die Plastik, denn die Malerei läßt er nur gelten, soweit sie eine Art Bildhauerei ist, nämlich Umrißzeichnung, Kontur; diese ist die „Hauptabsicht des Künstlers", „die Zeichnung bleibt beim Maler das erste, zweite und dritte Ding" und „Colorit, Licht und Schatten machen ein Gemälde nicht so schätzbar als der edle Contour". Auch in der historischen Entwicklung bilden das wichtigste Moment die „Veränderungen in der Zeichnung". Man muß allerdings diesen Kunstspartanismus, diese, wie man damals glaubte, dorische Vergötterung der reinen Linie, des reinen Weiß und des sparsamen Ornaments auch als zeitgemäßen Rückschlag gegen den entarteten und ausgelebten Barockstil begreifen. Im achtzehnten Jahrhundert erhoben nur sehr wenige ihre Stimme gegen diesen reaktionären und im Grunde unkünstlerischen Purismus, vor allem Herder, der empört fragte: „Ein Maler, und soll kein Maler sein? Bildsäulen drechseln soll er mit seinem Pinsel?" und Heinse, der dezidiert erklärte: „Das Zeichnen ist bloß ein notwendiges Übel, die Proportionen leicht zu finden, die Farbe ist das Ziel, Anfang und Ende der Kunst." Lessing hingegen sprach sogar den Wunsch aus, die Kunst, mit Ölfarben zu malen, möchte lieber gar nicht erfunden sein, und Georg Forster formulierte in den „Ansichten vom Niederrhein" die allgemeine Meinung, als er ausrief: „Was ist Farbe gegen Form?"

Aber selbst in der Bildhauerei läßt Winckelmann nur die Darstellung der menschlichen Schönheit gelten, genauer gesagt: der männlichen. Wenn er von der Schönheit im allgemeinen redet, denkt er, bewußt oder unbewußt, immer nur an die männliche. Spricht er einmal von weiblicher, so sind es wiederum die knabenhaften Merkmale am weiblichen Körper, die er hervorhebt. Die Niederländer sind ihm schrecklich, zunächst wegen ihres Kolorismus, wahrscheinlich aber auch, weil eine so prononcierte Heterosexualität aus ihren Bildern spricht. Spezifisch weibliche Geschlechtscharaktere wie Busen oder Becken hebt er nie als schön hervor. Seine Veranlagung war nämlich offenbar homosexuell. Die Freundschaftsverhältnisse zu schön gestalteten jungen Männern, die er sein ganzes Leben lang pflegte, trugen einen ausgesprochenen Charakter von Verliebtheit; doch scheint er diese Beziehungen gleich Sokrates stets zu rein geistigen veredelt zu haben. Diese Anormalität seines Empfindens war höchstwahrscheinlich auch die Ursache seines tragischen Endes; denn nur durch sie läßt es sich erklären, daß er jenes ordinäre und ungebildete Subjekt, das ihn in Triest wegen einiger Schaumünzen ermordete, eines näheren Umgangs würdigte. Er machte übrigens aus seiner Eigenheit mit jener großartigen Freimütigkeit, die er von den Griechen gelernt hatte, niemals ein Geheimnis. So schrieb er zum Beispiel an einen Bekannten: „Sollten Sie glauben, daß ich könnte in ein Mädchen verliebt werden? Ich bin es in eine Tänzerin von zwölf Jahren, die ich auf dem Theater gesehen habe ... allein ich will nicht ungetreu werden" und ein andermal: „Ich habe niemals so hohe Schönheiten in dem schwachen Geschlecht als in dem unserigen gesehen. Was hat denn das Weib Schönes, was wir nicht auch haben? ... Hätte ich anders gedacht, wäre meine Abhandlung von der Schönheit nicht ausgefallen, wie sie gerathen ist." Noch deutlicher äußert er sich über den Zusammenhang zwischen seiner Kunstanschauung und seiner Sexualität in den Worten: „Ich habe bemerkt, daß diejenigen, welche nur allein auf Schönheiten des weiblichen Geschlechts aufmerksam sind und durch Schönheiten in unserem Geschlecht wenig oder gar nicht gerührt werden, die Empfindung des Schönen in der Kunst nicht leicht eingeboren, allgemein und lebhaft haben." Dies ist der psychologische Schlüssel für Winckelmanns Ästhetik, von ihm selbst gegeben. Das homosexuelle Auge sieht vorwiegend Kontur, Raumausfüllung, Umriß, Linienschönheit, Plastik. Das homosexuelle Auge ist ohne Empfindung für aufgelöste Form, verschwimmende Valeurs, rein malerische Eindrücke. Und so geht, bei Licht betrachtet, jene ganze fixe Idee des „Klassizismus" zurück auf die sexuelle Perversion eines deutschen Provinzantiquars.

Mengs   Wie Winckelmann über die gesamte moderne Kunst dachte, hat er an vielen Stellen seiner Schriften, am unmißverständlichsten aber in einem Brief an seinen Freund Uden ausgesprochen: „Die Neueren sind Esel gegen die Alten, von denen wir gleichwohl das Allerschönste nicht haben, und Bernini ist der größte Esel unter den Neueren." Eine Ausnahme machte er nur mit seinem Freund Mengs, von dem er in seiner Kunstgeschichte sagt: „Der Inbegriff aller beschriebenen Schönheiten in den Figuren der Alten findet sich in den unsterblichen Werken des Herrn Anton Raphael Mengs, ersten Hofmalers der Könige von Spanien und Polen, des größten Künstlers seiner und vielleicht auch der folgenden Zeit. Er ist als ein Phönix gleichsam aus der Asche des ersten Raphael erweckt worden, um der Welt in der Kunst die Schönheit zu lehren und

den höchsten Flug menschlicher Kräfte in derselben zu erreichen."
Mengs, der sich mit seiner Kunst auch in theoretischen Schriften
eingehend befaßte, hieß der „Malerphilosoph" und wurde der
Vater jener verstandesmäßigen, akademischen, „gebildeten"
Malerei der Galeriekopisten, die jahrzehntelang in Europa geherrscht hat. Seine Doktrin bestand im wesentlichen darin, daß
die Kunst der Natur überlegen sei, da sie sich ihre Materialien frei
wählen könne und in ihren Hervorbringungen keinen Zufällen
unterworfen sei, und daß sie daher alle Vollkommenheiten auf
eine Gestalt vereinigen müsse: Einförmigkeit im Umrisse, Größe
in der Gestalt, Freiheit in der Stellung, Schönheit in den Gliedern,
Macht in der Brust, Leichtigkeit in den Beinen, Stärke in den
Schultern und Armen, Aufrichtigkeit in Stirne und Augenbrauen,
Vernunft zwischen den Augen, Gesundheit in den Backen, Lieb-
lichkeit im Munde: „so haben die Alten gehandelt." Der Maler
hat also nichts andres zu tun als das Beste und Teuerste an Details
zusammenzusuchen und auf einer Musterkarte zusammenzustellen. Wir haben im ersten Buch gesehen, daß bereits Raffael Santi
eine ähnliche Theorie hatte wie sein Namensvetter, aber er war
vor ihren verderblichsten Folgen durch sein Genie und seine Rasse
geschützt; bei Raphael Mengs fielen jedoch diese beiden Hemmungen weg, um so mehr als er auch in der technischen Ausführung den
leersten Eklektizismus für das Ideal erklärte, indem er die Vereinigung von Raffaels Linie, Tizians Farbe und Correggios Anmut
mit der Einfachheit der Antike forderte, und so erstanden unter
seinem Pinsel jene trostlos gelehrten und tödlich langweiligen
Gruppengemälde, die, auch in der Komposition ganz äußerlich
und unwahr nach der Art lebender Bilder behandelt, an Stelle
menschlicher Wesen mittelmäßige Reproduktionen antiker Statuen vorführten. Das höchste aber war ihm die Allegorie, und auch
darin war er nur der gelehrige Schüler Winckelmanns, der gesagt
hatte: „die Wahrheit, so liebenswürdig sie an sich selbst ist, gefällt und macht einen stärkeren Eindruck, wenn sie in eine Fabel
eingekleidet ist: was bei Kindern die Fabel im engsten Verstand,
das ist die Allegorie im reiferen Alter ... je mehr Unerwartetes
man in einem Gemälde entdeckt, desto rührender wird es, und

beides erhält es durch die Allegorie" und vom Pinsel des Malers verlangte, er müsse „in Verstand getunkt" sein. Dieses Rezept hat Mengs denn auch in ausgiebigster Weise befolgt.

Die Gräko- manie Die Gräkomanie setzte ungefähr mit den sechziger Jahren ein, erreichte aber erst nach einem Menschenalter den Charakter einer allgemein europäischen Epidemie. In England erzielten die beiden Maler James Stuart und Nicolas Revett mit ihrer Prachtpublikation der „antiquities of Athens" eine außerordentliche Wirkung. In Deutschland las der verdiente Göttinger Philologe Christian Gottlob Heyne seit 1767 über „Archäologie der Kunst des Altertums, insbesondere der Griechen und Römer". Und ungefähr um dieselbe Zeit begann Wieland seine lange Serie von Romanen aus dem alten Hellas, von denen er selbst sagte, ihre Farben seien von Winckelmann geborgt: Lessing erklärte den „Agathon" für den ersten deutschen Roman von klassischem Geschmacke und Goethe erzählt in „Dichtung und Wahrheit", im „Musarion" habe er das Antike lebendig und wieder neu zu sehen geglaubt. Auch Gluck ist ein Schüler Winckelmanns, nicht bloß in seiner Auffassung des Hellenentums, sondern auch in seiner Ornamentfeindlichkeit und seinem Konturismus: „ich beabsichtigte", sagt er in der Vorrede zur „Alceste", „die Musik ihrer wahren Aufgabe wiederzugeben: sie soll durch ihren Ausdruck der Poesie dienen, ohne die Handlung durch unnützen Überfluß an Ornamentik zu unterbrechen und abzuschwächen, und ich glaubte, daß sie – ähnlich wie bei einer richtigen, gut angelegten Zeichnung die Farbe und der Gegensatz von Licht und Schatten – die Gestalten zu beleben habe, ohne die Konturen zu verändern". Unter der Hypnose der Winckelmannschen Theorien kam der junge hochbegabte Asmus Carstens auf den Gedanken, den Pinsel überhaupt fortzuwerfen und Gemälde ohne Farben zu malen, wie man sie bisher nur als Vorarbeiten verwendet hatte, „Kartons", die, bloß mit Bleistift, Feder oder schwarzer Kreide angefertigt und höchstens leicht getönt, die vermeintliche Achromie der hellenischen Skulptur auch auf die zweidimensionale Bildnerkunst zu übertragen suchten und sich in der Tat ausnahmen wie in Papier ausgeführte Weißplastiken, wie er denn auch mit Vorliebe die Figuren, die er zu zeichnen beabsichtigte, vorher modellierte. Das Denkwürdige dieses Experiments besteht darin, daß Carstens und seine Zeitgenossen es nicht etwa als eine technische Spielerei oder Künstlerbizarrerie ansahen, sondern als einen legitimen und vollwertigen Ersatz des Gemäldes, der dazu bestimmt sei, dieses zu übertreffen und zu verdrängen. Im Porträt konnte man nicht so weit gehen, und die hochgefeierte Angelika Kauffmann, die anerkannt erste Künstlerin dieses Fachs, begnügte sich damit, ihre Auftraggeberinnen als Sibyllen, Bacchantinnen und Musen zu verkleiden. In Frankreich gelangte in den letzten Jahrzehnten des ancien régime ein streng antikisierender, gesucht einfacher, gradlinig mißvergnügter Stil zur Herrschaft, der dort *Louis Seize* hieß (obgleich er schon um 1760 aufkam) und sich über die anderen Länder als „Zopf" verbreitete. Ein Menschenalter lang arbeitete der Abbé Barthélémy an seinem Werk „Voyage du jeune Anacharsis en Grèce", das 1788 erschien und zum erstenmal ein Gesamtbild des hellenischen Lebens entwarf. An die Stelle der turmhohen Coiffüren trat die Frisur „*à la Diane*"; das Meublement, der Schmuck, die Geräte, sogar die Schnupftabaksdosen: alles mußte „*à la grecque*" sein. Marie Antoinette spielte in Trianon Harfe, lorbeerbekränzt und in griechische Gewänder gehüllt. Bei den Soupers, die die berühmte Malerin Vigée-Lebrun gab, erschien sie selbst als Aspasia im Peplos, der Abbé Barthélémy als Rhapsode im Chiton, ein Herr von Cubières als Memnon mit goldener Leier; man lagerte auf Ruhebetten, trank aus Vasen und ließ sich von Knaben, die als Sklaven verkleidet waren, die Speisen servieren, die, wie ein Augenzeuge berichtet, „alle echt griechisch waren". In den Gärten erblickte man allenthalben antike Toteninseln und Mausoleen, Aschenurnen und Opfergefäße, Tränenkrüge und Leichentücher. In dieser Hinneigung zu den Symbolen der Trauer und des Sterbens zeigt sich zugleich, daß in vielen eine dunkle Vorahnung der Zukunft lebte.

Ludwig der Sechzehnte, ein subalterner phlegmatischer Geist „Rien" von kindlichem Umfang und Inhalt, gehörte nicht unter diese. Er interessierte sich nur für seine Schlosserarbeiten und die Jagd. Am 14. Juli 1789 hatte er nichts geschossen. Er schrieb daher in sein

Tagebuch, das er mit großer Regelmäßigkeit führte: *Rien*. Diese Eintragung war einer von den vielen ebenso unschuldigen wie verhängnisvollen Irrtümern, aus denen sein ganzes Leben zusammengesetzt war. Denn an diesem Tage hatte der Pariser Pöbel die Bastille gestürmt, die sieben Gefangenen, von denen einer wegen Blödsinns, einer auf Ansuchen seiner Familie und vier wegen Fälschungen interniert waren, im Triumph befreit, die Köpfe der ermordeten Wachen auf Piken durch die Stadt getragen und die „Herrschaft des Volkes" proklamiert. Zum Herzog von Liancourt, der ihm noch in später Nacht diese Vorgänge meldete, bemerkte der König bestürzt und schlaftrunken: „Aber mein Gott, das ist ja eine Revolte!" „Nein, Sire", erwiderte der Herzog, „das ist die Revolution."

Werke zur deutschen Geschichte

Thomas Nipperdey
Deutsche Geschichte 1800–1918
Broschierte Sonderausgabe
1998. 2.671 Seiten mit 36 Tabellen. 3 Broschuren in Kassette

Gordon Alexander Craig
Deutsche Geschichte 1866–1945
Vom Norddeutschen Bund bis zum Ende des Dritten Reiches
Aus dem Englischen von Karl Heinz Siber
77. Tsd. 1996. 806 Seiten. Leinen

Hans Sarkowicz (Hrsg.)
Sie prägten Deutschland
Eine Geschichte der Bundesrepublik in politischen Portraits
1999. 318 Seiten mit 22 Abbildungen. Gebunden

Kurt Sontheimer
So war Deutschland nie
Anmerkungen zur politischen Kultur der Bundesrepublik
1999. 262 Seiten. Gebunden

Manfred Görtemaker
Geschichte der Bundesrepublik Deutschland
Von der Gründung bis zur Gegenwart
1999. 915 Seiten. Leinen

Gerhard A. Ritter
Über Deutschland
Die Bundesrepublik in der deutschen Geschichte
1998. 303 Seiten. Leinen

Verlag C. H. Beck München

Egon Friedell im <u>dtv</u>

»Ein Kompendium an Weisheit und Einsicht,
an historischer Klugheit und dichterischer Inspiration,
an stilistischer Bravour, fachwissenschaftlicher
Genauigkeit und aller Freiheit der Phantasie.«
Saarländischer Rundfunk

Kulturgeschichte Griechenlands
<u>dtv</u> 30084

Kulturgeschichte der Neuzeit
In zwei Bänden
<u>dtv</u> 30061 und <u>dtv</u> 30062

Egon Friedell (1878–1938) studierte Philosophie und Germanistik und war als Theaterkritiker, Schriftsteller, Schauspieler und Feuilletonist tätig. Berühmt machte ihn die ›Kulturgeschichte der Neuzeit‹, die von 1927–1931 erschien. Von einer geplanten ›Kulturgeschichte des Altertums‹ wurde 1937 die ›Kulturgeschichte Ägyptens und des alten Orients‹ veröffentlicht und – im besetzten Norwegen – 1940 die ›Kulturgeschichte Griechenlands‹.

»Friedell hält von den Geschehnissen einer Epoche jene des Erzählens und Durchleuchtens wert, in denen das Kräftespiel offenbar wird, das zu organisieren und auszutragen uns heute als der geschichtliche Sinn einer Epoche erscheint. Wo das Beglaubigte, das geschichtlich Sichere nicht ausreichte, seine Interpretationen des Gewesenen zu stützen, verbreitete er die Stütze durch Einschmelzung des Wahrscheinlichen in das Sichere. Friedells Wahrscheinlichkeiten sind verführerisch. Sie bezeugen schöpferische Einbildungskraft und psychologischenSpürsinn.«
Alfred Polgar